옮긴이 **이회진**은 전남대 철학과를 졸업하고 같은 대학교 대학원에서
산주의의 가능성에 대한 연구」로 철학 박사학위를 취득했다. 전남대 철학과 강사를 거쳐 동아대 맑스엥겔스연구소 전임연구원으로 2021년 8월까지 있었으며, 2021년 9월부터 한국연구재단 인문학술연구교수(A형)로 마르크스 역사철학을 재구성하는 연구를 진행하고 있다. 주요 논문으로 「역사적 유물론의 원본으로서 마르크스 역사철학의 기원과 그 의미」, 「마르크스 역사철학의 이론적 기초로서 반철학과 비철학」, 「맑스의 인정 개념: 『경제학-철학 초고』와 MEGA② Ⅳ-2 「밀-발췌록」을 중심으로」, 「독일이데올로기 문헌 논쟁사와 MEGA② Ⅰ-5 출판의 의미」, 「자연과 코뮌 Ⅰ: 코뮌의 기초로서 맑스의 자연 개념」 등이 있다.

옮긴이 **최호영**은 고려대 심리학과를 졸업하고 독일 베를린 자유대학에서 구성주의에 대한 연구로 심리학 박사학위를 받았다. 현재 중앙대 중앙철학연구소 선임연구원으로 있다. 저서로 『인지와 자본: 인지, 주체-화, 자율성, 장치의 측면에서 본 생명과 자본』(공저, 갈무리, 2011), 『동서의 문화와 창조: 새로움이란 무엇인가?』(공저, 이학사, 2016) 등이 있으며, 역서로는 『앎의 나무』(갈무리, 2007), 『지혜의 탄생』(21세기북스, 2010), 『뇌의식과 과학』(시스테마, 2011), 『사회적 뇌: 인류 성공의 비밀』(시공사, 2015), 『옳고 그름: 분열과 갈등의 시대, 왜 다시 도덕인가』(시공사, 2017), 『감정은 어떻게 만들어지는가』(생각연구소, 2017), 『이성의 진화』(생각연구소, 2018), 『아들러 삶의 의미』(을유문화사, 2019) 등이 있다.

옮긴이 **서익진**은 1955년 부산에서 태어났으며, 서울대 경영학과를 졸업했다. 1998년 프랑스 그르노블 사회과학대학에서 경제학 박사학위를 받았다. 저서로 『개발독재와 박정희 시대』(공저, 창비, 2003), 『시장경제, 만능인가 기본인가』(경남대학교출판부, 2013), 『칵테일 경제학 입문』(경남대학교출판부, 2019) 등이 있으며, 역서로는 『금융의 세계화: 기원, 비용 및 노림』(한울, 2002), 『자본의 세계화』(한울, 2003), 『지식경제학』(한울, 2004), 『신자본주의』(경남대학교출판부, 2006), 『금융 세계화와 글로벌 불균형』(경남대학교출판부, 2009), 『세계 자본주의의 무질서』(공역, 도서출판 길, 2009), 『위기』(한울, 2009), 『조절이론 1: 기초』(공역, 뿌리와이파리, 2013), 『화폐의 비밀: 화폐를 바꾸면 세상이 바뀐다』(공역, 도서출판 길, 2021) 등이 있다. 경남대 경제금융학과 교수로 있었으며, 2021년 퇴직 이후 시민단체인 '화폐민주주의연대' 공동대표로 활동 중이다.

옮긴이 **강신준**은 1954년 경남 진해에서 태어났으며, 고려대 독어독문학과를 졸업했다. 같은 대학교 대학원에서 경제학 박사학위를 받았다. 독일 프랑크푸르트 대학에서 독일 노동운동사를 연구했으며, 저서로 『수정주의 연구 1』(이론과실천, 1991), 『자본의 이해』(이론과실천, 1994), 『노동의 임금교섭』(이론과실천, 1998), 『자본론의 세계』(풀빛, 2001), 『그들의 경제 우리들의 경제학』(도서출판 길, 2010), 『마르크스의 자본, 판도라의 상자를 열다』(사계절, 2012), 『오늘 '자본'을 읽다』(도서출판 길, 2014), 『수취인 자본주의 마르크스가 보낸 편지』(풀빛, 2016) 등이 있다. 역서로는 『자주관리제도』(풀빛, 1984), 『마르크스냐 베버냐』(공역, 홍성사, 1984), 『자본 2 · 3』(이론과실천, 1988), 『사회주의의 전제와 사민당의 과제』(한길사, 1999), 『프롤레타리아 독재』(한길사, 2006), 『자본』(전5권, 도서출판 길, 2008~10), 『데이비드 하비의 맑스 '자본' 강의 1 · 2』(창비, 2011/2016), 『마르크스의 『자본』 탄생의 역사』(도서출판 길, 2016), 『임금에 대하여』(도서출판 길, 2019), MEGA 제2부 제3권 제2분책인 『경제학 비판을 위하여 1861-63년 초고 제2분책. 잉여가치론 1』(도서출판 길, 2021) 등이 있다. 동아대 경제학과 교수로 있었으며, 같은 대학의 특임교수로 동아대 맑스엥겔스연구소 초대 소장을 맡았다.

MEGA

KARL MARX
FRIEDRICH ENGELS
GESAMTAUSGABE
(MEGA)
ERSTE ABTEILUNG
WERKE · ARTIKEL · ENTWÜRFE
BAND 10

Redaktionskommission der Gesamtausgabe:
Günter Heyden und Anatoli Jegorow (Leiter),
Erich Kundel und Alexander Malysch (Sekretäre),
Rolf Dlubek, Heinrich Gemkow, Lew Golman,
Sofia Lewiowa, Michail Mtschedlow, Richard Sperl.

Redaktionskommission der Ersten Abteilung:
Rolf Dlubek (Leiter),
Erich Kundel, Alexander Malysch, Richard Sperl, Inge Taubert.

Bearbeitung des Bandes:
Martin Hundt (Leiter),
Hans Bochinski und Heidi Wolf,
unter Mitarbeit von Ingrid Donner und Rosemarie Müller.
Gutachter: Rolf Dlubek und Sofia Lewiowa.

카를 마르크스와 프리드리히 엥겔스의 저작 · 기고문 · 초안
1849년 7월부터 1851년 6월까지

WERKE · ARTIKEL · ENTWÜRFE
JULI 1849 BIS JUNI 1851
APPARAT

독일 제국헌법투쟁
1848년에서 1850년까지 프랑스 계급투쟁 | 독일 농민전쟁 외

카를 마르크스 · 프리드리히 엥겔스 지음 | 이회진 · 최호영 · 서익진 · 강신준 옮김

동아대학교 맑스 엥겔스 연구소

도서출판 길

카를 마르크스와 프리드리히 엥겔스의 저작 · 기고문 · 초안

독일 제국헌법투쟁 | 1848년에서 1850년까지 프랑스 계급투쟁 | 독일 농민전쟁 외

2024년 6월 10일 제1판 제1쇄 찍음
2024년 6월 20일 제1판 제1쇄 펴냄

지은이 | 카를 마르크스 · 프리드리히 엥겔스
옮긴이 | 이회진 · 최호영 · 서익진 · 강신준
펴낸이 | 박우정

기획 | 이승우
편집 | 이현숙
전산 | 최원석

펴낸곳 | 도서출판 길
주소 | 06032 서울 강남구 도산대로 25길 16 우리빌딩 201호
전화 | 02) 595-3153 팩스 | 02) 595-3165
등록 | 1997년 6월 17일 제113호

ISBN 978-89-6445-269-1 94900
ISBN 978-89-6445-267-7(전2권)
이 저서는 2018년 대한민국 교육부와 한국연구재단의 지원을 받아 수행된 연구임(NRF-2018S1A5B4060558).

차례

약어, 약호, 부호 목록 783

1849년 말부터 1851년 6월까지 마르크스와 엥겔스의 출판 활동 787

《노이에 라이니셰 차이퉁. 정치-경제 평론》의 발행 787

차티스트 기관지《더 데모크라틱 리뷰》,《더 레드 리퍼블리컨》,《더 프렌드 오브 더 피플》,《노츠 투 더 피플》에 협력 817

문헌별 부속자료

프리드리히 엥겔스 정정을 위하여 831

집필과정과 전승과정 831

원문자료에 대한 기록 832

변경사항 목록/교정사항 목록/해설 832

카를 마르크스 《라 프레스》편집자에게 보내는 성명 835

집필과정과 전승과정 835

원문자료에 대한 기록 835

해설 835

프리드리히 엥겔스 스페인과 포르투갈의 해안선 스케치 837

집필과정과 전승과정 837

원문자료에 대한 기록/교정사항 목록/해설 838

프리드리히 엥겔스 독일 사회민주주의자와《더 타임스》 843

집필과정과 전승과정 843

원문자료에 대한 기록 844

해설 844

프리드리히 엥겔스 《노이에 라이니셰 차이퉁. 정치-경제 평론》의 수익성과 발행
부수에 대한 계산서 846
집필과정과 전승과정 846
원문자료에 대한 기록 847
교정사항 목록 848

카를 마르크스/프리드리히 엥겔스 《노이에 라이니셰 차이퉁. 정치-경제 평론》
예고 850
집필과정과 전승과정 850
원문자료에 대한 기록 851
변경사항 목록 853

프리드리히 엥겔스 독일에서 온 편지 I
독일의 정치적 상황 — 프로이센과 오스트리아의 패권 다툼 855
집필과정과 전승과정 855
원문자료에 대한 기록 855
해설 855

프리드리히 엥겔스 프랑스에서 온 편지 I
주류 소비세 857
집필과정과 전승과정 857
원문자료에 대한 기록 857
교정사항 목록/해설 857

프리드리히 엥겔스 독일에서 온 편지 II
독일 전제군주에 관한 이상한 폭로 — 프랑스와의 예정된 전쟁 — 다가오는 혁명 858
집필과정과 전승과정 858
원문자료에 대한 기록 858
교정사항 목록/해설 858

프리드리히 엥겔스 프랑스에서 온 편지 II
붉은 공화주의의 위대한 진보에 대한 결정적 증거! 860
집필과정과 전승과정 860
원문자료에 대한 기록 860
해설 860

프리드리히 엥겔스 독일 제국헌법투쟁 861
집필과정과 전승과정 861
원문자료에 대한 기록 868
교정사항 목록/해설 868

카를 마르크스 1848년에서 1850년까지 프랑스 계급투쟁 882
집필과정과 전승과정 882
원문자료에 대한 기록 888
변경사항 목록/교정사항 목록/해설 890

카를 마르크스/프리드리히 엥겔스 《노이에 라이니셰 차이퉁. 정치-경제 평론》
제2호의 서평 933
집필과정과 전승과정 933
원문자료에 대한 기록 933
교정사항 목록/해설 934

카를 마르크스/프리드리히 엥겔스 평론. 1850년 1월/2월 937
집필과정과 전승과정 937
원문자료에 대한 기록 938
교정사항 목록/해설 938

카를 마르크스/프리드리히 엥겔스 《노이에 라이니셰 차이퉁. 정치-경제 평론》
제2호와 제3호의 내용 예고 944
집필과정과 전승과정 944
원문자료에 대한 기록 945
해설 945

프리드리히 엥겔스 10시간 문제 946
집필과정과 전승과정 946
원문자료에 대한 기록 947
해설 947

프리드리히 엥겔스 독일에서 온 편지 III
헌법과 "주님을 섬기라!"에 맹세한 프로이센 왕—신성동맹의 대음모—
임박한 스위스 맹공격—프랑스 점령 및 분할 계획! 949
집필과정과 전승과정 949

원문자료에 대한 기록 949
해설 949

프리드리히 엥겔스 프랑스에서 온 편지 III
시대의 징후들 — 예견된 혁명 951
집필과정과 전승과정 951
원문자료에 대한 기록 951
해설 951

프리드리히 엥겔스 혁명의 2년 — 1848년과 1849년 953
집필과정과 전승과정 953
원문자료에 대한 기록 954
교정사항 목록 954

프리드리히 엥겔스 프랑스에서 온 편지 IV
선거 — 좌파의 위대한 승리 — 프롤레타리아트 우세 — 당황한 질서 장사꾼 — 혁명의 저지와 도발의 새로운 책략 955
집필과정과 전승과정 955
원문자료에 대한 기록 955
교정사항 목록/해설 955

카를 마르크스/프리드리히 엥겔스 1850년 3월 공산주의자동맹 중앙본부의 연설 956
집필과정과 전승과정 956
원문자료에 대한 기록 964
기록되지 않은 인쇄본 970
텍스트 형태에 대하여 971
변경사항과 이본의 변경사항 목록/교정사항 목록/해설 971

카를 마르크스/프리드리히 엥겔스 루이 메나르의 시 「다리들」의 인쇄물 머리말 981
집필과정과 전승과정 981
원문자료에 대한 기록 981
해설 982

카를 마르크스/프리드리히 엥겔스 《노이에 라이니셰 차이퉁. 정치-경제 평론》

제4호의 서평 986
집필과정과 전승과정 986
원문자료에 대한 기록 987
변경사항 목록/교정사항 목록/해설 988

카를 마르크스/프리드리히 엥겔스 평론. 1850년 3월/4월 997
집필과정과 전승과정 997
원문자료에 대한 기록 998
교정사항 목록/해설 998

프리드리히 엥겔스 영국의 10시간 법 999
집필과정과 전승과정 999
원문자료에 대한 기록 999
교정사항 목록/해설 1000

카를 마르크스 루이 나폴레옹과 풀드 1003
집필과정과 전승과정 1003
원문자료에 대한 기록 1004
해설 1004

카를 마르크스/프리드리히 엥겔스 고트프리트 킹켈 1006
집필과정과 전승과정 1006
원문자료에 대한 기록 1008
교정사항 목록/해설 1008

카를 마르크스/프리드리히 엥겔스 편집자 논평 1010
집필과정과 전승과정 1010
원문자료에 대한 기록 1010

카를 마르크스/프리드리히 엥겔스 사회-민주주의 망명자위원회 성명 1011
집필과정과 전승과정 1011
원문자료에 대한 기록 1012
변경사항 목록/해설 1014

프리드리히 엥겔스 프랑스에서 온 편지 V
3월 선거 이후의 정치적 상황 — 파리의 재선거 1016

집필과정과 전승과정 1016
원문자료에 대한 기록 1016
해설 1016

카를 마르크스/프리드리히 엥겔스 《더 타임스》 편집자에게 1017
집필과정과 전승과정 1017
원문자료에 대한 기록 1017
변경사항 목록 1018

프리드리히 엥겔스 프랑스에서 온 편지 VI(단편)
보통선거권 폐지의 결과 1019
집필과정과 전승과정 1019
원문자료에 대한 기록 1019
해설 1020

프리드리히 엥겔스 국가 폐지라는 구호와 독일의 "아나키 친구들"에 대하여 1021
집필과정과 전승과정 1021
원문자료에 대한 기록 1023
변경사항 목록/해설 1023

카를 마르크스/프리드리히 엥겔스 1850년 6월 공산주의자동맹 중앙본부의
연설 1026
집필과정과 전승과정 1026
원문자료에 대한 기록 1031
텍스트 형태에 대하여 1034
변경사항 목록과 이본의 변경사항 목록/교정사항 목록/해설 1034

카를 마르크스/프리드리히 엥겔스 프로이센인 망명자들 1042
집필과정과 전승과정 1042
원문자료에 대한 기록 1043
해설 1043

카를 마르크스/프리드리히 엥겔스 런던의 프로이센 스파이 1045
집필과정과 전승과정 1045
원문자료에 대한 기록 1047
변경사항 목록/해설 1047

카를 마르크스/프리드리히 엥겔스 《더 글로브》 편집자에게 1050
집필과정과 전승과정 1050
원문자료에 대한 기록 1050
변경사항 목록/해설 1051

프리드리히 엥겔스 프랑스에서 온 편지 VII
보통선거권 폐지 — 대통령 연봉 — 오를레앙파와 정통 왕조파의 협상 1053
집필과정과 전승과정 1053
원문자료에 대한 기록 1053
교정사항 목록/해설 1053

카를 마르크스/프리드리히 엥겔스 《노이에 도이체 차이퉁》 편집자에게 보내는 해명 1055
집필과정과 전승과정 1055
원문자료에 대한 기록 1055
해설 1056

카를 마르크스/프리드리히 엥겔스 《베저-차이퉁》 편집진에게 1057
집필과정과 전승과정 1057
원문자료에 대한 기록 1057
해설 1058

카를 마르크스 공산주의자동맹 중앙본부 위원 명단 1059
집필과정과 전승과정 1059
원문자료에 대한 기록 1059
교정사항 목록 1060

프리드리히 엥겔스 독일에서 온 편지 IV
슐레스비히-홀슈타인 전쟁 1061
집필과정과 전승과정 1061
원문자료에 대한 기록 1061
교정사항 목록/해설 1061

프리드리히 엥겔스 프랑스에서 온 편지 VIII
언론법 — 의회의 정회 1063
집필과정과 전승과정 1063

원문자료에 대한 기록 1063
교정사항 목록/해설 1063

프리드리히 엥겔스 독일 농민전쟁 1065
집필과정과 전승과정 1065
원문자료에 대한 기록 1069
변경사항 목록/교정사항 목록/해설 1070

카를 마르크스/프리드리히 엥겔스 런던 노동자교육협회 탈퇴 성명 1084
집필과정과 전승과정 1084
원문자료에 대한 기록 1085
해설 1086

카를 마르크스/프리드리히 엥겔스 『공산당 선언』 부분 인쇄물에 대한 각주 1087
집필과정과 전승과정 1087
원문자료에 대한 기록 1087

카를 마르크스/프리드리히 엥겔스 요한 게오르크 에카리우스의 기고문 「런던의 재봉업」에 대한 편집자 주해 1089
집필과정과 전승과정 1089
원문자료에 대한 기록 1089
변경사항 목록 1090

카를 마르크스 「평론. 1850년 5월에서 10월까지」를 위해 기록한 독일에 관한 메모 1091
집필과정과 전승과정 1091
원문자료에 대한 기록 1091
변경사항 목록 1092

카를 마르크스/프리드리히 엥겔스 평론. 1850년 5월에서 10월까지 1093
집필과정과 전승과정 1093
원문자료에 대한 기록 1096
변경사항 목록/교정사항 목록/해설 1097

카를 마르크스/프리드리히 엥겔스 런던 노동자교육협회의 자금에 관한 바우어와 펜더의 성명 초안 1107

집필과정과 전승과정 1107
원문자료에 대한 기록 1113
변경사항 목록/해설 1113

카를 마르크스/프리드리히 엥겔스 아르놀트 루게에 대한 성명 1115
집필과정과 전승과정 1115
원문자료에 대한 기록 1116
변경사항 목록/해설 1117

카를 마르크스 논문 모음집 1120
집필과정과 전승과정 1120
원문자료에 대한 기록 1125

카를 마르크스/프리드리히 엥겔스 블랑키 축사 머리말과 축사 번역 1126
집필과정과 전승과정 1126
원문자료에 대한 기록 1131
변경사항 목록/교정사항 목록/해설 1134

프리드리히 엥겔스 《더 타임스》 편집자에게 1136
집필과정과 전승과정 1136
원문자료에 대한 기록 1137
변경사항 목록/교정사항 목록/해설 1137

카를 마르크스 성찰 1139
집필과정과 전승과정 1139
원문자료에 대한 기록 1140
변경사항 목록/교정사항 목록/해설 1142

프리드리히 엥겔스 1852년의 혁명 프랑스에 반대하는 신성동맹 전쟁의 조건과 전망 1146
집필과정과 전승과정 1146
원문자료에 대한 기록 1148
변경사항 목록/교정사항 목록/해설 1148

카를 마르크스 1848년 11월 4일 채택된 프랑스 공화국 헌법 1153
집필과정과 전승과정 1153

원문자료에 대한 기록 1154
교정사항 목록/해설 1154

| 부록 |

마르크스와 엥겔스가 함께 작성하거나 서명한 조직의 문서. 연설문을 위한 보고서

독일 망명자 지원을 위한 호소문 1161
집필과정과 전승과정 1161
원문자료에 대한 기록 1162

1849년 10월 16일 독일 정치 망명자 후원회 수령증 1164
집필과정과 전승과정 1164
원문자료에 대한 기록 1165

1849년 11월 13일 독일 정치 망명자 후원회 수령증 1166
집필과정과 전승과정 1166
원문자료에 대한 기록 1166

독일 정치 망명자 후원회 결산서와 사회-민주주의 후원회 설립에 관한 결정 1167
집필과정과 전승과정 1167
원문자료에 대한 기록 1167
변경사항 목록/해설 1168

《노이에 라이니셰 차이퉁. 정치-경제 평론》 주식 응모 안내 1169
집필과정과 전승과정 1169
원문자료에 대한 기록 1169
교정사항 목록/해설 1170

프랑스 2월 혁명 2주년 기념 프리드리히 엥겔스의 연설. 1850년 2월 25일 사회민주주의 망명자 협회의 연회에 관한 보고서 발췌 1171
집필과정과 전승과정 1171
원문자료에 대한 기록 1172

1850년 3월 초 사회-민주주의 망명자위원회 결산서 1173
집필과정과 전승과정 1173
원문자료에 대한 기록 1173
해설 1173

막시밀리앙 로베스피에르 탄신 92주년 기념 프리드리히 엥겔스의 연설. 1850년 4월 5일 차티스트의 연회에 대한 보고서 발췌 1175
집필과정과 전승과정 1175
원문자료에 대한 기록 1177

사회-민주주의 망명자위원회 1850년 4월 8일 회의 의사록 1178
집필과정과 전승과정 1178
원문자료에 대한 기록 1178
변경사항 목록/해설 1179

혁명적 공산주의자 세계 협회 규약 1180
집필과정과 전승과정 1180
원문자료에 대한 기록 1181

사회-민주주의 망명자위원회 1850년 4월 23일 결산서 1182
집필과정과 전승과정 1182
원문자료에 대한 기록 1182
변경사항 목록/교정사항 목록/해설 1183

런던의 독일 망명자. 사회-민주주의 망명자위원회 성명 1185
집필과정과 전승과정 1185
원문자료에 대한 기록 1185
변경사항 목록/교정사항 목록/해설 1186

사회-민주주의 망명자위원회 1850년 5월, 6월, 7월 결산서 1187
집필과정과 전승과정 1187
원문자료에 대한 기록 1187
변경사항 목록/해설 1188

1850년 9월 9일 사회-민주주의 망명자위원회 영수증 1189
집필과정과 전승과정 1189
원문자료에 대한 기록 1190

하이나우 장군의 징벌에 대한 엥겔스의 연설. 1850년 9월 10일 우애 민주주의자의 회합에 관한 보고서 발췌 1191
집필과정과 전승과정 1191
원문자료에 대한 기록 1191
교정사항 목록/해설 1192

1850년 9월 15일 공산주의자동맹 중앙본부 회의 의사록 1193
집필과정과 전승과정 1193
원문자료에 대한 기록 1195
변경사항 목록/해설 1196

1850년 8월 1일부터 9월 10일까지 사회-민주주의 망명자위원회 결산서 1201
집필과정과 전승과정 1201
원문자료에 대한 기록 1201
해설 1201

1850년 9월 20일 사회-민주주의 망명자위원회 영수증 1203
집필과정과 전승과정 1203
원문자료에 대한 기록 1203
변경사항 목록/해설 1203

분리파 성원 탈퇴에 관하여 런던 지부가 공산주의자동맹 쾰른 중앙본부에 보낸 제안. 1850년 12월 1일 쾰른 중앙본부의 연설 발췌 1205
집필과정과 전승과정 1205
원문자료에 대한 기록 1206
원문으로 사용하지 않은 인쇄본 1206
교정사항 목록/해설 1207

혁명이 패배한 원인에 대한 프리드리히 엥겔스의 연설. 1850년 12월 30일 우애 민주주의자의 회합에 관한 보고서에서 1210

집필과정과 전승과정 1210
원문자료에 대한 기록 1211
교정사항 목록/해설 1211

카를 마르크스의 메모가 들어간 공산주의자동맹 규약 1212
집필과정과 전승과정 1212
원문자료에 대한 기록 1213

마르크스와 엥겔스의 도움을 받아 작성된 기고문과 번역

요한 게오르크 에카리우스 런던의 재봉업 혹은 대자본과 소자본의 투쟁 1217
집필과정과 전승과정 1217
원문자료에 대한 기록 1218
교정사항 목록/해설 1219

카를 마르크스/프리드리히 엥겔스 독일 공산당 선언. 헬렌 맥팔레인의 독일어 번역과 조지 줄리언 하니의 머리말 1221
집필과정과 전승과정 1221
원문자료에 대한 기록 1223
교정사항 목록 1224

요한 게오르크 에카리우스 부르주아 사회의 마지막 단계 1225
집필과정과 전승과정 1225
원문자료에 대한 기록 1225
해설 1226

어니스트 존스 협동조합 원칙의 옹호자와 협동조합 조합원에게 보내는 편지 1227
집필과정과 전승과정 1227
원문자료에 대한 기록 1227
해설 1228

어니스트 존스 차티스트 강령에 대한 편지들. 편지 III 1229
집필과정과 전승과정 1229
원문자료에 대한 기록 1229

해설 1229

전하지 않는 저술 작업 목록

프리드리히 엥겔스 제노바에서 런던까지 항해 일기 1231

카를 마르크스 경제학 강의 1231

카를 마르크스/프리드리히 엥겔스 평론 [1850년 3월] 1233

프리드리히 엥겔스 이른바 유럽 중앙위원회(주세페 마치니, 알렉상드르-오귀스트 르드뤼-롤랭, 아르놀트 루게 등)에 대한 연재 기고문 1234

프리드리히 엥겔스 "2월 24일의 연례행사를 기념하여 런던 망명자위원회에 시민 L. -A. 블랑키가 보낸 축사" 영어 번역 1235

| 찾아보기 |

문헌 찾아보기 1239

I. 마르크스와 엥겔스의 저작 1239

II. 다른 저자의 저작 1240

III. 정기 간행물 1261

인명 찾아보기 1271

지명 찾아보기 1325

사항 찾아보기 1353

약어, 약호, 부호 목록 G671

I. 약어

Anklageschrift	[쾰른 공산주의자 재판 공소장, 1852년 6월 12일](쾰른 [1852].)
BdK 1	공산주의자동맹. 자료와 원자료. [편집:] 독일 사회주의통일당 중앙위원회 마르크스주의-레닌주의연구소. 소련 공산당 중앙위원회 마르크스주의-레닌주의연구소. 제1권, 1836~49. 베를린, 1970년.
IISG	암스테르담 국제사회사연구소.
IML/ZPA Moskau	소련 공산당 중앙위원회 마르크스주의-레닌주의연구소. 중앙 아카이브.
MEGA① I/2	카를 마르크스, 프리드리히 엥겔스: 역사적-비판적 전집, 모스크바 마르크스-엥겔스-연구소를 대표하여 D. 리야자노프(D. Rjazanov)의 편집, 제1부 제2권: 프리드리히 엥겔스: 1844년 초까지의 저작과 글, 편지와 자료 포함. 베를린, 1930년.
MEGA① I/4	카를 마르크스, 프리드리히 엥겔스: 역사적-비판적 전집, 모스크바 마르크스-엥겔스-연구소를 대표하여 V. 아도라츠키(V. Adoratskij)의 편집, 제1부 제4권: 프리드리히 엥겔스: 1844년 8월부터 1846년 6월까지의 『영국 노동자계급의 상태』와 기타 글. 모스크바, 레닌그라드(현 상트페테르부르크—옮긴이), 1933년.
MEGA① I/6	카를 마르크스, 프리드리히 엥겔스: 역사적-비판적 전집, 모스크바 마르크스-엥겔스-연구소를 대표하여 V. 아도라츠키 편 G672 집, 제1부 제6권: 1846년 5월부터 1848년 3월까지의 저작과 글. 모스크바, 레닌그라드, 1933년.
MEGA② I/1	카를 마르크스, 프리드리히 엥겔스: 전집(MEGA), 소련 공산당

중앙위원회 마르크스주의-레닌주의연구소/독일 사회주의통일당 중앙위원회 마르크스주의-레닌주의연구소 편집, 제1부 제1권: 카를 마르크스, 1843년 3월까지의 저작과 기고문, 시론. 베를린, 1975년.

MEGA② II/3.2 카를 마르크스, 프리드리히 엥겔스: 전집(MEGA), 소련 공산당 중앙위원회 마르크스주의-레닌주의연구소/독일 사회주의통일당 중앙위원회 마르크스주의-레닌주의연구소 편집, 제2부 제3권: 카를 마르크스, 경제학 비판(1861~63년 초고), 제2부, 베를린, 1977년.

MEGA② III/1 카를 마르크스, 프리드리히 엥겔스: 전집(MEGA), 소련 공산당 중앙위원회 마르크스주의-레닌주의연구소/독일 사회주의통일당 중앙위원회 마르크스주의-레닌주의연구소 편집, 제3부 제1권: 카를 마르크스, 프리드리히 엥겔스, 1846년 4월까지의 서신 교환. 베를린, 1975년.

MEW 7 카를 마르크스, 프리드리히 엥겔스: 저작집. [편집:] 독일 사회주의통일당 중앙위원회 마르크스주의-레닌주의연구소, 제7권, 베를린, 1960년.

NRhZ. Revue 노이에 라이니셰 차이퉁. 정치-경제 평론. 카를 마르크스 편집, 런던 · 함부르크 · 뉴욕, 1850년, 제1~6호.

StA. Hamburg 함부르크 국립 아카이브.

StA. Potsdam 포츠담 국립 아카이브.

ZStA. Hist. Abt. II. 메르제부르크 국립 중앙 아카이브. 역사 부문 II.

МЭС① 8 카를 마르크스, 프리드리히 엥겔스: 전집. [1판. 편집:] 마르크스엥겔스연구소, 제8권, 모스크바, 레닌그라드, 1930년.

МЭС① 25 카를 마르크스, 프리드리히 엥겔스: 전집. [1판. 편집:] 소련 공산당 중앙위원회 마르크스주의-레닌주의연구소(6), 제25권, [모스크바, 레닌그라드] 1934년.

G673 **II. 약호**

H 자필 원고

H^j 저작 약호가 있는 검인된 원고

h 검인하지 않은 원고(대체 원문)

D 저자가 검인한 인쇄본

J 신문과 잡지에 실린 저자가 검인한 인쇄물

d　저자가 검인하지 않은 인쇄본(대체 원문)

j　신문과 잡지에 실린 검인하지 않은 인쇄물

K　교정쇄

X　예전에는 있었지만, 지금은 전하지 않는 원문

x　전하지도 않고 검인되지도 않은 원문

III. 부호

[ ]　MEGA 편집자가 보충한 부분

|　쪽수가 없는 텍스트 원본의 시작

|1|　텍스트 원본 쪽수의 시작

|　텍스트 원본 쪽수의 마지막

/　자필 원고 쪽의 시작과 끝이 일치하지 않는 본문의 쪽수 변경을 표시

〈 〉　텍스트 축소(삭제)(한국어판에서는 "…라고 썼다가 나중에 지웠음" — 옮긴이)

|: :|　텍스트 보충(첨부, 추가)(한국어판에서는 "새로 삽입한 것" — 옮긴이)

>　텍스트 대체, 텍스트 위치 변경(…로 변경, …로 이동)(한국어판에서는 ←를 써서 나타냈다. — 옮긴이)

/　중단(한국어판에서는 "…라고 썼다가 곧바로 지웠음" — 옮긴이)

xxxx　알아볼 수 없는 글자

]　편집과정에서 반복되는 부분의 표시(표제어)

_⌈　행 바꿈

IV. 화폐와 중량

G674

Ct., Cts., Cent.　상팀(프랑스, 스위스의 소액 화폐 단위 — 옮긴이)

d, Pc　펜스

f., fr., Fc, Fcs, Fr., Frs. 프랑

ggr　구트그로셴

gr.　그로셴(10페니히 동전 — 옮긴이)

kr.　크로이처

₤, Lst., Lstrl., Pf. St.　파운드스털링

Mark Cour.　마르크 쿠란트(함부르크)

Pf.	페니히
[illegible], Thlr	탈러(옛 독일 은화, 3마르크 상당 — 옮긴이)
s, sh, Schill.	실링
sgr, Sgr.	실버그로셴
cwt	헌드레드웨이트(=50kg)

1849년 말부터 1851년 6월까지 마르크스와 엥겔스의 출판 활동

G675

《노이에 라이니셰 차이퉁. 정치-경제 평론》의 발행

전부 6호(그중 제5/6호는 합본호)가 간행된 잡지의 표제는 다음과 같다. "노이에 라이니셰 차이퉁. 정치-경제 평론, 카를 마르크스 편집. 런던, C. 슈람 발행. 함부르크, [2~6호: 그리고] 뉴욕. 슈베르트사와 협약, 1850". 부속 자료에서는 "NRhZ. Revue"로 줄여 표기한다.

잡지의 정치적 입장

이제 막 끝난 혁명투쟁을 교훈 삼아 당의 이론적 기관지를 간행했다는 것은 공산주의자동맹을 재편성하는 과정에서 매우 중요한 의미가 있었다. 잡지의 기고문들은 「3월 연설」(G254~G263쪽)에서 설명한 동맹 중앙본부의 정책을 구체화하고 명확히 했다. 1850년 공산주의자의 정치적 입장을 위해서도 — 무엇보다도 독일에서, 그러나 런던에서도 마찬가지로 — 하나의 기관지를 갖추는 것은 의미가 있었다. 공산주의자들은 이 기관지에서 제한된 범위에서나마 부르주아지 및 소부르주아지의 공격과 비방을 공개적으로 시의적절하게 반대할 수 있었다.

비록 비밀스러울 수밖에 없는 공산주의자동맹의 특성 때문에 NRhZ. Revue의 조직적 결합을 외부로 드러낼 수 없었지만, 그럼에도 불구하고 그 결합은 명백하게 외부로 드러났다. 편집자와 거의 모든 필자, 그리고 제작과 판매를 맡은 사람들은 동맹의 지도부였고, 주요 필자 두 사람과 발행인 —

마르크스와 엥겔스 그리고 슈람 — 은 중앙본부 위원이었다. 그리고 마르크스는 NRhZ. Revue의 편집자이자 중앙본부 의장이었다. 동맹 지도부의 이름으로 슈람은 1850년 1월 28일 라쇼드퐁에 있는 스위스 공산주의자동맹 지도부에게 보낸 편지에 다음과 같이 썼다. "우리는 당신들이 이 평론(NRhZ. Revue를 의미함 — 옮긴이)을 위해 최선을 다해주기를 부탁드립니다." 그리고 아우구스트 빌리히는 2월 1일 여기에 다음과 같이 보충했다. "《노이에 라이니셰 차이퉁》이라는 평론(NRhZ. Revue를 의미함 — 옮긴이)은 우리의 기관지다."(스위스 연방 베른 아카이브 법무 목록, 망명자 1848~1895, Bd. 68d.)

G676 잡지의 예고는 바로 프로이센 지배 집단의 반응을 불러일으켰다. 첫 번째 광고가 나간 직후 아니면 창간호 간행 한 달 전에, 늦어도 1850년 2월 초, 프로이센 정치경찰은 함부르크 밀정을 통해 잡지의 계획에 관한 첩보를 입수했다. 베를린 경찰국장 힝켈다이(Karl Ludwig Friedrich von Hinckeldey)가 1850년 2월 17일 만토이펠 내무장관에게 전달한 보고에는 다음과 같이 쓰여 있다. "유명한 마르크스"가 런던에서 NRhZ. Revue를 출판하고, "악명 높은 카를 슈람"이 발행을 맡았으며, 슈베르트사가 함부르크에서 독일 판매를 위탁받았다. "그 일은 경찰에게 중요하다. 왜냐하면 이론의 여지 없이 마르크스가 연관된 프로이센에 대한 선동적이고 혁명적인 기도들은 함부르크를 거쳐 문헌 교류 및 통신을 이용해 민심을 교란하기 때문이고, 더 정확히 말해서 — 내가 확실히 아는 바에 따르면 — 함부르크를 통해 런던을 잇는 이런 문헌 통신이 민심을 교란하기 위한 가면이기 때문이다. 따라서 마르크스의 프로이센 통신원들을 … 추적하는 계획을 수립하기 위해 출판업자 슈베르트의 함부르크 집에 비밀 끄나풀을 붙여놓아야 할 것이다."(IML/ZPA Moskau, f. 191, op. 1, d. 4, fol. 21/22.)

잡지에 대해 당국이 취한 조치에 관해서는 자세하게 알 수 없지만, 예니 마르크스가 다음과 같이 지적한 것은 빈말이 아닐 것이다. "평론(NRhZ. Revue를 의미함 — 옮긴이)은 매우 성공적이었다. 그러나 독일 정부에 회유된 출판업자는 사업 운영을 제대로 못 했고 소홀히 해서 얼마 되지 않아 사업이 계속되기 어렵다는 점이 분명해졌다."(예니 마르크스, "격동적 삶에 대한 짧은 요약", 『무어인과 장군Mohr und General』, 베를린, 1965년, 213쪽.) 마르크스 자신도 프로이센 정부가 NRhZ. Revue의 인쇄를 "방해"했다고 추정했다(마르크스가 1851년 5월 16일 엥겔스에게 보낸 편지).

잡지 준비

마르크스는 1849년 5월 쾰른에서 잡지가 금지된 이후부터 《노이에 라이니셰 차이퉁》을 속간하려고 계속 노력했다. 계획한 잡지의 제호에 대해서 그는 전혀 의심하지 않았다. "예전 이름으로만 낼걸세. 그게 원칙이야(règle générale)."(마르크스가 1851년 12월 19일 바이데마이어에게 보낸 편지.) 1849년 6월 중순 파리에서 혁명 세력이 패배한 후, 마르크스는 파리에서 "정치-경제-잡지(월간지)를 베를린에서 출간하기 위한" 교섭을 시작했다(마르크스가 1849년 8월 1일 엥겔스에게 보낸 편지). 그러나 그는 프랑스에서 추방되기 전에 이미 베를린이 아니라 런던에 가능성이 있음을 알았다(마르크스가 1849년 8월 23일 엥겔스에게 보낸 편지를 보라).

1849년 7월 이후부터 요제프 바이데마이어와 함께 이끈 협상—무엇보
다도 《노이에 라이니셰 차이퉁》의 다양한 기고문을 소책자 형태로 재인쇄
하는 것과 관련된—이 8월부터는 NRhZ. Revue를 프랑크푸르트에서 인쇄
하려고 한 것도 목표로 했는지는 확실하지 않다. 1849년 8월 28일 바이데마
이어는 마르크스에게 다음과 같이 썼다. "내가 필요한 광고 시안도 함께 담 G677
당할 책 인쇄업자를 찾은 것 같네. 그러나 그가 초고를 읽을 때까지 거기에
대한 위험을 감수하고 허락할지는 확실하지 않네. 이와 관련해서 특히 정치
적인 서문이 중요하네. 어찌 됐든 자네는 이런 위험을 무릅쓰고 제1호를 위
한 초고를 완성할 것인지를 결심해야만 하고, 미리 내게 보내야 하네. 그리
고 자네가 제1호를 어떻게든 정리할 수 있다면, 가격을 가능한 한 저렴하게
해야 하니 제1호는 전지 2~3장을 넘기면 안 된다네."

1849년 8월 이후 마르크스는 계획한 잡지의 협력과 재정 확보, 인쇄와 판매를 위해 쾰른과 함부르크, 뒤셀도르프와 프랑크푸르트, 스위스와 파리의 공산주의자동맹 동맹원들과 단호한 민주주의자들과의 서신 왕래를 늘렸다. 마르크스는 런던에서 1849년 9월 5일 이미 프라일리그라트에게 잡지의 준비에 관해 다음과 같이 썼다. "… 시간은 나를 압박하고, 첫 주가 가장 어려울 걸세."

1849년 10월 17일 《베스트도이체 차이퉁》(제125호) 맨 앞에는 다음과 같은 기사가 났다. "카를 마르크스 박사가 며칠 안에 정치-경제 평론을 출간한다는 소식을 런던에서 우리에게 보내왔다. 우리가 낙관적으로 기대하고 있는 것은 사회-민주주의 정당에 소속된 사람들 모두 매우 재능 있고 확기

적인 당 지도자의 이 사업을 지지할 것이라는 점이다."(또한 라살이 1849년 10월 24일 마르크스에게 보낸 편지, 마르크스가 1849년 12월 19일 바이데마이어에게 보낸 편지를 보라.)

1849년 11월 10일경 런던에 도착한 이후 엥겔스는 내용은 물론 조직적으로도 잡지 사업의 준비에 개입했다(G15~G16쪽, 엥겔스가 1849년 12월 22일 야코프 샤벨리츠에게 보낸 편지를 보라).

콘라트 슈람은 1849년 9월 런던에 도착하여 공산주의자동맹 중앙본부에 선출된 후, 준비 작업의 상당 부분을 떠맡았다. 마르크스, 엥겔스와 가장 긴밀한 관계를 맺으면서 그는 잡지의 인쇄와 판매에 관한 모든 세부 사항을 포괄하는 대부분의 서신 교환을 맡았다. 마르크스와 엥겔스가 입안한 NRhZ. Revue의 예고(G17~18쪽)도 그가 서명했다.

1849년 11월 초쯤에 마르크스의 위임을 받은 동맹원 테오도어 하겐(Theodor Hagen)이 함부르크에서 출판업자 율리우스 슈베르트와 잡지의 인쇄와 판매에 대해 협상을 시작했고, 이 협상은 결국에는 성공했다. 하겐은 잡지 창간에 매우 크게 기여했다. 1823년에 태어난 이 함부르크인은 매우 일찍부터 자신의 상인 교습을 문학과 음악을 집중적으로 공부하는 것으로 바꿨고, 1842년부터 파리에서 음악 공부를 계속했다. 파리에서 그는 마르크스와 하이네, 헤벨(Friedrich Hebbel) 등을 알게 되었고, 음악비평가와 작곡가로서 그리고 작가로서 활동했다(필명 요아힘 펠스Joachim Fels). 1848/49년 혁명에서 그는 함부르크 노동자협회와 그곳의 민주주의 지역위원회에서 적극적인 역할을 했고, 또한 베를린과 프랑크푸르트에서 정치적으로 활동했다. 1849년 5월 초 그는 함부르크에서 마르크스와 만났다. 1850년 그는 함부르크에서 발간되는 NRhZ. Revue의 런던 편집부의 교정
G678 자이자 실질적 대표로서 활동했다. 1850년 11월부터 하겐은 음악 선생으로 런던에 살았고, 1854년 아메리카로 이주했다. 그곳에서 그는 죽을 때까지(1871년) 미합중국 음악계의 발전에 큰 역할을 했다.

1849년 11월 중순 하겐은 함부르크에서 이미 J. E. M. 쾰러(Köhler)와 인쇄에 관해, 그리고 슈베르트와는 출판과 판매에 관해 필요한 대화를 모두 마쳤고 원칙적인 수락을 받아냈다(하겐이 1849년 11월 20일 마르크스에게 보낸 편지를 보라). 계약의 세부 사항에 관한 협상을 몇 주간 벌인 이후, 슈람은 1849년 12월 14일 슈베르트에게 보낸 편지에서 편집부의 입장을 설명했다.

1849년 12월 19일 슈베르트의 답장에는 판매의 재정적 조건에 관한 계약도 있었다.

"우리는 마르크스 박사가 편집한《노이에 라이니셰 차이퉁》의 판매를 판매가의 50퍼센트 할인가로 인수한다. 따라서 우리는 포장과 위험 부담, 라이프치히까지의 우편 요금, 운송 수수료 등으로 25퍼센트를 계산하고, 우리가 서적 판매업자에게 줘야 하는 통상적 할인가로 25퍼센트를 계산한다.

이럴 때도 우리의 수익은 매우 적은 반면 작업은 아주 많기 때문에, 우리는 기타 비용을 더 부담할 수 없고, 부담한다면 매우 최소화할 것이다.

잡지의 제1호 중에서 우리는 예비 선적을 위해 최소 **2,000**(이천) 부가 필요하다. 동시에 우리는 2,000부를 분책으로 요청할 것이다.

제2호부터 우리는 고정 독자에게만 발송하거나 현금으로 판매할 것이다. 모든 독자는 한 분기에 25실버그로셴의 예약금을 내야 하고, 이 예약금을 분기당 내면 잡지를 받을 수 있다. 개별 호 가격은 10실버그로셴이다. 우리는 24실버그로셴에서 25실버그로셴으로 가격을 올렸다. 그러지 않으면 실버그로셴으로 계산하지 **않는** 국가**의** 산정 방식이 곤란해지기 때문이다. 25실버그로셴은 20구트그로셴이 되지만, 24실버그로셴은 19.2그로셴이 된다. 24실버그로셴 가격은 비실용적임을 알 수 있다. …

서적 판매업자도 똑같이 호의를 가질 이 사업을 위한 공격적인 광고 전단을 우리는 한 번에 유통할 것이고 나중에 당신들이 광고와 회람 비용을 계산에 넣어야 할 것이다."(문헌에 근거해 여기에서 더 자세하게 언급하지 않은 잡지의 인쇄와 판매에 관한 대부분의 편지 원본은 IISG, 마르크스/엥겔스-유고Marx/Engels-Nachlaß, 정리 번호 N III으로 있고, 이것들은 다음 책으로 출판되었다.『마르크스와 엥겔스의 동시대인들. 1844~1852년 편지 선집Zeitgenossen von Marx und Engles. Ausgewählte Briefe aus den Jahre 1844-1852』, 쿠르트 코지크Kurt Koszyk와 카를 오버만Karl Obermann의 편집 및 주해, 아센/암스테르담, 1975년. NRhZ. Revue와 관련된 서신 자료를 전부 집대성한 것은 IML/ZPA Moskau, f. 460에 있다.)

슈베르트의 "공격적인 광고 전단"은 현재 전하지 않는다.《뵈르젠블라트 데스 도이첸 부흐한델스》(Börsenblatt des deutschen Buchhandels, 1850년 3월 19일, 제23호, 319쪽)의 광고에 간단히 다음과 같이 나와 있다. "노이에 라이니셰 차이퉁. 정치-경제 평론(Zeitung, neue Rheinische. Politisch-ökonomische Revue), K. 마르크스 편집, 1850년. 제12호. 분기별 판매, 현금 판매."

마르크스와 슈베르트 사이의 모든 협정은 기술적 제작과 판매의 재정적 조건에 한정된 것이었다. 상업적 총괄과 책임은 모두 마르크스와 슈람의 몫이었다. 마르크스는 1849년 12월 19일 바이데마이어에게 "… 나는 함부르크에 인쇄업자 한 명과 발송인들이 있다네. 그렇지 않았다면 모든 것에 개인
G679 비용이 들어갔을 걸세"라고 썼다. 그러나 이것은 개별 호들의 판매를 촉진하고, 수익금으로 잡지의 지속을 재정적으로 지원할 수 있도록 마르크스와 엥겔스가 자신들의 힘으로 모든 것을 다 해야 했다는 것을 의미했다.

신문으로 전환 시도

매달 간행되는 잡지를 준비하면서 동시에 마르크스는 1849년 12월과 1850년 1월 NRhZ. Revue를 거의 "격주 혹은 매주 발행되는, 그리고 상황에 따라 다시 매일 발행되는 신문"으로 전환하려고 했다(마르크스가 1850년 1월 11일 페르디난트 프라일리그라트에게 보낸 편지, 또한 카를 블린트가 1849년 12월 25~29일 마르크스에게 보낸 편지를 보라). 일간지는 독일에서 혁명의 새로운 분출의 결과로서만 가능했겠지만, 주간지는 런던에서도 편집할 수 있었다. NRhZ. Revue의 편집을 기획할 때, "《노이에 라이니셰 차이퉁》을 전지 5장의 격주간 신문으로 발행할 수 있는 수단이 허락되거나, 가능하면 아메리카나 영국의 주말판 신문을 따라 대형 주간지로 발행할 수 있는 수단이 허용된다면, 또한 신문이 독일로 복귀할 수 있는 상황이 허락된다면, 주간지는 바로 다시 일간지로 전환할 계획"(G560~G561쪽)이었다.

이러한 목적을 위해 잡지의 재정적 토대는 대폭 강화되어야 했는데, 이것은 당시 주식을 바탕으로만 가능했다. 마르크스는 1849년 12월 20일경 브뤼셀에 있는 블린트에게 편지를 써서 그에게 주식 광고와 관련된 전권을 위임했다. 블린트는 회의적으로 다음과 같이 대답했다. "만약 이런 일에서 모든 주주를 위해 명료하게 정식화된 보편타당한 법적 규정을 두지 않는다면, 그저 아주 긴밀한 정치적 동지들 사이에서만 약간 조달될 겁니다. 그리고 이들도 하필이면 재정적으로 몹시 곤궁합니다."(블린트가 1849년 12월 25~29일 마르크스에게 보낸 편지.) 그런데도 블린트는 즉시 바덴에 연락했고, 파리에 있는 아만트 괴크에게 도움을 요청했다.

슈람이 작성한 「《노이에 라이니셰 차이퉁. 정치-경제 평론》 주식 응모 안

내」(G560~G561쪽)는 1850년 1월 1일 자로 되어 있다. 이것은 공고되지 않았다. 필요한 자금을 조달하기 위해 공산주의자동맹 중앙본부는 늦어도 1850년 1월 11일 콘라트 슈람을 밀사로 아메리카에 파견하기로 결정했다. 동맹에 협력하고 있던 런던의 차티스트와 블랑키주의자 들은 추천서를 약속했다. 또한 마르크스는 프라일리그라트에게도 추천서를 요청했다(마르크스가 1850년 1월 11일 프라일리그라트에게 보낸 편지를 보라). 여행을 위해 필요한 150탈러를 조달하기 위해 마르크스는 쾰른에 있는 프라일리그라트와 게오르크 융, 뒤셀도르프에 있는 페르디난트 라살, 프랑크푸르트에 있는 바이데마이어에게 편지를 썼다. 바이데마이어가 주선해서 빌레펠트의 루돌프 렘펠이 1850년 2월 3일 "대리인의 북아메리카 여행 경비에 대한 우리의 기부금"으로 10탈러를 슈람에게 보냈다. 이미 1월 26일 프라일리그라트는 40탈러를 쾰른에서 모금해 보냈다. 라살은 "뉴욕 원정을 위한" 돈을 전혀 조달하지 못했다(라살이 1850년 2월 12일 마르크스에게 보낸 편지). 필요한 액수를 모으지 못해서 슈람의 여행은 중지되었다.

주식 판매를 위한 광고도 성과가 없었다. 알려진 바에 따르면 괴크를 통해 G680
100프랑이 송금되었을 뿐이다(괴크가 1849년 12월 18일 마르크스에게 보낸 편지를 보라).

함부르크에서 기술적 제작

책의 출판 및 판매 회사인 슈베르트사는 1826년부터 함부르크에 존재했다. 이 회사는 책은 물론 악보와 지도의 출판과 함께 책의 소매와 도매도 취급했다. 주인은 율리우스 슈베르트였지만, 1849년 이후 동생인 프리드리히(프리츠)가 일부를 소유했다. 회사는 1832년 이후 라이프치히에 지점을 개설했고, 1850년 초에는 뉴욕에도 지점을 개설했다(슈베르트사의 부분 유고, 라이프치히 독일 문고, 독일 책 및 저작물 총서Teilnachlaß Fa. Schuberth. Deutsche Bücherei Leipzig. Abt. Deutsches Buch- und Schriftmuseum를 보라). NRhZ. Revue의 몇몇 호에는 마지막 쪽이나 뒤표지 안쪽에 슈베르트사의 다양한 작품들에 대한 광고가 들어 있다.

NRhZ. Revue 제1호의 인쇄는 함부르크의 J. E. M. 쾰러가 담당했다. 초기의 잇따른 어려움, 쾰러와 슈베르트의 불화로 인해 제2호부터는 함부르크 반츠베크의 H. G. 포이크트(Voigt)가 인쇄했다(하겐이 1850년 2월 6일 슈람에게 보낸 편지, 슈베르트가 1850년 2월 18일 슈람에게 보낸 편지, 하겐이 1850년 2월 26일 슈람에게 보낸 편지, 슈베르트가 1850년 2월 26일 슈람에게 보낸 편지, 쾰러가 1850년 3월 6일 슈람에게 보낸 편지를 보라). 이러한 교체로 인해 제1호의 표지면 테두리 장식이 다음 호의 테두리 장식과 달라졌다. 포이크트는 "이번 호를 **적어도** 8일 안에 완성하기"로 약속했고, "이를 위해 식자공 4명이 달라붙어 일했고 윤전기 2대로 하룻밤 만에 인쇄했다"(슈베르트가 1850년 3월 8일 슈람에게 보낸 편지). 물론 제본공도 매번 지체했다.

함부르크와 런던 사이의 거리 때문에 추정컨대 몇 쪽에서만 필자가 수정하는 일이 일어났다(슈베르트가 1850년 2월 26일 슈람에게 보낸 편지를 보라. "[제1호의] 전지 2, 3, 4에서 우리는 당신에게 우편으로 가장 잘된 인쇄물을 보냅니다. 인쇄오류를 보내주십시오, 가급적 **빨리**!"). 그러나 1~3호의 핵심 부분, 특히 마르크스의 연재 기고문 「1848년에서 1849년까지」(「1848년에서 1850년까지 프랑스 계급투쟁」)는 런던에서 추가로 수정되었다. 제2호에는 제1호의 인쇄오류 목록이 실렸다(마르크스의 기고문에만 해당). 제4호에는 제2호와 제3호의 인쇄오류 목록이 실렸다.

함부르크에서 기술적으로 제작하는 동안의 수정은 마르크스와 엥겔스가 신뢰하고 권한을 위임한 테오도어 하겐에 의해 이루어졌다. 하겐은 겁먹은 슈베르트의 원문 말소 시도에 맞서 현장에서 싸웠다. 더욱이 슈베르트는 NRhZ. Revue의 수정을 위한 "고문"으로서 함부르크 언론 재판소의 법률가를 초빙했다. 슈베르트는 런던으로 다음과 같이 편지를 썼다. "우리는 프로이센 점령 아래 있으며, **비열한 프로이센** 같은 표현은 어떤 경우에도 인쇄할 수 없습니다. … 마르크스 씨는 편집자로서 우리에게 보내는 초고를 검사할 책임이 있습니다. 그는 지상에서 **둘째가라면** 서러워할 정도로 언어에 뛰어납니다."(슈베르트가 1850년 2월 26일 슈람에게 보낸 편지.)

G681 슈베르트의 이런 태도로 인해 하겐은 검열에 맞설 내용에 대한 총책임자로 자신을 임명해줄 것을 제안했다(하겐이 1850년 2월 26일 슈람에게 보낸 편지). 마르크스와 엥겔스는 이러한 제안에 찬성(엥겔스가 1850년 3월 4일 하겐에게 보낸 편지[초안]를 보라)하고, 심지어 하겐을 잡지 표지에 "책임편집자"로 표기하는 것을 제안했다. 슈베르트는 이에 반대했다. 2월 26일 슈베르트는 슈람에게 편지를 써서 하겐을 "독일 측 책임 편집자"로 지명하자는 제안은 하겐이 함부르크에 주소가 없어서 어그러졌다고 했다. 비슷한 형

식적 이유로 슈베르트는 마침내 하겐의 계획을 무산시켰다(하겐이 1850년 3월 9일과 13일 엥겔스에게 보낸 편지를 보라).

수정 작업을 지원하기 위해 하겐은 함부르크의 전 교사였던 푹스(Fucks) 박사를 끌어들였다. 푹스는 하인리히 하이네의 오랜 친구로, 자신의 무신론 때문에 더는 자리를 얻지 못하고 매우 어렵게 생활하고 있었다(하겐이 1850년 2월 6일 슈람에게 보낸 편지를 보라). 하겐에게 보내는 런던 편집진의 몇 가지 소식은 그의 친구인 로데(Rohde)를 거쳐 함부르크로 갔다(하겐이 1850년 3월 9일 엥겔스에게 보낸 편지를 보라). 이미 1849년 초 함부르크로 보내는 마르크스의 편지는 로데의 주소로 갔는데, 그 밖에 NRhZ. Revue를 위한 로데의 활동에 관해서는 알려진 것이 없다.

제5/6호의 수정은 하겐의 여행으로 빌헬름 하우프트가 처리했을 개연성이 높다. 하우프트는 1850년 10월 31일 마르크스에게 다음과 같이 썼다. "나는 수정본을 기꺼이 읽을 것입니다. 이제까지는 푹스 박사가 작업했습니다. 나는 요즘 슈베르트에게 가는데, 당신들의 전적인 위임을 기대합니다!"

표지는 본문과 같은 종이로 인쇄되었다. 제1호에만 겉제목은 녹회색 종이에, 그리고 속제목은 (테두리 장식 없이) 보통 인쇄지에 인쇄되었다. 전체적으로 NRhZ. Revue의 기술적 제작의 결과는 별로 좋지 않았다. 매우 단순한 하얀 신문지(투시 무늬 없는)를 사용했고, 제본은 때로 매우 불충분하며, 인쇄오류는 다양한 기고문에서 아주 많이 발견된다. 슈테판 아돌프 나우트는 1850년 3월 10일 엥겔스에게 보낸 편지에서 "평론의 장정(裝幀)은 매우 **초라했습니다**!"라고 평가했다.

초고나 교정쇄는 전혀 남아 있지 않다.

발행지로 쾰른을 제안

잡지 판매를 둘러싸고 특히 쾰른(나우트, 아이젠 서점)과 슈베르트 사이의 알력만이 아니라 의견 차이가 끊임없이 나타나서 함부르크 회사를 배제하고 쾰른에서 NRhZ. Revue를 인쇄하자는 의견이 진지하게 고려되었다. 이 문제는 특히 1850년 3월과 4월 마르크스와 엥겔스가 논의했고, 또한 1850년 5월과 가을 사이에 잡지 속편이 지연되는 데도 역할을 했다.

1850년 1월 사람들이 함부르크에서 제1호의 초고를 기다리고 있을 때, 이미 하겐은 NRhZ. Revue 인쇄에 필요한 자금을 해결하려는 움직임이 쾰른에서 벌어지고 있다는 소문을 들었다(하겐이 1850년 1월 25일 마르크스에게 보낸 편지를 보라). 이것은 미합중국으로 떠나는 슈람의 여행 자금과 관
G682 련이 있었을 테지만, 본래 생각했던 일간지와 같이 월간지도 같은 곳에서 간행하려는 생각은 분명히 마르크스의 관심 밖에 있었던 것은 아니었다. 그러나 다른 한편으로 반혁명이 승리한 후 프로이센의 쾰른에서 자유주의적 함부르크만큼이나 부르주아적 언론의 자유가 여전히 존재하는지는 의심스러웠다.

발행지를 쾰른으로 이전하는 데 열렬히 찬성한 사람은 슈테판 아돌프 나우트인데, 그는 이미 1850년 1월부터 NRhZ. Revue를 라인란트와 남독일에서 팔기 위해 매우 열심히 뛴《노이에 라이니셰 차이퉁》의 대표 경영자이자 공동 발행인으로 정평이 나 있었다.

나우트가 2/4분기부터 — 즉 제4호 — 쾰른에서 인쇄하려는 의도를 이미 오래전부터 분명하게 검토하고 1850년 2월 말이나 3월 초 마르크스에게 보낸 지금은 전하지 않는 편지에도 이 의도를 설명한 다음에, 그는 1850년 3월 10일 엥겔스에게 보낸 편지에서 처음으로 자신의 제안을 자세히 펼쳐 보였다. 제1호의 제작이 매우 지체된 점을 염두에 두면서 그는 다음과 같이 제안했다. "제1호의 인쇄를 슈베르트 손에서 빼앗아 와서 **한 권으로** 합본해 여기에서 간행하는 것이 더 낫지 않겠습니까?"

이 시기에 나우트는 이미 아이젠 서점과 전체 판매에 관해 얘기를 했고 인쇄용지를 공급할 수 있는지도 살펴보았다. 그는 잡지를 직접 수정할 준비도 되어 있었다.

1850년 3월 10일 나우트에게 보낸 지금은 전하지 않는 편지에서 마르크스는 쾰른의 조건을 자세히 전해달라고 부탁했다. 3월 16일 나우트의 답장에서 알 수 있듯이, 그는 마르크스의 편지를 제4호 인쇄를 쾰른에서 확실히 할 수 있다는 뜻으로 이해했다. 쾰른에서 책의 출판 및 판매 조건은 나쁘지 않았다. 게다가 나우트는 얼마간 광고 수입도 더해질 것을 기대했다.

마르크스는 망설였다. 슈베르트와의 계약이 있었고 — 마르크스는 나우트가 이 점을 이해하기를 바랐다 — 슈베르트가 정기구독자 명단을 갖고 있었기 때문이다. 게다가 쾰른은 언제든지 다시 계엄령이 선포될 수 있는 상황이었다. 3월 24일 답장에서 나우트는 슈베르트와 사업을 하면 마르크스는 어쨌든 수익을 올릴 수 없을 것이고, 쾰른의 정치적 전개와 관련해서는 인쇄를 언제든지 쉽게 본으로 대피시킬 수 있다고 언급함으로써 이러한 의구

심을 떨쳐내려고 했다. 4월 11일 마르크스는 나우트에게 보내는 편지에서, 2/4분기 동안은 적어도 슈베르트와의 계약을 지킬 수밖에 없다고 썼다(나우트가 1850년 4월 16일 마르크스에게 보낸 편지를 보라).

마르크스는 1850년 말 변화된 상황에서 다시 한번 쾰른의 제안을 재론했다.

협력자 그룹

NRhZ. Revue에 실린 기고문은 대부분 마르크스와 엥겔스가 썼다. 그럴 수밖에 없었다는 점을 마르크스도 처음부터 알고 있었다(마르크스가 1849년 8월 1일 엥겔스에게 보낸 편지를 보라). 마르크스는 연재 기고문 「1848—1849」(1895년부터 「1848년에서 1850년까지 프랑스 계급투쟁」이라는 제목으로 알려진)와 기고문 「루이 나폴레옹과 풀드」를, 엥겔스는 「독일 제국헌법투쟁」, 「영국의 10시간 법」, 「독일 농민전쟁」 등을 썼다. 또한 두 G683
사람은 공동으로 각각 서평 3편과 평론 3편, 고트프리트 킹켈을 반대하는 기고문 그리고 몇몇 짧은 논평 및 성명과 함께 문학 시평 2편을 썼다.

NRhZ. Revue를 《노이에 라이니셰 차이퉁》의 직접적인 속편으로 생각했기 때문에, 마르크스와 엥겔스는 추정하건대 예전 쾰른 일간지의 모든 편집부 동료들에게 NRhZ. Revue를 위해 글을 써달라고 부탁했다. 그러나 에른스트 드롱케, 페르디난트 프라일리그라트, 게오르크 베르트와 페르디난트 볼프는 망명 상황과 다양한 오랜 여행 그리고 그 밖의 다른 이유로 인해 4월 중순까지—즉 잡지가 정기적으로 간행될 때까지—기고문을 보낼 수 없었다.

엥겔스의 부탁에 대해 드롱케는 이렇게 약속했다. "나는 6월 13일부터 [프랑스에서의] 혁명적 선전에 관한 기고문을 쓸 것이고, **주류세**와 6월-운송(1848년의 강도 이야기c'est à dire der 1848er 'Räuber')을 준비 중입니다. 내가 언제까지 시간이 있는지 날짜를 정확히 알려주시면 가장 최근의 추이와 함께 통신을 추가로 보내겠습니다."(드롱케가 1850년 2월 21일 엥겔스에게 보낸 편지.) 그 직후 드롱케는 프랑스에서 추방되었기 때문에 이러한 의도를 실현할 수 없었다.

프라일리그라트는 제1호를 위해 글을 쓸 수 없었지만, "비평가의 시각"이라는 지면을 잡지에 개설할 것을 마르크스에게 제안했다. "그러면 나는 자네에게 방금 출간된 하클랜더(Friedrich Wilhelm Hackländer)의 타구(唾具)인 『전쟁에서 병사들의 생활 묘사』(Bilder aus dem Soldatenleben im Kriege)를 즐겁게 읽고 써서 보낼 걸세. 그리고 다우머의 『새 시대의 종교』를 확실히 비판하기를 자네나 엥겔스에게 제안하네. 후자가 특히 중요해."(프라일리그라트가 1849년 12월 31일 혹은 1850년 1월 1일 마르크스에게 보낸 편지.) 1850년 1월 말 프라일리그라트는 시간상의 이유로 그리고 언어적인 어려움 때문에, 메나르의 시 「다리들」을 독일어로 번역하는 것을 거절했다. 그러나 "나는 바로 착실하게 기부금을 낼 수 있을 것"이라고 약속했다(프라일리그라트가 1850년 1월 26일 마르크스에게 보낸 편지). 후에 그는 자식의 병으로 인해 기부를 중단한 것에 대해 사과했다(프라일리그라트가 1850년 5월 5일 마르크스에게 보낸 편지).

1849년 12월 초 파리에서 추방당한 후 페르디난트 볼프는 런던에 도착했다. 1849년 12월 9일 자 《베스트도이체 차이퉁》(쾰른, 제171호)의 한 파리 통신원은 볼프가 "1월에 첫 호가 간행될 마르크스의 정치-사회 평론에 틀림없이 협력할 것"이라고 추측성 보도를 했다. 1849년 12월 22일 야코프 샤벨리츠에게 보낸 편지에서 엥겔스는 NRhZ. Revue 제1호는 "아마 붉은 볼프의 뭔가를 포함할 것"이라고 썼다. 그러나 그런 일은 일어나지 않았다.

마르크스와 엥겔스를 제외한 《노이에 라이니셰 차이퉁》의 편집진 중에서 빌헬름 볼프만이 NRhZ. Revue를 위한 기고문을 하나 완성했다. 마르크스의 위임을 받은 엥겔스를 통해 1849년 9월 15일 베른에서 만났을 때 이미 잡지의 계획을 알았던 볼프는 "프랑크푸르트와 슈투트가르트 의회의 지난 회기에 관한" 체험을 쓰고자 했다(엥겔스가 1849년 12월 22일 샤벨리츠에게 보낸 편지를 보라). 그는 병과 그 외의 이유로 제1호를 위한 기고문을 완성하지 못했다. W. 볼프의 기고문 「독일 의회의 지난 회기」는 제3호에 실리기로 예고되었다(G224쪽). 1850년 2월 초 취리히에서 엥겔스에게 보낸 초
G684 고는 국민의회의 지난 단계에 관한 포괄적인 역사를 담지는 못했지만, 이른바 제국 섭정 통치의 영향에 관한, 특히 카를 포크트를 논박한 유익한 기고문이었다. 이 기고문은 NRhZ. Revue 제4호에 「'제국에 대한' 회고」라는 표제로 발행되었다. 이 표제는 NRhZ. Revue가 《노이에 라이니셰 차이퉁》의 한 난(Rubrik)을 직접 이어가고 있다는 점을 보여준다.

1849년 10월 런던에서 브뤼셀로 이주한 카를 블린트는 당시 공산주의자동맹의 동맹원으로, 12월 중순에 마르크스의 부탁을 받아 1849년 12월 29일

(블린트가 1849년 12월 25~29일 마르크스에게 보낸 편지를 보라) 바덴의 정치적 상황에 관한 기고문을 보내왔다. 이것은 제1호에 발행되었다.

편집진은 런던으로 망명한 프랑스 공화주의자 루이 메나르에게서 6월 학살에 헌정한 시 「다리들」을 받았다. 이것은 제4호의 맨 앞에 프랑스어로 발행되었다.

제5/6호를 위해 마르크스와 엥겔스는 이론적으로 매우 뛰어났고 또한 1850년 9월 말 공산주의자동맹 런던 지부 의장에 선출된 재봉사 요한 게오르크 에카리우스의 동참을 이끌어냈다(「런던의 재봉업」, G593~G604쪽). 혁명적 차티스트 지도자 줄리언 G. 하니도 동참시키려고 했으나 허사였다(하니가 1850년 10월 26일 마르크스에게 보낸 편지를 보라).

잡지의 짧은 간행 기간과 혁명의 패배로 수많은 결속이 끊어짐으로써 나타날 수밖에 없었던 어려움이 마르크스와 엥겔스가 계획한 더 많은 협력자의 유인을 방해했다. 이런 가운데서도 바이데마이어가 프랑크푸르트에서 남부 독일의 상황에 관한 통신을 정기적으로 쓰기로 예정되어 있었다(마르크스가 1849년 12월 19일 바이데마이어에게 보낸 편지를 보라). 바이데마이어는 대략 1월 중순에(슈람이 1850년 1월 8일 바이데마이어에게 보낸 편지를 보라) 제1호의 목차에 「남부 독일 통신」으로 예고한(마르크스가 1850년 2월 4일 바이데마이어에게 보낸 편지를 보라) 첫 번째 기고문을 작성했지만 지면이 부족해 싣지 못했다가, 후에 글이 시의에 맞지 않게 되면서 엥겔스의 지시로 빠졌다(엥겔스가 1850년 3월 4일 슈베르트와 하겐에게 보낸 편지[초안], 슈베르트가 1850년 3월 9일 슈람에게 보낸 편지를 보라).

제3호로 예고된 기고문 「프로이센의 재정 상황」은 프로이센의 역사가 구스타프 아돌프 베르겐로트(Gustav Adolf Bergenroth)가 제안하고 단단히 약속했다. 그는 이미 몇 년 전부터 마르크스와 엥겔스를 잘 알고 있었다. 이 기고문은 사정을 봐서 여러 번에 걸쳐 연재될 예정이었으나 베르겐로트가 베를린에서 추방되는 바람에 실현되지 못했다(베르겐로트가 1850년 2월 10일 마르크스에게 보낸 편지, 베르겐로트가 1850년 3월 9일 엥겔스에게 보낸 편지를 보라).

그 밖에 1850년 1월 제국헌법투쟁에 참여한 사람이 미에로스와프스키의 네카어 강 출정에 관한 보고(G40쪽을 보라)를 쓰겠다고 편집진에 제안해 왔다. 이 보고에 대해서는 테오도어 하겐의 다음과 같은 불분명한 언급과 마찬가지로 다른 문헌 근거가 없다. "당신이 제2호에 어떤 통신을 쓸 수 있을 것으로 생각합니다."(하겐이 1850년 2월 6일 슈람에게 보낸 편지.) — 함부르크로 보낸 시 몇 편도 거기서 빠졌다. "제네바의 C. H. 슈나우퍼
G685 (Schnauffer)가 보낸 시가 도착했지만, **우리는** 이 시들이 가치가 없다는 하겐 씨의 의견에 동의합니다."(슈베르트가 1850년 2월 26일 슈람에게 보낸 편지.)

제1호

마르크스는 1850년 1월 「… 계급투쟁」 1부의 원고를 작업했다. 병으로 인해 작업이 중단되자, 마르크스는 1월 16일 슈람을 통해 출판인에게 2월에 잡지를 제1/2호 합본으로 간행하자는 제안을 했다. 슈베르트는 출판상의 이유로 이 제안을 바로 거절했다(슈베르트가 1850년 1월 18일 슈람에게 보낸 편지를 보라). 이것은 편집진이 예정했던 호의 구조를 변경하게 만들었다(마르크스가 1850년 2월 4일 바이데마이어에게 보낸 편지를 보라).

1850년 2월 1일 혹은 2일쯤 마르크스는 제1호를 위한 마지막 초고를 함부르크로 보냈다(하겐이 1850년 2월 6일 슈람에게 보낸 편지를 보라). 이 시점에 이미 「독일 제국헌법투쟁」의 전체 초고가 함부르크에 있었을 것이다. 제1호의 조판은 2월 6일에 시작했지만, 쾰러 인쇄소의 준비가 부족하고 마르크스의 필적이 읽기 어려웠기 때문에, 또한 겁먹은 슈베르트의 지연책으로 인해(하겐이 1850년 2월 26일 슈람에게 보낸 편지를 보라) 3주가 지연되었고, 2월 28일 비로소 인쇄를 시작해서, 3월 7일까지 제본이 되어 1850년 3월 8일부터 함부르크에서 발송되었다. 모두 2,500부를 찍었다.

「평론」과 바이데마이어의 통신은 하겐이 반려했다(하겐이 1850년 2월 26일 슈람에게 보낸 편지를 보라). 제1호를 위해 준비한(엥겔스가 1849년 12월 22일 샤벨리츠에게 보낸 편지를 보라), 마르크스가 런던 노동자교육협회에서 했던 경제 강연의 1부 초고를 함부르크로 보냈는지, 아니면 이미 제1/2호 합본이 거절당해서 런던에 그냥 두었는지, 아니면 최종 완성을 아예 못 했는지는 원자료가 유실되었기 때문에 확정할 수 없었다. 제1호의 "광고"에는 어쨌든 이미 마르크스의 이 강연 원고 2부가 제3호로 예정되어 있었다.

제목은 "제1호. — 1850년 1월". 여기에는 다음 내용이 들어 있다.

3쪽 "**목차**.

1848 — 1849. I. 1848년 6월의 패배. **카를 마르크스.**
독일의 제국헌법투쟁. I. 라인-프로이센. II. 카를스루에.
프리드리히 엥겔스.
바덴의 오스트리아와 프로이센의 정당들. **블린트**.
남부 독일 통신.
평론."

4쪽	광고(G224쪽). 그중 고지: "《노이에 라이니셰 차이퉁》은 최소한 전지 5장의 월간지로 발행된다. 3개월 정기구독료는 25실버그로셴. 개별 호는 10실버그로셴. 발행인 C. **슈람**."
5~34쪽	카를 마르크스: 1848년에서 1849년까지[1848년에서 1850년까지 프랑스 계급투쟁], 1부(G119~G140쪽).
35~78쪽	프리드리히 엥겔스: 독일 제국헌법투쟁, 1부와 2부 (G37~G69쪽). G686
79~92쪽	카를 블린트: 바덴의 오스트리아와 프로이센의 정당들.
93쪽	"논평. 지면 부족으로 '**평론과 통신**'(목차를 보라)은 제2호로 이어질 수 있다."

제2호

마르크스는 대략 1850년 3월 4일 「… 계급투쟁」의 2부를 완성했다. 초고의 마지막 부분은 3월 8일 함부르크에 도착했다(슈베르트가 1850년 3월 8일 슈람에게 보낸 편지를 보라). 엥겔스의 초고는 4부를 포함하여 이미 오래전에 끝났지만, 늦어도 1850년 3월 4일 이후에는 함부르크에 있었다. 이날 제2호를 위한 초고의 일부가 함부르크에 도착했다(슈베르트가 1850년 3월 8일 슈람에게 보낸 편지를 보라). 인쇄는 3월 20일까지 지연되었고, 제본도 며칠 소요되었다(하겐이 1850년 4월 1일 슈람에게 보낸 편지).

제2호는 1850년 3월 25일경 발행되었고(슈베르트가 1850년 3월 22일 슈람에게 보낸 편지, 하겐이 1850년 4월 1일 슈람에게 보낸 편지를 보라) 2,000부를 찍었다.

제목은 "제2호. — 1850년 2월". 목차는 없다. 여기에는 다음 내용이 들어 있다.

1~36쪽 카를 마르크스: 1848—1849. 2부(G140~G168쪽). 결론의 주에 다음과 같은 언급이 있다. "제한된 지면으로 인해 결론을 다음 호로 미룰 수밖에 없다." 분명히 함부르크에서 공식적으로 언급한 이 말이 무엇을 의미하는지가 명확하지 않다. 왜냐하면 마르크스 초고의 3부는 그 당시 아직 완결되지 않았기 때문이다.

37~56쪽 프리드리히 엥겔스: 독일 제국헌법투쟁, 3부(G69~G84쪽). 제1호의 "광고"는 「독일 제국헌법투쟁」 4부가 제2호에 실릴 것을 예고했지만 제3호로 밀려났다.

57~69쪽 [마르크스/엥겔스:] 문헌(G197~G210쪽).

69~80쪽 [마르크스/엥겔스:] 평론(G211~G223쪽).

81쪽 제1호의 인쇄오류.

제3호

1850년 3월 22일 마르크스의 초고는 아직 함부르크에 도착하지 않았지만(하겐이 1850년 3월 22일 슈람에게 보낸 편지를 보라), 그 직후에 바로 도착했을 것이다. 제3호는 1850년 4월 11일 발행되었고(슈베르트가 1850년 4월 5일 슈람에게 보낸 편지, 마르크스가 1850년 4월 9일 바이데마이어에게 보낸 편지를 보라) 2,000부를 찍었다.

제3호로 예고된 마르크스의 기고문 「부르주아 소유란 무엇인가? II. 토지 소유」는 물론 베르겐로트의 기고문 「프로이센의 재정 상황」도 발행되지 않았다. 빌헬름 볼프의 기고문은 제4호에 실렸다. 제4호에 실린 평론은 원래
G687 제3호를 위해 쓴 것이다. 이것은 8쪽 분량으로 인쇄되었고 특히 영국의 상황을 다루었다. 지면 부족으로 슈베르트는 이것을 제4호로 넘겼다(슈베르트가 1850년 4월 5일 슈람에게 보낸 편지를 보라). 그러나 제4호에는 이 가운데 3쪽 분량만 인쇄되었다. 나머지 텍스트는 전하지 않는다.

제목은 "제3호. —1850년 3월". 그리고 목차가 있다. 여기에는 다음 내용이 들어 있다.

1~37쪽 카를 마르크스: 1848—1849, 3부(G168~G196쪽).

38~80쪽 프리드리히 엥겔스: 독일 제국헌법투쟁, 4부(G84~G118쪽).

제4호

1850년 4월 5일 함부르크에는 어떤 초고도 오지 않았다(슈베르트가 1850년 4월 5일 슈람에게 보낸 편지를 보라). 마지막 초고는 대략 4월 18일(「평론」의 추가 진술에 따른 날짜) 함부르크로 보냈다. 제4호는 1850년 5월 20일경 발행되었다. 2,000부는 1분기만을 위해 확정된 것이기 때문에 제4호의 발행 부수는 알 수 없다. 슈베르트의 제안에 따르면 1850년 2분기부터 그때까지 존재했던 정기구독자 수보다 100부를 더 인쇄했다고 한다(슈베르트가 1850년 3월 8일 슈람에게 보낸 편지를 보라).

제목은 "제4호. — 1850년 4월". 그리고 목차가 있다. 여기에는 다음 내용이 들어 있다.

1쪽	[마르크스/엥겔스: 메나르의 시에 대한 머리말](G264쪽).
1~4쪽	루이 메나르: 다리들(G264쪽 3행에 관한 해설).
5~16쪽	프리드리히 엥겔스: 영국의 10시간 법(G305~G314쪽).
17~61쪽	[마르크스/엥겔스:] 문헌(G265~G300쪽).
62~66쪽	[마르크스/엥겔스:] 평론(G301~G304쪽).
67~79쪽	기타
	67~70쪽 [마르크스:] 루이 나폴레옹과 풀드(G315~G317쪽).
	70~73쪽 [마르크스/엥겔스:] 고트프리트 킹켈(G318~G320쪽).
	73~79쪽 빌헬름 볼프: '제국에 대한' 회고.
79쪽	[마르크스/엥겔스: 편집자 논평](G321쪽).
80~81쪽	제2호와 제3호의 인쇄오류.

제4호는 위와 같이 풍부한 내용을 담고 있다. 제4호는 — 제국헌법투쟁에 관한 연재 기고를 마친 후이기 때문에 — 다른 호보다 최신 문제를 직접적으로 더 강하게 다루고 있다(10시간 문제에 대한 재무재판소의 결정, 킹켈, 디디어). 그러나 최신 문제가 더 많이 있다는 것은 프랑스 계급투쟁에 관한 마르크스의 일련의 기고가 중단됨으로써 얻어진 것임을 놓치면 안 된다. 이것으로 제4호 이후 마지막까지 월간지로서 비교적 정기적으로 간행하게 된 요인의 하나는 분명해졌다.

G688

간행 중단

마르크스와 엥겔스가 1850년 4월 말 혹은 5월 초, 5월 호의 초고를 함부르크로 전혀 보낼 수 없다고 결정했을 때, 재정난도 한몫했을 것이다. 노동자 우애회(Arbeiterverbrüderung)의 금지와 민주운동 및 노동운동 탄압이 심해져서 발행 부수가 급증할 것이라고 전망하기는 어려웠다. 그러나 이러한 외적 요인은 중요한 역할을 하지 않았다. 결정적인 것은 마르크스의 새로운 고민이었다. 그가 넉 달 전에도 "월간지 제3호, 아니면 제2호가 간행된 이후에 세계적인 대변동이 일어날 것을 전혀 의심하지 않네"(마르크스가 1849년 12월 19일 바이데마이어에게 보낸 편지)라고 썼지만, 그 뒤 월간지는 제4호까지 간행되었다. 그리고 혁명 상황으로까지 바짝 접근했고 마르크스가 NRhZ. Revue에서 혁명 과정이 진척될 것이라고 성급한 결론을 내리게 만든 프랑스 3월 10일 재선거조차도 아무 성과가 없는 것처럼 보였다.

당의 새로운 전술이 필요했지만 그 새로운 전술은 새로운 고민, 즉 상황에 대한 과학적 분석에 기초해야만 이루어질 수 있었다. 마르크스는 1847년 이후의 경제적 순환에 관해 광범위하게 연구하기 시작했다. 대략 1850년 6/7월 이후 공산주의자동맹과 런던의 공산주의적 노동자교육협회에서는 새로운 정치의 필요성에 관한 토론이 광범위하게 이루어졌다. 이런 논쟁의 결과로 1850년 9월 15일 빌리히/샤퍼 분파와의 결별이 완전히 이루어졌다. 이러한 문제들이 해결되고 필요한 정치적 조치들이 취해진 후에야 당의 이론적 기관지의 속간에 대해 생각할 수 있었다.

슈베르트가 1850년 4월 5일 슈람에게 보낸 편지를 끝으로 함부르크와 런던 사이에 비교적 빈번하던 서신 교환이 중단되었기 때문에, 잡지를 곧바로 속간하기 위해 편집자를 움직이게 하려는 하겐과 슈베르트의 시도들에 대해서는 아무것도 알려진 게 없다. 그러나 유념해야 할 것은 마르크스와 엥겔스가 단기간의 중단을 생각했다는 점이다. 그 예로 마르크스는 1850년 6월 27일 바이데마이어에게 자신이 잡지에 대한 뤼닝의 비평을 논박하는 글을 NRhZ. Revue에 실을 것이라고 썼다. 중단의 이유와 기간에 대해서는 독일에서 마르크스와 가장 친한 친구들조차 아무도 분명하게 몰랐다. 그래서 롤란트 다니엘스는 1850년 7월 19일 마르크스에게 편지를 썼다. "지금 우리는 6주 전부터 속편을 하염없이 기다리고 있다네."

슈베르트는 발행인이라는 이유로, 특히 2분기를 위해 이미 구독료를 지불한 정기구독자에게 반드시 잡지를 제공해야 하므로 최소한 잡지의 상반기분은 매듭지어야만 한다고 공공연하게 주장했다. 이것과 일치하는 전하지 않는 슈베르트의 편지에 슈람이 1850년 7월 14일에 답장을 하면서, 자신이 마르크스가 속편을 편찬하도록 움직였고 제5호와 제6호의 초고를 곧 받을 것이라고 했다(슈베르트가 1850년 8월 2일 슈람에게 보낸 편지를 보라). 이러한 보고를 뒷받침하는 책 판매 광고가 다음과 같이 실렸다. "마르크스 박사가 편집한《라이니셰 차이퉁》(NRhZ. Revue를 의미함—옮긴이) 제5호와 제6호를 한꺼번에, 더 정확히 말하면 10일 이내에 발송한다는 점을 존경하는 동료분들에게 알려드립니다. 확정 주문은 바로 함부르크와 라이프치히의 슈베르트사로 해주시기를 고대하고 있습니다."(《뵈르젠블라트 데스 도이첸 부흐한델스》, 라이프치히, 제68호, 1850년 7월 23일.) G689

1850년 8월 2일 슈람에게 보낸 편지에서 슈베르트는 이 광고를 언급하면서 언제 초고가 마침내 도착할 것인지를 물었다.

또한 마르크스, 엥겔스, 슈람이 1850년 8월 21일 스위스 혁명 중심(Revolutionäre Zentralisation in der Schweiz)의 대표자 구스타프 아돌프 테초프와 런던에서 했던 대화에서도 NRhZ. Revue가 여러 번 언급되었다. 테초프의 진술에 따르면, 마르크스와 엥겔스는 이때「독일 제국헌법투쟁」에서 사실 관계가 올바르게 설명되지 않는다면, 프란츠 지겔과 기타 이른바 부당하게 공격을 받았다고 하는 자들이 언제든지 잡지에 해명을 실을 수 있다고 설명했다고 했다(테초프가 1850년 8월 26일 알렉산더 시멜페니히에게 보낸 편지, 카를 포크트,『《알게마이네 차이퉁》에 대한 나의 소송Mein Proceß gegen die 'Allgemeine Zeitung'』, 제네바, 1859년, 145/146쪽을 보라).

제5/6호

「독일 농민전쟁」을 엥겔스는 1850년 여름에 썼다.「평론. 1850년 5월에서 10월까지」는 1850년 11월 1일 끝났다. 대략 이 시기에 제5/6호를 위한 (마지막) 초고가 함부르크로 보내졌다. 합본호는 1850년 11월 29일 발행되었다. 발행 부수는 알려지지 않았다.

제목은 "제5, 6호. —1850년 5월에서 10월까지". 그리고 목차가 있다. 여기에는 다음 내용이 들어 있다.

1~99쪽	프리드리히 엥겔스: 독일 농민전쟁(G367~G443쪽).
100~110쪽	[마르크스/엥겔스:] II. 사회주의와 공산주의 문헌[=『공산당 선언』의 제3절]. 마르크스/엥겔스의 각주 포함(G445쪽).
111~128쪽	J. G. 에카리우스: III. 런던의 재봉업 혹은 대자본과 소자본의 투쟁(G593~G604쪽).
128쪽	[마르크스/엥겔스:] [에카리우스의 기고문에 대한] 편집자 주해(G446쪽).
129~180쪽	[마르크스/엥겔스:] 평론. 1850년 5월에서 10월까지(G448~G488쪽).

제5/6호의 판매 내역은 마르크스와 슈베르트 사이의 재정 문제를 둘러싼 불화로 이어졌다. 이런 다툼으로 NRhZ. Revue 판매에 대한 계약 관계는 끝났다. 공산주의자동맹의 일로 마르크스와 당분간 불화를 겪었던 콘라트 슈람은 이 시기에 더는 잡지의 발행인으로 일하지 않았다. 빌헬름 하우프트가 함부르크에서 마르크스를 대변하는(하우프트가 1850년 12월 3일과 1851년 2월 3일 마르크스에게 보낸 편지를 보라) 동안 하겐은 런던으로 이주했다. 하우프트는 1851년 1월 말 슈베르트와의 다툼에 뵈닝하우젠의 변호사를 끌어들였으나 소송까지는 가지 않았던 것 같다.

G690

판매와 보급

1849년 12월 중순에 작성된 「《노이에 라이니셰 차이퉁. 정치-경제 평론》 예고」(G17~G18쪽)는 1849년 12월 말에서 1850년 2월 초 사이에 — 전부 혹은 축약하여 — 독일과 스위스는 물론 런던의 많은 신문에 실렸다. 이 첫 광고도 이미 어려움이 있었다. "베를린의 어느 한 서점도 N. Rh. Z(NRhZ. Revue를 의미함 — 옮긴이)를 그 지역의 신문에 광고하려고 하지 않는데, 게다가 진열대에 끼워두는 것조차 두려워합니다."(하겐이 1850년 2월 6일 슈람에게 보낸 편지.)

1849년 11월 이미 마르크스는 하겐에게 보낸 편지에서, 공산주의자동맹과 노동자협회 그리고 개인적인 친구들을 통해 잡지의 — 정상적인 책 판매와 아울러 — 특별 판매를 구축해야 할 것이라고 썼다. 11월 20일 하겐은

"협회 내에서의 판매에도 불구하고" 서적 판매에 대한 광고를 많이 해야 한다고 대답했다. 또한 "서적상들을 통한 유통망 외에 우리 당의 동지들을 대상으로 정기구독자 명단을 작성해 우리에게 그 명단을 보내면 제2의 유통망을 만들 것"(마르크스가 1849년 12월 19일 바이데마이어에게 보낸 편지)이라는 생각이 「예고」에 반영되어 있다. 이러한 뜻에서 슈람과 빌리히는 1850년 1월 28일 내지는 2월 1일 공산주의자동맹 중앙본부의 이름으로 라쇼드퐁에 있는 스위스 지도부에 편지를 보냈다.

프랑크푸르트 지역 노동자협회에서의 판매는 대규모로 진행되어, 바이데마이어는 1850년 1월 초반 예약자 명단을 인쇄할 정도였다. 빌헬름 리프크네히트는 제네바에서 노동자협회 의장으로서 NRhZ. Revue의 정기구독을 위해 노동자협회를 장악하는 임무를 맡았다. 이 협회는 당시 스위스의 독일 노동자협회의 중앙 협회로 기능했다. 1849년 12월 28일의 월례 보고(회람)에는 다음과 같은 말이 나온다. "우리는 여러분에게 함부르크에서 재간행되는《노이에 라이니셰 차이퉁》을 분기당 3프랑의 가격으로 추천합니다. 여러분이 이 금액을 보내면 이 신문을 최상으로 받을 수 있습니다."(스위스 연방 베른 아카이브 법무 목록, 망명자 1848~1895, Bd. 68b.)

게다가 정기구독 광고를 위한 제2의 유통 방식에 관한 자료들은 쾰른(다니엘스Daniels, 나우트), 뒤셀도르프(라살), 빌레펠트(렘펠), 바르멘(휘너바인Hühnerbein), 취리히(W. 볼프), 제네바(M. J. 베커) 등에서도 발견된다. 괴크는 잡지를 바덴에서 광고할 것을 약속했다. 함부르크에서도 비슷한 활동이 이루어진 것으로 보인다. 전체적으로 이러한 "제2의 유통망"은 어림잡아 400~500명의 정기구독자를 확보하게 만들었다.

그러나 제2의 유통 방식의 광고와 판매 결과로 일련의 오해와 반목이 생겼고, 동시에 슈베르트는 조직적 판매에 계속 반대했다. 그는 1850년 1월 말 혹은 2월 초 라인란트에 있었고 거기서 결국 정기구독자 명단을 확보하게 되었다. 1850년 2월 26일 그는 슈람에게 다음과 같이 썼다. "결과는 라인에서는 **상당히 성공적**이지만, 그 밖에 독일 다른 지역에서는 **형편없습니다**. 또한 **당신의** 친구들로 인해 쾰른에서 어떤 일이 일어났습니다. 이를 통해 우리는 서로 경쟁하게 되었고, **이것은 해서는 안 될 일입니다**." 슈베르트는 정기구독자의 핵심층이 마르크스가 제안한 방식에 따라서 모집되었다는 사실을 보려고 하지 않았다. 쾰른과 뒤셀도르프, 빌레펠트에서는 주문이 중복되었다. 슈베르트와 라인란트의 종합 구매자로서 쾰른의 F. E. 아이젠 서 G691

점(1849년 1월 이후 빌헬름 아센하이머Wilhelm Assenheimer와 루돌프 만 Rudolf Mann의 소유가 되었다) 사이의 관계는 물론 아이젠 서점과 나우트 사이의 관계는 전혀 명확하지 않았다. 나우트는 그 당시 쾰른에서 라인란트와 남부 독일에 NRhZ. Revue의 조직적 판매를 이끌었다. 나우트는 그 일에서 바이데마이어와 밀접하게 협력했다.

스위스 판매는 야코프 샤벨리츠와 그의 아버지 출판사가 맡았다(엥겔스가 1849년 12월 22일 샤벨리츠에게 보낸 편지를 보라). 1850년 1월 10일 자 《슈바이처리셰 나치오날-차이퉁》(바젤, 제8호)에 따르면, J. C. 샤벨리츠 회사는 NRhZ. Revue를 스위스와 알자스에서 판매했다. 반면에 스위스 판매는 베른의 프리드리히 루트비히 다보이네 서점이 맡았다고 《베르너-차이퉁》(Berner-Zeitung, 제361호, 1849년 12월 27일)은 전한다. 이 사실은 런던 편집자들의 생각과 일치하지 않았다. 엥겔스가 이에 대해 샤벨리츠에게 문의했을 때, 그는 다보이네 서점은 "최근에야 설립해서 아직 알려지지 않았다"(아버지 야코프 샤벨리츠가 1850년 1월 21일 엥겔스에게 보낸 편지) 라고 대답했다. 그러나 마르크스와 엥겔스는 샤벨리츠 회사의 조건들에 대해서도 완전히 동의한 것 같지는 않았다. 예를 들면 다음과 같은 요구사항은 들어주지 않았다. "스위스, 바덴, 알자스 지역의 주 판매처가 바젤의 J. C. 샤벨리츠 서점이라는 점을 잡지 표지에 항상 고지해주시기 바랍니다."(같은 곳.) 그러나 1850년 2월 이후 스위스에서 망명자들을 대대적으로 추방하면서 거기에서 이렇다 할 잡지 판매는 이뤄질 수 없었다.

그 밖에 NRhZ. Revue의 정기구독을 주선한 몇몇 다른 광고와 편지에서 거명된 서점은 다음과 같다. 런던의 D. 넛(D. Nutt), 오이스키르헨의 F. 크로이더(F. Kreuder), 오플라덴의 R. 탁서(R. Taxer), 빌레펠트의 A. 헬미히(A. Helmich), 램고의 F. L. 바게너(F. L. Wagener).

이미 1850년 2월 초, 제1호가 나오기 전 함부르크에는 정기구독이 80~100부 확정되었고 조건부 주문은 400~500부가 확보되었다. 그래서 슈베르트는 2,000부 인쇄를 확정했다(하겐이 1850년 2월 6일 슈람에게 보낸 편지). 이 자료에 따르면 일반적으로 매호 300부는 나우트에게, 150부는 아이젠 회사에, 즉 총 450부는 라인란트에 보냈고, 이 중에서 바이데마이어는 당연히 남부 독일을 위해 평균 100부를 받았다. 쾰른에는 120~210명 정도의 구매자가 있었고, 뒤셀도르프에는 대략 50명의 구매자가 있었다. 프랑크푸르트로 보내는 일은 상당히 지체되었다. 비스바덴에서는 카를 샤퍼가 판매를 주도했다. 함부르크에서 일부가 라이프치히의 서적상에게 갔고, 50부는 베스트팔렌으로 보내졌다. 함부르크에서만 약 300부가 팔렸을 것으로 추산된다(하겐이 1850년 2월 26일 슈람에게 보낸 편지를 보라). C. B로 약칭되는《베스트도이체 차이퉁》(쾰른, 제70호, 1850년 3월 23일) 베를린 통신원은 베를린에서 NRhZ. Revue가 "이례적으로 판매"되었다고 보도했다. 최소한 50부가 런던으로 갔다. 전체 정기구독자 수는 간신히 1,000명을 넘겼을 것이다. 개별 호들 가운데서 몇백 부가 슈베르트에게 반품되기도 했지만, 예를 들어 제3호는 쾰른에서 프랑크푸르트로 충분히 보낼 수 없었고, 마인츠에서는 잡지를 아예 구할 수도 없었다는 진술도 있다. G692

마르크스는 다음과 같이 분명하게 언급함으로써 기고문「고트프리트 킹켈」(G318~G320쪽)이 정기구독자를 많이 잃게 했다는 널리 퍼진 갖가지 주장을 반박했다. "그 당시 평론(NRhZ. Revue를 의미함—옮긴이)은 쇠락하지 않았는데, 왜냐하면 석 달 후에 새로운 합본이 간행되었기 때문이다. 그리고 우리는 나의 오래된 친구인 **J. 바이데마이어**가 … 증언한 것과 같이 라인 지방에서 **정기구독자를 단 한 명도** 잃지 않았다. 그가 친절하게도 우리 대신에 정기구독료를 회수했기 때문이었다."(카를 마르크스,『포크트 씨』, 런던, 1860년, 46쪽.)

NRhZ. Revue를 판매할 때 의심할 여지 없이 일련의 다양한 한계도 있었고 확실히 정부 측의 방해 공작도 있었다.

함부르크로 반품된 호의 일부를 마르크스는 1852년 초에 바이데마이어의 소개를 통해 미합중국에 판매하고 싶어 했다(마르크스가 1852년 1월 1일 바이데마이어에게 보낸 편지를 보라). NRhZ. Revue의 몇 부는 1864년 옛 동맹원인 프리드리히 그뤼벨(Friedrich Grübel)을 통해 함부르크에서 판매되었으며(슈트론Strohn이 1865년 1월 30일 마르크스에게 보낸 편지를 보라), 더욱이 1887년에도 서점에 재고가 남아 있었다(헤르만 슐뤼터 Hermann Schlüter가 1887년 12월 30일 엥겔스에게 보낸 편지를 보라).

직접적 영향

반혁명의 승리 이후 시작된 언론 탄압, 마르크스와 엥겔스의 주장과 더욱이《노이에 라이니셰 차이퉁》의 이름에 대해 소부르주아 세력이 주도한 부정적 입장, 그리고 잡지의 제작과 판매 지연으로 공개적인 반향은 미미했다.

마르크스는 직접 “우리의 ‘평론’(NRhZ. Revue를 의미함—옮긴이)에 반대하는 침묵의 결탁(conspiration du silence) …”이라고 썼다(마르크스가 1850년 6월 8일 바이데마이어에게 보낸 편지).

일관되게 민주적인 신문들은 짧은 단신으로 보도했다. 쾰른의《베스트도이체 차이퉁》외에도 특히 함부르크의《데어 프라이쉬츠》가 NRhZ. Revue에 대해 여러 번 짧게 보도했다. 1850년 1월 8일 이미 다음과 같이 보도했다.

“—**새로운 함부르크 잡지**. 과거《노이에 라이니셰 차이퉁》의 편집자였던 마르크스, 엥겔스, 볼프, 드롱케 등은 일전에 다시 런던에 모여 독일의 사회-민주주의 정당의 출판 활동에 뛰어들어 1월부터 정치 월간지를 편찬할 생각을 품고 있다. 이 월간지는 런던에서 편집되지만 함부르크에서 인쇄되고 발송된다.”(제4호, 1850년 1월 8일, 16쪽.)

얼마 안 돼 다음과 같은 단신도 실었다.

“—**《노이에 라이니셰 차이퉁》**은 다시 살아났고 더 구체적으로 말하면 함
G693 부르크의 슈베르트사에서 살아났다. 카를 마르크스, 드롱케, 엥겔스, 볼프 등 옛 편집진이 런던에서 만든《노이에 라이니셰 차이퉁》(NRhZ. Revue를 의미함—옮긴이)은, 모든 시대 문제를 특히 과학적 입장에서 다루는데, 함부르크에서 **월간지**로 인쇄된다. 초고가 도착하면 며칠 후에 이 잡지는 이곳에서 독일 전체 서점으로 보내질 수 있을 것이다. Th. 하겐 씨는 사업의 성공을 위해 매우 열심히 뛰고 있다.”(《데어 프라이쉬츠》, 제9호, 1850년 1월 19일, 35쪽.)

미합중국의 많은 신문에서도 비슷하게 짧은 공고문이 실렸음이 틀림없다. 1850년 3월 31일 워싱턴의 아돌프 클루스(Adolf Cluß)는 런던의 페르디난트 볼프에게 다음과 같이 문의했다. “이미 여러 번 나는 이곳의 신문에서 마르크스와 엥겔스, 드롱케, W. 볼프가 월간지 ‘정치-경제 평론’(NRhZ. Revue를 의미함—옮긴이)을 함부르크 등의 서적 판매업자가 판매하는 방식으로 편찬하려고 한다는 보도를 읽었습니다. 그게 사실입니까?”

《데어 프라이쉬츠》는 제33호(1850년 3월 16일)에서 잡지의 제1호 간행에 대해 아주 짧게 보도한 후, 제40호(1850년 4월 2일)에서는 다음과 같은 해설을 보도했다. “우리가 일전에 광고했던 **《노이에 라이니셰 차이퉁》**(NRhZ. Revue를 의미함—옮긴이)을 우리는 시대의 역사 공부를 위해 강력히 추천한다. 제1호는 사건을 날카롭게 비판하면서 미래를 위한 교훈적 암시를 제공한다. 마르크스가 6월 봉기에 관한 기고문에서 ‘혁명은 죽었다. 혁

명 만세!'라는 외침으로 끝을 맺었다면, 이것은 바로 그런 비판의 결과일 것이다. — 망명자들의 문헌의 새로운 작품들 가운데서《노이에 라이니셰 차이퉁》(NRhZ. Revue를 의미함 — 옮긴이)은 제1호만 보더라도 명예로운 자리를 차지할 것이다. 우리는 최상의 성공을 바라며 사업이 빨리 계속되기를 기대한다. -r.(편집자를 의미함 — 옮긴이)"

카셀의《디 호르니세》(Die Hornisse)는 부록인 "호르니세 주보" 제3호(1850년 4월 15일)에서 익명의 기고문「노이에 라이니셰 차이퉁. 정치-경제 평론. 카를 마르크스 편집Die neue Rheinische Zeitung. Politisch-ökonomische Revue, redigirt von Carl Marx」으로 자세히 보도하기 시작했다. 그러나 기고문의 둘째 부분은 실리지 않았다. 어쩌면 제바스티안 자일러일지도 모르는《디 호르니세》의 필자는 마르크스와 엥겔스의 입장에 서서,《노이에 라이니셰 차이퉁》의 탄압 이후 몇몇 편집자의 운명에 관해 짧게 언급하고, 무엇보다 이제 겨우 월간지로 간행하게 된 것을 유감스러워하면서 잡지에 대해 다음과 같이 썼다.

"이 잡지의 모든 기고문을 통해서 필자들은 언론인다운 의욕을 잘 드러냈다. 콜라체크의 월간지(《도이체 모나츠슈리프트 퓌어 폴리틱, 비센샤프트, 쿤스트 운트 레벤Deutsche Monatsschrift für Politik, Wissenschaft, Kunst und Leben》을 의미함 — 옮긴이)의 매끄러운 문체 대신, 이 기고문들의 특징은 혁명에 대해 단순히 수다만을 떠는 것이 아니라, 혁명을 진척하려는 데 각자가 골몰한 그 형식에 있다. 기고문들은 표어와 군호(軍號), 깃발과 부대의 종합이고, 공개된 전장에서의 모든 비상경보와 명령어라는 인상을 준다. 구《노이에 라이니셰 차이퉁》의 요란한 함미 사격 대신에, 여기 최신《노이에 라이니셰 차이퉁》(NRhZ. Revue를 의미함 — 옮긴이)에는 한 발 한 발의 축포가 있다. 함미 사격이 더 나을 수도 있지만, 그것으로도 부족하다면 우리는 축포를 쏠 것이다."

이 기고문은 마르크스의「프랑스 계급투쟁」에 근거하여 6월 무장봉기를 자세하게 다루고, 마르크스 저작의 1부에서 핵심 문장을 인용하고 있다.

1850년 5월 2일 게오르크 베르트는 마르크스에게 다음과 같이 썼다. "나 G694
는 지금까지 '평론'(NRhZ. Revue를 의미함 — 옮긴이)을 세 권 받았는데 아주 만족하고 있습니다. 진심으로 당신에게 축하를 건네고 싶군요. 다시 말해 당신의 포도주세와 지대에 관한 세 번째 기고문은 훌륭합니다. 바덴에 관한 기고문은 내가 쓴다면 그 이상으로 쓸 수 없을 만큼 좋습니다. 이것은 당연히 내가 엥겔스에게 줄 수 있는 최상의 칭찬입니다." 비슷한 시기에 프라일리그라트도 같은 판단을 내리고 있다. "평론(NRhZ. Revue를 의미함—옮긴이)의 첫 세 호는 아주 잘 보고 있고 마음에 드는데, 일부는 매우 탁월한 내용이네. 또한 제3호의 **49년 6월 13일의 결과**, 제국헌법 봉기에 대한 엥겔스의 신선하고 적나라한 비판, 다우머의 제거, 제2호의 캘리포니아에 관한 구절과 그 밖에 많은 것들이 모두 훌륭하네."(프라일리그라트가 1850년 5월 5일 마르크스와 엥겔스에게 보낸 편지.) 스위스에서 잡지의 영향에 관해 빌헬름 볼프는 1850년 5월 14일 엥겔스에게 다음과 같이 썼다. "직간접적으로 잡지에 관한 판단을 소문으로 듣는 것은 내게 큰 즐거움을 준다네. 마르크스의 논문은 자의든 타의든 훌륭하다고 인정받고 있어. 베를린 사람 악투어 슈타인(Aktuar Stein), 브라스(Brass)와 그와 비슷한 사람들이 곧바로 비난거리를 찾고 있지만 말일세. … 제국헌법투쟁! 흠! 얼마나 격렬한가, 얼마나 대단하고 완강한 분노인가! '코슈트처럼 하려고 했던' 주모자 중 한 사람은 엥겔스에게 더 나은 것을 기대했는지 그 기고문이 하찮다고 생각했다네. 다른 사람은 이른바 '엄청난 경솔함'에 분노를 느낀다고 했다네. 또 다른 사람은 기고문 전체가 적절하지 않다고 생각했다네." 베르트가 1850년 6월 2일 마르크스에게 보낸 편지에서는 "킹켈에 대한 기고문에 바보들은 놀라면서 투덜거립니다. 그 글을 보고 기뻐한 사람은 다니엘스와 프라일리그라트 그리고 나뿐일 것입니다".

1850년 중반에야 비로소 소부르주아 민주주의자들은 NRhZ. Revue를 비판하기 시작했다. 무엇보다 계급투쟁과 프롤레타리아트 독재의 이념에 대한 비판이《노이에 도이체 차이퉁》에, 나중에는《트리어셰 차이퉁》(Trier'sche Zeitung)과《도이체 모나츠슈리프트》의 기고문으로 작성되었다. 1850년 6월 22, 23, 25, 26일 자《노이에 도이체 차이퉁》(제148~151호)에 간행된 오토 뤼닝이 작성한 긴 논평은 NRhZ. Revue 첫 네 호의 기고문들, 즉 무엇보다 마르크스의 「… 계급투쟁」과 엥겔스의 「제국헌법투쟁」에 집중하여 계급 및 국가 문제에 대한 마르크스주의적 이해를 왜곡하여 서술했다. 마르크스와 엥겔스는 이 논평에 대해 「《노이에 도이체 차이퉁》 편집자에게 보내는 해명」으로 대답했다(G354~G355쪽, 또한 마르크스가 1850년 6월 27일 바이데마이어에게 보낸 편지를 보라).

소부르주아 민주주의의 부정적 태도에 대해 롤란트 다니엘스는 다음과 같이 썼다. "역사 교육을 받은 이 당의 지식인과 소수의 고위 부르주아지만

이 자네들의 월간지 출간으로 혁명에 관심을 두게 될 것이네. 프랑스 혁명과 현재 혁명에 대한 자네의 서술을 곧바로 이해하기는 그리 어렵지 않을 걸세. 그러나 판매량이 적다고 해서 자네가 놀랄 필요는 없네. 최소한 그것은 외적 상황만은 아닐 걸세."(다니엘스가 1850년 7월 19일 마르크스에게 보낸 편지.)

《트리어셰 차이퉁》이 NRhZ. Revue를 판단한 것도 《노이에 도이체 차이퉁》과 비슷했다. §로 표시한 1850년 12월 4일 자 함부르크의 통신은 「평론. 5월에서 10월까지」를 매우 날카롭다고 칭찬했지만 동시에 계급투쟁의 이론을 거부했다(《트리어셰 차이퉁》, 제292호, 1850년 12월 11일). 주로 NRhZ. Revue 제2호를 다룬 1851년 2월에 처음으로 발행된 기고문도 똑같은 이데올로기적 지반에서 움직였다(《트리어셰 차이퉁》, 제41호, 1851년 2월 18일. 「옛 모젤 통신. 2월 15일Korrespondenz: † Von der Mosel, 15. Februar」). G695

루트비히 지몬은 1851년 소부르주아-반공산주의 입장에서 잡지의 여섯 호 전부에 대해 자세한 비평을 발표했다. 그의 기고문은 마르크스의 「… 계급투쟁」, 「평론. 1월/2월」, 「평론. 5월에서 10월까지」, 또한 엥겔스의 「제국헌법투쟁」을 많이 인용하고 있다. 지몬은 자신의 책인 『모든 제국헌법 투사를 위한 변론 한마디. 독일 배심원들에게』에 대한 NRhZ. Revue의 비평을 빌헬름 볼프가 작성했다고 잘못 주장했다. (루트비히 지몬, 「보통선거권과 노동자 독재Das allgemeine Stimmrecht und die Arbeiterdictatur」, 두 번째 기고문, 《도이체 모나츠슈리프트 퓌어 폴리틱, 비센샤프트, 쿤스트 운트 레벤》, 아돌프 콜라체크 편집, 제2집, 브레멘, 1851년, 제2권, 제5호, 전반부, 161~175쪽.)

이러한 소부르주아적 반응과는 별도로 공산주의자동맹과 진보적 노동자협회 그리고 비슷한 조직에서 NRhZ. Revue의 기고문에 대해 논의가 이루어졌다. 루이스 쿠겔만(Louis Kugelmann)의 지도적 참여하에 1851년 초 본의 체조인연합에서 열린 토론을 이에 대한 하나의 예로 들 수 있다(아우구스트 하르트만August Hartmann이 1851년 4월 15일 카를 슈르츠에게 보낸 편지. Anklageschrift, 64쪽을 보라).

잡지의 속행을 위한 노력

늦어도 1850년 11월 마르크스는 NRhZ. Revue를 1851년에는 계간지로 속간하려는 절차를 밟았다. 1850년 11월 말과 12월 초 그는 계간지 제1호를 편찬하는 데 몰두했다. 얼마 전에 맨체스터로 이주한 엥겔스에게 1850년 12월 2일 마르크스는 다음과 같이 썼다. "무엇에 관해 쓰고 싶은지 신중하게 고려해야 하네. 영국은 아니야. 이미 영국에 관해서는 두 가지 주제가 있고, 아마 에카리우스까지 하면 셋이지. 프랑스에 관해서는 아직 많이 이야기되지 않았네. 마치니의 최근 동향과 관련해서 하찮은 이탈리아들인을 그들의 혁명과 함께 한 번에 정리할 수 없겠나? (그의 '공화국과 군주제' 등을 그의 종교, 교황 등을 포함해서.)"

영국에 관한 두 기고문에 대해 마르크스가 무엇을 생각했는지는 전하지 않는다. 엥겔스는 마르크스의 제안에 동의했다. "마치니 씨와 이탈리아 역사에 관해 쓰는 것에 반대하지 않네. 《더 레드 [리퍼블리컨]》의 기사를 제외하고 나는 마치니의 모든 저작을 갖고 있지 않네. 런던에 8일간 있을 것이기 때문에 크리스마스 전까지 아무것도 할 수 없을 걸세. 그때 필요한 것을 가지고 가겠네. 아마 그때까지 어떤 다른 것이 우리에게 떠오르겠지."(엥겔스가 1850년 12월 17일 마르크스에게 보낸 편지.) 대략 1850년 12월 24일에서 31일까지 엥겔스가 런던에 체류할 동안, 그는 틀림없이 마르크스와 NRhZ. Revue의 속행 문제에 관해 얘기했을 것이다(또한 마르크스가 1851년 1월 6일 엥겔스에게 보낸 편지를 보라).

G696 의구심이 많았음에도 불구하고 계속해서 판매를 슈베르트사에 맡길 예정이었지만, 슈베르트는 구속력이 있는 확답을 미루었다(하우프트가 1850년 12월 3일 마르크스에게 보낸 편지를 보라). 1850년 12월에도 마르크스는 NRhZ. Revue를 샤벨리츠의 아버지 출판 서점에서 계속 간행할 목적으로 바젤의 샤벨리츠와 연락을 취했다. 공산주의자동맹 동맹원 야코프 샤벨리츠는 이에 동의했지만(마르크스가 1851년 1월 6일 엥겔스에게 보낸 편지를 보라), 이 노력도 곧바로 좌절되었다(마르크스가 1851년 1월 22일 엥겔스에게 보낸 편지를 보라).

동시에 마르크스는 이 문제에 관해 쾰른에 있는 친구들과 협상했다(마르크스가 1850년 12월 2일 엥겔스에게 보낸 편지를 보라). 이때 그는 추정컨대 NRhZ. Revue를 쾰른에서 인쇄하자는 1850년대 초의 제안을 재론한 것 같다. 1850년 12월 2일 마르크스는 헤르만 베커에게 다음과 같이 썼다. "슈베르트 씨가 비열하게도 우리의 '평론'(NRhZ. Revue를 의미함—옮긴이)을 얼마나 어렵게 만들었는지 알고 있겠지. … 나는 전지 20장 분량의 계간지로 (2월부터) 사업을 계속하기를 희망하네. 분량이 늘어나면 다양한 자료를 제공할 수 있을 걸세. 자네가 출판사를 인수할 수 있겠나, 어떤 조건이면 가능하겠나?"

1851년 2월 초에도 엥겔스는 프랑스 7월 혁명과 그 결과에 관한 기고문을 계획했다. 거기서 그는 베르나르 사랑(Bernard Sarrans)의 저작 『1830년 혁명에서의 라파예트, 7월의 사건과 인물 이야기』(Lafayette et la révolution de 1830, histoire des choses et des hommes de juillet)와 유명한 인물들의 저작은 물론 당시 많이 보급되었던 루이 블랑의 『10년의 역사』(Geschichte der zehn Jahre) 등에 대해 "우정 어린 비판을 제기"하려고 했다(엥겔스가 1851년 2월 5일 마르크스에게 보낸 편지). 그러나 1851년 초반이 지나면서 마르크스와 엥겔스는 하인리히 뷔르거스, 다니엘스, 바이데마이어가 준비하고 쾰른에서 간행한다고 했던 "새로운 잡지"를 위해 자신들의 기획을 접었다.

편집에 대하여

NRhZ. Revue의 기고문은 대부분 마르크스나 엥겔스가 서명하거나, 원저자가 누구인지에 대해 믿을 만한 참조사항이 있다. 이 원저자 증명에 대해서는 부속자료의 "집필과정과 전승과정"에서 해당 글마다 제시했다.

예외 없이 편집진이 서명한 짧은 텍스트도 분명하게 저자가 검인한 텍스트라고 간주했다(제1호의 "광고", 제4호의 메나르의 시에 대한 머리말과 디디어에 대한 설명, 제5/6호 『공산당 선언』 부분 인쇄물에 대한 각주와 에카리우스의 기고문에 대한 주해). 왜냐하면 마르크스와 엥겔스를 제외하고 누구도 편집에 참여했다고 생각할 수 없기 때문이다.

"편집자 주해" 메모는 잡지에서는 다양한 방식으로 생략되었다. 이러한 생략은 이 책 본문에서는 줄이지 않고 모두 서술되었다.

NRhZ. Revue의 완전한 원본들은 이미 잡지 간행 이후 짧은 시간에 수집가의 골동품이 되었다. 그래서 다음의 판본들만을 비교할 수 있었다.

—독일 사회주의통일당 중앙위원회 마르크스주의-레닌주의연구소, 베를린, 장서, 정리 번호 Z 1710. 제1~4호를 묶은 책(제2호는 완전하지 않다) G697
한 권과 낱권으로는 제2호와 제5/6호. 표지와 인쇄오류 목록은 남아 있다.

—IML/ZPA Moskau, 정리 번호 f. 1, op. 1, d. 6845. 제1~6호를 묶은 책

한 권. 표지가 없다. 인쇄오류 목록은 제1호에 대한 것만 남아 있다. 여기에 마르크스는 연필로 다음과 같이 썼다. "80

92

——

172".

이 견본에는 마르크스가 검은 잉크로 교정한 곳이 열다섯 군데가 있다. 이것은 제1호의 8~16쪽과 제5/6호의 176~179쪽에 해당한다. 제1호 다섯 군데의 교정은 결국 제2호 마지막에 있는 NRhZ. Revue의 인쇄오류 목록의 원안과 일치한다. 제5/6호의 교정은 이른바 "유럽 중앙위원회"의 선언에 헌정한 「평론. 1850년 5월에서 10월까지」의 마지막 절에 해당한다. 이것은 「위대한 망명자들」 초고에 대한 마르크스의 작업과 관련하여 이루어졌을 것이다. 그 밖에 마르크스는 제3호 27쪽의 오른쪽 가장자리 옆에, 더 정확히 말하면 G188쪽 11~14행에 해당하는 세 행 옆에 옆줄을 그었다.

—IML/ZPA Moskau, 정리 번호 f. 1, op. 1, d. 5584. 제1~6호를 함께 묶은 책 한 권. 표지와 인쇄오류 목록은 없다. 이 견본은 우선 카를 펜더의 것이었는데, 1860년 프리드리히 레스너(Friedrich Leßner)가 선물한 것이다. 레스너는 이 견본을 엥겔스가 자주 사용하도록 했다. 레스너가 죽은 이후 이것은 독일 사회민주당의 장서에 편입되었다.

인쇄오류 목록에서 지시된 교정은 대부분 잉크로 쓰였는데, 아마 펜더가 한 것으로 추정된다. 레스너의 다양한 메모 이외에도 이 견본에는 거의 100곳에 걸친 엥겔스의 교정, 난외 메모, 밑줄이 포함되어 있다. 엥겔스는 이것을 주로 연필로, 일부는 잉크로 썼다.

작은 구두점 문제에서부터 내용상 중요한 변경사항까지 엥겔스가 연필로 교정하고 밑줄을 그었는데, 이것은 1895년 2월 「1848년에서 1850년까지 프랑스 계급투쟁」의 개정 신판을 준비하는 과정에서 이루어졌다. 베를린의 출판인 리하르트 피셔(Richard Fischer)에게 이것을 보냈다는 문헌 근거는 충분하지 않다. 이 근거는 1895년 인쇄본에서 일부만 참작할 수 있을 뿐이다.

1895년 초 NRhZ. Revue를 통독할 때 엥겔스는 「… 계급투쟁」의 개정 신판에 포함될 텍스트를 수정했을 뿐 아니라, 「독일 제국헌법투쟁」의 일부와 제2호와 제4호의 서평, 제1호와 제5/6호의 평론, 「영국의 10시간 법」도 수정했다. 이렇게 기입된 전체 메모에 관해서는 해당 기고문들에 대한 학술적 부속자료에서 해명했다.

—소련 공산당 중앙위원회 마르크스주의-레닌주의연구소, 모스크바, 장서, 정리 번호 $\frac{\text{ЦЖ}}{\text{2 N 481}}$. 모두 세 장의 인쇄오류 목록을 포함해 하나로 묶은 견본으로, 제2, 3, 5/6호의 표지는 없다.

—IISG. 장서, 정리 번호 D$\frac{1179}{6}$K. 카를 카우츠키(Karl Kautsky)의 장서 G698
에서 이전된, 하나로 묶은 견본.

텍스트상 이 견본들 사이에는 차이점이 없다. 그러니까 함부르크에서 인쇄했을 때는 교정이 이루어지지 않은 듯하다.

제1~3호의 인쇄오류 목록은 대부분 마르크스와 엥겔스에 의한 것으로 추정된다. 최소한 이것은, NRhZ. Revue의 두 견본에서 알 수 있듯이, 그들의 필적이 포함되었음을 두 사람이 거의 전부 인정했다. 본문을 제작할 때 이 세 개의 인쇄오류 목록은 저자가 검인한 것으로 간주해, 거기서 요구된 교정들을 암묵적으로 받아들였다. 해당 기고문에 대한 교정사항 목록은 오류를 수정하는 것만이 목적이었다. 이들 오류는 1850년에 무시되었거나 당시 기술적 제작의 어려움, 잡지의 중단 및 나중에는 휴간 때문에 정정되지 않은 오류들이다. 이것은 무엇보다 제1호의 일부와 제4~6호에 해당한다. 마르크스와 엥겔스는 1850년 이후 세 인쇄오류 목록에 관해 일반적으로 더는 작업하지 않았기 때문에, 무엇보다 엥겔스가 사용한 판본에는 1850년 것을 반복하거나 변형하거나 보충하는 일련의 교정이 있었다. 몇몇 경우에는 그렇게 해서 인쇄오류 목록의 실수도 교정할 수 있었다. 해당 기고문의 교정사항 목록은 이러한 경우들을 모두 설명한다. 1895년 엥겔스가 기입한 것 중에서 분명히 교정과 관계가 없는 것은 변경사항 목록에서 명시할 것이다.

연재 기고문으로 발행된 경우, 제목의 반복이나 연재 방식, 본문 연재 말미에 있는 서명 등은 고려하지 않고 놔두었다.

차티스트 기관지 《더 데모크라틱 리뷰》, 《더 레드 리퍼블리컨》, 《더 프렌드 오브 더 피플》, 《노츠 투 더 피플》에 협력

《더 데모크라틱 리뷰》

1848년 4월 영국의 차티스트가 패배한 후 그 좌파와 우파 사이에 견해 차이가 심해졌다. 차티스트 운동의 중앙 기관지 《더 노던 스타》는 기회주의적 집단의 대표적 지도자 퍼거스 오코너의 소유였다. 좌파의 탁월한 대표자 줄리언 하니가 이 신문의 편집자였다. 1849년 중반 오코너와 하니의 갈등은 심해졌고, 결국 결별은 시간문제일 뿐이었다. 독자적으로 출판하기 위해 하
G699 니는 1849년 6월 런던에서 월간지《더 데모크라틱 리뷰. 영국 및 외국의 정치, 역사, 문학 분야》를 창간했다. 그는 거기에 유럽 전역의 혁명운동에 대한 기고문들에 많은 지면을 할애했다.

자신의 잡지를 위해 하니는 혁명의 패배 후 런던에 와서 살던 망명자나 대륙의 혁명가 중에서 협력자를 구했다. 이미 1849년 3월 그는 엥겔스에게 정기 기고를 통한 지원을 부탁했다(하니가 1849년 3월 19일 엥겔스에게 보낸 편지를 보라). 엥겔스는 동의했다. 그 후 1849년 5월 1일 편지에서 하니는 동의에 감사하면서 매호 기고를 부탁했다. 그는 무엇보다 대륙에 관한, 특히 독일의 정세에 관한 모든 주제를 제안했다. 하니는 또한 카를 샤퍼에게도 부탁했음을 알렸고, 엥겔스에게 더 많은 친구와 동지를 협력자로 구해달라고 간청했다. 무엇보다 하니는 프랑스에서 매달 통신을 받고 싶어 했다.

엥겔스의 제국헌법투쟁 참여와 스위스 망명은《더 데모크라틱 리뷰》에 대한 협력을 어렵게 했다. 엥겔스가 1849년 11월 런던에 체류하게 되자 기회가 다시 주어졌다. 1849년과 1850년 마르크스, 엥겔스, 하니 사이에는 밀접한 정치적 · 개인적 관계가 있었다.

엥겔스는 기고를 통해 하니의 잡지를 곧바로 지원하기 시작했다. 그는 NRhZ. Revue를 위한 광범위한 작업에도 불구하고 그렇게 했다. 1850년 2월 그는 기고문「10시간 문제」(G225~G230쪽)를 썼다. 그 외 1850년 4, 5, 6월에는「혁명의 2년」(G237~G250쪽)이라는 제목으로 마르크스의「프랑스 계급투쟁」에서 발췌한 것을 실었다. 엥겔스는 마르크스의 이 논문을 요약하고 번역하여, 서문 및 설명을 위한 참고문헌과 함께 보냈다.

《더 데모크라틱 리뷰》에 대한 엥겔스의 협력은 이 두 기고문에 그치지 않았다. 1850년 1월 이후 비교적 정기적인 기고문「프랑스에서 온 편지」와 — 띄엄띄엄 —「독일에서 온 편지」가 발행되었다. 이 기고문의 내용은 물론 언어와 문체는 엥겔스가 저자임을 증명한다. 이것을 증명하는 데는 모스크바의 소련 공산당 중앙위원회 마르크스주의-레닌주의연구소의 협력자 M. P. 마리니체바(Marinitschewa)와 W. A. 스미르노바(Smirnowa)가 기여했다. 이 통신들의 주제는 하니가 위에서 언급한 1849년 5월 1일 엥겔스에게 보낸 편지에서 간청한 것과 완전히 일치한다. 프랑스에서 온 편지는 마

르크스의 「프랑스 계급투쟁」과 밀접한 관계에 있다. 몇 가지 예외를 제외한다면 정치적 평가는 완전히 일치한다. 무엇보다 주류세의 서술(G24~29쪽과 G183쪽 28행~G185쪽 25행을 보라), 민주 진영 내에서의 계급 세력과 1848년 이후 그 세력의 변화에 관한 서술(G34~G36쪽, G187쪽 15행~G188쪽 19행, G190쪽 15행~G191쪽 17행을 보라), 그리고 프랑스 언론법의 판단(G364~G365쪽 29행과 G474쪽 22행~G475쪽 16행을 보라)이 그렇다. 또한 독일에서 온 편지는 같은 시기에 쓰인 마르크스와 엥겔스의 다른 논문들과 비슷한 점이 많다. 접근 방식과 특정한 부분의 비교는 완전히 일치하거나 비슷하다. 특히 제국의 섭정 통치를 다루면서 그들이 베른의 선술집에서 아직도 회의를 열고 있다고 확인한 것은 이와 관련이 있다(G22쪽 6행과 G204쪽 35행을 보라). 그리고 정치 소송에서 배심 법원의 무죄 판결에 대한 평가(G22쪽 41행~G23쪽과 G212쪽 9~15행을 보라), 프리드리히 빌헬름 4세의 평가(G32쪽과 G211쪽을 보라), 오스트리아 국가 재정에 G700 관한 논평(G31쪽 15~40행과 G212쪽 37행~G213쪽 17행을 보라), "약소국"에 관한 발언(G361쪽 22~23행과 G362쪽 9~19행) 등도 그렇다. 이 기고문들은 프랑스와 독일의 민주적 신문에 실린 비슷한 주제의 다른 논문들에 비하면 뛰어난 수준이었다.

또한 12편의 통신에 쓰인 언어의 분석이 엥겔스가 저자라는 추측을 뒷받침한다. 이 12편의 통신은 전형적인 영어식 표현법을 구사하기는 하지만 그 배경에는 독일어가 깔려 있다. 비슷한 언어적 특징은 엥겔스가 영어로 쓴 1849년 12월 18일과 20일의 기고문에서도 나타난다.

《더 데모크라틱 리뷰》 1850년 8월 호에 실린 프랑스와 독일에서 온 마지막 편지에는 7월로 날짜가 적혀 있다.

하니는 이 통신들에 큰 의미를 부여했다. 하니는 《더 노던 스타》에 《더 데모크라틱 리뷰》의 개별 호에 관해 논평하면서 이것을 분명히 밝혔다. "이 편지들은 아마 《더 데모크라틱 리뷰》의 가장 가치 있는 특징을 이룰 것이다."(《더 노던 스타》, 1850년 3월 2일.) 비슷한 언급은 여러 군데 있다. 《더 데모크라틱 리뷰》 1850년 4월 호 비평(《더 노던 스타》, 1850년 4월 6일)에서 하니는 「프랑스에서 온 편지 IV」에서 "이런 조합은 절묘하기 그지없다!"부터 "노동자 전체의 완전 해방에 의지해야 함을 알고 있다"(G251쪽 18행~G252쪽 7행)까지 인용했다. 그리고 나서 하니는 이 "편지들"의 저자를 높이 평가하고, 자신의 계속된 협력 작업에 그를 자주 연관시켰다. 이 기고문들은 프랑스와 독일의 발전에 관한 차티스트의 견해에 영향을 주었다. 이것은 그들에게 구 사회질서는 오직 혁명적 방식으로만 타파할 수 있음을 대륙의 운동 경험에 근거하여 보여주는 데 기여했다. 마르크스 및 엥겔스와 견해를 같이한《더 데모크라틱 리뷰》의 협력자로는 헬렌 맥팔레인(하워드 모턴 Howard Morton이라는 가명을 썼다)과 콘라트 슈람이 있었다.

1850년 9월에《더 데모크라틱 리뷰》의 마지막 호가 나왔다. 이 잡지는 일정 기간 우애 민주주의자의 공식 기관지로서도 기능했다.

《더 데모크라틱 리뷰》 기고문을 본문에 재판할 때 텍스트는 IML 베를린, 정리 번호 Z 848의 잡지 판본을 따랐다.

《더 레드 리퍼블리컨》

《더 데모크라틱 리뷰》를 간행하고 있던 1850년 6월 22일 하니는 주간지《더 레드 리퍼블리컨》의 편집을 시작했다. 공산주의자동맹의 「6월 연설」에서 "혁명적 차티스트 당"에 대해 "그들의 신문은 우리 뜻대로 움직인다"(G341쪽 31~32행)라고 확언했을 때의 신문은 이 두 기관지였다.

《더 레드 리퍼블리컨》은 1850년 9월부터 11월 30일까지만 간행되었다.
하니는 두 기관지를 동시에 발간할 재정적 여력이 없었기 때문이다. 1850년
하니는 자신의 잡지 제호를《더 프렌드 오브 더 피플》로 바꾸었다. 이것으로
G701 그는 정부의 탄압을 피하려고 했다. 그 제호(더 레드 리퍼블리컨을 의미함—
옮긴이)로는 허가를 받지 못했기 때문이다(마르크스가 1850년 11월 23일
엥겔스에게 보낸 편지, 엥겔스가 1850년 11월 25일 마르크스에게 보낸 편
지를 보라). 게다가 그는 잡지 제호를 바꿈으로써 서점에 더 쉽게 공급할 수
있을 것이라고 생각했다(《더 레드 리퍼블리컨》, 제24호, 1850년 11월 30일,
188/189쪽의 제호 변경 이유를 보라).

1850년 11월《더 레드 리퍼블리컨》에 처음으로 『공산당 선언』이 영어로 발표되었다(G605~G628쪽). 헬렌 맥팔레인의 번역에 대한 엥겔스의 협력은 G1119~G1120쪽(원문에는 1118~1119로 되어 있으나 MEGA의 오기—옮긴이)을 보라.

마르크스와 엥겔스는 당시에 하니와 헬렌 맥팔레인 가까이에서 함께 작업하면서《더 레드 리퍼블리컨》의 구성에 영향을 주었다. 맥팔레인은 마르크스주의적 견해를 대변하는 몇몇 중요한 정치적 기고문을《더 레드 리

퍼블리컨》에 하워드 모턴이라는 필명으로 썼다. 그 외 콘라트 슈람이 《더 레드 리퍼블리컨》에 기고문 「슐레스비히-홀슈타인의 전쟁」(The war in Schleswig-Holstein)을 발표했다(제18호, 1850년 10월 19일). 요한 게오르크 에카리우스는 "일하는 재봉사"라는 아주 그럴듯한 필명 뒤에 숨어서, 1850년 11월 거의 같은 시기에 NRhZ. Revue에 쓴 기고문(G593~G604쪽)에서 다룬 같은 문제에 대해 《더 레드 리퍼블리컨》에 2회 연속으로 썼다.

NRhZ. Revue에도 마찬가지로 협력했던(G264쪽을 보라) 루이 메나르는 1850년 6월과 7월 《더 레드 리퍼블리컨》에 파리의 6월 학살에 관한 기고문을 연재했다.

하니는 잡지 지면을 개방했지만, 문제는 마치니와 르드뤼-롤랭, 루이 블랑과 같은 부르주아 민주주의자와 소부르주아 사회주의자에게 개방한 것이었다. 하니는 1850년 여름에 형성된 "유럽 민주주의 중앙위원회"(때로는 중앙 유럽 민주주의 위원회)와 밀접한 관련을 맺었다. 여기 지도부에는 마치니와 르드뤼-롤랭, 아르놀트 루게, 폴 알베르트 다라츠 등이 있었다. 《더 레드 리퍼블리컨》의 많은 기고문이 이 위원회의 기관지 《르 프로스크리》(후에 《라 부아 뒤 프로스크리》)를 재판할 때 번역되었다. 이러한 연계로 인해 1851년 초 하니는 공산주의자동맹의 정치 노선에서 소외되었다.

《더 프렌드 오브 더 피플》

1850년 12월 14일(시쇄본은 1850년 12월 7일) 《더 레드 리퍼블리컨》은 새로운 제호 《더 프렌드 오브 더 피플》로 간행되었다. 마지막 호는 1851년 7월 26일 발행되었다. 한 번 중단된 이후 하니는 잡지의 두 번째 시리즈를 1852년 2월 7일에서 4월 24일까지 12호를 발간했다.

《더 프렌드 오브 더 피플》은 《더 레드 리퍼블리컨》과 매우 비슷하지만, ―부분적으로 언론법을 고려하면 ― 지역 차티스트 조직의 기고문이 더 많고 상대적으로 일반-정치적 문제에 대한 기고문은 적었다. 개인적인 다툼으로 (마르크스가 1851년 2월 23일 엥겔스에게 보낸 편지를 보라) 헬렌 맥팔레인은 1850년 12월 말 하니의 잡지를 위한 협력을 중단했다. 잡지 편집에서 누 G702
구보다 어니스트 존스와 조지 제이컵 홀리오크(George Jacob Holyoake)에게 처음부터 지원받았던 하니는 곧바로 다시 엥겔스의 협력을 구했다. 우선 그는 NRhZ. Revue에 실렸던 「독일 농민전쟁」의 번역을 제안했다. 엥겔스는 명백히 거부하지는 않았지만, 시간이 부족했기 때문에 번역을 서두를 필요는 없고 다만 가능성을 타진해보겠다고 대답했다(하니가 1850년 12월 9일과 16일 엥겔스에게 보낸 편지를 보라). 번역은 이루어지지 않았다. 그 대신 1851년 1월 요한 게오르크 에카리우스의 논문「부르주아 사회의 마지막 단계」(G629~G640쪽)가 실렸다. 이 논문에 대해서는 마르크스가 협력했을 것이다. 그 밖에 에카리우스는《더 프렌드 오브 더 피플》에 서평「맨체스터학파 철학자의 통찰」(The discernment of a Manchester school philosopher)(제9호, 1851년 2월 8일, 66~67쪽; 제10호, 1851년 2월 15일, 74~75쪽)을 실었다. 이 기고문은 논쟁적인 방식으로 새뮤얼 G. 그린(Samuel G. Green)의 책『영국의 노동자계급: 그들의 현재 조건과 그들의 개선 및 향상 수단』(The working classes of Great Britain: their present condition, and the means of their improvement and elevation)을 비판한 것인데, 마르크스의 협력을 받았는지는 알 수 없다.

1851년 1월 엥겔스는 유럽의 소부르주아적-민주적 망명자들, 특히 유럽 민주주의 중앙위원회에 대해 기고문 몇 편을 쓰겠다고 하니에게 제안했다(엥겔스가 1851년 1월 25일 마르크스에게 보낸 편지를 보라). 엥겔스는 3부로 완성하여 2월 12일 하니에게 보냈다. 모두 9편의 연재 분량인데, 여기서 루이 블랑, 알렉상드르-오귀스트 르드뤼-롤랭, 주세페 마치니, 아르놀트 루게 등 다양한 정치가의 영향이 비판적으로 규명되었다(엥겔스가 1851년 2월 5일과 12일 마르크스에게 보낸 편지를 보라). 그러나 하니와 소부르주아적-민주적 망명 분파 및 빌리히-샤퍼 분리파와의 점점 굳건해진 관계는 엥겔스로 하여금《더 프렌드 오브 더 피플》에 그 이상 협력할 수 없게 만들었다. 그는 이미 쓴 기고문 3편을 돌려받았고 연재를 그만두었다(전하지 않는 저술 작업 목록, G1128~G1129쪽을 보라). 이 자료의 일부는 후에 마르크스와 엥겔스가 완성한 논쟁서인「위대한 망명자들」에 사용되었다.

하니와의 일시적인 정치적 단절의 결과로 2월 말 에카리우스도《더 프렌드 오브 더 피플》에 대한 협력을 그만두었다. 1851년 2월 24일 사건들에 대해 콘라트 슈람이 해명을 발표함으로써 이런 대립이 있었다는 사실을 보여준다(C. 슈람,「《더 프렌드 오브 더 피플》 편집자에게To the Editor of the "Friend of the People"」,《더 프렌드 오브 더 피플》, 제14호, 1851년 3월 15일, 107쪽). 마르크스와 엥겔스는 이 성명의 텍스트에 대해 2월 초 슈람과 상의했다.

G703

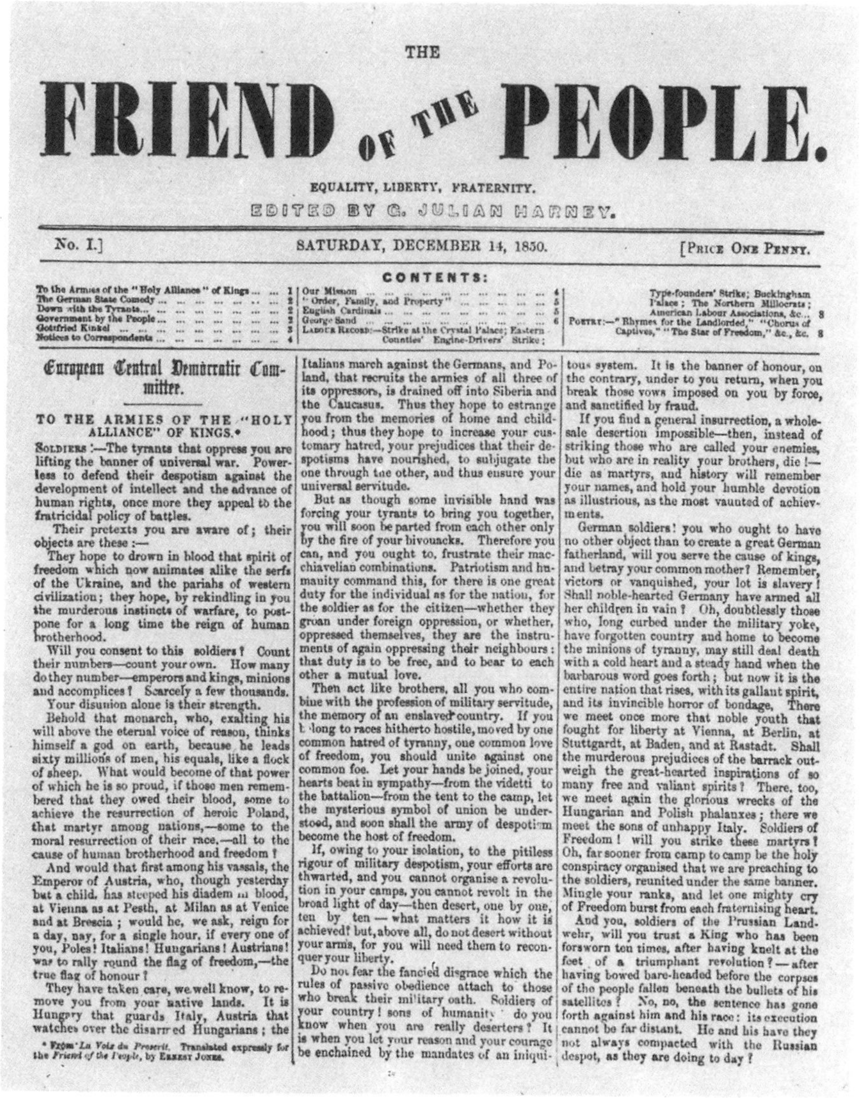
THE

FRIEND OF THE PEOPLE.

EQUALITY, LIBERTY, FRATERNITY.

EDITED BY G. JULIAN HARNEY.

No. I.] SATURDAY, DECEMBER 14, 1850. [PRICE ONE PENNY.

CONTENTS:

To the Armies of the "Holy Alliance" of Kings 1
The German State Comedy 2
Down with the Tyrants... 2
Government by the People 2
Gottfried Kinkel 3
Notices to Correspondents 4
Our Mission 4
"Order, Family, and Property" 5
English Cardinals 5
George Sand 6
LABOUR RECORD:—Strike at the Crystal Palace; Eastern Counties' Engine-Drivers' Strike; Type-founders' Strike; Buckingham Palace; The Northern Millocrats; American Labour Associations, &c... 8
POETRY:—"Rhymes for the Landlorded," "Chorus of Captives," "The Star of Freedom," &c., &c. 8

European Central Democratic Committee.

TO THE ARMIES OF THE "HOLY ALLIANCE" OF KINGS.*

SOLDIERS:—The tyrants that oppress you are lifting the banner of universal war. Powerless to defend their despotism against the development of intellect and the advance of human rights, once more they appeal to the fratricidal policy of battles.

Their pretexts you are aware of; their objects are these:—

They hope to drown in blood that spirit of freedom which now animates alike the serfs of the Ukraine, and the pariahs of western civilization; they hope, by rekindling in you the murderous instincts of warfare, to postpone for a long time the reign of human brotherhood.

Will you consent to this soldiers? Count their numbers—count your own. How many do they number—emperors and kings, minions and accomplices? Scarcely a few thousands.

Your disunion alone is their strength.

Behold that monarch, who, exalting his will above the eternal voice of reason, thinks himself a god on earth, because he leads sixty millions of men, his equals, like a flock of sheep. What would become of that power of which he is so proud, if those men remembered that they owed their blood, some to achieve the resurrection of heroic Poland, that martyr among nations,—some to the moral resurrection of their race,—all to the cause of human brotherhood and freedom?

And would that first among his vassals, the Emperor of Austria, who, though yesterday but a child, has steeped his diadem in blood, at Vienna as at Pesth, at Milan as at Venice and at Brescia; would he, we ask, reign for a day, nay, for a single hour, if every one of you, Poles! Italians! Hungarians! Austrians! was to rally round the flag of freedom,—the true flag of honour?

They have taken care, we well know, to remove you from your native lands. It is Hungary that guards Italy, Austria that watches over the disarmed Hungarians; the Italians march against the Germans, and Poland, that recruits the armies of all three of its oppressors, is drained off into Siberia and the Caucasus. Thus they hope to estrange you from the memories of home and childhood; thus they hope to increase your customary hatred, your prejudices that their despotisms have nourished, to subjugate the one through the other, and thus ensure your universal servitude.

But as though some invisible hand was forcing your tyrants to bring you together, you will soon be parted from each other only by the fire of your bivouacks. Therefore you can, and you ought to, frustrate their macchiavelian combinations. Patriotism and humanity command this, for there is one great duty for the individual as for the nation, for the soldier as for the citizen—whether they groan under foreign oppression, or whether, oppressed themselves, they are the instruments of again oppressing their neighbours: that duty is to be free, and to bear to each other a mutual love.

Then act like brothers, all you who combine with the profession of military servitude, the memory of an enslaved country. If you belong to races hitherto hostile, moved by one common hatred of tyranny, one common love of freedom, you should unite against one common foe. Let your hands be joined, your hearts beat in sympathy—from the videtti to the battalion—from the tent to the camp, let the mysterious symbol of union be understood, and soon shall the army of despotism become the host of freedom.

If, owing to your isolation, to the pitiless rigour of military despotism, your efforts are thwarted, and you cannot organise a revolution in your camps, you cannot revolt in the broad light of day—then desert, one by one, ten by ten—what matters it how it is achieved? but, above all, do not desert without your arms, for you will need them to reconquer your liberty.

Do not fear the fancied disgrace which the rules of passive obedience attach to those who break their military oath. Soldiers of your country! sons of humanity! do you know when you are really deserters? It is when you let your reason and your courage be enchained by the mandates of an iniquitous system. It is the banner of honour, on the contrary, under to you return, when you break those vows imposed on you by force, and sanctified by fraud.

If you find a general insurrection, a wholesale desertion impossible—then, instead of striking those who are called your enemies, but who are in reality your brothers, die!—die as martyrs, and history will remember your names, and hold your humble devotion as illustrious, as the most vaunted of achievments.

German soldiers! you who ought to have no other object than to create a great German fatherland, will you serve the cause of kings, and betray your common mother? Remember, victors or vanquished, your lot is slavery! Shall noble-hearted Germany have armed all her children in vain? Oh, doubtlessly those who, long curbed under the military yoke, have forgotten country and home to become the minions of tyranny, may still deal death with a cold heart and a steady hand when the barbarous word goes forth; but now it is the entire nation that rises, with its gallant spirit, and its invincible horror of bondage. There we meet once more that noble youth that fought for liberty at Vienna, at Berlin, at Stuttgardt, at Baden, and at Rastadt. Shall the murderous prejudices of the barrack outweigh the great-hearted inspirations of so many free and valiant spirits? There, too, we meet again the glorious wrecks of the Hungarian and Polish phalanxes; there we meet the sons of unhappy Italy. Soldiers of Freedom! will you strike these martyrs? Oh, far sooner from camp to camp be the holy conspiracy organised that we are preaching to the soldiers, reunited under the same banner. Mingle your ranks, and let one mighty cry of Freedom burst from each fraternising heart.

And you, soldiers of the Prussian Landwehr, will you trust a King who has been forsworn ten times, after having knelt at the feet of a triumphant revolution?—after having bowed bare-headed before the corpses of the people fallen beneath the bullets of his satellites? No, no, the sentence has gone forth against him and his race: its execution cannot be far distant. He and his have they not always compacted with the Russian despot, as they are doing to day?

* From *La Voix du Proscrit*. Translated expressly for the *Friend of the People*, by ERNEST JONES.

《더 프렌드 오브 더 피플》, 런던, 1850년, 표지 존스는 1851년 2월 24일 연회와 관련된 사건들 이후에 하니와 대립하면서 마르크스와 엥겔스의 편에 섰고, 존스와 하니는 이미 원칙상 정치적 결별을 하기는 했지만, 그들은 협력 작업을 계속했다. 1851년 3월 31일에서 4월 10일까지 런던에서 개최된 차티스트 대회 준비가 이런 활동의 중심에 있었다.

다음의 재판이 본문의 원고로 이용되었다. 『두 권으로 된 《더 레드 리퍼블리컨》과 《더 프렌드 오브 더 피플》』(The Red Republican & The Friend of the People in two volumes), 런던, 1966년.

G705

《노츠 투 더 피플》

차티스트 좌파는 하니와 존스의 지도 아래 1851년 3월 31일에서 4월 10일까지 런던에서 개최된 대회에서, 1848년의 헌장을 근본적으로 넘어선 강령을 관철했다(차티스트 대회의 「선동 강령Programme of Agitation」은 다음에서 발표되었다. 《더 프렌드 오브 더 피플》, 제18호, 1851년 4월 12일, 158~59쪽; 두 부록은 《더 프렌드 오브 더 피플》, 제19호, 1851년 4월 19일, 168쪽).

원래 하니와 존스는 이 강령에 기초하여 주간지의 공동 발간을 계획했다. 이 공동 기관지는 《더 프렌드 오브 더 피플》로도 불렸다. 이 기관지를 준비하기 위해 영국 60개 도시의 대표자를 포괄하는 차티스트 위원회가 1851년 7월까지 활동했다. 하니가 소부르주아적 망명 분파와 점점 굳건해지고 이 때문에 마르크스, 엥겔스와 결별한 후에 존스와 하니의 관계에도 긴장이 돌다가 결국 완전히 단절되었다.

이러한 정치적 차이가 공개적으로 드러나기 전에 이미 존스는 독자적으로 주간지를 편찬하기 시작했다. 《노츠 투 더 피플》의 첫 호는 1851년 5월 3일 발행되었다. 잡지는 노동하는 이들을 정치적으로 계몽하는 작업을 수행한다고 했다. "… 지식의 씨앗은 심어야 하고, 진리의 말은 도시 지역에 뿌려야 한다. 그리고 인민의 마음은 이제 다가오는 권력의 시기에 행동할 준비가 되어 있다."(《더 프렌드 오브 더 피플》, 제24호, 1851년 5월 24일, 212쪽.)

이 시기에 존스는 마르크스와 정치적 · 개인적으로 매우 가까이 접촉했다. 잡지에 대한 마르크스의 협력을 존스는 특히 매우 중요시했다. 마르크스는 영국 노동자들 사이에 사회주의적 견해를 전파하고 그들의 계급의식을 강화하기 위해 노력하는 존스를 도왔다. 마르크스 외에도 에카리우스와 빌헬름 피퍼 등이《노츠》에 협력했다. 이 시기에 존스가 마르크스에게 보낸 편지는 몇 안 되는 짧은 편지만이 남아 있는데, 이것은 혁명적 차티스트의 지도자가 마르크스의 기여를 얼마나 높이 평가했는지를 잘 보여준다. 존스는 무엇보다 유럽 헌법에 관한 연재 기고를 계획했는데, 이때 그는 특히 친구인 마르크스의 도움을 희망했다. "자네가 '유럽 헌법'에 대해 나를 도와주지 않는다면 누가 그것을 할 수 있단 말인가."(존스가 1851년 6월 9일 마르크스에게 보낸 편지.) 마르크스가 프랑스 헌법에 관한 기고문(G535~G548쪽)을 완성하자, 존스는 6월 9일 편지에서 프로이센 헌법에 관한 다음 기고문을 간청했다. 이 기고문은 6월 28일《노츠》제9호에 실렸는데, 내용으로 보건대 마르크스가 아니라 익명 저자가 쓴 것이다. 이 기고문에는 무엇보다 「프랑스 헌법」(「1848년 11월 14일 채택된 프랑스 공화국 헌법」을 의미함 — 옮긴이)의 결론 부분에서와 같은 날카롭고 종합적인 분석이 결여되어 있다. 게다가 존스는 "그 기고문에 **독일 노동자의 사회적 조건에 관한 설명**을 해줄 것"을 희망했다. 그러나 프로이센 헌법에 관한 기고문에는 그에 관한 설명이 없었고, 마지막 부분에 "대륙에서 망명해 온 우리 형제 중 한 명이" 독일 노동자계급에 관한 아주 중요한 기고문을 준비 중이라는 편집자의 짧은 논평이 있을 뿐이다. 존스는 독일 노동자계급에 관한 마르크스의 기고문을 고대했지만, 결국 그 글은 피퍼가 썼다(존스가 1851년 7월 29일 마르크스에게 보낸 편지를 보라). G706

《노츠 투 더 피플》에 대한 마르크스의 협력은 프랑스 헌법에 관한 기고문을 쓴 것에 그치지 않았다. 그는 존스가 원하던 기고문을 쓰기 위한 친구와 아군을 얻었고 경제적 문제를 설명할 때는 존스를 도와주었다.

마르크스, 그리고《노츠》가 간행될 당시에 이미 맨체스터에서 살고 있던 엥겔스는 존스를 높이 평가했다. 엥겔스는《노츠》의 첫 호가 간행된 지 대략 두 달 후에 "존스는 하니와 전혀 다른 인물로, 우리와 아주 밀접하게 일하고 있고 이제 '선언'(『공산당 선언』을 의미함 — 옮긴이)을 영국인들에게 드러내고 있다"고 썼다(엥겔스가 1851년 7월 9일 드롱케에게 보낸 편지). 엥겔스는 분명히 프랑스 헌법에 대한 마르크스의 논문을 염두에 두고 쓴 것이기는 하지만, 차티스트 대회에서 채택된 강령에 대한 존스의 기고문을 염두에 둔 것으로 볼 수도 있다. 이 강령은 — 많은 모순에도 불구하고 — 착취에서 해방된 새로운 사회를 수립하는 데 목적을 두었다. 롤란트 다니엘스는 이에 관해 마르크스에게 다음과 같이 썼다. "4월 10일 차티스트 대회의 강령에서 이미 나는 자네의 영향력을 알아챘다네."(다니엘스가 1851년 5월 말 마르크스에게 보낸 편지.)

존스는 자신의 잡지에서 무엇보다도 이 강령을 해설하고 영국 협동조합 운동의 지도자들 다수가 표명한 개량주의적 노력에 반대하는 투쟁에 몰두했다. 일련의 영향력 있는 협동조합원들은 1849년 말에 부상한 이른바 "기독교 사회주의" 노선에 속했다. 1850년 11월《크리스천 소셜리스트》(Christian Socialist)라는 잡지도 간행되기 시작했다. 부유한 가문의 성원, 교구 목사, 변호사 등이 이 그룹에 속했다. 그들은 협동조합 설립을 위한 수단을 제공했고 그에 상응하는 영향력을 장악했다. 기독교 사회주의자들에게 협동조합의 설립은 혁명운동에 반대 행동을 취할 수 있는 수단이었다.

마르크스 자신도 협동조합 운동의 개량주의적 견해와의 논쟁에 참여했다. 이에 대해 마르크스는 1864년에 다음과 같이 썼다. "우연히 나는 E. 존스의《노츠 투 더 피플》(1851년, 1852년) 몇 부를 다시 손에 넣게 되었네. 경제 기고문에 관한 한 주요 논점은 직접 내가 지도하고 일부는 직접 협력해서 쓰인 것일세. 이런! 내가 무엇을 생각했겠는가? 우리가 지금 편협한 형태로 그 **마지막** 모습을 드러내고 있는 협동조합 운동에 반대했던 것과 똑같은 논쟁이 벌어졌다는 것이네. 조금 나아지기는 했지만 10~12년 후 독일에서 라살이 슐체-델리치(Schulze-Delitzsch)를 반대해 벌인 그 논쟁 말일세."(마르크스가 1864년 11월 4일 엥겔스에게 보낸 편지.) 존스는 이러한 논쟁을 신문뿐 아니라 강연에서도 이어나갔다. 마르크스도 일부 참여했고 "엄청나게 재미있다"고 생각했다(마르크스가 1851년 5월 5일 엥겔스에게 보낸 편지).

마르크스와 존스는 자주 만났기 때문에 그들의 협력 작업에 관한 서면 증거는 몹시 드물다. 따라서 존스의 어떤 기고문에 마르크스가 협력했는지는 위의 편지와 내용적 관점에서만 접근할 수 있다. 이 책에서 문제가 되는《노츠》의 5월 호와 6월 호에는 경제 문제에 대한 몇몇 기고문이 있다. 그중 하나는 특별히 협동조합 운동과 논쟁한 것이다. 이것은 확실히 마르크스가 의
G707 도적으로 쓴 위에서 언급한 기고문에 해당한다. 이 기고문의 주요 목적은, 자본주의 사회에서 개별 협동조합의 설립으로 자본주의적 착취를 근절하고 새로운 사회질서를 조성하기는 불가능하다는 점을 증명하는 것이다. 존스는 이것이 오직 국가적 토대 위에서 협동조합적 생산을 통해서만 가능하

며, 또한 이것을 위해 노동자계급을 통한 정치권력의 장악이 필요하다는 것을 보여주었다. 바로 이 후자의 생각은 「차티스트 강령에 대한 편지들. 편지 III」에서 더 명확히 표현되었다. 존스의 두 기고문에는 마르크스가 협동조합 운동을 논박하는 편지(마르크스가 1864년 11월 14일 엥겔스에게 보낸 편지 — 옮긴이)에서 "지금 편협한 형태"라고 말한 것이 반영되어 있다. 자유무역이 임금의 발전에 끼친 영향에 대한 비판적 평가, "정당한 하루 임금"의 요구에 대한 비판, 그리고 무엇보다 노동자계급을 통한 정치권력 획득에 대한 요구 등은 「차티스트 강령에 대한 편지들. 편지 III」에 마르크스가 끼친 영향을 보여준다. 수행된 노동의 생산물은 축적해야 하고 수행된 노동에 대한 증명서와 교환해야 한다는 유토피아적 견해에 대한 분석도 전적으로 마르크스의 견해와 일치한다. 그러므로 이 두 기고문은 이 책의 부록으로 최초로 새로 발표한다(G641~G654쪽).

《노츠 투 더 피플》은 1851년 7월까지 경제 문제에 대한 또 다른 기고문과 화폐에 관한 익명의 기고문, 토지 문제와 노동자 상태를 다룬 차티스트 강령에 관한 존스의 편지 두 편을 실었다. 이들 기고문에 마르크스가 협력했는지는 — 화폐 문제에서와 같이 — 배제했는데, 그 내용이 마르크스의 견해와 일치하지 않기 때문에, 아니면 그 내용이 반드시 마르크스의 경제학 지식을 전제하지 않기 때문에 그 협력 여부를 입증할 수 없었다. 또한 「차티스트 강령에 대한 편지들. 편지 III」은 분명히 마르크스의 견해와 일치하지 않는 화폐에 관한 기고문에서 발견되는 몇몇 요소가 들어 있다.

마르크스는 자신의 편지에서 1851년과 1852년에 나온 몇몇 호에 관해 썼다. 협동조합 운동에서의 개량주의적 견해를 반박하는 기고문은 경제적 문제에 대한 일련의 자세한 설명과 연결되어 있는데, 이것은 나중에 나온 《노츠》에도 있다.

한 권으로 묶인 《노츠 투 더 피플》 원본이 본문의 원고로 이용되었다. 이 원본은 표지가 없는 상태로, 독일 사회주의통일당 중앙위원회 마르크스주의-레닌주의연구소, 베를린, 장서, 정리 번호 Z 879 A로 보관되어 있다.

문헌별 부속자료

프리드리히 엥겔스 G711

정정을 위하여

1849년 7월 26일(G3~G4쪽)

집필과정과 전승과정

빌리히 의용군 지휘관의 부관이었던 엥겔스는 공개적인 정정문을 썼다. 왜냐하면 몇몇 소부르주아 민주주의자들이 제국헌법투쟁이 끝난 후 곧바로 공산주의자들이 이끈 부대에 대해 중상모략으로 공격했기 때문이다. 이 성명은 바덴 투쟁 마지막 국면의 사건들을 다루고 있는데(1849년 7월 4일~12일), 이는 엥겔스가 직접 경험한 것이었고 또한 그것에 관해 추정컨대 일기장의 메모도 이용했을 것이다. "정정문"의 몇 구절은 의미상으로나 거의 문자 그대로 엥겔스의 기고문 「독일 제국헌법투쟁」, 제4절에서 다시 발견된다(G112~G116쪽을 보라). — 요한 필리프 베커의 역할에 대해서는 G65쪽 15~19행에 관한 해설을 보라.

「정정을 위하여」의 성명은 엥겔스가 빌리히 의용군 대부분과 함께 여전히 브베에 머물렀던 시기에 작성되었다. 엥겔스는 1849년 7월 24일 그곳에 도착했다. 행군 동안 그는 글을 쓸 여유가 없었다(엥겔스가 1849년 7월 25일 예니 마르크스에게 보낸 편지를 보라).

분명히 언론에 공개적으로 발표할 목적의 성명에는 빌리히 의용군의 중대장이었던 노이슈타트 안 데어 하르트(Neustadt an der Haardt) 출신 의사 게오르크 쾰러(George Koehler)의 서명만 있었다. 서명 운동이 중단된 이유에 대해서는 알려진 바가 없다. 계획했던 발표는 중단되었을 개연성이 매우 높다.

성명은 공산주의자동맹의 문서들과 함께 1850년 2월, 마찬가지로 빌리히 의용군의 참모진에 속했던 노이슈타트 안 데어 하르트 출신의 시계공 요제프 발렌틴 베버가 체포되었을 때 스위스 당국이 발견했다. 베버의 체포는 1850년 2월 19일 무르텐에서 열릴 스위스의 독일 노동자협회 대회 예비 모임이 경찰에 의해 해산된 것과 관계가 있었다.

첫 출판은 롤프 들루베크(Rolf Dlubek), 「빌리히 의용군의 출판 고문으로서 프리드리히 엥겔스」(Friedrich Engels als publizistischer Anwalt des Willichschen Freikorps), 《독일 노동운동사 논집》(Beiträge zur Geschichte der deutschen Arbeiterbewegung), 제9집, 베를린, 1967년, 제2권, 242～244쪽.

원문자료에 대한 기록

$\mathbf{H}^1$ 자필 원고 원본. 스위스 연방 베른 아카이브, 정리 번호 법무 편, 망명자, 1848-1895, 제68e권, 제53호: 라쇼드퐁 노동자협회, 압류 문서. 전지 한 장으로 크기는 326×208mm. $1\frac{1}{2}$쪽은 쓰였지만 $2\frac{1}{2}$쪽은 비어 있다. 잘 보존된 두꺼운 필기 종이로 투시 무늬는 없다. 일부는 약간 누렇게 바랬지만 전체적으로 하얗다. 글쓴이는 엥겔스(검은 잉크). 마지막으로 연필로 쓰고 나서 그 위에 서명 "Koehler Hptmann"을 기입했다.

본문은 $\mathbf{H}^1$을 따른다.

G712 ### 변경사항 목록/교정사항 목록/해설

1 (v) "아래의 서명자들은"(Die Unterzeichneten, welche)에서 "Welche" 다음에 "dem"이라고 썼다가 나중에 지웠음.

2 (v) "이 의용군" ← "그[들]"(ihn[en])

3 (e) 의용대는 바덴에서 인민 편으로 넘어간 상비군과 국민방위군(18～30세 사이의 보편적인 국민 개병제로 모집된 무장 부대를 의미하는데, 일부는 실제로 징집되었다) 외에 바덴-팔츠 혁명군의 셋째 구성 부분을 형성했다. 바덴과 팔츠의 다양한 의용대는 약 6천 명의 자원자(의용대)로 구성되었는데, 이들은 독일의 다른 국가에서 왔거나 팔츠 및 바덴으로 망명해 온 사람들도 있었다. 우선 이들은 수공업 직인과 노동자가 많았고, 대부분 이미 노동자 연합이나 체조인 연합에 속한 사람들이었다.

빌리히 의용군은 500～800명의 남자로 구성되었는데, 대부분 프롤레타리아트 출신이었다. 의용군은 학생 1중대를 빼면 모두 노동자 중대로 구성되었다(G79쪽 19～29행을 보라). 빌리히뿐 아니라 그의 부관인 엥겔스와 요제프 몰 등도 (공산주의자동맹의 — 옮긴이) 동맹원이었다. 공산주의자들의 제국헌법투쟁 참여는 또한 G49쪽 26행에 관한 해설을 보라.

우선 바덴 국민방위군의 최고 사령관직을 맡은 요한 필리프 베커는 전투 초반에 다양한 국민방위군과 의용대로 구성된 약 3천 명에 이르는 사단을 이끌었다. 이들 가운데는 망명자 부대, 만하임 노동자 대대, 초기에는 하나우 체조인 대대가 있었다. 무르크에서 재편성된 후 베커의 사단은 약 3,500명이었고, 이들 대부분은 의용대였다. 쿠펜하임 교전 후 만하임 노동자 대대는 라인 강을 넘어 프랑스로 밀려났고, 망명자 부대는 라슈타트에서 포위되었다. 여기서 엥겔스가 언급한 1849년 7월 초 슈바르츠발트 진지에서 베커는 여전히 약 1천 명의 의용군을 이끌었다. 이들 가운데는 카를스루에의 의용대, 호이어베르크의 사수 중대, 보르크하임의 노동자 포병대(Blusenbatterie), 슈바벤 부대와 페터 이만트(Peter Imandt)와 빅토어 실리(Victor Schily)가 이끄는 라인헤센 의용대 등이 있었다. 제국헌법 투쟁의 이 마지막 국면에서 빌리히 의용군도 베커의 지휘 아래 있었다.

4 (v) "마일"(Meilen) ← "시간"(Stunden). "Stunden"은 잉크로 줄을 긋고, 그 아래 연필로 점 6개를 찍었다. "Meilen"도 연필로 줄을 그었지만 그 앞에 "독일식의"(deutsche)라고 썼다. 이 연필 수정을 엥겔스가 했는지는 확정할 수 없었다.

5 (e) 1849년 7월 4일에서 6일까지 이 슈바르츠발트 진지를 차지했다. 또한 G112쪽 26~30행을 보라.

6 (v) 여기에 "질문에 대해"(Auf Befrag[en])라고 썼다가 곧바로 지웠음.

7 (v) 여기에 "그는 또한 가능한 한"(Er werde auch, wo möglich)이라고 썼다가 곧바로 지웠음.

8 (e) 베커 부대와의 사건은 1849년 7월 6일 일어났다. 또한 G113쪽 3~17행을 보라.

9 (v) "를 가로질러" ← "에서"

10 (v) 여기에 "빌리히"라고 썼다가 곧바로 지웠음.

11 (e) 푸르트방겐으로 간 기마 전령들은 1849년 6일에서 7일 넘어가는 밤에 도나우에싱겐에서 파견되었다.

12 (v) "나중에" ← "그다음에"

13 (v) "빌리히 부대가 푸르트방겐에 집결할 때까지 베커 역시 거기에 올 수 있었다." — 새로 삽입한 것.

14 (k) "본도르프" — **H**[1] "렌츠키르히"

15 (v) "먼저" 다음에 "우측 xxx에"(auf dem rechten Flügel bei xxx)라고 썼다가 곧바로 지웠음.

16 (k) "먼저 …에서"(zunächst von) — **H**[1] "먼저 적에게 …에서"(zunächst dem Feind von)

17 (v) "후위를" 다음에 "구축하고"(bildete)를 썼다가 나중에 지웠음.

18 (e) 푸르트방겐에서 팅겐(베커)과 슈튈링겐(빌리히)으로의 퇴각은 1849년 7월 7, 8일에 이루어졌다. 렌츠키르히에서 팅겐까지 1849년 7월 8일 베커 군대의 퇴각에 관해서는, 요한 필리프 베커/크리스티안 에젤렌(Christian Essellen), 『1849년 남부 독일 5월 혁명의 역사』(Geschichte der süddeutschen Mai-Revolution des Jahres 1849), 제네바, 1849년, 433쪽에 다음과 같이 나와 있다. "장크트블라지엔을 경유하여 발츠후트로 가길 원했던 베커는 이 풀밭으로 덮인 골짜기 지역을 프로이센이 이미 점령했다는 것을 그 전에 알고 있었다. 본도르프에도 마찬가지로 이미 4천의 포이커(Peucker) 군대가 밀고 들어와 있었기 때문에, 그라펜하우젠을 경유해 비르켄도르프와 윌링겐 팅겐에 이르는 유일하게 비어 있는 길로 가려고 했다.여기서 베커는, 기적적으로 그를 둘러싼 적을 벗어나, 이미 그가 잃어버렸다고 생각했던 지겔을 만났다."

19 (e) 또한 G114쪽 12행~G115쪽 12행을 보라.

20 (v) "두 번째" ← "2)"

21 (v) "관련된" ← "한정된"

22 (v) "이 부대원 … 구성되었다"(Es bestand) ← "그런 군대가"(Daß ein solches Corps, das)

23 (e) 예슈테텐과 발터스바일 사이의 야영지 작전 회의는 1849년 7월 10일에 열렸다.

24 (k) "넘어가는"(gingen) — H^1 "ging"

25 (v) "동안" ← "후에"

26 (v) "야영지를 떠났다는" ← "행군했다는"

27 (v) 여기에 "마지막"이라고 썼다가 나중에 지웠음.

28 (v) "야영하고" ← "보내고"

29 (v) 여기에 "로서"(als)와 "모든 부대 가운데 마지막으로"(zuletzt von allen Truppen der Armee)라고 썼다가 나중에 지웠음.

30 (e) 빌리히 의용군이 독일 땅에서 보낸 마지막 밤은 11일에서 12일로 넘어가는 밤이었다.

31 (e) 또한 G115쪽 32행~G116쪽 29행을 보라.

카를 마르크스 G715

《라 프레스》 편집자에게 보내는 성명

1849년 7월 27일과 29일 사이(G5쪽)

집필과정과 전승과정

마르크스는 1849년 7월 26일 자 《라 프레스》의 단신을 반박하고자 "편집자에게"(Au Rédacteur) 보내는 공개 성명을 썼다. 마르크스가 프랑스의 다른 신문들에 이 단신이 재판된 것에 이의를 제기하고 그의 성명이 7월 30일에 실렸기 때문에, 이 성명은 1849년 7월 27일과 29일 사이에 쓰였을 것이다.

1849년 6월 13일 이후 계엄령이 선포된 파리 상황과 프랑스 정부가 7월 19일 모르비앙 주로 추방 명령을 판결한 것과 관련하여, 마르크스는 파리에 체류할 법적 근거를 강조하고 자신의 학술적 관심사를 전면에 내세울 필요가 있었다.

자필 원고는 전하지 않는다.

원문자료에 대한 기록

J^1 편집자에게. [서명:] Ch. 마르크스 박사. 《라 프레스》, 파리, 1849년 7월 30일, 3쪽, 6단, 1쇄.

편집자의 논평 없이 그대로 출판되었다.

본문은 J^1을 따른다.

해설

1 (e) 1849년 7월 26일 자 《라 프레스》의 단신은 다음과 같다.

"계엄령이 선포된 이후 과격 민주주의 성향을 이유로 폐간된 **쾰른의 《노이에 라이니셰 차이퉁》**의 전 편집장 마르크스 씨가 파리로 망명했다. 그는 지체 없이 모르비앙 주로 가라는 명령을 받았다. 프랑스 경찰 당국으로부터 이런 명령을 받은 독일 출신 망명자가 다수 있다고 한다.

마르크스 씨는 파리에 도착한 이후 오로지 집필에 전념해왔다."

2 (e) 《노이에 라이니셰 차이퉁》은 1848년 9월 26일 쾰른 계엄 상태로 인해 1848년 9월 27일부터 10월 11일까지 발행이 중단되었다. 1848년 10월 12일부터 신문은 재발행되었다.

3 (e) 1849년 5월 11일의 추방 명령 전문은 마르크스가 쓴 《노이에 라이니셰 차이퉁》(쾰른, 제301호, 1849년 5월 19일)의 기고문을 인용했다.

G716 4 (e) 마르크스가 여기에서 언급한 것은 1849년 7월 27일 선출되고 8월 7일 개회한 프로이센 제2대 의회임이 분명하다. 마르크스가 프로이센에 체류하는 것에 반대하기 위한 토론이 있었는지는 알려지지 않았다.

5 (e) 마르크스는 대략 1849년 6월 3일 파리에 도착했다.

6 (e) 마르크스가 여기에서 언급한 것은 1844년 10월 파리에서 시작한 자신의 경제학 연구임이 분명하다. 그는 방대한 경제 저작을 쓰려고 생각했다(MEGA② III/1, 26*, 833, 851/852쪽을 보라).

7 (e) 1849년 7월 19일 포부르 생제르맹(Faubourg St. Germain) 경찰관리의 문서는 마르크스에게 내무장관의 결정을 알려주었다. "… 그 결정에 따라 그는 모르비앙 주로 가서 그곳에 거주지를 정해야 한다. 우리는 그가 자신에게 내려진 조치에 복종하라고 독촉하고 있다."(IISG, 마르크스/엥겔스-유고, 정리 번호 E 14.) 또한 마르크스가 1849년 8월 1일과 17일 엥겔스에게 보낸 편지를 보라.

8 (e) 프랑스 내무 당국에 대한 마르크스의 이의 신청서(마르크스가 1849년 8월 17일 엥겔스에게 보낸 편지를 보라)는 전하지 않는다. 1849년 8월 16일 다음과 같은 문서로 기각되었다.

"마르크스 씨,

경찰청장님의 명령을 집행하는 과정에서 다음과 같이 고지하게 되어 영광입니다. 내무장관님은 귀하가 경찰청장님의 결정을 철회해달라고 간청하기 위해 보낸 이의 신청을 받아들일 이유가 없다고 판단했습니다. 이에 따라 저는 귀하가 **지체 없이** 파리를 떠나 모르비앙 주로 가서 그곳에 거주지를 정할 것을 요구합니다.

인사드리게 되어 영광입니다.

포부르 생제르맹 경찰서장
두를뢰르

마르크스 귀하, 프로이센 망명자, 릴 가."(IISG, 마르크스/엥겔스-유고, 정리 번호 E 15.) 1849년 8월 24일쯤에 마르크스는 파리를 떠났다.

프리드리히 엥겔스

G717

스페인과 포르투갈의 해안선 스케치

1849년 10월 16~25일(G6~G12쪽)

집필과정과 전승과정

영국 범선 "코니시 다이아몬드"를 타고 아마 1849년 10월 6일 출발하여 (엥겔스가 1849년 10월 5일 하니에게 보낸 편지를 보라) 1849년 11월 12일까지 제노바에서 런던으로 여행하는 동안, 엥겔스는 1849년 10월 16일과 25일 사이에 무르시아/카르타헤나와 지브롤터 사이의 발레아레스 제도와 스페인 남동 해안에서 남부 해안까지 통과하면서, 그리고 사그레스의 포르투갈 남서 곶을 통과하면서 바다 쪽에서 총 17장의 해안선 스케치를 그렸다. 첫째 스케치는 배 위치를 기준으로 대략 북위 40도, 동경 4도 30분에서, 마지막 스케치는 북위 37도, 서경 9도에서 그린 것이다. 첫째와 마지막 스케치 사이에는 약 1,500킬로미터에 가까운 항로가 놓여 있었다. 그래서 엥겔스의 스케치들은 비교적 해안선에 매우 근접한 몇몇 지점을 선택해서 묘사하고 있을 뿐이다.

이 스케치들은 엥겔스의 항해적 관심을 표현한 것이다. 라파르그(Paul Lafargue)는 1849년 엥겔스의 해상 여행에 관한 회상에서 다음과 같이 썼다. "그는 항해에 대한 지식을 획득하는 기회로 삼았다. 그는 배에서 일지를 썼으며, 태양의 위치 변화, 바람의 방향, 바다의 상태 등을 적어 넣었다."(폴 라파르그, 「프리드리히 엥겔스에 대한 개인적 회상Persönliche Erinnerungen an Friedrich Engels」, 《디 노이에 차이트Die Neue Zeit》, 제23집 제2권, 제44호, 슈투트가르트, 1904/05년, 559쪽.) 일지는 전하지 않는다. 그러나 일지가 아니라 낱장의 종이에 스케치한 그림들이 남아 있다.

여기서 주의할 것은 엥겔스가 영국인 선원들에게서 대부분의 정보를 얻었다는 것이다. 따라서 특이한 영어식 표현 내지는 국제적으로 통용되는 선원들의 표현은 스페인 명칭이고(예를 들어 Cabo 대신에 Cap, Bahia 대신에 Bai), 라틴어 단어는 포르투갈 명칭임이 밝혀졌다(São 대신에 Sanct). 일부 명칭에는 오류도 포함되어 있는데, 아마 들은 말을 적으면서 생긴 오류일 것이다(los Filabres 대신에 Los Fragles, Monchique 대신에 Monte Sigon).

스케치 4에서 10까지 첫 출판은 G. 코프간킨/F. 랴보프(Г. Ковганкин/Ф. Рябов),「엥겔스의 스케치」(Рисунки Ф. Энгельса).《나우카 이 지즌》(Наука и жизнь), 모스크바, 1970년, 제11호, 22~23쪽.

스케치 1~3과 11~17은 이 책에서 처음으로 출판된다.

원문자료에 대한 기록/교정사항 목록/해설

H[1] 원화. IISG, 마르크스/엥겔스-유고, 정리 번호 H 102.

17개의 스케치는 종이 9장에 그려져 있는데, 추가로 — 엥겔스는 아닌 — 누군가가 왼쪽 아래에 1에서 9까지 번호를 매겼다. 매끄럽고 하얀 종이로, 구석에 작은 압인이 있다(왕관, 그 아래 "BATH"). 279×220mm 규격(종이 2~9, 종이 1은 63×242mm)이고 한 번 접혀 있다. 얇은 가장자리 선이 약간 손상되었고 구부러졌지만, 전체적으로 상태가 좋다. 모든 종이에는 IISG의 도장이 찍혔다. 엥겔스는 스케치와 설명 문구에 진한 연필을 사용했다.

G718

스케치 1, 11, 17 옆에는 누군가가 "20cm 너비"(20cm Breite) 혹은 "20cm 너비"(20cm breit)라고 적어놓았는데, 1920년대에 시도된 복원 지시 사항으로 보인다. 스케치 15의 왼쪽 가장자리에는 누군가가 잉크로 "모스크바"(Москва)라고 적어놓았는데, 이미 오래전에 쓴 것으로 추정된다. 그 이유는 알 수 없다.

본문은 **H**[1]을 따른다.

종이 1

스케치 1

이 스케치는 동쪽의 발레아레스 제도 메노르카를 묘사한 것이다. "미노르카"(Minorca)라는 표기 방식은 이 제도에 대한 고대 로마의 명칭인 발레아리스 미노르(Balearis minor)로 거슬러 올라간다.

엥겔스는 첫째 스케치를 위해 낱장의 얇은 종이를 사용했다.

종이 2

스케치 2와 3

이것은 발레아레스 제도의 가장 큰 섬 마요르카의 동쪽 해안을 묘사한 것이다.

종이 3

스케치 4

이것은 모두 6장의 "무르시아 해안" 스케치 중에서 첫째에 해당한다. 여러 번 쓴 이름(예를 들어 Cabo Tiñoso)은 거듭 줄이 그어져 있는데, 아마 엥겔스가 언급한 안개 때문에 방향을 잡기 어려워서였을 것이다. "Pxxx Almazaron"도 줄이 그어져 있는데, 이 위치에 푸에르토 데 마자론(Puerto de Mazarron)이 있다.

1 (e) 엥겔스가 쓴 "C. 라 수비다"(C. La Subida)가 무엇을 가리키는지는 확실하지 않다. 무르시아와 알리칸테(Alicante) 서쪽에는 수베티카 산맥(Cordillera Subbética)이 있다.

스케치 5

"비야리코스 산맥" 이름 위에 G7쪽 5행 왼쪽에 "코페 정상"(Cubeza del Cope)이라고 썼다가 나중에 지웠음.

엥겔스는 이 종이에 3이라고 표시하고 스케치 5를 그리기 시작했지만, 시작한 후 바로 중단했고 두 번 줄을 그었다(G16쪽과 G17쪽 사이의 그림(58~59쪽의 그림을 가리킴 —옮긴이)을 보라).

종이 4

엥겔스는 이 종이를 아래에서부터 그리기 시작했다. 그래서 "무르시아 해안 III"은 종이 4에 있는 것이다.

스케치 6 G719

2 (v) 이 아래에 "아길라스 갑", "코페 정상"이라고 썼다가 나중에 지웠음.

3 (e) 아길라스의 내륙에 알메나라 산맥(Sierra de Almenara)이 있다.

스케치 7

4 (e) "로스 프라글레스"(Los Fragles)라고 읽는 것이 확실한지 모르겠다. 이 지점에서 약 50킬로미터 거리에 해안이 있고, 정상이 2,168미터의 로스 필라브레스 산맥(Sierra de Los Filabres)을 바다에서 볼 수 있다.

5 (e) 이 해안선의 라 메사 데 롤단 남쪽에는 이슬레타 갑(Punta de la Isleta)이 있다.

종이 5

이것은 유일하게 **세 개**의 스케치가 차례로 이어져 있는데, 연이어 있는 처음 두 개는 "무르시아 해안"의 스케치이고 나머지는 "그라나다 해안과 시에라 네바다 산맥"의 총 7개 스케치 중에서 첫째 스케치이다. "무르시아 V"(Murcia V)라는 표시는 이 스케치 8의 중간 위에 있고, 처음에 그렇게 표시해서 스케치 9는 "무르시아 VI"(Murcia VI)이고, 이어서 종이의 아래 가장자리에는 스케치 10이 그려져 있다.

스케치 8

왼쪽 가장자리에 있는 "α"는 스케치 9의 오른쪽 가장자리에 다시 나오는데, 이 스케치가 연결되어 있다는 점을 보여준다.

6 (e) G8쪽 4행에 관한 해설을 보라.

스케치 9

7 (e) G8쪽 3행에 관한 해설을 보라.

스케치 10

8 (e) 알메리아 만(Almeria Bai) 대신 오늘날에는 대개 알메리아 만(Golfo de Almeria)을 쓴다.

9 (e) 알하미야(Aljamilla)는 오늘날 대부분 Alhamilla로 쓰인다. 이것은 정상(Torre)뿐 아니라 알하미야 산맥(Sierra Alhamilla)과 관련해서도 이렇게 쓴다.

10 (k) "센티나스 갑"(Punta de las Sentinas) — **H**[1] "센티나스 정상"(Torre de las Sentinas)

11 (e) 시에라 네바다 산맥의 최고봉은 물라센 봉(3,482미터)이다. 높이를 다투는 또 다른 봉우리는 카바요 봉(3,168미터), 벨레타 봉(3,392미터), 알카사바 봉(3,412미터) 등이다. 이들 중 엥겔스가 문장의 첫 부분에서 가리키는 것이 무엇인지는 확실하지 않다.

G720

종이 6과 7

엥겔스는 이 종이를 그대로 두고 종이 7에 스케치 12와 13을 완성했다. 그다음에 종이 6 아래에 스케치 14("/[6]/그라나다 해안과 시에라 네바다 산맥 III"을 가리킴 — 옮긴이)를 완성했다.

스케치 11

이 스케치는 명백히 이전 스케치들보다 해안선에서 멀리 떨어진 곳에서 완성되었다.

12 (e) G9쪽 3행에 관한 해설을 보라.

13 (e) G8쪽 3행에 관한 해설을 보라.

14 (k) "센티나스 갑"(Punta de las Sentinas) — $\mathbf{H}^1$ "센티나스 정상"(Torre de las Sentinas)

스케치 12

15 (e) 알메리아 만(Golfo de Almeria, 엥겔스는 이것을 Almeria Bai로 썼다)의 북서쪽 산과 가도르 산맥(Sierra de Gador)을 가리키는 것으로 볼 수 있다.

16 (e) 괄초스는 모트릴의 동쪽 약 10킬로미터에 있다. 엥겔스는 행정구역인 "마을"(Dorf)로 표시했다.

17 (k) "과르다"(Guarda) — $\mathbf{H}^1$ "Guardias"

스케치 13

18 (k) "칼라 모랄 갑"(Punta de Cala Moral) — $\mathbf{H}^1$ "모랄 갑"(Punta de la Moral)

19 (e) 수에브라다 갑(Punta Suebrada)은 칼라 부라스 갑(Punta de Cala Burras)을 가리키는 듯하다.

스케치 14

설명 문구 두 개는 스케치 **아래**에 있다.

20 (k) "살로브레냐"(Salobreña) — $\mathbf{H}^1$ "Salobrenos"

종이 8

스케치 15

이것은 여섯 부분으로 이루어진("그라나다 해안 I"에서 "그라나다 해안 III b"까지 6개의 스케치를 가리킴 — 옮긴이) 스케치의 둘째 조각으로, 엥겔스는 1849년 10월 21일과 22일 그라나다 해안과 시에라 네바다 산맥을 완성했다.

스케치 16

이 스케치는 지형 표시 없이 지브롤터(왼쪽)와 칼라 모랄 갑(오른쪽) 사이의 기복 상태를 묘사했다. 눈에 보이는 네 개의 산맥은 왼쪽부터 베르메하 산맥(Sierra Bermeja), 레알 산맥(Sierra Real), 블랑카 산맥(Sierra Blanca), 미하스 산맥(Sierra de Mijas)이다.

G721

종이 9

종이 아래 절반에는 가로줄이 있다. 엥겔스가 스케치 18을 시작한 것인데, 이어지지 못했다.

스케치 17

알가르베는 포르투갈의 가장 남쪽 지역이다.

21 (e) 엥겔스가 "M. 시곤"(M[onte] Sigon)이라고 쓴 것은 몬시크 산맥(Serra de Monchique)을 가리키는 듯하다. 이 산맥은 상빈센테 곶과 사그레스 곶 사이에 위치하고 해안에서 60킬로미터 떨어져 있는데, 902미터의 가장 높은 봉우리가 바다에서 보인다.

프리드리히 엥겔스

G722

독일 사회민주주의자와《더 타임스》

1849년 11월 28일(G13~G14쪽)

집필과정과 전승과정

《도이체 런더너 차이퉁》에 1849년 11월 9일과 16일 두 번에 걸쳐, 1849년 10월 26일 자로 출간된 소부르주아 공화주의자 카를 하인첸의 소책자「혁명의 교훈」이 부분 게재되었다. 이 소책자에서 그는 무엇보다 다음 혁명은 반동분자 200만의 죽음을 요구한다고 말했다. 영국과 프랑스의 수많은 반동 신문은 이 피비린내 나는 구체적 언명을 정치 망명자들에 대한 정부의 조치를 요구하는 데 이용했다. 1849년 11월 23일《더 타임스》는 하인첸의 소책자에서 몇몇 구절을 인용하여 다음과 같이 주장하는 투서를 공개했다. "내무장관이 외국인에 대해 법률상 어떤 권한을 가지고 있는지 나는 알지 못한다. 그러나 그러한 섬뜩한 교리의 작가가 24시간 이내에 영국을 떠나라는 명령을 받는다면, 양원의 어느 의원도 내무장관에게 어떤 의문도 제기하지 못할 것이라고 생각한다. 아무튼 독일 정치적 (나 원 참!) 망명자를 위한 지원에 영국 국민이 서명 요구를 받는다면, 그들은 독일 망명 지도자가 맹세한 원칙을 생각할 것이라고 나는 확신한다." 이 주제에 대한 더 상세한 내용은 1849년 11월 28일, 29일과 12월 3일《더 타임스》에 실렸다.

이것은 분명히 모든 정치 망명자의 추방을 위한 특정 정치세력의 선전 활동과 관계가 있다. 하인첸이《더 타임스》에서 사회-민주주의 정당의 중요 인물로 묘사되었기 때문에, 그의 구체적 언명과 거리를 두고 그의 진짜 정치적 입장을 특징짓는 것이 필요했다. 11월 23일과 28일 사이에 틀림없이 마르크스, 엥겔스 그리고 런던의 친구들 간에는 이 선전 활동에 대처하는 방식에 관해 협의가 있었을 것이다(또한 마르크스가 1849년 12월 19일 바이데마이어에게 보낸 편지를 보라).

이를 근거로 하여 엥겔스는 "독일의 한 사회민주주의자"라는 서명과 함께 본문의 성명을 집필하였다. 마르크스는 그 당시 아직 영어로 글을 쓰지 않았다. 마르크스와 엥겔스는 이미 1847년 《도이체-브뤼셀러-차이퉁》(Deutsche-Brüsseler-Zeitung)에서 하인첸의 견해와 논쟁했다. 이 성명에 나타난 논쟁 방식이 엥겔스를 가리키고 있다. 하인첸 자신은 엥겔스가 필자라고 생각했다. 이것은 1849년 12월 7일 《도이체 런더너 차이퉁》 제245호에 실은 답변으로 분명하게 알 수 있다. 하인첸에게 《더 노던 스타》의 "독일 사회-민주주의자"는 1847년 그를 특별히 날카롭게 공격했던 인물과 동일한 인물이었다.

엥겔스는 자신의 서명으로 "사회-민주주의자"라는 개념을 사용했다. 이로써 그는 《더 타임스》의 용어를 연계하면서 동시에 또한 그 당시 마르크스와 자신이 여러 번 사용한 명칭을 끄집어냈다. 이 명칭은 특히 1849년 11월
G723 18일 런던 노동자교육협회의 회의 이후 새로 구성된 망명자위원회를 특징짓기 위해 공개적으로 사용한 것이었다. 이 망명자위원회는 마르크스와 엥겔스 그리고 공산주의자동맹 중앙본부의 다른 동맹원들이 이끌고 있었다 (G557~G559쪽을 보라).

원문자료에 대한 기록

J[1] 독일 사회민주주의자와 《더 타임스》. 《더 노던 스타》 편집자에게. [서명:] 독일의 한 사회민주주의자. 《더 노던 스타》, 런던, 제632호, 1849년 12월 1일, 5쪽, 2단. 1쇄.

본문은 **J**[1]을 따른다.

해설

1 (e) "지난 금요일" — 1849년 11월 23일.

2 (e) 엥겔스는 1849년 11월 23일 《더 타임스》에 「혁명 전술」이라는 제목 아래 실린 "반사회주의자"로 서명한 투서를 인용하고 있다.

3 (e) 1849년 11월 9일 《도이체 런더너 차이퉁》, 제241호에서 하이첸은 다음과 같이 썼다. "유럽으로 향하고 있는 혁명이라는 엄청난 요법이 수백만의 목숨을 위험하게 할 것이다. 그러나 2억 명의 운명이 위험에 처했는데 200만 악당의 목숨이 문제란 말인가?"

4 (e) 1842년에 하인첸은 처음에는 합법적 및 평화적 방법으로 개혁을 달성하려는 지지자로서 정치 이력을 시작했고, 나중에 소부르주아 급진 민주주의자가 되었다. 1842/43년 그

는 쾰른의《라이니셰 차이퉁》편집에 긴밀하게 협력했다. 하인첸은 이미 일찍부터 반공산주의적 표현을 드러냈다. 급진화된 후에도 그는 공산주의의 적으로 남았는데, 1845년 그의 기고문 「공산주의자에 반대하여」(Gegen die Kommunisten)가 그렇다(『반대Die Opposition』, 카를 하인첸 편집, 만하임, 1846년). 이 시기에 그는 프랑스 공산주의와 바이틀링의 견해에 반대했다. 1847년 가을《도이체-브뤼셀러-차이퉁》에서의 논쟁 후에 하인첸은 마르크스와 엥겔스의 견해를 격렬하게 반대했다.

(e) 하인첸은 바덴에서 이뤄진 헤커 출정(프리드리히 헤커가 이끈 바덴 지역 봉기 때의 출정을 의미함 — 옮긴이)의 마지막 국면에서 제네바에서 온 몇몇 수공업자들과 부딪쳤다. 이때 그는 헤커와 다음에 펼칠 전술에 대해서 다툼을 벌였다. 이것으로 하인첸과 헤커는 완전히 결별하게 되었다. 그 후 하인첸은 프랑스와 스위스에서 살았다. 1849년 바덴-팔츠 봉기 동안 하인첸은 잠시 카를스루에에 머물며《카를스루어 차이퉁》에 근본적으로 혁명 G724
투쟁에서 추구할 전술을 다룬 기고문들을 썼다. 실제 투쟁이 시작되기도 전에 그는 바덴 임시정부와의 의견 차이로 스위스로 망명했다.

G725

프리드리히 엥겔스

《노이에 라이니셰 차이퉁. 정치–경제 평론》의 수익성과 발행 부수에 대한 계산서

1849년 12월(G15~G16쪽)

집필과정과 전승과정

마르크스가 함부르크의 테오도어 하겐을 통해 슈베르트 출판사와 협상에 들어간 1849년 11월 말쯤, NRhZ. Revue의 발행 부수와 그와 관련된 수익성을 구체적으로 계산할 필요성이 제기되었다. 1849년 12월 중순 계약이 체결되었지만(G678쪽을 보라), 발행 부수, 판매 및 정산 방식 그리고 개별 호의 가격 등의 협상이 1850년 1월 초까지도 아직 이뤄지지 않았고 말이 오가지 않았다. 이 시기 마르크스와 엥겔스 그리고 콘라트 슈람은 함부르크의 율리우스 슈베르트와 테오도어 하겐, 쾰른의 슈테판 아돌프 나우트와 페르디난트 프라일리그라트, 프랑크푸르트의 요제프 바이데마이어와 편지를 주고받았다.

이 책에 실린 계산서는 1849년 12월, 분기당 가격을 24실버그로셴에서 25실버그로셴으로 변경한 것을 슈베르트가 1849년 12월 19일 슈람에게 보낸 편지를 통해 확인했을 때인 1849년 12월 21일 이후에 비로소 작성되었을 것이다. 아무리 늦어도 1849년 12월 31일에는 작성되었다. 왜냐하면 슈람이 1850년 1월 1일로 날짜가 기록된 주식 응모 안내(G560쪽)에서 이 계산서를 직접 참조했기 때문이다.

인용된 모든 계산서는 분기 방식으로 이루어졌고, 각각 세 호에 대한 것으로 볼 수 있다. 기본 환율은 1탈러 = 30실버그로셴. "5/12" 혹은 "2/3"는 따라서 5/12탈러 혹은 2/3탈러이다. 파운드스털링으로 환산하면 대략 1파운드스털링 = 6탈러 28실버그로셴이지만 엥겔스는 10파운드스털링까지는 우수리를 잘라 반올림했다.

분기당, 세 호에 대한 개별 판매 가격은 25실버그로셴이고, 사전 예약 가격은 24실버그로셴이다. 엥겔스는 계산서에 항상 판매 가격의 절반만 기재했다. 나머지 절반은 출판사나 서적 판매업자의 수입에 해당하기 때문이다.

시험용으로 기재한 세 호의 발행 부수(2000, 2500, 3000부)에서 각각 500부는 별도로 빼서 계산했다. 이 중에서 450부는 슈베르트가 특별 정산을 위해 나우트와 마르크스에게 보내기로 한 것이었고, 50부는 런던에 있는 마르크스와 엥겔스가 받았다(나우트가 1850년 1월 13일 마르크스에게 보낸 편지, 프라일리그라트가 1850년 1월 26일 마르크스에게 보낸 편지, 나우트가 1850년 2월 1일 마르크스에게 보낸 편지, 엥겔스가 1850년 3월 4일 슈베르트/하겐/나우트에게 보낸 편지[초안], 엥겔스가 1850년 4월 11일경 슈베르트에게 보낸 편지[초안]를 보라). 아래의 300, 50, 100부 대한 계산서(G16쪽을 보라. — 옮긴이)는 아마도 나우트와 쾰른의 아이젠 회사의 특별 공제와 관련이 있을 것이다.

계산서와 「독일 제국헌법투쟁」과 「독일 농민전쟁」에 대한 메모(G727쪽을 보라. — 옮긴이)는 여기서 처음으로 출판된다.

원문자료에 대한 기록 G726

H[1] 자필 원고 원본. IML/ZPA Moskau, 정리 번호 f. 1, op. 1, d. 331. 210×184mm 크기의 종이 한 장. 잘 보존된 하얀 필기 종이로, 약간 색이 누렇게 바랬고 투시 무늬는 없다. 위쪽 가장자리가 찢어졌지만 텍스트 손실은 없다. 자필 원고는 복원된 것이다. 글쓴이는 엥겔스. 검은 잉크로 썼고, 지금은 흑갈색으로 색이 바랬다. 왼쪽 중간에 한 남자 머리를 윤곽만 그린 캐리커처가 있는데, 종이에 설명 문구 및 계산서를 쓰기 전에 밝은 회색 잉크로 그린 것이다. 오른쪽 중간에 이 잉크로 두 줄을 썼는데, 「독일 농민전쟁」에 대한 엥겔스의 예비 작업과 관련된다. 다음과 같은 글귀가 있다. "영주의 권력은 진압된 봉기 후에 들어선 절대적 반동을 통해 증가한다."

종이 전면에는 계산서, 캐리커처, 인용된 메모, 중요하지 않은 몇 개의 부수적 계산 이외에도 왼쪽 위 구석에는 다섯 줄의 짧은 메모가 있다. 이 메모는 엥겔스의 「독일 제국헌법투쟁」과 관련되어 있으며, 따라서 텍스트 역사의 관점에서 이런 방식의 글로 실었다(G742쪽). 그 밖에 위쪽 찢어진 가장자리 중간에는 러시아어로 "트루베츠코

이”(Трубецкой)라 쓰여 있다.

종이 뒷면에는 크로아티아어 철자로 짧은 네 문장이 쓰여 있고, 엥겔스의 스케치와 계산이 있다.

본문은 **H**^{1}을 따른다.

교정사항 목록

1 (k) “343.10” — **H**^{1} “353.10”

2 (k) “698.10” — **H**^{1} “688.10”

3 (k) “1375.-” — **H**^{1} “1475.-”

4 (k) “995.-” — **H**^{1} “1095.-” 따라서 £160도 £150으로 바꿨다.

G727

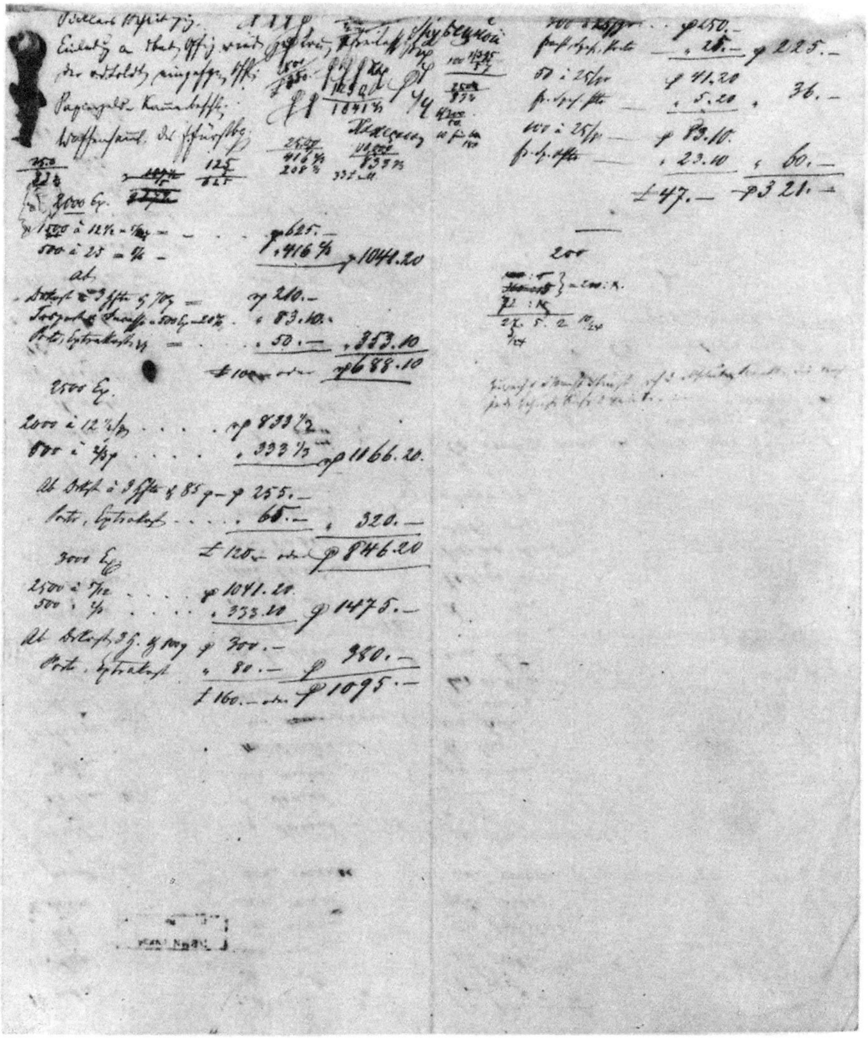

프리드리히 엥겔스, 《노이에 라이니셰 차이퉁. 정치-경제 평론》의 수익성과 발행 부수에 대한 계산서.

「독일 제국헌법투쟁」, 「독일 농민전쟁」에 대한 메모 및 그림과 부수적 계산이 있는 자필 원고

G729 **카를 마르크스/프리드리히 엥겔스**

《노이에 라이니셰 차이퉁. 정치-경제 평론》 예고

1849년 12월 15일(G17~G18쪽)

집필과정과 전승과정

「예고」는 마르크스, 엥겔스, 콘라트 슈람의 공동 작업으로 초안을 잡았고, 계획된 잡지의 발행인으로서 슈람이 서명했다. 엥겔스와 슈람이 여러 신문에 전달한 「예고」의 견본은 날짜가 "1849년 12월"로 되어 있지만, 마르크스가 전달한 견본은 1849년 12월 15일로 날짜가 기록되어 있다.

늦어도 1849년 12월 17일 슈람은 「예고」의 텍스트를 함부르크의 율리우스 슈베르트에게 보냈다. 12월 19일 슈베르트는 답장에서 이렇게 말했다. "우리는 지금 당신들이 지정한 신문들에 광고하기 위해 건네받은 소개 글을 처리할 것입니다." 슈베르트는 이 「예고」를 《노르트도이체 프라이에 프레세》(J^6)와 《쾰니셰 차이퉁》(J^8)에 게재했다. 마르크스는 1849년 12월 19일 요제프 바이데마이어에게 보낸 편지와 함께 《노이에 도이체 차이퉁》(J^5)에 게재하려고 이 텍스트 한 부를 보냈다. 동시에 마르크스는 복사본 1부를 베스트팔렌으로 보내달라고 부탁했다(J^7). 엥겔스는 12월 22일 「예고」 텍스트의 다른 두 부를 보냈는데, 《슈바이처리셰 나치오날-차이퉁》(J^4)에 게재하기 위해, 바젤의 야코프 샤벨리츠와 《베르너-차이퉁》(J^1)에 게재하기 위해 구스타프 외봄(Gustav Oebom, 본명 나폴레온 베르거Napoleon Berger)에게 보냈다(외봄이 1849년 12월 26일 엥겔스에게 보낸 편지를 보라). 《베스트도이체 차이퉁》에 텍스트를 보냈는지에 대한 문헌 근거는 아무것도 전하지 않지만, 마르크스가 보내자고 주도한 것으로 보인다. 마르크스는 《뒤셀도르퍼 차이퉁》(J^3)에 게재하기 위해 「예고」를 라살에게도 보냈는데, 이것은 지금은 전하지 않는 편지(라살이 1850년 2월 12일 마르크스에게 보낸 편지를 보라)에 나타나 있다.

《베스트도이체 차이퉁》 1850년 1월 8일과 9일의 두 개의 인쇄물에 나타난 몇몇 사항이 그다음의 1월 11, 12, 13일 인쇄물에서 수정된 것을 볼 때 마르크스, 엥겔스 혹은 슈람이 편지를 써서 이 수정이 이뤄졌음을 짐작할 수 있다. 24실버그로셴에서 25실버그로셴으로 가격이 변한 것은 슈베르트가 1849년 12월 19일 슈람에게 보낸 편지에 근거하여 이뤄졌다.

독일에서 인쇄물이 비교적 늦게 이뤄진 것은 마르크스가 "자네가 함부르크의 서적 판매 담당자가 보낼 광고를 《쾰니셰 차이퉁》에서 보게 됐을 때"에야 「예고」를 발표하는 게 좋겠다고 바이데마이어에게 부탁했기 때문이었다(마르크스가 1849년 12월 19일 바이데마이어에게 보낸 편지). 《쾰니셰 차이퉁》은 그러나 「예고」를 1850년 1월 27일에야 내보냈다(J[8]). 며칠 전 이 신문에는 이미 다음과 같은 광고가 등장했다.

"**노이에 라이니셰 차이퉁**(NRhZ. Revue를 의미함 — 옮긴이)

카를 마르크스 편집

이런 방법으로 주문하신 분들에게 다음 사실을 알려드립니다. 《노이에 라이니셰 차이퉁》(NRhZ. Revue를 의미함 — 옮긴이) 제1호와 제2호가 2월 초에 발행되며, 그 즉시 발송할 예정입니다. — 이것 이외의 주문은 **쾰른**의 G730

F. C. 아이젠

잡화점, 서적 판매점, 골동품 상점으로 해주시기를 부탁합니다."

(《쾰니셰 차이퉁》, 제20호, 1850년 1월 23일 부록.)

바이데마이어도 마르크스의 쾰른 친구들도 《쾰니셰 차이퉁》의 광고를 고대하지 않았다. 이들은 「예고」를 1850년 1월 8일 내지는 16일에 인쇄했다.

원문자료에 대한 기록

J[1] 《베르너-차이퉁》, 제361호, 1849년 12월 27일, 4쪽, 2단. 1쇄.

J[2] 《베스트도이체 차이퉁》, 쾰른, 제6호, 1850년 1월 8일, 4쪽, 1~2단. 인쇄물. 재판은 제7호, 1850년 1월 9일, 4쪽, 1~2단; 제9호, 1850년 1월 11일, 부록; 제10호, 1850년 1월 12일, 4쪽, 1단; 제11호, 1850년 1월 13일, 부록.

1월 8일과 9일 판에는 다음과 같은 오류가 있다. L. 슈람, 그 외 Kingsroad 대신 Kingroad. 1월 11일(제9호를 의미함 — 옮긴이)부터 모두 수정되었다.

J^3 《뒤셀도르퍼 차이퉁》, 제9호, 1850년 1월 10일, 4쪽, 3단. 인쇄물. 제목: **예고**.

J^4 《슈바이처리셰 나치오날-차이퉁》, 바젤, 제8호, 1850년 1월 10일, 32쪽, 2단. 인쇄물.

J^5 《노이에 도이체 차이퉁. 민주주의 기관지》, 프랑크푸르트, 제14호, 1850년 1월 16일, 4쪽, 3단. 인쇄물. 재판은 제23호, 1850년 1월 26일, 4쪽과 제31호, 1850년 2월 5일, 4쪽.

J^6 《노르트도이체 프라이에 프레세》, 함부르크-알토나, 제254호, 1850년 1월 18일, 4쪽, 4단. 인쇄물. 제목: "함부르크 슈베르트사의 문헌 광고".

추가 통지: "우리는 위 잡지의 판매를 위임받았으며 모든 서점의 주문을 받고 있다.

슈베르트사. 함부르크, 베르크 가 16, 그리고 뉴욕."

J^7 《데어 폴크스프로인트. 베스트팔렌 주간지》(Der Volksfreund. Eine Wochenschrift für Westfalen), 렘고, 제3호, 1850년 1월 18일, 12쪽, 2단. 인쇄물.

추가 통지: "빌레펠트의 **A. 헬미히**와 렘고의 **F. L. 바게너**가 **주문**을 받는다.

우리는 베스트팔렌의 민주주의자들이 우리에게도 아주 중요한 이 잡지를 많이 정기구독하기 바라며, 동시에 빌레펠트의 R. 렘펠과 《데어 폴크스프로인트》 편집자가 정기구독자 명단의 지원을 기꺼이 떠맡을 것임을 알린다.

렘고, 1850년 1월에. **《데어 폴크스프로인트》 편집자**."

J^7은 J^2의 처음 두 호(《베스트도이체 차이퉁》 제6호와 제7호 — 옮긴이)와 똑같은 두 가지 오류를 포함하고 있다.

G731 J^8 《쾰니셰 차이퉁》, 제24호, 1850년 1월 27일, 부록 1. 인쇄물. 머리말:

"함부르크 슈베르트사의 문헌 광고."

추가 통지: "우리는 위 잡지의 판매를 위임받았으며 모든 서점의 주문을 받고 있다.

함부르크의 슈베르트사."

본문은 J^5를 따른다. J^1을 선택하지 않은 것은 외봄이 편집했고 약간 짧아졌기 때문이다. J^5는 완전하고 정확한 텍스트일 뿐 아니라 가장 먼저 인쇄를 맡긴 것이다. 인쇄하라고 마르크스가 직접 지시한 편지가 전해 내려온다.

변경사항 목록

1 (v) "1850년 1월" — J^4 "1850년 1월부터" J^8 "1850년"

2 (v) "**속편**" — J^1 J^8 "속편"

3 (v) "시대"(Epoche) — J^6 "시기"(Periode)

4 (v) "가장 큰" — J^1 J^4 J^6 J^8 "큰"

5 (v) "매일매일의" — J^1 "일상적인"

6 (v) "일간지" — J^1 "그날의 기록"

7 (v) J^7에는 "신문의 가장 큰 … 사라지게 된다"가 빠져 있음.

8 (v) "반면" — J^7 "그 밖에도"

9 (v) "사건들을 커다란 윤곽 속에서 파악하고" — J^1 J^4 "커다란 윤곽을 요약하고"; "파악하고" — J^6 J^7 J^8 "요약하고"

10 (v) "더 중요한 일들" — J^8 "중요한 일들"

11 (v) "~을"(in) — J^2 J^3 J^6 J^7 "auf —" J^2 제6호와 제7호는 "auf —"로 되어 있고, 제9호부터는 "in"으로 되어 있다.

12 (v) "자세하고 과학적으로"(ausführliches und wissenschaftliches) — J^1 "자세하고 과학적으로"(ausführliches wissenschaftliches)

13 (v) J^1 J^4는 여기서 행을 바꾸지 않음.

14 (v) "바로" — J^3 J^8 "그러나"

15 (v) J^7에는 이 문단 전체가 빠져 있음.

16 (v) "전지"(Bogen) — J^4 "전지의 팔절지"(Bogen Octav)

17 (v) "**다섯**" — J^1 "다섯" J^6 "5"

18 (v) "25실버그로셴"(25 Sgr.) — J^1 J^4 "24실버그로셴(라인 화폐로는 1플로린 24크로이처 혹은 프랑스 화폐로는 3프랑)"(24 Sgr. (1 fl. 24 kr. rhein. oder 3 frz. Frcs.)) J^2 J^3 J^7 "24실버그로셴"(24 Sgr. —). J^2 제6호와 제7호는 "24"로 되어 있고, 제9호부터는 "25"로 되어 있음.

19 (v) "배달" — J^1 "수령" G732

20 (v) "10실버그로셴" — J^1 J^4 "10실버그로셴(35크로이처 혹은 프랑스 화폐로는 1프랑 25상팀)"

21 (v) "매달 최소 … 10실버그로셴이다." — J^3 "**매달 최소 … 10실버그로셴이다.**"

22 (v) J^6 J^8에는 "함부르크에 있는 … 담당한다"가 빠져 있음.

23 (v) J^4에는 "함부르크 …; 바젤의 **J. C. 샤벨리츠** 서점이 **스위스**와 **알자스**를 담당한다"로 되

어 있음.

24 (v) "**서적** 판매" —J^4 "영업"

25 (v) "판매를 담당한다" —J^1 J^4 "독일 영업을 담당한다"

26 (v) "아래에 서명한 사람에게" —J^2 "(제9호부터는) 쾰른의 **슈테판 아돌프 나우트 씨**에게"

27 (v) "서명한 사람에게 발송을 위해 신속히 보내주실 것을" —J^4 J^6 J^8 "서명한 사람에게 보내주실 것을"

28 (v) "함부르크에 있는 **슈베르트사**가 **서적** 판매를 담당한다. … 보내주실 것을 부탁한다. 기고문" —J^1 "**함부르크**에 있는 슈베르트사가 서적 판매를 담당하고 **베른**의 **프리드리히 루트비히 다보이네** 서점이 스위스를 담당한다. 기고문"

29 (v) "기고문과 … 신간 서적"(Beiträge, ebenso Nova) —J^1 "기고문과 신간 서적"(Beiträge und Nova)

30 (v) "우편요금 선불로 접수한다" —J^1 "**우편요금 선불로** 아래에 서명한 사람에게 허락을 받아야 한다"

(v) J^7 이 문단 전체가 빠져 있음.

31 (v) "런던, 1849년 12월 15일" —J^1 J^4 J^6 J^8 "런던 1849년 12월" J^2 "런던, 1849. 12. 15"

32 (v) J^1 J^4 "《노이에 라이니셰 차이퉁》 발행인"이 빠져 있음.

33 (v) "첼시" —J^1 J^6 J^8 "런던 첼시"

프리드리히 엥겔스 G733

독일에서 온 편지 I

독일의 정치적 상황—프로이센과 오스트리아의 패권 다툼

1849년 12월 18일(G21~G23쪽)

집필과정과 전승과정

G698~G700쪽을 보라.

원문자료에 대한 기록

J[1] 독일에서 온 편지. (우리의 통신원으로부터.) 《더 데모크라틱 리뷰. 영국 및 외국의 정치, 역사, 문학 분야》, 런던, 제1호, 1850년 1월, 317~318쪽. 1쇄.

본문은 J[1]을 따른다.

해설

1 (e) "구 프랑크푸르트 연방의회"(The old Federal Diet of Frankfort)—독일 연방은 1815년 6월 8일 빈 회의에서 연방 규약을 통해 수립되었다. 전권 대표들의 연방회의는 프랑크푸르트에서 오스트리아를 의장국으로 하여 연방의회를 구성했다. 1848/49년 혁명기에는 사실상 붕괴되었지만, 1850년 9월 2일 연방의회는 오스트리아를 의장국으로 하여 다시 활동을 재개했다.

2 (e) "해산된 국민의회"(the dispersed National Assembly)—의원들이 대부분 탈퇴한 후에 남아 있던(본질적으로 좌파의 성원들) 의원들은 1849년 5월 30일 슈투트가르트로 이전을 결정했다(슈투트가르트 잔여의회). 거기서 국민의회는 1849년 6월 18일에 뷔르템베르크 군대에 의해 해산되었다. 또한 G38쪽 2~5행에 관한 해설과 G204쪽 7~9행을 보라.

3 (e) "제국의 교구 목사"(the Vicar of the Empire)—요한. 오스트리아 대공으로, 1848년 6월 29일 프랑크푸르트 국민의회에서 제국 섭정으로 선출되었고, 프랑크푸르트 제국 내각과 함께 공동으로 임시 중앙 권력을 대표했다. 그는 7월 12일 공식적으로 자신의 직위에 임명되었다. 연방의회는 그에게 권한을 위임했고 그 후 활동을 중단했다.

4 (e) **"과도정부"**(*Interim*) — 1849년 9월 30일 프로이센과 오스트리아 사이에 헌법 문제를 G734 최종적으로 정리할 때까지 독일 연방 업무를 공동으로 관리하기 위한 조약이 체결되었다. 이 조약을 토대로 프로이센-오스트리아 연방위원회가 창설되었다.

5 (e) "제국 섭정"(Regency of the Empire) — 제국 섭정자의 해임을 선포한 후, 국민의회 의원 다섯 명(아우구스트 베허, 프란츠 라보, 프리드리히 쉴러, 하인리히 지몬, 카를 포크트)이 1849년 6월 7일 슈투트가르트 잔여의회에서 제국 섭정인으로 선출되었다. 제국 섭정인들은 혁명 패배 후 망명했다.

6 (e) "그 의회의 잔존물로 "결연한 좌파"와 "극단적 좌파""(the remains of that Assembly, "Decided Left" and the "Extreme Left") — 프랑크푸르트 국민의회의 붕괴 이후 다양한 정당 집단이 형성되었다. 그중 "결연한 좌파"(로베르트 블룸, 카를 포크트 등을 중심으로 하는 그룹)는 국민의회의 자주권을 대변했다. 프란츠 하인리히 치츠, 루트비히 지몬, 빌헬름 아돌프 폰 트뤼츨러(Wilhelm Adolph v. Trützschler), 빌헬름 치머만 등의 "극단적 좌파"는 이를 넘어서 하나의 독일 공화국을, 정치 행정 기관과 군사력을 프랑크푸르트로 집중할 것과 보편적인 국민 개병제를 요구했다. 두 분파는 독일이 하나의 연방국가가 되어야 한다는 데는 일치했다.

7 (e) "베른에 있는 한 선술집"(a public house in Berne) — G204쪽 35행을 보라.

8 (e) 프로이센은 1849년 초 오스트리아를 배제한 채 프로이센의 패권 아래 독일의 개별 국가들을 통합하려는 협상을 벌였다. 이렇게 연합하려고 노력하는 과정에서 프로이센, 하노버, 작센은 1849년 5월 26일에 "삼제연맹"(Dreikönigsbündnis)을 결성했다. 1849년 5월 28일 프로이센 정부는 다른 독일 국가들의 정부에 이 연맹에 가입하라고 종용했다. 몇몇 작은 국가들은 프로이센의 군사력과 새로운 혁명의 점화가 두려워 연맹에 가입했다. 이러한 연합을 "제한된 연방국가"라고 부르는데, 무엇보다 중앙 권력의 권한이 제한적이었고 전체 독일 영토를 포괄할 수 없었기 때문이다. 1850년 1월 31일 계획했던 연방국가의 의회를 위한 선거가 있었고, 1850년 3월 20일 연방의회가 에르푸르트에서 소집되었다. 이 시기에는 하노버와 작센도 이미 다시 여기에서 떨어져 나갔다. 러시아와 오스트리아의 압박으로 프로이센은 1850년 11월에 자신의 연합 노력을 일시적으로 포기하게 되었다.

9 (e) "러시아의 … 차르"(Czar of all the Russians) — 니콜라이 1세.

10 (e) 발데크의 무죄 판결에 대해서는 G212쪽 14~15행을 보라. 요한 야코비는 대역죄로 G735 기소되었다. 왜냐하면 그는 프로이센 정부에 의해 프랑크푸르트 국민의회에서 프로이센 대표가 해임되었음에도 불구하고 슈투트가르트 잔여의회에 참여했기 때문이었다. 심문을 받기 위해 야코비는 1849년 10월 스위스에서 쾨니히스베르크로 돌아왔고, 12월 8일 그곳의 배심 재판 과정에서 무죄 판결을 받았다.

11 (e) "얼스터의 오렌지당원"(Orangemen of Ulster) — 1795년부터 존재했던 아일랜드의 비밀 결사 성원으로, 가톨릭을 믿는 제임스 2세의 군대를 1795년(보인 강 전투는 1690년에 있었다. MEGA 편집자의 착오인 듯하다. — 옮긴이) 보인 강에서 무찌른 오렌지 공 윌리엄(윌리엄 3세 — 옮긴이)에 따라 그렇게 불리게 되었다. 오렌지당은 영국이 아일랜드 지배를 유지하는 것을 목표로 했고, 학살과 비밀 재판에 의한 암살, 기타 폭력행위를 통해 아일랜드의 가톨릭 주민을 차별하고 박해하기 위한 조치와 관련이 있었다.

프리드리히 엥겔스 G736

프랑스에서 온 편지 I

주류 소비세

1849년 12월 20일(G24~G29쪽)

집필과정과 전승과정

G698~G700쪽을 보라.

원문자료에 대한 기록

J^1 프랑스에서 온 편지. (우리의 통신원으로부터.) 《더 데모크라틱 리뷰. 영국 및 외국의 정치, 역사, 문학 분야》, 런던, 제1호, 1850년 1월, 315~317쪽. 1쇄.

본문은 J^1을 따른다.

교정사항 목록/해설

1 (k) "왕조"(dynasty,) — J^1 "dynasty"

2 (e) 나폴레옹의 이 발언은 포도주세를 둘러싼 공개적인 논쟁에서 논거로 이용되었을 것이다. 예를 들어 《라 부아 뒤 푀플》(파리, 제82호, 1849년 12월 21일, 1쪽)은 《르 콩스티튀시오넬》의 한 기고문을 논박하면서 이렇게 썼다. "세인트헬레나에서 나폴레옹은 자신을 파멸시킨 것은 주류세의 유지였다고 말했다."

3 (e) 1842년과 1844년 필 영국 수상은 재정 개혁을 추진했다. 무역과 공업을 제약하던 몇 가지 세금이 폐지되었다. 이제까지 식료품을 비싸게 했던 곡물법은 1846년 폐지되었다. 또한 G309쪽 30행에 관한 해설을 보라.

4 (e) 1848년 2월 22일 열린 반정부 연회와 파리에서의 시위를 금지한 것이 2월 혁명의 원인이 되었다.

5 (e) "장관" — 아실 풀드.

G737 **프리드리히 엥겔스**

독일에서 온 편지 II

독일 전제군주에 관한 이상한 폭로—

프랑스와의 예정된 전쟁—다가오는 혁명

1850년 1월 20일(G30~G33쪽)

집필과정과 전승과정

G698~G700쪽을 보라.

원문자료에 대한 기록

J^1 독일에서 온 편지. (우리의 통신원으로부터.) 독일 전제군주에 관한 이상한 폭로—프랑스와의 예정된 전쟁—다가오는 혁명. 《더 데모크라틱 리뷰. 영국 및 외국의 정치, 역사, 문학 분야》, 런던, 제1호, 1850년 2월, 356~359쪽. 1쇄.

본문은 J^1을 따른다.

교정사항 목록/해설

1 (e) G21쪽(「독일에서 온 편지 I」—옮긴이)을 보라.

2 (k) "수송"(of conveying)—J^1 "conveying of"

3 (e) 투른 운트 탁시스의 왕자는 막시밀리안 카를 폰 투른 운트 탁시스를 의미한다. 1615년 이래 독일 제국(프로이센과 몇몇 다른 국가들까지)의 우편 사업 독점권은 투른 운트 탁시스 왕자의 세습 재산에 속했는데, 1789~94년 프랑스 대혁명과 독일 제국의 해체로 인해 일련의 지역에서 그 독점권을 잃게 되었다. 해당 정부들은 이를 토지와 돈으로 보상했다. 1815년 투른 운트 탁시스와 일련의 국가들, 특히 남독일 국가들 사이에는 우편물 수송 특권을 매년 양도하거나 봉토로 다시 투른 운트 탁시스에게 양도한다는 조약이 체결되었다. 1815년 독일 연방조약 제17조는 1803년 제국 대표단의 주요 결정 및 그 후의 계약들을 통해 승인된 다양한 연방국가들 내에서 우편 사업 독점권의 소유를 투른 운트 탁시스에게 보장했다.

뷔르템베르크는 1805년 투른 운트 탁시스의 우편 사업 독점권의 소유를 인정했다. 1819년 우편 업무는 매년 7만 굴덴을 지불하는 조건으로 투른 운트 탁시스에게 넘어갔다. 1849년 말 "과도정부"(G21쪽 19행에 관한 해설을 보라)는 뷔르템베르크 정부가 이미 타결한 우편 사업 인수에 대한 계약을 다시 파기했다. 그 후의 협상 결과로 우편 사업은 보상금 150만 굴덴을 주고 최종적으로 국가 당국으로 넘어갔다. G738

4 (e) 1849년 3월 4일의 오스트리아 흠정헌법은 효력이 없었다. 오스트리아 내각은 황제에게 1849년 12월 29일 헌법의 특색을 설명한 건의안을 제출했다. 황제는 정부에 위임해 이것을 실행하기로 결정했다. 1850년 1월 4일 이 건의안과 황제의 결정이 발표되었다. 이를 기초로 1850년 1월과 2월에 공포된 헌법은 독일 연방에 속했지만 오스트리아 내에 있던 국가들에도 마찬가지로 효력이 없었다.

5 (e) 엥겔스는 프로이센 지폐의 문제를 이미 1846년 자신의 기고문 「프로이센 은행 문제」(The Prussian bank question)에서 다루었다(《더 노던 스타》, 런던, 제451호, 1846년 7월 4일, 5쪽, 2단).

6 (e) 숫자는 파운드스털링으로 제시되었다. 1850년 1월 국가은행에 대한 오스트리아 정부의 부채는 219,302,673굴덴에 달했다. 결국 엥겔스의 예측은 정확한 것으로 증명되었다.

7 (e) 1850년 1월 18일 평화협회(Friedensgesellschaft) 회의에서 코브던은 이렇게 말했다. "그들은 모든 사람이 오스트리아 차관을 의제로 삼는 우리를 비웃는다고 말했다. 그리고 오스트리아 차관은 우리가 회의하기 전에 시작된 것이라고 했다. 지금 나는 오스트리아 차관을 떠맡은 이들의 상태를 조사해보았다. 이 차관이 첫 제공자의 손에 남아 있다고 말할 수 있어서 기쁘다. 이들이야말로 정말로 차관에 붙들린 대은행가들과 투기꾼들이다. 이 때문에 당신들은 오스트리아의 다른 차관에 대해 결코 들을 수 없을 것이다."(《더 타임스》, 런던, 제20390호, 1850년 1월 19일, 8쪽, 2단.) 코브던은 이날까지 차관이 145,000파운드스털링 손실을 입었다고 설명했다. 그는 무엇보다 러시아 차관을 반대했다. 제정 러시아의 돈을 마음대로 사용한다는 것은 제정 러시아의 폭력행위를 시인하는 것을 의미하기 때문이었다.

8 (e) 또한 G211쪽 11행을 보라.

9 (e) 세 등급 선거권 — 프리드리히 빌헬름 4세에 의해 1849년 5월 30일 제정된 — 의 도입으로 유권자는 자신의 소득에 따라 세 등급으로 구분되었다. 모든 등급은 예비선거 유권자의 수와 별도로 같은 수의 선거인을 갖는다. 이런 방식으로 왕은 정부가 발의한 헌법을 채택할 준비가 되어 있던 하원의 다수파를 얻게 되었다(1849년 8월 7일).

10 (e) 의회에 보낸 왕의 교서에 대해서는 G211쪽 10~21행에 관한 해설을 보라. G739

11 (e) 재판은 1850년 1월 17일부터 19일까지 쾰른에서 열렸다. 철도 시설의 의도적인 훼손으로 인해 기소된 사람들은, 그중에는 쾰른 노동자협회의 성원들도 있었는데, 배심 재판에서 무죄 판결을 받았다.

G740

프리드리히 엥겔스

프랑스에서 온 편지 II

붉은 공화주의의 위대한 진보에 대한 결정적 증거!

1850년 1월 21일(G34~G36쪽)

집필과정과 전승과정

G698~G700쪽을 보라.

원문자료에 대한 기록

J^1 프랑스에서 온 편지. (우리의 통신원으로부터.) 붉은 공화주의의 위대한 진보에 대한 결정적 증거!, 《더 데모크라틱 리뷰. 영국 및 외국의 정치, 역사, 문학 분야》, 런던, 제1호, 1850년 2월, 355~356쪽. 1쇄.

본문은 J^1을 따른다.

해설

1 (e) G24쪽(「프랑스에서 온 편지 I」— 옮긴이)을 보라.

2 (e) G24, G27쪽을 보라.

3 (e) G188쪽 15행에 관한 해설을 보라.

4 (e) G188쪽을 보라. 새로운 교육법의 의결에 앞서 이미 민주적으로 각성된 교사들을 자리에서 내쫓기 위해, 1849년 12월 13일 드 파리외(de Parieu) 교육장관은 입법의회에서, 교사의 징계권을 경찰서장에게 맡겨야 한다는 임시 법률을 상정했다. 이 법은 1850년 1월 11일 의결되었다.

5 (e) 가르 주 보궐선거에 대해서는 G216쪽을 보라. 사망한 정통 왕조파 드 본 대신 "사회주의자" 파방이 선출되었다. 드 그라이와 드 루르두엑스가 그에게 졌다.

6 (e) G188쪽 18행에 관한 해설을 보라.

7 (e) G215쪽 24~25행에 관한 해설을 보라.

프리드리히 엥겔스 G741

독일 제국헌법투쟁

1849년 8월 중순과 1850년 2월 사이(G37~G118쪽)

집필과정과 전승과정

「독일 제국헌법투쟁」은 마르크스와 엥겔스가 다음과 같이 혁명이론의 일부로 입증한 것을 진술하고 있다. 즉 민주주의적 소시민계급과의 정치적, 이데올로기적, 조직적 거리 두기와 단절 및 노동자계급의 자립이 정치의 근본 문제가 되었다는 것이다. 1849년 5월부터 7월까지 제국헌법투쟁의 결과에 대한 평가는 이 투쟁이 패배한 직후에 정치적 문헌과 일상 기록 문헌 및 회고 문헌에서 여러 가지 주제로 다루어졌다. 이러한 운동의 성격에 대한 공산주의의 평가와 공산주의자들의 독자적인 정치적 입장을 자세히 설명하는 것이 필요했다.

엥겔스는 1849년 7월 말 이미 「정정을 위하여」(G3~G4쪽)에서 자신의 견해를 맨 먼저 밝혔다. 8월 1일경 마르크스가 보낸 편지에서 "바덴-팔츠 혁명에 관한 역사나 소책자를 써달라"는 요청을 받은 엥겔스는 아무리 일러도 1849년 8월 중순에 이 작업을 시작했다. 이때는 엥겔스가 브베의 옛 빌리히 의용군 중에서 아직도 병영에 있던 일부 생존 병사들을 떠나 로잔으로 이주했을 때였다. 8월 24일 그는 야코프 샤벨리츠에게 보낸 편지에서 이미 "바덴-팔츠 혁명 소극에 관한 회고록"을 쓰고 있다고 알리면서 다음과 같이 강조했다. "이것은《노이에 라이니셰 차이퉁》에 어울릴 만한 역사라네. 이런 역사를 쓰겠다고 약속한 다른 이야기들과는 다르게 이해될 걸세."(엥겔스가 1849년 8월 25일 요제프 바이데마이어에게 보낸 편지를 보라.)

이미 이때 분량은 "전지 4~6장"으로 확정되었다. 이것으로 미루어 엥겔스가 8월 24일 이전에 자기 작업에 대한 목차를 처음으로 구상했다는 것을 알 수 있다.

이 작업은 처음에는 소책자로 기획되었다. 바로 이 때문에 엥겔스는 1849년 8월 24일 바젤의 샤벨리츠와 다음 날 프랑크푸르트의 바이데마이어에게 인쇄 가능성을 타진하는 편지를 보냈던 것이다. 그러나 그 직후 엥겔스는 런던의 마르크스를 통해 잡지의 발간 계획을 알게 되었다(마르크스가 1849년 8월 23일 엥겔스에게 보낸 편지를 보라). 1849년 11월 말경부터 런던에서 계속된 초고 작업은 이미 NRhZ. Revue에 연재 형식으로 발표한다는 관점에서 이루어졌다.

작업 과정에 관한 구체적인 증거는 별로 없다. 특히 1849년 10월과 11월에 스위스에서 런던으로 가는 여행 때문에 이 작업이 중단될 때까지 어느 정도로 이 작업이 이루어졌는지는 아무 정보가 없다. 이에 대한 유일한 실마리는 샤벨리츠에게 보낸 편지에서 찾을 수 있다. "그 당시 나의 초고를 밤베
G742 르거에게 보내지 않은 것은 그 초고를 소책자로 만들거나 여의치 않으면 우리가 이미 당시에 '평론'(NRhZ. Revue를 의미함—옮긴이)에서 인쇄하려고 했기 때문입니다."(엥겔스가 1849년 12월 22일 샤벨리츠에게 보낸 편지.) 동시에 이 편지로부터 우리는 간접적으로, 엥겔스가 1849년 12월 말 여전히 집중적으로 초고 작업을 했음을 알 수 있다. 같은 시기에 쓰인 「계산서」(G15~G16쪽)에도 「독일 제국헌법투쟁」 작업에 해당하는 몇몇 메모들이 들어 있다. 특히 제2장에 관해서는

> "피클러의 제거.
>
> 다시 xxxxxxx를 하기 위해 바덴 장교의 초대, 그리고 병사들에게 붙잡힌 장교의 석방
>
> 지폐—의회 결의
>
> 퓌르스텐베르크 제[후]의 무기 수집."

요제프 피클러에 대한 메모는 로렌츠 페터 브렌타노가 슈투트가르트로 가라고 강요한 피클러의 임무에 대한 진술(G60쪽)과 관련이 있을 것이고, 엥겔스는 지폐 발행을 위한 바덴 의회의 결의에 대해 각주를 달았다(G58쪽). "퓌르스텐베르크 제후의 무기 수집"은 엥겔스가 도나우에싱겐의 카를 에곤 퓌르스텐베르크 제후의 성에 있던 풍부한 역사적 수집품이 일부 약탈한 것이라는 점을 비꼬는 것이다. 1849년 7월 4일에서 6일까지 성은 임시정부와 프란츠 지겔이 이끄는 혁명군 본부가 차지했다. 아만트 괴크는 공식 결정 없이 성의 물품을 몰수하는 것에 반대했지만, 그가 떠나자 많은 것

이 약탈당했다. 1852년 중반에 쓴 [「위대한 망명자들」이라는] 초고 제14절에서, 그리고 1860년에도 마르크스는 스위스 망명 중인 지겔이 당시 퓌르스텐베르크 제후의 소유물 가운데 일부 물품을 전용했다고 썼다(마르크스, 『포크트 씨』, 런던, 1860년, 47쪽을 보라). 「독일 제국헌법투쟁」에서 엥겔스는 성에서의 사건에 대해 언급하지 않았다.

엥겔스가 초고를 3장까지 완성한 것은 대략 1850년 1월 중순이라고 볼 수 있다. 왜냐하면 NRhZ. Revue의 제1호를 합본으로 발간할 생각을 했었고 마르크스의 「… 계급투쟁」 외에도 「독일 제국헌법투쟁」이 이 잡지에서 가장 중요하고 가장 분량이 많은 기고문이라고 보았기 때문이다. 결국 제1호에 실린 서문과 제1, 2장은 늦어도 2월 초에는 함부르크에 있었는데, 제2호에 실린 3장도 그랬을 개연성이 높다. 늦어도 1850년 2월 20일에 작성한 "광고"(G224쪽)는 제2호를 위해 이미 제3장과 제4장을 예고했다. 어쨌든 초고의 마지막 부분은 늦어도 1850년 2월 말 완성되었고, 3월 초에 함부르크로 보내졌다. 왜냐하면 엥겔스는 3월 4일 이미 함부르크로 다음과 같은 지시를 보냈기 때문이다. "제3호에 '공화국을 위해 죽자'를 실을 수도 있습니다. … 제국헌법투쟁의 제4장이 어렵다면 즉시 알려주시기 바랍니다."(엥겔스가 1850년 3월 4일 테오도어 하겐에게 보낸 편지[초안]; 율리우스 슈베르트가 1850년 3월 9일 콘라트 슈람에게 보낸 편지.)

엥겔스의 기고문은 형식상으로는 체험 보고의 특징을 강하게 띤다. 1849년 8월 1일경 엥겔스에게 보낸 편지에서 마르크스는 다음과 같이 썼다. "자네가 전쟁에 직접 참가하지 않았다면, 우리는 이 혁명(바덴-팔츠 혁명 — 옮긴이)에 대한 우리의 견해를 스스럼없이 드러낼 수 없었을지도 모르네. 자네가 G743
민주적 정당에 대한 《노이에 라이니셰 차이퉁》의 입장을 대체로 훌륭하게 나타낼 수 있을 걸세." 엥겔스도 독일에서 "어떤 몰수나 소송에 걸릴 위험이 없도록" 글을 쓰기로 결심했다(엥겔스가 1849년 8월 25일 바이데마이어에게 보낸 편지).

1849년 5월 10일에서 17일까지 엘버펠트 봉기에 적극 참여하고 5월 19일 이후 혁명 팔츠에서 체류한 뒤, 엥겔스는 1849년 6월 13일부터 7월 12일까지 빌리히 의용군에서 싸웠다. 그는 "때로는 사령부에서, 때로는 적 앞에서 … 너무 많이 보고 너무 많이 경험했습니다"(엥겔스가 1849년 8월 24일 샤벨리츠에게 보낸 편지). 빌리히의 부관으로서 그는 사령부와 통신을 담당했고, 네 번의 전투에 참가했다(또한 엥겔스가 1849년 7월 25일 예니 마르크스에게 보낸 편지, 그리고 G3~G4쪽을 보라).

자기 글의 출처 근거에 대해 엥겔스는 자신의 경험과 다른 사람들에게 들은 소식만으로도 "전체 투쟁의 성격을 드러내기에"(G40쪽 12행) 충분하다고 생각했다. 물론 이런 전제는 그가 이 투쟁을 총체적으로 서술하기에는 충분하지 않은 것처럼 보였다. 그때까지 나타난 전장에 관한 자료는 여전히 불완전하고 모순적이어서, 엥겔스도 그러한 목표를 달성하기에는 역부족이었다.

작업 과정에서 엥겔스는 스위스에 사는 제국헌법투쟁 참가자들에게서 추가적인 세부 사항에 대한 정보를 수집하려고 노력했다. 전우들과 서신 왕래로 분명해진 것은 엥겔스가 요한 필리프 베커와 크리스티안 에젤렌의 책을 가지고 있었으며, 막스 요제프 베커와 지기스문트 보르크하임(Sigismund Borkheim), 막스 콘하임(Max Conheim. 그는 1848년 8~9월 취리히에서 《노이에 라이니셰 차이퉁》의 통신원을 지냈다), 에두아르트 로젠블룸(Eduard Rosenblum)의 자료를 부탁했다는 것이다. 그러나 엥겔스의 노력은 큰 성과가 없었다(막스 요제프 베커가 1849년 12월 27일 엥겔스에게 보낸 편지를 보라).

1849년 말까지 출판된 바덴-팔츠 투쟁에 관한 문헌 중에서 엥겔스의 흥미를 끈 것은 그가 1849년 12월 22일 런던의 샤벨리츠에게 주문한 다음 저작들이다. 요한 필리프 베커/크리스티안 에젤렌, 『1849년 남부 독일 5월 혁명의 역사』, 제네바, 1849년; A. 다울(A. Daul), 『라인팔츠와 바덴에서의 자유 투쟁 동안 한 정치 망명자의 일지』(Tagebuch eines politischen Flüchtlings während des Freiheitskampfes in der Rheinpfalz und Baden), 장크트갈렌, 1849년; 『바덴 전투에 관한 미에로스와프스키 장군의 보고서』(Rapports du général Mieroslawski sur la campagne de Bade), 베른, 1849년. 거기에 더하여 엥겔스는 "바덴의 역사에 관해 그 밖의 **중요한 것**, 즉 주장이 아니라 **사실**이 포함된 것이 나온 게 있으면" 보내달라고 샤벨리츠에게 부탁했다.

위에서 언급한 제목의 자료들을 이용했는지는 정확히 알 수 없다. 엥겔스는 소포를 "**바로**" 부칠 것을 분명히 부탁했지만, 자료들은 1850년 1월 초에나 활용할 수 있었을 것이다. 샤벨리츠에게 보낸 같은 편지에서 엥겔스는 NRhZ. Revue 첫 호에 제국헌법투쟁에 관해 자신이 쓴 첫 번째 기고문(서문과 제1, 2장에 관한)이 실릴 것임을 알렸지만, 이 부분을 위해 요구한 자료를 활용할 수는 없었을 것이다. 이들 자료는 엥겔스가 제3, 4장에서 다룬 사건들 대부분과 관련이 있었다. 어쨌든 미에로스와프스키의 『보고서』는 제4장을 작업할 때 직접적인 출전으로 쓰였다. 다른 두 책은 엥겔스의 글에서 직접 언급되지 않았다. 이 일지의 저자인 A. 다울은 빌리히 의용군의 구성원이었기에, 엥겔스가 자신의 "기록"을 위해 비교 및 보충 자료로 활용했다는 점을 쉽게 알 수 있다. G744

엥겔스는 「독일 제국헌법투쟁」에서 봉기에 대한 소부르주아적 서술과 대결하면서, 1849년 말 스위스에서 출간된 구스타프 슈트루베의 책 『세 번의 바덴 인민봉기의 역사』에 포함된 과장들도 다루었다. 엥겔스는 소부르주아지의 목표를 특징짓기 위해서 이미 1848년 스위스에서 나온 슈트루베의 책 『독일 민족의 기본법』을 활용했다. 그 밖에 그는 슈트루베, 카를 하인첸, 그리고 기타 소부르주아적 대표자들의 언론상 발언을 기초로 삼았다. 제국헌법투쟁 기간 소시민계급의 정치를 서술하기 위해 엥겔스는 또한 기관지, 특히 바덴 임시정부의 기관지 《카를스루어 차이퉁》의 호소문, 성명서, 기고문 혹은 일일 보도를 활용했다. 엥겔스는 군사적 전투의 광범위한 실증 자료를 활용했지만, 감옥에 갇혔거나 고향으로 돌아간 전우들을 위험에 빠뜨릴지도 몰라서 그 자료의 입수 과정을 언급할 수 없었다.

1850년 2월 인쇄를 하는 도중 텍스트에 대해 율리우스 슈베르트가 일부 개입하기 시작했다. 언론 출판법 위반에 따른 경찰의 보복 조치를 두려워한 그는 제국헌법투쟁 동안 변형한 헤커 노래의 후렴구(G37쪽 3행)의 "독일 제후들"을 "----"로 대체했다. 마찬가지로 그는 G40쪽 1행에서 "제후들의"를 지우고, G40쪽 37행의 "비열하게"를 "애절하게"로 바꿨다. 또한 "죽이다" 대신에 "쓰러뜨리다"(G80쪽 30행)라는 단어도 슈베르트가 대체했을 가능성이 있다. 1850년 2월 26일 슈베르트는 슈람에게 다음과 같이 썼다. "**요지**는 마르크스 씨도 내용의 방향성이 그렇게 유지되면 언론 소송을 당하지 않을 것이라고 하지만 혹시나 잡지가 금지되지 않을까 염려한다는 것입니다. … 우리는 프로이센의 점령군 아래 있으며 어떤 경우에도 **비열한 프로이센**을 인쇄하면 안 된다는 점, … 마찬가지로 '**독일 제후들을 죽여라**'도 **인쇄하면** 안 된다는 점을 생각해주기 바랍니다." 1850년 2월 26일 테오도어 하겐도 슈람에게 다음과 같이 썼다. "슈베르트가 셋째 전지에 줄을 몇 개 그어도 된다고 허락했다는 것을 그저께 들었고, 저는 인쇄업자에게 달려갔습니다. 아니나 다를까 슈베르트가 헤커 노래의 두 연에 줄을 전부 그었고, 비열한 프로이센을 우유부단한 프로이센으로, 약속을 위반한 제후들을 단순하게 약속을 위반한 자로 대체했다는 것을 알았습니다. … 격렬했지만 성과가 없는 논쟁을 한 끝에 저는 '독일 제후들'이라는 단어가 나올 때까지는 헤커 노래는 그대로 유지하기로 했고, 비열한 대신에 애절하게로 대체하기로 했습니다."

NRhZ. Revue 제4호에 실린 인쇄오류 목록에는 「독일 제국헌법투쟁」과 관련하여 제3호에서의 교정사항 하나와 제4호에서의 교정사항 열 가지가 나와 있다. 이 교정사항 목록의 끝에는 다음과 같은 언급이 있다. "그 밖에 제2호와 제3호의 기고문인 '팔츠'와 '공화국을 위해 죽자'에는 그것의 공통 주요 제목인 '**독일 제국헌법투쟁**'이 빠지고, 전체의 결론 부분에도 저자 이름 **프리드리히 엥겔스**가 빠졌다."

G745 명백히 검인하지 않은 채 제3, 4장(G69~G118쪽)을 부분 재판한 것이 — 그러나 많은 부분을 생략하고 텍스트에 일부 개입한 — 《트리어셰 폴크스슈티메》(Trier'sche Volksstimme)에 실렸다(프리드리히 엥겔스, 「바덴-팔츠 봉기Der badisch-pfälzische Aufstand」, 《트리어셰 폴크스슈티메》, 제23~27, 30~37호, 1850년 5월 29일~6월 7일, 6월 14일~30일. 각각 2쪽, 3~4쪽. 1850년 6월 7일 제27호부터는 "**프리드리히 엥겔스**"라는 이름이 있다). 편집자 서문은 다음과 같다. "『영국 노동자계급의 상태』라는 탁월한 저작의 저명한 저자이자 현재 쾰른 《노이에 라이니셰 차이퉁》의 공동 편집자인 Fr. **엥겔스**는 자신의 독자적 관점에서 제국헌법투쟁을 다음과 같은 방식으로 서술한다. 우리는 이러한 서술을 여기에서 전한다. 특히 저자의 이름과 그의 의미 있는 관찰력이 그 진실성을 보증하기 때문이다."

엥겔스의 연재 기고문이 발행되었을 때 우선 소부르주아적 망명자 세력들에게서 일정한 반향을 얻었다. 스위스 혁명 중심(G336쪽 20행에 관한 해설과 G336쪽 23행~G337쪽 22행을 보라)과 긴밀히 접촉했던 알토나의 카를 브룬이 1850년 6월 2일 콘라트 슈람에게 보낸 편지에 따르면 "마르크스의 프랑스에 대한 기고문은 매우 마음에 듭니다 — 그러나 엥겔스의 「제국헌법투쟁」은 사람들이 좋게 판단하지 않을 겁니다. 빌리히와 엥겔스는 대단히 똑똑한 사람인 것 같습니다."

1850년 5월 14일 취리히에서 빌헬름 볼프가 엥겔스에게 보낸 편지가 이러한 판단에 대한 출처이다(G694쪽을 보라).

프랑크푸르트의 《노이에 도이체 차이퉁》에 오토 뤼닝은 「카를 마르크스의 《노이에 라이니셰 차이퉁. 정치-경제 평론》」이라는 제목으로 1850년 6월

22일과 26일 사이에 4부로 된 연재 기고문을 발표했다. 1부와 4부에는 엥겔스의 기고문에 대한 조야한 공격이 포함되어 있다. 마르크스와 엥겔스는 이 연재 기고문의 1부에 대해 「해명」(G354~G355쪽)으로 응답했다. 이 연재 기고문의 4부에서 뤼닝은 엥겔스가 투쟁의 군사 지휘에 대해, 특히 지겔에게 가한 비판에 반박했다. 지겔의 군사적 무능력에 대한 엥겔스의 판단은 그러나 후에 소부르주아지 측에서 스스로 인정했다(마르크스, 『포크트 씨』, 런던, 1860년, IV. 테코프의 편지를 보라).

뤼닝과 비슷한 소부르주아적 입장에서 루트비히 지몬은 많은 분량을 할애하여 NRhZ. Revue를 비평하면서 엥겔스의 「독일 제국헌법투쟁」을 논박했다. 이때 그는 G38쪽 32행~38행, G51쪽 33행~G52쪽 5행, G53쪽 4행~17행, G61쪽 25행~26행, G61쪽 41행~G62쪽 36행, G73쪽 31행~G74쪽 6행, G117쪽 4행~6행, G117쪽 26행~28행 등을 인용했다(루트비히 지몬, 「보통선거권과 노동자 독재」, 두 번째 기고문, 《도이체 모나츠슈리프트 퓌어 폴리틱, 비센샤프트, 쿤스트 운트 레벤》, 제2집, 브레멘, 1851년, 제2권, 4월~6월, 제5호, 전반부, 170~174쪽).

또한 반동적인 프로이센 군사 역사 서술도 엥겔스의 기고문을 주시했다. 퇴역한 대위 슈타로스테(Staroste)는 1852년과 1853년 포츠담에서 출간한 두 권짜리 책 『1849년 팔츠와 바덴의 사건들에 관한 일지』(Tagebuchs über die Ereignisse in der Pfalz und in Baden im Jahre 1849)를 편찬하면서 엥겔스의 기고문을 출전 자료로 이용했고, 한 각주에서 엥겔스의 발언을 편파적으로 문제 삼았다.

엥겔스의 「독일 제국헌법투쟁」에 대해서도 짧게 인용한 아우구스트 빌리히의 기고문 「카를 마르크스 박사와 그의 폭로」(Doktor Karl Marx und seine Enthüllungen)(《벨레트리스티셰스 주르날 운트 뉴요커 크리미날-차 G746
이퉁Belletristisches Journal und New-Yorker Criminal-Zeitung》, 제33호, 제34호, 1853년 10월 28일, 11월 4일)에 대한 대응으로서, 마르크스는 1853년 11월 말 소책자 『고매한 의식의 기사』(Der Ritter vom edelmüthigen Bewußtsein)(뉴욕, 1854년)를 작성했는데, 여기서 그는 엥겔스가 1853년 11월 23일 그에게 보낸 편지를 실었다.

제국헌법투쟁의 사건들에 대해 엥겔스는 나중에 특히 1885년 11월 14일 폴 라파르그에게 보낸 편지에서 그리고 베커에 대한 추도사에서 언급했다(「요한 필리프 베커Johann Philipp Becker」, 《데어 조치알데모그라트Der

Sozialdemokrat》, 취리히, 제51호, 1886년 12월 17일).「독일 제국헌법투쟁」을 재인쇄하려 했던 계획은 NRhZ. Revue의 기고문 전체를 재인쇄하려는 노력과 일치했다. 그러한 노력은 1885년 초 출판업자 헤르만 슐뤼터에 의해 그리고 1890년대 초 J. H. W. 디츠(Dietz)에 의해 시작되었지만 성과가 없었다. 이와 관련하여 1887년 12월 30일 슐뤼터는 이 무렵 독일 서적 판매업자를 통해 엥겔스의 저작을 보급한다는 정보를 알려주었다. 마르크스와 엥겔스의 많은 저작, 특히 "엥겔스의 바덴 출정"이 서적 판매업자를 통해 광고되었다. 슐뤼터는 다음과 같이 보고했다. "… 서적 판매업자들은 NRhZ. Revue의 몇몇 호를 분철하고, 개별 기고문을 독립된 저작으로 추천하여 당연히 쉽게 팔았다. 바덴 출정에 관한 논문은 2마르크 50페니히나 했다. 나는 이들 논문을 몇 편 구입했다."

원문자료에 대한 기록

J[1] 독일 제국헌법투쟁. [서명:] 프리드리히 엥겔스.《노이에 라이니셰 차이퉁. 정치-경제 평론》, 런던, 함부르크, 뉴욕, 제1호, 1850년 1월, 35~78쪽; 제2호, 1850년 2월, 37~56쪽; 제3호, 1850년 3월, 38~80쪽. 1쇄.

대부분의 라틴어 및 프랑스어 단어는 라틴어 철자로 인쇄했다.

K[2] 프리드리히 레스너의 NRhZ. Revue 견본에 대한 엥겔스의 교정본, 1895년.

본문은 J[1]을 따른다.

교정사항 목록/해설

지명과 인명의 다양한 표기 방식은 동시대 문헌에서 차이 나는 표기 방식이 증명되는 경우에 부기했다(예를 들어 Speier-Speyer; Rastadt-Rastatt; Triberg-Tryberg; Goegg-Gögg; d'Ester-D'Ester; Mieroslawski-Mieroslawsky). 자주 등장하는 이름 "Schimmelpfennig"는 J[1]에서는 "Schimmelfennig"이다.

1 (k) "독일 제후들"(deutschen Fürsten) —J[1] "— — — —".

2 (e) 제국헌법투쟁 동안 변형한 헤커 노래의 후렴구는 원래 다음과 같다. "헤커, 위대한 독일의 인물이여 오라 그리고 우리를 다시 이끌라."

3 (e) 벨만의 1844년 "슐레스비히-홀슈타인 연방 노래"의 멜로디를 의미한다. 이 연방 노래는 1845년 뷔르츠부르크 노래 축제에서 처음으로 연주되었다. 또한 엥겔스가 1846년 9월 18일 마르크스에게 보낸 편지를 보라.

4 (e) 프랑크푸르트 국민의회는 1849년 3월 28일 제국헌법을 통과시켰다. 이것은 1848년 초와 여름 인민운동의 영향 아래 헌법의 근본 원칙이 형성된 이후다. 비록 제국헌법은 분리할 수 없는 민주 공화국을 창출하여 반(半)봉건주의와 절대주의를 타파하고 부르주아적 발전에 가장 자유로운 발전 가능성을 부여해야 한다는 과제에는 미치지 못했지만 진보적 성격을 띠었다. 프랑크푸르트 국민의회에 소부르주아-민주주의 좌파가 등장한 것은 제국헌법이 "독일의 가장 자유주의적인 헌법"(프리드리히 엥겔스, 「독일의 혁명과 반혁명」, XVI, 《뉴욕 데일리 트리뷴》, 1852년 8월 19일)이 되는 데 기여했다. 헌법의 진보적 성격은 부르주아-자본주의적 관계의 발전을 장려하고 일련의 부르주아적 기본권을 보장해야 한다는 사실을 확립했다는 점에 나타나 있다. 헌법을 진보적으로 확립했음에도 불구하고 제국헌법은 분명히 자유주의적 부르주아지의 반민주주의적 태도와 반동적 귀족과의 타협을 그 특징으로 하고 있었다. 이것은 제국헌법이 개별 국가들과 그 국가들을 통치하는 제후 왕가들의 소수의 제한된 권력에 기초해야 한다는 점에 나타나 있었다. 한 명의 제후가 국가의 정점에 있어야 하고, 그 황제적 존엄과 권력이 세습적으로 유지되어야 하며, 중요한 특권은 보장되어야 한다는 것이다. 그러나 헌법의 주요 한계는 "그것이 자신의 규정들을 뒷받침할 권력이 없는 단순한 종이쪽지에 불과하다"(같은 곳)는 것이다. 헌법이 반민주주의적이라고 시인했음에도 불구하고 다시 강화된 반혁명 세력의 매우 강한 저항에 부딪혔다. 거의 모든 독일 국가의 정부는 헌법 승인을 거부했다. 프로이센 왕은 프랑크푸르트 국민의회의 자유주의자 다수가 그에게 제안한 세습 황제 제위를 거부했다 (G482쪽 27~28행에 관한 해설을 보라). 이와 동시에 프로이센 왕은 반동의 이름으로 민주주의 전체에 투쟁을 선포했다. 이런 조건 아래 결연한 민주주의자들은 제국헌법 비판을 물릴 수밖에 없었다.

5 (e) "3월 연합들"은 특히 남부 독일과 중부 독일에서 결성된 다양한 민주주의 연합들을 지칭한다. 3월 연합들은 중앙 3월 연합에 가입했다. 중앙 3월 연합은 프랑크푸르트 국민의회 좌파가 급진적 소시민계급에서 자유주의적 좌파 부르주아지에 이르는 모든 세력을 규합해서 3월의 성과를 유지하기 위해 결성했다. 그러나 중앙 3월 연합의 활동은 이런 목표와 모순된다. 반혁명에 반대하는 혁명투쟁을 인민에게 호소하는 대신, 중앙 3월 연합은 의회적 환상을 인민에게 제시했다. 《노이에 라이니셰 차이퉁》은 하이델베르크의 한 통신에서 이 연합이 설립된 바로 직후에 이미 "반혁명의 무의식적 도구"가 되어버렸다고 폭로했다. [B. 하일부트(Heilbut),] (「3월 연합의 공문서Ein Aktenstück des Märzvereins」,) 《노이에 라이니셰 차이퉁》, 쾰른, 제181호, 1848년 12월 29일, 1/2쪽을 보라. 혁명 세력은 1849년 초 중앙 3월 연합과의 결합을 파기했다.

6 (e) 조국 연합들(정식 명칭은 Vaterlandsvereine인데 엥겔스는 Vaterländische Vereine로 썼다)은 1848/49년 혁명 동안 작센과 일부는 뷔르템베르크와 같은 다른 독일 국가에서 결성된 소부르주아 민주주의 지역 조직이었다. 1849년 초 약 75,000명의 성원을 가진 200여 개의 연합이 조직되었는데, 이 중에는 독자적인 노동자 연합에 소속된 노동자들도 있었다. 1848년 가을 공화파 세력이 작센의 조국 연합들을 장악할 수 있었다. 1849년 4월에는 더욱 급진화되었고, 조직의 명칭을 "민주주의 인민 연합"으로 개명했다. 그러나 1849년 5월 반혁명의 승리가 이런 발전을 끊어버렸다.

7 (e) 그뤼틀리 맹세라는 표현은 스위스 서약동맹(Eidgenossenschaft)의 생성에 대해 15세기

에 등장한 전설로 거슬러 올라간다. 이 전설에 따르면 최초의 세 명의 "서약 동지"는 — 슈비츠의 베르너 슈타우파허(Werner Stauffacher von Schwyz), 우리의 발터 퓌르스트(Walter Fürst von Uri), 운터발덴의 아르놀트 멜흐탈(Arnold Melchthal aus Unterwalden) — 1307년 11월 7일에서 8일로 넘어가는 밤에 그뤼틀리(혹은 뤼틀리)의 산간 초원에서 비밀 동맹을 맺었고 새해 첫날 합스부르크가의 태수들을 쫓아내기로 맹세했다.

8 (e) 반항적인 제후들은 제국헌법의 승인을 거부한 자를 지칭한다(G37쪽 8행에 관한 해설을 보라).

9 (e) 극단적 좌파는 프랑크푸르트 국민의회의 두 좌파 중 하나로 주로 소시민층의 이해를 대변했다. 이들은 공화국과 혁명투쟁 방법을 지지한다고 선언했지만 행동은 우유부단했다. 국민의회에서 우파 자유주의자와 결별한 후(G481쪽 36행에 관한 해설을 보라), 극단적 좌파는 좌파와 함께 의회 다수파를 형성했다. 반혁명의 몰이사냥을 피하기 위해 의회 다수파는 회의 장소를 슈투트가르트로 이전했다. G21쪽 17행에 관한 해설과 G204쪽 7~9행에 관한 해설을 보라.

10 (k) "잔당들"(Resten) — $\mathbf{J}^1$ "방주"(Kasten). $\mathbf{K}^2$에 따라 교정함.

11 (e) 1849년 5월 13일 프랑스에서의 선거에 대해서는 G163~G167쪽, G163쪽 5~6행에 관한 해설 참조.

12 (e) G160쪽 15행~G162쪽 17행에 관한 해설을 보라.

13 (e) 1848/49년 합스부르크 군주제에 대항하는 헝가리 인민의 민족 해방투쟁 동안 헝가리 혁명군은 1849년 4월 말 군사정치적, 전략적으로 유리한 상태에 있었다. 혁명군에게는 빈으로 진격하여 유럽 전역에 새롭게 혁명의 활력을 불어넣을 가능성이 있었다. 그러나 총사령관 괴르게이 어르투르 — 자유-귀족당의 지지자로 오스트리아와 평화조약을 체결하고자 노력했다 — 는 헝가리 국경을 넘는 것을 거부했다. 반면 오스트리아군은 1849년 5월 반격을 준비하고 1849년 5월 2일 러시아와 협정을 통해 러시아군의 도움을 받을 가능성이 있었다.

1849년 5월 중순 러시아군에 대항하기 위해 헝가리 내각이 작전 계획을 채택했을 때, 폴란드 혁명 장군 헨리크 뎀빈스키는 오버타이스군의 사령관으로 소환되었다. 군사 작전을 펼칠 때 괴르게이의 방해를 받은 그는 1849년 2월 카폴네(Kàpolne) 전투에서 패배한 후에 지휘권을 내려놓았다. 그가 군으로 복귀했을 때, 그는 자신에게 내려진 작전 계획에 따른 방어 역할을 반대하고 북부 헝가리 국경을 넘어 갈리치엔을 침공해서 자신의 폴란드 동포와 반역을 일으키려고 했다. 헝가리 정부는 이 계획에 찬성하지 않았고, 뎀빈스키는 재차 사직으로 몰리는 처지가 되었다.

1848년 말에서 1849년 5월 초까지 헝가리 혁명군의 전투에 관해서는 [프리드리히 엥겔스, 「헝가리Ungarn」,] 《노이에 라이니셰 차이퉁》, 쾰른, 제301호, 1849년 5월 19일, 2/3쪽을 보라.

14 (e) 엥겔스가 예고한 미에로스와프스키의 네카어 강 출정에 관한 기고문은 NRhZ. Revue에 실리지 않았다.

15 (k) "비열하게"(feiger) — $\mathbf{J}^1$ "애절하게"(kläglicher)

16 (e) 작센 왕이 제국헌법 채택을 거부하고 인민대중을 군사적으로 진압하기 위해 프로이센과 동맹을 맺은 후 드레스덴에서 무장봉기가 일어났다. 1849년 5월 3일 대중은 임박한 프로이센의 침공에 대항해 무장하기 위해 무기고를 습격했다. 점령군이 대포로 인민을 쏘고 학살을 일으켰을 때 도시는 전면 봉기했다. 짧은 시간에 노동자, 수공업자, 소부르주아지 등이 100개가 넘는 바리케이드를 쌓았다. 공안위원회가 결성되고 5월 4일 왕이 도주하자, 자무엘 에르트만 치르너를 수반으로 하는 임시정부가 세워졌다. 자발적인 봉기에 놀란 소부르주아적, 부르주아-자유주의적 지도부는 처음에는 왕과의 평화적인 합의와 군의 인민

으로의 투항을 믿고 봉기자들에게 불리한 휴전 상태에 들어갔다. 5월 5일 합의된 휴전이 끝나기도 전에 군대가 전투를 개시했고, 5천 명의 잘 무장된 프로이센-작센 부대는 제대로 무장하지 못한 드레스덴인들과 필요한 군사 조직과 지휘부도 없이 인근 지역에서 급히 달려온 바리케이드 전사들과 대치했다.

봉기자들 가운데는 공산주의자동맹의 동맹원들도 있었는데, 그중에서도 슈테판 보른(Stephan Born)은 봉기가 이미 가망이 없는 상태였던 5월 7일 전투의 선봉에 나섰다. 봉기의 군사적 지도에는 M. A. 바쿠닌(Bakunin)도 참여했다. 전투를 계속하는 것이 더는 의미가 없었을 때인 5월 8일 저녁에야 바리케이드 전사들은 군사적 우세에 맞선 강인한 저항을 포기했다. 그들 중 2천 명은 보른, 바쿠닌, 치힐린스키의 지도 아래 프라이베르크로 퇴각했다.

17 (e) 브레슬라우에서 노동자들과 민주주의자들은 드레스덴 봉기가 진압되는 것을 저지하기 위해 포병대를 파견하려고 했다. 그들이 바리케이드에 도달한 후 1849년 5월 7일 전투가 시작되었다. 브레슬라우 부르주아지의 배신, 소시민계급의 비겁함, 군대의 막강한 우세 등으로 바리케이드 전사들은 급속히 죽어갔다. 5월 8일 브레슬라우는 계엄령이 내려졌다.

18 (e) 나폴레옹 법전, 프랑스 민법전은 1804년 선포된 "프랑스 민법전"(Code civil des Français)에서 1807년 가져온 것으로, 본질적으로 프랑스 혁명의 성과가 담겼고 형식적인 부르주아적 평등을 토대로 삼았다. 나폴레옹 법전은 프랑스가 장악한 서부 및 남서부 독일 지역에도 도입되었다. 나폴레옹 법전은 라인 지방에서 프로이센과의 합병(1815년) 이후에도 근본적으로 그 효력을 유지했다(또한 G42쪽 38~41행에 관한 해설을 보라).

19 (e) "독일 최고의 수로"(beste Wasserstraße Deutschlands) — 라인 강을 가리킨다.

20 (e) 1794년 "프로이센 국가들의 일반 주법"은 부르주아적 상법, 어음법, 해상법, 보험법, 형법, 국법, 행정법 등의 총괄이었다. 이것은 봉건적 프로이센의 후진적 성격을 법조문으로 확정한 것이며 1900년 부르주아적 법전이 도입될 때까지 실질적인 부분에 적용되었다.

1815년 라인 지방이 프로이센으로 편입된 후 프로이센 정부는 이 지방에 적용되었던 나폴레옹 법전(G41쪽 29~31행에 관한 해설을 보라) 대신 많은 법률을 통해서 프로이센 주법을 일부 도입했다.

3월 혁명은 1848년 4월 15일의 법령을 통해서 이 법률들을 다시 폐지했다. 반혁명의 격변 이후에 프로이센 정부는 그러나 라인 지방에 다시 프로이센 주법을 도입하려는 조치들을 감행했다. 무엇보다도 1849년 3월의 세 가지 입법안이 이런 목적에 부응했다.

21 (e) 소집은 구속력 있는 예비군 명령에 따라 불법임이 증명되었다. 1815년 11월 21일 프로이센 예비군-명령의 제1조는 다음과 같다. "예비군은 무장 군대의 일부를 구성한다. 그러나 예비군은 전쟁이 발발하거나 연간 훈련을 할 때만 소집한다. 모든 대대의 간부를 예외로 하고, 각 대대의 모든 구성원은 평화 시에는 고향에 머물고 생업에 배치한다." 『왕립 프로이센 국가들의 법령집』(Gesetzsammlung für die Königlichen Preußischen Staaten), 제4호(베를린, 1816년 1월 23일 발행), 1816년집, 77/78쪽.

22 (e) 라인 지역 참사회 대표자 회의에 관해서는 다음 기고문을 보라. [프리드리히 엥겔스,] (「라인 지역 참사회-집회의 금지Verbot der rheinischen Gemeinderäthe-Versammlung」,) 《노이에 라이니셰 차이퉁》, 쾰른, 제288호, 1849년 5월 3일, 1쪽, 3단; [프리드리히 엥겔스,] (「라인 지역 도시 협의회Der rheinische Städtetag」,) 《노이에 라이니셰 차이퉁》, 제289호, 1848년 5월 4일, 1쪽, 1단. 회의의 결의문은 《쾰니셰 차이퉁》(제110호, 1849년 5월 9일, 2판)에 발표되었다. 이 발표에는 3항에서 "노력"(Anstrengungen) 대신 "정리"(Anordnungen)로 되어 있다. 게다가 마지막 문장인 "1849년 5월 8일 쾰른에서 결의"와 서명이 빠져 있다.

23 (e) 프랑크푸르트 제국 내각은 1848년 7월 12일 해체된 연방의회(G21쪽 12행에 관한 해

설을 보라) 대신에 구성되었다. 1848년 6월 28일 국민의회의 결정으로 제국 내각을 넘어서 독일의 중앙 권력을 행사한다는 제국 섭정자인 오스트리아 대공 요한이 제국 내각을 지명했다. 이 내각은 정해진 과업을 실행하기 위해 제국 위원을 임명했다. 라슈타트와 카를스루에 봉기(G56쪽 35~36행에 관한 해설과 G60쪽 10행에 관한 해설을 보라) 이후에, 이 사건들을 조서 형식으로 내각과 국민의회에 보고하기 위해 국민의회 의원 프리드리히 요제프 첼을 바덴으로 보냈다. 첼은 예정된 바덴 공격 계획을 반대했다. 만하임과 카를스루에에서의 반혁명적 행동에 대해서는 G64쪽 8~12행을, 그리고 G59쪽 34~37행에 관한 해설을 보라.

24 (e) "사건 보고" — 사실들의 상태. 여기서는 법률적인 의미. 즉 범죄 구성 사실에 대한 설명, 특히 법률적 결정을 위한 근거로서 군법 조사를 할 상황을 의미한다.

25 (e) "수레꾼"(Karrenbinder) — 마부(Fuhrknecht)에 대한 옛날식 표현. 엘버펠트 지역에서는 석탄 운반자를 지칭한다. 거칠고 뻔뻔한 사람이라는 의미로 변형되었다.

26 (e) 쾰른은 1848년 9월 사건 결과(G106쪽 5행에 관한 해설을 보라) 무장 해제되었다.

1848년 11월 반대 운동을 질식시키기 위해 라인의 많은 도시에(뒤셀도르프에는 11월 22일에) 계엄령이 내려졌다. 라인 지방의 이 반대 운동은 베를린의 프로이센 국민의회가 1848년 11월 8일 브란덴부르크로 이전하는 것과 결부해서 터져 나왔다. [카를 마르크스,] (「입법자이고 시민이자 공산주의자인 드리갈스키Drygalski der Gesetzgeber, Bürger und Communist」,) 《노이에 라이니셰 차이퉁》, 쾰른, 제153호, 1848년 11월 26일, 2/3쪽을 보라.

27 (e) 뒤셀도르프에서는 혁명적 노동자들이 엘버펠트로 군대가 진군하는 것을 저지하려고 했다. 5월 10일 바리케이드 전투가 일어났다. 봉기가 군대에 의해 진압된 후, 이 도시는 다시 계엄령이 내려졌다.

28 (e) 쾰른, 코블렌츠, 윌리히, 마인츠, 자를루이, 뤽상부르의 요새와 아헨, 뒤셀도르프, 트리어의 위수도시를 의미한다. 또한 G56쪽 12~14행에 관한 해설을 보라.

29 (e) 엥겔스는 5월 10일 쾰른에서 졸링겐으로 가서, 거기서 혁명적 노동자 분대와 함께 뮐하임을 거쳐 엘버펠트로 갔다. 그는 5월 11일 엘버펠트에 도착했다. [프리드리히 엥겔스, 「엘버펠트」(Elberfeld),] 《노이에 라이니셰 차이퉁》, 쾰른, 제300호, 1849년 5월 17일, 1쪽을 보라. 또한 엥겔스가 1885년 11월 14일 폴 라파르그에게 보낸 편지를 보라.

30 (e) 엥겔스는 공산주의자동맹의 지원을 받아서 전국적 노동자 조직을 창설하기 위해 1849년 봄에 주도했던 일부 노력들(제국헌법투쟁의 전투를 통해서 이 노력들은 중단되었다) 및 몇몇 구절에서는 동맹 자체를 "노동자-당" 혹은 — 기고문의 다른 구절에서도 썼듯이 — "프롤레타리아트당"(G105쪽 35~37행)으로 표현했다. 공산주의자동맹은 불법적으로 활동해야 했기에, 엥겔스는 동맹의 활동을 간접적으로만 다룰 수 있었다. 그래서 그는 바덴에서는 미발전된 사회적 상태로 인해 1848년 이전에는 동맹의 상시적인 기초 조직을 건설할 수 없었고(G62쪽 3~6행), 1849년 초에 동맹의 조직적 결합이 확실히 약해졌다(G49쪽 25~29행)는 사실을 암호화된 형태로 지적했다.

G73쪽 12~26행에서 엥겔스는 팔츠 출신의 동맹원 카를 데스터의 활동을 상찬했다. 중앙본부의 훌륭한 동료 요제프 몰에 대해서도 엥겔스는 상찬의 말을 했다(G105쪽 38행~G106쪽 21행). 1848/49년 몰의 밀사 여행에 대해서는 또한 G255쪽 2~6행에 관한 해설을 보라. 쾰른의 동맹원 요한 요제프 얀젠은 만하임의 노동자 대대에서 지도적 역할을 수행했다. 그는 1849년 10월 라슈타트에서 계엄령 아래 총살되었다. 하나우 체조인 대대의 지도자는 동맹원 아우구스트 셰르트너였다.

빌리히 의용군에는 엥겔스, 몰, 빌리히 외에도 동맹에 속한 일련의 의용병이 있었다. 보른이 작센 전투에서 지도적 역할을 했다는 것은 잘 알려져 있다(G40쪽 28행~G41쪽 3행에 관한 해설을 보라).

31 (e) 페터 이만트와 빅토어 실리의 지도 아래 트리어와 인근 여러 지역의 수공업자와 노동자, 그리고 민주적으로 각성된 시민이 위수 근무를 하는 예비군 연대의 지원을 받으며 1849년 5월 18일 프륌의 무기고를 습격했다. 그들 중 일부가 노획한 무기를 들고 팔츠로 가는 길을 텄다. 팔츠에서 이들은 라인 의용군의 핵심을 구성했다. 또한 G55쪽 29~34행과 G79쪽 25행을, 그리고 G57쪽 14~16행에 관한 해설을 보라.

32 (e) 삼색기(검정, 빨강, 황색)는 독일 민족통일운동의 상징이었다. 이것은 혁명기에 국기로 선포되었다.

33 (e) 엘버펠트 공안위원회 의장은 소부르주아 민주주의자 에른스트 헤르만 회히스터였다. 다른 위원들은 알렉스 하인츠만, 민주주의자 트루스트(Troost), 요한 포트만(Johann Pottmann), 공산주의자 휘너바인 등이었다.

34 (e) "터키 적색 염직업자"(Türkischroth-Färber) — 터키 적색 염직은 인도에서 유래했는데, 그 후 터키를 거쳐 18세기 중엽 프랑스와 라인 지방으로 들어왔다. 라인 지방의 중심지는 엘버펠트와 바르멘이었다. 또한 G51쪽 18~21행 참조.

35 (k) "밀사"(Emissären) — **J**[1] "위원"(Commissären). **K**[2]에 따라 교정함.

36 (e) G48쪽 33~37행을, 그리고 G49쪽 5행에 관한 해설을 보라. 거기에서 거론된 요새 외에도 베젤과 민덴에도 요새가 있었다.

37 (e) 바덴 민주주의 인민 연합의 대표자들이 1849년 5월 12일 오펜부르크에서 지역 대회에 모였다. 그들은 우선 대공에게 새로운 정부의 수립과 헌법 제정 의회의 소집을 제한적으로 요구했다. 이 대회를 계기로 다음 날 열린 약 3만 명이 참가한 대중 집회에서 비로소 좌파 소부르주아 민주주의의 다른 요구사항들을 포함한 강령이 결의되었다. 참가자들은 라슈타트에서 온 혁명적 병사들의 대표단에 영향을 받았고 병사들이 반란을 시작했다는 사실(G60쪽 10행에 관한 해설을 보라)에 감명을 받았다. 이 강령은 국가가 부담하는 보편적인 국민 개병제, 첫 번째 징집으로 18~30세의 모든 독신 남성의 즉각적 동원, 장교의 선출, 상비군과 국민방위군의 혼합 편성 등을 요구했다. 새로 선출된 영방위원회는 라슈타트로 갔고, 전날 주둔지에서 봉기가 일어나 대공이 도망간 카를스루에의 봉기 소식을 5월 14일에 거기에서 들었다. 이 영방위원회는 브렌타노를 수장으로 하는 집행위원회에 행정 권력을 위임했다. 1849년 5월 14일 카를스루에 시민에게 보낸 호소문에서 이 영방위원회는 모든 책임을 달아난 대공에게 돌렸고, 또한 영방위원회는 오직 "인간의 완전한 자유"와 "소유물"을 지키기 위해 카를스루에로 왔다고 선언했다. 브렌타노가 지도한 바덴 영방위원회의 전체 정책은 부르주아-민주주의 혁명의 전 독일적 과업의 배신이었다. 또한 G60쪽 20행~G61쪽 24행을 보라.

38 (e) 1849년 5월 19일《노이에 라이니셰 차이퉁》마지막 호가 붉은색으로 인쇄된 채(정부가 폐간한 것을 항의하는 의미로 — 옮긴이) 발행되었다. 또한 그날 마르크스와 엥겔스, 에른스트 드롱케, 페르디난트 볼프와 빌헬름 볼프는 쾰른을 떠났다. 대부분은 프랑크푸르트로 갔는데, 거기서 그들은 국민의회 좌파 의원들을 움직여 바덴과 팔츠에서 무장봉기의 선봉에 서고자 했다. 마르크스와 엥겔스, 드롱케와 아마도 페르디난트 볼프도 프랑크푸르트에 잠시 머물다 5월 21일 바덴으로 갔지만, 빌헬름 볼프는 우선 대리 의원으로 공석이 된 브레슬라우 의원직을 맡고자 프랑크푸르트에 남았다. 마르크스와 엥겔스는 5월 21/22일 만하임과 루트비히스하펜에, 23/24일 카를스루에에 체류했지만, 여기서 혁명 세력의 공세를 위한 그들의 제안은 대부분 거절당했다. 5월 24일 그들은 슈파이어에서 빌리히를, 25일 카이저슬라우테른에서 데스터를 만났고, 26일경 빙겐으로 가는 도중에 헤센 군대에 붙잡혔고, 다름슈타트를 경유해 프랑크푸르트로 이송되어 그곳에서 석방되었다. 28일경 그들은 다시 빙겐으로 여행했고, 거기서 6월 1일경 서로 헤어졌다. 마르크스는 파

리로 가고 엥겔스는 카이저슬라우테른으로 갔다.

다른 두 편집자 페르디난트 프라일리그라트와 게오르크 베르트는 네덜란드로 갔는데, 거기서 프라일리그라트는 불법으로 걸려 바로 쾰른으로 돌아왔다. 반면 베르트는 브뤼셀을 경유해 파리로 갔다. 또한《노이에 라이니셰 차이퉁》의 교정자 카를 샤퍼는 쾰른에서 추방되었다.

39 (e) 1849년 10월 13일 저녁 라우흐 성채의 자를루이 요새에서 프륌 출신의 세 예비군으로 프륌의 무기고를 습격한(G49쪽 31행에 관한 해설을 보라) 요한 만슈타인, 안톤 자일러, 니콜라우스 알켄이 프로이센 왕의 탄신일을 맞아 사면을 기대했지만 총살당했다.

40 (e) "Vae victis!" — 패자에겐 비애뿐!

41 (e) G56쪽 35~36행에 관한 해설을 보라.

42 (e) "프랑크푸르트 시 정부"(Frankfuhrter Senat) — 프랑크푸르트 자유시의 행정기관으로 입법 및 행정 기능을 갖고 있었다.

43 (e) 프로이센 장교 페르디난트 밥티스테 폰 실(1776~1809)은 예나와 아우어슈테트에서의 학살(1806년 10월 14일) 이후 포메른의 콜베르크(오늘날 코워브제크) 요새에서 낙오된 병사들, 탈출한 전쟁 포로, 애국적 시민과 농민을 규합해 의용군을 결성했다. 그는 이 의용군으로 나폴레옹의 프로이센 지배에 저항하기 시작했다. 1809년 초 그는 베를린에서 자력으로 자신의 용기병(龍騎兵) 연대를 데리고 나폴레옹의 후원으로 조직된 라인 동맹 제후국인 안할트-데사우와 안할트-쾨텐을 거쳐 베스트팔렌 왕국까지 반역의 행군을 벌였다. 실의 정치적 보수주의와 군사적 미봉책이 의용군의 출정이 난파하는 이유가 되었다. 실은 1809년 슈트랄준트에서 전사했다.

44 (e) 1849년 5월 11일 라슈타트 요새에서 군대의 봉기와 함께 바덴에서 혁명이 시작되었다. 5월 9일과 10일 요새에서는 민주적 대중 집회가 열렸고, 병사들은 노동자와 수공업자와 단결했다. 요새의 사령관이 몇몇 연설자를 체포하자 5월 11일 군대에서 봉기가 일어났다. 병사들은 체포된 사람들을 구출했고 반동적 장교들을 쫓아냈다. 5월 12일 군대와 함께 카를스루에에서 급히 달려온 바덴의 전쟁장관을 병사들이 몰아내자, 라슈타트는 봉기자들의 수중으로 들어왔다.

45 (e) "대공"(Großherzog) — 카를 레오폴트 프리드리히.

46 (e) G56쪽 35~36행에 관한 해설을 보라.

47 (k) "세 명" — J[1] "두 명"

48 (e) 피클러는 뷔르템베르크의 봉기를 위해 일하려고 슈투트가르트로 갔다. 그는 1849년 5월 27/28일 로이틀링겐에서 열린 뷔르템베르크 인민 연합의 총회에서 연설한 후, 6월 1일 카를스루에 시민의 밀고로 슈투트가르트에서 체포되었다. 이것으로 이제 막 수립된 바덴 임시정부의 가장 중요한 인물 중 한 명이 실제 활동에서 축출되었다.

49 (e) 이 클럽은 1849년 6월 5일 카를스루에에서 브렌타노 정부의 패배적 정책에 불만을 품은 급진적 소부르주아 민주주의자들과 공화주의자들(슈트루베, 치르너, 요한 필리프 베커 등)이 결성했다. 클럽은 요구안을 제출했고, 브렌타노는 6월 6일 이에 응답하면서 겉으로는 몇 가지 받아들이는 듯했다. 동시에 브렌타노는 이 클럽의 요구안을 후원했던 의용대에 대항하여 반혁명적인 카를스루에 시민군을 동원했고, 클럽의 수많은 회원을 체포한 다음에 전선에 투입했다. 클럽의 요구안과 규약 그리고 브렌타노의 응답은《카를스루어 차이퉁. 임시정부 기관지》, 제22호(1849년 6월 7일)에 공개되었다.

50 (e) 1849년 6월 초 선출된 바덴의 "제헌의회"(헌법 제정 의회)는 6월 10일 개회했다. 제헌의회는 6월 13일 회의에서 임시 3두 독재 정부(이 정부는 브렌타노, 괴크, 피클러, 이그나츠 페터Ignaz Peter, 지겔 등이 속했던 6월 1일 영방위원회가 수립한 임시정부를 계승했다)를 선출했고 6월 15일 "임시정부의 독재 권력에 관한" 법안을 의결했다. 이 법률에 따

라 선거에서 다수표를 획득한 동일한 정부 구성원이 장관 임명권을 갖게 되었다. 브렌타노는 47표(괴크)와 34표(베르너)에 비해 55표를 얻어서 이 권한을 갖게 되었다.

51 (e) 슈트루베의 "인류의 여섯 가지 재앙"은 왕, 세습 귀족, 관료층, 상비군, 성직자계급, 고리대금업자를 가리킨다. 특히 「슈트루베의 작별 편지」(Abschiedsbrief Struve's), 《도이체 런더너 차이퉁》, 부록, 제238호, 1849년 10월 26일, 954쪽을 보라. 또한 카를 마르크스/프리드리히 엥겔스, [「위대한 망명자들 V」]를 보라.

52 (e) 스위스는 1830년 가을/1831년 초 12개 주의 헌법 개혁과 함께 부르주아 공화국으로 발전하기 시작했다.

엥겔스는 1848년 11월 초에서 1849년 1월까지 스위스에 체류했다. 엥겔스가 《노이에 라이니셰 차이퉁》(쾰른), "스위스"란에 1848년 11월 15일과 1849년 1월 17일 사이에 기고한 스위스 상황에 관한 논문들 참조.

53 (e) "주지사"(Landammann) — Landammann은 스위스에서 일반적으로 사용된 교도관(혹은 기관장)에 대한 명칭. 여기에서는 다양한 주의 행정 수반을 지칭한다.

54 (e) 행정 기능에 따라 23개 개별 국가(엥겔스는 본문에서 24개 주라고 썼는데, 슈트루베의 원문에 따르면 23개가 맞는 것 같다. — 옮긴이)로 독일을 분할하는 내용은 구스타프 슈트루베의 「독일 국가 기본법 초안」(Entwurf des deutschen Staatsgrundgesetzes)에 들어 있고, 이것은 구스타프 슈트루베, 『독일 민족의 기본법』, 비르스펠덴, 1848년으로 공개되었다. 여기에서 언급한 이 소책자에는 지도가 첨부되지 않았다. 슈트루베와 카를 하인첸의 발행지와 발행 연도가 기재되지 않은 「독일의 혁명화와 공화국화를 위한 계획」(Plan zur Revolutionirung und Republikanisirung Deutschlands)이라는 유인물에도 같은 내용의 분할이 묘사돼 있다.

55 (e) 프랑크푸르트 국민의회가 결정한 제국헌법(G37쪽 8행에 관한 해설을 보라)에 따르면 황제는 의회에 대해서만 거부권이 있었다.

56 (e) 바크호이젤에서 혁명군은 1849년 6월 21일 프로이센과 격렬한 전투를 벌였다. 혁명군은 놀랍고 정력적인 공격으로 프로이센 선발대를 흔들었다. 그러나 초반의 의미 있는 성과는 많은 사단장의 무능력과 배신으로 수포가 되었다. 전쟁 과정에서 가장 중요한 전투가 결국 패배로 끝났다.

57 (e) "지겔의 제안"(엥겔스는 der Siegelsche로 썼으나 MEGA 편집자는 Siegelsche Vorschlag으로 썼다. — 옮긴이) — G59쪽 11~31행을 보라.

58 (e) 엥겔스는 구스타프 슈트루베의 『세 번의 바덴 인민봉기의 역사』, 184~194쪽을 인용했을 개연성이 높다.

59 (e) 바덴 국민방위군 총사령관인 브렌타노는 요한 필리프 베커의 혁명적 태도를 이유로 그를 파면했다. 그 후 그는 국민방위군 사단과 의용대 사단의 지휘권을 넘겨받았다. "의용군 지도자"로서 베커의 역할에 대해서는 엥겔스가 1886년 10월 8일 아우구스트 베벨에게 보낸 편지와 엥겔스가 쓴 「요한 필리프 베커」(Johann Philipp Becker), 《데어 조치알데모그라트》, 취리히, 제51호, 1886년 12월 17일을 보라.

60 (e) "대공"(Großherzog) — 카를 레오폴트 프리드리히.

61 (e) G58쪽 13행~G59쪽 5행을 보라.

62 (e) 아르놀트 루게, 『파리에서 2년』, 라이프치히, 1846년을 비꼬는 것이다.

63 (e) 마르크스와 엥겔스가 아타 트롤(Atta Troll) — 하인리히 하이네 『아타 트롤. 한 여름밤의 꿈』의 중심인물 — 과 루게를 여러 번 비교한 것은 하이네가 자신의 시에서 소부르주아 민주주의자들의 나약함을 풍자적으로 묘사한 의도를 따른 것이었다. 또한 카를 마르크스/프리드리히 엥겔스, [「위대한 망명자들 V」]를 보라.

루게가 1848년 7월 이후 베를린에서 편찬한 신문 《디 레포름》은 1848년 11월 브란덴부르크-만토이펠의 반혁명적 내각의 통제를 받았다.

1849년 5월 31일의《카를스루어 차이퉁. 영방위원회 기관지》, 제15호 부록에는 다음과 같은 언급이 있다. "아르놀트 루게가 바덴 정부의 외교 임무를 위임받았다는 몇몇 신문에 퍼진 보도에 대해 우리는 직접 반박할 수 있다. 루게는 자진해서 파리로 떠났다."

64 (e) "압제자"(Dränger) — 압제자(Bedränger), 억압자(Unterdrücker)와 같은 뜻. G13쪽 9~11행을 보라.

65 (e) 카를 하인첸, 「살인」,《디 -에볼루치온》, 빌레펠트, 제4호, 1849년 1월 26일, "코슈트는 정력적인 인물이었지만 뇌은(雷銀)을 간과했다". 또한 카를 마르크스/프리드리히 엥겔스, [「위대한 망명자들 VI」]을 보라.

66 (e) "결정적 진보 클럽"(Klub des entschiedenen Fortschritts) — G60쪽(원문에는 59쪽으로 되어 있으나 MEGA 편집자의 오기 — 옮긴이) 34~37행에 관한 해설을 보라.

67 (e) "상징적으로"(in effigie) — 상상으로(im Bilde), 마음속으로(im Geiste).

68 (e) G13쪽을 보라.

69 (e) 마르크스와 엥겔스는 1849년 5월 24일 카를스루에에서 팔츠로 떠났다.

70 (e) G61쪽 6~10행에 관한 해설을 보라.

71 (e) 엥겔스는 대공 정부가 도피했다고 선언한 브렌타노 정부의 성명을 인용했을 개연성이 높다. 이 성명에는 다음과 같이 쓰여 있었다. "만약 … 더 나아가 영방위원회가 헌법이 대공에게 양도한 모든 권한을 감히 가지려고 한다면, 대공이 강제로 추방되었거나 그의 복귀가 방해받고 있다는 사실을 먼저 증명해야 할 것이다."(《카를스루어 차이퉁. 임시정부 기관지》, 제23호, 1849년 6월 8일, 1쪽.) 1849년 6월 15일 회의에서 제헌의회 의원 융한스(Junghanns)는 대공의 복귀가 "바덴의 유일한 구제 수단"이라고 제의했다(같은 곳, 제30호, 1849년 6월 16일, 1쪽).

72 (e) 1849년 5월 17일의 "바덴 영방위원회와 라인팔츠 임시정부 사이의 협약" 3조는 다음과 같다. "바덴과 라인팔츠를 연결하는 교량 통행세는 즉각 폐지한다."(《카를스루어 차이퉁. 영방위원회 기관지》, 제15호, 1849년 5월 31일, 1쪽.)

73 (k) "포이어탈렌에"(in Feuerthalen) — J[1] "im Feuerthale"

74 (e) 대략 1849년 6월 1일 엥겔스와 빙겐에서 헤어진 후, 마르크스는 카를 데스터가 발급한 민주주의 연합 중앙위원회의 위임장을 갖고 혁명 세력과 반혁명 세력 사이의 대립이 새롭게 격해지고 있던 파리로 갔다. 마르크스는 파리에서 곧바로 민주주의 운동 및 사회주의 운동의 지도자들과 또한 그들의 신문을 접촉하여 비밀 노동자 협회를 접수했다(마르크스가 1849년 6월 7일 엥겔스에게 보낸 편지를 보라). 무엇보다 오귀스트 블랑키 지지자들의 영향 아래 있던 비밀 노동자 협회는 한편의 반동적 대부르주아지 및 군대와 다른 한편의 민주주의적 소부르주아지 및 국민방위군 사이의 의회 활동에도 엄습하고 있는 심상치 않은 긴장을 이용하려 했고, 고대하던 새로운 혁명투쟁의 발발을 영구혁명 과정으로 이어가려고 했다. 마르크스 외에 파리에 거주하는 다른 동맹원도 조직적인 파리 프롤레타리아트의 이런 노력에 참여했다. 6월 11일 협의에서 혁명 세력의 제안을 거부한 소부르주아적 산악당은 6월 13일 비무장 거리 시위로 스스로를 한정했는데, 이 시위는 군사적으로 진압되었다. 또한 G167쪽 16행~G173쪽 26행을 보라.

75 (e) 1849년 5월 14일 선출된 팔츠의 대표자들이 임명한 임시정부에는 다음과 같은 인물들이 있었다. 필립 헤프, 테오도어 루트비히 그라이너, P. 프리스, 니콜라우스 슈미트, 요제프 마르틴 라이히하르트(Joseph Martin Reichhardt). 정부의 가장 중요한 조치는 다음과 같다. 세금 징수에 대한 법령, 부유한 시민에 대한 강제 공채, 국민방위군의 조직, 시민위원회 설치, 새로운 지방 조례, 무기 및 탄약 구입, 바덴 임시정부와 연대 노력.

76 (e) 「1849년 5월 13일에서 6월 25일까지 혁명기 내각 성원들의 상태와 행동」이라는 로렌

츠 페터 브렌타노의 이른바 변명서에서 인용했다.

77 (e) 1849년 5월 26일 "새로운 지방 조례 도입에 관한 포고령"은 1849년 5월 27일 "라인팔츠 지방 조례"와 함께 라인팔츠《임시정부 관보 소식지》, 카이저슬라우테른, 제6호, 1849년 5월 27일, 43~46쪽에서 공개되었다.

78 (e) 엥겔스가 팔츠의 임시정부 기관지(《데어 보테 퓌어 슈타트 운트 란트》)에 쓴 유일한 기사는 1849년 6월 3일의 제110호에 실렸다.

79 (e)「크로이츠나흐의 야영지」,《쾰니셰 차이퉁》, 제129호, 1849년 5월 31일, 2쪽, 2단.

80 (e)「국민방위군의 1차 징집과 관련한 2차 징집의 무기 지급에 관한 포고령, 1849년 5월 27일」, 라인팔츠《임시정부 관보 소식지》, 카이저슬라우테른, 제6호, 1849년 5월 27일, 46쪽.

81 (e)「고시. 카이저슬라우테른, 1849년 6월 2일」, 같은 곳, 제10호, 1849년 6월 4일, 60쪽.

82 (e) 호메로스,『일리아드』, II, 특히 408.

83 (e) 프란츠 슈나이데의 일일 명령「제1~4호, 1849년 5월 29일에서 30일」, 라인팔츠《임시정부 관보 소식지》, 제8호, 1849년 5월 31일, 51/52쪽;「제5~8호, 1849년 6월 2일」, 같은 곳, 제10호, 1849년 6월 4일, 57/58쪽;「제9~14호, 1849년 6월 8일」, 같은 곳, 제11호, 1849년 6월 9일, 63/64쪽.

84 (k) "될 수밖에 없었다"(sollten) —J^1 "될 수 있었다"(konnten). K^2에 따라 교정함.

85 (e) 베를린 노동자들이 무기고를 습격하는 동안 구스타프 아돌프 테코프의 주도로 움직인 나츠머 대위는 경비를 서는 병사들에게 퇴각하라는 명령을 내렸다. 베를린 무기고 습격과 나츠머 대위의 역할에 대해서는 [프리드리히 엥겔스,] (「6월 17일 연합회의Die Vereinbarungssitzung v. 17. Juni」),《노이에 라이니셰 차이퉁》, 쾰른, 제20호, 1848년 6월 20일, 1쪽을 보라.

86 (e) 1849년 6월 23일 움슈타트 전투에서 혁명군은 진격하는 프로이센군을 멈추게 하고, 근처에 주둔하던 에두아르트 폰 포이커 장군이 이끄는 프로이센 군단과의 연합을 저지하는 데 성공했다. 이 작은 전투의 결과로 바크호이젤 전투(G64쪽 10행에 관한 해설을 보라) 후에 하이델베르크에서 두를라흐로 행군하던 미에로스와프스키가 지휘하는 혁명군은 무장 해제를 모면했다.

87 (e) G104쪽 27~39행을 보라.

88 (e) 빌리히와 브장송에서 함께 지냈던 노동자 중대는 1848년 첫 바덴 봉기 후에 프랑스로 도피한 정치 망명자로 구성되었다. 브장송에서 그들은 빌리히에게 군사 훈련을 받았고 보통 "브장송 부대"로 불렸다. 그들은 빌리히 의용군의 중대로 제국헌법투쟁에서 싸웠다. 또한 G3쪽 4~8행에 관한 해설을 보라.

89 (e) "프륌과 엘버펠트 봉기"(Prümer und Elberfelder Aufstände) — G46쪽 5행~G55쪽 38행을, 그리고 G49쪽 31행에 관한 해설을 보라.

90 (e) 1830년 프랑스가 시작한 알제리 정복 전쟁에서 게릴라전으로 싸운 프랑스군과 외인부대의 옛 부대원들이 바덴-팔츠 혁명군에 가담했다.

게릴라전은 습격과 매복, 소탕 작전에서 소규모 병력으로 작은 지역에서 수행하는 무장투쟁이다. 이때 이 소규모 병력은 적의 강력한 단위 부대와의 충돌을 피한다.

91 (k) "조직해서"(organisirte) —J^1 "조직했고"(organisirte und)

92 (e) 엥겔스는 루트비히 블렝커를 반어적으로 사부아의 오이겐 왕자와 비교했다.

93 (e) 엥겔스가 키르히하임에서 체포된 것을 언급한 신문은 찾을 수 없었다. 또한 마르크스,『포크트 씨』, 런던, 1860년, 49/50쪽을 보라.

94 (e) G3쪽 4~8행에 관한 해설과 G49쪽 31행에 관한 해설을 보라.

95 (e) "징징대고"(heulerisch) — 울보(Heuler)의 파생어로, 1848/49년 혁명에서 혁명 세력

은 부르주아적 자유주의자와 제헌주의자를 이 파생어로 불렀다.

96 (e) 빅토어 실리를 가리키는 듯하다.

97 (e) 라인헤센의 군대에서는 마인츠 노동자 연합의 수많은 전(前) 성원들이 싸웠다.

98 (e) 1848/49년 혁명기에 불린 투쟁가 "제후들이 자신들의 용병 무리들을 …"의 한 소절. 후렴구는 원래 다음과 같다.

"조국을 위해 죽는 것,
명예롭고 위대한 운명,
우리 용맹함의 목적이다."

혁명이 끝나갈 무렵에는 "공화국을 위해 죽자"로 불렸다. 이 후렴구는 프랑스 혁명에서 등장한 지롱드파의 합창으로 거슬러 올라간다.

99 (e) 크니텔스하임에 주둔한 중대의 지휘관은 로레크 대위였다. A. 다울, 『라인팔츠와 바덴에서의 자유 투쟁 동안 한 정치 망명자의 일지』, 장크트갈렌, 1849년, 47~51쪽을 보라.

100 (k) J[1] 여기에 큰따옴표(")가 없음.

101 (e) "폴스타프 식의 허풍"(Falstaffiden) — 윌리엄 셰익스피어의 『헨리 4세』와 『윈저의 즐거운 아낙네들』에 나오는 폴스타프(Falstaff. 술을 좋아하고 기지가 있고 몸집이 큰 남자 — 옮긴이)에서 유래함.

102 (e) 라인과 네카어 군대의 두 번째 공보, 1849년 6월 13일. 만하임 군사령부. 『바덴 전투에 관한 미에로스와프스키 장군의 보고서』, 베른, 1849년, 2~6쪽.

103 (e) 1849년 1월 1일 프리드리히 빌헬름 4세의 군령: "나는 나의 영광스러운 대원수와 상비군, 예비군 모두에게 새해의 행운이 깃들기를 기원한다."(《노이에 프로이시셰 차이퉁》, 베를린, 제1호, 1849년 1월 3일.)

104 (e) 1849년 7월 28일 프리드리히 빌헬름 4세가 바덴의 프로이센 부대에 보낸 군령: "라슈타트의 함락을 통해 짧은 그러나 기념비적인 전투를 마쳤다."(《프로이센 관보》, 베를린, 제215호, 1849년 8월 8일, 1426쪽.)

105 (e) "프로이센 왕자"(Prinz von Preußend) — 빌헬름 프리드리히 루트비히(빌헬름 1세 — 옮긴이).

106 (e) 1847년 4월 11일 프로이센 연방의회 개회에서 프리드리히 빌헬름 4세가 한 연설의 발언을 비꼬는 것이다. "약해지지 않은 왕좌의 유산으로서 … 나는 아직 실현되지 못한 것에 대한 모든 책임과, 무엇보다 나의 숭고한 전임자가 진정 고유한 왕의 양심으로써 지켜온 업적에 대한 모든 책임을 기꺼이 받아들인다."(《알게마이네 프로이시셰 차이퉁》, 베를린, 제101호, 1847년 4월 12일.)

107 (k) "북서쪽에" — J[1] "북동쪽에"

108 (k) "서쪽에서" — J[1] "동쪽에서"

109 (k) "힌터바이덴탈" — J[1] "바이덴탈"

110 (k) "힌터바이덴탈" — J[1] "바이덴탈"

111 (k) "린탈"(Rinnthal) — J[1] "Rinthal"

112 (k) "린탈"(Rinnthal) — J[1] "Rinthal"

113 (k) "린탈"(Rinnthal) — J[1] "Rinthal"

114 (k) "동요하며"(schwankte) — J[1] "선회하며"(schwenkte). NRhZ. Revue 제4호의 교정사항 목록과 K[2]에 따라 교정함.

115 (e) 로레크 대위를 말한다. 그는 이 전투에서 프로이센의 포로가 되었다. G85쪽 24~35행에 관한 해설을 보라.

116 (k) "힌터바이덴탈" — J[1] "바이덴탈"

117 (e) 팔츠 임시정부의 지시로 강제 공채 2백만 굴덴의 매입 자금이 입금된 것을 의미한다.

또한 G72쪽 1~34행에 관한 해설을 보라.

118 (k) "만토이펠의 명예"(Ehren-Manteuffels) — J^1 "Ehren-Manteuffel"

119 (k) "린탈"(Rinnthal) — J^1 "Rinthal"

120 (e) 배다리의 개별 부분을 가리킨다.

121 (e) 카를스루에의 6월 6일 사건들에 대해서는 G60쪽 34~37행에 관한 해설을 보라.

122 (e) "엘버펠트 봉기"(Elberfelder Aufstand) — G46쪽 5행~G55쪽 38행을 보라.

123 (e) "브장송 노동자 중대"(Besançoner Arbeiterkompagnie) — G79쪽 21행에 관한 해설을 보라.

124 (k) "노이타르트"(Neuthard) — J^1 "나이타르트"(Neithart)

125 (k) "노이타르트"(Neuthard) — J^1 "나이타르트"(Neithart)

126 (e) 라인과 네카어 군대의 네 번째 공보. 1849년 6월 22일. 하이델베르크 군사령부. 『… 보고서』, 베른, 1849년, 13~19쪽.

127 (k) "므니에프스키"(Mniewski) — J^1 "Mnierski". NRhZ. Revue 제4호의 교정사항 목록과 K^2에 따라 교정함.

128 (e) 『세 번의 바덴 인민봉기의 역사』(베른, 1849년)의 "부록"에서 슈트루베는 제국헌법 투쟁 동안 그의 지도하에 펴낸 『전장에 관한 보고들』(Berichte vom Kriegsschauplatze)을 재인쇄했다. 엥겔스는 『보고들』의 「6월 20~26일 슈나이데 장군 지휘하 팔츠군의 작전」(Operationen der Pfälzischen Armee unter General Sznayde vom 20.-26. Juni), 312~314쪽을 인용했다. 여기에는 다음과 같이 쓰여 있다. "진입 몇 시간 후에 장군은 어제 들었던 포성에 관한 설명을 들었고, 프로이센 포로 중에서 다시 도망쳐 돌아온 몇몇 장교를 통해 바크호이젤 전투와 그 결과에 대해 확실한 소식을 받았다. 이를 통해 자신의 계획은 이제까지와는 전혀 다른 것이 될 수밖에 없었다. 그는 공세 대신에 방어를 말할 수밖에 없었고, 처음에 계획했던 밍골츠하임으로 행군하는 대신에 자기 사단의 본대와 함께 브루흐잘에 남아 있고, 선두는 웁슈타트를 향해, 측면 엄호는 포르스트와 운터비스하임을 향해 나아가도록 결정했다. 모든 파견대는 총소리를 들으면 그 소리가 나는 쪽으로 행군하라는 명령을 받았다.

23일 아침 대대적인 정찰이 이루어져야 했다. …

우익을 맡은 파견대가 총소리를 듣지 못해 나타나지 못했다고 사과했다."

129 (e) 구스타프 슈트루베, 『… 역사』, 314쪽. "전투는 5시간쯤 지속되었다. 측면 파견대가 적절한 순간에 공격해 들어갔다면 이 전투는 빛나는 결과를 가져왔을 것이다."

130 (k) "슈테트펠트"(Stettfeld) — J^1 "마트펠트"(Mattfeld)

131 (k) "할 수 있는 한"(möglichst) — J^1 "가능한"(möglich)

132 (e) 같은 책, 308쪽. "요한 필리프 베커는 자신의 부대 약 3천 명과 네카어게뮌트에서 야영을 하고, 다음 날 23일 진스하임까지 이동했다. 그는 저녁 5시에 거기에 들어왔다."

133 (k) "플레잉겐"(Flehingen) — J^1 "플레싱겐"(Fliessingen)

134 (e) "강단 있는 연설"(Frakturschrift) — 1848년 9월 17일 프랑크푸르트에서 열린 대중 집회에서 프란츠 치츠는 슐레스비히-홀슈타인 문제에서 프랑크푸르트 국민의회의 배신적 정책에 반대하면서, 동시에 이제 우리는 강단 있게 말하고 써야 한다고(Fraktur reden bzw. schreiben), 즉 우리 입장을 상세히 표현해야 한다고 주장했다. (프락투어Fraktur는 독일식 고딕체를 의미한다. "Fraktur reden bzw. schreiben"은 독일식 고딕체처럼 강단 있게 말하고 써야 한다는 관용어구인데, 이것은 이 앞의 설명처럼 프랑크푸르트 국민의회에서 치츠가 한 연설에서 유래했다. — 옮긴이)

135 (e) 런던의 독일 노동자협회(Deutscher Arbeiterverein)는 그 공식 명칭이 자주 바뀌었는데 초기에는 "노동자를 위한 독일 교육협회"(Deutsche Bildungsgesellschaft für Arbeiter), 후

에는 공산주의적 노동자교육협회로 불렸고, 비독일계 성원들도 많이 받아들였다. 이 독일 노동자협회는 1840년 2월 7일 샤퍼와 몰의 주도로 창설되었고, 의인동맹의 런던 조직을 위한 합법적 토대였다. 이 런던 노동자협회는 의인동맹이 공산주의자동맹으로 변화하는 과정에서 큰 몫을 했다. 런던 노동자협회는 1918년까지 존속했다.

136 (e) "1848년 9월 쾰른 폭동"(Kölner Septemberkrawall von 1848) — 1848년 9월 말 독일에서 혁명과 반혁명 사이의 대립이 새로운 정점에 달한 것과 관련하여 쾰른 당국은 노동자들이 봉기를 일으키도록 선동을 시도했다. 9월 25일 당국은 쾰른 노동운동의 지도적인 대표자들을 조사했다. 샤퍼와 헤르만 베커는 체포되었고, 엥겔스와 몰은 체포를 벗어났다. 마르크스와 공산주의자동맹의 다른 동맹원들은 반혁명에 운동의 유혈 진압을 위한 어떤 구실도 주지 말라고 경고했다. 1848년 9월 25일 쾰른 사건들에 대해서는 [카를 마르크스,] (「"쾰른 혁명Die "Kölnische Revolution"」,) 《노이에 라이니셰 차이퉁》, 쾰른, 제115호, 1848년 10월 13일, 1쪽을 보라.

9월 26일 쾰른은 계엄령이 내려졌고, 《노이에 라이니셰 차이퉁》은 10월 12일까지 휴간되었다. 대부분의 동맹원들도 체포의 위협을 피해 달아나야 했다.

137 (e) "브장송 노동자 중대"(Besançoner Arbeiterkompagnie) — G79쪽 21행에 관한 해설을 보라.

138 (e) G49쪽 26행에 관한 해설을 보라.

139 (e) 바덴-팔츠군이 퇴각하는 동안 반혁명적 장교들이 1849년 6월 23일 한 부대에서 반란을 기획했다. 그 부대의 사단장 토메의 지휘로 병사들은 미에로스와프스키와 지겔을 체포하여 프로이센군에 인도하려고 했다.

140 (e) "당신은 … 노이하우스입니다!"(Sie werden … der thüringischen Bewegung!) — 이 말은 엥겔스가 1851년 5월 1일 마르크스에게 보낸 편지에서도 인용되었다.

141 (e) "피스톨 친"(Pistol Zinn) — 크리스티안 친(Christian Zinn). "피스톨"로 엥겔스는 윌리엄 셰익스피어의 희극 『윈저의 즐거운 아낙네들』과 『헨리 4세』에 나오는 이름이 같은 인물을 연결하고 있다. 또한 G87쪽 21~37행을 보라.

142 (e) 요한 필리프 베커/크리스티안 에젤렌, 『1849년 남부 독일 5월 혁명의 역사』, 제네바, 1849년, 430~433쪽을 보라.

143 (k) "브장송 중대"(der Besançoner Compagnie) — J^1 "den Besançoner Compagnien". K^2에 따라 교정함.

144 (e) 브렌타노가 도망간 후에 슈트루베는 1849년 6월 29일 프라이부르크의 바덴 제헌영방의회에서 6월 28일 의회의 다음과 같은 결의로 채택된 인민에게 보내는 성명서를 작성했다. "독일의 통일과 자유의 적에 대한 전쟁은 주어진 모든 수단으로 계속될 것이며, 적과의 어떤 협상 시도도 조국에 대한 배신으로 간주되어 처벌될 것이다."(구스타프 슈트루베, 『… 역사』, 234~235쪽.)

145 (e) 1849년 7월 2일 바덴 제헌의회 비밀회의에서 슈트루베가 제안한 것은 다음과 같다. "우리가 지금 저항을 계속하게 되면, 유일한 결과는 오버란트도 운터란트처럼 전쟁의 참혹함을 겪게 될 것이고, 수많은 소중한 피를 흘리게 될 것이라는 사실이다. … 우리는 아직 구할 수 있는 모든 것을 구해야 한다. 따라서 나는 다음과 같이 제안한다. 1) 영방의회의 성원과 똑같은 방식으로 우리 혁명에 참가한 모든 사람에게 급료 혹은 봉급을 7월 10일까지 완전히 지급하고, 또한 모든 사람에게 상응하는 여행 경비를 지급할 것. 2) 우리는 우리의 전체 군대와 무기, 비축품, 금고, 그리고 모든 국가 동산 재산을 가지고 스위스 영토로 질서 정연하게 후퇴할 것."(구스타프 슈트루베, 『… 역사』, 237~238쪽.)

146 (k) "빌리히"(Willich) — J^1 "willig". NRhZ. Revue 제4호의 교정사항 목록과 K^2에 따라 교정함.

147 (e) 지겔, 괴크, 베르너는 슈트루베의 요청에 반대한다고 선언했다. 구스타프 슈트루베, 『… 역사』, 238쪽을 보라.

148 (e) 지겔의 이 명령은 확실히 여기에 제시된 인용을 통해서만 전해졌을 개연성이 높다.

149 (k) "사람들"(denjenigen) — J^1 "그러나 몇몇 사람들"(doch einigen). NRhZ. Revue 제4호의 교정사항 목록과 K^2에 따라 교정함.

150 (e) G70쪽 7~10행에 관한 해설을 보라.

G766

카를 마르크스

1848년에서 1850년까지 프랑스 계급투쟁

1849년 말에서 1850년 3월 말까지. 1850년 10월에서 11월 1일까지

(G119~G196쪽)

집필과정과 전승과정

혁명의 과정과 결과를 역사적 유물론으로 분석하고 그로부터 이론적·실천적인 정치적 결론을 이끌어내야 할 필요성은, 1849년 여름 유럽 혁명의 패배와 함께 마르크스에게 주어졌다. 이미 1849년 7월 31일 파리에서 페르디난트 프라일리그라트에게 보낸 편지와 8월 17일 엥겔스에게 보낸 편지에서 마르크스는 그와 같은 주제를 다루었다. 다시 말해 마르크스는 1848년에서 1850년까지의 계급투쟁에 관한 그의 나중 작업의 원래 계획에 적용할 주제들을, 특히 "6월 13일 사건"과 제4부로 예정된 "현재 상황; 영국"과 어우러질 수 있을 문제들을 다루었다. 작업 순서에 관해 자세한 것은 알려지지 않았지만, 마르크스는 매우 불리한 외부적 조건 때문에 1849년 말에야 비로소 런던에서 이제는 NRhZ. Revue에 일종의 연재 사설로 생각했던 기고문의 집필을 시작할 수 있었을 것이다. 위에서 언급한 편지들에서 이미 밝혔던 생각을 1849년 12월 19일 요제프 바이데마이어에게 보낸 편지에서 다시 끄집어낸 것이 바로 이러한 점을 시사한다.

콘라트 슈람이 1850년 1월 8일 바이데마이어에게 보낸 편지에는 마르크스가 "평론(NRhZ. Revue를 의미함—옮긴이)의 첫 호를 끝마치기 위해 일에 파묻혀 있습니다"(IML/ZPA Moskau, f. 1, op. 1, d. 329)라고만 개괄적으로 쓰여 있었다. 1월 하순 내내 병으로 인해 제1부 초고의 완료는 2월 1일까지 지체되었다(마르크스가 1850년 2월 4일 바이데마이어에게 보낸 편지를 보라). 초고는 대략 2월 5일 함부르크에 도착했다(테어도어 하겐이 1850년 2월 6일 슈람에게 보낸 편지를 보라). 제2호에 실릴 제2부는 마르크스가

1850년 3월 초 초고를 마무리했고, 3월 8일 함부르크에 도착했다(율리우스 슈베르트가 1850년 3월 8일 슈람에게 보낸 편지를 보라). 제3부의 초고 작업은 아무리 일러도 1850년 3월 중순경 마무리되었다. 3월 10일의 프랑스 선거 결과가 반영되지 않았기 때문이다. NRhZ. Revue 제3호로 예정된 이 초고는 3월 22일에는 아직 함부르크에 도착하지 않았다(하겐이 1850년 3월 22일 슈람에게 보낸 편지를 보라). 하지만 이 초고는 그 직후에 완성된 것이 틀림없는데, 이미 4월 5일 교정이 마무리 단계에 있었기 때문이다(슈베르트가 1850년 4월 5일 슈람에게 보낸 편지를 보라). 기고문 세 편은 전체 제목 "1848 — 1849"로 마르크스의 서명과 함께 발행되었다.

혁명의 경험에 대한 평가에서 프랑스 계급투쟁의 분석은 마르크스에게 다양한 이유에서 절박한 과제였다. 이 과제에서 원래 계획했던 다른 나라와의 관련성은 점점 더 줄어들었다. 그러나 이렇게 프랑스에 집중하는 가운데 마르크스는 언제나 혁명의 전체 유럽적 측면에 주목했다.

프랑스는 1789년 이래 확실히 부르주아 혁명이 전형적으로 관철된 나라 G767
로 간주되었다. 모든 동시대인과 함께 마르크스와 엥겔스도 그 현장에 서서, "혁명운동의 조건과 과정에 관한 관념을 이제까지의 역사적 경험과 관련지으면서 특히 프랑스의 경험과 마주했다"(엥겔스, 「서문」, 『… 계급투쟁』, 1895년). 게다가 1848년 2월의 유럽 혁명은 프랑스에서 고유한 방식으로 출발하여, 이 나라에서 더욱 격렬한 계급 대립으로 발전했고, 1848년 6월에는 프롤레타리아트와 부르주아지 사이의 최초의 본격적인 투쟁으로까지 이어졌다. 1850년 초 프랑스는 혁명을 곧바로 이어나갈 수 있는 잠재성을 여전히 많이 간직하고 있었다. 여기에 마르크스와 엥겔스, 그리고 공산주의자 동맹은 1850년 초 큰 기대를 걸었다. 선택은 프랑스로 귀결되었다. 마르크스는 오래전부터 이 나라 역사에 대한 탁월한 전문가였고, 1849년 6월에는 파리의 사건들에 적극적으로 참여했으며, 바로 이 때문에 프랑스를 선택한 것이기도 했다. 마르크스는 자신의 기고문에서 파리의 사건들을 분명히 구분해서 다루고 상세하게 서술했다. 1848년 2월에서 1850년 3월까지 프랑스 계급투쟁의 역사는 다양한 이유에서 마르크스가 "자신의 유물론적 이해 방식을 매개로 동시대 역사의 한 대목을 주어진 경제적 상태에서 설명하려는 최초의 시도"(엥겔스, 같은 글)를 위한 최고의 본보기였다.

마르크스는 무엇보다도《노이에 라이니셰 차이퉁》의 자기 글을 기고문의 기초 자료로 활용했다.《노이에 라이니셰 차이퉁》은 1848/49년 혁명 동안 프랑스 사건들, 특히 프롤레타리아트 운동에 대해 엄청나게 많은 보고문을 담아냈다. 여러 파리 통신원들은—마르크스는 종종 이들의 기고문을 직접 편집했다—이 신문을 매우 유익한 소식통으로 만들었으며, 마르크스는 때에 따라서 이 소식통도 직접 인용했다. 그 밖에도 독일과 프랑스에서 런던으로 망명한 혁명가들과 대화하면서 의견을 교환했으며, 개별 자료들은 이들에게서 받았을 개연성이 크다. 무엇보다도 엥겔스, 《노이에 라이니셰 차이퉁》의 전 파리 통신원 페르디난트 볼프, 공산주의자동맹 동맹원 제바스티안 자일러가 이와 관련이 있었다. 그리고 자일러는 1848/49년 프랑스 국민의회의 속기사로 참여했고, 대략 마르크스와 같은 시기에 소책자 『1849년 6월 13일의 음모 혹은 프랑스에서 부르주아지의 마지막 승리』(Das Complot vom 13. Juni 1849, oder der letzte Sieg der Bourgeoisie in Frankreich)를 써서 이것을 마르크스에게 헌정했다. 또한 르드뤼-롤랭도 1849년 6월 13일에 관한 소책자를 썼는데, 마르크스도 이 책을 알았을 것이다.

정치적 발전에 관한 문헌들은 풍부하지만, 이것은 경제적 발전에 대한 기초—특히 통계—자료가 되지는 못했다. 이에 대해 엥겔스는 1895년에도 지적했다.

적어도 1850년 2월 초까지는 아래 목차에 따라서 작업했다.

I. 1848년 6월 패배

II. 1849년 6월 13일

III. 6월 13일이 대륙에 미친 반작용

IV. 현재 상황; 영국(G224쪽을 보라).

대략 3월 초 이 계획에는 변화가 생겼다. 새로운 혁명적 위기가 임박하면
G768 서 그리고 1850년 3월 10일 재선거의 결과로 정점에 이른 파리에서의 사건들에 영향을 받아, 마르크스는 제3부에서 1849년 6월 13일 파리에서 소부르주아적-공화주의적 정당의 패배가 다른 유럽 나라들에 미친 영향을 다루지 않고, "1849년 6월 13일의 결과"라는 제목으로 프랑스의 전개만을 서술했다. 연재 기고문의 결론으로 예고한 제4부는 발행되지 않았다. 거기에서 다루기로 했던 몇몇 문제들은 NRhZ. Revue의 다른 기고문들, 예를 들면 「나폴레옹과 풀드」에서 다른 맥락에서 설명했다.

1850년 함부르크에 마르크스의 자필 원고 원본이 도착했다(하겐이 1850년 2월 6일 슈람에게 보낸 편지, 엥겔스가 1895년 2월 12일 리하르트 피셔에게 보낸 편지를 보라). 마르크스는 인쇄의 질에 불만스러워했다. 그

러나 많은 인쇄오류의 일부는 마르크스의 필적이 난삽한 탓이었다. 제1부에 관해 하겐이 1850년 2월 26일 슈람에게 보낸 편지에는 다음과 같이 쓰여 있다. "오류에 대해 말하자면, 그것은 일부는 사소해 보이고, 일부는 일부러 그대로 둘 수밖에 없는 것들이었다. 그렇게 하지 않으면 무슨 의미인지 알 수 없기 때문이었다. 예를 들면 '임노동이 존재한다(ist) 대신에 현존한다(vorhanden)', 더 나아가 '저당이(sind die Hypotheke) 대신에 저당에서(in der Hypotheke)'가 그런 것들이다. 끝으로 누구도 읽어낼 수 없는 '만세, 어떤 노동자' 같은 문구들은 아무리 좋게 생각해도 오류라는 점을 피할 수 없다."

하겐은 함부르크에서 교정자로서 활동했다. 마르크스의 협력을 전제로 한 추가 교정은 런던에서 이루어졌다(슈베르트가 1850년 2월 26일 슈람에게 보낸 편지를 보라). 제1부의 인쇄오류 목록은 NRhZ. Revue 제2호에 실렸고, 제2부와 제3부의 인쇄오류 목록은 제4호에 실렸다.

동시대의 재판과 번역에 마르크스와 엥겔스가 직접 참여한 것에 관한 출전 자료가 별로 없다. 기고문의 제1부가 《도이체 런더너 차이퉁》(J^2)에 편집자 루이스 밤베르거(Louis Bamberger)의 주도로 재판되었는데(밤베르거가 1850년 3월 28일 마르크스에게 보낸 편지를 보라), 마르크스도 최소한 거기에 동의한 것으로 보인다(자일러가 1850년 4월 4일 마르크스에게 보낸 편지를 보라).

엥겔스가 요약하면서 연결이 안 된 부분을 추가로 보충한 주해를 단 제1부의 영역본은 1850년 4월에서 6월까지 《더 데모크라틱 리뷰》에 「혁명의 2년—1848년과 1849년」이란 제목으로 실렸다(G237~G250쪽).

함부르크의 《데어 프라이쉬츠》(제40호, 1850년 4월 2일, 160쪽)에는 "-r"(편집자를 의미함—옮긴이)로 서명을 표시한 NRhZ. Revue 제1호를 칭찬하는 단신이 실렸는데, 마르크스의 마지막 문장을 인용했다. "혁명은 죽었다! 혁명 만세!"

NRhZ. Revue 제1호에 대한 장문의 호평은 카셀의 《디 호르니세》에 실렸는데, 마르크스의 기고문에서 직간접적으로 많은 인용을 했다(주간지 《디 호르니세》, 카셀, 제3호, 1840년 4월 15일, 10~11쪽).

1850년 6월 오토 뤼닝은 《노이에 도이체 차이퉁》에 4부에 걸쳐 NRhZ. Revue에 대한 서평을 발표했는데, 거기서 그는 마르크스의 「… 계급투쟁」에 나타난 문체를 칭찬했지만, 내용을 자세하게 논평할 때는 소부르주아식으로 비판했다([오토 뤼닝,] 「카를 마르크스의 《노이에 라이니셰 차이퉁. 정치-경제 평론》」, 《노이에 도이체 차이퉁》, 프랑크푸르트, 제148, 150, 151호,
G769 1850년 6월 22, 23, 25, 26일). 마르크스는 이 서평의 제1부에 대해 「해명」으로 반박했다(G354쪽).

헤르만 베커는 수많은 판을 거듭했던 자신의 소책자 『독일에서의 군주제 혹은 공화정』에서 혁명을 "역사의 기관차"로 묘사한 마르크스의 문장을 인용했다(『독일에서의 군주제 혹은 공화정. 쾰른 배심법원에 제출한 헤르만 베커 박사의 고소장과 변론문Monarchie oder Republik in Deutschland. Anklageakt und Vertheidigungsrede von Dr. Herm. Becker vor dem Geschwornengerichte zu Köln』, 1850년 10월 25일, 제8판, 쾰른, 1851년, 24쪽).

마르크스의 저술에서 일련의 생각을 이어받은 피에르-조제프 프루동 ― 출처를 밝히지 않은 채 ― 의 저작 『19세기 혁명의 일반 이념』(Idée générale de la révolution au XIX siècle)이 1851년 파리에서 나왔다(엥겔스가 1851년 8월 21일 마르크스에게 보낸 편지를 보라).

1852년 초 바이데마이어에게 보낸 편지에서 마르크스와 그의 부인은 기고문 「1848―1849」를 언급했지만, 미국에서 재판을 찍자는 제안을 직접 하지는 않았다(예니 마르크스가 1852년 2월 13일 바이데마이어에게 보낸 편지, 마르크스가 1852년 3월 5일 바이데마이어에게 보낸 편지). 엥겔스는 마르크스의 기고문이 「… 브뤼메르 18일」과 함께 인쇄되어야 한다고 생각했다. 엥겔스는 마르크스에게 1869년에도 이것을 언급했지만(엥겔스가 1869년 3월 15일과 18일 마르크스에게 보낸 편지), 마르크스는 재판을 거절했다. 왜냐하면 마르크스는 후에 새로운 사실 자료에 기초하여 보완할 생각이 있었기 때문이다(마르크스가 1869년 3월 20일 엥겔스에게 보낸 편지를 보라). 또한 빌헬름 리프크네히트가 기고문의 재판을 허락해달라고 부탁했지만 마르크스는 이것도 거부했다(마르크스가 1870년 5월 10일 엥겔스에게 보낸 편지. 엥겔스가 1870년 5월 11일 마르크스에게 보낸 편지를 보라).

1884/85년에 엥겔스는 P. L. 라브로프(Lawrow)와 러시아어 번역에 대해 편지로 의견을 교환했지만(라브로프가 1884년 1월 30일 엥겔스에게 보낸 편지, 엥겔스가 1884년 2월 5일과 1885년 2월 12일 라브로프에게 보낸 편지를 보라), 엥겔스 생전에는 실현되지 못했다. 또한 헤르만 슐뤼터

가 NRhZ. Revue의 기고문들을 『사회민주주의 총서』(Sozialdemokratische Bibliothek)에 재판하고자 했으나(슐뤼터가 1885년 1월 10일 엥겔스에게 보낸 편지, 엥겔스가 1885년 1월 13일 슐뤼터에게 보낸 편지, 슐뤼터가 1885년 5월 21일 엥겔스에게 보낸 편지를 보라), 다른 과제로 인한 엥겔스의 부담으로 실현되지 못했다(엥겔스가 1885년 10월 9일 슐뤼터에게 보낸 편지를 보라). 그러나 엥겔스는 파리의 6월 학살에 관한 《노이에 라이니셰 차이퉁》의 기고문을 재인쇄하기로 한 계획의 중간 기획으로 「… 계급투쟁」의 부분을 활용하자고 제안했다(엥겔스가 1885년 6월 16일 슐뤼터에게 보낸 편지를 보라).

「… 계급투쟁」의 완전한 재판이자 별쇄는 1895년 리하르트 피셔가 제안하고 엥겔스가 즉각 동의함으로써 처음으로 실현되었다(피셔가 1895년 1월 30일 엥겔스에게 보낸 편지, 엥겔스가 1895년 2월 2일 피셔에게 보낸 편지를 보라).

NRhZ. Revue 제5/6호의 「평론. 5월에서 10월까지」 중 프랑스에 해당하는 부분(G464쪽 30행~G467쪽 13행과 G472쪽 20행~G481쪽 20행)을 엥겔스는 1895년 연재 기고문의 제4부로 활용했다. 그는 각 부분을 다음과 같은 제목으로 정리했다.

I. 1848년 2월에서 6월까지
II. 1848년 6월에서 1849년 6월 13일까지
III. 1849년 6월 13일에서 1850년 3월 10일까지
IV. 1850년 보통선거권의 폐지

1850이라는 연도는 제4부에 붙인 제목에서 엥겔스가 처음으로 올바르게 교정했다. 이 교정에서 알 수 있듯이 1895년 판은 처음에는 "프랑스 제2공 G770 화정, 1848년에서 1850년까지"(Die Zweite französische Republik, 1848 bis 1850)였는데, 엥겔스가 최종적으로 "1848년에서 1850년까지 프랑스 계급투쟁"(Die Klassenkämpfe in Frankreich 1848 bis 1850)으로 교정했다. 마르크스의 기고문은 그 이후 이 제목으로 알려지게 되었다.

엥겔스가 문장을 손보고 교정쇄를 교정했다(엥겔스가 1895년 2월 12일 피셔에게 보낸 편지를 보라). 이때 엥겔스는 동시에 네 군데에 상세한 각주를 달았다. 1895년 2월 12일 편지에서 엥겔스는 다음과 같이 언급했다. "마르크스 기고문의 문장에서 다음을 주의하길 부탁합니다. 원문에는 Konstitution(헌법), Klasse(계급), Kollision(붕괴) 등의 첫 알파벳이 대부분

C로 쓰였고, 아마 K로도 쓰였을 겁니다. **모두 K로 바꿔주십시오**. 그렇게 하면 나중에 이것을 교정하는 작업을 할 필요가 없을 겁니다."

엥겔스가 새로운 중간제목과 함께 2월 13일 피셔에게 보낸 소책자의 제목을 위한 엥겔스의 제안은 받아들여지지 않았기 때문에, 이 소책자의 제목이 처음에 붙인 제목인 "제2공화정, 1848년에서 1850년까지"와 같은지 다른지 결정할 수 없었다. 피셔는 이 첫 번째 제안에 반대했다(피셔가 1895년 2월 22일 엥겔스에게 보낸 편지를 보라). 동시에 엥겔스는 1850년 NRhZ. Revue 제5/6호의 「평론. 5월에서 10월까지」의 일부를 "전체의 객관적인 결론으로, 이 결론이 없다면 단편에 지나지 않는 것"으로서 받아들일 것을 제안했다(엥겔스가 1895년 2월 13일 피셔에게 보낸 편지). 1895년 2월 중순과 3월 6일 사이에 엥겔스는 또한 이 소책자에 대한 서문을 작성했다. 이 소책자는 1895년 4월 베를린에서 초판으로 대략 3천 부를 인쇄했다.

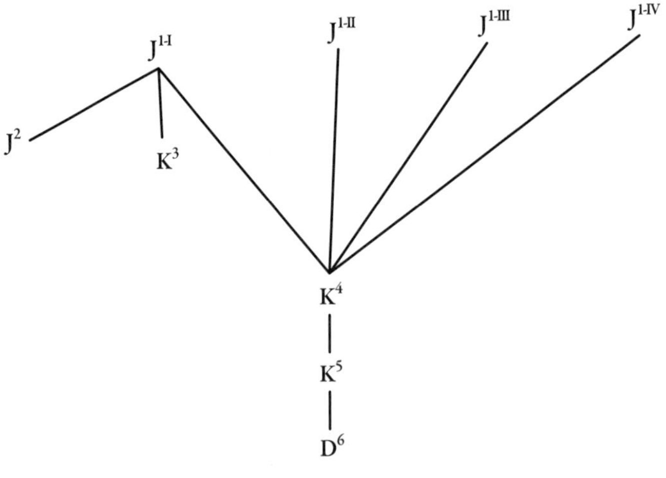

계통도

원문자료에 대한 기록

$J^{1\text{-}I}$ 1848년에서 1849년까지. [서명:] 카를 마르크스. 《노이에 라이니셰 차이퉁. 정치-경제 평론》, 런던, 함부르크, 뉴욕, 제1호, 1850년 1월, 5~34쪽. 제1부의 1쇄.

G771 $J^{1\text{-}II}$ 1848—1849. [서명:] 카를 마르크스. 《노이에 라이니셰 차이퉁. 정치-경제 평론》, 제2호, 1850년 2월, 1~36쪽. 결론 부분에 함부르크에

서 쓴 "제한된 지면으로 인해 결론을 다음 호로 미룰 수밖에 없다"라는 각주가 포함되어 있다. 제2부의 1쇄.

$J^{1\text{-}III}$ 1848 — 1849. [서명:] 카를 마르크스. 《노이에 라이니셰 차이퉁. 정치-경제 평론》, 제3호, 1850년 3월, 1~37쪽. 제3부의 1쇄.

$J^{1\text{-}IV}$ 「평론. 5월에서 10월까지」의 일부. 《노이에 라이니셰 차이퉁. 정치-경제 평론》, 제5/6호, 1850년 5~10월(G464쪽 30행~G467쪽 13행과 G472쪽 20행~G481쪽 20행). 이것을 엥겔스는 1895년 「… 계급투쟁」의 신판에 수록했다.

라틴어 · 프랑스어 · 영어 단어는 J^1에서 대부분 라틴어 필체로 강조되었다.

J^2 1848년에서 1849년까지. [서명:] 카를 마르크스. 《도이체 런더너 차이퉁》, 제262호, 1850년 4월 5일, 2125/2126쪽; 제263호, 1850년 4월 12일, 2133~2135쪽; 제264호, 1850년 4월 19일, 2140~2142쪽.

$J^{1\text{-}I}$의 재판. $J^{1\text{-}I}$의 인쇄오류는 일부 개선되었다. 마르크스가 J^2에 직접 협력했을 가능성이 있지만 증명되지는 않는다.

K^3 NRhZ. Revue 견본에 대한 마르크스의 교정본(G697쪽을 보라). 이 다섯 군데의 교정은 NRhZ. Revue 제2호의 인쇄오류 목록과 일치한다. 이 인쇄오류 목록의 원안에는 다섯 군데의 교정이 있었을 것으로 보이지만, 별도로 표시되어 있지 않았다.

K^4 프리드리히 레스너의 NRhZ. Revue 견본에 대한 엥겔스의 교정본, 1895년 2월(G697쪽을 보라).

K^5 엥겔스가 교정한 교정쇄. 1895년 2월 말에서 늦어도 대략 3월 25일까지. IISG, 마르크스/엥겔스-유고, 정리 번호 A 28. 엥겔스가 조판한 교정쇄를 교정했지만, 일부만 D^6과 쪽수가 동일하다. 극히 일부만 교정했고, 제4절은 교정된 것이 전혀 없다.

D[6] 카를 마르크스의 1848년에서 1850년까지 프랑스 계급투쟁(Die Klassenkämpfe in Frankreich 1848 bis 1850. Von Karl Marx). 《노이에 라이니셰 차이퉁. 정치-경제 평론》(함부르크, 1850년)의 인쇄물. 프리드리히 엥겔스 서문 포함. 베를린: 베를린 인민지 《포어베르츠》(Vorwärts)의 출판사 및 발송사. Th. 글로케(Th. Glocke). 1895년. 함부르크: 아우어 인쇄소 112번가(Auer & Co. 112 S), 8절판, 20~99쪽. J[1]의 재인쇄.

본문은 J[1]을 따른다.

변경사항 목록/교정사항 목록/해설

철자법과 구두법에서의 변화는 변경사항 목록에서는 엥겔스가 직접 1895년 수정하면서 요구한 것으로 증명되는 경우에만 변경사항 목록에 넣
G772 었다. J[1]과 비교할 때 D[6]에서 철자 "e"를 수정한 것(sehn → sehen, andern → anderen 등, 그리고 반대로 예를 들어 Entwickelung → Entwicklung)은 명시하지 않았다.

J[1]에는 "Luxembourg"가 대부분 "Luxemburg"로 되어 있다. K[4]에서 엥겔스는 한 곳에서 이것을 "Luxembourg"로 수정했다. 이 책의 본문에는 대부분 "Luxembourg"로 썼다. 인쇄오류 목록에서 NRhZ. Revue의 제2호와 제4호에 대해 요구한 수정은, 여기서는 K[3]이나 K[4]에서 동일하거나 혹은 변형된 형태로 등장할 때만 표시할 것이다.

1 (v) "1848년에서 1849년까지."(*1848-1849.*)(본문에는 이탤릭체가 아닌 "1848 bis 1849"로 되어 있다. ―옮긴이) ― D[6]에는 아래와 같이 되어 있음.
"I.
1848년 2월에서 6월까지(V o m F e b r u a r b i s J u n i 1 8 4 8).
제1호에서(Aus Heft I)."

2 (v) "한"(Einem) ― D[6] "einem"

3 (e) "시청"(Hotel de Ville) ― 파리 시청. 1789~94년 프랑스 혁명 이래 혁명정부의 소재지. 1848년 2월 혁명의 승리 이후 임시정부의 본부.

4 (e) 1832년 6월 5~6일 파리 봉기는 공화파 좌파와 혁명적 비밀 결사가 준비했다. 공화파 라마르크 장군 장례식에서 이 봉기가 일어났다. 부르주아 반대파는 평화적 시위를 호소했다. 그러나 이 시위는 노동자와 수공업 직인의 적극적 참여로 혁명적 집회로 전환되었다. 장례 행렬의 노래는 라 마르세예즈로 바뀌었고, 처음으로 대열 한가운데 붉은 기가 내걸렸다. 정부가 인민을 상대로 군대를 투입하자 유혈 투쟁으로 이어졌다. 노동자는 바리케

이드를 쳤지만 6월 6일 군사력에 밀려 패배했다.

공화파 "인권협회"가 주도한 1834년 4월 9일에서 13일까지 리옹의 노동자 봉기는 임금 투쟁과 이에 따른 노동자 대표들의 법적 기소와 관련하여 일어났다. 이 봉기는 프랑스 프롤레타리아트의 초창기 대중 봉기 가운데 하나였고, 파리와 다른 도시의 봉기를 통해 지지를 받았다. 이 봉기는 모두 잔인하게 진압되었다.

루이-오귀스트 블랑키와 아르망 바르베스의 지도 아래 비밀 계절사가 준비하고 의인동맹의 지원을 받아 일어난 1839년 5월 12일 파리 봉기는 고립된 채 진압되었다. 블랑키와 바르베스 그리고 다른 참여자들은 법적 판결을 받은 후 추방당했다.

5 (e) 1840년과 1842년 철도법을 통해 프랑스에서는 철도 건설 투자를 촉진하기 위해 국가의 이자보증제도가 도입되었다. 수많은 철도회사가 설립되었다. 설립자들은 "관리위원들"로서 높은 급료를 받았고, 특허를 획득한 뒤에 발행할 주식에 대해 자기앞수표를 발행했다. 이들은 주식을 판매한 후 사업에서 손을 떼었고, 결국 이 사업에 대해 파산 선언을 했다. 이런 속임수로 철도 건설은 전혀 이뤄지지 않았거나 아니면 국가가 자금을 대야 했다. 이런 사기 행각은 1845년 7월 5일 법률을 통해 발행할 철도 주식에 대한 자기앞수표의 거래를 정지할 정도의 규모로 자행되었다.

6 (e) 1848년 1월 초 상정된 기조 내각의 1849년도 예산에는 우편세 경감이 고지되어 있었다.

7 (k) "은행가"(Banquiers) — J^1 "농민"(Bauern). NRhZ. Revue 제2호의 인쇄오류 목록은 실수로 "의회"(Kammern)라고 써야 한다고 했다. K^3과 K^4에 따라 교정함.

8 (e) "로베르 마케르"(Robert Macaire) — 중세 프랑스의 전설에 따르면 배신자 마케르는 기사 오브리 드 몽디디에(Aubry de Montdidier)를 살해했다. 13세기 이래 이 소재는 문학과 극예술에서 자주 형상화되었다. 1830년 이후, 7월 왕정 동안 마케르의 모습은 금융 귀족에 대한 풍자로, 무엇보다 오노레 도미에(Honoré Daumier)의 활동으로 대중성을 얻었다. 1849년 초 파리 극장에서 공연된 익살극 「인민의 대표자 로베르 마케르」(Robert Macaire als Volksrepräsentant)는 관객을 사로잡았다.

9 (e) "보르뉴 카페"(Café Borgne) — 평판이 안 좋은 파리의 커피숍이자 선술집.

10 (e) 지난 몇 년간 정부 고위층에서 일어났고 1847년에는 엄청난 규모로 반복된 부정부패 사건이 프랑스 언론에 알려졌다. 무엇보다 이것은 국책 사업을 체결할 때 주식 투기, 정부 고위직의 매매, 거액의 사례금 수수 등과 관련이 있었다. 이들 사건 중에서 몇 개만이 법정에 회부되었다.

11 (e) 이른바 분리동맹(Sonderbund)으로 결합된 경제적으로 낙후되고 가톨릭을 믿는 스위스의 7개 주는, 1847년 11월 스위스의 진보적인 부르주아 개혁에 반대하고 예수회의 특권을 보호하기 위해 내전을 일으켰다. 스위스 통일전쟁은 1847년 11월 23일 분리동맹군에 대한 연방정부군의 완벽한 승리로 끝났다. 또한 프[리드리히] 엥겔스, 「스위스 내전」(Der Schweizer Bürgerkrieg), 《도이체-브뤼셀러-차이퉁》, 제91호(1847년 11월 14일)를 보라.

12 (e) 1895년 판에 있는 엥겔스의 각주를 보라(아래에 있는 주를 가리킴 — 옮긴이).

(v) D^6에는 여기에 엥겔스의 주 *가 있다.

* 1846년 11월 11일 러시아와 프로이센의 동의로 오스트리아가 크라카우를 병합 — 1847년 11월 4일에서 28일까지 스위스 통일전쟁 — 1848년 1월 12일 팔레르모 봉기, 1월 말 나폴리인들을 통한 9일간의 도시 폭격. (이 각주는 다른 모든 각주와 마찬가지로 편찬자 프리드리히 엥겔스가 달았다.)

13 (e) 때아닌 곡물 관세의 인상 혹은 인하를 통한 1845년과 1846년의 흉작은 극심한 기근을 가져왔다. 이것은 폭동을 유발했는데, 굶주린 주민들은 곡물 창고와 빵집을 약탈했다. 뷔장세(앵드르Indre 지구)에서는 1847년 1월 13, 14, 15일의 약탈로 인민과 정부군 사이에

유혈 충돌이 이어졌다. 1847년 2월 말/3월 초 인민에 대한 재판이 이루어졌는데, 26명의 피고 중 3명이 사형을, 나머지는 강제 노역과 징역형을 선고받았다. 대중의 반대에도 불구하고 비앵브뉘(Bienvenu), 미쇼(Michot), 벨뤼에(Velluet)의 사형이 집행되었다.

14 (e) G217쪽 3행~G218쪽 9행, G301쪽 19행~G304쪽 22행, G448쪽 16행~G460쪽 36행을 보라.

15 (e) 다양한 반정부 부르주아-왕당파 그룹과 최근 몇 년간 7월 왕정에 선거 개혁을 요구했던 소부르주아-민주주의 그룹은 1847년 중반 이후부터 이런 목표를 관철하기 위해 수많은 거대 정치 연회를 조직했다. 소부르주아 민주주의자들이 주도하여 반정부파로 구성된 파리 중앙선거위원회가 개최한 최초의 연회는 1847년 7월 9일 샤토-루주(Château-Rouge)에서 열렸다. 이에 관한 엥겔스의 보고는《더 노던 스타》, 런던, 제508호, 1847년 7월 17일 자에 실렸다.

연회운동에 관해 엥겔스는 1847년 11월과 1848년 1월 사이에 일련의 기고문을《더 노던 스타》와《도이체-브뤼셀러-차이퉁》에 실었다.

1848년 초 선거개혁운동이 7월 왕정에 심각한 위협이 되자 기조 내각은 집회법을 폐지했다.

16 (e) 국민방위군은 1789년 파리에서 일종의 국민개병제로 만들어졌다. 7월 왕정 동안 재조직화의 결과 국민방위군은 주로 부유한 계급의 출신으로 구성되었고, 가난한 사람들은 국민방위군에서 쫓겨났다. 1848년 2월 혁명에서 국민방위군은 소극적으로 처신하면서 봉기자들을 지원했다. 1848년 6월 국민방위군의 대부분은 무장봉기를 진압하는 데 조력했다. 국민방위군 중에 프롤레타리아트는 무장봉기에 가담했다. 1849년 6월 파리 국민방위군 구성원들의 태도에 관해서는 G170쪽 41~G171쪽 1행과 G172쪽 39~41행을 보라.

17 (e)《르 나시오날》에 집결한, 특히 아르망 마라스트, 루이 앙투안 가르니에-파제스, 알렉상드르-토마 마리, 쥘 바스티드, 루이-외젠 카베냐크 등이 대표하는 부르주아 공화주의 분파에 대해서는 마르크스가「루이 나폴레옹의 브뤼메르 18일」,《디 레볼루치온》(Die Revolution), 제1호, 뉴욕, 1852년, 7~8쪽과 16쪽에서 자세히 평가했다. 또한 G141쪽 32행~G142쪽 2행을 보라.

18 (e) "프랑스 인민에 대한 임시정부의 포고"에는 무엇보다 다음과 같은 언급이 있다. "프랑스인들이여, 파리가 프랑스에 보여주었던 모범을 온 세계에 보여주시오. 명령에 따라 그리고 자신감을 갖고, 당신들이 갖추도록 요구받게 될 강력한 제도들을 준비하시오."(《르 모니퇴르 위니베르셀》, 파리, 제56호, 1848년 2월 25일, 499쪽.)

19 (e) 알퐁스-마리 루이 라마르틴은 1848년 2월 24일 하원에서 이렇게 말했다. "나는 대중적인 정서와 감정에서 우러나온 자연발생적인 환호로 3500만 명의 정부가 확고부동한 권리를 확보할 수 있다고 생각하지 않는다."(《르 모니퇴르 위니베르셀》, 파리, 제56호, 1848년 2월 25일, 501쪽.)

20 (e) 1830년 7월 혁명에서 파리의 노동자는 "노동과 빵"이라는 구호 아래 샤를 10세의 퇴진을 위한 투쟁에 참가했다. 이들은 짧은 기간 파리 인민과 연합했던 부르주아 대변자들이 승리한 이후에는 배제되었다. 부르주아 대변자들은 인민 주권의 사명을 다한다는 속임수로 루이 필리프의 새로운 왕조를 건립했다.

21 (k) "2월 혁명에서 내쫓았던"(in die Februarrevolution gejagt) —J^1 "그리고 2월 혁명이 보여주었던"(und die Februarrevolution gezeigt). NRhZ. Revue 제2호의 인쇄오류 목록에 따라 교정함. K^4 "보여주었던"(gezeigt)에 연필로 밑줄을 긋고 가장자리에 "x"라고 썼음.

22 (e) 1848년 2월 24일 루이 필리프는 자신의 손자인 파리의 나이 어린 백작에게 왕위를 양도했다. 같은 날 백작의 어머니 오를레앙 공작 부인은 두 아들과 함께, 자신은 섭정자로 그리고 어린 아들은 왕으로 선포할 것을 요청하기 위해 하원에 갔다. 공화파가 그것을 알

게 되자, 그들은 인민 대표단과 함께 마찬가지로 하원에 출석해 프랑스의 미래 정부 형태를 놓고 논쟁을 벌였다. 여기서 정통파 지도자 앙리-오귀스트-조르주 라로슈자클랭은 이 문제는 의회가 아니라 전체 인민의 결정에 맡겨야 한다는 점에 찬성한다고 말했다(《르 모니퇴르 위니베르셀》, 파리, 제56호, 1848년 2월 25일, 501쪽).

23 (k) "마르슈라는 한 노동자가"(Marche, ein Arbeiter) — J^1 "기다려, 나의 노동자"(Warte, mein Arbeiter). NRhZ. Revue 제2호의 인쇄오류 목록과 K^3에 따라 교정함. K^4 "ein" ← "mein", 그 밖에 가장자리에 "x"라고 썼음.

24 (e) 1848년 2월 25일 파리 시청 앞에 수많은 파리의 노동자들이 모여들었다. 그중에 마르슈라는 노동자가 노동의 조직과 노동의 권리를 요구하는 청원서를 정부에 제출했다. 알퐁스-마리-루이 라마르틴이라는 정부 관료가 이러한 요구에 말로 반박하자, 마르슈는 총열을 보여주면서 이것은 정부에 대한 노동자의 말이라고 확언했다. 임시정부는 이런 압박에 양보하고 다음과 같은 포고문을 작성했다. "프랑스 공화국 임시정부는 노동자에게 노동을 통한 생존을 보장하겠다고 약속합니다. 임시정부는 모든 시민에게 노동을 보장하기 위해 최선을 다하고 있습니다. 임시정부는 또한 노동자들이 자신의 노동이 주는 정당한 이익을 누리기 위해 서로 연합해야 한다는 것을 인정합니다."(《르 모니퇴르 위니베르셀》, 파리, 제57호, 1848년 2월 26일, 503쪽.)

25 (v) "의 개선"(Verbesserung der) — K^4 "의 상태의 개선"(Verbesserung der Lage der)

26 (e) 1848년 2월 26일 수많은 파리의 노동자들은 다시 파리 시청 앞에 모여서 임시정부에 노동부 설치와 같은 노동 조직을 위한 조치를 요구했다. 정부 다수파가 이 제안을 거부하자, 루이 블랑과 노동자 알베르는 정부에서 사퇴하겠다고 협박했다. 새로운 무장봉기가 두려웠던 정부 다수파는 방향을 바꿔, 블랑과 알베르가 주도해서 국민의회가 소집될 때까지 사회 문제를 연구하고 실질적인 방안을 제시할 위원회를 설립할 것을 제안했다. 조금 머뭇거린 후에 블랑은 다음과 같은 성명서를 작성했다. "프랑스 공화국 임시정부는 다음과 같이 포고한다. **노동자를 위한 정부위원회**라고 불릴 하나의 상설위원회가 구성되어 노동자들의 운명을 돌본다는 긴급하고 특별한 임무를 수행할 것이다."(《르 모니퇴르 위니베르셀》, 파리, 제60호, 1848년 2월 29일, 515쪽.)

1795년 집정 내각과 영사관이 있었고 1831년부터 1848년 2월 혁명 때까지 상원이 있었던 뤽상부르 궁은 블랑과 알베르가 이끈 "노동자를 위한 정부위원회"의 회의 장소가 되었다. 이 회의 장소에 따라 위원회는 이후 뤽상부르 위원회라고 불렸다.

27 (e) "노동자 한 사람"(ein Arbeiter) — 알베르.

28 (v) "임노동은 현존하는 노동이고, 부르주아적으로"(Lohnarbeit ist die vorhandene, die bürgerliche) — D^6 "임노동, 그것은 현존하는 부르주아적"(Lohnarbeit, das ist die vorhandene bürgerliche)

29 (v) "노동"(Arbeit) — K^4 "Arbeit?"

30 (v) "노동"(Arbeit,) — K^4 "Arbeit — "

31 (v) "스스로 해방된다고" — D^6 "스스로 해방할 수 있다고"

32 (v) "와 그"(und die) — K^4 "und durch die"

33 (v) "활동"(Thätigkeit,) — K^4 "Thätigkeit:"

34 (v) "고리대금과 저당에 대한 농민의" — D^6 "저당 속에서 고리대금에 대한 농민의"

35 (v) "금융귀족" — D^6 "일반적 금융귀족"

36 (e) 1832년 5월 처음으로 내걸린(G120쪽 9행에 관한 해설을 보라) 붉은 기 아래 파리 노동자는 1848년 2월 24일 거의 모든 바리케이드 앞에서 싸웠다. 2월 25일 그들은 임시정부에 붉은 기를 국기로 선언할 것을 요구했다. 파리에서 붉은 기가 게양되면 나머지 프랑스가 겁을 먹을 것이고, 군대에서 게양되면 노동자들이 사랑하는 삼색기를 내리게 될 것

이라는 이유로 임시정부는 파리 노동자들의 요구를 거부했다. 임시정부는 삼색기(파랑 · 하양 · 빨강)의 유지를 고집했다. 삼색기는 1789~94년 프랑스 혁명과 나폴레옹 1세 통치 기간의 국기였으며, 1848년 2월 혁명 전에는 부르주아 공화파의 상징이었다. 파리 노동자를 진정하기 위해 정부는 1848년 2월 26일 다음과 같은 국기에 관한 선언을 공식화했다. "인민 혁명을 위한 마지막 행동에 대한 참여의 증표를 보여주고 승인을 기념하기 위해 임시정부 위원과 그 밖의 당국자들은 붉은 휘장을 착용할 것이며, 깃대에도 붉은 휘장을 매달 것이다."(《르 모니퇴르 위니베르셀》, 파리, 제58호, 1848년 2월 27일, 507쪽.)

37 (e) 임시정부의 공식적인 기관지로서 《르 모니퇴르 위니베르셀》은 정부 법령의 엄격한 규정에 따라 의회 보고서, 다른 공식 자료들을 공개했다.

38 (v) "얼굴을 붉힐"(erröthete) — **D**[6] "격분할"(wüthete)

39 (e) 알퐁스-마리-루이 라마르틴은 1848년 2월 24일 하원에서 다음과 같이 말했다. "서로 다른 시민계급들 사이에 몇 해 전부터 계속되어온 이러한 지독한 오해를 불식한 정부."(《르 모니퇴르 위니베르셀》, 파리, 제56호, 1848년 2월 25일, 501쪽.)

40 (k) "지속력이 있는 것처럼 보일 수 있게"(beständig zu erscheinen) — **J**[1] "적절하게 위협하고"(anständig zu erschrecken). NRhZ. Revue 제2호의 인쇄오류 목록은 "적절하게"(anständig)를 "지속력이 있는"(beständig)으로 교정했을 뿐이다. **K**[4]에서 비로소 엥겔스는 "위협하고"(erschrecken)를 "보일"(erscheinen)로 최종 교정했다.

41 (v) "보았던"(erblickte) — **D**[8] "인식했던"(erkannte)

42 (v) "급료 분쟁"(Salairzwiste) — **K**[4] **D**[6] "임금 분쟁"(Lohnzwiste)

43 (e) 파리 경찰청장 마르크 코시디에르는 대부분 루이-오귀스트 블랑키의 지지자인 혁명적 노동자들로 구성된 경찰을 조직하여 그 이름을 "산악당"(Montagnards)이라고 지었다. 이들은 파란 셔츠에 빨간 모자를 쓰고 빨간 허리띠에 권총을 찼다. 또한 G285쪽 7행~G287쪽 23행을 보라.

44 (e) 국채 소유자에 대한 이자의 만기 전 지불은 1848년 3월 4일 미셸 구쇼 재무장관의 결정에 기초한다(《르 모니퇴르 위니베르셀》, 파리, 제64호, 1848년 3월 4일, 537쪽).

45 (v) **K**[4] 여기서 행을 바꾸지 않음.

46 (e) 구쇼 재무장관은 국가 파산을 피할 수 없다고 보았다. 그는 1848년 3월 5일 사퇴했다. 그의 후임 루이-앙투안 가르니에-파제스는 1848년 3월 9일 정부에 공화국의 재정 상황에 관한 보고서를 제출했다. 이 보고서에는 몇 가지 제안이 들어 있는데, 이를 기초로 정부는 같은 날 하나의 포고령을 내렸다. 이 포고령은 100프랑이 넘는 예금액에 대해서 그 절반을 4~6개월 만기의 단기 공채를 통해, 다른 절반은 5퍼센트의 지대 상환 채권을 통해 액면가로 상환한다고 확정했다(《르 모니퇴르 위니베르셀》, 파리, 제70호, 1848년 3월 10일, 580쪽).

47 (e) 1848년 3월 15일 포고령으로 임시정부는 프랑스은행의 은행권에 강제통용권을 부여했다(《르 모니퇴르 위니베르셀》, 파리, 제76호, 1848년 3월 16일, 617쪽).

48 (k) "저당 잡혔다"(versetzte) — **J**[1] "불허했다"(versagte). NRhZ. Revue 제2호의 인쇄오류 목록과 **K**[4]에 따라 교정함.

49 (e) "촌놈"(Jacques le bonhomme) — 얼간이 야코프(Jakob der Tölpel). 프랑스 귀족은 농민에게 이런 경멸적인 이름을 붙여주었다.

50 (v) "당"(per) — **D**[6] "따라"(pro). 그 밖에 가장자리에 "x"라고 썼음.

51 (e) 1848년 3월 16일 임시정부는 기존 네 가지 세금을 인상할 때 1프랑당 45상팀의 인상을 예고하는 포고령을 결의했다(《르 모니퇴르 위니베르셀》, 파리, 제77호, 1848년 3월 17일, 625쪽). 이러한 조치는 무엇보다 프랑스 인구의 대부분을 차지하는 농민에게 타격을 주었다. 이 조치로 농민층은 혁명에 등을 돌렸고, 1848년 12월 10일 대통령 선거에서

루이 나폴레옹 보나파르트를 지지하게 되었다.

52 (e) "10억 프랑의 소유자들"(octroyirte Milliarde)—1825년 복고된 왕권은 1789~1794년 프랑스 혁명기에 재산이 몰수된 귀족들에게 10억 프랑을 "배상해주었다". [프리드리히 엥겔스,] (「10억Die Milliarde」,) 《노이에 라이니셰 차이퉁》, 쾰른, 제247호, 1849년 3월 16일, 1쪽을 보라.

53 (e) 알렉상드르-오귀스트 르드뤼-롤랭의 이 발언은 찾을 수 없었다. 임시정부에 아실 풀드를 추천한 것에 대해서는 G183쪽 11~17행을 보라.

54 (k) "위협적인 채권자로서 …에 맞서는"(drohender Gläubiger gegenüberzustehen, der)—**J**[1] "drohenden Gläubiger gegenüberzustehen, die". NRhZ. Revue 제2호의 인쇄오류 목록과 **K**[4]에 따라 교정함.

55 (v) "되었고"(ward)—**D**[6] "되고"(wird)

56 (e) 1848년 2월 25일 임시정부는 기동국민군 창설을 결정했다(《르 모니퇴르 위니베르셀》, 파리, 제57호, 1848년 2월 26일, 503쪽). 이틀 후 그에 대해 상세한 규정이 발표되었다. "기동국민군은 24개 대대로 구성된다. … 일개 대대의 총원은 1,058명이다. … 국민군은 16세에서 30세 사이의 지원자로 충원된다."(《르 모니퇴르 위니베르셀》, 파리, 제58호, 1848년 2월 27일, 508쪽.) 기동국민군은 혁명적 노동자를 제압하기 위해 파리의 15세에서 20세까지의 룸펜 프롤레타리아트로 구성되었다. 1848년 6월 봉기 때 기동국민군의 대부분은 부르주아지와 귀족의 중상모략을 믿었고, 따라서 봉기자들을 약탈자 패거리로 간주하고 혁명적 노동자를 진압할 때 반동을 도왔다. 엥겔스의 기고문 「6월 25일」(Der 25. Juni), 《노이에 라이니셰 차이퉁》, 쾰른, 제29호, 1848년 6월 29일, 1~2쪽을 보라. 또한 G156쪽 4~19행을 보라.

57 (v) "당"(per)—**D**[6] "따라"(pro). 그 밖에 가장자리에 "x"라고 썼음.

58 (e) "허풍"(Rodomontaden)—루도비코 아리오스토의 주요 작품 『광란의 오를란도』의 주인공 로도몬테(Rodomonte)에서 유래한 것으로, 로도몬테는 허풍선이의 화신.

59 (e) "등록했다"(einrollirte)—마르크스가 프랑스어 "enrôler"(=anwerben)(모집, 응모—옮긴이)를 독일어화하여 사용한 것이다.

60 (e) **"영국의 구빈원"**(*Englische Workhouses*)—1834년 이후 영국에서 빈민법은 빈민 구제의 형태만을 띠었을 뿐이다. 빈민은 수용소 체제와 같은 구빈원에서 숙식했다. 인민은 이 구빈원을 "빈민을 위한 바스티유"라고 불렀다.

61 (k) "마리의"(Marie's)—**J**[1] "Claries". NRhZ. Revue 제2호의 인쇄오류 목록과 **K**[4]에 따라 교정함.

62 (e) 16세기와 특히 17세기의 수많은 스페인 희극에는 주인과 하인이 역할을 바꿔 등장하는데, 이것을 통해 비틀어진 상황과 희극적인 갈등을 묘사했다. 이러한 희극의 가장 유명한 작가는 로페 드 베가(Lope de Vega)와 페드로 칼데론 데 라 바르카(Pedro Calderón de la Barca)였다.

63 (k) "이른바"(angeblichen)—**J**[1] "angebliche". **K**[4]에 따라 교정함.

64 (e) 1848년 2월 27일 임시정부는 국립 작업장의 설립을 지시했다(《르 모니퇴르 위니베르셀》, 파리, 제58호, 1848년 2월 27일, 507쪽). 1848년 3월 7일 공공사업장관 피에르-토마-알렉상드르 마리 드 생-조르주는 그에 대한 상세한 규정을 알렸다(《르 모니퇴르 위니베르셀》, 파리, 제67호, 1848년 3월 7일, 555쪽). 국립 작업장은 실업 노동자를 위한 일종의 공공 지원 시설이었다. 파리와 다른 도시의 작업장은 직업과 기초 군사 훈련과 상관없이 조직되었다. 노동자는 임금으로 빵 전표와 품삯을 받았다.

정부는 국립 작업장을, 루이 블랑이 1840년 그의 논문 「노동의 조직」(Organisation du travail)에서 제안한 인민 공장으로 간주했다. 그러나 이러한 제안에 따르면 공장은 산업의 다양한 주요 분야로 나뉘어야 하며, 그 구성원은 숙련 노동자이고 그 성과에 따라 임금이 지불되어야 했다. 6월 무장봉기를 진압한 후 카베냐크-독재는 1848년 7월 3일 국립 작업장 해체에 관한 포고령을 내렸다(《르 모니퇴르 위니베르셀》, 파리, 제186호, 1848년 7월 4일, 1553쪽).

65 (e) 1848년 3월 4일 임시정부는 직접 · 보통 · 비밀 투표로 결정하는 제헌국민의회를 위한 선거 시행을 포고하고 4월 9일을 선거일로 확정했다(《르 모니퇴르 위니베르셀》, 파리, 제66호, 1848년 3월 5일, 543쪽). 민주주의 개혁을 시행하기 전에 제헌국민의회를 개회하는 데서 혁명 세력은 공화국에 어떤 위험을 인식했다. 무엇보다 블랑키와 그의 지지자는 즉각적인 선거의 연기와 더불어 임시정부가 3월 18일로 정한 파리 국민방위군의 장교와 하사관 선거의 연기를 요구했다. 자신들의 요구를 강조하고 임시정부가 단호한 혁명적 조처를 취하도록 촉구하기 위해 노동자들은 시위를 준비했다. 그러나 이 시위는 정부가 몇 가지를 양보함으로써 연기되었다. 혁명적 노동자들의 압력을 받아 정부는 3월 14일 국민방위군 내의 부르주아 엘리트 부대의 해체를 명령했다. 곧이어 부르주아 부대가 3월 16일 폭동을 일으키고 부대의 해체 명령을 철회할 것을 정부에 요구하자 3월 17일 노동자들의 반대 시위가 일어났다. 이때 루이 블랑 주위의 일부 노동자는 선거 연기를 요구한 반면, 블랑키 지지자들은 이러한 요구를 넘어서서 모든 부대를 파리에서 철수하고 반동적 정부 요인들을 해임하라고 시위를 벌였다.

66 (v) "루이 블랑"(L. Blanc's) — **D**[6] "Louis Blanc's"

67 (k) "4월" — **J**[1] **D**[6] "3월"

68 (v) "본래"(der eigentliche) — **K**[4] "본래의"(dem eingentlichen)

69 (v) "연방주의"(federalistischen) — **D**[6] "föderalistischen"

70 (v) "공화정,"(Republik, es) — **K**[4] "Republik. Es"

71 (e) 임시정부의 행정권은 1848년 5월 4일 제헌국민의회 소집으로 그 효력이 다했다. 5월 8일 국민의회의 발의에 따라 행정권은 집행위원회로 이양되었다. 집행위원회는 5월 10일 선거 결과 루이 블랑과 노동자 알베르를 제외하고는 거의 모두 임시정부에 속했던 사람들로 구성되었다. 임시정부가 집행위원회로 교체됨에 따라, 블랑과 알베르가 이끌던 노동자를 위한 정부위원회(G125쪽 32~34행에 관한 해설과 G125쪽 36행~G126쪽 2행에 관한 해설을 보라)도 활동을 마감해야 했다. 그럼에도 불구하고 블랑은 국민의회에서 특별 노동부 설치를 발의했는데, 국민의회의 반동적 다수는 격렬히 거부했다. 윌리스 트렐라 공공사업장관의 발언에 대한 프랑스 문헌은 찾을 수 없었다. 마르크스는 기고문 「6월 혁명」, 《노이에 라이니셰 차이퉁》, 쾰른, 제29호, 1848년 6월 29일에서 인용했다.

72 (e) 파리 노동자들이 루이-오귀스트 블랑키와 다른 혁명가들과 함께 선두에서 중요한 역할을 한 1848년 5월 15일 인민대중의 혁명적 행동은, 혁명의 강화와 이탈리아 · 독일 · 폴란드에서의 혁명운동에 대한 지원을 구호로 하여 진행되었다. 국민의회 의사당 안으로 밀고 들어간 시위대는 빵과 노동으로 노동자를 돌봐주고(G125쪽 32~34행에 관한 해설을 보라) 노동 내각을 설치하겠다는 약속을 이행하라고 요구했다. 시위대는 제헌국민의회를 쫓아내고 새로운 임시정부를 세우려고 했다. 인민봉기는 진압되고, 블랑키와 아르망 바르베스, 알베르, 프랑수아-뱅상 라스파유는 체포되어 뱅센 요새로 이송되었다. 후에 그들은 뷔르주의 재판(G142쪽 25~40행에 관한 해설과 G165쪽 17~23행에 관한 해설을 보라)에서 중형을 선고받았다.

73 (e) 1848년 6월 5일 대중 집회 금지에 관한 집행위원회 명령 초안은 1848년 6월 7일 국민의회에 의해 약간의 수정과 함께 입법화(대중 집회에 관한 법률Loi sur les attroupements)되었다(《르 모니퇴르 위니베르셀》, 파리, 제161호, 1848년 6월 9일, 1303쪽).

74 (e) 1848년 5월 16일 국민의회에서는 노동자에 대한 공개적인 모욕이 시작되었다. 같은

날 앙드레-장-자크 뒤팽 의원의 선동에 반대하여 파리 노동자들은 벽보 "국립 작업장의 11만 5천 명 노동자가 뒤팽 주인님께!"를 내걸었다(《노이에 라이니셰 차이퉁》, 쾰른, 제8호, 1848년 6월 8일, 3쪽). 국립 작업장(G133쪽 14행~G134쪽 11행에 관한 해설을 보라)에서 조직된 노동자를 "게으름뱅이", "나폴리 빈민", "불량배"라고 부르주아-왕당파 대표자들이 모욕하고 선동한 것은 1848년 5월 22일에서 6월 23일 사이 국립 작업장에 대한 토론에서 흔해빠진 일이었다.

75 (e) 1848년 5월 15일 이후 국민의회가 지명했고 오로지 부르주아-왕당파의 대표자들로만 구성된 이른바 노동자위원회는 국립 작업장의 해체(G133쪽 14행~G134쪽 11행에 관한 해설을 보라)를 목표로 삼은 하나의 법령을 몇몇 조치를 포함해서 공표했다. 거기에는 무엇보다 하루 임금 대신 도급을 도입하는 내용이 있었다(《르 모니퇴르 위니베르셀》, 파리, 제154호, 1848년 6월 2일, 1238쪽). 이 법령은 또한 《노이에 라이니셰 차이퉁》, 쾰른, 제8호, 1848년 6월 8일, 3쪽, 3단에도 실렸다. 그러나 소요를 두려워한 왕당파 대표자들은 작업장 해체를 위한 결정적 조치들을 1848년 6월 19일에야 제안했다(《르 모니퇴르 위니베르셀》, 파리, 제172호, 1848년 6월 20일, 1428/1429쪽). 이 조치들에 따라서 수많은 노동자가 즉각 작업장에서 운하나 철도 건설을 위해 다양한 지역의 분야로 보내졌다.

76 (e) 이것은 《르 모니퇴르 위니베르셀》, 파리, 제174호, 1848년 6월 22일, 1449쪽의 보도와 관련된다. 이 보도는 다음과 같이 시작한다. "집행위원회는 내일부터 국립 작업장에서 징집을 시작하라는 명령을 내렸다. 최근 결정에 따르면 17세에서 25세 사이의 노동자는 입대 계약을 체결해야 하고, 이를 거부하는 사람은 현재 일하고 있는 작업장에 더는 받아들여지지 않을 것임을 명심하라." 이 보도는 《노이에 라이니셰 차이퉁》, 제27호, 1848년 6월 27일, 3쪽, 2/3단, 「통신: 파리, 6월 22일(추가 기록)」로 번역되었다.

77 (e) 파리 노동자의 6월 봉기에 대해서는 《노이에 라이니셰 차이퉁》, 쾰른, 1848년 6월 26일에서 7월 2일까지 마르크스와 엥겔스의 기고문들을 보라.

78 (k) "착취하는"(exploitirt) — **J**^{1} "exploitirte". 《노이에 라이니셰 차이퉁》(쾰른, 제29호, 1848년 6월 29일)의 1쇄에 따라 교정함.

79 (k) "1848년" — **J**^{1} "1849년" **K**^{4} "1848년"

80 (e) [마르크스,] (「6월 혁명」,) 《노이에 라이니셰 차이퉁》, 쾰른, 제29호, 1848년 6월 29일, 1쪽. 신문의 원문과는 몇 가지 사소한 차이가 있다.

81 (e) 1848/49년의 혁명운동에 반대하는 투쟁에서 유럽의 반혁명 세력은 1815년의 신성동맹을 다시 복구하려고 했다. 그러나 어떤 조약 체결에도 이르지 못했다. [카를 마르크스/프리드리히 엥겔스,] (「새로운 "신성동맹"Die neue "heilige Allianz"」,) 《노이에 라이니셰 차이퉁》, 쾰른, 제183호, 1848년 12월 31일, 2쪽, 3단을 보라. 또한 [프리드리히 엥겔스,] (「민주적 범슬라브주의Der demokratische Panslawismus」,) 《노이에 라이니셰 차이퉁》, 쾰른, 제222호, 1849년 2월 15일, 1~2쪽; 제223호, 1849년 2월 16일, 1~2쪽을 보라.

82 (v) "6월 봉기자의 **피**" — **D**^{6} "**6월-봉기자**의 피"

83 (e) "혁명은 죽었다! 혁명 만세!"는 6월 패배의 혁명적 결과를 지적하기 위해 마르크스가 "국왕이 승하하셨다! 국왕 만세!"(Le roi est mort, vive le roi!)라는 말을 바꾸어 쓴 것이다. 이것은 프랑스 왕정에서 왕이 사망하고 후계자가 즉위하는 의식을 거행하고 나서 고위 관리가 인민에게 외친 말이다.

84 (v) "II. 1849년 6월 13일"(II. Der 13. Juni 1849) — **D**^{6}에는 아래와 같이 되어 있음.
"II.
1848년 6월에서 1849년 6월 13일까지(V o m J u n i 1 8 4 8 b i s 1 3. J u n i 1 8 4 9.)
제2호에서(Aus Heft II.)"

85 (e) "산악당"(Parthei der Montagne) — 1848년 국민의회에서의 민주주의적 소부르주아

분파는 산악당으로 불렸는데, 이것은 1789~1794년 프랑스 혁명기 국민공회에서 좌익을 구성하는 자코뱅이었던 산악당(Montagnard)에서 유래했다.

86 (e) "삼색기"(die Tricoloren) — 부르주아 공화파를 의미한다. G123쪽 41행~G124쪽 1행에 관한 해설을 보라.

87 (v) "**카베냐크**가 자리했고, 《르 나시오날》의"(*Cavaignac*, und ihr) — **D**^{6} "**카베냐크**가 자리했다; 《르 나시오날》의"(*Cavaignac*; ihr)

88 (v) "심리했다"(instruirte) — **D**^{6} "꾸며냈다"(konstruirte)

89 (e) 1848년 6월 26일 국민의회의 결의로 오딜롱 바로를 위원장으로 하여 1848년 5월 15일 사건(G137쪽 11~14행에 관한 해설을 보라)과 1848년 6월 23일에서 26일까지 사건을 조사하기 위한 위원회가 구성되었다. 그리고 8월 3일 그에 대한 보고서가 의회에 제출되었다. 조사 결과를 개괄한 보고서 제6항에는 "반란자들의 생각은 언제나 똑같다. **국가에 대한 불신, 국민의회에 대한 증오,** 신성모독적인 사고, 인민주권의 원리 자체에 대한 공격이다. 그들의 생각은 표현 방식만 달리할 뿐 더 위협적인 것으로 되고 있다.

3월 17일, 대중 시위;

4월 16일, 음모;

5월 15일, 저격;

6월 23일, 내전."

(《르 모니퇴르 위니베르셀》, 파리, 제217호, 1848년 8월 4일, 1868~1873쪽. 이것은 축약되어 [페르디난트 볼프,] 「파리 [통신], 8월 5일[Korrespondenz aus:] Paris, 5. Aug」, 《노이에 라이니셰 차이퉁》, 쾰른, 제70호, 1848년 8월 9일, 4쪽과 부록 1쪽에 실렸다.)

8월 25일 국민의회에서는 이 보고서로 심각한 토론이 벌어졌다. 이 토론은 국민의회의 두 의원 루이 블랑과 마르크 코시디에르를 법적으로 기소하기 위한 전권을 위임해달라는 검찰총장의 제안을 504 대 252로 허락함으로써 끝났다. 친구들의 충고로 두 사람은 법적 기소를 피해 런던으로 달아났다. 이들에 대한 고등법원의 추방 판결(G165쪽 17~23행에 관한 해설을 보라)은 이들이 없이 내려졌다.

90 (e) 「그냥 넘어갑시다 …」, 「파리 [통신], 8월 27일」([Korrespondenz aus:] Paris, 27 août), 《주르날 데 데바》 지방판, 1848년 8월 28일: "2월 24일, 이날은 르드뤼-롤랭 씨가 앞선 토론에서 여러 번 말했듯이 하나의 사실, 즉 로마의 건국일이다. 그걸 조사해서 무엇 하겠는가?" 마르크스는 아마 다음에서 인용했을 것이다. [페르디난트 볼프], 「파리 [통신], 8월 29일」([Korrespondenz aus:] Paris, 29. Aug), 《노이에 라이니셰 차이퉁》, 쾰른, 제91호, 1848년 9월 1일, 4쪽: "우리는 정말로 공화국의 기원에 대한 논의를 다시 멈춰야 한다. 우리는 《주르날 데 데바》의 공화국의 기원에 대한 이 발언을 조금도 의심하지 않는다. … 어떤 정치적 역할을 하기 위해 《주르날 데 데바》는 기습적으로 권력을 장악하려고 하는 모반자가 아니라고 계속해서 이렇게 말한다. '그러나 우리는 공화국의 기원 문제를 논외로 할 수 있다. 부수적으로 말하면 우리는 공화국의 기원에 대한 모든 토론이 불필요하다고 생각한다. 2월 24일은 르드뤼-롤랭 씨가 예전에 말한 것과 같이 하나의 사실이다. 2월 24일은 로마 건국일이다.'"

91 (e) 모든 저당 자본에 1퍼센트의 세금을 물리는 1848년 4월 19일 임시정부가 공포한 법령(《르 모니퇴르 위니베르셀》, 파리, 제111호, 1848년 4월 20일, 865쪽)은 자본가들의 청원을 근거로 다시 무효가 되었다. 그로 인해 국고의 빈틈을 느끼게 되었을 때, 새 재무장관 미셸 구쇼는 국민의회에 수많은 입법안의 형태로 하나의 계획서를 제출했다. 이 계획서에는 모든 저당권의 총이자를 세금으로 5분의 1 인상하는 조치가 포함돼 있었다.

1848년 3월 2일 임시정부의 법령은 노동시간을 파리에서는 11시간에서 10시간으로, 지방에서는 12시간에서 11시간으로 줄였다(《르 모니퇴르 위니베르셀》, 파리, 제63호,

1848년 3월 3일, 529쪽). 1848년 7월 5일 국민의회의 이른바 노동자위원회는 이러한 법령을 무효화하는 발의안을 제출했다.

1848년 8월 7일 배심원 구성에 관한 법령에는 다음과 같이 되어 있다. "제2조 다음은 배심원이 될 수 없다. 1. 프랑스어를 읽고 쓸 줄 모르는 사람."(《르 모니퇴르 위니베르셀》, 파리, 제224호, 1848년 8월 11일, 1957쪽.) 마르크스는 아마 1848년 7월 21일과 23일의 《노이에 라이니셰 차이퉁》(제51호와 제51호의 부록, 그리고 제53호의 부록)에 실린 프랑스 법원 조직에 관한 입법안을 활용했을 것이다. 같은 곳에서 입법안 제72항도 찾을 수 있다.

국민의회는 1848년 8월 9일 신문과 잡지에 대한 책임 공탁금의 재도입을 가결했다(「잡지와 간행물의 책임 공탁금에 관한 법령」(《르 모니퇴르 위니베르셀》, 파리, 제225호, 1848년 8월 12일, 1977쪽).

결사권은 1848년 7월 28일 「클럽에 관한 법령」에 의해 제한되었다(《르 모니퇴르 위니베르셀》, 파리, 제215호, 1848년 8월 2일, 1837쪽). 클럽은 경찰의 감시하에 놓이게 되고, 모든 회의에는 당국의 대표자 한 명을 초청해야 한다.

92 (v) **D**[6] "!"가 없음.

93 (e) 채권자와 채무자의 합의에 기여하도록 하는 「화해 협약에 관한 법안」(《르 모니퇴르 위니베르셀》, 파리, 제225호, 1848년 8월 12일, 1988/89쪽)의 심의는 법안의 근본 조항이 기각된 채 1848년 8월 17일에 시작하여 22일 끝났다.

94 (e) 제헌국민의회 의장으로서 아르망 마라스트는 이 공직을 근거로 그에게 주거지로 제공된 부르봉 궁에서 휘황찬란한 음악의 밤 행사를 열었다. 《노이에 라이니셰 차이퉁》도 이러한 행사와 관련하여 마라스트를 "암피트리온" 혹은 "손님 접대를 즐기는 암피트리온"으로 재차 거론했다. 특히 [아우구스트 헤르만 에베르베크], 「파리 [통신], 10월 15일」([Korrespondenz aus:] Paris, 15 Oktbr), 《노이에 라이니셰 차이퉁》, 쾰른, 제119호, 1848년 10월 18일, 3쪽, 3단을 보라. 마라스트의 자세한 성격에 대해서는 [아우구스트 헤르만 에베르베크], 「파리 [통신], 7월 29일」([Korrespondenz aus:] Paris, 29 Juli), 《노이에 라이니셰 차이퉁》, 쾰른, 제61호, 1848년 7월 31일, 3쪽, 3단을 보라. 또한 G141쪽 40행~G142쪽 2행을 보라.

95 (e) 사르데냐와 피에몬테의 왕으로서 카를로 알베르토가 1848년 8월 9일 북이탈리아 민족해방운동에 반대하여 오스트리아와 휴전 협정을 맺었을 때 프랑스와 영국이 그 휴전 협정을 중재했다. [프리드리히 엥겔스,] (「중재와 간섭. 라데츠키와 카베냐크Vermittlung und Intervention. Radetzki und Cavaignac」,) 《노이에 라이니셰 차이퉁》, 쾰른, 제91호, 1848년 9월 1일, 3쪽, 3단을 보라.

96 (v) "음모를 꾸민 … —하루"(verrathen, —Ein Tag) — **D**[6] "음모를 꾸민 … —바로 이 날"(verrathen, —dieser eine Tag)

97 (e) 로마의 정치가 대(大) 카토는 기원전 157년 동누미디아의 왕 마시니사(Masinissa)와 카르타고 사이의 싸움을 조정하기 위해 아프리카로 파견되었다. 거기서 카르타고인의 완고함으로 모욕을 당하자 그는 돌아와서 연설할 때마다 다음과 같은 말로 끝맺음으로써 복수를 했다. "어쨌든 나는 카르타고가 망해야 한다고 생각한다!"(Ceterum censeo, Carthaginem esse delendam!)

98 (e) 프랑스 공화정 달력은 1793년 10월 5일 국민공회 법령을 통해 도입되었다. 이 달력은 나폴레옹 1세가 1806년 1월 1일 그레고리우스력(曆)을 다시 도입할 때까지 통용되었다.

1789~1795년 프랑스 혁명기의 가장 진보적인 세력의 성화로 이성 혹은 자연 숭배가 1793년 11월 소개되었고 가톨릭의 제식(祭式)을 밀어냈다고 한다. 이런 유물론적 사조는 장-자크 루소 이론의 지지자인 막시밀리앙 로베스피에르에 의해 수호되었다. 1794년 초 로베스피에르는 대규모 축제를 조직하게 하여, 자기편 사람들을 전면에 내세웠다.

99 (v) "대신에"(an der Stelle) — D^6 "an Stelle"

100 (v) "충격"(dem Schrecken) — D^6 "den Schrecken"

101 (v) "칠레의"(chilesischen) — D^6 "chilenischen"

102 (e) 1848년 6월 25일 국민의회가 포고한 계엄령을 헌법 초안의 토론에 앞서 중지하라는 국민의회 의원 리히텐베르거(Liechtenberger)의 발의안은 1848년 9월 2일 의회 다수파에 의해 부결되었다.

103 (e) 최초의 헌법 초안은 1848년 6월 19일 국민의회에 상정되었다. 제2항은 다음과 같다. "헌법은 모든 시민에게 자유, 평등, 안전, 교육, 노동, 소유권, 원호를 보장한다."(「국민의회에 상정된 헌법 초안」, 《르 모니퇴르 위니베르셀》, 파리, 제172호, 1848년 6월 20일, 1430쪽; 쾰른 《노이에 라이니셰 차이퉁》은 1848년 6월 24일 제24호의 부록 1~2쪽에 이 초안을 실었다.) — 1848년 9월 국민의회에서 헌법 초안에 대한 전체 토론이 진행되는 동안 노동의 권리 문제가 큰 저항에 부딪혔다. 1848년 11월 4일 채택된 헌법에는 최초 초안의 제2항이 포함되지 않았다. 그 대신 헌법 전문에는 다음과 같이 되어 있다. "공화국은 시민의 인신, 가족, 종교, 재산, 노동을 보호해야 하며, 모든 사람에게 불가결한 교육을 각자의 능력에 따라 제공해야 한다. 또한 빈곤한 시민은 박애적인 원호로 생존을 보장해야 한다. 예를 들어 그에게 재원의 한도 내에서 일자리를 마련해 주거나 가족이 없는데 일할 상태가 못 되는 사람에게는 긴급 구호를 제공해야 한다."(「프랑스 공화국 헌법, 파리, 1848년 11월 4일」. 《르 모니퇴르 위니베르셀》, 파리, 제312호, 1848년 11월 7일, 3101쪽.) 최초의 헌법 초안과 다른 변화에 대해서는 [페르디난트 볼프,] 「파리 [통신], 8월 31일」([Korrespondenz aus:] Paris, 31. August), 《노이에 라이니셰 차이퉁》, 쾰른, 제95호, 1848년 9월 6일, 3/4쪽을 보라. 또한 G535쪽을 보라.

104 (v) "hors de la" — D^6 "hors la"

105 (e) 플라톤, 『국가』, X, 8.

106 (v) D^6 여기서 행을 바꿈.

107 (v) D^6 여기서 행을 바꾸지 않음.
(e) G144쪽 22~25행에 관한 해설을 보라.

108 (v) "그들의"(ihre) — D^6 "deren"

109 (v) "1"(Eine) — D^6 "eine"

110 (e) 성서의 전설에 따르면 최초의 유대 왕 사울은 블레셋인들과의 전투에서 천 명의 적을 무찔렀다. 그러나 사울의 피후견인이었던 다윗은 무기 잡는 자로서 만 명을 무찔렀다(『구약성서』 사무엘상, 18장 7절).

111 (e) 백합은 부르봉 왕조의 문장이었고, 제비꽃은 보나파르트주의자들의 표장이었다.

112 (e) [페르디난트 볼프,] 「나폴레옹이 후보자로 떠올랐을 때, … 파리 [통신], 12월 18일」, 《노이에 라이니셰 차이퉁》, 쾰른, 제174호, 1848년 12월 21일, 3쪽, 3단. "우리가 후보자에 관해 말한 것은 대통령에 관해서는 더욱더 타당하다. 가장 단순한 인물이 가장 다양한 의미를 획득했다."

113 (e) 마르크스는 아마 다음을 활용했을 것이다. [페르디난트 볼프,] 「파리 [통신], 12월 18일」([Korrespondenz aus:] Paris, den 18. Decb), 《노이에 라이니셰 차이퉁》, 쾰른, 제174호, 1848년 12월 21일, 3쪽. "우리는 실망할 필요가 없다. 뒤포르가 큰 소리로 고백했듯이, 나폴레옹의 선출은 부르주아지를 위한 제2의 2월 24일이다."

114 (e) 프랑수아-뱅상 라스파유는 1848년 12월 10일 대통령 선거에서 투표자의 0.5퍼센트를 획득했다. 루이-나폴레옹 보나파르트는 19.2퍼센트를 얻은 카베냐크와 르드뤼-롤랭(4.7퍼센트)을 75.2퍼센트로 이겼다.

115 (v) "매우"(in alle) — D^6 "mit all"

116 (e) 이 동의안에 대한 토론에 대해서는《르 모니퇴르 위니베르셀》, 파리, 제354호와 제355호, 1848년 12월 19일과 20일을 보라. 동의안 부결은 국민의회에서의 논쟁에 관한 보고서, [제바스티안 자일러], 「파리 [통신], 12월 19일」([Korrespondenz aus:] Paris, 19. Dezbr),《노이에 라이니셰 차이퉁》, 쾰른, 제175호, 1848년 12월 22일, 4쪽을 보라.

117 (e) "현재 구금 중이면서 6월 23일과 그 이후 며칠 동안 일어난 봉기에 가담한 것으로 인정되는 개인들"의 추방에 관한 1848년 6월 27일의 결정은《르 모니퇴르 위니베르셀》, 파리, 제182호, 1848년 6월 30일에 실렸다.

118 (k) "1804년 상원의 결의"(Senatus consultum von 1804) — **J**[1] "Senatus consult. von 1806" **D**[6] "Senatusconsult von 1806"

(e) "상원의 결의"(Senatusconsultum) — 프랑스 상원은 1804년 5월 18일 상원의 결의를 통해 헌법을 개정하기로 결의했다. 여기서 나폴레옹 보나파르트는 나폴레옹 1세로서 프랑스의 세습 황제로 격상되었다.

119 (v) "동안"(durch) — **K**[4] **D**[6] "을 통해서"(hindurch)

120 (e) 로렌스 스턴의『트리스트럼 섄디의 생애와 의견』이 문학적 전형으로 이용되었는데, 이 책에는 이에 맞는 "정신의 결함을 숨기기 위한 육체의 신비스러운 마차"라는 구절이 있다.

121 (v) "가"(der zu) — **K**[4] "der nur zu" **D**[6] "der gar zu"

122 (e) 고대 전설에 따르면 아폴로는 음악 경연에서 자기편을 들지 않은 프리기아 왕 미다스의 귀를 당나귀 귀로 만드는 벌을 내렸다. 이러한 전설에 근거하여 정통하지 못한 비평가는 당나귀 귀로 간주되었다.

123 (e) **"술루크"**(*Soulouque*) — 루이 나폴레옹 보나파르트를 말한다. 포스탱 술루크(Faustin Soulouque)와의 유사성으로 이 명칭을 붙인 것이다. 보나파르트가 오딜롱 바로가 지도하는 왕당파 내각을 해임하고, 도풀을 전쟁장관, 아실 풀드를 재무장관, 페르디낭 바로(Ferdinand Barrot)를 내무장관으로 하는 보나파르트 내각을 1849년 10월 31일/11월 1일 비로소 구성했을 때까지(G179쪽 14~28행을 보라), 그는 아직 이 시기에 투생 루베르튀르의 역할을 수행하지 못했다.

124 (v) "한"(Einem) — **D**[6] "einem"

125 (v) "1"(Ein) — **D**[6] "ein"

126 (k) "5월 8일" — **J**[1] "5월 9일" **K**[4] "5월 8일" **D**[6] "5월 3일"

127 (e) 보나파르트주의자 장-피에르 라모트 라토가 1848년 12월 말 제출한 국민의회 해산안(《르 모니퇴르 위니베르셀》, 파리, 제10호, 1849년 1월 10일, 77쪽)에 관한 의결을 둘러싸고 과반수를 획득하기 위해, 정부는 투표일(1849년 1월 29일)에 국민의회 회의 장소를 무력으로 점령하고 파리의 주요 길목에 군대를 배치했다. G158쪽 21~28행을 보라. 마르크스는 나중에 1849년 1월 29일을 1851년 12월 2일 루이-나폴레옹 보나파르트의 쿠데타와 비교했다(마르크스, 「루이 나폴레옹의 브뤼메르 18일」,《디 레볼루치온》, 제1호, 뉴욕, 1852년 13쪽).

1849년 3월 21일 국민의회는 클럽들을 금지하는(G157쪽 1~4행과 G159쪽 11~38행을 보라) 결사법에 관한 입법안의 제1항을 채택했다. 이것은 헌법 제8조를 위반한 것이다.

1849년 5월 8일 국민의회는 "이탈리아 문제에 관한 결의안"을 채택했는데, 이에 따르면 "국민의회는 이탈리아 원정이 애초 지정된 목적을 더 벗어나지 않도록 정부가 지체 없이 필요한 조치를 취할 것을 촉구한다."(《르 모니퇴르 위니베르셀》, 파리, 제130호, 1849년 5월 10일, 1731쪽.)

128 (v) "공포할"(hätte) — **D**[6] "hatte"

129 (e) 마르크스는 아마 다음 글을 이용했을 것이다. [페르디난트 볼프,] 「프랑스인은 더욱 심각해졌다 … 파리 [통신], 1월 7일」, 《노이에 라이니셰 차이퉁》, 쾰른, 제191호, 1849년 1월 10일, 2~3쪽. 여기에는 다음과 같은 내용이 있다. 즉 아실 풀드는 교육법(G188쪽 27행에 관한 해설을 보라)을 완성하는 작업에 참여하기를 꺼렸는데, 이 작업이 "의회 회기를 연장할" 뿐이라고 보았고, "오직 의회를 해산하는 것만이 '실추된 신뢰와 실추된 신용'을 회복할 수 있다"고 보았기 때문이었다.

130 (e) "광란의 오를란도"(rasender Roland) — 루도비코 아리오스토의 주요 작품 『광란의 오를란도』의 주인공.

131 (e) 1849년 1월 12일 국민의회에서 오딜롱 바로는 이렇게 말했다. "의회는 … 미래의 선거 결과에 대해 조금이라도 염려하면 안 된다. 의회는 오직 한 가지, 공화국의 안녕이라는 국익에만 신경을 써야 한다."(《르 모니퇴르 위니베르셀》, 파리, 제13호, 1849년 1월 13일, 119쪽.)

132 (v) "한"(Eine) — **D**[6] "eine"

133 (e) **"국민방위군"**(*Nationalgarde*) — G123쪽 33행에 관한 해설을 보라.

134 (e) **"기동국민군"**(*Mobilgarde*) — G132쪽 32~33행에 관한 해설을 보라.

135 (e) **"국립 작업장"**(*Nationalateliers*) — G133쪽 14행~G134쪽 11행에 관한 해설을 보라.

136 (v) "인정하며"(bekannte) — **D**[6] "bekannten"

137 (v) "빈다는"(flehte) — **D**[6] "anflehten"

138 (k) "그들을"(sie) — **J**[1] "sich". NRhZ. Revue 제4호의 인쇄오류 목록에 따라 교정함. 이것은 **K**[4]도 이어받았음. 가장자리에 엥겔스가 "x"라고 써놓았음.

139 (e) 이 공개 선언은 내각에 반대하는 의원 230명이 서명한 공소장과 함께 《노이에 라이니셰 차이퉁》, 제209호, 1849년 1월 31일 자 「파리 통신, 1월 28일」(통신원 표시가 없음)로 실렸다. 제목은 「내각에 반대하는 공소장」.

140 (e) 레온 포셰 내무장관이 1849년 1월 26일 발의한 결사권에 관한 입법안은 일부 공개되었다. 「파리 [통신], 1월 25일」([Korrespondenz aus:] "Paris. 25. Jan"), 《노이에 라이니셰 차이퉁》, 쾰른, 제207호, 1849년 1월 28일, 제2판, 2쪽, 3단. 또한 G159쪽 11~38행을 보라.

141 (v) **K**[4] 여기에 쉼표가 있음.

142 (v) **K**[4] 여기에 쉼표가 없음.

143 (v) "때에"(in Augenblicken) — **D**[6] "im Augenblicke"

144 (v) **K**[4] 여기에 쉼표가 있음.

145 (e) "유복자로 태어난 산악당"(nachgeborne Montagne) — G141쪽 9~10행에 관한 해설을 보라.

146 (e) G137쪽 11~14행에 관한 해설을 보라.

147 (k) "조사"(Enquête) — **J**[1] "Enquête," **K**[4] "Enquête"

148 (e) G142쪽 25~40행에 관한 해설을 보라.

149 (k) "레르미니에"(Lerminiers) — **J**[1] **D**[6] "Lherminiers"

150 (e) G153쪽 36~38행에 관한 해설을 보라.

151 (e) G157쪽 1~2행에 관한 해설을 보라.

152 (e) 헌법 제8조는 다음과 같다. "시민은 결사, 비무장 평화 집회, 청원, 언론 등을 통해 생각을 표명할 권리가 있다.

이러한 권리의 행사는 다른 사람의 권리나 자유 그리고 공공 안전의 이유로만 제한될 수 있다.

언론은 어떠한 경우에도 검열을 받을 수 없다."(프랑스 공화국 헌법, 같은 곳.)

153 (k) "표를 던졌고"(stimmte) — J[1] "stimmten". NRhZ. Revue 제4호의 인쇄오류 목록에 따라 교정함. 이것은 K[4]도 이어받았음. 가장자리에 엥겔스가 "x"라고 써놓았음. D[6] "stimmten"

154 (k) "물러나"(zog) — J[1] "zogen". NRhZ. Revue 제4호의 인쇄오류 목록에 따라 교정함. 이것은 K[4]도 이어받았음. 가장자리에 엥겔스가 "x"라고 써놓았음. D[6] "zogen"

155 (v) "유럽의"(Europäischen) — D[6] "europäischen"

156 (e) 1849년 5월 11일 알렉상드르-오귀스트 르드뤼-롤랭은 로마 파병이 헌법에 위배된다고(전문 제5조) 루이-나폴레옹 보나파르트와 그의 내각에 책임을 묻는 탄핵 소추안을 제출했다. 의회 다수파는 이 탄핵 소추안에 반대표를 던졌다.

157 (v) "교황청 로마 … —."(Rom des Pabstes —.) — K[4] D[6] "Rom — des Papstes."

158 (v) "혁명가들의 … 이었으며,"(Revolutionaire und die) — D[6] "Revolutionäre: die"

159 (k) "불신임 투표건"(Mißtrauensvota) — J[1] "신임 투표건"(Vertrauensvota). NRhZ. Revue 제4호의 인쇄오류 목록에 따라 교정함. 이것은 K[4]도 이어받았음. 그러나 음절 "Miß"는 엥겔스가 연필로 다시 지우고, 가장자리에 "x"라고 써놓았음.

160 (k) "…에서"(daß es in) — J[1] "daß in". NRhZ. Revue 제4호의 인쇄오류 목록에 따라 교정함. 이것은 K[4]도 이어받았음. 가장자리에 엥겔스가 "x"라고 써놓았음.

161 (e) 1849년 3월 31일 국민의회는 성명을 발표했다. "행정부가 피에몬테 영토 전체를 보전하고 프랑스의 국익과 명예를 더 잘 수호하기 위해서 이탈리아 영토 일부를 일시적으로 점령해 협상을 유리하게 이끌 수 있다고 판단한다면, 국민의회는 행정부에 전폭적인 협력을 제공할 것이라고 선언한다."(《르 모니퇴르 위니베르셀》, 파리, 제91호, 1849년 4월 1일, 1183쪽.)

162 (e) 1849년 5월 8일 혹은 9일 자 《르 모니퇴르 위니베르셀》에는 이 편지가 없다. 편지는 아마 《르 모니퇴르 뒤 수아르》에 실렸을 것으로 추정되나 지금은 찾아볼 수 없다. 편지("공화국 대통령이 우디노 장군에게 보낸 편지")는 《르 푀플》, 파리, 제172호, 1849년 5월 10일, 1쪽에 "모두에게 호소함"(Appel à tous)이라는 제목으로 공개되었다.

163 (v) "이런"(dieses) — D[6] "diese"

164 (k) "푸키에-탱빌"(Fouquier-Tinville) — J[1] "Touquier Tainville" D[6] "Fouquier Tinville"
(e) 앙투안-캉탱 푸키에-탱빌은 1789~1794년 프랑스 혁명 당시 혁명재판소의 검찰관이었다.

165 (v) "국민공회라는 … 사자 가죽"(conventionellen Löwenhaut) — D[6] "Konvents-Löwenhaut"

166 (e) 1848년 11월 16일 로마의 무장 인민봉기는 보통선거권도 쟁취했다. 교황 피우스 9세가 선거에 참여한 자는 모두 파면한다고 위협했음에도 불구하고 1849년 1월 21일 보통선거권을 기반으로 입법의회(로마의 제헌의회)가 선출되었다. 제헌의회는 1849년 2월 9일 로마 공화국과 교황의 세속 권력의 폐지를 선포했다. 제헌의회의 다수는 소부르주아 민주주의자들로 주세페 마치니를 따르는 사람들이었다. 다른 반혁명 세력 이외에도 로마 공화국에 반대해 우디노 장군이 이끄는 프랑스 군대도 개입했다. 이 프랑스 군대는 1849년 4월 27일 치비타베키아에 상륙했다. 같은 날 주세페 가리발디가 이끄는 의용군 연합이 로마의 방어를 강화했다. 이 의용군 연합은 4월 말 프랑스 군대의 첫번째 공격을 격퇴했다. 5월 말 두 번째 공격이 시작되었는데, 로마 공화국은 1849년 7월 3일 영웅적인 대항 후 패배했다(G176쪽 2~3행에 관한 해설을 보라). 마치니와 그의 수많은 지지자들은 런던으로 망명하여 임시 이탈리아 국민위원회를 설립했다.

167 (e) G153쪽 36~38행에 관한 해설과 G160쪽 19~22행에 관한 해설을 보라.

168 (v) "환상들"(Illusionen) — D[6] "Illusion"

169 (k) "다음에 다시"(nachträglich wieder) — J^1 "nachträglich sich wieder". NRhZ. Revue 제4호의 인쇄오류 목록에 따라 교정함. 이것은 K^4도 이어받았음. 가장자리에 엥겔스가 "x"라고 써놓았음.

170 (e) 1848년 12월 28일의 "소금세법"(Loi relative à l'impôt du sel)을 통해 소금세는 내렸다. G153쪽 10~26행을 보라. 포도주세에 대해서는 G183쪽 28행~G185쪽 25행을 보라.

171 (e) 1849년 5월 31일 입법국민의회를 위한 선거에서 왕당파와 오를레앙파, 보나파르트파는 이른바 질서당으로 하나로 뭉쳤다. 그들에 대항하여 사회주의자와 소부르주아-민주주의 공화파는 사회-민주주의 정당으로 결합했다(G164쪽 4행~165쪽 12행과 G190쪽 15~28행 그리고 마르크스의 「브뤼메르 18일」, 같은 곳, 18쪽을 보라).

172 (v) "그"(welchem) — D^6 "welchen"

173 (v) **"하나의"**(*Einer*) — D^6 "*einer*"

174 (v) **"부르봉!**은 … 왕가의 명칭이며"(*Bourbon!* war der königliche Namen) — D^6 "*Bourbon* war der königliche Name"

175 (v) **"오를레앙!**은"(*Orléans!* — der) — D^6 "*Orleans* der"

176 (k) "유일한"(das einzige) — J^1 "der einzige". NRhZ. Revue 제4호의 인쇄오류 목록에 따라 교정함. 이것은 K^4도 이어받았음. 가장자리에 엥겔스가 "x"라고 써놓았음.

177 (v) **"와 7월 왕정"**(*und der Julimonarchie*) — D^6 "und *Julimonarchie*"

178 (v) "계급들"의 정관사 "die" — K^4 D^6 "den"

179 (k) "때문에 어쩔 수 없이"(Gezwungen, durch) — J^1 "Gezwungen durch". K^4에 따라 교정함.

180 (v) "존립"(Aufrechthaltung) — D^6 "Aufrechterhaltung"

181 (e) 선거에서 질서당은 750명, 사회-민주주의 정당은 180명, 이른바 순수 공화파(《르나시오날》파, G123쪽 41행~G124쪽 1행에 관한 해설을 보라)는 70명의 의원이 당선되었다.

182 (k) "연합된"(coalisirten) — J^1 "실현된"(realisirten). NRhZ. Revue 제4호의 인쇄오류 목록에 따라 교정함. 이것은 K^4도 이어받았음. 가장자리에 엥겔스가 "x"라고 써놓았음.

183 (e) G144쪽 15~40행을, 그리고 G144쪽 23~25행에 관한 해설을 보라.

184 (e) G156쪽 35~38행을, 그리고 G156쪽 36~40행에 관한 해설을 보라.

185 (v) "처음에는 … 투쟁"(Ert den Kampf) — D^6 "Erst der Kampf"

186 (v) "그다음에는 … 투쟁"(dann den Kampf) — D^6 "dann der Kampf"

187 (e) 국민의회가 임명한 1848년 5월 15일과 6월 23일~26일의 사건(G142쪽 25~40행에 관한 해설을 보라)을 조사하기 위한 위원회의 보고서에 기초해, 1849년 3월 7일에서 4월 2일까지 뷔르주에서는 20명의 혁명가에 대한 재판이 열렸다. 피고인 중 10명이 중형을 받았다. 블랑키는 10년 독방형을 받았는데, 이것은 장기간의 구금 생활로 건강이 나빠진 그에게는 사형 선고와도 같은 것이었다. 다른 사람들도 무기 징역이나 장기간의 유형에 처해졌다. 법원의 변론은 1849년 3월 11일과 4월 7일 사이에 《노이에 라이니셰 차이퉁》에 매일 게재되었다.

188 (e) 1848년 6월 봉기 진압 때 군대 일부를 지휘했던 장-바티스트-피델 브레아 장군이 1848년 6월 25일 모반자들의 총에 맞아 죽었다. 거기에 가담한 모반자들이 후에 전시 재판소에 불려왔는데, 그중 두 명이 — 라르와 덱스 — 사형 판결을 받았다. 2월 혁명 후 정치적 범죄에 대한 사형제는 폐지되었기 때문에, 이 사형 집행은 국민의회와 내각에서 오랜 논쟁거리가 되었다. 루이 나폴레옹 보나파르트가 대통령으로서 이 판결을 재가한 후에 라르와 덱스는 1849년 3월 17일 처형되었다. 이것은 대중의 분노를 샀고, 국민의회는 정치적 단두대의 재도입이라고 비난했다.

189 (v) "형틀을"(den Pranger,) — **D**[6] "dem Pranger;"

190 (e) 1848/49년 합스부르크의 개입군에 반대하는 민족혁명 전쟁에서 헝가리 군대는 의미 있는 군사적 성과를 획득했다(G39쪽 31~38행에 관한 해설을 보라).

1849년 5월과 6월 드레스덴, 라인 지방, 바덴과 팔츠에서는 1849년 3월 28일 프랑크푸르트 국민의회가 결의한 제국헌법을 수호하기 위한 투쟁이 인민대중의 무장투쟁으로 발전했다.

1849년 4월 프랑스 군대가 이른바 원정군으로 이탈리아에 보내졌는데, 이것은 로마 공화국(G160쪽 15행~G162쪽 17행에 관한 해설을 보라)을 없애고 교황의 세속 권력을 다시 회복하기 위한 것이었다. 1849년 4월 30일 침입한 프랑스군은 주세페 가리발디가 이끄는 로마 공화파에 패퇴했다. G160쪽 24행~G162쪽 7행을 보라.

191 (e) "정통 왕조파에게 지불했던 10억 프랑"(den Legitimisten gezahlten Milliarde) — G131쪽 31~32행에 관한 해설을 보라.

192 (e) "키가 작은 하사관"(kleinen Corporal) — 나폴레옹 1세.

193 (v) "지구"(Departementen) — **D**[6] "Departements"

194 (e) G163쪽 5~6행에 관한 해설을 보라.

195 (k) **J**[1] 여기에 쉼표가 없음. **K**[4]에서도 교정되었음. 엥겔스가 가장자리에 연필로 "x"라고 써놓았음.

196 (v) "자신의"(ihre) — **D**[6] "ihren"

197 (v) "극"(ungeheure) — **K**[4] **D**[6] "소수의"(winzige)

198 (k) "5월 28일" — **J**[1] **D**[6] "5월 29일"

199 (e) 「센 지역 국민방위군 및 육군 제1사단 사령관 샹가르니에 장군이 전쟁장관에게 한 보고」(Rapport du général Changarnier, commandant en chef les gardes nationales de la Seine et les troupes de la 1re division militaire, au ministre de la guerre), 파리, 1849년 6월 16일. 《르 모니퇴르 위니베르셀》, 파리, 제171호, 1849년 6월 20일, 2103쪽.

200 (e) 엘베시우스가 어디서 한 말인지 입증할 수 없었다.

201 (v) "소시민층과"(Kleinbürgerschaft in) — **D**[6] "Kleinbürgerschaft, sich in". 여기는 **J**[1]의 텍스트를 수용했고, **K**[4]에서 받아들인 NRhZ. Revue 제4호 인쇄오류 목록의 교정을 고려하지 않았다. 엥겔스가 **K**[4] 가장자리에 "x"라고 써놓았다.

202 (v) "1848년 6월" — **D**[6] "1848년"

203 (v) "감옥을 채우는"(Gefängnißreiche) — **K**[4] **"감옥을 채우는"**(*Gefängnißreiche*). 연필로 연하게 밑줄을 긋고 가장자리에 "x"라고 써놓았음.

204 (v) "III. 1849년 6월 13일의 결과."(III. Folgendes 13. Juni 1849.) — **D**[6]에는 아래와 같이 되어 있음.

"III.

1849년 6월 13일에서 1850년 3월 10일까지(V o m 1 3. J u n i 1 8 4 9 b i s 1 0. M ä r z 1 8 5 0.)

제3호에서(Aus Heft III.)"

205 (k) "5월 28일" — **J**[1] **D**[6] "5월 29일"

206 (v) "왕당"(der royalistischen) — **D**[6] "den royalistischen"

207 (e) 헌법(전문) 제5조. "헌법은 프랑스 국적이 존중받기를 바라듯이 외국 국적들을 존중하고, 정복을 목적으로 하는 어떠한 전쟁도 시도하지 않으며, 어떠한 민족에 대해서도 그 자유에 반하여 무력 사용을 절대 하지 않는다."(프랑스 공화국 헌법, 같은 곳.)

208 (k) "제54조"(Artikel 54) — **J**[1] **D**[6] "제4조"(Artikel IV)

209 (e) 알렉상드르-오귀스트 르드뤼-롤랭이 루이 나폴레옹 보나파르트와 그의 내각에 대한

탄핵 소추안을(G160쪽 19~22행에 관한 해설을 보라) 1849년 6월 11일 재차 제출했을 때, 그는 이렇게 선언했다. "먼저 당신은 마치 우리를 위협하듯이 말하는군요. 우리를 심문하고 고발까지 하는데, 당신은 자신이 합법적이라고 확신합니까? 나라면 이렇게 대답하겠습니다. 헌법을 위반한 사람이 우리에게 그런 질문을 던지다니 대단히 경솔한 사람인 것 같다고 말입니다. 우리의 대답은 아주 간단합니다. 헌법이 유린되었으니 우리는 가능한 모든 수단으로, 심지어 무력을 동원해서라도 헌법을 수호할 것이다."(《르 모니퇴르 위니베르셀》, 파리, 제163호, 1849년 6월 12일, 2044~2049쪽.)

210 (e) 헌법(전문) 제5조. "헌법은 프랑스 국적이 존중받기를 바라듯이 외국 국적들을 존중하고, 정복을 목적으로 하는 어떠한 전쟁도 시도하지 않으며, 어떠한 민족에 대해서도 그 자유에 반하여 무력 사용을 절대 하지 않는다."(프랑스 공화국 헌법, 같은 곳.)

211 (v) "유일하게"(einzig) — **D**[6] "einziger"

212 (e) "제헌의회의 5월 8일 결의안"(Beschluß der Constituante vom 8. Mai) —「이탈리아 문제에 관한 결의안」, 《르 모니퇴르 위니베르셀》, 파리, 제130호, 1849년 5월 10일, 1731쪽.

213 (e) 헌법 제110조는 다음과 같다. "국민의회는 현행 헌법과 이를 바탕으로 만들어진 법률들의 보호를 방위군과 모든 프랑스인의 애국심에 맡긴다."(프랑스 공화국 헌법, 같은 곳.)

214 (v) "않았으며, 그리고"(hatten, und) — **K**[4] "hatten, — und" 그 밖에 엥겔스가 가장자리에 "x"라고 써놓았음.

215 (v) "는가? … 아직"(war? Noch) — **K**[4] "war? — noch"

216 (e) 이것은 비밀 사회주의 위원회의 회합과 관련된다. 1849년 5월 13일의 선거(G163쪽 5~6행에 관한 해설을 보라)를 위해 파리에서 결성된 25명의 위원으로 구성된 사회-민주주의 선거위원회로, 노동자 클럽과 비밀 결사의 대표로 구성된 집단이었으며, 선거 이후에도 상임위원회로 유지되었다. 이 회합은 카[를] 마[르크]스,「6월 13일」(Der 13. Juni), 《데어 폴크스프로인트》, 렘고, 제26호, 1849년 6월 29일에 언급되어 있었다. 또한 바로 다음의 해설(주 218번 — 옮긴이)을 보라.

마르크스가 언급한 이 회합의 참가자에 관해 자일러의 소책자에는 "모든 혁명 정당의 지도자들, 대부분의 시민군 대령들, 대학 위원들, 인쇄소 연합과 그 밖의 겁먹은 민주주의 조직들의 의장단으로, 파리를 유럽의 자유 운동의 중심으로 만들려고 했고" 산악당 회원으로 회의에 참석했다고 쓰여 있다. 계속해서 자일러는 "**카를 마르크스**는 런던에서 다시 속간한 《노이에 라이니셰 차이퉁. 정치-경제 평론》에서 이 회의에 대해 몇 가지 흥미로운 설명을 했다. 마르크스는 그날 밤 노동자가 공격하자고 제안을 했는데, 르드뤼 롤랭이 그 제안을 거부했다고 설명했다. 이러한 폭로는 중요하다. 물론 6월 11일에서 12일로 넘어가는 밤이 13일보다 승리를 위한 기회가 더 많았다"(제바스티안 자일러, 『1849년 6월 13일의 음모 혹은 프랑스에서 부르주아지의 마지막 승리. 현재의 역사에 관한 논문』, 함부르크, 1850년, 43~44쪽)라고 썼다.

217 (k) "그다음에 이 싸움에 들어가서 그들이 설정한 소부르주아적 목표에 대한 혁명을 떨쳐낼 생각이었다"(um sich dann in den Kampf und die Revolution über das ihr gesteckte kleinbürgerliche Ziel hinauszustürzen) — 여기에는 추정컨대 **J**[1]을 인쇄할 때 오류가 있었던 것 같다. 이 줄은 다음과 같이 정확히 바로잡아야 한다. "그다음에 싸움으로 돌진해 들어가 그들이 설정한 소부르주아적 목표를 넘어 혁명을 더 밀고 나갈 생각이었다"(um sich dann in den Kampf zu stürzen und die Revolution über das ihr gesteckte kleinbürgerliche Ziel hinauszutreiben).

218 (e) 마르크스는「6월 13일」이라는 기고문에서 또한 "비밀 사회주의 위원회"가 1849년 6월 13일 승리할 경우 "코뮌(commune)을 구성"하려고 했다고 썼다.

219 (e) 산악당 의원은 1849년 6월 12일 밤 푸리에주의 일간지 《르 데모크라시 파시피크》 신

문사로 갔다. 이 모임에서 그들은 무력을 전혀 쓰지 않고 평화적 시위에 한정할 것을 결정했다.

220 (e) 성서에 따르면 이스라엘의 삼손은 타고난 거대한 힘으로 민족의 원수인 블레셋인과의 싸움에서 수천의 적을 물리쳤다고 한다(『구약성서』, 사사기, 15장 15~16절).

221 (e) ""헌법의 벗들"의 선언문"(Manifest der "Verfassungsfreunde") — 파렴치한 정부 공격에 반대하는 헌법의 벗들 민주주의 협회(Association démocratique des amis de la Constitution) 지도부가 공포한 "위대한 평화 선언"이라는 호소문(《르 퓌플》, 파리, 제206호, 1849년 6월 13일, 1쪽).

222 (v) "자신들의"(ihr) — **D**[6] "ihren"

223 (e) 호라티우스의 『시학』 139: "산들은 산고를 겪기 시작한다. 작은 생쥐가 태어난다."(parturient montes, nascetur ridiculus mus.)

마르크스가 말하는 두 사회주의 신문이 무엇인지는 알 수 없다. 대국민 성명은《르 퓌플》, 파리, 제206호, 1849년 6월 13일, 1쪽에 발표되었다(제목은「프랑스 인민에 대한 산악당의 선언」);《르 데모크라시 파시피크》, 파리, 제161호(조간)와 제162호(석간), 1849년 6월 13일, 1쪽(제목 "프랑스 인민에게");《라 레포름》, 1849년 6월 13일.

224 (v) "hors de la" — **D**[6] "hors la"

225 (v) "**헌법** … 기계적으로"(*Constitution*", mechanisch) — **D**[6] "*Konstitution!*" mechanisch"

226 (v) "평화의 거리"(rue de la paix in die Boulevards) — **D**[6] "rue de la Paix, in den Boulevards"

227 (e) 파리의 1849년 6월 13일 사건의 영향으로 1849년 6월 15일 리옹에서 노동자의 무장봉기가 일어났다. 이 봉기는 8시간의 투쟁 끝에 잔혹하게 진압되었다.

228 (e) 1789~1794년 프랑스 혁명 당시 의원들의 회의인 국민공회의 권력 집행 기관은 공안위원회(Comité de salut public)였다.

229 (v) "치달았는데"(fortgegangen) — **D**[6] "나아갔는데"(gegangen)

230 (e) 1849년 8월 10일 국민의회는 "6월 13일의 모반과 암살의 선동자와 공모자"를 "고등법원"에 위임하는 법을 가결했다(《르 모니퇴르 위니베르셀》, 파리, 제224호, 1849년 8월 12일, 2684쪽).

231 (v) "**의회 의사 규칙**"(*Reglementsordnung*) — **D**[6] "**사업 규칙**"(*Geschäftsordnung*)

232 (e) 국민의회 의사 규칙 초안(Projet de règlement de l'Assemblée nationale)은 1849년 6월 23일 이를 위해 지명된 위원회의 보고자가 발의했고, 여러 날 토론 후 1849년 7월 6일 의결되었다(《르 모니퇴르 위니베르셀》, 파리, 제176호, 1849년 6월 25일, 2147~2148쪽). 또한 G541쪽을 보라.

233 (e) 국민의회는 1849년 6월 25일 상정된 언론법(Loi sur la presse)을 1849년 7월 27일 가결했다(《르 모니퇴르 위니베르셀》, 파리, 제211호, 1849년 7월 30일, 2567쪽).

1849년 6월 18일 국민의회에 상정되고 6월 19일 통과된 결사법은 정부를 더욱 강력하게 만들었다. "성격상 공공 안전을 해칠 것으로 보이는 클럽과 대중 집회를 금지한다."(《르 모니퇴르 위니베르셀》, 파리, 제174호, 1849년 6월 23일, 2135쪽.)

계엄법(Loi sur l'état de siége)은 1849년 8월 9일 국민의회에서 가결되었다(《르 모니퇴르 위니베르셀》, 파리, 제224호, 1849년 8월 12일, 2683쪽).

234 (e) 이 의원의 이름은 찾을 수 없었다.

235 (e) 10월 15일 가스파르 바롱 드 구르고 장군은 오를레앙 공작의 기마상을 "루브르 궁 안에" 다시 설치할 것을 청원했다(《라 부아 뒤 퓌플》, 파리, 제16호, 1849년 10월 16일, 2쪽. 제헌국민의회). 루브르 궁은 카루젤 광장에 있다.

236 (e) 대표자 에스탕셀랭은 1849년 6월 19일 국민의회에서 다음과 같이 말했다. "나는 프로

이센이나 오스트리아의 침공은 … 그다지 염려하지 않습니다. … 하지만 한 가지 긴급해 보이는 일이 있습니다. 여러분에게 이제 더는 프랑스가 유럽의 모든 혁명가가 모여드는 장소가 되지 않도록 만드는 조치를 강구할 것을 요청합니다."(《르 모니퇴르 위니베르셀》, 파리, 제171호, 1849년 6월 20일, 2108쪽.)

237 (e) 아실 바라귀에 딜리에는 1849년 6월 27일 국민의회에서 다음과 같이 말했다. "여하튼 백색 테러가 적색 테러보다는 낫다."(《르 모니퇴르 위니베르셀》, 파리, 제179호, 1849년 6월 28일, 2176쪽.) 1849년 7월 7일 그는 다시 반복했다. "나는 여러분에게 적색 테러보다 백색 테러를 더 선호한다고 말한 바 있다."(《르 모니퇴르 위니베르셀》, 파리, 제189호, 1849년 7월 8일, 2292쪽.)

238 (e) 1849년 7월 8일 센 지구 보궐선거는 산악당 대표의 형 집행으로 인해(G165쪽 17~23행에 관한 해설을 보라) 국민의회에서 공석이 된 의석을 새로 선출하기 위해 치러졌다. 선출된 대표 8명 중 특히 루이-뤼시앵 보나파르트(Louis-Lucien Bonaparte), 아실 풀드, 페르디낭 바로 등이 질서당에 속했다.

239 (e) "적색 추기경들"(rothe Eminenzen) — 세 명의 추기경 델라 젠가, 바니첼리-카소니, 루이기 알티에리. 프랑스군이 1849년 7월 3일 로마로 진입하여 로마 공화국(G160쪽 15행~G162쪽 17행에 관한 해설을 보라)을 전복하고, 7월 15일 교황의 지배권을 다시 세웠다. 로마로 돌아온 교황 피우스 9세는 세 명의 추기경으로 구성된 정부위원회를 설치했다. 프랑스군의 보호 아래 세계에 불만을 자극하는 공포 체제가 세워졌다. 루이-나폴레옹 보나파르트는 그것에 대한 책임을 회피하려고 했다(G178쪽 9~11행에 관한 해설을 보라).

240 (e) 1848/1849년 헝가리와 이탈리아의 해방운동을 진압한 오스트리아군 최고사령관 율리우스 야코프 폰 하이나우의 무자비함을 가리킨다. 하이나우가 1850년 9월 런던을 방문했을 때, 그는 맥주 양조장 바클리 퍼킨스(Barclay & Perkins)의 노동자에게 구타당했다. 노동자의 행동은 런던 시민에게 널리 인정받았고 유럽 신문에서 큰 반향을 불러일으켰다. G576쪽을 보라.

241 (e) "성 루트비히의 손자"(Enkel des heiligen Ludwig) — 앙리 5세의 이름으로, 왕조파가 왕위 계승 요구자로 내세운 샹보르 백작(Comte de Chambord)을 의미한다. 1849년 8월 그가 자주 머물던 비스바덴의 엠스에서 왕당파의 대회가 그의 참석하에 열렸다. 샤를 10세의 손자인 그는 부르봉 왕조 출신이었고, 이 왕조 출신의 많은 프랑스 왕들은 루트비히라는 이름으로 불렸다. 여기서 마르크스가 "성 루트비히"라고 생각한 것이 누구인지는 분명하지 않다.

242 (e) G170쪽 32행~G173쪽 8행을 보라.

243 (e) 볼테르의 『앙리아드』에서 이와 관련된 내용은 정확히 찾을 수 없다. 그러나 영국 군인의 수녀원 약탈을 볼테르는 "오를레앙의 처녀"(Pucelle d'Orleans), 노래 11에서 묘사했다. 판두르에 대한 짧은 일반적 서술은 『루이 15세 시대의 개요』(Precis du siecle de Louis XV) 제7장에 있다.

244 (e) 마르크스는 성서의 일화를 말하고 있다. 성경에 따르면 파라오 친위대장 보디발의 부인이 하인 요셉을 유혹하려고 했지만 요셉은 응하지 않았다(『구약성서』, 창세기, 39장).

245 (v) "지방의회의"(Departementalräthe) — **D**[6] "Departementsräthe"

246 (e) "tantum mutatus ab illo" — 그 전과 얼마나 달라졌는가.

247 (e) 2월 혁명 후 런던의 남쪽 클레어몬트 성이나 헤이스팅스 근처 세인트레너즈의 온천에 머물던 오를레앙파와 루이-필리프의 협상을 의미한다.

248 (v) "타당하다고 날조한"(gerecht erfand) — **K**[4] "정당하다고 판단한"(berechtigt fand) **J**[1] "더 타당하다고 판단한"(gerechter fand). 1895년에 엥겔스는 NRhZ. Revue 제4호의 인쇄

오류 목록에 있는 교정, 즉 "타당하다고 날조한"(gerecht erfand)을 활용하지 않았다.

249 (e) 1849년 9월 9일 이폴리트-필리베르 파시 재무장관은 소득세 도입을 위한 입법안을 국민의회에 발의했다. "연립 내각"(G180쪽 12~17행을 보라)이 붕괴되자 새 재무장관 아실 풀드는 이 입법안을 다시 파기했다. 또한 G183쪽 8~11행을 보라.

250 (v) "승인하고"(bewilligte und) — **D**[6] "bewilligte es, und"

251 (e) **"카이사르가 되느냐, 채무자 감옥으로 가느냐!"**(*Aut Cäsar aut Clichy*) — "카이사르냐 아니면 아무것도 아니냐"(Aut Caesat aut nihil)를 모방한 것. 마키아벨리의 "군주"(Principe. 영리하고 어떤 폭력행위도 할 수 있는)의 원형인 체사레 보르자(Cesare Borgia, 1475~1507)의 모토. 클리시(Clichy)는 파리의 채무자 감옥.

252 (v) **"비용"**(die *Kosten*) — **D**[6] "*die Kosten*"

253 (k) "각료들과"(Ministern und) — **J**[1] "…의 각료들"(Ministern in). NRhZ. Revue 제4호의 인쇄오류 목록과 **K**[4]에 따라 교정함.

254 (e) 공화국 대통령 루이-나폴레옹 보나파르트가 1849년 8월 18일 로마 주재 통신장교 에드가르 네 중령에게 보낸 편지. "그래서 교황의 세속 권력의 회복에 관한 내 생각을 요약하면 다음과 같다. 일반 사면, 행정부의 세속화, 나폴레옹 법전과 자유주의 정부."(《르 모니퇴르 위니베르셀》, 파리, 제250호, 1849년 9월 7일, 2837쪽.)

255 (e) ""교황의 자의 교서""("motu proprio") — (자신의 고유한 동기에서) 교황의 자유의사에 기초한 교서를 가리키는 말. 여기서는 1849년 9월 12일 교황 피우스 9세가 로마 교황령의 사면과 개혁을 약속한 연설을 의미한다. 서론은 다음과 같다. "그러므로 우리가 여러분의 진정하고 확고한 번영만을 열망하고 있음을 만인에게 보여주기 위하여 우리의 자발적인 의지(motu Proprio)와 확실한 과학 그리고 충만한 권위로써 다음과 같은 칙령을 내리기로 결정했다."(교황 피우스 9세, 「친애하는 신자들에게」, 《르 모니퇴르 위니베르셀》, 파리, 제271호, 1849년 9월 28일, 2931/2932쪽.) 이 교서는 로마의 내부 상태를 전혀 바꾸지 못했다. 적색 추기경의 압제 정권(G176쪽 2~3행에 관한 해설을 보라)은 존속했다.

256 (k) "발표했으며"(erlassen: "motu) — **J**[1] "erlassen: "de motu". NRhZ. Revue 제4호의 인쇄오류 목록에 따라 교정함. **K**[4] "erlassen, "motu"

257 (e) 게오르크 헤르베크, 「산에서」, "공간, 그 주인, 자유로운 영혼의 날갯짓!"([게오르크 헤르베크,] 『살아 있는 자의 시』, 제2권, 취리히와 빈터투어, 1845년, 49쪽.)

258 (e) 1849년 10월 8일 시작되어 여러 날 지속된 로마 원정을 위한 두 번째 지출 청구에 관한 토론에서 빅토르 위고는 루이-나폴레옹 보나파르트의 정책을 지지했다. 그는 해당 의사일정을 위한 발의안을 1849년 10월 20일 국민의회 회의에 제출했다(《르 모니퇴르 위니베르셀》, 파리, 제294호, 1849년 10월 21일, 3255쪽. 또한 마르크스, 「브뤼메르 18일」, 같은 곳, 24쪽을 보라).

259 (e) "베스트팔렌의 전 왕"(Exkönig von Westfalen) — 제롬 보나파르트.

260 (e) 1849년 10월 5일 국민의회 회의에서 의회의 한 발언자가 추방된 왕가(부르봉가와 오를레앙가의)를 소환하고 동시에 6월 봉기자의 사면을 신청한 제롬-나폴레옹-조제프-샤를 보나파르트의 동의안을 제출했다(《르 모니퇴르 위니베르셀》, 파리, 제279호, 1849년 10월 6일, 2980쪽).

261 (e) 피에르-앙투안 베리예는 1849년 10월 24일 국민의회에서 이렇게 말했다. "… 오늘날 프랑스를 통치하는 원칙이 지배하고 있는데 부르봉 왕가의 일원 중 프랑스로 돌아와 단순한 시민으로서의 권리를 행사하는 사람은 없다고 생각하는 분이 이 의회 안에는 아무도 없습니까?"(《르 모니퇴르 위니베르셀》, 파리, 제298호, 1849년 10월 25일, 3332쪽.) 그 후 베리예와 루이-나폴레옹 보나파르트 사이에는 갈등이 일어났다.

262 (e) 「프랑스 공화국 대통령이 입법의회에 보낸 메시지」, 《르 모니퇴르 위니베르셀》, 파리,

제305호, 1849년 11월 1일, 3464쪽.

263 (k) "도풀"(d'Hautpoul) — **J**^{1} "d'Hautepoul" **K**^{4} "d'Hautpoul"

264 (v) "그가 … 없게 된다면"(er nicht mehr) — **K**^{4} "*er* nicht *mehr*" **D**^{6} "er *nicht mehr*"

265 (v) "질서당도 인기가 없게 되는"(sie unpopulair) — **K**^{4} **D**^{6} "*sie un*populair"

266 (k) "공화정"(Republik;) — **J**^{1} "Republik" **K**^{4} "Republik;"

267 (e) 이마누엘 칸트, 『법이론』, 제2부 공법, 제1절 국법, 카를 로젠크란츠와 프리드리히 빌헬름 슈베르트 편찬, 『전집』 제9권, 라이프치히, 1838년, 192쪽.

268 (k) "공화정"(Republik,) — **J**^{1} "Republik" **K**^{4} "Republik,"

269 (e) 루이-아돌프 티에르는 1850년 2월 23일 국민의회에서 프랑스 입헌공화정에 관해 이렇게 말했다. "입헌공화정이 2년 동안 존속했다면, 이는 질서를 원하는 모든 벗들이 과거의 기억을 모두 내려놓고, 자신들이 만들지 않은 한 정부를 돕기 위해 그리고 패배한 자들의 손에서 정부를 빼앗아 오기 위해 서로 단합했기 때문입니다." 이어진 토론에서 그는 다음과 같이 명확하게 규정했다. "나는 공화국이 오로지 나와 내 벗들의 지지로 살아남았다고 말하지 않았습니다. 만약 내가 그렇게 말했다면 그건 정말 어리석고 쓸데없는 말이었을 겁니다. 나는 공화국이 오로지 나의 벗들과 내가 지지하는 질서의 원칙들로 살아남았다고 말했던 겁니다."(《르 모니퇴르 위니베르셀》, 파리, 제55호, 1850년 2월 24일, 663쪽과 665쪽.)

270 (e) 루이-나폴레옹 보나파르트는 구내각의 해촉과 신내각의 임명을 10월 31일 법령으로 《르 모니퇴르 위니베르셀》, 특별 증보판, 1849년 10월 31일, 제304호에 포고했다.

271 (v) "증권거래소의 살쾡이를 … 으로"(Loup-Cervier zum) — **D**^{6} "loup-cervier (Börsenwolf) zum"

272 (v) "대체했다"(setzte) — **D**^{6} "setzten"

273 (v) "이러한"(dies) — **D**^{6} "dieses"

274 (k) "**금융자본에 의한 그들 이윤의 잠식**" — **J**^{1} "그들 **이윤**의 잠식과 금융자본"

275 (v) **K**^{4} **D**^{6} 여기서 행을 바꿈.

276 (e) "파시가 발의한 소득세"(Einkommensteuer Passy's) — G177쪽 36~37행에 관한 해설을 보라.

277 (k) "뒤포르 일파의"(von der Force Dufaure's) — **J**^{1} "der force Dufaures". NRhZ. Revue 제4호의 인쇄오류 목록에 따라 교정함. **K**^{4} "von der *force Dufaures*". 추정하건대 이러한 강조는 강조(강조 방식 중 첫째를 말함 — 옮긴이)를 의미하는 것이 아니라, 가장자리에 엥겔스가 연필로 표시한 것과 관계가 있는 듯하다. 여기서 엥겔스는 아마 수정이나 변경을 계획한 듯하다.

278 (v) **D**^{6} 여기에 엥겔스의 주 *가 있음.

* 1847년 7월 8일[(k)] 파리의 상원 앞에서, 파르망티에와 퀴비에르 장군은 염전 허가와 관련해 공무원에게 뇌물을 준 혐의로, 당시 테스트 공공사업장관은 그 뇌물을 받은 혐의로 재판이 시작되었다. 테스트는 재판 도중에 자살을 기도했다. 모두 무거운 벌금형을 선고받았고, 테스트는 추가로 3년 징역형을 받았다. (k) "1847년 7월 8일" — **D**^{6} "1849년 6월 8일"

279 (e) 위의 엥겔스의 주를 보라.

280 (v) "입법의회"(Legislativen) — **D**^{6} "Legislative"

281 (v) "귀결되었다"(hinauslaufen) — **K**^{4} **D**^{6} "hinausliefen"

282 (v) "풀드 치하에서 질투심 많은 다른 부르주아 분파들과 함께, 금융귀족은 … 당연히 … 행동"(Unter Fould neben den übrigen eifersüchtigen Bourgeoisfractionen, trat die Finanzaristokratie natürlich) — **D**^{6} "Unter Fould trat die Finanzaristokratie, neben den

übrigen eifersüchtigen Bourgeoisfractionen, natürlich"

283 (v) "점점 더"(bei und bei) — D^6 "때맞춰"(mit der Zeit). 엥겔스는 "점점 더"를 K^4에서 이미 지웠고, 가장자리에 "x"라고 써놓았다.

284 (e) 「파리에서 아비뇽까지의 철도에 관한 입법안」(Projet de loi relative au chemin de fer de Paris à Avignon)은 베르트랑-테오발-조제프 라크로스 공공사업장관이 1849년 8월 8일 국민의회에 제출했다(「초안에서 발췌Ein Auszug des Entwurfs」, 《르 모니퇴르 위니베르셀》, 파리, 제221호, 1849년 8월 9일, 부록). 초안의 첫 심의는 1850년 2월 28일 이루어졌다. 심의는 3월에도 계속되었다.

285 (e) G315~G317쪽을 보라.

286 (v) "보나파르트의 대통령 당선 공포일에 … 포고했다"(Bonapartes zum Präsidenten, decredirte) — D^6 "Bonapartes, dekretirte"

287 (e) 샤를 몽탈랑베르의 1849년 12월 13일 국민의회 연설을 의미한다(《르 모니퇴르 위니베르셀》, 파리, 제348호, 1849년 12월 14일, 4007~4010쪽).

288 (v) "한 번 더."(and one more.) — K^4 D^6 "한 번 더 만세!"(and one cheer more!)

289 (e) G24쪽 17~19행에 관한 해설을 보라.

290 (k) "부아기유베르"(Boisguillebert) — J^1 "Boisgillebert" K^4 "Boisguillebert"

291 (e) [피에르 르 프장 드] 부아기유베르, 「프랑스 상론」, 『18세기의 재정경제학자』, 저자별 약력 그리고 외젠 데르의 논평과 설명적인 주 첨부, 파리, 1843년; 「부와 화폐 그리고 조세의 본질에 관한 논고」, 『18세기의 재정경제학자』, 파리, 1843년; 「프랑스의 반론」, 『18세기의 재정경제학자』, 파리, 1843년; 세바스티앵 르 프르스트르 드 보방, 『왕실의 십일조 계획』[파리, 1708년].

292 (v) "국민"(den gens) — K^4 D^6 "der gent"

293 (k) "농촌 인구"(Landbevölkerung,) — J^1 "Landbevölkerung" K^4 "Landbevölkerung,"

294 (k) **"저당권"**(*Hypothek*) — J^1 "*Hypotheke*" K^4 "*Hypothek*"

295 (k) **"저당권"**(*Hypothek*) — J^1 "*Hypotheke*" K^4 "*Hypothek*"

296 (k) **"저당권** … 다른 한편으로"(*Hypotheken*. Andrerseits:) — J^1 "Hypotheken Andrerseits." K^4 "*Hypotheken*. Andrerseits:"

297 (v) **"소유권에 대한"**(*des Eigenthumsrechts*) — D^6 "des *Eigenthumsrechts*"

298 (v) "원료품의"(Rohproducts) — K^4 D^6 "순생산액의"(Nettoprodukts)

299 (k) "5억 7817만 8천" — J^1 D^6 "5억 3800만"

300 (v) D^6 여기에 엥겔스의 주 *가 있음.

* 그래서 역사에서는 1815년 나폴레옹의 두 번째 몰락 직후 선출된 광포하고 과잉 충성적이며 반동적인 하원이라고 불린다.

301 (e) "하원의 전 의장"(ehemaliger Präsident der chambre introuvable) — 그 이름은 전하지 않는다. 하원에 대해서는 위 엥겔스의 주를 보라.

302 (e) "산악당의 후보를 선출"(Wahl eines Montagnards) — 1849년 10월 지롱드 지구 보궐선거에서 산악당원 라가르드가 승리했다.

303 (v) "에"(die) — K^4 D^6 "der"

304 (e) 왕당파 의원 드 본의 사망으로 실시된 1850년 1월 가르 지구 보궐선거에서 큰 득표 차로 산악당원 파방이 당선되었다.

305 (k) "공화주의자" — J^1 "공화국" K^4 "공화주의자"

306 (e) 알퐁스-앙리 도풀 전쟁장관의 회람은 지방 경찰국장을 대상으로 한 것이었다. 1849년 12월 11일 국민의회 회의에서 이에 관한 대정부 질의와 그에 따른 토론이 있었는데, 다음과 같은 문장으로 발췌할 수 있다. "대중을 동요케 하여 경찰의 사찰 대상이 될 필요는 없

다. … 무엇보다도 정부 요원들의 행동과 동향에 유의하는 것이 유용하다."(《르 모니퇴르 위니베르셀》, 파리, 제346호, 1849년 12월 12일, 3982쪽.)

307 (v) K^4 마침표(원문은 쉼표로 문장이 이어짐 — 옮긴이) 대신 쌍반점(;)을 씀.

308 (e) 교사에 관한 법률(Loi relative aux instituteurs communaux)은 1850년 1월 11일 의결되었다(《르 모니퇴르 위니베르셀》, 파리, 제15호, 1850년 1월 15일, 149쪽). 동일한 의미에서의 임시 법안은 1849년 12월 13일 국민의회에서 통과되었다. 또한 G215쪽 22~23행을 보라.

309 (v) "농민계급"(Bauernklasse) — K^4 "Bauernklasse,"

310 (v) K^4 마침표(원문은 쉼표로 문장이 이어짐 — 옮긴이) 대신 쌍반점(;)을 씀.

311 (e) 페르디낭 바로 내무장관이 1850년 3월 1일 시장에 대한 입법안(Projet de loi sur la nomination des maires et adjoints)을 제출했다(《르 모니퇴르 위니베르셀》, 파리, 제61호, 1850년 3월 2일, 728쪽).

312 (v) K^4 D^6 마침표(원문은 쉼표로 문장이 이어짐 — 옮긴이) 대신 쌍반점(;)을 씀.

313 (v) **"군령"**(*die Ordonnanz*) — K^4 D^6 "*Ordonnanz*"

314 (v) K^4 D^6 마침표(원문은 쉼표로 문장이 이어짐 — 옮긴이) 대신 쌍반점(;)을 씀.
(e) 《르 모니퇴르 위니베르셀》, 파리, 제44호, 1850년 2월 13일, 511쪽. 프랑스의 동부, 서부, 남부의 가장 중요한 8개 지역을 세 명의 반동적 장군 지휘하에 통합한다는 내용의 법령. 위수 지역이 샹가르니에 장군의 지휘하에 있던 파리와 그 인접 지역은 이 새로운 군사 지구로 둘러싸이게 되었다. 공화파 신문은 이것을 반동적 명령권자의 무제한적 권력을 지적하는 의미에서 총독구 혹은 총독관구라고 불렀다. 또한 G235쪽을 보라.

315 (v) **"교육법"**(*das Unterrichtsgesetz*) — K^4 D^6 "*Unterrichtsgesetz*"
(e) 교육법은 국민의회에서 1850년 1월 19일, 2월 26일, 3월 15일 심의했고 3월 15일 가결되었다(《르 모니퇴르 위니베르셀》, 파리, 제86호, 1850년 3월 27일, 1009~1011쪽).

316 (v) "공화정"(Republik) — K^4 "Republik,"

317 (e) 술루크의 교서에 대해서는 G179쪽 14~17행에 관한 해설을 보라.

318 (e) 1849년 11월 10일 카를리에의 교서(「경찰청장의 교서」)에는 특히 다음과 같은 언급이 있다. "파리 주민들이여, 지금 중요한 것은 사회주의에 반대하는 사회적 동맹이다. 이는 모든 가족과 모든 이해집단의 대의이다."(《르 모니퇴르 위니베르셀》, 파리, 제315호, 1849년 11월 11일, 3612쪽).

319 (e) G144쪽 23~25행에 관한 해설을 보라.

320 (k) J^1 쉼표 대신 줄표(—)를 씀. K^4에서도 교정되었음.

321 (k) J^1 여기에 쉼표가 있음(MEGA 편집자는 본문에 쉼표가 있고 J^1에 쉼표가 없다고 했으나 반대로 쓴 듯하다. 본문에는 쉼표가 없다. — 옮긴이). K^4에서도 교정되었음.

322 (v) "새로"(neu) — K^4 D^6 "이제"(nun). 엥겔스는 "nur"를 "nun"으로 바꾸었다. 1895년 그는 NRhZ. Revue 제4호의 인쇄오류 목록에서 "nur"가 "neu"로 교정된 것을 알지 못했기 때문이다.

323 (v) "해야 했던"(mußten,) — K^4 "mußten;"

324 (v) K^4 여기에 쉼표가 있음.

325 (v) **"아나키당"**(*Partei der Anarchie*) — K^4 "**"아나키당"**"(*"Partei der Anarchie"*)

326 (v) "보호 관세 … 사회주의다!"(Schutzzölle! Socialismus,) — K^4 "Schutzzölle — Socialismus!"

327 (v) "국가 예산 … 사회주의다!"(Staatshaushalts! Socialismus,) — K^4 "Staatshaushalts — Socialismus!"

328 (v) "곡류 … 사회주의다!"(Getraide! Socialismus,) — K^4 "Getraide — Socialismus!"

329 (v) "볼테르주의 … 사회주의다!"(Voltairianismus! Socialismus,) — K^4 "Voltairianismus — Socialismus!"
330 (v) "대중 교육은 사회주의," (Volksunterricht. Socialismus,) — K^4 "Volksunterricht — Socialismus!"
331 (v) K^4 마침표(원문은 쉼표로 문장이 이어짐 — 옮긴이) 대신 쌍점(:)을 씀.
332 (v) "고유한 사회주의, **소부르주아**"(eigentliche, der kleinbürgerliche) — D^6 "고유한 **소부르주아**"(eigentliche *kleinbürgerliche*)
333 (v) "합작"(Compagnie) — D^6 "Kompagnien"
334 (v) "사회"(gesellschaftlicher) — D^6 "gesellschaftlichen"
335 (v) "**아나키**당"(Partei der *Anarchie*) — K^4 ""Partei der *Anarchie*""
336 (e) G193쪽 14~34행에 관한 해설을 보라.
337 (v) "착수했다"(gab) — D^6 "begab"
338 (e) 자유의 나무를 심는 것은 프랑스에서 1789년 이후 전통이 되었다. 이 혁명 전통에 따라 1848년 2월 혁명의 승리 이후 광장과 주요 도로의 교차점에 자유의 나무를 심었다. 나무가 교통을 방해한다는 구실로 파리 경찰청장 피에르-샤를-조제프 카를리에는 1850년 1월 말과 2월 5일 사이에 나무들을 없애버렸고, 주민들은 이에 저항했다. 또한 G234쪽 18~23행에 관한 해설과 G301쪽 6~10행에 관한 해설을 보라.
339 (e) 1848년의 혁명 기념일인 1850년 2월 24일, 파리 시민은 1830년 7월 혁명에서 죽은 바리케이드 투사들을 기리기 위해 1840년까지 건설된 7월 혁명 기념비를 꽃과 화환으로 장식했다. 1850년 2월 25일 밤 경찰이 꽃을 치우자 대중 소요가 일어났다. 내무장관과 파리 경찰청장은 따라서 두 공식 발표에서 사건의 책임을 부인하고 부하에게 그 책임을 돌릴 수밖에 없었다(《라 부아 뒤 푀플》, 제148호, 1850년 2월 27일, 1쪽).
340 (e) 마르크스와 엥겔스는 「런던에서 온 편지, 1850년 1월 23일」에 수록된 사설을 인용했을 개연성이 높다. 여기에는 다음과 같은 언급이 있다. "러시아 군대의 규모는 여전히 엄청나다. 그들은 어디로 진격할 것인가?"(《라상블레 나시오날》, 파리, 제23호, 1850년 1월 25일.)
341 (v) "**2월 24일**" — D^6 "2월 24일"
342 (v) "**드플로트**" — D^6 "드플로트"
343 (v) "블랑키의 … 그는"(Blanquis, er hatte) — D^6 "블랑키의 … 그리고"(Blanqui's, und hatte)
344 (v) "**비달**" — D^6 "비달"
345 (k) "공산주의 저술가로 알려진 **비달**은"(*Vidal*, als comunistischer Schriftsteller, bekannt) — J^1 "*Vidal* als comunistischer Schriftsteller, bekannt" K^4 "*Vidal*, als comunistischer Schriftsteller, bekannt" (NRhZ. Revue — 옮긴이) 제4호의 인쇄오류 목록은 쉼표를 "Schriftsteller" 뒤에 쓰라고만 되어 있다.
346 (v) "**카르노**" — D^6 "카르노"
347 (v) "국민공회"(Conventionellen) — D^6 "국민공회 의원"(Konventsmannes)
348 (v) "으나 자신의"(und die ihren) — K^4 D^6 "und ihren"
349 (e) 파리에서 1849년 6월 13일 일어난 사건에 가담했다는 이유로, 1849년 11월 13일 베르사유의 국가재판소는 1849년 5월 13일 입법국민의회에서 선출된 31명의 산악당 대표를 처벌하고 의원직을 박탈했다. 이를 통해 공석이 된 의원직을 위해 1850년 3월 10일 파리(센 지구)와 14지구에서 보궐선거가 실시되었다. 파리에서는 3명의 의원을 선출할 예정이었다. 센 지구의 민주적-사회주의적 선거위원회는 사회주의자와 민주주의자 그리고 다른 소부르주아적 집단을 통합한 공화파의 후보자 명단으로 프랑수아 비달과 라자르-이폴

리트 카르노 외에 6월에 추방되었다가 풀려난 폴 루이 프랑수아 드플로트를 지명했다. 마르크스는 또 다른 6월 전사인 혁명적 노동자 뱅자맹 플로트와 드플로트를 혼동했다. 뱅자맹 플로트는 루이-오귀스트 블랑키의 가까운 친구였다.

350 (v) "**라이트**" — D^6 "라이트"

351 (e) 이미 1850년 3월 11일에 파리(센 지구)의 많은 연대가 질서당의 후보자, 특히 장-에르네스트 뒤코 라이트 전쟁장관을 반대하고 사회주의와 민주주의 후보자를 주로 지지한다고 알려졌다(《라 부아 뒤 푀플》, 파리, 제160호, 1850년 3월 11일, 3쪽). 3월 13일 파리에서의 최종 결과는 다음과 같다. 카르노 132,964표, 비달 128,385표, 드플로트 127,005표였다. 반면 질서당 후보자 페르디낭 푸아 125,908표, 라이트 125,479표, 봉장(Bonjean) 125, 416표였다(《라 부아 뒤 푀플》, 제163호, 1850년 3월 14일, 1쪽). 비록 이날까지 다른 지구에서의 전체 결과가 아직 나오지는 않았지만, 파리에서 전쟁장관의 낙선은 정부 반대표가 압도적임을 나타내는 것이었다. 파리에서의 공식적인 개표 결과는 3월 15일 보도되었다. 그에 따르면 선거인 수 353,509명, 투표 참가자 259,126명이고, 카르노 132,797표, 비달 128,439표, 드플로트 126,982표였다. 반면 라이트 125,478표, 봉장 124,347표, 푸아 125,643표였다(《라 부아 뒤 푀플》, 제165호, 1850년 3월 16일, 1쪽). 6월 추방된 자로서 드플로트가 피선거권을 가질 수 있느냐고 하는, 법무장관이 제기한 문제를 둘러싸고 국민의회에서 토론이 벌어진 다음, 국민의회는 3월 21일 선거는 유효하다고 선언했다.

352 (e) 보궐선거가 치러진 지구에서 대부분 민주주의자와 사회주의자 후보자들이 승리했다. 군대의 대다수도 질서당에 반대 투표했다. 질서당의 후보가 선출되었다 해도 가까스로 과반수를 얻었을 뿐이었다.

353 (v) "**추방한 사람들**" — D^6 "추방한 사람들"

354 (v) "**12월**"(*Decembers*) — D^6 "*Dezember*"

355 (v) D^6 여기서 쌍점(:)을 쓰고 문장을 이어서 씀.

356 (k) "도세의"(d'Haussez') — J^1 D^6 "d'Haussys"

357 (e) 1830년 3월 2일 의회가 다시 열리자, 자유주의 다수파는 1829년 말 이래 샤를 도세가 해양장관이었던 반동적 내각에 대해 불신임 투표를 하자고 청원했고, 그 결과로 샤를 10세가 1830년 5월 16일 의회를 해산하자, 1830년 6월 말/7월 초에 내각에 대한 재선거가 이뤄졌다. 이 재선거에서 내각은 무색하게도 참패를 당했다.

358 (e) 1850년 3월 16일 레몽-조제프-폴 세귀르 다게소는 국민의회에서 파리의 3월 10일 선거에 대해 "그것은 내전에 관한 투표이다!"(C'est un vote de guerre civile!)라고 말했다(《르 모니퇴르 위니베르셀》, 파리, 제76호, 1850년 3월 17일, 906쪽). 마르크스는 아마 《라 부아 뒤 푀플》에 근거하고 있는 듯하다. 거기서 이 말은 「주간 의회 정치 평론」에 인용되어 있었다(《라 부아 뒤 푀플》, 파리, 제167호, 1850년 3월 18일, 부록).

359 (k) "다게소"(d'Aguesseau) — J^1 "d'Agresseau" K^4 "d'Aguesseau"

360 (v) "왕위 계승 요구자"(Prätendent) — D^6 "대통령"(Präsident)

361 (v) "**바로슈를**" — D^6 "바로슈를"

362 (v) "**드플로트의**"(*Deflottes*) — D^6 "Deflotte's"

363 (v) "**카르노의**" — D^6 "카르노의"

364 (v) "**비달의**" — D^6 "비달의"

365 (e) 질서당의 기관지 《라 파트리》를 의미한다. 마르크스는 1850년 3월 17일과 18일의 《라 부아 뒤 푀플》을 이용한 듯한데, 거기에 《라 파트리》의 인용문이 실렸다. "칼을 멸시하지 마라. 힘을 멸시하는 것은 어리석기 짝이 없는 일이다. 힘을 사용하지 않는 합법적 권력은 자신에게 그 힘을 사용하라고 맡긴 국가에 대한 범죄행위이다. 알겠는가? 그런데 국민공회는 어찌했던가? 공안위원회는? 로베스피에르는 어찌했던가? 어떤 이념(idée)이 정부를

장악한다면, 그것은 정부에 힘을 실어주기 위해서이다. 만약 우리의 이념에 힘의 사용을 승인하지 않는다면 우리는 프랑스를 잃게 된다. 내부의 적을 일소해야 한다. 칼은 **신성한** 것이다."(「결국 가면은 …」,《라 부아 뒤 푀플》, 파리, 제167호, 1850년 3월 18일, 2쪽). — "우리는 공화국 대통령, 샹가르니에 장군, 온건당의 여러 분파의 신뢰를 얻은 저명한 국가 공직자들, 몰레 씨, 티에르 씨, 브로글리(Broglie) 씨, 베리에 씨, 몽탈랑베르 씨에게 호소한다. '프랑스 사회가 **벌이고자 하는 전투를 앞두고** 우리의 힘을 헤아려보라. **사회의 수호자들은 적색당에 즉각 공세를 취해야 한다**'고 말이다. … 이와 동시에 새로 나온 한 신문은 '**정복할 것인가 죽을 것인가**'라는 제하의 기사에서 이렇게 말한다. 사회주의와 사회 사이에는 **죽음의 결투, 즉 휴전도 자비도 없는 전쟁이 있을 뿐이다. 이 극한의 결투는 둘 중 하나가 죽어야 끝난다.** 사회가 사회주의를 죽이지 않으면 사회주의가 사회를 죽일 것이다."(「그저께, 상인위원회 …」,《라 부아 뒤 푀플》, 파리, 제166호, 1850년 3월 17일, 2쪽.)

366 (e) 드플로트의 투표 결과 참고. G193쪽 35~37행에 관한 해설을 보라.

367 (v) **D**[6] 여기에 쉼표가 없고(원문에는 여기에 쉼표가 있음 — 옮긴이), 엥겔스의 주 *가 있음.

* 말장난: 그리스인(Griechen). 또한 직업적 사기도박꾼.

368 (k) "5월 4일" — **J**[1] **D**[6] "5월 24일". 프랑스 국민의회가 시작된 날을 말한다.

369 (v) "그것이"(es) — **D**[6] "das"

370 (k) "치장해주고"(drapirt) — **J**[1] "drappirt" **K**[4] "drapirt"

371 (e) 코블렌츠는 1789~1794년 프랑스 혁명 당시 혁명 프랑스를 공격하려고 준비하던 반혁명적 군주파 프랑스 망명자들의 중심지였다.

372 (v) **D**[6] 문장이 마침표로 끝나지 않고 "**, 내가 죽은 뒤에 대홍수가 있을 것이다!**"(*, nach mir die Sündfluth!*)가 있음.

1895년 판(**D**[6])에서 엥겔스는 제4절로서 「평론. 5월에서 10월까지」의 일부를 활용했다. 변경사항은 — 교정사항과 해설도 마찬가지로 — 「평론. 5월에서 10월까지」의 해당 텍스트 위치에서 제시될 것이다(G464쪽 30행~G467쪽 13행과 G472쪽 20행~G481쪽 20행). — 자신의 편집 방식을 설명하기 위해 엥겔스는 짧은 서문을 썼다. 1895년 판 「… 계급투쟁」 제4절의 완전한 텍스트는 다음과 같다. G777

|100| IV.
1850년 보통선거권의 폐지
(제5 · 6 합본호로부터)

(이미 출간한 세 장에 대한 이 속편은 마지막으로 간행된《노이에 라이니셰 차이퉁. 정치-경제 평론》제5 · 6 합본호의 「평론」으로 실었던 것이다. 이 글에서는 우선 1847년 영국에서 발생한 엄청난 상업 공황을 기술하고 이 공황이 유럽 대륙에 끼친 반작용으로 인해 대륙의 정치적 갈등이 1848년 2월

과 3월 혁명으로 정점에 이르게 되었다는 점을 설명한 다음에, 1848년에 다시 시작되어 1849년에는 한층 더 활발해진 상업과 산업의 호황이 어떻게 혁명적 활력을 마비시켰고 동시에 반동이 승리할 수 있었는지를 서술할 것이다. 특히 프랑스에 대해서는 아래와 같이 서술했다.)

똑같은 증상들이 **프랑스**에서는 1849년부터 그리고 특히 1850년 초부터 나타나기 시작했다. 파리의 공장들은 풀가동 중이며 루앙과 뮐하우젠의 면화 공장들도 비록 영국에서처럼 원료의 높은 가격이 장애가 되긴 하지만 상당히 잘 돌아가고 있다. 나아가 프랑스에서 호황 국면의 발전은 스페인의 포괄적인 관세 개혁과 멕시코에서 여러 사치품의 관세를 인하함으로써 특히 촉진되었다. 이 두 시장에 대한 프랑스 상품의 수출은 상당히 증가했다. 자본의 증식은 프랑스에서 일련의 투기로 이어졌는데, 이 투기의 호사스러운 핑곗거리는 캘리포니아의 금광 개발이었다. 낮은 주식 가액과 사회주의 색채를 띤 전망을 내세우면서 소부르주아지와 노동자의 지갑을 직접 노리는 회사들이 많이 설립되었지만 실상은 하나같이 프랑스인과 중국인 특유의 속임수에 지나지 않는다. 심지어 이 회사들 중 하나는 정부의 후원을 직접 받고 있기까지 하다. ||101| 프랑스의 수입 관세는[1] 첫 9개월 동안 1848년에는 6300만 프랑, 1849년에는 9500만 프랑, 1850년에는 9300만 프랑에 달했다. 그리고 1850년 9월에는 1849년 9월에 비해 다시 100만 프랑 이상 증가했다. 마찬가지로 수출도 1849년과 특히 1850년에 증가했다.

G778

다시 호황이 찾아왔음을 보여주는 가장 분명한 증거는 1850년 9월[2] 6일의 법률에 의해 은행의 금 태환이 다시 도입된 일이다. 1848년 3월 15일에 은행은 태환을 중단할 수 있는 전권을 위임받았다. 지방 은행을 포함해 유통 중이던 은행권은 당시에 3억 7300만 프랑(1492만 파운드스털링)에 달했다. 1849년 11월 2일에 유통 중이던 은행권은 4억 8200만 프랑 또는 1928만 파운드스털링에 달했는데, 이것은 436만 파운드스털링이 증가한 셈이었다. 그리고 1850년 9월 2일에는 4억 9600만 프랑 또는 1984만 파운드스털링에 달해 약 500만 파운드스털링의 증가를 보였다. 하지만 은행권의 평가 절하는 발생하지 않았다. 오히려 은행권의 유통량 증가와 더불어 은행 지하실에

1 G465쪽 4행에는 여기에 쉼표가 있지만 G778쪽 11행에는 없다. 번역 문맥상 쉼표는 쓰지 않았다. — 옮긴이

2 G465쪽 10~11행에는 "8월"로 되어 있다. — 옮긴이

금은의 꾸준한 축적이 이루어졌는데, 그래서 1850년 여름에 금 비축량은 약 1400만 파운드스털링에 달했으며 이것은 프랑스에서 유례를 찾아볼 수 없는 액수였다. 은행이 유통 자금을, 따라서 활동 자본을 1억 2300만 프랑 또는 500만 파운드스털링만큼 상승시킬 수 있었다는 사실은 우리가 지난 호에서 올바르게 주장한 것처럼 금융귀족이 혁명으로 붕괴되지 않았을 뿐만 아니라 오히려 더욱 강화되었다는 사실을 분명하게 보여준다. 지난 몇 년 동안 프랑스의 은행 입법들을 훑어보면 이런 결과는 더욱 분명해진다. 1847년 6월 10일에 은행은 200프랑짜리 은행권을 발행할 수 있는 전권을 위임받았다. 지금까지 가장 작은 은행권은 500프랑이었다. 1848년 3월 15일의 법령은 프랑스은행의 은행권이 법정 화폐이며 은행은 이것을 금으로 태환할 의무가 없다고 선언했다. 프랑스은행의 은행권 발행은 3억 5000만 프랑으로 제한되었으며 동시에 이 은행은 100프랑짜리 은행권을 발행할 수 있는 권한을 부여받았다. 4월 27일의 법령에서는 여러 부문의 은행들과 프랑스은행의 합병을 결정했다. 1848년 5월 2일의 또 다른 법령에서는 이 은행의 은행권 발행을 4억 4200만 프랑[3]으로 올렸으며 1849년 12월 22일의 법령에서는 다시 은행권 발행의 최대 액수를 5억 2500만 프랑으로 올렸다. 마침내 1850년 9월[4] 6일의 법률에서는 다시 은행권을 현금과 태환할 수 있도록 조치했다. 이런 사실들을 근거로, 즉 유통량의 지속적인 증가, 프랑스 신용 체계 전체가 프랑스은행의 수중에 집중된 점, 프랑스의 모든 금과 은이 이 은행의 지하실에 쌓인 점 등을 근거로 프루동 씨는 프랑스은행이 이제 오랜 G779
뱀 허물을 벗어버리고 프루동 식의 인민은행(Volksbank)으로 탈바꿈할 것이라고 결론 내렸다. 그에게는 ||102| 부르주아 사회의 역사에서 유례를 찾기 어려운 이 사실이 실제로는 부르주아 사회의 지극히 정상적인 사태이며 그것이 이제 프랑스에서 처음으로 일어났을 뿐이라는 점을 그가 깨닫기 위해서는 1797년에서 1819년까지 영국에서 있었던 은행 규제의 역사까지 알 필요도 없으며 그저 운하에 주목하는 것만으로도 충분할 것이다. 우리는 파리에 임시정부가 들어선 후로 요란하게 떠들어댔던 이른바 혁명이론가들이 임시정부의 인사들과 마찬가지로 그들이 취한 조치들의 본질과 결과에 대해 얼마나 무지했는지를 알 수 있다.5 프랑스는 현재 산업과 상업의 호황을

3 G465쪽 34행에는 "4억 5200만 프랑"으로 되어 있다. — 옮긴이

4 G465쪽 36행에는 "8월"로 되어 있다. — 옮긴이.

누리고 있지만 인구의 대다수는, 즉 2500만 명의 농민은 큰 불황에 시달리고 있다. 지난 몇 년 동안 풍작이 들어서 프랑스에서 곡물 가격은 영국보다 훨씬 더 내려갔으며 빚이 있고 고리대금업자의 착취와 세금의 압박에 시달리는 농민의 처지는 결코 좋다고 말할 수 없다. 또한 지난 3년의 역사는 이 계급이 혁명을 주도할 능력이 없다는 점을 충분히 보여주었다.

공황의 시기가 영국보다 대륙에서 더 늦게 찾아오는 것처럼 호황의 시기도 마찬가지다. 최초의 과정은 언제나 영국에서 일어난다. 영국은 부르주아 세계의 조물주이다. 대륙에서는 부르주아 사회가 거듭 반복하는 주기의 여러 국면이 이차적인 형태 또는 삼차적인 형태로 나타난다. 우선 대륙은 어느 다른 국가보다도 영국으로 지나치게 많이 수출했다. 그러나 영국에 대한 이런 수출은 다시 영국의 지위, 특히 해외 시장에 대한 영국의 지위에 좌우된다. 그래서 영국은 대륙 전체보다도 대양 저편의 국가들에 지나치게 더 많이 수출하고 있으며 이런 국가들에 대한 대륙의 수출량은 언제나 그때그때 영국의 해외 수출에 좌우된다. 그렇기 때문에 공황이 대륙에서 먼저 혁명을 불러일으키더라도 그 원인은 언제나 영국 안에 존재한다. 폭력적인 사태들은 당연히 부르주아 조직의 중심부보다 말단에서 일어나기 마련이다. 왜냐하면 중심부에서는 조정의 가능성이 말단에서보다 더 크기 때문이다. 다른 한편으로 대륙 혁명들이 영국에 반향을 불러일으키는 정도는, 이 혁명들이 실제로 부르주아적 삶의 관계에 어느 정도로 의문을 제기하는지를 보여주는 혹은 어느 정도로 정치적 구성체만을 겨냥하는지를 보여주는 온도계와 마찬가지다.

이 전반적인 호황기를 맞이하여 부르주아 사회의 생산력은 부르주아적 관계 안에서 가능한 최대치까지 왕성하게 발전하고 있는데, 이런 상황에서 ||103| 현실적 혁명의 가능성은 없다. 이런 혁명은 오직 이 **두 요인**이, 즉 **근대의 생산력**과 **부르주아 생산형태**가 서로 **모순**에 빠지는 시기에만 가능하다. 대륙의 질서당 소속의 여러 분파 의원들이 서로 절충하면서 벌이고 있는 다양한 말다툼은 새로운 혁명의 계기가 되기는커녕 오히려 정반대로 기존 질서의 토대가 현재 매우 안정적이기 때문에 그리고 반동주의자들의 견해와
G780 달리 매우 **부르주아적**이기 때문에 가능한 것이다. 기존 질서의 토대와 충돌하는 것이라면 그것이 부르주아적 발전을 멈추려는 반동적 시도이든 아니

5 G466쪽 10행은 여기에서 행을 바꿨다. — 옮긴이

면 민주주의자들의 도덕적 분개와 열광적 선언이든 가릴 것 없이 모두 바로 튕겨 나갈 것이다. **새로운 혁명은 새로운 공황의 결과로서만 가능하다. 그러나 이런 혁명은 이런 공황만큼이나 확실한 것이기도 하다.**

이제 **프랑스**로 넘어가보자.

인민이 소부르주아지와 연대하여 3월 10일 선거에서 획득한 승리는 인민이 4월 28일의 새 선거를 유발함으로써[6] 인민 자신에 의해 무효가 되었다. 비달은 파리 외에 라인 강 하류 지역에서도 당선되었다. 산악당과 소시민층이 우세했던 파리 위원회(Pariser Comité)는 그가 라인 강 하류 지역을 수락하도록 설득했다. 3월 10일의 승리는 결정적인 승리가 되지 못했다. 결정의 날은 또다시 연기되었으며 인민은 지쳐서 활기를 잃었고 혁명적 승리 대신에 법적 승리에 익숙해졌다. 3월 10일의 혁명적 의미는, 즉 6월-무장봉기[7]의 복권은 감성적이고 소부르주아적인 사회 공상가 외젠 쉬가 입후보함으로써 마침내 완전히 수포로 돌아갔다. 프롤레타리아트는 그의 출마를 기껏해야 학생들의 정부(情婦)가 좋아할 만한 그런 농담으로 받아들일 수 있었다. 이 선량한 입후보자에게 맞서 상대의 일관성 없는 정책을 통해 더 대담해진 질서당에서는 6월의 **승리**를 대변한다는 후보를 내세웠다. 이 가소로운 후보는 스파르타식의 가장(家長) 르클레르[8]였는데, 그의 영웅적인 갑옷은 언론에 의해 하나하나 해체되었으며 결국 그는 선거에서 참담한 패배를 겪었다. 4월 28일 선거에서 새롭게 승리한 산악당과 소부르주아지는 거만해졌다. 그들은 이미 순전히 합법적인 방법으로,[9] 그리고 새로운 혁명을 통해 프롤레타리아트를 다시 전면에 내세우지 않고 자신들이 원하는 목표에 다가갈 수 있으리라는 생각에 쾌재를 불렀다. 그들은 1852년의 새 선거에서 보통선거권을 통해 르드뤼-롤랭 씨를 대통령직에 앉히고 산악당이 의회에서 과반수를 차지할 수 있을 것이라고 믿어 의심치 않았다. 그러나 선거의 재실시, 쉬의 ||104| 입후보, 산악당과 소시민층의 분위기 등을 통해 이들이 어떤 상황에서도 소요를 일으키지 않기로 작정했다는 것을 확신하게 된[10] 질서당은

6 G780쪽 7행에는 여기에 쉼표가 있지만 G472쪽 22행에는 없다. 번역 문맥상 쉼표는 쓰지 않았다. — 옮긴이

7 G472쪽 30행에는 "6월 무장봉기"로 되어 있다. — 옮긴이

8 G472쪽 36행에는 "**르클레르**"로 되어 있다. — 옮긴이

9 G780쪽 24행에는 여기에 쉼표가 있지만 G472쪽 40행에는 없다. — 옮긴이

10 G780쪽 30행에는 여기에 쉼표가 있지만 G473쪽 6행에는 없다. 번역 문맥상 쉼표는 쓰지

이 두 선거의 승리에 대해 보통선거권을 폐지하는 선거법[11]으로 응수했다.

정부는 당연히 이 법안이 자신들의 책임으로 돌아오지 않도록 조심했다. 정부는 다수당의 고위 인사인 성주 17명에게 이 법안의 기안을 맡김으로써 다수당에 양보를 하는 것처럼 행동했다. 그래서 정부가 아니라 의회 다수당이 의회에 보통선거권의 폐지를 발의한 것이 되었다.

5월 8일에 이 법안은 의회에 상정되었다. 그러자 사회민주주의 언론 전체가 한결같이[12] 들고일어나 인민에게 품위 있는 태도와 위엄 있는 평온(calme majestueux)을, 자기들의 대표자에게 수용적인 태도와 신뢰를 보일 것을 설파했다. 이런 언론의 모든 기사는 혁명이 무엇보다도 이른바[13] 혁명적 언론을 파멸시킬 것이라는, 다시 말해 지금 중요한 것은 자신들의 자기 보존이라는 고백에 지나지 않았다. 이른바 혁명적 언론은 자신들의 비밀 전체를 드러냈다. 그들은 자신들의 사형 선고에 서명했다.

G781 5월 21일에 산악당은 이 현안을 예비 심의에 올렸고,[14] 이 법안이 헌법에 위배된다는 이유로 법안 전체의 기각을 신청했다. 이에 대해 질서당은 필요시에는 헌법을 어길 수도 있겠지만[15] 지금은 그럴 필요가 없다고 응답했다. 질서당은 헌법에 대해 온갖 해석이 가능하며 오직 다수당만이 올바른 해석 여부를 결정할 수 있는 능력을 지니고 있다고 주장했다. 티에르와 몽탈랑베르의 고삐 풀린 사나운 공격에 대해 산악당은 공손하고 교양 있는 인본주의로 응수했다. 그들이 법적 근거에 호소하자 질서당은 법이 자라나는 토대를, 즉 부르주아지의 소유권을 가리켰다. 산악당은 정말로 모든 폭력을 동원해 혁명을 불러일으키길 원하는 것이냐고 훌쩍거렸다. 이에 대해 질서당은 해볼 테면 해보라고 응수했다.

5월 22일에 이 현안은 찬성 462표, 반대 227표로 처리되었다. 국민의회와 모든 대의원은 만약 그들이 그들에게 권한을 위임한 인민을 저버리면 곧바로 사퇴할 것임을 엄숙하게 맹세했지만 자신의 자리를 지킨 채 꿈쩍도 하

않았다. — 옮긴이

11 G473쪽 8행에는 "**선거법**"으로 되어 있다. — 옮긴이

12 "한결같이"(ein Mann) — G473쪽 17행에는 "Ein Mann"으로 되어 있다. — 옮긴이

13 "이른바"(sogenannte) — G473쪽 20행에는 "s. g."로 되어 있다. — 옮긴이

14 G781쪽 2행에는 여기에 쉼표가 있지만 G473쪽 25행에는 없다. — 옮긴이

15 G781쪽 3행에는 여기에 쉼표가 있지만 G473쪽 26행에는 없다. 번역 문맥상 쉼표는 쓰지 않았다. — 옮긴이

지 않았고 이런 상황에서 자신의 자리를 걸지 않고 갑자기 그러니까 청원서를[16] 내 토지를 매각할 방법을 모색했으며, 5월 31일에 법안이 위풍당당하게 통과될 때에도 꿈쩍하지 않았다. 그들은 이에 맞서 항의함으로써 자신들이 헌법을 강간한 것에 대해 무죄임을 기록으로 남기려 했으나, 그들은[17] 이 항의서조차 단 한 번도 공개하지 않았으며 그 대신에 의장 뒤에서 은근슬쩍 의장 가방에 넣었을 뿐이다.|

|105| 파리에 주둔하는 15만 명의 병력, 결정을 오랫동안 질질 끈 점, 언론의 유화 정책, 산악당과 새로 선출된 대의원들의 소심함, 소부르주아지의 위엄 있는 평온, 그러나 무엇보다도 상업과 공업의 호황 등이 프롤레타리아트 측의 혁명 시도를 모두 저지했다.

보통선거권은 그것의 사명을 다했다. 인민 대다수는 혁명의 시기에만 보통선거권을 사용할 수 있는 교습소(Entwicklungsschule)를 수료했다. 보통선거권은 혁명 아니면[18] 반동을 통해 제거될 수밖에 없었다.

산악당은 곧이어 벌어진 사태에서 더욱 큰 에너지를 낭비했다. 도풀 전쟁장관은 의회 연단에서 2월 혁명이 끔찍한 재앙이었다고 말했다. 이에 대해 늘 그렇듯이 예의 바르고 무해한 고함만 지르던 산악당의 연사들은 국민의회 의장 뒤팽에게서 발언권을 얻지 못했다. 그러자 지라르댕은 즉시 집단으로 퇴장하자고 산악당원들에게 제안했다. 결과는 다음과 같았다. 산악당원들은 그대로 자리에 앉아 있었으며 오히려 지라르댕은 품위 없는 행동을 했다는 이유로 회의장에서 쫓겨나고 말았다.

선거법을 완성하기 위해서는 새로운 **언론법**이 필요했으며, 이것도 오래 걸리지 않았다. 정부의 법안은 질서당의 수정을 거치면서 여러모로 더욱 강화되었는데, 이 새 법안에서는 공탁금을 올렸고 (외젠 쉬의 당선에 대한 응답으로) 신문 문예란을 별도로 검인했으며, 일정 부수 이상을 매주 또는 매달 발행하는 모든 간행물에 대해 세금을 부과했고 결국[19] 잡지의 모든 기사

16 G781쪽 16행에는 여기에 쉼표가 있지만 G473쪽 40행에는 없다. 번역 문맥상 쉼표는 쓰지 않았다. — 옮긴이

17 G781쪽 19행에는 여기에 쉼표가 있지만 G474쪽 3행에는 없다. 번역 문맥상 쉼표는 쓰지 않았다. — 옮긴이

18 G781쪽 28행에는 여기에 쉼표가 없지만 G474쪽 13행에는 쉼표가 있다. 번역 문맥상 쉼표는 쓰지 않았다. — 옮긴이

19 G781쪽 42행에는 여기에 쉼표가 있지만 G474쪽 28행에는 없다. 번역 문맥상 쉼표는 쓰지 않았다. — 옮긴이

에 저자의 서명이 반드시 들어가도록 조치했다. 특히 공탁금에 대한 규정으로 이른바 혁명적 언론이 몰락했다. 인민은 이런 언론의 몰락이 보통선거권
G782 폐지의 대가라고 생각했다. 하지만 이 새 법률의 의도나 작용이 이른바 혁명적 언론에만 영향을 미친 것은 아니었다. 신문이 익명으로 나왔을 때 그것은 이름 없는 무수한 공중의 의견을 대변하는 기관지 노릇을 했다. 신문은 프랑스에서 제3의 권력이었다. 그러나 모든 기사에 서명을 달게 함으로써 이제 신문은 어느 정도 유명한 개인들의 문학적 기고문들을 모아놓은 것에 지나지 않게 되었다. 이제 모든 기사는 광고로 전락했다. 이제까지 신문은 공중 의견의 지폐처럼 유통되었다. 그러나 이제 신문은 발행인의 신용뿐만 아니라 배서인의 신용에 따라서도 품질과 유통이 좌우되는 그리 좋지 않은 약속 어음처럼 되어버렸다. 질서당의 신문은 보통선거권 폐지 때도 그랬던 것처럼 불량 언론에 극단적인 조치가 필요하다고 선동했다. 그러나 이 선량한 언론 자체는 자신의 ||106| 익명성을 지독하게 고집함으로써 질서당과 더 심하게는 질서당의 지역 대의원들 개개인에게 불편한 존재였다. 이 방침과 다르게 이 언론이 바랐던 사람들은 오직 이름, 주소, 기타 인적 사항을 적은 유급 작가들이었다. 이 선량한 언론은 사람들이 자기들의 공헌에[20] 감사할 줄 모른다고 투덜거렸지만 소용없었다. 결국 언론법은 통과되었고 저자의 이름을 명기해야 한다는 규정은 모든[21] 언론에 적용되었다. 공화주의 진영의 기고자들은 꽤 유명한 사람들이었다. 그러나 《주르날 데 데바》,[22] 《라상블레 나시오날》,[23] 《르 콩스티튀시오넬》[24] 등 명망 있는 언론사들은 그들이 국가의 현인으로 한껏 추켜세웠던 신비의 저자들이 실제로는 그라니에 드 카사냐크처럼 현금만 주면 무엇이든 옹호하는 글을 오랫동안 써온 매수된 싸구려 글쟁이, 카프피그처럼 스스로 정치인이라고 일컫는 늙은 겁쟁이, 또는 《주르날 데 데바》[25]의 르무안 씨처럼 아양을 떠는 고약한 늙은이에[26] 지나지

---

20 G782쪽 15행에는 여기에 쉼표가 있지만 G475쪽 7행에는 없다. 번역 문맥상 쉼표는 쓰지 않았다. — 옮긴이

21 "모든"(vor Allem) — G475쪽 8행에는 "vor Allen"으로 되어 있다. — 옮긴이

22 G782쪽 18행에는 큰따옴표가 있지만("Journal des Débats") G475쪽 10행에는 없다. — 옮긴이

23 G782쪽 18~19행에는 큰따옴표가 있지만("Assemblée Nationale") G475쪽 10행에는 없다. — 옮긴이

24 G782쪽 19행에는 큰따옴표가 있지만("Constitutionnel") G475쪽 10~11행에는 없다. — 옮긴이

않는다는 사실이 한꺼번에 밝혀짐에 따라 체면을 크게 구겼다.

언론법을 둘러싼 논쟁에서 이미 도덕적으로 매우 타락한 산악당은 루이 필리프 시대의 늙은 저명인사 빅토르 위고 씨의 장황한 연설에 박수를 보낼 뿐 아무것도 하지 않았다.

선거법과 언론법이 통과됨으로써 혁명적이고 민주적인 정당은 공식 무대에서 퇴장했다. 산악당의 두 분파인 사회민주주의자들과 민주사회주의자들은[27] 회기가 끝난 직후 집으로 돌아가기 전에 두 개의 성명서를, 다시 말해 두 개의 빈곤 증명서를 발표했는데, 이 성명서에서 그들은[28] 비록 권력과 성공이 그들 편에 있지 않더라도 그들 자신은 언제나 영원한 정의와 그 밖의 모든 영원한 진리의 편에 있을 것임을 선언했다.

그렇다면 이제 질서당을 고찰해보자. 《노이에 라이니셰 차이퉁》[29](《노이에 라이니셰 차이퉁. 정치-경제 평론》을 의미함 ― 옮긴이)은 제3호 16쪽에서 이렇게 말했다. "오를레앙파와 정통 왕조파 연합의 왕정복고에 대한 갈망에 반대하여 보나파르트는 그의 실제 권력의 칭호로서 공화정을 표방한다.[30] 보나파르트의 왕정복고에 대한 갈망에 반대하여 질서당은 공동 지배권의 칭호로서 공화정을 표방한다.[31] 정통 왕조파는 오를레앙파에 반대하여, 그리고 오를레앙파는 정통 왕조파에 반대하여 현재 상태(status quo),[32] 즉 공화정을 표방한다. 질서당의 이 모든 분파는 각기 자신의 왕과 자신의 왕정복고 형태를 가슴에 품고서, 자기 경쟁자들의 찬탈 욕망과 봉기 욕망에 서로 대항

---

25 G782쪽 24행에는 큰따옴표가 있지만("Débats") G475쪽 16행에는 없다. ― 옮긴이

26 G782쪽 24행에는 여기에 쉼표가 있지만 G475쪽 16행에는 없다. 번역 문맥상 쉼표는 쓰지 않았다. ― 옮긴이

27 G782쪽 32행에는 여기에 쉼표가 있지만 G475쪽 25행에는 없다. 번역 문맥상 쉼표는 쓰지 않았다. ― 옮긴이

28 G782쪽 33행에는 여기에 쉼표가 있지만 G475쪽 26행에는 없다. 번역 문맥상 쉼표는 쓰지 않았다. ― 옮긴이

29 G782쪽 36행에는 여기에 큰따옴표가 있지만("N. Rh. Z") G475쪽 29행에는 없다. ― 옮긴이

30 G179쪽 35행은 여기가 ", den"이지만 G782쪽 38행과 G475쪽 32행은 ". Den"이다. ― 옮긴이

31 G179쪽 36행은 여기가 ", die Republik; den"이지만 G782쪽 40행과 G475쪽 33행은 ": die Republik. Den"이다. ― 옮긴이

32 G179쪽 38행에는 여기에 쉼표가 있지만 G782쪽 42행과 G475쪽 35행에는 쌍점(:)이 있다. 번역 문맥상 여기에 쉼표를 썼다. ― 옮긴이

G783 해서[33] 특수한 주장들이 중성화되고 유보되는 부르주아지의 공동 지배 형태인 공화정을 서로 주장한다. … 그리하여 티에르가 우리[34] 왕당파는 입헌공화정의 진정한 기둥이라고 말했을 때 그는 공화정에 대해[35] 자신이 생각한 것 이상의[36] 진실을 표현한 것이었다."

공화정의 뜻에 반하는(républicanis malgré eux) 이와 같은 희극, 현재 상태(status quo)에 대한 반감과 이런 상태의 지속적인 공고화,[37] 보나파르트와 국민의회의 ||107| 끊임없는 마찰,[38] 질서당이 개별 구성 요소들로 쪼개질지 모른다는 지속적인 위협[39]과 개별 분파들의 반복적인 재결합,[40] 공동의 적에 대한 승리를 일시적 동맹 세력의 패배로 전환하려는[41] 각 분파의 시도, 상호 질투와 원한과 도발, 늘 라무레트의 입맞춤[42]으로 끝나는 지칠 줄 모르는 결투, 지난 6개월은 바로 이 모든 변칙의 불쾌한 희극이 가장 고전적으로[43] 전개된 시기였다.

질서당은 선거법을 또한 보나파르트에 대한 승리로 간주했다. 정부는 자신의 법안에 대한 편집과 책임을 17인 위원회에 떠넘김으로써 스스로 직무를 유기하지 않았는가? 그리고 국민의회에 비해서 보나파르트가 지닌 주요 장점은[44] 600만 명이 선출한 사람이라는 것이 아닌가? — 반면에 보나파르

33 G179쪽 41행에는 여기에 쉼표가 있지만 G782쪽 44행과 G475쪽 38행에는 없다. 번역 문맥상 쉼표는 쓰지 않았다. — 옮긴이

34 "우리"(Wir) — G475쪽 41행에는 "wir"로 되어 있다. — 옮긴이

35 G783쪽 1행에는 여기에 쉼표가 있지만 G475쪽 40행에는 없다. 번역 문맥상 쉼표는 쓰지 않았다. — 옮긴이

36 G783쪽 2행에는 여기에 쉼표가 있지만 G475쪽 41행에는 없다. 번역 문맥상 쉼표는 쓰지 않았다. — 옮긴이

37 G783쪽 5행에는 여기에 쌍반점(;)이 있지만 G476쪽 2행에는 쉼표가 있다. 번역 문맥상 쌍반점을 쓰지 않았다. — 옮긴이

38 G783쪽 6행에는 여기에 쌍반점(;)이 있지만 G476쪽 3행에는 쉼표가 있다. 번역 문맥상 쌍반점을 쓰지 않았다. — 옮긴이

39 G783쪽 7행에는 여기에 쉼표가 있지만 G476쪽 4행에는 없다. 번역 문맥상 쉼표는 쓰지 않았다. — 옮긴이

40 G783쪽 8행에는 여기에 쌍반점(;)이 있지만 G476쪽 5행에는 쉼표가 있다. 번역 문맥상 쌍반점을 쓰지 않았다. — 옮긴이

41 G783쪽 10행에는 여기에 쌍반점(;)이 있지만 G476쪽 7행에는 쉼표가 있다. 번역 문맥상 쌍반점을 쓰지 않았다. — 옮긴이

42 입법국민의회 의원 라무레트는 당쟁의 종식을 위해 화해의 입맞춤을 제안했다. — 옮긴이

43 G783쪽 7행에는 여기에 쉼표가 있지만 G476쪽 10행에는 없다. 번역 문맥상 쉼표는 쓰지 않았다. — 옮긴이

트는 선거법을 입법 권력과 행정 권력의 조화를 위해 국민의회에 희생한 양보라고 간주했다. 그 대가로 이 비열한 모험가는 왕실비를 300만 프랑 올려줄 것을 요구했다. 국민의회는 절대다수의 프랑스인을 축출한 바로 이 시점에 과연 행정부와 갈등을 일으킬까? 처음에 국민의회는 격분하여 극단적으로 대응할 것처럼 보였다. 국민의회 위원회는 이 신청안을 기각했고, 그러자 보나파르트 진영의 언론은 권리를 박탈당한, 즉 투표권을 빼앗긴 국민을 언급하면서 위협을 가했다. 타협점을 찾으려는 수많은 노력이 요란하게 전개되었고, 마침내 국민의회는 이 문제에 대해 한발 물러섰지만 그것은 동시에 원칙적으로는 복수였다. 의회는 왕실비를 원칙대로 매년 300만 프랑 인상하는 대신에 216만 프랑의 임시 보조금만을 승인했다. 이 양보안조차 불만이 많았던 의회는 질서당의 장군이자 부득이하게 보나파르트의 경호를 맡고 있던 샹가르니에가 지지 의사를 표시한 뒤에야 비로소 이 양보안을 승인했다. 국민의회는 결국 보나파르트가 아니라 샹가르니에에게 2[45]00만 프랑을 승인한 셈이었다.

마지못해(mauvaise grâce) 던져준 이 선물을 보나파르트는 완전히 시혜자의 입장에서 받아들였다. 보나파르트 진영의 언론은 다시 국민의회를 비난하면서 소란을 피웠다. 언론법을 둘러싼 초기 논쟁에서 기고자 명기 때문에 이루어진 법안의 수정이 유독 보나파르트의 사적 이해를 대변하는 종속적인 신문들에 다시 불리하게 작용하자 보나파르트 진영의 대표 신문인《르 푸부아르》[46]은 국민의회에 노골적이고 강력한 공격을 퍼부었다. 결국 각료들은 국민의회 앞에서 이 신문을 인정하지 않는다는 발언을 해야만 했고, 《르 푸부아르》[47]의 발행인은 ||108| 국민의회에 소환되어 5천 프랑의 최고 벌금을 물었다. 그러나 다음 날《르 푸부아르》[48]은 국민의회를 훨씬 더 노골적으로 비난하는 기사를 실었고, 정부의 복수를 떠맡은 검찰은 헌법을 위반했다는 명목으로 여러 정통 왕조파 언론을 박해했다.

결국에는 의회 휴회 문제가 대두되었다. 보나파르트는 국민의회의 방해 G784

44 G783쪽 17행에는 여기에 쉼표가 있지만 G476쪽 16행에는 없다. 번역 문맥상 쉼표는 쓰지 않았다. — 옮긴이

45 G783쪽 32행에는 "zwei"로 되어 있지만 G476쪽 32행에는 "2"로 되어 있다. — 옮긴이

46 G783쪽 39행에는 큰따옴표가 있지만("Pouvoir") G476쪽 40행에는 없다. — 옮긴이

47 G783쪽 41행에는 큰따옴표가 있지만("Pouvoir") G477쪽 1행에는 없다. — 옮긴이

48 G783쪽 43행에는 큰따옴표가 있지만("Pouvoir") G477쪽 3행에는 없다. — 옮긴이

없이 활동하기 위해 의회 휴회를 원했다. 질서당은 한편으로는 분파의 계략을 관철하기 위해, 또 한편으로는 개별 대의원들의 사적 이익을 추구하기 위해 의회의 휴회를 원했다. 이 두 진영은[49] 지방에서 반동의 승리를 공고히 하고 더 진척하기 위해 의회 휴회가 필요했다. 그래서 의회는 8월 11일부터 11월 11일까지 휴회하게 되었다. 그러나 보나파르트는 국민의회의 성가신 감시에서 벗어나는 것이 자신의 주요 관심사임을 결코 숨기지 않았기 때문에, 국민의회는 신임 투표에서 대통령 불신임 도장을 찍었다. 의회가 휴회된 동안에 공화정의 도덕 파수꾼으로 버티고 있던 상임위원 28명 가운데[50] 보나파르트 지지자들은 전적으로 배제되었다. 그 대신에 심지어 《르 시에클》[51]과 《르 나시오날》[52]의 몇몇 공화주의자들도 상임위원으로 선출되었는데, 이것은 다수가 입헌공화정을 지지한다는 사실을 대통령에게 과시하기 위한 것이었다.

의회 휴회 직전에[53] 그리고 특히 휴회 직후에 질서당의 양대 분파 오를레앙파와 정통 왕조파는 그들이 지지하는 두 왕가의 결합을 통해 서로 화해하고자 하는 것처럼 보였다. 신문들에는 세인트레너즈에 머물던 루이 필리프의[54] 병상에서 논의되었다고 하는 화해 방안들[55]에 대한 이야기로 가득 찼다. 이때는 루이 필리프의 사망으로 갑자기 상황이 단순해졌을 때였다. 루이 필리프는 찬탈자였으며 앙리 5세는 찬탈당한 자였다. 반면에 파리 백작은 자식이 없는 앙리 5세의 적법한 왕위 계승자였다. 이런 상황에서 이 두 왕가의 이해를 결합하기 위해 온갖 구실을 갖다 붙였다. 그러나 바로 이때 부르주아지의 두 분파는 특정 왕가에 대한 도취 때문에 그들이 갈라진 것이 아니라 오히려 그들의 상이한 계급 이해 때문에 두 왕가가 갈라졌다는 사실을

---

49 G784쪽 4행에는 여기에 쉼표가 있지만 G477쪽 11행에는 없다. 번역 문맥상 쉼표는 쓰지 않았다. — 옮긴이

50 G784쪽 10행에는 여기에 쉼표가 있지만 G477쪽 17행에는 없다. 번역 문맥상 쉼표는 쓰지 않았다. — 옮긴이

51 G784쪽 12행에는 큰따옴표가 있지만(“Siècle”) G477쪽 20행에는 없다. — 옮긴이

52 G784쪽 12행에는 큰따옴표가 있지만(“National”) G477쪽 20행에는 없다. — 옮긴이

53 G784쪽 15행에는 여기에 쉼표가 있지만 G477쪽 22행에는 없다. 번역 문맥상 쉼표는 쓰지 않았다. — 옮긴이

54 “필리프의”(Philipp's) — G477쪽 27행에는 “Philippes”로 되어 있다. — 옮긴이

55 G784쪽 19행에는 여기에 쉼표가 있지만 G477쪽 26행에는 없다. 번역 문맥상 쉼표는 쓰지 않았다. — 옮긴이

처음으로 깨달았다. 앙리[56] 5세의 임시 거처가 있는 비스바덴으로 순례를 떠났던 정통 왕조파는, 세인트레너즈로 순례를 떠난 경쟁자들과 마찬가지로, 여기에서 루이 필리프의[57] 사망 소식을 접했다. 그 즉시 그들은 이교국 내각(Ministerium in partibus infidelium)을 결성했는데, 이 내각은 대부분 공화정의 도덕 파수꾼 위원회 위원들로 구성되었으며, 당 내부에서 불화가 생길 때는 신의 은총에 대한 권리를 노골적으로 선언하면서 전면에 나섰다. 오를레앙파는 이 선언이 언론에서 불명예스러운 ||109| 추문을 야기하자[58] 환호성을 지르면서 단 한 순간도 정통 왕조파에 대한 노골적인 적대감을 숨기지 않았다.

국민의회 휴회 기간에 지방의회가 한자리에 모였는데, 그들 중 다수는 제한 조항을 다소 삽입하는 헌법 개정 작업에 지지를 표시했다. 다시 말해 그들은 구체적으로 규정되지 않은 군주제의 부활, 즉 하나의 **"해결책"**에 지지를 표시했는데, 동시에[59] 이것은 자신들이 이 해결책을 찾기에는 너무 무능력하고 너무 비겁하다는 사실을 인정한 셈이었다. 그러자 보나파르트파는 이 개정 의사를 즉각 보나파르트의 대통령직 연장의 의미로 해석했다.

헌법에 입각한 해결책, 즉 1852년 5월에 보나파르트가 퇴임하고, 동시에 프랑스의 전체 유권자가 새 대통령을 선출하고, 새 대통령의 처음 몇 달 동안 의회에서 헌법을 개정한다는 일정은 지배계급의 입장에서 결코 받아 G785 들일 수 없는 것이었다. 새 대통령을 선출하는 날은 정통 왕조파, 오를레앙파, 부르주아 공화주의자, 혁명파 같은 적대적 정당들이 모두 한자리에 모이는 날이 될 것이다. 그러면 여러 분파 사이에 폭력적인 의사 결정이 이루어질 수밖에 없을 것이다. 설령 질서당이 왕족에 속하지 않은 중립적 인물을 후보로 내세워 분열을 극복한다고 하더라도, 보나파르트는 이 인물과 다시 대립하게 될 것이다. 질서당은 국민과의 싸움에서[60] 행정[61] 권력을 지속

---

56 "앙리"(Heinrich's) — G477쪽 35행에는 "Heinrichs"로 되어 있다. — 옮긴이

57 "필리프의"(Philipp's) — G477쪽 37행에는 "Philipps"로 되어 있다. — 옮긴이

58 G784쪽 34행에는 여기에 쉼표가 있지만 G478쪽 2행에는 없다. 번역 문맥상 쉼표는 쓰지 않았다. — 옮긴이

59 G784쪽 40행에는 여기에 쉼표가 있지만 G478쪽 8행에는 없다. 번역 문맥상 쉼표는 쓰지 않았다. — 옮긴이

60 G785쪽 8행에는 여기에 쉼표가 있지만 G478쪽 23행에는 없다. 번역 문맥상 쉼표는 쓰지 않았다. — 옮긴이

적으로 확장할 수밖에 없다. 그리고 행정부의 권력을 확장하는 것은 행정부를 떠맡고 있는 보나파르트의 권력을 확장하는 것이다. 따라서 질서당이 그들의 공동 권력을 강화하는 만큼 질서당은 보나파르트의 왕위 계승 요구를 위한 투쟁 수단을 강화하고 있으며, 보나파르트가 결전의 날에 폭력적으로 입헌적 해결책을 좌절시킬 수 있는 기회를 강화하고 있다. 그렇다면 보나파르트는 질서당에 맞서 헌법의 한 기둥에 대해 불만을 제기하지도 않을 것이며, 인민과 맞서 선거법과 관련된 헌법의 또 다른 기둥에 대해 불만을 제기하지도 않을 것이다. 오히려 그는 분명히 국민의회에 맞서 보통선거권을 주장하기까지 할 것이다. 한마디로 말해 입헌적 해결책은 정치적 현재 상태(status quo) 전체에 의문을 제기하고, 부르주아지는 이런 위기 이면에 혼돈, 무정부 상태, 내전이 도사리고 있다고 생각한다. 부르주아지는 그들의 구매와 판매, 어음, 결혼, 공증서, 저당, 지대, 임대료, 이윤, 모든 계약과 수입원이 1852년 5월 첫째 일요일에 문제가 될 것이라고 생각하며, 그들은 이런 위험을 그대로 방치할 수 없다. 정치적 현재 상태 이면에는 부르주아 사회 전체를 붕괴시킬 위험이 도사리고 있다. 부르주아지 입장에서 유일하게 가능한 해결책은 해결을 미루는 것이다. 이런 해결책은 헌법을 ||110| 위반함으로써만, 대통령의 권력을 연장함으로써만 입헌공화정을 구출할 수 있다. 또한 이것은 총회(Generalräthe) 회기 후에 여러 "해결책"에 대한 장기간의 심도 있는 논쟁이 끝난 뒤에 질서당의 신문에 실린 마지막 말이기도 하다. 거대한 질서당은 가소롭고 저속하며 그들이 증오해 마지않는 인물인 사이비 보나파르트를 진지하게 받아들이는 치욕을 감수해야 한다.

이 더러운 인물은 마치 자신이 꼭 필요한 사람인 것 같은 외양을 점점 더 띠게 된 이유에[62] 대해서도 착각하고 있었다. 그의 당은 보나파르트의 중요성이 점점 더 커지는 까닭이 당시의 상황 때문이라는 통찰력이 있었던 반면, 그는 이것이 오로지 그의 이름과 그가 끊임없이 나폴레옹을[63] 희화화함으로써 생긴 마력 덕분이라고 믿었다. 그는 하루가 다르게 점점 더 과감하게 행동했다. 그는 세인트레너즈나 비스바덴으로 가는 순례 행렬과 맞서 자신의

61 "행정"(Exekutive) — G478쪽 23행에는 "Executiven"으로 되어 있다. — 옮긴이

62 G785쪽 32행에는 여기에 쉼표가 있지만 G479쪽 9행에는 없다. 번역 문맥상 쉼표는 쓰지 않았다. — 옮긴이

63 "나폴레옹을"(Napoleon's) — G479쪽 14행에는 "Napoleons"로 되어 있다. — 옮긴이

프랑스 순회 여행을 내세웠다. 보나파르트 지지자들은 보나파르트라는 인물이 발휘하는 마술적 효과를 거의 믿지 않았기 때문에 파리 룸펜 프롤레타리아트의 조직인 12월 10[64]일회 사람들을 박수 부대로 고용해 대규모로 기차나 역마차에 실어 보나파르트와 함께 보냈다. 이 꼭두각시 지지자들은 여러 도시에서 환영식이 열린 뒤에 공화정의 종식 또는 현 체제의 고수를 대통령 정책의 표어로서 외쳐댔다. 그러나 이런 온갖 조작에도 불구하고 이 여행은 결코 개선 행진처럼 보이지 않았다.

이렇게 인민에게 감동을 주었다고 확신한 보나파르트는 이어서 군대를 G786
자기편으로 만들기 위해 움직였다. 그는 베르사유의 사토리에서 열병식을 개최하여 군인들에게 마늘소시지, 샴페인, 시가 등을 나누어 줌으로써 그들을 매수하려 했다. 진짜[65] 나폴레옹은 정복 전쟁의 고난을 겪으며 일시적인 가부장적 친밀함으로 지친 병사들의 기운을 북돋울 줄 알았던 반면에, 이 사이비 나폴레옹은[66] 군인들이 진짜 감사의 마음으로 "나폴레옹 만세, 소시지 만세!"(Vive Napoléon, vive le saucisson!)를 외쳤다고 믿었는데, 그 의미는 "소시지 만세, 멍청이 만세!"였다.

이 일련의 열병식은 한편으론 보나파르트와 그의 전쟁장관 도풀[67] 사이에, 다른 한편으론 보나파르트와 샹가르니에 사이에 오랫동안 억눌린 갈등을 폭발시켰다. 질서당은 샹가르니에야말로 왕가의 권리 따위를 내세울 것이 없는 정말로 중립적인 인물이라고 생각했다. 질서당은 그를 보나파르트의 후계자로 정했다. 나아가 그는 1849년 1월 29일과 6월 13일의 등장을 통해 질서당의 위대한 지휘관이 되었다. 소심한 부르주아지의 눈에는 그가 가차 없는 개입으로 혁명이라는 고르디우스의 매듭을 단칼에 해결한 현대판 알렉산더처럼 보였다. 원래 보나파르트만큼이나 가소로운 인물인 그는 이렇게 ||111| 힘 안 들이고 권력자가 되었고, 국민의회에 의해 대통령의 감시자가 되었다. 그는 대통령의 연봉 문제와 그가 보나파르트에게 제공하는 보호 역할을 가지고[68] 장난을 치기도 했으며 보나파르트나 장관들에게 점점

64 G785쪽 40행에는 "10."으로 되어 있지만 G479쪽 18행에는 "zehnten"으로 되어 있다. — 옮긴이

65 "진짜"(echte) — G479쪽 28행에는 "ächte"로 되어 있다. — 옮긴이

66 G786쪽 6행에는 여기에 쉼표가 있지만 G479쪽 31행에는 없다. 번역 문맥상 쉼표는 쓰지 않았다. — 옮긴이

67 "도풀"(d'Hauptpoul) — G479쪽 34행에는 "D'Hauptpoul"로 되어 있다. — 옮긴이

더 강압적으로 행동했다. 선거법과 관련해 무장봉기가 우려되는 상황에서 그는 부하 장교들에게[69] 전쟁장관이나 대통령에게서 어떤 명령도 받지 말라고 명령했다. 샹가르니에의 위용을 과장하는 데는 언론도 한몫했다. 위대한 인물이 전무한 상태에서 당연히 질서당은 그들 계급 전체에 결핍된 힘을 한 개인에게 집중하여 그를 거물처럼 부풀릴 수밖에 없었다. 이렇게 해서 샹가르니에가 **"사회의 보루"**라는 신화가 탄생했다. 세상을 자신의 어깨에 짊어진 것처럼 행세하는[70] 샹가르니에의 주제넘은 허풍과[71] 신비한 척하는 거만함은[72] 사토리[73] 열병식 동안에 그리고 그 후에 일어난 사건들과 지극히 가소로운 대조를 이루었다. 왜냐하면 이 사건들은 부르주아지의 불안이 빚어낸 이 기형적인 환상의 산물을, 즉 샹가르니에라는 거인을 평범함의 차원으로 끌어내리고 사회를 구원하는 영웅[74]인 그를 일개 퇴역 장군으로 변모시키는 데는 보나파르트의 서명 하나만으로도, 즉 지극히 작은 행위만으로도 충분하다는 사실을 여지없이 증명했기 때문이다.

보나파르트는 이미 오래전부터 이 성가신 보호자에게 복수하기 위해[75] 전쟁장관으로 하여금 군대 통솔 문제를 놓고 샹가르니에와 다툼을 벌이도록 자극했다. 그리고 사토리[76]에서의 최근 열병식을 통해 이 오래된 원한은 마침내 대형 사건으로 터졌다. 기병 연대가 "황제 만세!"(vive L'Empereur!)라는 반헌법적 구호를 외치면서 행진하는 것을 본 샹가르니에의[77] 헌법적 분

---

68 G786쪽 20행에는 여기에 쉼표가 있지만 G480쪽 4행에는 없다. 번역 문맥상 쉼표는 쓰지 않았다. — 옮긴이

69 G786쪽 22행에는 여기에 쉼표가 있지만 G480쪽 7행에는 없다. 번역 문맥상 쉼표는 쓰지 않았다. — 옮긴이

70 G786쪽 29행에는 여기에 쉼표가 있지만 G480쪽 14행에는 없다. 번역 문맥상 쉼표는 쓰지 않았다. — 옮긴이

71 G786쪽 28행에는 여기에 쉼표가 있지만 G480쪽 13행에는 없다. 번역 문맥상 쉼표는 쓰지 않았다. — 옮긴이

72 G786쪽 29행에는 여기에 쉼표가 있지만 G480쪽 14행에는 없다. 번역 문맥상 쉼표는 쓰지 않았다. — 옮긴이

73 "사토리"(Satori) — G480쪽 16행에는 "Satory"로 되어 있다. — 옮긴이

74 G786쪽 34행에는 여기에 쉼표가 있지만 G480쪽 20행에는 없다. 번역 문맥상 쉼표는 쓰지 않았다. — 옮긴이

75 G786쪽 36행에는 여기에 쉼표가 있지만 G480쪽 22행에는 없다. 번역 문맥상 쉼표는 쓰지 않았다. — 옮긴이

76 "사토리"(Satori) — G480쪽 24행에는 "Satory"로 되어 있다. — 옮긴이

77 "샹가르니에의"(Changarnier's) — G480쪽 25행에는 "Changarniers"로 되어 있다. — 옮

노는 극에 달했다. 보나파르트는 다가오는 의회 회기 때 이 구호에 대해 불편한 논쟁이 일어날 것에 대비하여 도풀 전쟁장관을 알제 총독으로 임명함으로써 그를 제거했다. 그리고 그의 자리에는 황제 시대의 충성스러운 노장군을 앉혔는데, 그는 샹가르니에만큼이나 잔인한 인물이었다. 그러나 도풀[78]의 해임이 샹가르니에에 대한 양보로 비치지 않도록 하기 위해 보나파르트는 동시에 이 위대한 사회 구원자의 오른팔인 뇌마예 장군을[79] 파리에서 낭트로 전출시켰다. 뇌마예는 최근 열병식에서 보병대 전체가 나폴레옹의[80] 후계자 앞을 행진하면서 얼음 같은 침묵을 지키도록 명령한 인물이었다. 뇌마예의 사태를 접한 샹가르니에는 보나파르트에게 저항하며 위협했지만 아무 소용이 없었다. 이틀에 걸친 협상 끝에 뇌마예의[81] 전출 명령은 《르 모니퇴르 위니베르셀》[82]에 실렸으며, 질서당의 영웅에게 남은 선택은 명령을 따르거나 아니면 사퇴하는 길밖에 없었다. G787

보나파르트와 샹가르니에의 싸움은 ||112| 보나파르트와 질서당의 싸움의[83] 연장이다. 그 때문에 11월 11일 국민의회는 위협적인 분위기 속에서 재개된다. 그러나 이것은 찻잔 속의 태풍으로 그칠 것이다. 본질적으로는 예전의 게임이 계속될 수밖에 없을 것이다. 질서당의 다수는 여러 분파 소속의 원칙 수호자들이 시끄럽게 반대해도[84] 대통령의 권력을 더 확장할 수밖에 없을 것이다. 마찬가지로 보나파르트는 당분간 온갖 저항을 할지 모르지만 자금이 부족해서 꺾일 것이고, 권력의 연장을 국민의회의 수중에서 단순히 위임받은 것으로 받아들일 것이다. 이렇게 해결책은 지연되고 현재 상태(status quo)는 계속 유지될 것이며, 질서당의 한 분파는 다른 분파에 의해 방해받고 약화되며 무기력하게 될 것이다. 그래서 경제적 관계 자체가 다시 어느 발전 지점에 도달해 서로 다투는 모든 정당과 그들의 입헌공화정이 새

긴이

78 "도풀"(d'Hauptpoul) — G480쪽 32행에는 "D'Hauptpoul"로 되어 있다. — 옮긴이

79 G787쪽 2행에는 여기에 쉼표가 있지만 G480쪽 34행에는 없다. 번역 문맥상 쉼표는 쓰지 않았다. — 옮긴이

80 "나폴레옹의"(Napoleon's) — G480쪽 37행에는 "Napoleons"로 되어 있다. — 옮긴이

81 "뇌마예의"(Neumayer's) — G480쪽 39행에는 "Neumayers"로 되어 있다. — 옮긴이

82 G787쪽 7행에는 큰따옴표가 있지만("Moniteur") G480쪽 39행에는 없다. — 옮긴이

83 "싸움의"(Kampfes) — G481쪽 1행에는 "Kampfs"로 되어 있다. — 옮긴이

84 G787쪽 9행에는 여기에 쉼표가 있지만 G481쪽 6행에는 없다. 번역 문맥상 쉼표는 쓰지 않았다. — 옮긴이

로운 폭발적 과정을 통해 폭파될 때까지 공동의 적인 국민 대중에 대한 억압은 계속 확장되고 남김없이 사용될 것이다.

그 밖에도 부르주아지가 안도할 만한 일은,[85] 보나파르트와 질서당 사이의 추문을 통해 결과적으로 주식 시장에서 수많은 소자본가가 몰락하고 그들의 재산이 주식 시장에서 활동하는 커다란 늑대들의 주머니로 들어갔다는 점이다.|

85 G787쪽 24행에는 여기에 쉼표가 있지만 G481쪽 7행에는 없다. — 옮긴이

카를 마르크스/프리드리히 엥겔스 G820

《노이에 라이니셰 차이퉁. 정치-경제 평론》 제2호의 서평

1850년 1월/2월(G197~G210쪽)

집필과정과 전승과정

NRhZ. Revue 제2호의 서평 세 편은 마르크스와 엥겔스가 대략 1850년 2월, 즉 제1호의 완료 후에 집필했지만, 그 작업도 이미 1850년 1월에 시작했을 것이다. 다우머와 지몬의 책은 이미 1849년 말 출판되었지만, 기조의 책은 1850년 2월에야 나왔다.

이 서평들은 서명 없이 출판되었다. 나중에 엥겔스가 지적한 것에 따르면, 이 세 편은 마르크스와 엥겔스가 함께 썼다(프리드리히 엥겔스, 「하인리히 카를 마르크스Marx, Heinrich Karl」, 『국가학 사전Handwörterbuch der Staatswissenschaften』, 1892년을 보라). 마르크스는 1789~1794년 프랑스 혁명의 역사와 기조의 저작에 대한 연구를 이미 1843/1844년 파리에 처음 체류할 동안 진행했다. 따라서 우리는 마르크스가 기조의 책에 대한 서평을 썼다고 가정할 수 있다.

서평들의 핵심 주제로 제시된 부르주아 이데올로기의 발전에 대한 1848/49년 혁명의 영향을 연구하면서 마르크스와 엥겔스는 혁명으로부터 중요한 이론적 측면을 보았다. 그 밖에도 다우머의 책에 관한 서평은 프라일리그라트의 제안으로 작성한 것이다(프라일리그라트가 1849년 12월 31일 혹은 1850년 1월 1일 마르크스에게 보낸 편지를 보라).

원문자료에 대한 기록

J[1] 문헌.

I. G. Fr. 다우머, 『새 시대의 종교. 종합적-잠언적 기초의 추구』, 제

2권, 함부르크, 1850년.

II. 트리어의 루트비히 지몬, 『모든 제국헌법 투사를 위한 변론 한마디. 독일 배심원들에게』, 프랑크푸르트, 1849년.

III. 기조, 『영국 혁명은 왜 성공했는가? 영국 혁명사 논고』, 파리, 1850년.

《노이에 라이니셰 차이퉁. 정치-경제 평론》, 런던, 함부르크와 뉴욕, 제2호, 1850년 2월, 57~69쪽. 1쇄.

K² 1895년 엥겔스의 교정본.

본문은 J¹을 따른다.

G821 **교정사항 목록/해설**

1 (e) 게[오르크] 프[리드리히] 다우머, 『새 시대의 종교. 종합적-잠언적 기초의 추구』, 제1~3권, 함부르크, 1850년, 제2권, 321~322쪽. (본문의 "운동Treiben"은—옮긴이) 다우머 책에서는 "시대의 운동"(Treiben der Zeit)으로 되어 있다.

2 (e) 프리드리히 실러, 『종의 노래』, 26연.

3 (e) "《뉘른베르거 보테》"—《뉘른베르거 쿠리어》를 의미함.

4 (e) "뮌헨《란트뵈틴》"—《바이어리셰 란트뵈틴》(뮌헨)을 의미함.

5 (e) 게[오르크] 프[리드리히] 다우머, 앞의 책, 제1권, 288~289쪽.

6 (e) "몰록 사냥꾼"(Molochsfänger)—다우머의 책 『먼 조상의, 법적인, 정통의, 민족의식으로서 고대 히브리의 성화 예배와 몰록 예배, 역사적-비판적 증명』, 브라운슈바이크, 1842년, 그리고 『기독교 고대의 비밀』, 제1~2권, 함부르크, 1847년을 비꼬는 말.

7 (k) "망각"(Vergessenheit aus,)—J¹ "Vergessenheit,"

8 (e) "versus menoriales"—추모시.

9 (e) 다우머의 책에는 다음과 같이 되어 있다. "우리의 희망은 무기한 연기되었다. 에를랑겐 입헌 연합이 1849년 1월에 바이에른 의회에 보낸 메시지로부터."

10 (e) 마르크스와 엥겔스는 다우머가 비평한 저작인 아우어바흐의 저서 및 다우머의 시집 『하피스』와 『마호메트와 그의 작품』을 인용하고 있다.

11 (k) "솔로몬"(Salomonis)—J¹ "Salamonis"

12 (e) 다우머, 제2권, 40~41쪽을 보라.

13 (e) 해당 원문은 다음과 같다. "눈물은 눈자위를 적실 운명이었다. 수많은 부차적인 관계가 이런 목적을 달성하기 위해 하나가 되었다."(같은 책, 73쪽.)

14 (e) 같은 책, 23쪽 이하. 다우머는 클롭슈토크의 송가 「편재하는 것」에서 인용했다.

15 (e) 16세기 프랑스의 유명한 천문학자이며 샤를 9세의 주치의였던 노스트라다무스의 "예언"은 운문 형태로 되어 있고 극히 이해하기 어렵고 수수께끼같이 표현되어 있다.

16 (e) "스코틀랜드인의 예지력"(das zweite Gesicht der Schotten)—일종의 미신으로, 미래를 암시하거나 다른 사람들은 알 수 없는 현상을 인식할 수 있는 능력을 말한다. 특히 스코틀랜드 고지의 주민들이 이 미신을 믿는다.

17 (e) "동물 자기설"(animalischer Magnetismus) — 오스트리아 의사 프란츠 메스머(Franz Mesmer, 1733~1815년)가 창안한 것으로, 특히 신경 계통의 병을 손이나 다른 최면 수단을 통해 치료할 수 있다는 이론이다. 최면 요법은 18세기 말 널리 퍼졌고 터무니없이 과장되었다. 몇 가지 치료는 현대 암시 요법을 통해 설명될 수 있다.

18 (e) 다우머는 요한 페터 에커만의 『… 괴테와의 대화』에서 인용했다(같은 책, 237쪽).

19 (e) 해당 구절은 다우머, 같은 책, 251~252쪽에 나온다.

20 (e) 같은 책, 257쪽.

21 (e) 괴테의 소설 『빌헬름 마이스터의 수업시대』를 가리킨다.

22 (e) 강조는 마르크스와 엥겔스가 한 것.

23 (e) 《노이에 라이니셰 차이퉁》, 쾰른, 제271호, 1849년 4월 13일, 제2판에 따라 프랑크푸르트 국민의회에서 1849년 4월 11일 루트비히 지몬이 한 연설에서 인용했다. 강조는 마르크스와 엥겔스가 한 것. 국민의회 의사록의 해당 구절은 다음과 같다. "3월 혁명 이전의 외교 관계라는 흐릿한 강물에 차가운 안개가 피어올랐다. … 그러나 이 안개가 걷히면 어두운 구름으로 농축될 것이고, 우리가 서 있는 교회 첨탑에 파멸적인 뇌우가 내리칠 것이다. 깨어 있고 모자에 신경을 쓰시고, 여러분은 미리 피뢰침이 있는 곳을 주의하시라. 그래서 폭풍우를 동반한 번개가 우리를 비껴나도록 말이다. — 그리고 눈에 보이는 책임을 질 우두머리에게 방향을 돌려라!"(『프랑크푸르트의 독일 제헌국민의회의 토의 속기록Stenographischer Bericht über die Verhandlungen der deutschen constituirenden Nationalversammlung zu Frankfurt am Main』, 국민의회의 결정에 따라 편집위원회와 편집위원회의 위임을 받은 프란츠 비가르트Franz Wigard 편찬, 전 9권, 프랑크푸르트와 라이프치히, 1848~1849년, 제8권, 6134~6135쪽.)

24 (e) 프랑크푸르트 의회의 다수파는 세습 황제와 타협을 통해 하나가 되었다. 1849년 3월 28일 황제 선거에서 290명의 의원이 프로이센 왕을 찬성했고, 248명이 기권했으며, 반대표는 없었다. 1849년 4월 3일 프리드리히 빌헬름 4세는 국민의회 대표단에 대해, 제후들만이 수여할 수 있는 황제의 관을 국민의회 대표단이 주자 그 관을 거부했다. 그러자 국민의회 좌파는 오직 의회의 조치만 생각하게 되었다. 개별 독일 국가들의 의회는 제국헌법의 채택을 관철한다고 했지만, 단지 몇몇 작은 국가들만이 받아들였다.

25 (e) "독일 제국의 바로"(Reichsbarrots) — "부르주아 자유주의의 화신"(G151쪽 41행을 보라)인 오딜롱 바로를 비꼬는 말. 마르크스는 이 말을 이미 「프랑크푸르트 3월 연합과 《노이에 라이니셰 차이퉁》」(Der Frankfurter Märzverein und die 'Neue Rheinische Zeitung')에서 이용했다(《노이에 라이니셰 차이퉁》, 쾰른, 제248호, 1849년 3월 17일).

26 (e) 1849년 6월 25일에서 27일까지 고타에는 프랑크푸르트 국민의회의 전직 자유주의 의원들 148명이 모였다. 그중 130명이 성명서에 서명을 했다. 이 성명서는 프로이센이 제안한 연방 체제(G22쪽 7~14행에 관한 해설을 보라)와 프로이센의 패권 계획 및 세 등급 선거권(G32쪽 11~13행에 관한 해설을 보라)을 인정했다. 이들은 또한 프로이센이 계획한 연방의회에서도 다수를 차지했다. 이 의회는 3월 20일 에르푸르트에서 소집되었다. "고타 사람"이라는 이름은 혁명에 대한 자유주의 부르주아지의 배신을 가리키는 말이 되었다.

27 (e) 루트비히 지몬은 자신의 소책자에서, 프랑크푸르트 국민의회 의원들은 슈투트가르트 잔여의회(G21쪽 17행에 관한 해설을 보라)에서 국민의회에 반대하는 뷔르템베르크 정부의 행동을 비난하고, 팔츠와 바덴에서의 무장투쟁에 대해 연대한다고 선언했다고 썼다. 1849년 6월 8일(원문에는 9일로 되어 있으나 MEGA 편집자의 오기로 보인다. — 옮긴이)의 해당 결정은 그러나 순수한 선언적 성격을 지닌다. 같은 의원들은 1849년 5월 말 프랑크푸르트에서, 국민의회를 보호하기 위해 팔츠와 바덴에서 무장봉기한 군대를 불러 모으는 것을 거부했다. 마르크스와 엥겔스는 이 군대를 불러 모으자고 제안했다.

28 (k) "아니라고"(Nein) — J[1] "순수하다고"(Rein) K[2] "Nein"

29 (e) 지문의 글에는 "거니는"(wandeln) 대신 "떠도는"(wandern), "양심"(Gewissen) 대신 "의식"(Bewußtsein)으로 되어 있다.

30 (e) "oratio pro domo" — 자기 집을 위해. 변형된 의미: 자기를 위해.

31 (k) "III. 기조(III. Guizot)" — J[1] "Guizot"

32 (k) "기조의"(Guizots) — J[1] "Guizot"

33 (e) 기조의 원문은 다음과 같다. "국가를 보전하는 정책은 또한 혁명을 종식함과 동시에 혁명의 기반을 닦는 유일한 정책이기도 하다."(『영국 혁명은 왜 …』, 183쪽.)

34 (e) 같은 책, 168~169쪽.

35 (e) 잉글랜드은행은 1694년 설립되었다. 정부가 창립 자본을 채권으로 처리해주었다. 그것으로 영국 국가 부채가 시작되었다.

36 (e) 로버트 월폴 내각 시기(1721~1742)에 의회 의원들의 중요한 표를 매수하는 관행이 널리 퍼졌다. 특히 하원의 재선거에는 언제나 표의 매수가 있었다. 1742년 월폴 실각 이후 착수된 조사는 중단되었다.

37 (e) 리스본 인민봉기(1640), 마사니엘로(Masaniello)가 지도한 나폴리 인민봉기(1647/1648), 시칠리아 메시나 인민봉기(1674~1676)는 스페인 지배에 반대하는 것이었다.

38 (k) "팔아넘긴"(verkauften) — J[1] "verkauft"

39 (e) "개혁 법안"(Reformbill) — G309쪽 17행에 관한 해설을 보라.

카를 마르크스/프리드리히 엥겔스

평론. 1850년 1월/2월

1850년 1월 말과 2월 말 사이(G211~G223쪽)

G825

집필과정과 전승과정

이 첫 번째 「평론」(Revue)은 원래 NRhZ. Revue 제1호로 예정되어 있었다. 이 계획 혹은 예비 작업은 1849년 12월로 거슬러 올라간다(엥겔스가 1849년 12월 22일 야코프 샤벨리츠에게 보낸 편지를 보라). 마르크스와 엥겔스는 1850년 1월 말 기고문의 주요 부분을 작성했고, 그 마지막에 1850년 1월 31일이라고 날짜를 적었다. 「평론」이 제1호의 과중한 분량 때문에 함부르크에서 반려된 것을 알았을 때, 그들은 제2호에 게재하기 위해 보유(G220쪽 17행~G223쪽 19행—옮긴이)를 썼다. 이 보유는 1850년 2월 중순에서 2월 말 사이에 쓰였고, 주요 부분과 함께 제2호에 출판되었다. 마르크스와 엥겔스가 보유에서 언급한 프로이센 예산안의 승인(G220쪽 28~29행을 보라)에 관해서 그들은 아무리 일러도 1850년 2월 23일에 알았을 것이다. 그에 관한 토론은 2월 19일부터 22일에 비로소 이루어졌기 때문이다. 1850년 2월 21일 자《슈바이처리셰 나치오날-차이퉁》을 언급한 것(G221쪽 25행)도 대략 이 시기가 같다는 것을 가리킨다. 마르크스와 엥겔스가 2월 23일경에도 여전히 열심히 쓰고 있던 첫 번째 「평론」에 대한 보유가 2월 말에야 제2호를 위한 마지막 초고와 함께 함부르크로 보내진 것으로 가정할 수 있다. 이 초고는 3월 4일 함부르크에 도착했다(율리우스 슈베르트가 1850년 3월 8일 콘라트 슈람에게 보낸 편지를 보라).

엥겔스가 1849년 12월 22일 샤벨리츠에게 보낸 편지와 1851년 9월 23일 마르크스에게 보낸 편지로 마르크스와 엥겔스가 공동 저자라는 사실을 확인할 수 있다. 이것은 또한 마르크스에 관한 엥겔스의 요약 전기에서도 언급된다(『국가학 사전』, 제4권, 예나, 1892년). 마르크스도 『포크트 씨』(런던, 1860년, 44쪽)에서 자신을 저자로 설명했다.

원문자료에 대한 기록

J[1] 평론. 《노이에 라이니셰 차이퉁. 정치-경제 평론》. 런던, 함부르크와 뉴욕, 제2호, 1850년 2월, 69~80쪽. 1쇄.

「평론」은 작은 활자로 출판되었다. 몇몇 프랑스어 단어는 라틴어 필기체로 인쇄되었다.

K[2] 프리드리히 레스너의 NRhZ. Revue 견본에 대한 엥겔스의 교정본, 1895년 2월(G697쪽을 보라). 1860년 전에 NRhZ. Revue 제4호의 인쇄오류 목록에 따라 카를 펜더가 기재한 교정사항들은 아래의 교정사항 목록에 반영하지 않았다.

본문은 J[1]을 따른다.

G826 ### 교정사항 목록/해설

1 (e) "귀족의 지위"(Pairie) — 상원에서 봉건귀족이 다수를 대변하는 권리.

2 (e) "특별 법원"(Ausnahmsgericht) — 흠정헌법은 정부가 배심 법원을 창설할 권한을 부여했다. 배심 법원은 대역죄 및 국가의 대내외 안전을 위협하는 것에 관한 형사 사건을 담당했고 일반 법원과는 달리 특별한 헌법적 위치를 차지했다.

3 (e) 헌법에 따라 전시 총동원법, 즉 국민 개병제는 그대로 유지했다. 이를 통해 반동 정부는 병역을 수행할 수 있는 프로이센의 모든 주민을 자유롭게 이용했다.

4 (e) "가족 세습 재산"(Fideikommisse) — 양도할 수 없으며 언제나 가족의 연장자에게 귀속하는 토지 소유에 대한 봉건적 상속 형태.

5 (e) "그는 하나의 헌법을 하사하고 … 큰코다칠 것이다." — 프리드리히 빌헬름 4세가 인민이 선출한 헌법 제정(제헌) 의회를 군대를 동원해 쫓아낸 그날, 그는 헌법을 흠정화했다. 이 헌법은 몇몇 측면에서는 왕의 권한을 확장했고, 몇몇 측면에서는 의회의 자격에 의문을 표했다. 프로이센에서는 주로 봉건귀족이 대표하던 상원(귀족원)이 있었다. 하원(의사당)은 처음에는 보통선거로, 그다음에는 세 등급 선거(1849년 5월 30일의 선거법)로 선출되었다. 의회의 모든 결정을 파기하고 "긴급한 상황에서는" 의회와 관계없이 법률을 공포할 뿐만 아니라 헌법의 개별 조항을 개정할 수 있는 왕이 승인한 이 권리는 1848년 12월의 반동적인 변화 조치였다. 1849년 8월 7일 양원은 이 흠정헌법을 개정했고 다수가 이 헌법을 가결했다. 이것은 세 등급 선거를 기초로 하면서 1849년 중반 유럽 혁명의 패배에 영향을 받아 왕에게 복종한 하원이 성립된 다음의 일이었다. 1850년 1월 31일 이 흠정헌법은 국가 기본법(Staatsgrundgesetz)으로 선포되었고, 1850년 2월 6일 왕과 양원은 이 헌법에 맹세했다(《프로이센 관보》, 베를린, 제32호, 1850년 2월 2일, 187~189쪽).

6 (e) ""왕의 양심"을 의회에 보여주기 … 큰코다칠 것이다." — 1850년 1월 7일 자 프리드리히 빌헬름 4세의 교서에는 1848년 12월 5일의 헌법을 개정하고 보완하기 위한 제안들이 들어 있었다. 이 교서에는 다음과 같이 쓰여 있었다. "우리는 헌법 작업이 완료될 순간이 오기를 희망한다. 그러나 우리가 우리 앞에 놓인 서약의 맹세를 신성하게 여길수록 신이 친애하는 조국을 위해 우리에게 부과한 의무들이 우리의 영혼에 더 많이 나타날 것이다. 그리고 우리는 인민의 대표가 '**헌법을 개정**'하기 위한 우리의 제안에서 우리 왕의 양심의 증거를 알게 되고 존중하게 될 것이라는 점을 낙관적으로 기대하고 있다."(《프로이센 관보》, 베를린, 제10호, 1850년 1월 10일, 53~54쪽.)

7 (e) 연방의회(프로이센 주의회 연합)는 1847년 4월에 처음으로 소집되었고, 외국 차관에 보증을 서라는 왕의 요구를 거부한 다음인 1847년 6월 다시 해산되었다. 1848년 4월 두 번째로 소집되었을 때 연방의회는 2500만 탈러의 차관에 동의했다.

8 (k) "정부에"(der Regierung) — J[1] "ihr"

9 (e) 베네딕트 발데크는 1848년 프로이센 제헌의회에서 헌법기초위원회 의장과 잠시 동안 의회 부의장이었는데, 6개월 구류를 당한 다음인 1849년 11월 28일에서 1849년 12월 3일까지 베를린에서 그에 대한 재판이 열려 대중의 큰 관심을 받았다. 검사는 경찰 끄나풀인 옴(Ohm)의 위조된 진술을 기초로, 1848년 11월의 세금 거부 결정과 연관해서 "대역죄 모의"에 공동 책임이 있다고 죄를 전가했다. 당시 사회-민주주의 공화국을 수립하려는 음모에 가담했다는 검사의 황당무계한 비난에 대해, 발데크는 자신은 언제나 입헌군주제의 지지자였다고 해명했다. 재판 심리는《노이에 프로이시셰 차이퉁》, 베를린, 제278~282호(1849년 11월 29일~12월 4일)에 실렸다.

재판정에서 발데크의 행동에 대해서는 G318쪽 6~8행을 보라.

10 (e) 8개월 구류를 당한 다음인 1850년 1월 트리어에서는, 프륌의 무기고 습격에 가담했고 팔츠 봉기에 이른바 "지식인"으로 참여한 카를 그륀에 대한 재판이 열렸다.

재판정에서 그륀의 행동에 대해서는 G318쪽 8~10행을 보라.

11 (e) 에른스트 모리츠 아른트, 「독일인의 조국」, 『독일인을 위한 시』(Lieder für Teutsche), 1813년. 많은 이들이 불렀던 이 시의 연들은 "독일인에게 조국이란 무엇인가?"라는 질문으로 시작한다.

12 (e) 에르푸르트가 1850년 3월 20일 이른바 연합의회(Unionsparlament)를 소집한 후, 이를 바탕으로 프로이센은 오스트리아를 배제한 "소독일"을 만들려고 했다. 이러한 계획은 고타당(G481쪽 36행에 관한 해설을 보라)으로 연합한 자유주의 부르주아지에게 지지를 받았다.

오스트리아와 러시아의 위협적인 태도 때문에 1850년 4월 29일 회의를 끝낸 에르푸르트 의회는 독일의 패권을 둘러싼 프로이센과 오스트리아의 투쟁의 일부를 구성했다. 프로이센은 자신의 연합 정책의 첫발을 1849년 5월 26일 삼제연맹(프로이센, 하노버, 작센)의 결성으로 내디뎠다. 1849년 9월까지는 많은 독일 국가가 이 연합에 가담했지만, 이후 1850년 2월 하노버와 작센이, 그다음에는 여러 국가가 이 연합에서 다시 탈퇴했다.

1850년 11월 29일 올뮈츠 협약으로 프로이센은 자신의 연합 정책을 버리고, 오스트리아가 1850년 9월에 복원한 연방의회(Bundestag)를 인정해야만 했다.

13 (e) 기원전 6세기와 3세기 사이에 무명의 그리스 작가가 호메로스의 『일리아드』를 개작하여 우스꽝스러운 동물 서사시 「개구리와 쥐의 전쟁」(Batrachomyomachia)을 썼다.

14 (e) "정교회 신봉자 차르"(der rechtgläubige Czar) — 니콜라이 1세.

15 (e) "과도정부"(Interim) — 1849년 9월 30일 오스트리아와 프로이센 사이에 체결된, 헌법 문제를 최종적으로 해결할 때까지 독일의 전체 업무를 공동으로 관리하기 위한 조약을 가리킨다. 이 조약으로 1850년 5월 1일까지 활동했으며, 1848년 3월에 혁명으로 해산된 연

방의회 기능을 한 오스트리아와 프로이센의 동등한 수로 구성된 연방위원회가 설치되었다.

16 (e) 과도정부는 투른 운트 탁시스의 우편권 폐지를 예고한 1849년 12월 17일의 법 집행에 반대함으로써 뷔르템베르크에 개입했다(G30쪽 24행~G31쪽 10행에 관한 해설을 보라). 그 때문에 뷔르템베르크 정부는 이 법의 실행을 두 달 유예했다.

메클렌부르크에서는 1848년 10월 10일의 법률을 통해 영방의회 헌법과 국가 기본법 — 하원과 메클렌부르크-슈베린 대공국이 합의한 — 의 폐지가 공표되었다. 이 법률에 대해 메클렌부르크 기사계급은 오스트리아-프로이센 연방위원회(위의 해설을 보라)에 이의를 제기했다. 연방위원회는 1850년 9월 이 논쟁에서 기사계급의 편을 들기로 했다.

17 (e) 해양활동협회는 1772년 무역신용협회로 설립된 "프로이센 해양활동협회"를 가리킨다. 이것은 1820년 1월 이후 프로이센 국가의 실질적인 금융 및 은행 기관이 되었다.

18 (e) "국경 주민"(Grenzer) — 오스트리아 제국의 남부인 달마티아, 크로아티아, 슬라보니아(Slawonien), 지벤뷔르겐(트란실바니아의 독일식 이름 — 옮긴이), 바나트 등 국경 지역에 사는 사람들. 이들은 땅을 이용하기 위해서 국경 수비를 위한 군 복무를 해야 했다. 1849년 말/1850년 1월 국경 주민은 반란을 일으키고 오스트리아 군대에 반대하여 행군을 했다.

19 (e) 차르 알렉산드르 1세가 1808년 6월 24일 프랑스 대사 콜랭쿠르(Caulaincourt)에게 한 말이다. 언제 그리고 어떤 출판물을 통해 이 말이 이미 19세기에 널리 알려지게 되었는지는 찾을 수 없었다.

20 (e) 터키가 헝가리와 폴란드의 정치 망명자를 오스트리아와 러시아에 인도하는 것을 거부한 후인 1849년 8월 오스트리아 및 러시아와 터키의 관계가 단절된 것을 의미한다. 터키는 영국과 프랑스의 지원을 받았다.

21 (e) 뇌샤텔(Neuchâtel, 노이엔부르크)은 스위스의 제후국으로, 1815년 빈 회의에서 프로이센에 할양되었지만, 프로이센 군주국으로부터 완전히 독립된 국가였고 동시에 스위스 연방의 21째 주로 남았다. 1848년 2월 29일/3월 1일 부르주아 혁명의 결과로 뇌샤텔은 프로이센으로부터 완전한 독립을 천명했고, 공화국 헌법을 제정했다. 또한 [프리드리히 엥겔스,] (「전제후국Das Exfürstenthum」,) 《노이에 라이니셰 차이퉁》, 쾰른, 제140호, 1848년 11월 11일, 3쪽을 보라.

22 (k) "울루아"(Uloa) — J[1] "Ulua"

23 (e) 두 바다 요새는 오랫동안 난공불락으로 여겨졌다. 시리아 남부 해안가 생-장 다크르는 나폴레옹의 공격에 저항했고, 1832년 이집트-터키 전쟁(1813~1833) 동안 이집트군에 점령당했지만, 1840년 영국-오스트리아-터키의 연합 함대에 다시 점령되었고 터키에 반환되었다. 멕시코의 동부 해안가 베라크루스(Veracruz)의 산 후안 데 울루아는 멕시코 독립전쟁에서 스페인의 마지막 점령지였다. 1825년 결국 무너졌다.

24 (e) 스위스 국민의회(Nationalrat)는 1849년 6월 20일 회의에서 연방의회(Bundesrat)가 비준한 군대 복무 연장에 관한 결정을 승인했다. 이 결정은 다음과 같다. "스위스 연방회의(Bundesversammlung)는 군대 복무 연장을 유지하는 것이 민주주의 자유 국가인 스위스의 정치적 원칙과 양립할 수 없다는 점에서 다음과 같이 결정한다. 제1항. 연방의회는 아직도 유지되고 있는 군대 복무 연장 문제를 해결하고 지금까지의 사실 보고서 및 이 사실과 관련된 적절한 제안을 연방회의에 제출함으로써 적절한 교섭을 맡기 위해 신속하게 소집할 것이다. 제2항. 징집은 당분간 중단할 것이다."(「6월 20일 국민의회 제46차 회의 [발췌]」, 《슈바이처리셰 나치오날-차이퉁》, 제8집, 바젤, 제151호, 1849년 6월 22일, 585쪽.) 군대 복무 연장은 스위스 주들이 15세기 중엽부터 19세기 중엽까지 용병 예비 대대에 관해 유럽 국가들과 체결한 의무 복무 조약이었다. 또한 프[리드리히] 엥겔스, 「스위스 내

전」, 《도이체-브뤼셀러-차이퉁》, 제91호, 1847년 11월 14일을 보라.

25 (e) "원주민들"(Urkantönler) — 슈비츠, 우리, 운터발덴 등 산악주의 주민들을 의미한다. 이 주들이 1332~1353년에 결성된 스위스 서약동맹의 핵심을 이뤘다.

26 (e) G122쪽 33~34행에 관한 해설을 보라.

27 (e) 신성동맹은 1814년 5월 30일 제1차 파리 조약에서 스위스 주들의 "독립"을 선언했다. 이것에 기초하여 다수의 주들은 1814년 9월 8일 연방조약으로 하나가 되었다. 연방조약은 1815년 8월 7일 효력을 갖게 되었고, 스위스는 연방국가에서 과두 체제로 이루어진 느슨한 국가 연합으로 전환했다. 스위스 서약동맹은 1848년 9월 12일의 헌법에 기초하여 부르주아 민주제도를 갖춘 연방국가로 개편되었다.

28 (e) 주류세 유지에 관한 법률은 1849년 12월 20일 가결되었다(《르 모니퇴르 위니베르셀》, 파리, 제355호, 1849년 12월 21일, 4097쪽). 또한 G181쪽 1행~G185쪽 25행 참조.

29 (e) G188쪽 15행에 관한 해설을 보라.

30 (e) G188쪽 18행에 관한 해설을 보라.

31 (e) G188쪽 27행에 관한 해설을 보라.

32 (e) 6월 저항 세력의 알제리 이송에 관한 법률(Loi relative à la transporation des insurgés du juin en Algérie)은 1850년 1월 24일 가결되었다(《르 모니퇴르 위니베르셀》, 파리, 제30호, 1850년 1월 30일, 333쪽).

33 (e) G193쪽 3~4행에 관한 해설을 보라.

34 (e) G188쪽 6~7행에 관한 해설을 보라.

35 (k) "법률안"(Gesetzvorschlag des) — **J**[1] "Gesetzvorschlag, des"

36 (e) 부르주아 공화파 의원인 피에르 프라디에는 1850년 1월 12일과 19일 국민의회 회의에 이 법령을 위한 법안을 제출했다. 《르 모니퇴르 위니베르셀》, 파리, 제13호와 제20호, 1850년 1월 13일과 20일, 140쪽과 222쪽을 보라.

37 (e) "의회의 자유무역 결정"(Freihandelsbeschlüsse des Parlaments) — 1846년 6월 26일 의결한 법률인 "곡물 수입과 관련된 수정 법안"(An Act to amend the laws relating to the importation of corn)과 "세관의 일정한 의무를 변경하기 위한 법안"(An Act to alter certain duties of customs)을 의미한다. 이들 법률은 곡물 수입의 모든 제한을 폐지했고, 산업 부르주아지의 토지귀족에 대한 중요한 승리를 의미했다. 또한 [프리드리히] 엥겔스, 「영국 곡물법의 역사」(Geschichte der englischen Korngesetze), 《텔레그라프 퓌어 도이칠란트》(Telegraph für Deutschland), 함부르크, 제193호와 194호, 1845년 12월, 771~772쪽과 775~776쪽을 보라.

38 (e) "10시간 법"(Zehnstundenbill) — G225~G230쪽과 G305~G314쪽을 보라.

39 (k) "떨어지고, … 투기가 내몰리고"(fällt, die Spekulation wirft) — **J**[1] "füllt die Spekulation, wirft". **K**[2]에 따라 교정함.

40 (k) "에"(dem) — **J**[1] "den"

41 (e) "위도 30도 지역의 해안"(eine Küste von 30 Breitengraden) — 캘리포니아에서 파나마까지 북아메리카의 서부 해안으로 추정. 대략 북위 40도에서 10도의 지역.

42 (e) "산 후안 데 니카라과"(San Juan de Nicaragua) — 니카라과의 항구 도시 산 후안 델 노르테를 가리킴. 그레이타운(Greytown)이라고도 한다. 이곳이 언급된 것은 멕시코 만과 태평양 사이의 운하의 동쪽 출발점으로 논의되었기 때문이다.

이러한 문제에 대한 마르크스의 지속적인 관심은 무엇보다 1851년 2월의 경제학 발췌노트 제6노트 38쪽에서 확인된다. 여기서 마르크스는 잉글랜드은행의 설립자 중 하나인 윌리엄 패터슨에 관해 이렇게 말했다. "현재 스코틀랜드은행의 핵심 기획자이고 그 유명한 다리엔 회사의 정신인 그자. (위에 인용한 곳에서) (다리엔 지협은 파나마 지협보다 더 잘 알려져 있다. 여기서 패터슨은 아시아와 북아메리카 그리고 유럽과 무역을 추구하기 위한 무역 식민지를 원했다. 그는 이곳의 엄청난 중요성을 완전히 파악하고 있었다.)" 다리엔 회사는 1695년에서 1699년까지 파나마 남쪽 다리엔 만에 스코틀랜드 식민지를 건설하려고 기획했던 회사였다. 이 구절에서도 운하 기획을 염두에 둔 것으로 볼 수 있다.

43 (k) "에서"(den aus) — J[1] "dem aus"

44 (e) 이른바 아편전쟁이 끝난 1842년 8월 29일 난징 조약으로 중국은 영국에 문호를 개방했고, 동시에 전반적 해외 무역을 위해 광저우(원문에는 광둥Kanton으로 되어 있으나 MEGA 편집자의 오류 — 옮긴이), 아모이(중국어로는 샤먼厦門 — 옮긴이), 푸저우, 닝푸, 상하이 등의 항구를 개방했다. 홍콩은 영국의 식민지가 되었다.

45 (e) "황제"(des Kaisers) — 도광제.

46 (e) 1849년 말/1850년 초 개신교 선교사 카를 프리드리히 아우구스트 귀츨라프는 런던 대학과 다양한 협회에서 중국에 관한 강의를 했다. 사회적 사건과 관련된 귀츨라프의 1849년 12월 "런던통계협회" 강연에서의 문장이 《노이에 프로이시셰 차이퉁》(제7호, 1850년 1월 9일, 7쪽)에 다음과 같이 옮겨져 있다. "이러한 운동에 위협적인 성격의 또 다른 현상이 겹친다. 서구 국가의 끔찍한 현상인 공산주의는 또한 중국인에게 전혀 낯설지 않다. 왜냐하면 중국에도 아나키스트들이 배회하기 때문이다. 이들은 다음과 같이 설교한다. 빈익빈 부익부 …"

1840~1842년 아편전쟁 이후 중국 농민에게는 식민지 억압의 발단에 더해 봉건 질서와 만주족 지배층의 억압 등의 위기가 닥쳤다. 중국의 다양한 지역에서 1841~1849년에 100건이 넘는 반(反)봉건 · 반만주족 봉기가 일어났고, 이것은 태평천국 봉기(1851~1864)로 점화되는 거대한 농민전쟁이 되었다. 잠시나마 중국 영토의 거의 절반을 차지한 태평천국은 만인의 자유와 평등이라는 유토피아적 관념을 품은 독립적 이데올로기를 만들어내고, 종교적 · 평등주의적 목표에 강하게 사로잡혔다. 이 유토피아적 농민사회주의의 권위 있는 전파자이자 대표자는 1845년 이후 홍수전(1814~1864)이었다. 그는 학식 있는 농민으로 귀츨라프의 영향을 받아 기독교의 본질적인 측면을 계승했고, 후에 태평천국의 지도자가 되었다. 중국에 특히 강하게 각인된 봉건적 위계에 대해, 홍수전은 모든 사람은 형제이고 신 앞에서 그리고 정치 · 경제적으로 절대적으로 동일한 권리를 가져야 한다는 이론으로 반박했다. 그는 일부 종교적인 형태로, 무장투쟁을 통해서만 특권층과 사적 소유자의 낡은 권력을 무너뜨릴 수 있는 "위대한 평등"을 요구했다. 1848년 이래 홍수전과 풍운산이 이끄는 조직은 지주의 군대에 저항해 무장 유격전을 감행하다 1851년부터 태평 봉기로 넘어갔다.

1850년 11/12월 마르크스는 경제학 발췌 노트 제4노트에서 다음과 같이 기록했다. "중국(홍콩)에서 봉기군이 승리했다. 강력한 황제의 군대 5만 명이 광둥에서 120마일 떨어진 홍콩에서 패배했다."

47 (e) 1850년 1월 31일 헌법 공포에 대한 서약과 관련하여 1850년 2월 6일 프로이센 양원에서 프리드리히 빌헬름 9세가 행한 연설(《프로이센 관보》, 베를린, 제37호, 1850년 2월 7일). 또한 G231쪽 16~22행에 관한 해설을 보라.

48 (e) 1850년 2월 12일 프로이센 전쟁장관 카를 아돌프 폰 슈트로타는 1850년에 군대 유지를 위해 추가 자금을 요구하는 입법안을 하원에 제출했다. 초안과 함께 제출한 건의서에는 청구한 1800만 탈러의 근거로 "일반적 군사 동원"과 "신속한 군사 동원"의 가능성이 제시되어 있었다(《노이에 프로이시셰 차이퉁》, 베를린, 제39호, 1850년 2월 17일). 1850년 2월 21일 회의에서 하원은 청구액을 승인했다.

49 (e) 1850년 예산은 1850년 2월 19~22일의 하원 회의에서 가결되었다(《노이에 프로이시셰 차이퉁》, 베를린, 제42~44호, 1850년 2월 21~24일).

50 (e) 카를 아돌프 폰 슈트로타 전쟁장관이 1850년 2월 12일 하원에 제출한 건의서에서.

51 (k) "거의"(fast) — J^1 "종종"(oft). K^2에 따라 교정함.

52 (k) "쿠어"(Chur) — J^1 "Gur" K^2 "Chur"

53 (e) 오스트리아 장군 카를 폰 쉰할스의 건의서에서 광범위하게 발췌한 이 부분은《슈바이처리셰 나치오날-차이퉁》(제9집, 바젤, 제44호, 1850년 2월 21일, 173/174쪽)의 사설「침략 계획」에 들어 있다. 빌헬름 블로스가 편집한『프란츠 지겔 장군의 1848년과 1849년 회고록』(Denkwürdigkeiten des Generals Franz Sigel aus den Jahren 1848 und 1849)에서 지겔은《슈바이처리셰 나치오날-차이퉁》의 이 사설 필자가 자신임을 밝혔다. 그는 "헤센의 오스트리아 포병대장에게" 침략 계획을 몰래 넘겼다고 했다(『… 회고록』, 만하임, 1902년, 139쪽).

54 (e) G140~G168쪽을 보라.

55 (e) G305~G314쪽을 보라.

G834

카를 마르크스/프리드리히 엥겔스

《노이에 라이니셰 차이퉁. 정치-경제 평론》 제2호와 제3호의 내용 예고

1850년 2월(G224쪽)

집필과정과 전승과정

1850년 1월 말 마르크스의 병으로 NRhZ. Revue 제1호가 아무리 일러도 1850년 2월 둘째 주에나 간행될 것이라는 점(마르크스가 1850년 2월 4일 바이데마이어에게 보낸 편지를 보라)이 확실해진 뒤에 "광고"가 필요하게 되었다. 그러나 "광고"의 텍스트가 이미 제1호의 전체 초고와 함께 2월 1/2일경 런던에서 함부르크로 보내졌는지(하겐이 1850년 2월 6일 슈람에게 보낸 편지를 보라) 아니면 나중에 보내졌는지는 판단할 수 없었다. 제1호는 2월 28일 함부르크에서 이미 인쇄가 되었기 때문에, "광고"는 늦어도 2월 20일경에는 나왔을 것이다.

NRhZ. Revue 제1호는 바로 조판되었고, 인쇄 전지에 대한 교정도 이루어졌으며(슈베르트가 1850년 2월 18일 슈람에게 보낸 편지를 보라), "광고"는 처음부터 첫째 전지에 있었을 개연성이 높은 것으로 보아, "광고"는 이미 2월 초 함부르크에 보냈을 것이다. 하지만 특히 프로이센 재정 상황에 대한 기고문이 예고된 것은 이에 모순된다. 마르크스가 기고문에 대해 베르겐로트에게 확실한 승낙을 받아낸 것은 아무리 일러도 1850년 2월 12일이었기 때문이다(베르겐로트가 1850년 2월 10일 마르크스에게 보낸 편지를 보라). 그러나 마르크스는 이미 2월 10일 이전에 기고문을 부탁했고, 두 사람 사이에는 분명한 접촉이 있었기 때문에, 마르크스는 베르겐로트에게 승낙을 받았다고 전제했을 것이다. "광고"를 일찍 작성한 것 ―1850년 2월 1일경― 은 다음을 의미한다. 즉 마르크스와 엥겔스가 계획했던 1/2호 합본을 개별 호로 바꾸기로 마음먹은 1월 말의 결심을 끝까지 내리지 않았고, 그래서 결국 제2호와 제3호는 여기에서 예고된 것과는 전혀 다르게 나타났다는 것이다. 그래서 제2호에는「… 계급투쟁」의 2부와「독일 제국헌법투쟁」의 3부만이 실렸고, 제3호에 와서야「… 계급투쟁」의 3부와「독일 제국헌법투쟁」의 4부가 실렸다(또한 해설을 보라).

원문자료에 대한 기록

J^1 광고. [서명:] 편집부.《노이에 라이니셰 차이퉁. 정치-경제 평론》, 런던, 함부르크와 뉴욕, 1850, 제1호, 1850년 1월, 2쪽. 1쇄.

본문은 J^1을 따른다.

해설 G835

1 (e) NRhZ. Revue의 제2호는 1850년 3월 말 발행되었다(슈베르트가 1850년 3월 22일과 4월 5일 슈람에게 보낸 편지, 하겐이 1850년 4월 1일 슈람에게 보낸 편지를 보라).

2 (e) 런던의 공산주의 노동자교육협회에서의 마르크스의 경제학 강연을 NRhZ. Revue에 실으려는 의도는 이미 1849년 말에 있었다. 엥겔스는 1849년 12월 22일 샤벨리츠에게 제1호는 "가능하다면, 마르크스가 여기 노동자협회에서 한 일련의 경제학 강연의 첫 번째"를 실을 것이라고 썼다. 2월 초에도 여전히 첫 번째 강연을 제1호나 아니면 제2호에 실을 의도가 있었다. 왜냐하면 여기의 제3호를 위한 "광고"는 이미 두 번째를 예고하기 때문이다. 그러나 NRhZ. Revue에 마르크스의 경제학 강연은 어떤 것도 발행되지 않았다.

3 (e) 빌헬름 볼프의 기고문은 1849년 12월에 이미 제1호로 예정되어 있었다(엥겔스가 1849년 12월 22일 샤벨리츠에게 보낸 편지를 보라). 이 기고문은「'제국에 대한' 회고」라는 제목으로 NRhZ. Revue 제4호(함부르크, 1850년 4월, 73~79쪽)에 실렸다.

4 (e) 마르크스를 쾰른의《라이니셰 차이퉁》시절부터 알고 있었던 구스타프 베르겐로트는 1850년 2월 10일에 마르크스가 2월 7일에 보낸 편지에 대한 답장을 다음과 같이 썼다. "프로이센 재정에 관해 나는 당신에게 논문을 써 보내려고 합니다. … 몇몇 조치만을 대상으로 빠짐없이 다룬다면, 적어도 전지 3~4장 분량이 될 것이며, 아마 더 많을지도 모르겠습니다. 그러면 내가 전체를 여러 호에 나누어 실을 수 있도록 작업을 하겠습니다.
 내가 제3호를 위해 이미 무언가를 당신에게 보낼 수 있을지는 힝켈다이에게 달려 있습니다. 그가 나를 베를린에서 추방한다면, 이 작업은 몇 주간 중단될 것이기 때문입니다."
 1850년 3월 9일 베르겐로트는 엥겔스에게 다음과 같이 썼다. "친애하는 엥겔스, 내가 예측했듯이 나는 베를린을 떠나야 했습니다. 내 책들은 거기에 남아 있습니다. 그러나 이 책들이 없이는 프로이센의 재정에 관한 논문을 쓸 수 없습니다. 내 책을 보내라고 부탁했고 그러면 바로 논문을 쓸 수 있을 겁니다." 이 기고문은 추정컨대 쓰지 않았을 것이다.

G836

프리드리히 엥겔스

10시간 문제

1850년 2월 9일과 대략 2월 20일 사이(G225~G230쪽)

집필과정과 전승과정

기고문 「10시간 문제」는 1850년 2월 8일 재무재판소의 판결(《더 타임스》, 제20408호, 1850년 2월 9일, 7쪽, 2단을 보라) 이후, 그리고 《더 데모크라틱 리뷰》 3월 호에 끼워 넣기로 한 기한인 2월 20일 전에 쓰여, 늦어도 1850년 3월 1일에 발행되었다. 이미 3월 2일 《더 데모크라틱 리뷰》 3월 호에 관한 서평이 《더 노던 스타》에 실려 있었다.

엥겔스가 저자라는 것은 기고문에 쓰인 머리글자 F. E.만이 아니라, 조금 시간이 지난 후에 NRhZ. Revue 제4호에 실린 기고문 「영국의 10시간 법」으로도 알 수 있다. 두 기고문은 동일한 주제를 다루고 있고 비슷한 생각의 전개를 보여준다.

하루 10시간 문제에 대해 엥겔스는 이미 1845년 자신의 저작 『영국 노동자계급의 상태』(Die Lage der arbeitenden Klasse in England)에서, 후에 — 마르크스와 함께 — 『공산당 선언』에서, 그리고 《노이에 라이니셰 차이퉁》 제62호(1848년 8월 1일)의 1848년 7월 31일 자 기고문에서도 언급했다. 『공산당 선언』에 대한 마르크스의 초안 초고 중 유일하게 남아 있는 페이지에는 예니 마르크스의 필체로 다음과 같은 글귀가 있다. "[프롤레]타리아트는 10시간 법을 위해 이 조치의 결과를 착각하지 않고 참여했다."

엥겔스는 이 기고문을 통해 영국의 사회 발전과 영국 노동자계급의 현안에 특별히 개입했다. 1850년 2월 8일 재무재판소의 판결을 통해, 최소한 아동과 여성에 대해 하루 10시간을 산업에 적용했던 1847년 6월 8일의 법은 효력을 잃게 되었다. 이러한 판결로 일어난 논쟁에서 엥겔스는 일관되게 프롤레타리아트 입장을 대변했다. 1850년 3월 2일《더 노던 스타》에 실린《더 데모크라틱 리뷰》의 엥겔스 기고문에 대한 비평은 이렇게 말한다. "완전히 10시간 법을 따르는 사람들에게는 크게 기쁘지 않겠지만, 어쨌든 우리는 감히 더 많은 것을 예측할 수 있다. 이 글은 부를 생산하는 자의 피와 힘으로 이익을 보면서 노동에 투기해 살아가는 사람들의 분노를 그 저자의 머리에 퍼부을 테지만, 읽어보면 모든 계급에게 이익이 될 것이다."

엥겔스는 하루 10시간을 둘러싼 투쟁의 몇 가지 측면을 그의 기고문에서 다루지 못했다. 마르크스는 몇 해 뒤에야 비로소 자본주의 체제에서 노동자계급의 상태를 개선하기 위한 투쟁의 필연성과 가능성을 자신의 경제학의 발전과 함께 다루었다. 그 밖에도 마르크스와 엥겔스는 1850년 초에, 곧 유럽 혁명이 새로운 비약을 시작할 것이고, 이 비약이 영구 혁명 과정 안 G837
에서 비교적 짧은 역사적 기간 내에 사회주의적 생산관계로 이어질 것이라고 생각했다. 이미 1850년 여름에 마르크스와 엥겔스는 혁명과정에 대한 몇 가지 견해를 수정했는데, 이것은 「평론. 1850년 5월에서 10월까지」(G448~G488쪽)에서 읽을 수 있다. 특히 하루 10시간 문제에 대해 마르크스는 "국제노동자협회 창립 연설"(Inauguraladresse der Internationalen Arbeiter-Assoziation, 1864년)에서 엥겔스와의 공동 입장을 분명히 밝혔다.

원문자료에 대한 기록

J^1 10시간 문제. [서명:] F. E.《더 데모크라틱 리뷰. 영국 및 외국의 정치, 역사, 문학 분야》, 런던, 제1호, 1850년 3월, 371~377쪽. 1쇄.

본문은 J^1을 따른다.

해설

1 (e) "맨체스터 학파"(Manchester School) — 특히 19세기 전반기 영국 이데올로그들이 대변한 부르주아 경제학의 조류. 자유무역을 지지하는 이들은 직물공장주 코브던과 브라이트의 지도 아래 이른바 맨체스터 당으로 뭉쳤다. 이들은 토지귀족과 무역 · 금융 부르주아지에 반대하고 산업 부르주아지의 이익을 대변했다. 이들은 국가가 경제에 개입하지 않는 것을 옹호했다. 이런 선동의 중심지가 맨체스터였다. 자유무역의 지지자들은 1840~50년대에 영국 자유당의 좌파를 형성했다.

2 (e) 노동일을 10시간으로 법적으로 제한하는 투쟁은 영국에서 이미 18세기에 시작되었고, 전체 공장법과 밀접히 연관되었다. 의회에서 결정된 최초의 규정은 특정 범주의 견습생을 보호하는 1802년 6월 2일의 법률이었다. 이것이 지켜지지 않은 공장에서의 아동노동에 관한 일련의 법률 이후, 1833년 국가는 공장감독관 제도를 도입했다. 1830년대 이래 하루

10시간을 둘러싼 투쟁은 광범위한 프롤레타리아트 대중을 사로잡았다. 봉건귀족도 자신에게 대항하는 산업 부르주아지에 반대하기 위해 이런 대중적인 표어를 이용하려고 애썼기 때문에 일시적으로나마 10시간 법을 의회에서 제정했다. 여성과 아동을 제한하는 해당 법은 1847년 6월 8일 가결되었다. 또한 카를 마르크스, 『자본』(Das Kapital), 제1권, 제3편, 제8장 제6절을 보라.

G838 3 (e) 곡물 자유무역은 G310쪽 36행에 관한 해설을 보라.

4 (e) 인민헌장(Volkscharte)은 차티스트의 요구사항들을 담고 있었다. 인민헌장은 의회에 제출해야 할 입법안으로서 1838년 5월 8일 공개되었고 여섯 가지 조항으로 이루어졌다. 즉 보통선거권(21세 이상의 남자), 매년 의회 선거, 무기명 투표, 균등한 선거구, 의회 선거의 후보자에 대한 재산 자격 평가 폐지, 의원 수당 지급 등이다. 이 청원에 따라 차티스트 운동이라는 이름을 얻게 되었다.

5 (e) "교대제"(relay system) — 노동일이 15시간이었을 때 부르주아지는 여성과 아동의 10시간 노동일에 대한 법률을 회피하기 위해 교대제를 뒤죽박죽으로 이용했다. 18세 이상의 남성 노동자는 5시 30분에서 20시 30분까지, 즉 15시간 노동했다. 공장주는 이 시간 안에서 법률로 보호받는 노동자(18세 이하의 청소년과 여성)를 다양한 시간에 일을 시작하게 함으로써 전체 15시간 동안 필요한 보조 노동력의 수를 언제나 유지하려고 했다. 일부 노동시간은 군데군데 끊어졌는데, 이것은 법으로 규정된 휴식시간인 식사시간의 보장을 무시하는 것으로도 이용되었다. 이렇게 완전히 다르게 노동을 시작하는 시간 때문에 공장감독관은 전혀 통제할 수 없었다. (또한 카를 마르크스, 『자본』, 제1권, 제3편, 제8장 제6절을 보라.)

6 (e) 조지 그레이 내무장관에게 보내는 공장주들의 청원서에 기초하여, 내무장관은 1848년 8월 5일 자 회람에서 공장감독관들에게 다음과 같이 훈시했다. "… 대체로, G. 그레이 경은 교대제로 아동을 고용하는 것과 관련하여, 법이 인가한 것보다 더 장시간 아동을 실제로 고용했다고 믿을 만한 이유가 없을 때, 법 조문을 위반했다는 이유로 공장주를 고발하는 것은 적당하지 않다고 생각했다."(『1848년 10월 31일 공장감독관의 반년간 결산 보고서Report of the inspectors of factories for the half-year ending 31st October 1848』, 런던, 1849, 134쪽.)

7 (e) 공장감독관 존 스튜어트(John Stuart)는 이른바 교대제(Ablösungssystem)를 15시간 공장 노동일 안에서 허용한 반면, 다른 공장감독관들은 재무재판소의 최고 감정관들(Kronjuristen)에게 법률 위반 여부 심사를 의뢰했다. 이들에 따르면 장관은 의회에서 가결된 법률을 행정 명령을 통해 효력을 정지할 권리가 없다. 1850년 2월 8일 19세기 영국 최고의 기관인 이 법원은 법률 위반에도 불구하고 공장주를 무죄 방면했다. 1847년 6월 8일 이 법이 실제로 폐지된 이후에도 교대제(Relaissysten)는 더욱 널리 퍼져 있었다.

G839 8 (e) 새로운 시장의 개방에 대해서는 G309쪽 36행~G310쪽 19행을 보라.

9 (e) 영국의 국가 부채는 항상 새로운 국채 발행을 통해 증가했다. 국가 부채는 W. 코빗의 보고에 따르면 1815년 이후 10억 파운드스털링에 달했고, 1853년까지 80억 파운드스털링으로 증가했다. 이자 부담으로 직접세와 간접세가 올라갈 수밖에 없었다. 그 와중에 특히 노동자들의 부담이 커졌다. 따라서 차티스트는 1851년 3월 차티스트 대회에서 다음과 같이 요구했다. "이 부채는 계급 정부에 의해 계급 목적을 위해 계약되었지, 인민에 의해 법적으로 계약되지 않았다. … 따라서 국가 부채는 지금 매년 이자로 지불되는 돈으로 청산해야 하고, 당장 자본의 변제로서 적용하여 그러한 변제가 끝날 때까지 청산해야 한다."(《더 프렌드 오브 더 피플》, 런던, 제18호, 1851년 4월 12일 — 재판: 『《더 레드 리퍼블리컨》과 《더 프렌드 오브 더 피플》』(The Red Republican and the Friend of the People), 제2권, 런던, 1966년, 158, 159쪽.)

프리드리히 엥겔스 G840

독일에서 온 편지 III

헌법과 "주님을 섬기라!"에 맹세한 프로이센 왕—신성동맹의 대음모—

임박한 스위스 맹공격—프랑스 점령 및 분할 계획!

1850년 2월 18일(G231~G233쪽)

집필과정과 전승과정

G698~G700쪽을 보라.

원문자료에 대한 기록

J[1] 독일에서 온 편지. (우리의 통신원으로부터.) 헌법과 "주님을 섬기라!"에 맹세한 프로이센 왕—신성동맹의 대음모—임박한 스위스 맹공격—프랑스 점령 및 분할 계획! 《더 데모크라틱 리뷰. 영국 및 외국의 정치, 역사, 문학 분야》, 제1호, 런던, 1850년 3월, 397~398쪽. 1쇄.

본문은 J[1]을 따른다.

해설

1 (e) 프로이센 헌법에 대해서는 G211쪽 5~21행에 관한 해설을 보라.

2 (e) 베를린에서 1848년 3월 19일 오후 바리케이드 투사들은 전날 죽은 동지들의 시신을 성의 안뜰로 운구했다. 왕은 모인 사람들의 요구로 등장했고 "모자를 벗어라!"라는 외침을 따랐다.

3 (e) 이 말은 1847년 4월 11일 프로이센 연방의회 개회 당시 프리드리히 빌헬름 4세의 개원 연설에서 인용한 것이다. "짐과 왕실, 우리 모두는 주님을 섬길 것이다."(《알게마이네 프로이시셰 차이퉁》, 베를린, 제101호, 1847년 4월 12일.)

4 (e) 헌법 서약과 관련하여 1850년 2월 6일 양원에서 행한 프리드리히 빌헬름 4세의 연설을 의미한다. 그는 특히 다음과 같이 선언했다. "천부의 세습 왕위의 신성한 책임을 행사하기 위해서가 아니라 … **나 홀로** 명예로운 사람으로서 나의 믿음과 말을 전하기 위해 여기에 있다. … 헌법의 생명과 축복은 오직 절대적인 조건의 충족에 달려 있다. … 그 생명

의 조건은 **통치가 이러한 법률과 함께 가능한 한 잘 이루어져야 한다는** 것이다."(《프로이센 관보》, 베를린, 제37호, 1850년 2월 7일, 관보 발췌문.)

G841 5 (e) 1850년 1월부터 언론법을 개정하려는 의도의 단신들이 신문에 실렸다. 이 가운데 가장 중요한 것은 공탁금 인상이었는데, 이것은 특히 민주주의 신문을 겨냥한 것이었다. 1850년 6월 5일 새로운 명령이 공포되었다(「1849년 6월 30일 신문에 관한 명령을 보충하기 위한 명령. 1850년 6월 5일」, 『왕립 프로이센 국가들의 법령집』, 베를린, 1850년, 329~332쪽).

《베스트도이체 차이퉁》(쾰른, 제41호, 1850년 2월 17일)은 집회 결사권의 개정을 주제로 준비위원회의 보고서에 대한 단신을 실었다. 이에 따르면 모든 단체는 규약과 회원 명부를 제출해야 하고 경찰이 원하는 모든 정보를 제공해야 했다. 정치 단체들은 부르주아적 권리를 완전히 갖고 있고 그 단체의 의석을 가진 동일한 지역 내에 거주하고 있는 25살 이상의 회원만을 허용했다. 이 단체들은 다른 단체들과 접촉하면 안 되었다. 정치 집회를 할 때 연설자의 정보를 경찰에 제출해야 했다. 여성과 미성년자는 그러한 집회에 참가할 수 없었다. 법률은 3월 11일 통과되었다(『왕립 프로이센 국가들의 법령집』, 베를린, 1850년, 277~283쪽).

6 (e) G212쪽을 보라.

7 (e) G31쪽을 보라.

8 (e) 또한 G511~G534쪽을 보라.

9 (e) 스위스에서 독일인 정치 망명자들이 어떤 대우를 받았는지는 G322쪽 14~15행에 관한 해설을 보라.

10 (e) G214쪽 1행에 관한 해설을 보라.

11 (e) 이에 대해서는 G122쪽 33~34행에 관한 해설을 보라.

12 (e) 엥겔스는 원자료로 다음 기고문을 이용했을 것이다. 「프랑스는 동맹국이다」, 《라 부아 뒤 퍼플》, 제137호, 1850년 2월 15일, 2쪽, 2단. "우리가 오래전에 예고했던 바대로 북부의 외교관들은 프랑스를 세 개의 국가로 분할하기로 결의했다. 그런데 L. 보나파르트 씨는 프랑스를 네 명의 장군이 이끌어가게 함으로써 이 분할을 준비한다. 원래의 계획을 수정한 것은 단지 실행의 편의를 위한 것이다.

이에 따라 정통 왕조파 영수들이 모여 있는 서부 도들은 앙리 5세의 처분 아래 있는데, 그는 아키텐 왕국과의 연결고리로 불리는 귀족 지지자들 중 한 사람으로 대변된다. 동맹국들이 진출해 올 동부 국경은 엄정한 계엄 상태의 유지 방법을 매우 잘 아는 장군에 의해 장악되어 있다. 끝으로 북부와 파리에서는 총사령관이 지휘를 맡는데, 그는 베르사유 고등법원 앞에서 '**나는** …'이라는 격정적인 외침을 재현함으로써 공화주의 헌법에 대한 충성심을 명백하게 드러낸 바 있다. G842

때가 되면 이 세 명의 군사 지도자는 각각 차르가 지정해줄 왕조를 선포할 것이다. 보르도의 부르봉 왕조, 리옹의 오를레앙 왕조, 그리고 프랑스는 아무런 어려움 없이 공화국에서 해방될 것이다."

프리드리히 엥겔스 G843

프랑스에서 온 편지 III

시대의 징후들—예견된 혁명

1850년 2월 19일(G234~G236쪽)

집필과정과 전승과정

G698~G700쪽을 보라.

원문자료에 대한 기록

J^1 프랑스에서 온 편지. (우리의 통신원으로부터.) 시대의 징후들—예견된 혁명. 《더 데모크라틱 리뷰. 영국 및 외국의 정치, 역사, 문학 분야》, 런던, 제1호, 1850년 3월, 395~397쪽. 1쇄.

본문은 J^1을 따른다.

해설

1 (e) 가만히 있고 선동당하지 말라고 주민에게 보낸 호소문들이 1850년 2월 초부터 프랑스 국민의회의 좌파에 가까운 신문들에 실렸다. 산악당원이 결의해서 반동의 도발에 경고한 주민에게 보내는 호소문이 2월 5일 발행되었다. 인민의 무기는 무엇보다 임박한 선거였다(《르 나시오날》, 1850년 2월 5일; 《라 부아 뒤 푀플》, 제127호, 1850년 2월 5일; 《베스트도이체 차이퉁》, 제33호, 1850년 2월 8일). 이러한 경고는 계속되었다. 2월 18일에도 《라 부아 뒤 푀플》은 정치 및 의회의 주간 전망에서, 선동당하지 말고 공화국과 보통선거권을 공격할 경우 납세 거부로 대응하자는 경고를 담았다.

2 (e) 자유의 나무 전통에 대해서는 G192쪽 36행에 관한 해설을 보라. 위에서 언급한 생-마르탱 문에서 일어난 사건은 1850년 2월 4일 발생했다. 《디 일러스트레이티드 런던 뉴스》의 해당 구절은 다음과 같다. "이 나무들은 또한 갓 만든 화환과 리본으로 장식되었다. 작은 자유의 흉상이 나무 기둥에 위치했다. 그 아래 플래카드에는 **형법**(*Code pénal*)에서 따온 구절이 들어 있었다. 군중은 나무 가까이에 둥글게 모여 춤을 추고 마르세예즈를 불렀다. 그리고 등불과 횃불이 모든 방향으로 퍼져나갔다."(「프랑스」, 《디 일러스트레이티드 런던 뉴스》, 제412호, 1850년 2월 9일, 82쪽.) 신문은 그에 대한 삽화도 실었다.

G844 3 (e) 군사 지역의 새로운 분할에 대해서는 G188쪽 25~27행에 관한 해설을 보라. 헌법 제76조에 따르면, 프랑스의 행정 분할은 단순한 명령을 통해서가 아니라 오직 국민의회의 법률을 통해서만 변경될 수 있기 때문에, 이 조치는 불법이었다.

4 (e) 1850년 2월 16일 국민의회 토론에서 논쟁이 벌어지는 동안 파스칼 뒤프라 의원은 한 신문에서 어떤 사람이 위험을 무릅쓰고 다음과 같이 말했다고 전했다. "공화파가 어떻게 하느냐에 루이 보나파르트 씨의 선택이 달려 있었지요. 그의 삼촌의 역할일지 아니면 …

좌파 의원: 드 술루크! (좌파 쪽에서 웃음. 우파 쪽에서 웅성거림.)

파스칼 뒤프라 씨: … 워싱턴의 역할일지."

(《르 모니퇴르 위니베르셀》, 파리, 제48호, 1850년 2월 17일, 576쪽.)

5 (e) "의회 의장"(the President of the Assembly) — 앙드레-마리-장-자크 뒤팽.

6 (e) "전쟁장관"(the Minister of War) — 알퐁스-앙리 마르키 도풀.

7 (e) 도풀 전쟁장관은 1850년 2월 16일 국민의회 회의에서 이렇게 말했다. "우리는 항상 준비되어 있을 겁니다. 괜찮다면 당신이 먼저 시작해도 됩니다."(《르 모니퇴르 위니베르셀》, 파리, 제48호, 1850년 2월 17일, 577쪽.)

8 (e) 1848년 11월의 프랑스 헌법(G545쪽을 보라) 제111조에 따르면 헌법의 개정은 입법 기간의 마지막 해, 즉 1851년에야 비로소 가능했다.

프리드리히 엥겔스 G845

혁명의 2년—1848년과 1849년

1850년 3월 중순과 5월 중순 사이(G237~G250쪽)

집필과정과 전승과정

이 논문은 조지 줄리언 하니의 《더 데모크라틱 리뷰》에 1850년 4월에서 6월까지 세 번 연재되었다. 이 논문은 NRhZ. Revue 제1호를 위해 마르크스가 쓴 기고문 「1848~1849. 1848년 6월의 패배」[「1848년에서 1850년까지 프랑스 계급투쟁」의 제1장](G119~G140쪽)에 근거하며, 이 기고문을 요약한 것과 조금 길게 직역한 구절로 내용을 재현한 것이다. 엥겔스가 쓴 서설(G237~G238쪽)은 추측건대 이 논문보다 먼저 썼을 것이다.

엥겔스는 「혁명의 2년」을 대략 1850년 3월부터 작업할 수 있었을 것이다. 「프랑스 계급투쟁」 제1장에 비해 상당히 적은 분량이지만, 엥겔스는 이론적인 내용을 본질적으로 잘 담아냈다. 엥겔스의 기고문에 나타나는 전형적인 방식으로 영국과 프랑스 비교가 잘 이루어졌다. 엥겔스의 저작임을 뒷받침하는 또 다른 근거는, 이미 3월 20일 이전에 번역의 첫째 부분(G238쪽 13행~G243쪽 36행—옮긴이)을 교정하려고 생각했고, 이 교정사항들은 1850년 3월 25일경 함부르크에서 발행된 (NRhZ. Revue의—옮긴이) 제2호에 제1호의 인쇄오류 목록에 수록되었다는 점에 있다. 예를 들면 "일반 금융귀족에 반대하는"(gegen die allgemeine Finanzaristokratie)이라는 텍스트 구절은 "금융귀족에 반대하는"(gegen die Finanzaristokratie. G127쪽 33행을 보라.—옮긴이)으로 수정되었는데, 엥겔스는 이것을 "금융귀족에 반대하는"(against the financial aristocracy. G243쪽 6행을 보라.—옮긴이)으로 번역했다.

함부르크에서 마르크스의 원본 초고가 인쇄에 들어가고 엥겔스는 자필 원고 초고를 제출하지 않았기 때문에, 그는 자신의 번역을 런던에서 제1호를 받아본 다음인 1850년 3월 10일 이전에는 시작하지 않았을 것이다.《더 데모크라틱 리뷰》의 발행 날짜로 알 수 있는 것은 하니가 번역의 첫째 부분을 3월 20일경 손에 넣었을 것이라는 점이다. 번역의 나머지 부분은 각각 한 달 후에 받았을 것이다. 6월 호로 예정되었던 속편은 알 수 없는 이유로 발행되지 않았다.

영국 독자를 위해 쓴 이 논문은 독일어 텍스트 원본에 비해 몇 가지 다른 점이 있다. 대부분 영국 상황과 비교하기 위한 것으로, 이해를 돕거나 내용을 정확하게 하기 위해 단어 혹은 어휘를 추가했다. 예를 들어 마르크스의 "보통선거권으로 … 명목상의 소유자들 …"(G125쪽 20~21행)을 엥겔스는 "소유자"를 보충해 "실제 소유자는 자본가이고, 소유권은 자본가에게 저당잡혀 있다"(G241쪽)로 번역했다. 또한 "계급의 존재 자체"(G128쪽 13행)는 "적대 계급의 존재 …"(G243쪽)로 번역했다.

「혁명의 2년」에 대한 해설은 「1848년에서 1850년까지 프랑스 계급투쟁」의 해당 독일어 텍스트에서 찾을 수 있다.

G846 **원문자료에 대한 기록**

J^1 혁명의 2년 — 1848년과 1849년.《더 데모크라틱 리뷰. 영국 및 외국의 정치, 역사, 문학 분야》, 런던, 제1호, 1850년 4월, 426~432쪽; 1850년 5월, 458~461쪽; 제2호, 1850년 6월, 20~24쪽. 1쇄.

본문은 J^1을 따른다. J^1에는 마르크스의 텍스트를 직역하여 재현한 구절이 작은 활자로 되어 있었다. 본문에서 엥겔스가 도입부를 위해 쓴 부분과 논의 전개를 위해 참고로 넣은 부분은 가장자리에 선으로 표시했다.

교정사항 목록

1 (k) "나란히"(side by side) — J^1 "side-to-side"

2 (k) "의지나 능력이 없다는"(would not or could not) — J^1 "would or could not"

프리드리히 엥겔스

프랑스에서 온 편지 IV

선거—좌파의 위대한 승리—프롤레타리아트 우세—
당황한 질서 장사꾼—혁명의 저지와 도발의 새로운 책략

1850년 3월 22일(G251~G253쪽)

G847

집필과정과 전승과정

G698~G700쪽을 보라. 이 기고문 중에서 "정말이지, 이런 조합은 …"(G251쪽 18행 — 옮긴이)에서 "… 의지해야 함을 알고 있다"(G252쪽 7행 — 옮긴이)까지는 1850년 4월 6일 자《더 노던 스타》의《더 데모크라틱 리뷰》4월 호에 대한 비평에 재인쇄되었다.

원문자료에 대한 기록

J^1 프랑스에서 온 편지. 선거 — 좌파의 위대한 승리 — 프롤레타리아트 우세 — 당황한 질서 장사꾼 — 혁명의 저지와 도발의 새로운 책략. 《더 데모크라틱 리뷰. 영국 및 외국의 정치, 역사, 문학 분야》, 런던, 제2호, 1850년 4월, 435~437쪽. 1쇄.

본문은 J^1을 따른다.

교정사항 목록/해설

1 (e) G193~G194쪽, 그리고 G193쪽 35~37행에 관한 해설을 보라.

2 (e) G193쪽 38~39행에 관한 해설을 보라.

3 (e) "대통령"(the president) — 루이 나폴레옹 보나파르트.

4 (k) "대통령과 의회"(president and the assembly) — J^1 "president of the assembly". 이 문장에서는 국민의회 의장이 아니라 공화국 대통령 루이 나폴레옹을 의미한다.

5 (e) 공화파 신문은 선거 전에는 임박한 스위스의 침공에 관해, 프랑스와 관련해서는 신성동맹의 세력에 관해 계속해서 썼다. 이것은 선거의 선전과 결부되어 있었다. 엥겔스 역시 이러한 침공 의도에 대해 자신의 통신에서 썼다(G233쪽을 보라).

6 (e) G233쪽을 보라.

G848

카를 마르크스/프리드리히 엥겔스

1850년 3월 공산주의자동맹 중앙본부의 연설

1850년 3월 24일 이전(G254~G263쪽)

집필과정과 전승과정

자필 원고의 원본($\mathbf{X}^1$)이나 적어도 독일 보급판의 기초가 되는 견본($\mathbf{x}^2$)은 추정컨대 날짜가 기재되지 않았을 것이다. 1850년 말경 쾰른에서 작성된 다른 사본을 보고서야 우리는 마침내 "런던, 1850년 3월"(뒤에 나오는 주 235 참조—옮긴이) 행을 추가했다. 이 행을 1885년 엥겔스도 받아들였고 그런 의미에서 저자가 검인한 것이다. 「연설」의 G255쪽 17~18행은 혁명의 새로운 봉기가 임박했다는 강력한 기대와 함께 썼음을 보여준다. 이것은 무엇보다도 마르크스와 엥겔스도 잠시나마 1850년 3월 10일 프랑스 선거와 관련해서 품고 있던 것이었다. 본문에서 언급한 밀사 하인리히 바우어가 늦어도 3월 26일 혹은 27일 쾰른에 있었기 때문에, 런던에서의 작업 기한은 대략 1850년 3월 24일, 그리고 「연설」의 최종 완성 기한은 그보다 며칠 뒤로 추정할 수 있다.

마르크스와 엥겔스가 공동 저자라는 사실은 마르크스가 1851년 7월 13일 엥겔스에게 보낸 편지와 『고매한 의식의 기사』([뉴욕, 1854년], 10쪽)에서 마르크스가 짧게 언급한 것을 통해, 또한 나중에 엥겔스가 지적한 것(「공산주의자동맹의 역사에 대하여Zur Geschichte des Bundes der Kommunisten」, 「카를 마르크스의 쾰른 공산주의자 재판에 관한 폭로Enthüllungen über den Kommunisten-Prozeß zu Köln von Karl Marx」, 『사회민주주의 총서』 4, 프리드리히 엥겔스의 서문과 문서를 포함한 신판, 호팅겐-취리히, 1885년, 14쪽)을 통해 증명된다. 여기에서 엥겔스가 「연설」을 마르크스와 자신이 "편집"했다고 공식화했을 때, 이것은 동시에 이 「연설」이 집단적으로 토론되었고 아마 토론의 결과에 따라 부분적으로 고쳐 썼다는 사실도 담고 있었다. 「3월 연설」에 책임을 진 중앙본부 위원은 당시 마르크스와 엥겔스 외에 하인리히 바우어, 요한 게오르크 에카리우스, 프렝켈, 알베르트 레만, 카를 펜더, 콘라트 슈람, 아우구스트 빌리히 등이었다. 1850년 9월 15일 중앙본부 회의에서 마르크스는 중앙본부의 모든 성원이 "회람문에 모두 한목소리로 찬성했다"(G579쪽 43행을 보라)라고 회상했다.

독일 공산주의자동맹의 지도적 인물들은, 「1850년 12월 1일 쾰른 중앙본부의 연설」(이에 대해서는 G584쪽을 보라. —옮긴이)에서 알 수 있듯이, 1850년에 이미 저자가 마르크스와 엥겔스임을 알고 있었다. 1851년 8월 후반 프랑크푸르트의 헤르만 에프너(Hermann Ebner)에게 보낸 익명으로 신문에 게재하기로 결정한 초고에서 마르크스 자신은 다음과 같이 썼다. "공산주의적 연설을 출판함으로써 작센 정부 측에서는 마르크스에 대한 미움이 더욱 커졌는데, 왜냐하면 마르크스를 그 연설의 작성자로 간주했기 때문이다."

「1850년 3월 연설」로 중앙본부는 1848/49년 혁명의 패배 이후 처음으로 다시 전체 회원에게 호소했다. 마르크스와 엥겔스는 당의 재조직화 과정을 위해 이렇게 의미 있는 자료에서, 프롤레타리아트의 조직적 자립성과 연대 G849
대상에 관한, 부르주아-민주주의 혁명의 다양한 단계에서 자립적인 혁명적 노동자-정책의 개별적이고 전술적인 조치에 관한, 중요한 이론적 결론을 발전시켰다. 「3월 연설」은 『공산당 선언』의 4절을 의미 있게 더욱 발전시키고 구체화했다. 마르크스의 말에 따르면 「연설」은 "사실상(au fond) 민주주의에 대한 전쟁 계획과 마찬가지다"(마르크스가 1851년 7월 13일 엥겔스에게 보낸 편지). 3년 후 그는 이렇게 말했다. "작센 경찰이 뷔르거스의 집에서 압수한, 그리고 널리 읽히는 독일 신문에 실렸고 쾰른 공소장(Anklageschrift를 의미함 —옮긴이)의 기초가 된 엥겔스와 내가 쓴 회람에서, 독일 소시민계급의 신성한 희망에 관한 상세한 논의를 발견할 수 있을 것이다."(『고매한 의식의 기사』, [뉴욕, 1854년], 10쪽.)

예비 작업과 초안들은 전하지 않는다. 같은 시기인 1850년 대략 3월 10일과 20일 사이에 마르크스가 쓴 기고문 「1849년 6월 13일의 결과」, 즉 「1848 —1849」 연재 기고문의 제3부로 발행된 것(후에 『1848년에서 1850년까지 프랑스 계급투쟁』으로 출판된다)과 내용이 근본적으로 유사하다(G168쪽 4행~G196쪽 22행을 보라).

어쩌면 「연설」의 원본($\mathbf{X}^1$)은 물론 독일 보급판의 기초가 되는 견본($\mathbf{x}^2$)에도 제목은 없었을 것이다. 아니면 필사 과정에서 빠졌을 수도 있다. 동맹의 규약으로 예정된 중앙본부의 4분기 보고서는, G254쪽 10행에서 볼 수 있듯이, 동맹에서는 일반적으로 "회람"으로 불렸다. 그러나 이미 당시에 때에 따라서는 "연설"(Ansprache) — 영국 노동운동에서 흔히 사용되는 "address"의 번역어 — 이라는 용어도 썼고, 이 용어는 나중에 문헌의 위치(「3월 연설」)를 얻게 되었다.

「연설」은 출판하지 않고 동맹원들 사이에 비밀리에 보급하기로 결정되었다. 예를 들어 1847년의 몇 가지 동맹 자료들과 같이, 런던에서 석판 인쇄로 복사를 했는지는 매우 의심스럽다.

독일 중앙본부의 밀사인 하인리히 바우어를 통해 보급이 가장 결정적으로 이루어졌다. 그는 1850년 3월 말 쾰른으로 갔다(뢰저Röer의 진술, StA. Potsdam, Rep. 30 C, Tit. 94. Lit. R. Nr. 208b를 보라). 그가 쾰른에 잠깐 체류하는 동안 동맹원 6명이 사본($\mathbf{x}^3$)을 급히 만들었는데, 이것이 본질적으로 지금 전하는 모든 판본의 출처인 셈이다. 사본을 급히 만들 수밖에 없어서 이 사본에는 이미 몇 가지 실수가 드러났다. 예를 들어 숫자 "II"(G259쪽 10행)가 빠졌거나, G257쪽 4행에서 몇 단어가 빠졌다. 이에 대해 엥겔스는 이후 1885년에 텍스트를 확장하면서 손보았다.

바우어는 — 뢰저에 따르면 빌레펠트를 거쳐 — 함부르크로 계속 여행했다. 거기서 그는 3월 29일과 30일 프리드리히 마르텐스(Friedrich Martens)와 만나 이야기했다(StA. Hamburg, 경찰 조서, Serie IV, Lit. X, Nr. 1365, 제1권, 제1부, fol. 240. 이 진술에는 그러나 "부활절"을 "오순절"로 잘못 말한 것이 있다). 4월 1일 바우어는 알토나에서 카를 브룬과(브룬이 1850년 4월 2일 슈람에게 보낸 편지를 보라, IML/ZPA Moskau, f. 20, d. 162), 4월 3일 혹은 4일에는 슈베린에서 하인리히 마이어(Heinrich Meier)와 협의했
G850 으며, 그다음 베를린을 거쳐 라이프치히로 여행했다. 그는 1850년 4월 중순 거기서 머물렀고 추측건대 하인리히 마르티우스(Heinrich Martius), 루트비히 피르슈(Ludwig Pirsch), 카를 강글로프(Karl Gangloff), 안드레아스 로이스(Andreas Reuß), 하인리히 헤어초크(Heinrich Herzog), 프란츠 슈베니거(Franz Schwenniger) 등과 이야기했으며, "노동자 우애회"의 지도적 활동가인 그들 중 몇몇을 공산주의자동맹에 가입시켰을 것이다(G340쪽 3~4행을 보라). 뉘른베르크에서 바우어는 아우구스트 슐체(August Schulze)를 만났

고, 다음에 아마 뷔르츠부르크를 거쳐 프랑크푸르트로 여행했을 것이다. 거기서 그는 5월 초쯤에 무엇보다 에른스트 드롱케와 요제프 바이데마이어와 협의했다. 그 후 바우어는 카를 샤퍼와 프리드리히 레스너가 동맹의 기초 조직을 이끌고 있는 비스바덴에 머물렀고, 쾰른과 브뤼셀(브뤼셀에서는 이 시기 카를 블린트가 동맹의 위임을 받고 활동했다)을 거쳐 런던으로 돌아갔다.

이 밀사 여행 동안 쾰른 이외의 어느 지역에서 사본이 만들어졌는지는 증명할 수 없다. 그러나 동맹의 지도부는 당시 그러한 사본이 만들어졌다는 사실을 알고 있었다. "[바]우어가 3월 런[던]에서 슈베린에 왔기 때문에, 나는 마이어가 첫 번째 사본을 가지고 있다고 추측합니다."(뢰저가 1850년 12월 27일 노트융Nothjung에게 보낸 편지. StA. Potsdam, Rep. 30 C, Tit. 94, Lit. N, Nr. 67, 제1권.) 드롱케가 「연설」의 사본을 갖고 있었을 개연성이 높다. 왜냐하면 그가 중앙본부의 밀사로 스위스 여행을 했다고 하기 때문이다. 카를 레제(Carl Reese)가 필사한 단편인 $\mathbf{h}^{\mathbf{d}}$도 보급의 이 첫째 국면에 이루어졌다.

독일에서 가장 열성적인 기초 조직과 지부를 통해 1850년 봄과 여름에 「3월 연설」이 더 많이 보급되었음은 의심할 여지가 없다. 그러나 이에 대해 쾰른 지도부의 언급만이 전해진다. 뢰저는 나중에 다음과 같이 진술했다. "바우어의 첫 번째 여행 후 나는 라이프(Reiff), 오토(Otto)와 함께 「연설」의 사본을 여러 부 필사했는데, 이것들은 다음 여행에 필요한 것이었다." 뢰저 스스로도 1850년 7월 초 코블렌츠의 야코프 슐레겔(Jakob Schlegel)에게 이 사본 중 하나($\mathbf{x}^4$)를 주었고, 1850년 7월에 아헨의 바이셀(Beyßel)에게 두 번째 사본($\mathbf{x}^5$)을 주었다(뢰저의 진술, 같은 곳을 보라).

「1850년 6월 연설」이 라이프치히 경찰의 수중으로 들어가 공개된 후, 1850년 여름 마르크스와 엥겔스는 「3월 연설」을 출판하려는 생각을 품었을 수도 있다. 구스타프 아돌프 테초프의 편지에 따르면, 마르크스, 엥겔스, 슈람은 8월 21일 "더 많이 출판하기로 한 것이 마음에 듭니다. 아마도 이것이 최초의 완전한 회람일 것"이라고 말했다고 한다(테초프가 1850년 8월 26일 알렉산더 시멜페니히와 다른 사람들에게 보낸 편지, 카를 포크트, 『《알게마이네 차이퉁》에 대한 나의 소송』, 제네바, 1859년, 145쪽). 그러나 이때 이 진술이 열띤 논쟁 가운데서 나왔다는 사실을 염두에 둬야 한다.

1850년 8월과 9월 빌리히-샤퍼 분파와 런던 중앙본부의 대립에서 「3월 연설」은 핵심적인 역할을 했다. 1850년 9월 15일 회의에서 마르크스는 다음과 같이 상술했다. "'다음 혁명에서 독일 프롤레타리아트의 입장'에 관한 지난 토론 당시 중앙본부의 소수파 성원이 직접 지지난번의 회람에 반하는, 나아가 『선언』에 반대하는 의견을 개진했다."(G578쪽 5~8행.) 그에 의거해 쾰른 중앙본부는 「1850년 12월 1일의 연설」에서 특별히 「3월 연설」의 의미를
G851 강조했는데, "어떤 점에서 당의 정책이 상세히 발전되었는가. … 우리가 추구해야 하는 정책은, 다시 반복하지만, 이미 정해져 있다. 그것은 올해 런던 중[앙-]본[부]의 첫 번째 연설에 들어 있다. 따라서 우리는 이것을 모든 지부와 기초 조직이 토론하기를 추천한다." 쾰른의 연설은 「3월 연설」에서 G258쪽 39행~G259쪽 5행의 문장을 인용한 후, 다음과 같은 말로 이 점을 결론짓는다. "프롤레타리아트의 입장을 다룬 연설 부분의 내용을, 노동자협회가 존재하는 곳이면 어디서나 똑같이 토론할 것을 우리는 동시에 요구한다."(IISG, 마르크스/엥겔스-유고, 정리 번호 NI 5.)

그와 함께 1850년 12월 독일 동맹원들 사이에 「3월 연설」 보급의 두 번째 물결이 일기 시작했다. 「12월 연설」을 지부와 기초 조직에 보낼 때, 적어도 일부는 1850년 3월 문서의 사본도 첨부되었다. 쾰른에서 만든 사본은 이미 모두 보급되었기 때문에, 바우어가 쾰른에 머물 동안 1850년 3월에 여섯 부 만들어진 "쾰른 원본"($\mathbf{x}^3$)에 의해 새로운 사본이 완성되었고($\mathbf{x}^7$), 나아가 부분적으로 혹은 전체적으로 3월에 해당 부분을 만든 같은 동맹원들에 의해 사본이 다시 만들어졌다. 여러 부분으로 필사한 이 두 번째 쾰른 사본으로부터 또다시 적어도 두 가지 전체 사본($\mathbf{x}^8$과 $\mathbf{x}^9$)이 만들어졌다. 그리고 이것이 다음 사본($\mathbf{x}^{rf10}$~$\mathbf{x}^{rf13}$)의 기초로 이용되었다. 그에 관해 라이프는 1850년 12월 말 혹은 1851년 1월에 "뢰저의 요청으로 전체 연설의 완전한 사본 두 부를 만들었다. 내가 필사한 원본을 누가 썼는지는 나도 알지 못한다"(StA. Hamburg, 같은 곳, fol. 484)라고 말했다.

이런 문헌 상태는 그 당시 쾰른에서 완성된 사본의 수와 그들의 상호 연관성을 정확히 파악하는 데 도움이 되지 않는다. 그러나 한편으로 쾰른에서 더는 개별적으로 증명할 수 없고 전하지 않는 사본이 있었고, 다른 한편으로 $\mathbf{x}^7$을 만들 때 원래 급하게 만들었던 사본인 $\mathbf{x}^3$을 문체 면에서 약간 개선하거나 통일성을 추구했다고 가정하는 것이 훨씬 개연성이 높다. 이것은 분명히 $\mathbf{h}^6$으로 시작하는 두 번째 전승 노선의 수많은 변경사항으로 설명할 수 있다.

라이프의 두 가지 새로운 사본($\mathbf{x}^{rf10}$과 $\mathbf{x}^{rf13}$) 중 하나는 나중에 헤르만 베커

집에서 압수되었다($\mathbf{x}^{rf10}$). 또한 오토는 뢰저의 위임을 받아서 「3월 연설」의 두 사본($\mathbf{x}^{ol1}$과 $\mathbf{x}^{ol2}$)을 필사했다. 그중 하나($\mathbf{x}^{ol2}$)는 나중에 라이프치히의 노트융 집에서 찾은 것이다.

공산주의자동맹 쾰른 중앙본부는 그들 활동의 강령과 전술의 가장 핵심적인 기초로 여기는 「3월 연설」을 동맹 내부의 사본으로만이 아니라 나아가 공개적인 선전 활동에도 이용하기 위해 보급했다. 그래서 예를 들면 추측건대 중앙본부가 영향을 준 사설 「우리의 과제」(Unsere Aufgabe)가 하노버의 동맹원 루트비히 슈테한(Ludwig Stechan)이 편집하는 《도이체 아르바이터할레》(Deutsche Arbeiterhalle, 제17호, 1851년 4월 26일)에 실렸고, 여기의 핵심 내용 대부분을 거의 글자 그대로 인용하거나 내용을 그대로 옮겼다.

하인리히 뷔르거스가 1851년 5월 밀사로 여행을 시작했을 때, 쾰른에서 만들어진 모든 사본은 이미 소진되고 없었다. 빌헬름 하우프트가 함부르크에 새로 구성한 동맹의 기초 조직에 하나의 사본을 제공하도록 하기 위 G852 해, 뷔르거스는 5월 11일과 13일 사이에 하우프트에게 견본 $\mathbf{x}^3$을 건넸다. 이 견본을 다시 중앙본부에 반환하는 계약 조건으로 준 것이었다. 하우프트가 나중에 말했듯이, "쾰른에도 이 견본의 사본이 없었기 때문"이었다(StA. Hamburg, 같은 곳, 제1권, fol. 89를 보라). 하우프트는 그의 기초 조직의 동맹원 카를 페터젠(Carl Petersen)에게 넘겨주면서 사본을 만들라고 했는데, 1851년 5월 31일 자택 수사 중 $\mathbf{x}^3$은 물론 그가 필사한 사본 $\mathbf{h}^{p2}$도 압수되었다.

곧 이어진 쾰른의 공산주의자 재판을 준비하는 시기에 $\mathbf{x}^3$, $\mathbf{x}^{rf10}$, $\mathbf{x}^{ol2}$, $\mathbf{h}^{r1}$, $\mathbf{h}^{p2}$, $\mathbf{h}^4$, $\mathbf{h}^6$ 등은 경찰의 수중에 있었다. 수많은 독일 국가의 경찰 당국은 또 다른 사본들을 필사했는데, 특히 1851년 6월 24일 함부르크에서 드레스덴으로 보낸 $\mathbf{x}^3$의 사본도 그중 하나였다. 그러나 이 사본은(IML/ZPA Moskau, f. 129, d. 129, fol. 177-183) 대략 같은 시기에 드레스덴에서 출판된 것(j^7 — 옮긴이)의 기초가 아니라, 노트융 집에서 발견된 $\mathbf{x}^{ol2}$의 견본이었다.

1851년 6월 21일 쾰른 공산주의자 재판 준비와 관련하여 쾰른에서 아마도 $\mathbf{h}^6$에 따라 필사된 「3월 연설」의 사본은 오늘날 개인 소유물로 미국에 있다. 사본에는 폰 페퍼(von Pfeffer), A. 레나르트(A. Renard), 클로넨(Clonen)이 서명했다.

1851년 6월 말 작센 정부는 일관된 민주 세력과 공산주의자들 사이의 일종의 정치적 협력을 분쇄하기 위해 연설을 출판하게 했다(j^7). 《드레스드너

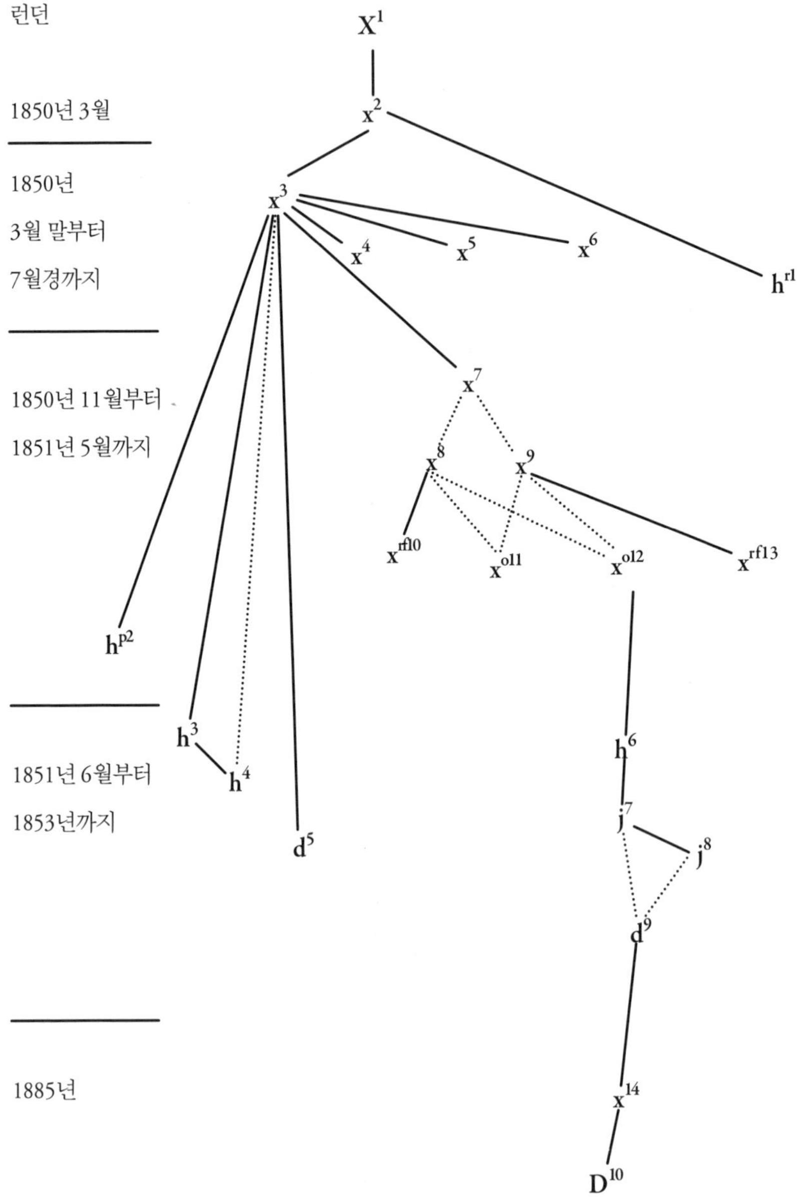
런던
1850년 3월
1850년
3월 말부터
7월경까지
1850년 11월부터
1851년 5월까지
1851년 6월부터
1853년까지
1885년
X1
x2
x3
x4
x5
x6
hr1
x7
x8
x9
xrf10
xo11
xo12
xrf13
hp2
h3
h4
d5
h6
j7
j8
d9
x14
D10

주르날 운트 안차이거》(Dresdner Journal und Anzeiger)가 출판한 텍스트는 전체 혹은 일부가 다른 신문에도 많이 실렸다.

마르크스와 엥겔스는 이 출판물들로 인해 편지로 생각을 교환했다(마르크스가 1851년 7월 13일 엥겔스에게 보낸 편지, 엥겔스가 1851년 7월 17일과 20일경 마르크스에게 보낸 편지를 보라). 같은 시기에 이에 대해 마르크스와 괴팅겐의 동맹원 요하네스 미크벨(Johannes Miquel) 사이에도 편지가 오갔다(엥겔스가 1851년 7월 20일경 마르크스에게 보낸 편지, 미크벨이 1851년 7월 중순경 마르크스에게 보낸 편지를 보라). 미크벨은 그에 관해 1851년 가을 빌헬름 피퍼에게도 말했다(피퍼가 1851년 11월 6일 혹은 7일 마르크스에게 보낸 편지를 보라).

「1850년 3월 연설」은 1852년 쾰른 공산주의자 재판에서 큰 역할을 했다. Anklageschrift에는 전문이 인쇄되었다(**d**[5]).

엥겔스는 1885년에도 여전히 「3월 연설」을 당의 활동을 위한 최신 관심사라고 불렀다(프리드리히 엥겔스, 「… 역사에 대하여」, 같은 곳, 14쪽을 보라). 이러한 언급은 — 베르무트/슈티버(Wermuth/Stieber)의 원안에 따른 —「연설」의 텍스트 대부분을 참조하면서 많은 문단을 인용했던 아들러의 책을 통해 간접적으로 이루어졌다(게오르크 아들러Georg Adler, 『영향력 있는 이론들을 특별히 고려한 독일의 첫 번째 사회정치적 노동운동의 역사Die Geschichte der ersten Sozialpolitischen Arbeiterbewegung in Deutschland mit besonderer Rücksicht auf die einwirkenden Theorien』, 브레슬라우, 1885년, 250~256쪽을 보라).

베르무트와 슈티버가 출판한 「3월 연설」(**d**[9])을 다시 인쇄하자는(엥겔스가 1885년 6월 16일 헤르만 슐뤼터에게 보낸 편지를 보라) 1885년 엥겔스의 제안은 바로 이 원고 — 당시에 유일하게 손에 쥐고 있었던 — 를 허용한 것이 아니라 텍스트를 대체로 허용한 것을 의미할 뿐이다. 1885년 10월 9일 엥겔스는 슐뤼터에게 "슈티버 본을 인쇄할 때 추가해야 할 사항"(엥겔스가 G854
1885년 10월 8일 에두아르트 베른슈타인에게 보낸 편지, 1885년 10월 9일 슐뤼터에게 보낸 편지)을 보냈는데, 그중에는 「3월 연설」을 인쇄하라는 사항도 있었다. 엥겔스가 1885년 10월 9일에 슐뤼터에게 보낸 편지에 있는 이 동봉 사항은 전하지 않는다.

엥겔스는 베르무트와 슈티버가 인쇄한 텍스트에서 몇 가지를 정정하고 일련의 교정을 보았으며, 긴 주석을 덧붙였다(G262쪽 32행의 변경사항을 보라). 1885년 11월 초 엥겔스는 소책자 「… 공산주의자 재판에 관한 폭로」의 교정쇄와 함께 그 부록으로 출판된 「3월 연설」의 텍스트(엥겔스가 1885년 11월 11일 슐뤼터에게 보낸 편지를 보라)도 교정했다. 이 교정쇄(X^{14})는 전하지 않는다.

원문자료에 대한 기록

X^1 마르크스와 엥겔스의 자필 원고 원본.

x^2 사본. 1850년 3월 말에서 5월까지 독일과 벨기에를 밀사로 여행하는 동안 바우어가 이용했다. 뢰저와 라이프에 따르면 x^2는 쾰른에 제출되었을 때 이미 "6부의 단편"으로 이루어졌다고 한다.

x^3 사본. 여섯 부분으로 나누어 다니엘스, 뢰저, 라이프, 프라일리그라트, 오토, 클라인이 필사했다.

쾰른에서 1850년 3월 26일경 만들어졌다. 1851년 5월 초 뷔르거스가 함부르크로 가져갔고, 거기서 1851년 5월 31일 경찰에 압수되어, 6월 초 쾰른의 조사국으로 보내졌다. 이 사본은 1851년 7월 말 체포된 동맹원의 필적을 확증하는 데 참고 자료로 쓰였다. 추정컨대 쾰른 공산주의자 재판 공소장(Anklageschrift)의 인쇄물(d^5) 원안으로 쓰였을 것이다.

x^4 사본. 1850년 4월경 쾰른에서 만들어졌다. 1850년 7월 초 뢰저가 코블렌츠의 야코프 슐레겔에게 넘겼다.

x^5 사본. 1850년 4월경 쾰른에서 만들어졌다. 1850년 7월 뷔르거스와 뢰저가 아헨의 바이셀에게 넘겼다.

x^6 사본. 1850년 4월경 쾰른에서 만들어졌다. 뢰저와 오토, 라이프가 필사했다.

h^{r1} 사본이고 단편. G256쪽 13행 "좌파 … 이 분파를 대표합니다"와 G256쪽 39행~G257쪽 8행 "독일의 이러한 소부르주아 … 혁명적 프

롤레타리아트가"까지. 1850년 5월경 카를 레제가 프랑크푸르트, 다름슈타트 혹은 슈투트가르트에서 작성했다. StA. Hamburg, 경찰 당국-형법, Serie IV, Lit. Z, Nr. 3304, fol. 5. 낱장의 크기는 165×212mm로 색이 누렇게 바랬다. 앞 장의 위쪽 반만 검은 잉크로 썼다. 물 먹은 흔적이 있다. "1846년 5월 20일 시작한, 카를 아우구스트 슈바이처(Karl August Schweitzer)를 위한 일상적 필기 공책"이라고 적혀 있다. 공산주의자동맹의 동맹원인 식자공 레제가 가택 수사를 당하고 체포되었을 때 1852년 4월 8일 함부르크에서 압수되었다. $\mathbf{x}^2$와 $\mathbf{h}^{r1}$ 사이에 또 다른 사본이 있었을 것으로 추정된다.

$\mathbf{x}^7$ 사본이고 약간 문체를 수정한 것으로 보인다. 필사한 사람은 $\mathbf{x}^3$과 같은 G855
사람으로 추정된다. 라이프의 진술에 의하면, 1850년 대략 11월 말이나 12월 초, $\mathbf{x}^3$에 의거해 다시 여섯 명이 여섯 부분으로 필사했다고 한다(StA. Hamburg, 경찰 조서, Serie IV, Lit X, Nr. 1365, 제1권, 제2부, fol. 483 R). 다른 피고소인의 진술과 대립되는 이러한 진술을 라이프가 쾰른 재판에서 유지하지는 못했지만(Anklageschrift, 46쪽을 보라), 쾰른의 예심 판사는 이미 1851년 8월 12일 다음과 같이 확정했다. "… 오토, 라이프, 다니엘스는 함부르크에서 하우프트와 페터젠에게서 압수한 단편들이 1850년 3월 런던 중앙본부의 연설임을 인정했고, 더욱이 뢰저가 그 당시[즉 1850년 3월] 사본으로 만들었다고 하는 비슷한 견본들의 단편을 각자가 사본으로 만들었다는 점을 모두가 인정했다."(StA. Hamburg, 같은 곳, fol. 566.)

$\mathbf{x}^8$, $\mathbf{x}^9$ 사본. 1850년 12월/1851년 1월경 쾰른에서 만들어졌다. 라이프는 $\mathbf{x}^{rf10}$과 $\mathbf{x}^{rf13}$을 두 가지 다른 원안에 따라 만들었다고 진술했다.

$\mathbf{x}^{rf10}$ 사본. 라이프가 필사했다. 1850년 12월경 쾰른에서 만들어졌다. 1851년 5월 말 쾰른의 헤르만 베커 집에서 압수되었다. 라이프는 자신이 $\mathbf{x}^{rf10}$을 "1850년 늦가을에" 만들었다고 진술했다(Anklageschrift, 58쪽을 보라).

$\mathbf{x}^{o11}$ 사본. 오토가 필사했다. 1850년 12월/1851년 초 쾰른에서 만들어

졌다.

$\mathbf{x}^{ol2}$ 사본. 오토가 필사했다. 1850년 12월 말 쾰른에서 만들어졌다. 1850년 12월 27일 베를린으로 페터 노트융에게 보내졌다(뢰저가 1850년 12월 27일 노트융에게 보낸 편지. Anklageschrift, 25쪽을 보라). 이 사본은 1851년 5월 10일 노트융의 체포 때 라이프치히에서 압수되어, 작센 경찰 당국이 만든 수많은 사본의 원안으로 이용되었고, 그 후 쾰른의 조사 당국으로 보내졌다.

$\mathbf{x}^{rfl3}$ 사본. 라이프가 필사했다. 1850년 12월/1851년 1월 쾰른에서 만들어졌다.

$\mathbf{h}^{p2}$ 사본의 일부. G254쪽 1행~G257쪽 10행 "동지 여러분! … 기존 사회를 최대한". StA. Hamburg, 경찰 조서, Serie VI, Lit. X, Nr. 1365, 제1권, 제1부, fol. 43-44 R. 2장으로 빼곡히 쓰였다. 카를 페터젠이 작성했다. 1851년 5월 13일과 30일 사이에 함부르크에서 만들어졌다. 줄 간격이 일정하지 않아 오른쪽으로 글자가 밀려 있다. 습자 규칙을 지키려는 눈에 보이는 노력에도 불구하고 몇몇 철자가 통일되지 않았고, 외래어의 경우 두드러진 실수도 보이는 등 숙련되지 않은 필사자가 쓴 것으로 보인다.

$\mathbf{h}^{3}$ 사본. 경찰 서기가 필사했다. StA. Hamburg, 경찰 조서, Serie VI, Lit.
G856 X, Nr. 1365, 제1권 제1부, fol. 34-42. 17쪽까지 쪽수가 매겨져 있다. 색이 누렇게 바랜 관청 종이고, 투시 무늬는 없다. 1쪽과 17쪽은 약간 더러운데, 플라스틱 필름(Kunstfolie)으로 복원하는 과정에서 생긴 것이다. 전지 4장으로 크기는 413×322mm이고, 한 번 접어 서로 떼어 냈다. 떼어진 것의 크기는 250×322mm이다. 흑갈색 잉크로 썼다. 함부르크 정치경찰의 형사 서기 호만 박사(Dr. Homann)가 검은 잉크로 몇 군데 수정과 보충을 했다. 17쪽에는 "정확히 필사, 호만"(In fidem copiae, Homann)이라는 메모가 있다.

$\mathbf{x}^{3}$을 가능한 한 빨리 쾰른 조사 당국으로 보내기 위해 1851년 6월 1일과 3일 사이에 만들어졌다. $\mathbf{h}^{3}$은 몇 가지 정서법적 특징을 보이는

G857

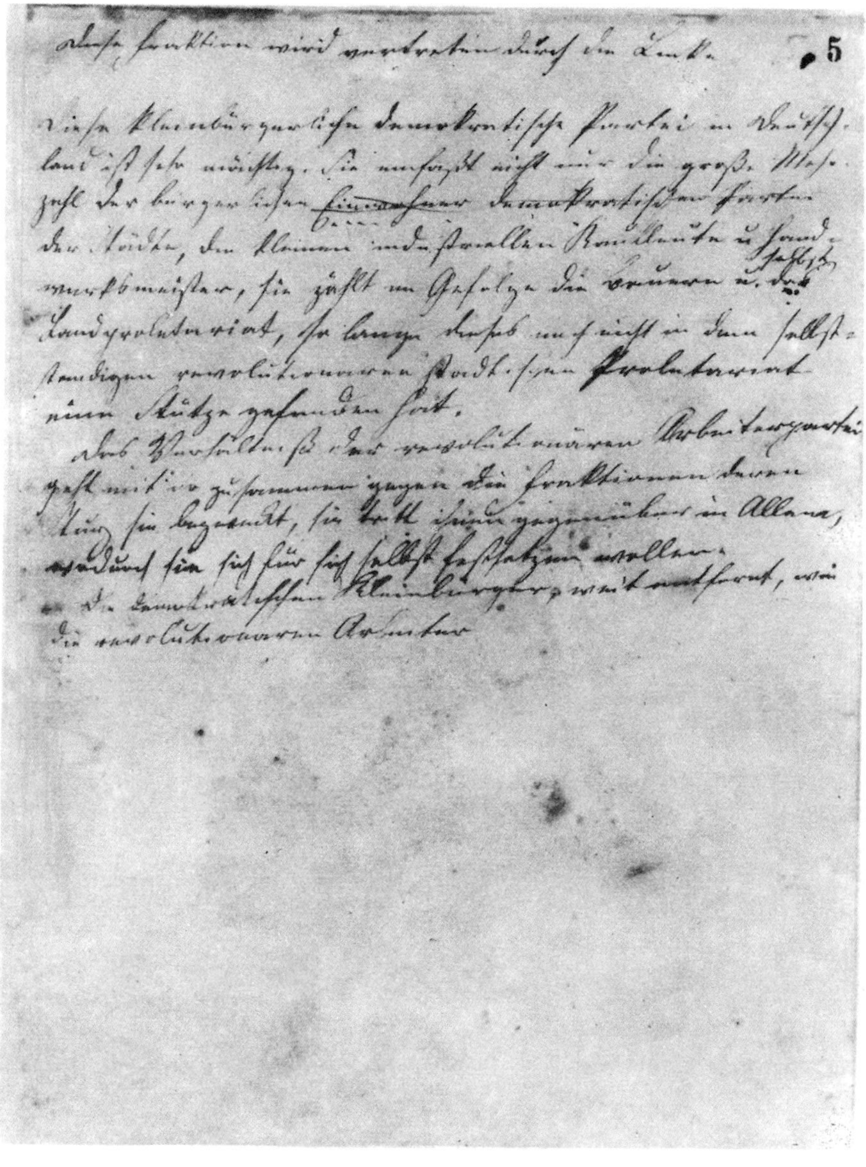
diese Fraktion wird vertreten durch die Linke 5

Diese kleinbürgerliche demokratische Parthei in Deutsch-
land ist sehr mächtig. Sie umfaßt nicht nur die große Mehr-
zahl der bürgerlichen ~~Einwohner~~ demokratischen Parthei
der Städte, die kleinen und industriellen Kaufleute u. Hand-
werksmeister, sie zählt im Gefolge die Bauern u. das
Landproletariat, so lange dieses noch nicht in dem selbst-
ständigen revolutionären städtischen Proletariat
einen Stütze gefunden hat.
Das Verhältniß der revolutionären Arbeiterpartei
geht mit ihr zusammen gegen die Fraktionen deren
Sturz sie bezweckt, sie tritt ihnen gegenüber in Allem,
wodurch sie sich für sich selbst festsetzen wollen.
Die demokratischen Kleinbürger, weit entfernt, wie
die revolutionären Arbeiter

1850년 3월 공산주의자동맹 중앙본부의 연설. 카를 레제가 작성한 사본의 단편

G858

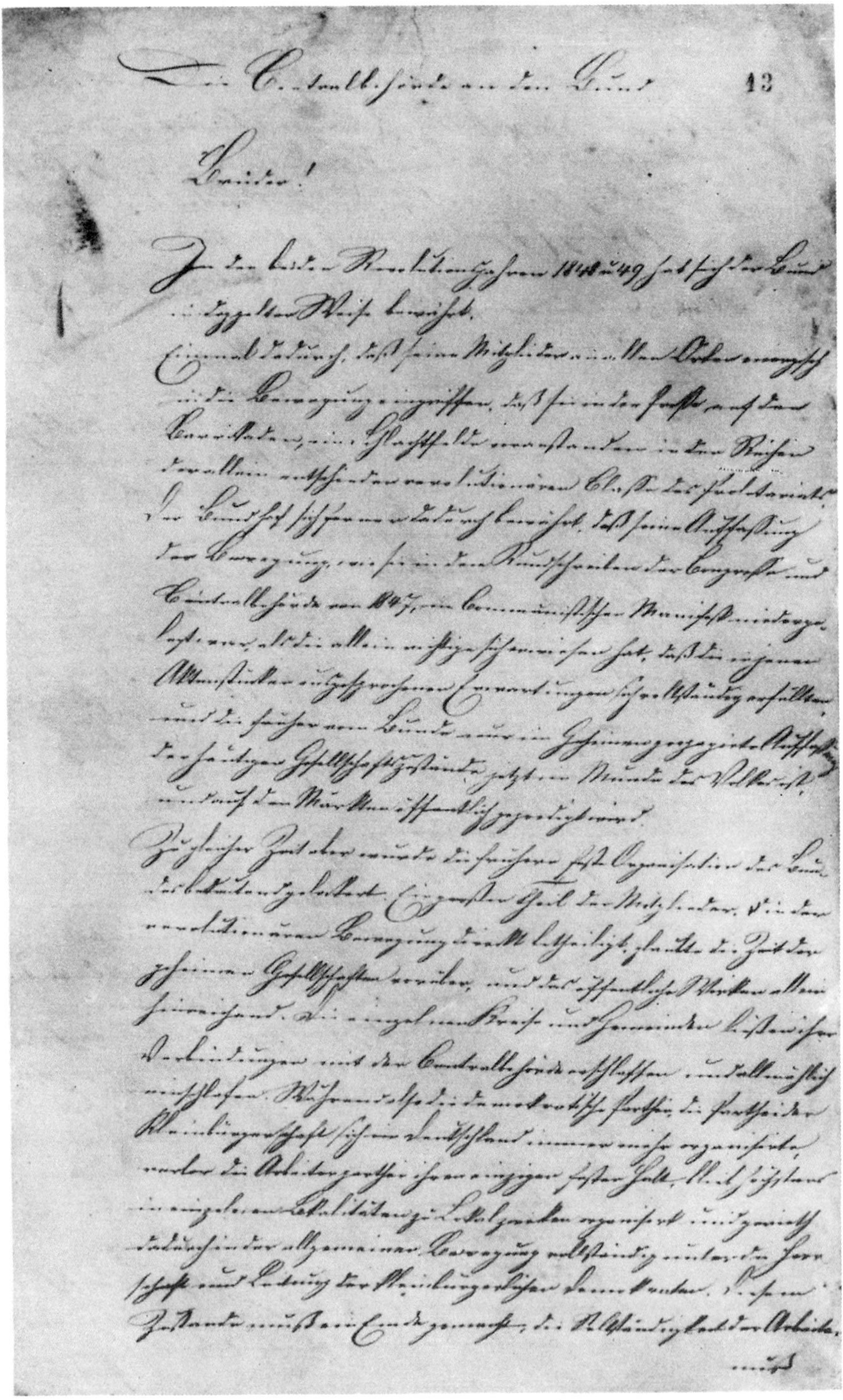
Die Centralbehörde an den Bund
13
Brüder!

1850년 3월 공산주의자동맹 중앙본부의 연설. 카를 페터젠이 작성한 사본의 첫 쪽

데, 쉼표를 매우 드물게 사용했고 약어를 자주, 그러나 통일되지 않게 적용했다.

h^4 사본. 함부르크 경찰 서기가 필사했다. StA. Potsdam, Rep. 30 C. Tit. 94, Lit. N, Nr. 67, 제1권(lfd. Nr. 11950), fol. 134-141. 16쪽까지 쪽수가 매겨져 있다. 16쪽에 "정확히 필사, 호만"(In fidem copiae, Homann)이라는 메모가 있다. **h^3**의 사본으로 추측되지만, **x^3**과 유사하다는 점도 완전히 배제할 수 없다. 1851년 6월 23일 베를린 경찰청으로 보내졌다.

d^5 Anklageschrift, 11~15쪽. 인쇄물. 이 인쇄물의 몇몇 사소한 특이점은 많은 인쇄물 자료와 관련지어 보면 공소장과 같은 형태라는 점을 보여준다.

h^6 사본. 드레스덴 국립 아카이브, 내무부 자료, Nr. 10963, fol. 297-312. 32쪽으로 경찰이 필사했다. 페터 노트융에게서 발견된 다른 종이들과 관련된 것으로 "No. 7"로 표시되었다. 1쪽 왼쪽 위에 다른 필체로 "사본"(Abschrift)이라고 표시되어 있다. 아마 1851년 5월 말과 6월 말 사이에 라이프치히에서 만들어졌을 것이다.

j^7 첫 출판. 1850년 3월 런던, 중앙본부가 동맹에게(Die Centralbehörde an den Bund, London, im März 1850). 《드레스드너 주르날 운트 안차이거》, 제177호, 1851년 6월 28일, 1413쪽, 1단~1416쪽, 1단. j^7은 h^6에 근거한다.

j^8 인쇄물. 《종합 경찰-공보》(Allgemeiner Polizei-Anzeiger), 제32권, 제52호. 특별 부록. 드레스덴, 1851년 6월 30일, 261~264쪽. j^8은 j^7과 텍스트가 동일하다.

d^9 노트융, 하우프트, 베커에게서 발견된 1850년 3월 연설(Die Ansprachen von März 1850, gefunden bei Nothjung, Haupt, Becker). 베르무트와 슈티버, 『19세기 공산주의자들의 음모』(Die Communisten-

Verschwörungen des neunzehnten Jahrhunderts), 제1부, 베를린, 1853년, 251~259쪽, 부록 8. 인쇄물.

앞의 책 55~56쪽, 즉 G254쪽 2~15행과 G255쪽 22~25행의 발췌는 여기서 j^7과 j^8이 아니라 d^5에 의거한다. 이 두 텍스트의 줄이 너무 짧기 때문에, 그리고 이것이 D^{10}에 영향을 주었다고 증명할 수 없기 때문에, 이것은 계통도의 d^5 아래에 기재하지 않았다.

X^{14} 교정쇄. D^{10}을 인쇄하기 위해 d^9를 엥겔스가 수정했다. 1885년 11월 초 런던에서 취리히로 보내졌다.

D^{10} 1850년 3월 중앙본부가 동맹에 보낸 연설(Ansprache der Zentralbehörde an den Bund vom März 1850). 카를 마르크스, 「쾰른 공산주의자 재판
G859 에 관한 폭로」. 『사회민주주의 총서』 4, 프리드리히 엥겔스의 서문과 문서를 포함한 신판. 호팅겐-취리히, 1885년, 75~83쪽. 저자가 검인한 최초의 인쇄본.

기록되지 않은 인쇄본

1. 《프랑크푸르터 오버포스트암츠-차이퉁》(Frankfurter Oberpostamts-Zeitung), 제155호, 1851년 7월 1일, 1쪽, 1~2단과 제155호 부록, 1쪽, 1~2단; 제156호, 1851년 7월 2일, 1쪽, 1단. j^7(?)의 재판.

2. 《쾰니셰 차이퉁》, 제156호, 1851년 7월 1일, 4쪽, 1~3단. j^7의 재판.

3. 《슈베비셰 메르쿠어》(Schwäbische Merkur), 슈투트가르트, 제158호, 1851년 7월 4일, 917~918쪽. j^7의 재판. 텍스트 일부를 재현해서 단순히 발표한 것.

4. 《머저르 히르러프》(Magyar Hirlap), 부다페스트, 제503호, 1851년 7월 8일, 2297쪽 그리고 제504호, 1851년 7월 9일, 2300~2301쪽. 헝가리어.

5. 중앙본부가 동맹에게(Die Centralbehörde an den Bund). M. 부[슈]

(M. B[usch]), 『인터내셔널의 역사를 위하여』(Zur Geschichte der Internationale), 라이프치히, 1872년, 39~53쪽. 추정컨대 $\mathbf{d}^9$의 재판.

6. 1850년 3월 공산주의자동맹 중앙본부의 연설(Odezwa Komitetu Centrałnego do Zwiazku w Marou 1850-go roku). 《바우카 크와스》(Wałka Kłas), 제네바, 1886년, 제11/12호, 16~19쪽. 폴란드어. $\mathbf{D}^{10}$의 번역본.

텍스트 형태에 대하여

「1850년 3월 연설」의 텍스트 전승은 많은 특별함과 어려움을 보여준다. 마르크스와 엥겔스, 그리고 엥겔스의 손에는 $\mathbf{X}^1$(그리고 경우에 따라서는 $\mathbf{x}^2$), $\mathbf{X}^{14}$, $\mathbf{D}^{10}$만이 있었고, 그중 $\mathbf{D}^{10}$만이 전한다. 저자가 검인한 이 인쇄본($\mathbf{D}^{10}$을 의미함—옮긴이)은 적어도 새로운 사본들과 인쇄본들 때문에 자필원고 원본과 다르고, 35년 만에 $\mathbf{X}^1$에 따라 만들어졌다. 1850년 3월 말에서 1851년 5월 사이에 공산주의자동맹 내부에서 만들어진 최소한 25개의 사본 중에서, 두 단편인 $\mathbf{h}^{r1}$과 $\mathbf{h}^{p2}$ 그리고 「1850년 12월 1일 쾰른 중앙본부의 연설」에서 인용된 것만이 남아 있다. 사본의 대부분은 1851년 5월 이후 내려진 체계적인 공산주의자 검거에 따라 보안상의 이유로 폐기되어 사라졌다. 경찰의 수중에 들어가 쾰른의 공산주의자 재판에 조서로 첨부된 세 사본($\mathbf{x}^3$, $\mathbf{x}^{rf10}$, $\mathbf{x}^{o12}$)은 19세기 후반에 이 조서와 함께 폐기되었다. 「연설」의 완전한 텍스트는 대체로 경찰의 손에서만—운이 좋아서 원본과 차이가 있는 그 사이에 만들어진 사본이—전해졌다.

$\mathbf{h}^{r1}$, $\mathbf{h}^{p2}$, $\mathbf{h}^3$, $\mathbf{h}^4$, $\mathbf{d}^5$로부터 구성되는 첫 번째 전승 계보 내에서 $\mathbf{d}^5$가 가장 완전하고 신뢰할 만한 텍스트이다. 따라서 이 인쇄본이 본문의 기초가 되었다. 전승 상황의 특수성을 고려하여, 또한 본문과 차이가 있는 것들을 이본(異本) 변경사항으로 변경사항 목록에 수록했다. 이 이본 변경사항은 마르크스 또는 엥겔스가 검인한 것은 아니지만, $\mathbf{X}^1$과 $\mathbf{d}^5$, 내지는 $\mathbf{D}^{10}$ 사이의 텍스트 전승과정을 판단하는 데 중요하다.

변경사항 목록과 이본의 변경사항 목록/교정사항 목록/해설 G860

이 목록에는 $\mathbf{j}^8$을 포함하지 않았는데, $\mathbf{j}^8$은 $\mathbf{j}^7$과 텍스트가 동일하기 때문이다.

이본 변경사항과 다른 변경사항은 d^{9}와 D^{10}과 일치**하지 않을** 때, 즉 엥겔스가 자기 원안(베르무트/슈티버)을 바꿨을 때에만 해당된다.

1 (v) "중앙본부가 동맹에게."(*Die Centralbehörde an den Bund.*)(해당 본문에는 이탤릭체가 아니라 정체로 되어 있다. MEGA 편집자의 오기로 보인다. — 옮긴이) — h^{p2} h^{3} h^{4} h^{6} "Die Centralbehörde an den Bund."

2 (v) j^{7} d^{9} D^{10} 여기서 행을 바꾸지 않음.

3 (v) "1848년과 1849년" — h^{6} j^{7} d^{9} D^{10} "1848-49년"

4 (v) h^{6} j^{7} d^{9} D^{10} 여기서 행을 바꾸지 않고 마침표 대신 쌍반점(;)을 쓰고 "Einmal" 대신 "einmal"을 씀.

5 (v) "결연히"(entschiedenen) — h^{p2} h^{6} j^{7} d^{9} D^{10} "entschieden"

6 (v) "전장에서나"(im Schlachtfelde) — h^{6} j^{7} d^{9} "in Schlachtfeldern" D^{10} "und Schlachtfeldern"

7 (v) "앞장선"(voranstanden, und in) — h^{p2} h^{3} h^{4} h^{6} j^{7} d^{9} D^{10} "voranstanden in"

8 (v) h^{p2} h^{6} j^{7} d^{9} D^{10} 여기서 행을 바꾸지 않음.

9 (v) "와 중앙본부"(und Centralbehörde) — h^{6} j^{7} d^{9} D^{10} "und der Centralbehörde"
(v) "중앙본부"(Centralbehörde) — h^{3} h^{4} "Centralbehörden"

10 (e) "1847년 대회와 중앙본부 회람"(Rundschreiben der Kongresse und Centralbehörde von 1847) — 1847년 2월 의인동맹 내의 인민회당 연설, 1847년 6월 9일 공산주의자동맹 제1차 대회의 회람, 1847년 9월 14일 중앙본부의 연설만이 전한다(BdK 1, 452~457쪽, 475~487쪽, 528~542쪽).

11 (v) "에서"(den) — h^{p2} h^{6} j^{7} d^{9} "dem"
(k) "den" — d^{5} "dem"

12 (v) D^{10} 여기에 쉼표 대신 "그리고"(und)를 씀.

13 (v) "홀로"(allein) — D^{10} "유일하게"(einzig)

14 (v) "인민의"(des Volkes) — h^{6} j^{7} d^{9} D^{10} "der Völker"

15 (v) h^{6} j^{7} d^{9} D^{10} 여기서 행을 바꾸지 않음.

16 (v) "그러나 바로 그때"(Zeit aber wurde) — h^{6} j^{7} d^{9} D^{10} "바로 그때"(Zeit wurde)

17 (v) "결속"(Verbindung) — h^{p2} h^{3} h^{4} h^{6} j^{7} d^{9} D^{10} "Verbindungen"

18 (v) "식었습니다"(einschlafen) — d^{9} D^{10} "einschläfern"

19 (v) "지역적 목표"(Lokalzwecken) — h^{6} j^{7} d^{9} D^{10} "localen Zwecken"

20 (v) "지배와 지도"(Herrschaft und Leitung) — h^{3} h^{4} "지도와 지배"(Leitung und Herrschaft)

21 (v) "종식되어야 하고"(gemacht werden, die) — h^{p2} h^{3} h^{4} h^{6} j^{7} d^{9} D^{10} "gemacht, die"

22 (v) h^{p2} h^{3} h^{4} h^{6} j^{7} d^{9} D^{10} 여기서 행을 바꾸지 않음.

23 (v) "충분한 경험이"(genug Erfahrungen) — h^{6} j^{7} d^{9} D^{10} "Erfahrungen genug"

24 (v) "5월"(Mai) — d^{9} "번"(Mal)

25 (e) 요제프 몰은 1848년 10/11월에 런던에서 새로 구성된 중앙본부 — 그는 이 중앙본부의 성원이었다 — 의 밀사로 위임을 받아서 동맹의 비합법적 조직을 복구하기 위해 독일과 벨기에로 여행을 갔다. 이때 그는 새로운 규약도 보급했다. 몰은 1848년 11월 20일경 함부르크에, 그 후 추정컨대 쾰른에, 12월 중순에는 베를린에, 그리고 연말쯤에는 라이프치히에 체류했다. 거기서 그는 노동자 우애회의 지도자들과 긴밀한 접촉을 만들었다. 그의 밀사 여행은, 개별 체류지만 알려져 있지만, 그 후에도 뮌헨(1849년 2월), 울름(1849년

2월 말), 슈투트가르트와 브뤼셀(1849년 5월 초)로 계속되었다.

26 (v) "6월 29일" — h^{p2} "6월 19일" h^{3} h^{4} "6월 9일" h^{6} j^{7} d^{9} D^{10} "7월 19일"
(k) "6월 29일" — d^{5} "6월 19일"

27 (v) "임무"(Missionen) — h^{6} j^{7} d^{9} D^{10} "임무 여행"(Missionsreisen)

28 (v) "을"(an) — h^{p2} h^{6} j^{7} d^{9} D^{10} "in"

29 (v) h^{6} j^{7} d^{9} D^{10} 여기서 행을 바꾸지 않음.

30 (v) "6월" — D^{10} "7월"

31 (v) "파"(Partei) — h^{p2} h^{3} h^{4} h^{6} j^{7} d^{9} D^{10} "Parteien"

32 (v) "패배한"(den Niederlagen) — h^{6} j^{7} d^{9} D^{10} "der Niederlage"

33 (v) h^{p2} 여기서 행을 바꾸지 않음.

34 (v) "이러한"(Diese) — D^{10} "이"(Die)

35 (e) "밀사"(der Emissair) — 하인리히 바우어.

36 (v) "1848년처럼"(wie im Jahre 1848) — h^{p2} h^{3} h^{4} h^{6} j^{7} d^{9} D^{10} "wie 1848"

37 (v) "여기고"(hält es für) — h^{6} j^{7} d^{9} D^{10} "hält für"

38 (v) "여러분"(euch) — h^{p2} h^{4} "또한"(auch)

39 (v) "1847년" — h^{p2} h^{6} j^{7} d^{9} D^{10} "1848년"

40 (v) "부르주아지가 이제 곧"(Bourgeois sehr bald) — h^{6} j^{7} d^{9} D^{10} "부르주아지가 곧" (Bourgeois bald)

41 (v) "이것이"(dies) — h^{p2} h^{6} j^{7} d^{9} "dieses"

42 (v) "1848년 3월 운동"(Märzbewegung von 1848) — h^{6} j^{7} d^{9} D^{10} "Märzbewegung 1848"

43 (v) "즉각 다시"(sogleich wieder in) — h^{6} j^{7} d^{9} D^{10} "바로"(sogleich in)

44 (v) h^{6} j^{7} d^{9} D^{10} 여기서 행을 바꾸지 않음.

45 (v) "패배한"(besiegten) — h^{6} j^{7} d^{9} D^{10} "제거된"(beseitigten)

46 (v) "연합"(verbünden) — h^{6} j^{7} d^{9} D^{10} "결합"(verbinden)

47 (v) "정부 … 다시"(Regierung wieder die) — D^{10} "Regierung die"

48 (v) "정말로"(doch) — h^{4} "통해서"(durch)

49 (v) "운동은 이미"(Bewegung sich schon) — h^{6} j^{7} d^{9} D^{10} "Bewegung schon"

50 (v) h^{6} j^{7} d^{9} D^{10} 여기서 행을 바꾸지 않음.

51 (v) h^{6} j^{7} d^{9} D^{10} 여기서 행을 바꾸지 않음.

52 (v) "평화적으로"(friedlichen) — j^{7} d^{9} "적대적으로"(feindlichen)

53 (v) "새로운 독자적인"(eine neue selbständige) — D^{10} "독자적인"(eine selbständige)

54 (e) "혁명적 바벨"(das revolutionaire Babel) — 프랑스. 좁은 의미로는 파리.

55 (v) h^{6} j^{7} d^{9} D^{10} 여기서 행을 바꿈.

56 (v) "즉 이런"(die so) — h^{p2} "diese" h^{6} j^{7} d^{9} D^{10} "diese so"

57 (v) "의"(von) — D^{10} "이전의"(vor)

58 (v) "자유주의적 부르주아지"(liberale Bourgeoisie) — h^{6} j^{7} d^{9} D^{10} "liberalen Bourgeois"

59 (v) h^{6} j^{7} d^{9} D^{10} 여기서 행을 바꾸지 않음.

60 (e) "예전 베를린 통합자"(die ehemaligen Berliner Vereinbarer) — 1848년 5월 22일 베를린에서 "왕관과 하나 됨으로써" 헌법을 준비하기 위해 모인 프로이센의 제헌의회를 의미한다. 의회를 폭력적으로 해산한 날인 1848년 11월 15일 제헌의회는 납세 거부 결정을 통과시켰다.

61 (v) "예전 … 좌파"(die Linke der ehemaligen) — h^{6} j^{7} d^{9} D^{10} "예전 …"(die ehemaligen)

62 (v) "베를린의 **납세 거부자들**"(die Berliner *Steuerverweigerer*) — h^{6} j^{7} "**납세 거부자들**"(die *Steuerverweigerer*) d^{9} D^{10} "납세 거부자들"(die Steuerverweigerer)

63 (e) 1848년 5월 18일 이후 프랑크푸르트에서 열렸고, 1849년 5월 임박한 반혁명 때문에 의사당을 슈투트가르트로 이전한 독일 국민의회를 의미한다. 슈투트가르트 국민의회는 “잔여의회”로서 1849년 6월 6일에서 18일까지 활동하다가 군대에 의해 해산되었다.
64 (v) **“좌파”**(*Linken*) — h^{6} j^{7} d^{9} D^{10} “좌파”(Linken)
65 (v) “처럼”(im) — D^{10} “dem”
66 (v) **“적색”**(*roth*) — h^{p2} h^{6} j^{7} d^{9} D^{10} “적색”(roth)
67 (k) “불립니다”(nennen) — d^{5} “nennt”
68 (k) “지금”(sich jetzt) — d^{5} “sie jetzt”
69 (v) “그들은 … 바이에른 등지에서”(Baiern etc. sie) — h^{p2} “Baiern sie”
70 (v) “조금도 … 않았음을”(nicht das mindeste) — h^{3} h^{4} “아무것도 … 않았음을”(nichts)
71 (v) “절대주의와 결탁한 부르주아지 전선에 대항하려면”(sie, um gegen die mit dem Absolutismus vereinigte Bourgeoisie Front zu machen) — h^{6} j^{7} d^{9} D^{10} “이제 절대주의와 결탁한 부르주아지 전선에 대항하고”(sie nun gegen die, mit dem Absolutismus vereinigte Bourgeoisie Front machen und)
72 (v) “이러한”(Diese) — h^{6} j^{7} d^{9} D^{10} “Die”
73 (v) “소부르주아 민주주의”(kleinbürgerlich demokratische) — D^{10} “kleinbürgerlich-demokratische”
74 (v) “강력합니다. 그들은”(mächtig, sie)” — h^{r1} “mächtig. Sie”
75 (v) “다수”(Mehrzahl) — h^{6} j^{7} d^{9} D^{10} “Mehrheit”
76 (v) “동업조합의 장인”(die Gewerksmeister) — h^{r1} “수공업 장인”(Handwerksmeister)
77 (v) “과”(und das) — h^{r1} “und”와 “das” 사이에 “selbst”가 새로 삽입됨.
78 (v) “독립적인 혁명적 도시 프롤레타리아트”(selbstständigen revolutionairen städtischen Proletariate) — h^{6} j^{7} d^{9} D^{10} “도시의 독립적인 프롤레타리아트”(selbstständigen Proletariat der Städte)
79 (v) “이렇다 할”(dieses) — D^{10} “dies”
80 (v) “에”(im) — h^{6} j^{7} d^{9} D^{10} “in ihrem”
81 (v) “분파”(Fraktion) — h^{r1} h^{p2} h^{3} h^{4} “Fraktionen”
82 (v) “노동자당은 … 할 수 있습니다”(Arbeiterpartei geht) — D^{10} “소부르주아 민주주의에 대해 노동자당은 이렇게 할 수 있습니다. 혁명적 노동자당은 … 합니다”(Arbeiterpartei zur kleinbürgerlichen Demokratie ist dies: sie geht)
83 (v) “프롤레타리아트”(Proletarier) — h^{r1} “노동자”(Arbeiter)
84 (v) “것과는”(wie) — h^{6} j^{7} d^{9} D^{10} “für”
85 (v) “바꾸어”(Veränderung) — h^{6} j^{7} d^{9} D^{10} “Aenderung”
86 (v) “기존 사회를 … 자신들에게”(die bestehende Gesellschaft ihnen) — h^{6} j^{7} d^{9} D^{10} “ihnen die bestehende Gesellschaft”
87 (v) “유익하고”(einträglich) — h^{3} h^{4} “einträchtlich” D^{10} “참을 만한”(erträglich)
88 (v) “요구합니다”(verlangen vor) — h^{3} h^{4} h^{6} j^{7} d^{9} D^{10} “따라서 요구합니다”(verlangen daher vor)
89 (v) “로부터”(vom) — h^{6} j^{7} d^{9} D^{10} “von dem”
90 (v) “더 나아가 … 없애려”(ferner die Beseitigung) — h^{3} “ferner Beseitigung”
91 (v) “이”(das) — h^{3} h^{4} h^{6} j^{7} d^{9} D^{10} “dieses”
92 (v) “어떤 민주적”(einer demokratischen) — h^{6} j^{7} d^{9} D^{10} “eine demokratische”
93 (v) h^{6} j^{7} d^{9} D^{10} 여기서 행을 바꿈.
94 (v) h^{6} j^{7} d^{9} D^{10} 여기서 행을 바꾸지 않음.

95 (v) "노동자들이 더 나은"(Arbeitern einen bessern) — h^3 h^4 h^6 j^7 d^9 D^{10} "Arbeitern bessern"

96 (v) "있습니다. 요컨대"(erreichen. Kurz) — h^6 j^7 d^9 D^{10} "erreichen, Kurz"

97 (v) h^6 j^7 d^9 D^{10} 여기서 행을 바꾸지 않음.

98 (v) "것을 …고"(haben, das) — h^6 j^7 d^9 D^{10} "haben, was"

99 (v) h^6 j^7 d^9 D^{10} 여기서 행을 바꾸지 않음.

100 (v) "한"(einem) — h^6 "Einem"

101 (v) "세계의"(der Welt) — h^6 j^7 d^9 D^{10} "전 세계의"(der ganzen Welt)

102 (v) "계속 진행되어"(fortgeschritten) — h^6 j^7 d^9 D^{10} "전진하여"(vorgeschritten)

103 (v) "이런 나라들에서"(dieser Länder) — h^6 j^7 d^9 D^{10} "in diesen Ländern"

104 (v) "그리고"(und) — h^6 j^7 d^9 "daß" D^{10} "und daß"

105 (v) "생산-력"(Produktiv-Kräfte) — h^6 j^7 d^9 D^{10} "productiven Kräfte"

106 (v) "연합된 프롤레타리아트"(der associirten Proletarier) — h^6 j^7 d^9 D^{10} "프롤레타리아트"(der Proletarier)

107 (v) "**혁명**"(*die Revolution*) — h^6 j^7 d^9 D^{10} "혁명"(die Revolution)

108 (v) "**영속화하는 것**"(*permanent zu machen*) — d^9 D^{10} "영속화하는 것"(permanent zu machen)

109 (v) "은폐"(um die Vertuschung) — h^6 j^7 d^9 D^{10} "um Vertuschung"

110 (v) "지양"(um die Aufhebung) — h^6 j^7 d^9 D^{10} "um Aufhebung"

111 (v) "계속 발전"(Weiterentwickelung) — h^6 j^7 d^9 D^{10} "weitern Entwickelung"

112 (v) "소부르주아 민주주의도 마찬가지로 억압받는"(kleinbürgerliche Demokratie ebenfalls unterdrückt ist) — h^6 j^7 d^9 D^{10} "소부르주아 민주주의자들도 마찬가지로 억압받는"(kleinbürgerliche Demokraten ebenfalls unterdrückt sind)

113 (v) "소부르주아 민주주의가"(ihr) — h^6 j^7 d^9 D^{10} "ihnen"

114 (v) "소부르주아 민주주의가"(ihres) — h^6 j^7 d^9 D^{10} "des"

115 (v) "내밀고"(bieten) — d^9 "연대하고"(binden)

116 (v) "감춰져 있고"(verstecken) — h^3 h^4 "versteckten"

117 (v) "구호만이 난무하는"(Phrasen allein vorherrschend) — h^6 j^7 d^9 D^{10} "구호가 난무하는"(Phrasen vorherrschend)

118 (v) "할 것입니다"(wird) — h^6 j^7 d^9 D^{10} "würde"

119 (v) "할 것입니다"(wird) — h^6 j^7 d^9 D^{10} "würde"

120 (v) "이러한"(Diese) — h^4 "Die"

121 (v) "**중심**"(*zum Mittelpunkte*) — h^4 h^6 j^7 d^9 D^{10} "중심"(zum Mittelpunkte)

122 (v) "이자 핵심"(und Kern) — h^3 "**이자 핵심**"(*und Kern*)

123 (e) 이 정보는 추정컨대《베스트도이체 차이퉁》, 쾰른, 제14호, 1850년 1월 17일, 2쪽의 「통신」에 기초하는 것 같다. 이 통신에는 다음과 같이 쓰여 있다.

"**X 브레슬라우**, 1월 11일. 거대한 사회-민주주의 정당은 새롭게 움직이기 시작했다. 이 당은 노동자에게 '각자도생하면 죽을 것이고, 단결하라, 그러면 승리를 성취할 것이다!'라는 호소를 멈추지 않는다. 이러한 선동의 첫 열매는 조만간에 나타날 것이다. 최근 들어 끝내주는 '**노동자 우애회**'를 창설하기로 했기 때문이다. 이 계획은 사회-민주주의 정당이 엄청난 투쟁을 하게 만들었다. 그들의 신문에서 부르주아-민주주의자로 불리는, 그리고 여기서 발행하는《폴크스차이퉁》(Volkszeitung)에서 정치적 민주주의자로 불리는 분파가 그들에게 가장 적대적인 적들이다. 노동자가 새 시대에 제기해야 하는 **요구**에 관해 노동자를 각성시키는 것만큼 그들에게 위험한 것은 없는 듯하다. 즉 그들에게 가장 두려운 말은 '노동의 보장'이다. 그에 대해 부르주아-민주주의 세력은 모든 수단으로, 한편으로는 말로, 또 한편으로는 그들의 기관지《노이에 오데르-차이퉁》(Neuen Oder-Zeitung)에서 글로 분노한다. 이 세력은 결단코 거리낌 없이 인민의 눈을 속이면서 자신들의 신문을 인용하고 사라고 외쳤다. 또한 이 세력은 바로 자신들의 신문이 궁극적으로는 "**삶이 보장되지 않는다면 언론의 자유가 무슨 소용인가?**"라고 주장할 수 있는 그런 권리를 전부 갖고 있다는 것을 생각하지 않은 채, 주로 예비선거 및 그런 것과 똑같은 정치적 도구를 위해 주로 싸웠다.

부르주아-민주주의자들은 여기서 발행하는 유일한 사회-민주주의 신문인《슐레지셰 폴크스차이퉁》(Schlesische Volkszeitung)의 편집자에게 온갖 증오를 퍼부었다. 그리고 이것은 그들이 그러지 않으면 순수 프로이센 혈통의 학교를 마치지 못할 것임을 보여주었다. …"

그러나 이 익명의 통신원은 브레슬라우의 상황에 관해 불완전한 정보를 제공했다. 그가 언급한《슐레지셰 폴크스차이퉁》의 편집자는 공산주의자동맹의 동맹원인 루이스 하일베르크(Louis Heilberg)로, 그는《노이에 오데르-차이퉁》의 적극적인 협력자이기도 했다. 후자의 신문은 일관되게 민주주의 좌파 입장을 견지했고, 브레슬라우에서 시작된 노동운동에 매우 공감하면서 보도했다. 또한《베스트도이체 차이퉁》, 제19호, 1850년 1월 23일, 1~2쪽에는 다음과 같은 보도가 나왔다.

"**X 브레슬라우**, 1월 17일. 제14호에는 당시 독자들을 완전히 오해하게 하고 정정이 필요한 통신이 이 신문에 실렸다. 이 기고문의 필자는 정치적 민주주의자들과 사회민주주의자들을 너무 극명하게 구별하고, 전자와 후자가 대립하는 것처럼 구별된다고 서술하려고 했을 때, 이로써 그는 첫 번째 부정직을 저질렀다. 왜냐하면 이른바 거창한 정치적 민주주의자들은 이런 자의적인 구별에 계속해서 반대할 것이기 때문이다. 그리고 공개적인 집회에서, 더군다나 특히《노이에 오데르-차이퉁》에서 기껏해야 **형식적인** 차이는 인정할 수 있다고 여러 번 언급했기 때문이다. 이런 차이를 드러내고 싶어 하는 활동을 하는 민주주의자 자신도 결국에는 언제나 **사회주의자**라고도 했다.《노이에 오데르-차이퉁》은 **한 번도** 사회주의를 전면에서 반대하지 **않았고** 그에 대한 논쟁의 포문을 열지 않았을 뿐 아니라, 가능하다면 언제든지 사회주의 세력도 받아들였다. 이것은 특히 이 신문이 **하일베르크 박사**를 그가 사회주의자이기 때문에 신문의 협력자로 참여케 했다는 사실로 증명된다. '부르주아 민주주의자'의 당이라고 지칭되는《노이에 오데르-차이퉁》이 '노동의 보장'에 반대한다는 것은 잘못된 것이며 고의적인 거짓이다. 그리고 계획했던 '노동자 연대'의 반대편에 선다고《노이에 오데르-차이퉁》을 책망하는 것도 거짓이다. … 통신이《슐레지셰 폴크스차이퉁》의 편집자와 관련하여 그 밖에 더 언급한 것에 대해 대답할 필요가 없을 것이다. 내가 당신들에게 장담할 수 있는 것은 이런 종류의 **사회주의자**는 '**정치적 민주주의자**'에게 어떤 공격도 준비하지 않았으며, 개인적인 불만을 별도로 당의 **문제**로 만들려고 피력하는 것도 폭넓게 허용할 것이라는 점이다. 분열이 없는 곳에서, 그리고 위대한 통합이 필요한 이때 하나의 당을 쪼개서 분열을 자의적으로 일으키려고 하는 것은 현명하지 못할 뿐만 아니라 **부정직하게** 보인다."

1850년 2월과 3월《노이에 오데르-차이퉁》은 "노동자 우애회"의 브레슬라우 조직의 모든 집회에 관해 상세히 보도했다. 이들 조직에서는 에젠베크의 네스(Nees von Esenbeck)와 하일베르크, 그리고 특히 공산주의자동맹에 가까운 브레머(Brehmer)가 주도적인 역할을 했다. 또한《노이에 오데르-차이퉁》은 노동자 우애회의 일반 정관을 보도했다.

런던의 마르크스와 엥겔스는 1850년 1월 23일《베스트도이체 차이퉁》의 보도와《노이에 오데르-차이퉁》자체를 분명히 알지 못했다.

124 (v) $\mathbf{h^3}$ $\mathbf{h^4}$ 앞 문단에서 행을 바꾸고 "II."가 없음. $\mathbf{h^6}$ $\mathbf{j^7}$ $\mathbf{d^9}$ $\mathbf{D^{10}}$ 앞 문단에서 행을 바꾸지 않고 "II."가 없음.

(k) D^5 앞 문단에서 행을 바꾸지 않고 "II."가 없음. 이것은 소부르주아 민주주의가 "우세해질 다음번 혁명투쟁에서"(G258쪽 22행을 보라) 프롤레타리아트 입장을 다룬 앞 절의 시작 부분에 표시된 로마 숫자(G258쪽 26행의 "I"을 의미함 — 옮긴이)와 관련이 있다. 이 로마 숫자는 첫 번째 전승 경로에서는 완전히 빠졌지만, h^6으로 시작하는 두 번째 전승 경로에서는 G260쪽 20행 바로 앞에 있는데, 이것은 내용적 관점에서 보면 오류이다. h^3의 경우에는 여기서 행을 바꾸었다.

125 (v) "특별히 … 없습니다"(keiner besonderen) — h^3 "없습니다"(keine)

126 (v) h^6 j^7 d^9 D^{10} 여기서 행을 바꾸지 않음.

127 (v) "승리를 … 한다는"(Sieg zu) — h^6 j^7 d^9 D^{10} "승리를 … 하게 된다는"(Sieg werden zu)

128 (v) "이런"(dieses) — D^{10} "dies"

129 (v) "없습니다. 하지만"(verwehren. Aber) — h^6 j^7 d^9 D^{10} "verwehren, aber"

130 (v) "프롤레타리아트에게"(Proletariate so zu) — h^6 j^7 d^9 D^{10} "Proletariat zu"

131 (v) "받아들일 수밖에"(diktiren) — h^3 h^4 "제시할 수밖에"(stellen)

132 (v) "반대"(Abwiegelung) — h^6 j^7 d^9 "선동"(Aufwiegelung)
(k) "반대"(Abwiegelung) — d^5 "청산"(Abwickelung)

133 (v) "리지"(werde) — h^6 j^7 d^9 D^{10} "wird"

134 (v) "증오로 가득 찬 기억으로"(nur gehässige Erinnerungen knüpfen) — h^3 h^4 "eine gehässige Erinnerung knüpft"

135 (v) "이른바 과도한 행동, … 손에 넣어야 합니다." — h^6 j^7 **"이른바 과도한 행동, … 손에 넣어야 합니다."**

136 (v) "그 자신의"(ihre eigenen) — h^3 h^4 "이미 자신의"(schon eigene)

137 (v) "정부가 … 노동자에게"(Regierungen den Arbeitern) — h^6 j^7 d^9 D^{10} "통치자가"(Regierer)

138 (v) "새로운 상태에"(der neuen Zustände) — D^{10} "상태에"(der Zustände)

139 (v) "와"(und die) — h^3 h^4 "in der"

140 (v) "침착하고"(ruhige) — h^3 h^4 "올바르고"(richtige)

141 (v) "즉각"(sogleich) — h^6 j^7 d^9 D^{10} "동시에"(zugleich)

142 (v) "노동자 클럽이든"(durch Arbeiterculbs) — h^3 h^4 "durch die Arbeiterclubs"

143 (v) "노동자"(der Arbeiter) — h^3 h^4 "von Arbeitern"

144 (v) "한"(Einem) — h^3 h^4 h^6 j^7 d^9 D^{10} "einem"

145 (v) "노동자는 … 불신할 것이 아니라"(Mißtrauen der Arbeiter nicht) — h^6 j^7 d^9 D^{10} "불신할 것이 아니라"(Mißtrauen nicht)

146 (v) "그들의"(ihren) — h^6 j^7 d^9 D^{10} "ihre"

147 (v) "공동의 승리를 차지하려는"의 관계대명사 "welche" — h^3 h^4 h^6 j^7 d^9 D^{10} "die"

148 (v) "**저**"(*die*) — h^6 d^9 D^{10} "die"

149 (v) h^6 j^7 d^9 D^{10} 여기에 "2.)"가 있음.

150 (v) "**무장하고 조직되어야**"(*bewaffnet und organisirt*) — h^3 h^4 d^9 D^{10} "무장하고 조직되어야"(bewaffnet und organisirt)

151 (v) "합니다. 프롤레타리아트 전체가 산탄총, 소총, 대포, 탄약으로 무장해야 하고"(sein. Die Bewaffnung des ganzen Proletariates mit Flinten, Büchsen, Geschützen und Munition muß) — h^3 h^4 "산탄총, 소총, 대포로 … 합니다. 프롤레타리아트 전체가 탄약으로 무장해야 하고"(sein, mit Flinten, Büchsen, Geschützen. Die Bewaffnung des ganzen Proletariats mit Munition muß)

152 (v) "이 후자가 … 않으면"(dieses letztere nicht) — h^6 j^7 d^9 D^{10} "그러나 이 후자가 … 않으

면"(dieses letztere aber nicht)

153 (v) "명령이 아닌"(unter den Befehl nicht) — h^{3} h^{4} "nicht unter den Befehl"

154 (v) "자치 대표자 회의"(Gemeindevorstände) — h^{6} j^{7} d^{9} D^{10} "자치위원회"(Gemeinderäthe)

155 (v) "와 탄약을"(und Munition) — h^{6} j^{7} d^{9} D^{10} "und die Munition"

156 (v) "놓아서는"(gegeben,) — h^{6} j^{7} d^{9} "gegeben werden,"

157 (v) h^{6} j^{7} d^{9} D^{10} 여기서 행을 바꾸지 않음.

158 (v) "일시적이고"(augenblicklich) — h^{3} h^{4} "이른바"(angeblich)

159 (v) "프롤레타리아트 세력"(die Partei des Proletariats) — h^{6} j^{7} d^{9} D^{10} "프롤레타리아트"(das Proletariat)

160 (v) "III." — h^{4} "II."

161 (v) "지금 현존하는"(der jetzt bestehenden) — h^{6} j^{7} d^{9} D^{10} "현존하는"(der bestehenden)

162 (v) "중앙 집중화"(Zentralisirung) — h^{6} j^{7} d^{9} D^{10} "Centralisation"

163 (v) "**하나의**"(*einer*) — h^{6} j^{7} d^{9} D^{10} "하나의"(einer)

164 (v) "제안"(Vorschläge) — h^{6} j^{7} d^{9} D^{10} "의안"(Vorlagen)

165 (v) "이 대회에서"(diesem) — h^{3} h^{4} "dieser"

166 (v) "을 … 연계하고 서로 협력하게 하는"(Verbindung und Zusammenwirkung der) — h^{6} j^{7} d^{9} D^{10} "을 … 연계하고"(Verbindung der)

167 (v) h^{6} j^{7} d^{9} D^{10} 마침표 대신 쌍반점(;)을 쓴 다음에 "Die" 대신 "die"를 씀.

168 (v) h^{4} 여기서 행을 바꿈.

169 (v) "정부 위원"(Regierungskommissären) — h^{6} j^{7} d^{9} D^{10} "Regierungscommissarien"

170 (v) "부르주아"(bürgerlich) — h^{6} j^{7} d^{9} D^{10} "bürgerlichen"

171 (v) "실현"(Durchsetzung) — h^{6} j^{7} d^{9} D^{10} "관철"(Durchführung)

172 (v) "자신의"(ihren) — h^{3} h^{4} h^{6} j^{7} d^{9} D^{10} "ihre"

173 (v) "반동주의자들에게 … 가능성을"(den Reaktionairen Möglichkeit) — h^{6} j^{7} d^{9} D^{10} "반동에게 … 가능성을"(der Reaction die Möglichkeit)

174 (v) "단점"(die Nachtheile, die) — h^{6} j^{7} d^{9} D^{10} "der Nachtheil, den"

175 (v) "반동주의자들"(Reactionaire) — h^{6} j^{7} d^{9} D^{10} "반동"(Reaction)

176 (v) "그들이"(ihr) — D^{10} "deren"

177 (v) "직접 충돌"(in direkten Konflikt) — h^{6} j^{7} d^{9} D^{10} "충돌"(in Konflikt)

178 (v) h^{6} j^{7} d^{9} D^{10} 마침표 대신 쌍반점(;)을 쓴 다음에 "Wie" 대신에 "wie"를 씀.

179 (v) "것입니다"(werden) — h^{4} "würden"

180 (v) "프랑스 농민이 아직도 겪고 있는 … 빠져나오게"(durchmacht, worin jetzt der französische Bauer noch begriffen ist.) — h^{3} h^{4} "겪고 있는"(durchmacht.)

181 (v) "농민계급 … 할"(Bauernklasse wollen) — D^{10} "Bauernklasse bilden wollen"

182 (v) h^{6} j^{7} d^{9} D^{10} 여기서 행을 바꿈.

183 (v) "하여"(bleibt) — h^{4} "bleibe"

184 (v) "농촌 촌락지"(Ackerbaukolonien) — h^{6} j^{7} d^{9} D^{10} "노동자 촌락지"(Arbeitercolonien)

185 (v) "경작할"(bearbeitet) — h^{6} j^{7} d^{9} D^{10} "bearbeiten"

186 (v) "공동"(gemeinschaftlichen) — h^{6} j^{7} d^{9} D^{10} "gemeinsamen"

187 (v) "갖게"(erhalte) — h^{3} "erhält" h^{4} "erhielt" h^{6} j^{7} d^{9} D^{10} "획득하게"(erlangt)

188 (v) "노동자는"(sich die Arbeiter) — h^{4} "die Arbeiter sich"

189 (v) h^{3} h^{4} h^{6} j^{7} d^{9} D^{10} 여기서 행을 바꾸지 않음.

190 (v) "영향을 끼치거나"(hinwirken) — h^{6} j^{7} d^{9} D^{10} "노리거나"(hinarbeiten)

191 (v) "하나의"(Eine) — h^{6} j^{7} d^{9} D^{10} "eine"

192 (e) "하나의 통일된 공화국"(die Eine und untheilbare Republik) — 1848년 3월의 「독일 공산당의 요구」 17개 중 첫 번째 요구.

193 (v) "이 계획들"(diesen Plänen) — h^6 j^7 d^9 D^{10} "diesem Plane"

194 (v) "하나의"(Eine) — h^4 h^6 j^7 d^9 D^{10} "eine"

195 (v) "통일된 공화국"(untheilbare Republik) — h^3 h^4 h^6 j^7 d^9 D^{10} "통일된 독일 공화국"(untheilbare deutsche Republik)

196 (e) "하나의 통일된 공화국"(die Eine und untheilbare Republik) — 1848년 3월의 「독일 공산당의 요구」 17개 중 첫 번째 요구.

197 (v) "수중으로"(den Händen) — h^6 j^7 d^9 D^{10} "die Hände"

198 (v) "민주주의자들"(das demokratische) — h^3 h^4 "demokrat[isches]"

199 (v) "수많은"(vieler) — h^6 j^7 d^9 "viel"

200 (v) "지역적"(provinzieller) — D^{10} "provinzialer"

201 (v) "방해하는"(lege) — h^4 "legen"

202 (v) h^6 j^7 d^9 D^{10} 여기에 줄표(—)가 있음.

203 (v) "이런 가운데"(worin) — h^6 j^7 d^9 D^{10} "이를 통해서"(wodurch)

204 (v) "똑같은"(einen) — h^6 j^7 d^9 D^{10} "ein"

205 (v) "이런"(dieses) — D^{10} "dies"

206 (v) "부유한 … 가난한"(reichen und armen) — D^{10} "armen und reichen"

207 (v) D^{10} 여기에 엥겔스의 주 *가 있음.

* 이 점은 오해에 근거한다는 사실을 오늘날 기억해야 한다. 당시 보나파르트주의적이고 자유주의적인 역사 위조자들로 인해서, 프랑스의 중앙 집권화된 행정 기구가 대혁명을 통해 도입되었고, 즉 국민공회가 왕당파, 연방주의적 반동, 외국의 적들을 정복할 때 불가결하고 결정적인 무기로 취급했다고 하는 점은 기정사실이었다. 그러나 브뤼메르 18일까지의 전체 혁명 동안, 관리자 자체를 선출하는 시군구의 모든 행정 당국이 일반 국가법 내에서 완전히 자유롭게 움직였고, 아메리카적 자치와 비슷한 이런 지역적 및 지방적 자치가 바로 혁명의 강력한 지렛대가 되었으며, 게다가 나폴레옹이 브뤼메르 18일의 쿠데타 직후에 이런 자치를 처음부터 순수한 반동의 도구였으며 여전히 현존하는 영주경제(Präfektenwirthschaft)로 대체하려고 서둘렀다는 점은 오늘날 잘 알려진 사실이다. 그러나 지역적, 지방적 자치가 정치적, 민족적 중앙 집권화와 모순되는 것과 마찬가지로, 이런 자치는 앞에서 말한 주(州)들 혹은 지역의 편협한 이기심과 결합할 수밖에 없다. 이런 지역 이기심은 스위스에서 우리가 그렇게 강력하게 저지하려던 것이었고, 1849년 독일의 모든 남부 연방 공화주의자가 독일의 규칙으로 삼으려고 했던 것이었다.

(e) 이와 관련하여 위에 있는 엥겔스의 주를 보라.

208 (v) h^6 j^7 d^9 D^{10} 여기에 물음표를 씀.

209 (v) h^6 j^7 d^9 D^{10} 여기서 행을 바꾸지 않음.

210 (v) "수중"(die Hände) — h^3 h^4 h^6 j^7 d^9 D^{10} "den Händen"

211 (v) "민주주의자들이 … 압박할"(Demokraten dazu zwingen) — h^3 h^4 "Demokraten zwingen"

212 (v) "될"(werden) — h^4 "würden"

213 (v) h^6 j^7 d^9 D^{10} 마침표 대신 쉼표를 쓰고 "So" 대신에 "so"를 씀.

214 (v) "와 공장을"(und die Fabriken) — h^3 h^4 h^6 j^7 d^9 D^{10} "und Fabriken"

215 (v) "공장을 국고로 매입하자고"(Fabriken für Staatsrechnung anzukaufen) — h^6 j^7 d^9 D^{10} "공장을 매입하자고"(Fabriken anzukaufen)

216 (k) "무상으로 몰수할"(Entschädigung konfiszirt) — d^5 "국가에 의해 무상으로 몰수

할"(Entschädigung vom Staate konfiszirt)

(k) "할"(werden) — $\mathbf{d}^{5}$ "werde"

217 (v) "비례"(proportionelle) — $\mathbf{h}^{3}$ $\mathbf{h}^{4}$ "proportionirte"

218 (v) "누진세"(die progressive) — $\mathbf{h}^{6}$ $\mathbf{j}^{7}$ $\mathbf{d}^{9}$ $\mathbf{D}^{10}$ "progressive"

219 (v) $\mathbf{h}^{6}$ $\mathbf{j}^{7}$ $\mathbf{d}^{9}$ $\mathbf{D}^{10}$ 마침표 대신 쌍반점(;)을 쓴 다음 "Wenn" 대신에 "wenn"을 씀.

220 (v) "**온건한**"(*gemäßigte*) — $\mathbf{h}^{4}$ $\mathbf{h}^{6}$ $\mathbf{j}^{7}$ $\mathbf{d}^{9}$ $\mathbf{D}^{10}$ "온건한"(gemäßgite)

221 (v) "누진세"(Progressiv-Steuer) — $\mathbf{h}^{6}$ $\mathbf{j}^{7}$ $\mathbf{d}^{9}$ $\mathbf{D}^{10}$ "누진적인"(progressive)

222 (v) $\mathbf{h}^{6}$ $\mathbf{j}^{7}$ $\mathbf{d}^{9}$ $\mathbf{D}^{10}$ 마침표 대신 쌍반점(;)을 쓴 다음 "Wenn" 대신에 "wenn"을 씀.

223 (v) "프롤레타리아트"(Proletarier) — $\mathbf{h}^{6}$ $\mathbf{j}^{7}$ $\mathbf{d}^{9}$ $\mathbf{D}^{10}$ "노동자"(Arbeiter)

224 (v) "**국가 도산**"(*Staatsbankerott*) — $\mathbf{d}^{9}$ $\mathbf{D}^{10}$ "국가 도산"(Staatsbankerott)

225 (k) "노동자"(Arbeiter) — $\mathbf{d}^{5}$ "민주주의자"(Demokraten)

226 (v) "장구한 혁명적 발전과정"(einen längeren revolutionairen Entwickelungsgang) — $\mathbf{h}^{6}$ $\mathbf{j}^{7}$ $\mathbf{d}^{9}$ $\mathbf{D}^{10}$ "장구한 혁명적 발전 전체"(einen längeren revolutionairen Entwickelung ganz)

227 (v) "실현"(Durchsetzung) — $\mathbf{h}^{6}$ $\mathbf{j}^{7}$ $\mathbf{d}^{9}$ "Durchführung"

228 (v) "실현하"(und zur Durchsetzung) — $\mathbf{D}^{10}$ "성취하"(und Durchführung)

229 (v) "임박한 혁명극"(bevorstehenden revolutionairen Schauspiels) — $\mathbf{h}^{3}$ $\mathbf{h}^{4}$ "임박한 극"(bevorstehenden Schauspiels)

230 (v) $\mathbf{h}^{6}$ $\mathbf{j}^{7}$ $\mathbf{d}^{9}$ $\mathbf{D}^{10}$ 여기서 행을 바꿈.

231 (v) "한"(als) — $\mathbf{h}^{3}$ $\mathbf{h}^{4}$ $\mathbf{h}^{6}$ $\mathbf{j}^{7}$ $\mathbf{d}^{9}$ $\mathbf{D}^{10}$ "wie"

232 (v) "형제애-구호"(Verbrüderungs-Phrasen) — $\mathbf{h}^{6}$ $\mathbf{j}^{7}$ $\mathbf{d}^{9}$ $\mathbf{D}^{10}$ "구호"(Phrasen)

233 (k) "을"(an) — $\mathbf{d}^{5}$ "von"

234 (v) $\mathbf{h}^{6}$ 여기서 행을 바꿈.

(k) "합니다"(machen lassen) — $\mathbf{d}^{5}$ "machen zu lassen"

235 (v) $\mathbf{j}^{7}$ 여기서 행을 바꾸지 않고, "sein:" 다음에 "*Die*"로 씀. $\mathbf{d}^{9}$ $\mathbf{D}^{10}$ 여기서 행을 바꾸지 않음.

236 (v) "영속적으로!"(Permanenz!) — $\mathbf{h}^{6}$ $\mathbf{j}^{7}$ "**영속적으로.**"(*Permanenz.*) 다음에 행을 바꾸고 "런던, 1850년 3월"(London, im März 1850) $\mathbf{d}^{9}$ $\mathbf{D}^{10}$ "영속적으로. 런던, 1850년 3월"(Permanenz. London, im März 1850)

237 (v) "혁명은 영속적으로!"(Revolution in Permanenz!) — $\mathbf{h}^{3}$ $\mathbf{h}^{4}$ $\mathbf{h}^{6}$ $\mathbf{j}^{7}$ "**혁명은 영속적으로.**"(*Revolution in Permanenz.*)

카를 마르크스/프리드리히 엥겔스 G872

루이 메나르의 시「다리들」의 인쇄물 머리말

1850년 4월 전반(G264쪽)

집필과정과 전승과정

루이 메나르의 시「다리들」(Jambes)을 발표하기 위한 편집자의 짧은 메모(이 글의 본문을 의미함—옮긴이)는 추정컨대 NRhZ. Revue 제4호를 위한 다른 초고들과 함께 1850년 4월 전반기에 집필되었고, 늦어도 1850년 4월 18일경 제4호를 위한 나머지 초고들과 함께 함부르크로 보냈을 것이다.

메나르의 시는 이 잡지에서 독일어로 발표되지 않은 유일한 기고문이다. 마르크스는 저자의 시를 이미 1849년 말 혹은 1850년 1월 초에 받았고, 우선 NRhZ. Revue에 독일어로 번역해서 발표할 생각이었다. 번역은 페르디난트 프라일리그라트가 하기로 했었는데, 시간이 없어 그 일을 할 수 없었다. 게다가 프라일리그라트가 1850년 1월 26일 마르크스에게 쓴 편지에서 이 시는 "프랑스인들에게는 너무나 유명하기" 때문에 별도로 독일어로 번역할 필요가 없다고 했다.

「다리들」의 번역은 NRhZ. Revue의 텍스트에 따라 1850년 요제프 바이데마이어의 친구이자《노이에 도이체 차이퉁》(프랑크푸르트)의 아이펠 통신원이었던 크레머(Kremer)가 완성했다. 이 번역은『마르크스와 엥겔스의 동시대인들. 1844년~1852년의 편지 선집』, 쿠르트 코지크와 카를 오버만 편집, 아센/암스테르담, 1975년, 365~367쪽에 수록된 크레머가 1850년 11월 19일 바이데마이어에게 보낸 편지에 들어 있었다.

원문자료에 대한 기록

J[1] 우리의 친구 **루이 메나르** …(Unser Freund *Louis Ménard* …).《노이

에 라이니셰 차이퉁. 정치-경제 평론》, 런던, 함부르크와 뉴욕, 제4호, 1850년 4월, 1쪽. 1쇄.

제4호 표지의 목차에는 시의 제목 뒤에 다음과 같은 짧은 메모가 있다. "1848년 6월의 대학살을 추모하는 작품"(Ecrits après les massacres de Juin 1848).

본문은 J^1을 따른다.

해설

1 (e) 루이 메나르, 『혁명의 서곡. 1848년 2월에서 6월까지』, 파리, 1849년. 이 시는 이미 《르 푀플》, 파리, 1848년 11월 8/15일의 제4호와 1849년 2월 19일의 제93호 사이에 부정기적으로 계속 실렸다.

G873 2 (e) 루이 메나르, 「다리들」(jambes), NRhZ. Revue, 런던, 함부르크와 뉴욕, 제4호, 1~4쪽.

혁명의 바람을 타고
　　우리 모두 갈망해온, 피할 수 없는
죄인들을 처벌할
　　정당한 속죄의 날

그날이 오면, 용서해달라고 울부짖으며
　　망나니 앞에 겁에 질린
정의가 분노이자 복수이고
　　범죄는 약함이고 불행인 자들은 모두

우리에게 돌아와 외친다
　　처벌은 불경한 것이기에 용서해야 한다고.
죽은 자들이 죽인 자들의 속죄의 피를
　　원할 때 회개 운운할 것이다.

강하고 거친 시대마다 호소했던
　　모든 죽임의 한을 풀어주신 성스러운 복수의 여신
네메시스여, 우리의 몰골을 보세요
　　당신의 양날 검이 풀로 변했어요.

저주받은 살인자에게 사랑의 눈길을 보내는
　　고매한 철학자, 숭고한 사자후들이여
최후의 날, 희생자들의 피가
　　그대들 위로 흘러내리리니.

자비는 없도다. 잊지 말지니 형제들의 죽음을,

그 숱한 속죄되지 않은 악행을.
기억이 느슨한 연민을
깊은 분노로 바꾸리니

잊지 말지니, 배고파 외치는
우리에게 대포로 응수했던
살육과 약탈의 날들을
폐허가 된 마을, 피로 물든 벽들을.

잊지 말지니, 부정한 강간으로 더럽혀진 처녀
고통에 겨워 싸우며 아름다움을 저주한다
피가 낭자한 육신 위로
야비한 관능이 울부짖을 때.

잊지 말지니, 총구 앞에 피 흘리며 경련하고
몸을 비트는 비무장의 패배한 군중
숨 가쁜 몸뚱이 위로 흘러내리는 핏물
단말마의 외침과 고통에 찬 신음!

잊지 말지니, 광장들에서 여인들의 G874
갈채 속에 수천의 주검이 쓰러진다,
사흘 밤낮으로 살육을 저지른
학살자들의 손이 지칠 때,

이 피 묻은 코사크 기병들에게 당신들은 그 이마에
왕관을 씌우고, 자긍심에 찬 당신들의 아내들은
손뼉을 치고 손수건을 흔든다
옛날 그들의 어머니들에게 친절했다며.

불경스러운 승리의 다음 날
흉악한 밀고가 이어지고
살해도 모자라 냉혹한 비방과
무자비한 추방이 뒤따랐나니

이어 죽어가는 사람들의 단말마로 가득 찬
어두운 천장의 밀폐된 지하 독방에서
도살자들은 상처를 헤집고
사지를 으깼다.

아 우리의 복수는 이미 용서를 받았다!
우리의 팔을 얽어맨 사슬이 풀어질 때
살해된 형제들의 죽음을 잊지 말고
대규모 장례식을 치러야 한다.

이제 우리 차례다! 살육자들 먼저,
우리의 주인들, 우리가 선출한 대표자들
야비하고 비겁한 배반자들이여
무릎을 꿇어라! 패자들에게 불행을!

정의의 날이 왔다, 자비는 없다!
기도도 회개도 필요 없다
순교자들의 피가 흘렀던 곳마다
입맞춤은 허용하리라.

그들의 냉혹한 분노의 눈먼 도구,
가열한 증오의 수단이었던 네놈들
너희 머리맡에서 너희 형제의 혼령이 깨어난다면
인민의 한은 풀어지리니.

같은 혈육인 형제를 배반한 너희는
인민의 영원한 재앙이다
권력의 주구로서 살인 청부를 행한 너희는
살인자의 몸종이자 노예다

너희는 또한 비열한 밀매꾼, 저열하고 비굴한 족속,
그 저주받은 날들에
매수된 학살자들의 울부짖는 무리를
금과 포도주로 취하게 만들러 갔다.

G875 너희는 조국의 깨끗한 공기를 더럽혔나니!
이미 가공스럽고 위협적인 인민이 깨어났다.
얼른 달아나라, 여기서 멀리
인민이 피는 피로써만 씻긴다는 걸 잊고 있을 때.

내가 권력을 꿈꾸었다면
그건 흔들리지 않는 성스러운 복수의 칼과
처단이라는 신성한 권리를
행사하는 행복을 위해서였다네.

죄를 지은 자, 마땅히 벌을 내려야 하는 법
죄악은 순식간이지만 회한은 느리고 길다
그리고 희생자가 기다리는 동안
살해자는 종종 자신의 사슬을 갉아서 부숴버린다.

속죄의 날이 오면 나는 곧장 달려가
사체에 가해진 고문 자국들을 보면서 읊조리리라
눈에는 눈, 이에는 이, 상처에는 상처
오랜 복수의 법률을.

그리고 나는 오랜 망각 속에
　　먼지처럼 침잠한 그 죽음들의
말 없는 고통을 환기하고
　　풀지 못한 사자들의 원혼을 달래주리니.

징벌은 위대하고 성스러우며
　　영원한 비난과 같은 것
달래지 못한 고통이 야기하는 불평은
　　저 하늘에까지 이를 것이기에.

이 최고의 법이 혹시 잊힐 수 있다는
　　말이 나올까 두려워한 인간은
하늘을 용서하기 위해
　　신이 십자가에서 죽어야 했다고 믿었도다.

루이 메나르.

G876

카를 마르크스/프리드리히 엥겔스

《노이에 라이니셰 차이퉁. 정치–경제 평론》 제4호의 서평

1850년 3월 중순과 대략 4월 18일 사이(G265~G300쪽)

집필과정과 전승과정

NRhZ. Revue 제4호의 서평 세 편은 마르크스와 엥겔스가 1850년 3월 중순과 대략 4월 18일 사이에 집필하여, 3월 20일 무렵에 제3호를 위한 초고를 발송한 이후에 함부르크로 보냈을 것이다. 『현재』는 2월에, 『모범 감옥』은 1850년 3월 초에 나왔고, 셰뉘의 소책자는 2월 중순 이후에, 드 라 오드의 소책자는 3월 1일 이후에 출간되었다. 셰뉘와 드 라 오드에 대한 서평의 마지막 문장에서 알 수 있듯이, 이 서평은 3월 10일의 선거 결과를 알고 난 이후, 즉 아무리 일러도 1850년 3월 중순에 썼다.

마르크스와 엥겔스가 서평의 저자인지에 대해서는 G820쪽을 보라. 마르크스와 엥겔스 사이의 작업 분담에 기초하여, 칼라일에 대한 서평은 엥겔스가 — 엥겔스는 이미 1844년 칼라일의 『과거와 현재』에 관해 서술한 바 있다 — 그리고 지라르댕에 대한 서평은 마르크스가 쓴 것으로 추정할 수 있다.

칼라일의 『당대 논설』에 대한 서평은 1871년 「한 역사 서술자」(Ein Geschichtsschreiber)라는 제목으로 《데어 폴크스슈타트》에 재판되었다(《데어 폴크스슈타트. 사회민주노동당과 국제 노조의 기관지Der Volksstaat. Organ der sozialdemokratischen Arbeiterpartei und der Internationalen Gewerksgenossenschaften》, 제93호, 1871년 11월 18일, 2쪽, 1~3단; 제94호, 1871년 11월 22일, 2쪽, 1~3단). 편집자 주는 NRhZ. Revue를 원자료로 지적하고 있다. 또 다른 편집자 주는 드물게 사용된 외국어를 설명하고 있다. 구두법과 철자법에서의 작은 차이를 제외하면 인쇄물에는 변화가 없다.

바로 얼마 전에 마르크스는 NRhZ. Revue의 인쇄물과 관련된 빌헬름 리프크네히트의 문의를 받고 적합하지 않다고 밝혔다(마르크스가 1871년 4월 13일 리프크네히트에게 보낸 편지를 보라). 마르크스와 리프크네히트 사이에 오간 서신으로서 현재 남아 있는 서신 중에는 마르크스와 엥겔스가 인쇄물을 검인 혹은 인가했는지를 참조할 만한 사항이 아무것도 없다.

셰뉘의 책에 대한 서평은 1886년《디 노이에 차이트》에「프랑스의 모반자와 경찰 밀정」(Verschwörer und Polizeispione in Frankreich)이라는 제목으로 재판되었다(《디 노이에 차이트. 지식 및 공공 분야 평론Die Neue Zeit. Revue des geistigen und öffentlichen Lebens》, 슈투트가르트, 1886년, 제4집, 제12호, 549~561쪽). 편집자 서문은 NRhZ. Revue를 원자료로 지적하고 있다. 마르크스와 엥겔스가 저자로 언급되었다.《디 노이에 차이트》의 편집자였던 카를 카우츠키는 당시 런던에 살고 있었고, 엥겔스와 밀접하게 협력하고 있었다. 따라서 카우츠키는 이 재판에 엥겔스의 동의를 얻었고, 마르크스와 엥겔스의 이름을 공동 저자로 쓸 수 있었을 것이다. 철자법과 구두법은 현대식으로 표기되었다. 익숙하지 않은 프랑스식 표현은 카우츠키가 독일어로 바꾸고, 설명하는 주를 몇 개 보충했다. 여기에는 또한 편집자 서문에서 언급되지 않은 다음과 같은 생략도 몇 군데 있다. G277쪽 15~16행의 "그는 비외-오귀스탱 가(街)의 모퉁이에 서 있었습니다", G285쪽 13~19행 G877
의 "국민의회의 산악당이 … 프롤레타리아트 전체만이 이런 혁명을 수행할 수 있다는 점을 증명했다", G286쪽 21~27행의 "사기, 잇속 챙기기, 부정행위, … 신랄한 묘사를 참조하라", G286쪽 29~33행의 "승리한 적이 그런 비열한 … 스캔들은 얼마나 대조적인가!", G287쪽 34~37행의 "르드뤼-롤랭, 플로콩, … 공화국으로 만들 것이다"가 빠졌다.

원문자료에 대한 기록

J[1] 문헌.

I. 『당대 논설』. 토머스 칼라일 편집. 제1권: 『현재』. 제2권: 『모범 감옥』. 런던, 1850년.

II. **모반자들**(*Les Conspirateurs*). **A. 셰뉘**. 시민 코시디에르의 전 경호대장(ex-capitaine des gardes du citoyen Caussidière). 비밀 결사(Les sociétés secrètes); 코시디에르 경찰 본부(la préfecture de police sous Caussidière); 의용군(les corps-francs). 파리, 1850년.

『1848년 2월 **공화정의 탄생**』(*La naissance de la République* en Février 1848). **뤼시앵 드 라 오드**. 파리, 1850년.

III. 사회주의와 조세(Le Socialisme et l'impôt). 에밀 드 지라르댕. 파리, 1850년.

원자료:《노이에 라이니셰 차이퉁. 정치-경제 평론》, 런던, 함부르크와 뉴욕, 제4호, 4월, 17~61쪽. 1쇄.

K^2 1895년 엥겔스의 교정본(G697쪽을 보라).

본문은 **J^1**을 따른다.

변경사항 목록/교정사항 목록/해설

1 (e) 토머스 칼라일, 『프랑스 혁명: 하나의 역사』, 제1~3권, 런던, 1837년.

2 (e) 토머스 칼라일, 『올리버 크롬웰의 편지와 연설: 해설과 함께』, 제1~2권, 런던, 1845년.

3 (e) 토머스 칼라일, 『차티스트 운동』, 런던, 1840년.

4 (e) 토머스 칼라일, 『과거와 현재』, 런던, 1843년.

5 (e) 토머스 칼라일, 『영웅, 영웅 숭배, 역사에서 영웅적인 것에 관하여. 여섯 강의. 수정과 보충을 한 보고』, 런던, 1841년.

6 (e) "위선적 문체"(Pecksniff-Styl) — 찰스 디킨스의 소설 『마틴 처즐윗』에서 펙스니프(Pecksniff)는 모든 종류의 거짓을 사용하는 음흉한 위선자이다. 반면 그는 동시에 고상한 도덕적 이론을 말하고 언제나 고결하게 행동한다고 거짓말한다.

7 (e) 장 파울의 문제에 대한 이러한 판단은 헤겔의 『미학』(Ästhetik)에서 받아들인 것이다.

8 (e) 토머스 칼라일, 『현재』(The Present Time), 『당대 논설』, 런던, 제1권[1850년 2월]. 마르크스와 엥겔스가 사용한 초판은 이제 구할 수 없지만, 이 초판은 같은 해에 나온 모든 『당대 논설』의 모음집이다. 따라서 원래 인용 당시의 쪽수는 이 글에서의 쪽수와 다를 수 있다.

해당 구절은 다음과 같다. "영원의 막내, 선과 악을 갖고 있는 모든 과거의 자식이자 상속자이면서, 모든 미래의 부모인 근대는 사유하는 자에게는 '새 시대'이다. …"(같은 책, 1쪽.)

9 (k) "그것"(das.) — **J^1** "das…"

10 (k) "교황이라니?…"(Papst?…) — **J^1** "Papst?" 원문에 따라 생략부호를 썼다.

11 (e) 같은 책, 2/3쪽. (칼라일의 원문에는 "그러나 전체적으로 보면 …"부터 줄을 바꾸어 썼다. — 옮긴이)

12 (k) "지진의 어머니 …"(Erdbeben…) — **J^1** "Erdbeben"". 원문에 따라 교정함.

13 (e) 같은 책, 3쪽.

14 (e) 같은 곳, 3~4쪽.

15 (e) 1847년 9월 1일 메시나에서는 왕의 군대와 충돌이 일어났다. 봉기군은 그때 이렇게 외쳤다. "피우스 9세 만세!" 이탈리아의 자유주의 계층은 처음에는 피우스 9세의 개혁과 자유주의 체제를 약속했다. 1848~1849년 이탈리아의 혁명투쟁에서 이것은 모두 환상으

로 드러났다. 1848년 1월 12일 팔레르모에서는 부르봉의 지배에 저항하는 무장봉기가 시작되었다. 봉기는 나폴리로 퍼졌고, 국왕 페르디난도 2세는 헌법을 공포할 수밖에 없었다. 시칠리아에서는 4월 12일 소집된 의회가 부르봉 왕조를 폐위하고 임시정부를 구성했다. 8월 30일 나폴리 함대가 25,000명의 군대를 갑판에 태우고 메시나 앞에 나타났다. 며칠 전의 혹독한 전투가 끝난 후, 9월 6일 도시에 이틀 동안 폭격이 쏟아졌다. 도시는 처참하게 파괴되었고 왕의 군대에 점령되었다.

16 (e) 같은 책, 4쪽.

17 (e) 같은 책, 4쪽.(칼라일의 원문에는 자유의 병사에 작은따옴표를 썼다. — 옮긴이)

18 (e) 같은 책, 5/6쪽. (칼라일의 원문에는 "아나키와 함께"에서 "함께"가 이탤릭체로 쓰였다. "그러니까 유럽에는 왕이라곤 없었다."부터 행이 바뀌고, "질질 흐르는 침"은 이탤릭체로 쓰였다. — 옮긴이)

19 (e) 같은 책, 6/7쪽. (칼라일의 원문에는 "시니어senior"와 "엘테르만Aeltermann"이 이탤릭체로, "바보 같은 어린애"에서 "어린애"가 이탤릭체로 쓰였다. "물론 이런 터무니없는 상황은 머지않아 완화될 것이다."부터 행이 바뀌고, "새로운 **견고한 토대**"에서 "새로운"이 이탤릭체로 쓰였다. — 옮긴이)

20 (e) 같은 책, 7/8쪽. (칼라일의 원문에는 "보통의"가 강조 없이 쓰였다. — 옮긴이)

21 (e) 같은 책, 8쪽. (칼라일의 원문에는 "무엇인가?"에서 "인가"가 이탤릭체로 쓰였다. — 옮긴이)

22 (e) 같은 책, 10쪽. (칼라일의 원문에는 "기만의"와 "파산"이 이탤릭체로 쓰였다. — 옮긴이)

23 (e) 같은 책, 12쪽.

24 (e) 같은 책, 11쪽.

25 (e) 같은 책, 12쪽.

26 (e) 같은 책, 14쪽을 보라.

27 (e) 칼라일의 원문은 다음과 같다. "… 러시아 전제군주든, 차티스트 의회든, 달라이 라마든, 여론의 힘이든, 캔터베리 대주교든 간에 …" 같은 책, 14/15쪽.

28 (e) 칼라일의 원문은 다음과 같다. "숭배할 수 있고 진정으로 찬탄할 수 있는 위대한 인간의 혼, 위대한 사상, 엄청나게 고귀한 일을 아메리카는 여전히 만들어내고 있는가?" 같은 책, 18쪽.

29 (e) 같은 책, 18쪽.

30 (e) 같은 책, 19쪽.

31 (e) 같은 책, 27~28쪽.

32 (e) "발언권이 있는" 계급, "발언권이 없는 벙어리" 계급 — 이 표현은 칼라일이 『모범 감옥』에 썼다. 같은 책, 1쪽.

33 (e) 같은 책, 21쪽. (칼라일의 원문에는 "자유롭게 하라" 다음에 "…"가 쓰였고, 자유에 작은따옴표를 썼으며, "두 인간 사이에 존재하는"부터 행이 바뀌었다. — 옮긴이)

34 (e) 같은 책, 26쪽.

35 (e) 같은 책, 22~23쪽을 보라. 칼라일은 거기서 서인도의 유색인과 아일랜드의 노동자를 머슴 농민의 말과 비교하고 있다. 자유로워지려고 하는 것은 칼라일에게는 노동하지 않겠다는 것과 동일한 의미이고, 이것은 굶어 죽을 수밖에 없다는 것이다.

36 (e) 같은 책, 30~31쪽. (칼라일의 원문에는 "귀족정"에 작은따옴표, "이 시대에 필요하다" 다음에 "…"를 썼고, "머슴의 해방된 말"에 작은따옴표, "노동 조직"에 작은따옴표를 썼다. — 옮긴이)

37 (k) "무게"(Gewicht) — **J**[1] "얼굴"(Gesicht). **K**[2] "Gewicht"

38 (e) 같은 책, 33~40쪽. (칼라일의 원문에는 "불쌍한 자들이여!" 다음에 "…"를 썼고, "짓눌리는"이 이탤릭체로, "1,200명씩 증가합니다." 다음에 "…"가, "무거워집니다"가 이탤릭체로 쓰였다. "잔뜩 마시는 여러분은" 다음에 "…", "누가 자유의 아들"에서 "자유의 아들"에 작은따옴표가 쓰였고, "자유의 아들일 수 없습니다." 앞뒤에 "…"가 쓰였고 그다음에 행이 바뀌었다. "분명히 여러분은 포로입니다. 자유인이 아닙니다."는 원문에 없다. "노예근성"에서 "노예"는 이탤릭체로, "주인을 찾지 못하고 유랑하는 종의 근성이 있습니다"는 이탤릭체로 쓰였다. "나의 아일랜드, 나의 스코틀랜드"에서 행이 바뀌었다. "새 시대"는 이탤릭체로 쓰이지 않았고, "새 시대의 연대 조직"에 작은따옴표가 쓰였다. "등록하십시오" 다음에 "…"가 있고, "쉽게 찾아낼 것입니다." 다음에 행이 바뀌었고, "채찍질할 것입니다." 다음에 "…"가 쓰였다. ─ 옮긴이)

39 (e) 1833년 위원회는 기존의 구빈법의 집행을 조사했고 새로운 조치를 제안했다. 1834년 의회가 채택한 새로운 구빈법은 무엇보다 지원이 필요한 사람들을 강제노동 교도소에 할당할 계획이었다.

40 (e) 토머스 칼라일, 『모범 감옥』, 『당대 논설』, 런던, 제2권[1850년 3월].

41 (e) 같은 책, 43~44쪽.

42 (k) "이제"(nun) ─ **J**[1] "우리에게"(uns). **K**[2]에 따라 교정함.

43 (e) 셰뉘의 저서는 대단한 주목을 받았고, 파리에서 2월에만 최소한 2판을 발행했다. 덧붙이자면 이 판본의 발행지는 브뤼셀이었다. 마르크스와 엥겔스가 사용한 판본은 지금 찾아볼 수 없다. 따라서 이후 해설에서 제시된 인용 쪽수는 서평의 쪽수와 다를 수 있다.

44 (e) 셰뉘의 원문은 다음과 같다. "라인펠트를 떠나 바젤에 왔다. 여기서 나는 스트라스부르행 기차를 타야 했다. 알프스산맥의 장엄한 경관을 편안하게 관조했다. 그 연봉들이 발하는 은빛이 얼마나 강렬한지 현기증이 날 정도였다. …"(같은 책, 187쪽.)

45 (e) 셰뉘의 원문은 다음과 같다. "(기차가 ─ 옮긴이) 힘차게 나아가자 우리는 한쪽으로는 스트라스부르 대성당의 높은 첨탑이 뒤로 도망치듯 사라지고, 다른 한쪽으로는 라인-알프스의 장엄한 파노라마가 펼쳐지면서 멀리 보이는 연봉들이 수평선 아래로 사라져가는 것을 보았다."(같은 책, 194쪽.)

46 (e) 제임스 페니모어 쿠퍼의 소설 『스파이』에서 주인공은 애국적인 동기로 스파이 활동을 했다.

47 (e) 경찰의 스파이가 되려는 그의 자칭 동기는 드 라 오드가 자신의 소책자 7쪽에서 묘사했다.

48 (e) "신계절사"(société des nouvelles saisons)는 1837년 블랑키와 바르베스가 설립한 계절사(société des saisons)의 후신이었다. 계절사는 1839년 5월 실패로 돌아간 봉기 시도로 붕괴되었다. 이 모임의 핵심은 노동자로 구성되었으며, 이것은 후속 조직에서도 마찬가지였다. 의장은 2월 혁명 후 임시정부의 구성원이 된 알베르였다.

49 (e) 셰뉘의 원문은 다음과 같다. "어느 날 나는 야간 산책을 하다가 드 라 오드(셰뉘의 원문에는 Delahode로 표기되어 있음 ─ 옮긴이)가 카루젤 다리에서 예술 다리로 이어지는 볼테르 강둑길을 산보하고 있는 것을 보았다. 비가 퍼붓고 있었기에 얼핏 어떤 생각이 떠올랐다. 혹시 이 친애하는 드 라 오드도 비밀 자금 계좌의 돈을 빼돌리고 있는 건 아닐까? 그러나 그의 노래, 아일랜드와 폴란드에 관한 웅장한 스탠자 그리고 특히 그가 《라 레포름》에 기고했던 격정적인 글들을 생각하면서 그럴 리가 없다고 결론지었다. 나는 그에게 곧장 다가가서 어깨를 두드렸다.

─ 안녕하시오, 드 라 오드 씨!

─ 엥! 그는 너무나 놀란 얼굴이었다.

─ 이 시간에, 게다가 이 끔찍한 날씨에 여기서 뭐 하고 있습니까?

—나한테 빚진 사람을 기다리고 있어요. 그 친구가 매일 밤 이 시간에 이곳을 지나가거든요. 내 돈 갚겠지. 안 그러면 … 그가 난간을 지팡이로 세게 때렸다. 나는 그가 나를 떨쳐버리고 싶어 한다는 것을 즉각 알아챘다. 그러나 그는 내가 머무르겠다고 고집할 것을 알아챈 듯이 갑자기 말했다. '어! 기다린 지 한 시간이나 되었네! 날씨가 좋을 때 다시 와야겠군!' 그러더니 내게 안녕히 가세요 하고 인사를 하고는 바로 카루젤 다리 쪽으로 떠났다. 나는 예술 다리 쪽으로 갔다.

'아! 당신은 나를 속이고 싶은 게로군! 내가 뼛속까지 흠뻑 젖더라도 당신이 내게 숨기고 싶은 미스터리가 뭔지 알아내고야 말겠어.'

나는 예술 다리로 가지 않고 연구소 궁전의 아치 아래에 몸을 완벽하게 숨겼다. 자정 무렵이었다. 드 라 오드가 희미하게 빛나는 가스등 아래로 되돌아오는 게 보였다. 그가 사방을 둘러보는 것이 혹시 내가 어떤 마차 통행문 아래 숨어 있지는 않은지 의심하는 것 같았다. 그가 아까처럼 다시 이리저리 산보하기 시작하는 것을 보아 안심하고 있는 것으로 보였다.

약 15분쯤 지나자 두 개의 작은 녹색 랜턴을 단 마차가 나타났다. 그건 나의 전 대리인이 하던 표식이 아닌가. 마차가 비외-오귀스탱 거리 모퉁이에 멈춰 섰고, 한 남자가 내렸다. 드 라 오드가 강변길을 가로질러 곧장 그에게 다가갔다. 그들은 잠시 반갑게 수다를 떨었고, 드 라 오드가 호주머니에 돈을 넣어놓은 남자와 같은 몸짓을 하는 것이 보였다. …

나는 드 라 오드를 우리 모임에서 떼어놓기 위해 온 힘을 다했고, 특히 알베르가 덫에 빠지지 않도록 방해를 놓았다. 알베르는 우리 조직의 주춧돌이기 때문이다. …

며칠 후 드 라 오드가《라 레포름》에 게재하고자 제출한 기사는 채택이 거부되었다. 그는 작가로서의 자존심에 상처를 입었다. 나는 그에게 다른 잡지를 창간해 복수하라고 충고했고, 그는 필과 뒤포티의 협력을 받아 그렇게 했다. 이들은 심지어《르 쾨플》의 팸플릿까지 발행했다. 그러는 사이에 우리는 그들을 거의 떨쳐내버렸다."(같은 책, 54~56쪽.)

50 (e) 셰뉘의 원문은 다음과 같다. "코시디에르가 계속해서 말했다. '우리 가운데 배반자가 있습니다. 그를 재판하기 위해 비밀 법정을 구성하고자 합니다.' 최연장자인 그랑메닐이 위원장이 되고, 티펜이 서기로 임명되었다.

공익 고발자 기능을 수행한 코시디에르가 부언했다. '자, 시민 여러분. 오랫동안 우리는 정직한 애국자들을 너무 경미하게 고발해왔고, 우리 사이에 슬그머니 숨어들어 온 뱀이 있으리라고는 추호도 의심하지 않았습니다. 오늘 저는 진짜 배반자를 발견했습니다. 그는 바로 뤼시앵 드 라 오드입니다!'

그때까지 무관심해 보이던 드 라 오드는 이토록 직접적인 고발에 벌떡 일어섰다. 그가 움직이자마자 코시디에르는 재빨리 문을 닫아건 뒤 호주머니에서 권총을 빼 들었다. '움직이면 머리통을 날려버리겠다.'

그러자 드 라 오드는 결백을 주장하며 격렬하게 항의하기 시작했다.

코시디에르가 말했다. '좋소! 여기 경찰청장에게 보고된 1,800개의 서류 뭉치가 있습니다. 여러분에게 이걸 제출합니다.' 그는 우리 각자에게 드 라 오드가 관련된 보고서들을 넘겼다.

…

드 라 오드가 피에르라고 서명된 보고서는 자신과 무관하다는 주장을 계속하자 코시디에르는 우리에게 드 라 오드가 자신의 '회고록'에 실은 편지를 읽어주었다. 이 편지에 따르면 그는 경찰청장을 위해 일했으며 실명으로 서명까지 했다. 이제 그는 자백할 수밖에 없었다. 그가 뱉어낸 몇 마디 말에 따르면 결국 끔찍한 운명이 자신을 경찰의 손에 던져 넣었다는 것이다.

코시디에르는 드 라 오드에게 권총을 보여주며 남은 건 이 방법뿐이라고 말했다.

드 라 오드는 자살은 하지 않겠다며 자신을 우리의 처분에 맡긴다고 답했다.
더 참지 못한 보케가 권총을 빼앗아 세 번이나 그에게 건네려고 했다.
'자, 네 뇌를 태워버려! 겁쟁이! 겁쟁이 같으니라고! 안 하면 내가 널 죽여버릴 거야.'
…
알베르가 보케에게서 총을 낚아채면서 말했다.
— 당신, 생각이 있어 없어! 총소리가 나면 경보가 울릴 거야.
— 진심으로 말하는데 독을 쓸 수밖에 없어. 보케가 고함쳤다.
— 독? 코시디에르가 말한다. 그래, 내가 가져왔지. 온갖 종류로 말이야.
코시디에르는 책상 위에 놓인 유리잔 하나를 가져다가 설탕물을 채우고 거기다 흰색 가루를 부은 다음 드 라 오드에게 내밀었다. 드 라 오드는 물러서면서 분노에 떨었다.
— 그래, 날 죽이고 싶어?
— 그래. 보케가 말한다… 마셔!
드 라 오드의 얼굴은 완전히 창백해졌고, 땀이 얼굴 위로 비 오듯 쏟아졌다. 그가 어두운 표정으로 대답했다. '나는 자살하지 않을 거야.' 그러고는 카나페(접으면 침대가 되는 소파 — 옮긴이)로 가서 앉더니 머리를 감싸 쥐었다.
그러나 보케는 흔들림 없이 그에게 계속 잔을 건넸다. 코시디에르가 단조로운 목소리로 천천히 말한다. '자, 이제 마시지! 곧 눈알이 돌아갈 거야.'
— 아! 아냐! 아냐! 난 안 마실 거야!'
그리고 온갖 생각이 오락가락하는 중에 그는 끔찍한 몸짓을 하면서 덧붙였다. '오! 이 모든 고통에 복수할 거야!'"(같은 책, 152~155쪽.)

51 (e) 같은 책, 155~156쪽.

52 (e) 드 라 오드의 소책자, 41~49쪽을 보라.

53 (e) 소이탄 음모는, 직접 만든 소이탄을 테러행위에 사용하기 위해, 소규모 집단의 혁명적 비밀 결사원들이 모험적으로 시도한 것이었다. 그중에는 처음부터 경찰 정보원이 참여해 있었는데, 이것으로 음모자들을 체포할 수 있었다. 1847년 재판이 열렸는데, 이 재판은 경찰이 비밀 결사 안에 깊숙이 들어가 있음을 보여주었다.

54 (k) "금고"(Kassen) — **J**[1] "계급"(Klassen)

55 (e) 셰뉘의 소책자, 50~52쪽과 드 라 오드의 소책자, 23쪽 및 103쪽을 보라.

56 (v) "폭파했고"(sprengte) — **K**[2] "분쇄했고"(zersprengte)

57 (e) 셰뉘의 원문은 다음과 같다. "그날이 오자 조장들이 부하들을 거느리고 속속 도착했다. 그런데 대다수가 무장을 하고 있지 않았다. …
나는 코시디에르에게 이러한 사정을 알렸다. 그는 내게 말하기를, 내가 그들에게 무기를 주도록 할 테니 자넨 경찰청 안에 그들이 거처할 만한 곳을 찾아보게.
나는 즉시 명령을 수행하기 시작했다. 나는 그들에게 내가 과거에 그토록 부당한 대우를 받았던 곳인 전직 경찰 사무실로 가서 그곳을 점거하라고 했다.
잠시 후 그들이 뛰면서 되돌아왔다.
— 어디들 가는 거요? 내가 그들에게 말했다.
— 그 사무실은 경찰들이 차지하고 있어요. 모두 조용히 자고 있소. 그래서 그놈들을 깨워 문밖으로 쫓아낼 뭔가를 찾으러 갑니다. 드베스가 내게 말했다.
그들은 개머리판, 모래주머니, 세이버 칼집, 이중으로 꼬아 만든 줄, 빗자루 등 손에 잡히는 대로 무장했다. 이 건장한 남자들은 그곳에 잠자고 있는 자들의 오만함과 잔인함에 대해 각자 나름대로 불만이 있었기에 있는 힘을 다해 그들을 덮쳤다. 30분 넘게 얼마나 가혹하게 다루었는지 그중 몇몇은 오랫동안 아프기까지 했다. 그들이 내지르는 고통스러운 고함을 듣고 나는 달려갔다. 산악당원들이 … 미리 문을 잠가놓은 탓에 간신히 문을 열 수 있었다.

그러자 경찰들은 옷도 제대로 걸치지 못한 채 마당으로 급하게 몰려 나갔다! 그들은 계단을 한걸음에 뛰어넘었다. 그러나 경찰청 안에서는 맹렬히 추격해 오는 무시무시한 적들의 눈을 벗어날 수 없다는 사실을 금방 깨달았다.

우리의 산악당원들은 그곳을 장악하고 있던 자들을 그토록 공손하게 내쫓은 뒤 그곳의 주인이 되었고, 패배자들의 전리품으로 자신들의 몸을 치장했다. 오랫동안 이들은 옆구리에 칼을 차고 어깨에는 망토를 걸친 채 안뜰을 산책하곤 했다. 그들 대다수가 너무나 무서워하는 그들의 대장은 오랜 옛날의 삼각뿔 모자를 쓰고 다녔다."(같은 책, 95~97쪽.)

58 (e) 샤를 푸리에의 다음 저작을 가리킨다. 『네 가지 운동 및 일반적인 지향에 관한 이론. 발견의 전망과 공표』, 제2판, 파리, 1841년(전집, 제1권); 『파편화되고 혐오스럽고 기만적인 거짓 산업과 해독제, 4배의 생산량을 가져다주는 결합되고 매력 있는 진정한 자연 산업』, 파리, 1835~1836년; 『보편적 단위 이론』, 제1~4권, 제2판, 파리, 1841~1843년(전집, 제2~5권). 초판에서 이 책은 다음 제목으로 출판되었다. 『국내 농업 협회 규약』, 파리, 1822년; 「세 개의 외부 단위에 관한 절(초안)」, 《라 팔랑주. 사회과학 평론》, 14년도, 1계열, 제1부, 파리, 1845년. 푸리에 수고의 출판. 이 마지막 논문의 중요한 절을 엥겔스는 "무역에 관한 푸리에의 단편들"이라는 제목으로 번역해서 『1846년 독일 시민 명부』(Deutsches Bürgerbuch für 1846)라는 제목으로 1846년 만하임에서 출판했다. 이 책에는 짧은 머리말과 후기가 있다.

59 (e) 같은 책, 103~104쪽.

60 (e) 같은 책, 104~105쪽.

61 (e) 셰뉘의 원문은 다음과 같다. "코시디에르가 말한다. '기다리라고 해요. 경찰청장이 일하고 있다고.'

그는 또 30분을 더 일한 다음에야 경감들을 접견할 준비를 했다. 그러는 동안 경감들은 큰 계단에서 사다리 모양으로 늘어서서 기다리고 있었다.

코시디에르가 옆구리에 긴 칼을 찬 채 안락의자에 근엄하게 앉았다. 흐트러진 옷차림에 사나운 표정의 산악당원 두 명이 문을 지키고 섰다. 그들은 소총을 발등 위에 세우고, 입에는 파이프를 물었다. 대위 두 명이 코시디에르의 책상 양 끝에 칼을 뽑아 든 채 서 있었다. 그리고 홀 안에는 이전의 조장들이 모두 무리 지어 있었고, 공화주의자들이 참모본부를 이뤘다. 이들은 모두 기병대의 긴 칼과 권총, 소총 및 산탄총으로 무장하고 있었다. 모두 담배를 피우고 있었고, 연기가 홀을 뒤덮어 사람들이 흐릿하게 보였다. 정말 무시무시한 장면이 연출된 것이다. 홀 중앙에 경감들을 위한 공간이 마련되었다. 각자 머리를 다듬었고, 코시디에르가 경감들을 들이라는 명령을 내렸다.

이 불쌍한 경감들은 더 나은 대접을 요구하지 않았다. 그들을 솥 안에 넣고 갖은양념을 친 뒤 구워버리고 싶다고 말했던 산악당원들로부터 모욕과 위협을 받고 있었기 때문이다. 화가 가장 많이 난 자들이 포효했다. '이 악당 놈들, 이제 우리가 네놈들을 두드려 잡을 차례지! 네놈들은 여기서 나가지 못해, 네놈들 살갗을 내놔야 할 거야.' …

경찰청장 집무실 안으로 들어서면서 그들은 위험을 겨우 벗어나자마자 더 큰 위험에 빠졌다고 생각했다. 첫째로 문설주에 발을 내디딘 사람이 잠시 망설이는 것처럼 보였다. 앞으로 나아가야 할지 뒤로 물러나야 할지 어쩔 줄 몰라 했다. 그에게 집중된 시선들은 또 얼마나 음산했던가. 이윽고 그는 위험에 몸을 내맡겼다. 한 걸음 내딛고 인사하고, 또 한 걸음 내딛고는 고개를 더 깊이 숙이며 인사를 했다. 각자 들어서면서 무서워 보이는 경찰청장에게 깊은 경의를 표했다. 경찰청장은 손으로 긴 칼의 손잡이를 잡은 채 이 차가우면서도 조용한 존경의 표식을 모두 받아들였다.

경감들은 놀란 눈으로 이 독특하게 꾸며진 장치를 둘러보았다. 공포에 사로잡힌 사람들과 의심의 여지 없이 우리에게 경의를 표하고 싶었던 몇몇 사람들은 이러한 그림이 위풍당당하고 장엄하다고 생각했다.

'조용히!' 한 산악당원이 무덤에서 나오는 듯한 목소리로 말했다.

경감들이 모두 들어오자 그때까지 말없이 미동도 하지 않고 있던 코시디에르가 침묵을 깨고 매우 강력한 목소리로 말했다.

'8일 전에 네놈들은 내가 나의 충직한 친구들에 둘러싸여 이곳에 앉아 있을 것이라고는 아마 생각조차 못 했겠지. 이전에 네놈들이 골판지 공화주의자라고 비꼬던 사람들이 오늘은 네놈들의 주인이 되었지! 네놈들은 너희들이 가장 비열한 방식으로 짓밟았던 사람들 앞에서 떨고 있어. 네놈들은 전복된 정부를 지지했던 가장 비겁한 광신자들이었고, 공화주의자들을 가장 열광적으로 박해했던 자들이지. 그리고 이제 네놈들은 너희들의 가장 용감한 적들의 수중에 떨어졌어. 이들 중 누구도 네놈들의 박해를 피할 수 없었지. 사람들이 내게 제기한 정당한 요구를 들어주려면 당연히 보복을 해야겠지. 하지만 나는 오히려 잊어버리고 싶다. 모두 되돌아가서 맡은 바 임무를 수행하라. 그러나 네놈들이 조금이라도 반동적인 약탈에 가담하고 있음을 알게 되면, 독충처럼 밟아 뭉개버릴 것이다. 돌아가라!'

경감들은 이미 모든 공포를 겪었고, 경찰청장의 훈계를 듣는 것만으로 이 자리가 끝난 것에 만족했다. 그들은 아주 즐거운 표정으로 나갔다. 계단 밑에서 기다리고 있던 산악당원들이 그들을 다시 예루살렘 거리의 끝까지 데려다주는 동안 큰 소란을 피웠다.

우리는 마지막 사람이 사라지자마자 대폭소를 터뜨렸다 … 코시디에르의 얼굴은 환하게 빛났고, 방금 경감들을 갖고 놀았던 훌륭한 연극에 대해 다른 누구보다 더 큰 웃음을 터뜨렸다." 같은 책, 99~102쪽.

62 (e) 같은 책, 159쪽.

63 (e) 같은 책, 110~111쪽.

64 (e) 3월 10일 선거에 대해서는 G193~194쪽을 보라.

65 (e) 에밀 드 지라르댕, 『사회주의와 조세』, 파리, 1849년. 이 책은 지라르댕이 출간한 "Les 52" 중 제13번으로 나왔다.

66 (e) 마르크스와 엥겔스가 부분적, 간접적으로 옮긴 지라르댕의 원문은 다음과 같다. "사회주의는 두 가지 의미를 갖고 있다. 나쁜 의미로 보면, 사회주의라는 말은 부자에 대한 빈자의 전쟁, 자본에 대항하는 노동의 투쟁, 토지의 공평한 분점 또는 폭력적인 압류나 조세 탈취를 통한 국유지의 배타적인 회수, 조직적 약탈, 가족적 유대의 완화, 다수의 전제, 공포 체제, 신뢰의 일소, 신용의 철폐, 노동의 탈조직화, 빈곤의 악화 등을 의미한다.

좋은 의미로 보면 사회주의는 이상적인 사회, 통치에 과학의 적용, 예술의 가장 높은 경지에 오른 행정, 앙리 4세와 나폴레옹 그리고 쉴리(Sully)와 튀르고를 뒤따라 인민의 처지를 개선하고 그 지능 및 도덕의 수준을 높이는 데 적합한 모든 수단의 줄기찬 탐구, 노동과 자본의 합의, 적대를 유지하는 무지의 척결, 가난을 영속화하는 원인의 청산, 신용의 형성, 조세 개혁, 재산권의 강화, 가족의 현실성, 코뮌의 조직화, 민주주의의 정화, 평화의 정착, 통합의 경향, 이성에 의한 힘의 무력화, 경쟁을 선의의 경쟁으로 대체하기, 광고의 출현, 진실의 승리, 오류의 추락, 천재 숭배, 연속적인 진보, 정의의 불가침성, 끝으로 인간이 만든 지상낙원이라는 생각에 가장 가까운 체제를 의미한다."(같은 책, 7~9쪽.)

67 (e) 같은 책, 9쪽.

68 (e) 같은 책, 12쪽. (강조는 마르크스/엥겔스가 한 것 — 옮긴이)

69 (e) 지라르댕의 원문은 다음과 같다. "프랑스는 당신이 신경질을 내듯이 연간 12억이 넘는 세금을 징수할 능력이 없다.

따라서 지출을 12억으로 줄이는 게 절대적으로 필요하다.

여러분은 어떻게 할 것인가?

지난 35년 동안 여러분은 두 개의 헌장과 하나의 헌법에다 모든 프랑스인은 그 재산에 비례하여 국가의 비용에 기여한다고 세 번이나 써왔다!

이 조세 균등이라는 거짓말이 주장되어온 지 벌써 35년이 지난 것이다!"(같은 책, 14~15쪽.)

"자! 무지로 승인되고 경험으로 비난받아온 조세 문제를 시급히 재검토해보자."(같은 책, 17쪽.)

70 (e) 같은 책, 22쪽.

71 (e) 마르크스와 엥겔스는 여기서 지라르댕의 22~24쪽 논의를 따른다.

72 (e) 지라르댕의 원문은 다음과 같다. "그것은 공중 보건과 대중 위생에 대한 공격이다."(같은 책, 38쪽.)

73 (e) 같은 책, 38쪽. (지라르댕의 원문에는 "없고", "창문 하나"의 "하나"가 이탤릭체로 쓰였다. — 옮긴이)

74 (e) "등기세법"(droit d'enregistrement) — 다양한 문서의 등록과 발행, 구매 및 판매 계약, 증여 기록, 법원 결정 등을 위해 부과하는 세금.

75 (e) G182~G185쪽을 보라.

76 (e) "**입시세**"(*Octroi*) — 한 도시에 반입되는 생활수단이나 다른 상품에 부과하는 세금.

77 (e) "영주에게 내는 세금"(Taille) — 1789년 혁명 이전의 직접세로, 주로 농민에게 부담시켰다. 귀족과 성직자는 면제되었으며, 특정한 왕의 관리들이나 도시도 마찬가지로 면제되었다.

78 (e) "상납금"(Aide) — 1789년 혁명 이전의 생활수단이나 일상용품 그리고 특정 음료에 대한 간접세.

79 (e) "등록비"(Greffe) — 재판소 및 관청의 수수료.

80 (e) 지라르댕의 원문은 다음과 같다. "프랑스의 조세제도는 거의 모두 구체제를 답습한 것이다. 영주에게 내는 세금, 인두세, 상납금, 관세, 소금세, 통제와 등기 및 접목 등의 비용, 담배 전매세, 우편과 화약 판매에 대한 지나친 이윤, 복권, 부역, 군인의 숙박세, 식료품세, 통행료, 특별 부과금. 이 모두가 명칭은 바뀌었을 수 있으나 지금도 존재한다. 이 세금들은 국민의 부담을 덜어주기 위해 경감되지 않았고, 그렇다고 국가 재정에 더 생산적이지도 않다.

'우리의 재정 체계는 과학적 토대를 전혀 가지고 있지 않으며, 오로지 중세의 전통을 반영할 뿐이다. 그리고 이 중세의 전통은 그 자체로 무지하고 탐욕스러운 로마 재정제도의 단순한 유산에 지나지 않는다.'"(같은 책, 101~102쪽.)

81 (e) 지라르댕은 여기서 인용한다. "'우리가 혁명을 한 것은 **세금의 주인**이 되기 위해서일 뿐이다.(라비Lavie, 1791년 8월 27일.)"(같은 책, 100쪽.)

82 (e) 지라르댕의 원문은 다음과 같다. "선거와 관련된 일체의 특권을 폐지하면 조세 불평등도 완전히 철폐된다."(같은 책, 103쪽.)

"따라서 폭력이 과학을 대신해 과업을 수행하기를 바라지 않는다면 당장 지체 없이 재정 개혁을 시행해야 한다."(같은 책, 104쪽.)

"그날이 오면 우리 사회의 존립을 위한 거의 유일한 기반인 세금이 국민과 정부 간의 정치적 관계를 변화시킬 것이다. … 우리는 철두철미한 사회 · 정치적 개혁을 오랫동안 추구해왔다. 가장 중요한 개혁들은 세금과 관련된 것이다. 찾으라, 그러면 구할 것이다."(같은 책, 108쪽.)(강조는 마르크스/엥겔스가 한 것 — 옮긴이)

83 (e) 같은 책, 120쪽. (강조는 마르크스/엥겔스가 한 것 — 옮긴이)

84 (e) 지라르댕의 원문은 다음과 같다. "이로부터 **납세자**가 나오는데, 이제부터는 그 대신 **피**

보험자라고 부르자. … 납세로 이익을 보는 사람은 누구나 조세를 지불하지만, 이는 오로지 그 이익의 크기에 비례하는 방식으로만 이루어진다."(같은 책, 122쪽.)

85 (e) 같은 책, 127쪽. (강조는 마르크스/엥겔스가 한 것 — 옮긴이)

86 (e) 같은 책, 128쪽.

87 (e) 지라르댕의 원문은 다음과 같다. "프랑스의 국가 자산은 대체로 1340억으로 평가되며, 그중 부채 280억을 공제해야 한다.

약간의 오차를 감안해서 말하자면, 정부를 일반적이고 상호 부조적인 거대한 보험회사로 만드는 데 12억의 지출 예산이 요구된다고 할 때, 프랑스가 연간 공제해야 할 액수는 그 자본의 1퍼센트 정도일 것이다.

더 이상 혁명은 없다!"(같은 책, 131쪽.)

88 (e) 같은 책, 133쪽. (강조는 마르크스/엥겔스가 한 것 — 옮긴이)

89 (k) "일반 결산"(Generalbilanz) — **J**[1] "일반 교육"(Generalbildung). **K**[2]와 원문에 따라 교정함.

90 (e) 지라르댕의 원문은 다음과 같다. "해마다 (보험료 — 옮긴이) 징수자는 피보험자에게 네 쪽으로 된 여권 크기의 보험증을 새로 배부한다.

1쪽에는 피보험자의 이름과 등록 번호가 기재된다.

2쪽에는 정확성과 신실성을 확인하는 피보험자의 선언이 담긴다.

3쪽에는 프랑스 국가의 예산과 결산이 제시된다.

4쪽에는 정보의 성격에 관한 개요가 제공되며, 이 정보를 해마다 변경 또는 보완함으로써 피보험자가 자신의 눈으로 정보의 연속적인 변화를 볼 수 있게 하는 것이 좋다."(같은 책, 162~163쪽.)

91 (e) 여기에 옮긴 구절은 G290쪽 3~13행에 관한 해설에서 프랑스어로 인쇄된 지라르댕의 책에 있는 문장의 결론에 해당한다.

92 (e) 이러한 사례를 지라르댕은 자신의 소책자 177~178쪽에서 설명한다.

93 (e) 지라르댕의 원문은 다음과 같다. "결혼 당사자 중 어느 쪽이든 지참금이나 상속 재산에 대해 서로 과장된 기대를 한다는 현실을 두고 어찌해야 할지 제대로 알지도 못한 채 맺어지는 결혼이 얼마나 많은가!"(같은 책, 178쪽.)

94 (e) 같은 책, 190~91쪽. 지라르댕 원문에는 "우리 제도하에서" 앞에 "모든 당사자가 연결되어 있는"(dont toutes les parties se lient)이 있다.

95 (e) 이 시 구절의 원 출처는 찾을 수 없었다.

96 (e) 이 부분은 약간 축약되었다. 지라르댕의 원문은 다음과 같다. "자본세는 콜럼버스의 달걀이다. 피라미드가 바닥을 깔고 수직으로 앉아 자체 중력으로 스스로 안정을 강화한다면, 이와는 반대로 콜럼버스의 달걀은 꼭대기를 땅에 대고 뒤집힌 채 균형을 잡아야 하므로 자체 무게가 오히려 장애물로 작용한다. 이 장애물은 거대한 비계들(쌓아 올린 더미 — 옮긴이)의 항구적인 협력하에 역학의 모든 힘을 사용해야만 극복될 수 있다. 그것은 자신의 무덤을 파는 급류다. 그것은 혁명가 없는 혁명이다. 그것은 교란 없는 진보다. 그것은 충격 없는 운동이다. 결국 그것은 단순한 이념이자 진짜 법칙이다."(같은 책, 135~136쪽.)

97 (e) 이와 관련된 설명은 지라르댕의 책 138~139쪽에 있다.

98 (e) 마르크스와 엥겔스는 여기서 1848년 3월 「독일 공산당의 요구들」의 제8항과 연관 짓는다.

카를 마르크스/프리드리히 엥겔스

G895

평론. 1850년 3월/4월

1850년 3월 중순과 4월 18일 사이(G301~G304쪽)

집필과정과 전승과정

이 두 번째 월간 전망의 주요 부분은 마르크스와 엥겔스가 NRhZ. Revue 제3호를 위해 1850년 3월 중순에 쓰고(G303쪽 29행을 보라), 늦어도 1850년 4월 5일까지는 함부르크로 보낸 것이다(율리우스 슈베르트가 1850년 4월 5일 콘라트 슈람에게 보낸 편지를 보라). 지면 부족으로 제3호에 출판하기 어렵게 되었기 때문에, 마르크스와 엥겔스는 1850년 4월 18일로 날짜가 기록된 보충 논평(G303쪽 29행~G304쪽 22행 — 옮긴이)에서 1850년 3월 중순 이후의 사건을 추가할 수 있게 되었다. 이 추가와 함께 「평론」은 제4호에 실렸지만, 머리말에서도 강조되었듯이, 원래의 포괄적인 초고 중 영국과 관련된 부분만이 인쇄되었다(전하지 않는 저술 작업 목록을 보라).

최신 신문 자료에 근거해 마르크스와 엥겔스는 영국의 경제적 발전에 대한 연구를 계속 이어나갔다. 그들은 첫째 「평론」에서 경제 공황의 가능성을 예견한 반면, 이 둘째 「평론」에서는 영국의 "산업과 투기의 중요한 부문들에서 공황"의 첫 징후의 발생을 확증했다(G302쪽 10~11행). 마르크스와 엥겔스는 빠르게 퍼지는 산업 공황에 관한 설명에서 이러한 현상을 강조했다. 산업 공황은 특히 이미 영국에서 지속되고 있는 농업 공황과 결합됨으로써, 새로운 혁명을 위해 강력한 자극이 될 것이라고 강조했다.

마르크스와 엥겔스가 저자라는 사실에 대해서는 G825쪽을 보라.

원문자료에 대한 기록

J[1] 평론.《노이에 라이니셰 차이퉁. 정치-경제 평론》, 런던, 함부르크와 뉴욕, 제4호, 1850년 4월, 62~66쪽. 1쇄.

영어와 프랑스어 단어 일부는 라틴어 철자로 인쇄되었다.

본문은 J[1]을 따른다.

교정사항 목록/해설

1 (e) 주간지《펀치. 런던 야화》를 의미한다. 마르크스와 엥겔스가 묘사한 그림과 그 안에 있는 시(제18호, 1850년 3월 2일, 92쪽)는「프랑스 자유의 나무」(The Tree of Liberty in France)라는 제목이 붙어 있다. 이 시의 마지막 연은 다음과 같다.

"이것은 오직 진정한 자유의 나무,
오직 영원한 뿌리에 박혀 있고;
그 그늘 아래 평화로운 산업이 번성한다;
파운드, 실링, 펜스, 그리고 질서가 그것의 열매이다.
그리하여 너의 5월의 기둥에 불을 붙여라, 가치 있는 민족이여,
그리고 영국의 오크나무를 길러라."

또한 G192쪽 36행에 관한 해설과 G234쪽 18~23행에 관한 해설을 보라.

2 (e)「국민의회에서 …」,《더 타임스》, 런던, 제20433호, 1850년 3월 11일, 6쪽, 1단.

「우리는 받았다 … 파리 [통신], … 3월 12일」,《더 타임스》, 런던, 제20435호, 1850년 3월 13일, 6쪽, 1단.

「급행 전보를 받았다 … 파리 [통신], … 3월 13일」,《더 타임스》, 런던, 제20436호, 1850년 3월 14일, 6쪽, 1단.

「내각의 변동 … 파리 [통신], … 3월 15일」,《더 타임스》, 런던, 제20438호, 1850년 3월 16일, 6쪽, 1단.

이들 통신에서, 1850년 3월 10일에 치러진 프랑스 입법국민의회를 위한 보궐선거에서 사회주의자와 민주주의자가 연합한 선거 결과(G193쪽 14~34행에 관한 해설을 보라)를 다룬 논평이 실렸다.

3 (e) G217쪽 41행~G218쪽 2행을 보라.

4 (k) "하원"(Hause der Gemeinen) — J[1] "Hause der Gemeinden"

5 (k) "우리"(unserer) — J[1] "unser"

6 (e) G313쪽 31행~G314쪽 16행을 보라.

프리드리히 엥겔스 G897

영국의 10시간 법

1850년 3월 중순과 4월 중순 사이(G305~G314쪽)

집필과정과 전승과정

기고문 「영국의 10시간 법」은 1850년 3월 15일 이전에는 작성되지 않았다. 왜냐하면 엥겔스가 법원 판결에도 불구하고 입법기관의 의도에 대한 성명을 통해 이 법을 관철하려고 했던 애슐리 경의 3월 14일 자 발의안을 언급하고 있기 때문이다(G312쪽 28~29행에 관한 해설을 보라). 추정컨대 엥겔스는 바로 그 직후에 기고문을 썼을 것이다. NRhZ. Revue 제4호의 초고는 4월 18일경 함부르크로 보내졌기 때문에(「평론. 1850년 3/4월」의 끝 부분에 4월 18일로 날짜가 표기되었다), 그가 이 시점까지 「영국의 10시간 법」을 썼다는 사실을 배제할 수 없을 것이다.

엥겔스는 이미 1850년 2월 《더 데모크라틱 리뷰》에서 다룬(G225~G230쪽을 보라) 주제를 여기서 다시 끄집어냈다. 법안에 대한 평가는 「10시간 문제」에서와 같다. 그러나 엥겔스는 독일의 독자들에게, 영어 원고에는 필요 없던 많은 세부적 측면과 함께 이 법안의 성립사를 설명하고 있다.

마르크스는 엥겔스의 기고문을 가리키면서 G312쪽 8~9행(교대제—옮긴이)을 『자본』 제1권, 제3편 제8장 제6절에서 인용했다.

원문자료에 대한 기록

J[1] 영국의 10시간 법. [서명:] 프리드리히 엥겔스. 《노이에 라이니셰 차이퉁. 정치-경제 평론》, 런던, 함부르크와 뉴욕, 제4호, 1850년 4월, 5~16쪽. 1쇄.

몇몇 영어 단어는 라틴어 철자로 인쇄되었다.

K^2 1895년 엥겔스의 교정본(G697쪽을 보라).

본문은 J^1을 따른다.

교정사항 목록/해설

1 (e) G228쪽 9~10행에 관한 해설을 보라.

2 (e) "구빈원"(Workhouse) — 영국이 수십 년간 혁명 프랑스에 반대하여 치른 전쟁 후, 노동 인구의 빈곤은 매우 심해졌다. 해당 교구는 빈민 부양에 대한 책임이 있었다. 그러나 해당 교구는 그 의무를 되도록 피하려고 했다. 의회는 1832년 새로운 빈민법을 만들기 위해 한 위원회를 설치했고, 새로운 빈민법은 1834년 통과되었다. 위원회 위원들은 과잉 인구를 부양하는 것은 불가능하고 되도록 인구를 제한해야 한다는 맬서스 이론을 끌어들였다. 이런 원칙에 근거하여 위원들은 빈민 부양은 되도록 지독하게 설계해야 한다는 기본 원칙에 따라서 행동했다. 구빈원을 제외한 돈이나 생활수단의 지원은 전부 폐지되었다. 유일한 지원은 노동자들이 바스티유-빈민법(poorlaw bastilles)라고 부른 구빈원에 수용하는 것이었다. 아동, 여성, 남성은 다른 건물에 수용되었기 때문에 가족은 뿔뿔이 흩어졌다. 노동은 감옥과 같이 조직되었고, 수용자는 감옥의 수감자와 마찬가지로 대접받았다. 많은 빈민은 이 구빈원에 들어가지도 못해 궁핍과 빈곤 속에서 죽었다.

3 (k) "1833년" — J^1 "1835년"

4 (e) G226쪽 13~15행에 관한 해설을 보라.

5 (e) 로버트 필 경은 로버트 오언에게 자극받아 청소년의 노동시간을 10시간으로 제한하는 법률을 1815년 5월 초 하원에 제출했다. 1819년 한 법률이 통과되었는데, 이것은 9세 이하 아동을 면직물 공장에 고용하는 것을 완전히 금지했고, 16세 이하 청소년의 노동시간을 12시간으로 제한했다. 그러나 이 법률과 후속 법률은 감시가 이뤄지지 않았기 때문에 지켜지지 않았다. 1830년대 초 마이클 새들러가 주도한 토리당의 한 분파가 18세 이하 청소년의 노동시간을 10시간으로 제한한다는 생각을 받아들여서 이에 관한 토론을 의회로 가지고 왔다. 1833년 법률을 공포하는 것이 이 토론의 결과였다(G226쪽 13~15행에 관한 해설을 보라). 10시간-선동은 그 후 더욱 전개되어, 이제 토리당의 리처드 오스틀러와 애슐리 경이 지도했다. 두 사람은 의회에서 선동할 뿐 아니라 노동자와 함께 시위를 했다. 그중 특히 오스틀러가 앞장을 섰는데, 노동자들은 그를 공장의 왕 혹은 리처드 왕이라고 불렀다. 중간 단계를 몇 개 거친 후, 1847년 1월 8일 여성과 청소년을 위한 10시간 노동일은 수십 년간의 투쟁 끝에 법률이 되었다. 공장주들의 반발과 엥겔스의 기고문이 발행된 이후의 전개과정에 대해서는 G312쪽 28~29행에 관한 해설을 보라.

6 (e) "필당원"(Peeliten) — 1846년 로버트 필 경과 함께 곡물법 폐지에 찬성한 토리당의 일부를 필당원이라고 부른다.

7 (e) 곡물법은 1815년 대토지 소유자를 위해 공포되었다. 곡물법은 곡물 가격이 특정 하한선까지 떨어지자마자 즉각 곡물 수입을 금지했다. 노동자뿐 아니라 산업 부르주아지도 이 법률에 반대했다. 개혁 법안 이후 마침내 자유무역 옹호자들이 득세하게 되었고, 곡물법은 1846년 6월에 폐지되었다.

8 (e) 의회에서 개혁 법안을 관철하기 어렵게 되자 많은 지역에서 소요가 시작되었다. 농업

노동자들은 곡물 창고와 곡식 더미를 불지름으로써 개혁 법안의 주적인 대토지 소유자에 반대하여 투쟁했다. 1832년 5월 급진적 부르주아 지도자는 잉글랜드은행의 은행권을 금으로 태환하라고 촉구했다. 짧은 시간에 1천 8백만 파운드스털링이 인출되었고, 이것은 개혁 법안의 반대자를 항복하게 만들었다.

9 (e) "개혁 법안"(Reformbill)-개혁 법안은 1831년 3월 의회에 제출되었고 더는 존재하지 않는 200개 선거구(rotten boroughs, 부패 선거구)의 자산가가 의원을 임명하는 제도를 없앴다. 이렇게 얻게 된 의석은 일부는 대도시(개혁 법안 이전에 맨체스터와 버밍엄 같은 산업도시는 선거권이 없었다)에 선거권을 부여하고, 일부는 행정 관할 지역의 대표자 수를 늘리는 데 이용되었다. 10파운드스털링을 연간 임대차 가격으로 내는 집이 있는 모든 사람이 선거권을 갖게 되었다. 임차인도 투표권이 있었지만, 노동자는 없었다. 약 1천만 인구의 경우 유권자의 수는 대략 22만에서 67만으로 증가했다. 이것으로 산업자본가들은 결정적으로 정치적인 힘을 갖게 되었다. 의회 내외부의 오랜 투쟁 후에 1832년 6월 7일 개혁 법안은 법률이 되었다.

10 (e) "성직록의 제한"(Beschränkung der Sinekuren)—산업 부르주아지의 압력을 받아서 1830~1840년대 영국에서 공포된 법률로 매관매직 및 귀족 가문 구성원의 성직록 분배를 겨냥했다.

11 (k) "1834년"—J[1] "1833년"

12 (e) 1842년과 1844년 당시 수상이었던 로버트 필 경은 재정 개혁을 관철했다. 그는 모든 수출 관세와 원자재 및 반제품에 대한 관세를 없애거나 경감했다. 국가 재정의 감소를 보충하기 위해 소득세가 도입되었다. 그리하여 1853년 원료품과 반제품에 대한 모든 관세가 하락했다.

13 (e) 무엇보다 설탕에 대한 관세는 필의 재정 개혁과 관련하여 폐지되었다.

14 (e) 항해법은 1651년 크롬웰이 공포했다. 영국 식민지에 대한 모든 연안 무역과 모든 항해는, 단지 그 소유자와 선장이 영국 신민인 선박을 위해서만 허가되었다. 선원은 4분의 3이 영국 신민이어야 했다. 또한 수입 물품은 원산지 선박으로 수입되어야 했다. 그러나 그에 대해서는 높은 관세가 부과되었다. 또한 또 다른 규정, 예를 들어 어업에 대한 규정은 모든 경쟁, 무엇보다도 네덜란드와의 경쟁을 겨냥했다. 나중에 추가 보충된 항해법은 식민지 착취에 이용되었다. 항해법은 1849년 폐지되었다.

15 (e) 그레이 내무장관의 명령에 대해서는 G228쪽 6행에 관한 해설을 보라.

16 (e) G228쪽 9~10행에 관한 해설을 보라.

17 (e) 10시간 법의 실질적 폐지에 반대하는 노동자의 저항은 의회가 새로운 토론을 하도록 만들었다. 1850년 3월 14일 애슐리 경은 "공장법에 따라서 일하는 시간과 방식에 관하여 입법부의 의도를 설명하기 위한"(《디 이코노미스트》, 제342호, 1850년 3월 16일, 294쪽) 발의안을 제출했다. 이 발의안은 우선 위원회에서, 그리고 의회 자체에서 토론되었다. 무엇보다 10시간을 계속해서 일해야 하는가 아니면 중간 휴식이 주어질 수 있는가 하는 문제를 둘러싸고 대립했다. 마침내 여성 노동자와 청소년의 노동시간은 주 5일은 10시간 반으로 토요일은 7시간 반으로 정해야 하고, 노동은 6시부터 18시까지만 이루어져야 한다고 타협하게 되었다. 이것으로 교대제는 종말을 고했다. 세 번째 독회에서 자유무역을 주장하는 공장주의 저항에 반대하는 법률이 1850년 6월 20일 채택되었다. 상원은 이 법을 7월 19일 가결했다.

18 (e) 1850년 3월 8일 코브던은 하원에서 국가 예산을 토론할 때 1835년의 조세와 세출로 돌아가자는 발의안을 제출했다. 그렇게 하면 6천 5백만 파운드스털링을 절약할 수 있다는 것이었다. 이것은 특히 육군과 해군을 감축함으로써 이뤄질 수 있다고 했다. 그리고 전함 대신에 쟁기와 방적기에 돈을 투자해야 한다고 했다. 코브던은 또한 국가 부채를 상환할

가능성도 다뤘다. 코브던의 발의안은 272 대 89로 부결되었다.

19 (k) "휘그당 구호"(Whigphrase) —J^1 "휘그당 말"(Whiggsprache). K^2에 따라 교정함.

G901

카를 마르크스

루이 나폴레옹과 풀드

1850년 3월 말과 대략 4월 18일 사이(G315~G317쪽)

집필과정과 전승과정

이 기고문은 추정컨대 1850년 3월 말 혹은 4월 전반기에 쓰여, NRhZ. Revue 제4호를 위한 다른 원고와 함께 4월 18일경 함부르크로 보내졌다.

마르크스는 자신의 연재 기고문 「1848년에서 1849년까지」에 대한 증보 형식으로 이 기고문을 썼다. 주요 원자료는, 파리의 금융 세력과 정부 세력이 투기한다는 소문이 1850년 3월 10일 선거 결과와 관련해 사실에 부합하느냐는 문제를 던진, 프랑스 사회주의자와 민주주의자의 기관지 《라 부아 뒤 퇴플》(제166호, 1850년 3월 17일, 2쪽)에 실린 편집자의 글이었다. 《라 부아 뒤 퇴플》은 통합 왕당파의 기관지 《라 파트리》의 1850년 3월 7일부터 15일까지의 기고문들에서 일련의 인용문을 종합하여 그 증거로 제시했다. 《라 부아 뒤 퇴플》 편집진은 몇몇 논평에서 투기에 참여한 자들의 이름을 거명하지 않았다.

마르크스는 이미 자신의 연재 기고문의 제3편에서 아실 풀드와 루이 나폴레옹을 주식 투기자로서 거명했다(G183쪽 25~26행을 보라). 《라 부아 뒤 퇴플》 기고문을 통해 마르크스는, 이 기고문을 쓴 명백한 계기였던 그들의 투기 활동에 새로운 빛을 던지는 구체적인 자료를 선거 직후에 입수했다. 첫 문단을 제외하면 기고문 「루이 나폴레옹과 풀드」는 《라 부아 뒤 퇴플》에 출판된 내용을 간명하게 요약한 것이다. 마르크스는 그로부터 전체 문장과 《라 파트리》으로부터 종합한 인용의 일부를 받아들였고, 둘을 독일어로 번역했다.

1851년 12월과 1852년 3월 사이에 「루이 보나파르트의 브뤼메르 18일」

을 쓸 때, 마르크스는 풀드와 루이 나폴레옹 보나파르트가 주식 투기의 실행과 관련이 있다는 점을 재차 다뤘다(마르크스, 「루이 나폴레옹의 브뤼메르 18일」, 《디 레볼루치온》(부정기 잡지), J. 바이데마이어 편집, 제1호, 뉴욕, 1852년, 45쪽). 또한 마르크스가 이후에 쓴 기고문 「풀드 씨」(Monsieur Fould), 《디 프레세》(Die Presse), 빈, 제318호(1861년 11월 19일)를 보라.

원문자료에 대한 기록

J^1 루이 나폴레옹과 풀드. 《노이에 라이니셰 차이퉁. 정치-경제 평론》, 런던, 함부르크와 뉴욕, 제4호, 1850년 4월, 67~70쪽. "종합"란. 1쇄.

본문은 J^1을 따른다.

G902
해설

1 (e) G179쪽 14행~G180쪽 33행을 보라.

2 (e) "지난 선거"(letzte Wahlen) — 1850년 3월 10일의 보궐선거. G193쪽 40행~G194쪽 12행, 그리고 G193쪽 14~34행에 관한 해설을 보라.

3 (e) "선거 연합"(Union électorale) — 1850년 3월 10일 입법국민의회 보궐선거에서 연합한 모든 왕당파 세력과 그룹, 오를레앙파, 정통 왕조파, 보나파르트파, 가톨릭 세력 등의 집단.

4 (e) 「센 지구의 선거. 선거 연합」, 《라 파트리. 상업 신문》, 파리, 제65호, 1850년 3월 6일, 1쪽.

5 (e) 《라 파트리》, 파리, 제67호, 1850년 3월 8일, 4쪽, 주식 공보. "우리는 자본가의 신중함을 비난하는 사람이 아님은 확실하다. 하지만 의심하는 것이 나쁜 일이 되는 그런 상황이라면, 그것은 '선거 연합'이 예비 투표에서 얻는 결과에 따라 달라질 수 있음이 확실하다."

6 (e) 어떤 저널인지 찾을 수 없었다.

7 (e) 파리 증권거래소는 오후 1시부터 3시까지 영업했다.

8 (e) 《라 파트리》, 파리, 제69호, 1850년 3월 10일, 4쪽, 주식 공보. "그 후 다음과 같은 사실이 밝혀졌다. 그것은 선거를 앞두고 지역민의 환심을 사기 위해 주가 상승에 지대한 관심을 가진 몇몇 투기꾼이 주식 시장 파장 무렵에 상당한 주식을 구매했다는 것이며, 그 여파로 이 지방에 대한 신뢰의 증가로 주식 구매 결정들이 이루어지고, 이로써 기금이 확충되었다는 사실이다."

9 (e) 지방(센Seine 도, 소Sceaux 구의 뱅센, 몽트뢰유, 생망데)의 잘못된 선거 결과가 「선거. 6시간」이라는 제목으로 《라 파트리》, 제71호, 1850년 3월 12일, 1쪽에 실렸다. 《르 모니퇴르 뒤 수아르》에는 없었다.

10 (e) 파리 이탈리앵 대로의 카페 토르토니(Tortoni)와 그 주변에서는 사람들이 거래소가 문을 닫은 시간에 주식 거래를 처리했다. 따라서 공식 증권거래소와 구별하기 위해 사람들은 카페 토르토니와 그에 속한 도시 구역을 "작은 거래소"라고 불렀다.

G903 11 (e) 《라 파트리》(제74호, 1850년 3월 15일, 1쪽)의 단신. 강조는 마르크스가 한 것.

12 (e) 정부는 언론과 선거 집회에 관한 법률을 1850년 3월 21일 입법국민의회에 제출했다.

언론에 관한 법률에 대해서는 G474쪽 22행~G475쪽 8행에 관한 해설을 보라.
클럽과 여타 공개 집회에 관하여 1849년 6월 22일 제정된 법의 연장에 관한 법은 1850년 6월 6일 가결되었고, 《르 모니퇴르 위니베르셀》, 제165호, 1850년 6월 12일, 2013쪽에 실렸다.

G904

카를 마르크스/프리드리히 엥겔스

고트프리트 킹켈

1850년 4월 중순(G318~G320쪽)

집필과정과 전승과정

이 기고문은, 공산주의자동맹 중앙본부의 「3월 연설」이 밑그림을 그렸듯이, 프롤레타리아트 당이 소부르주아 민주주의와 원칙적으로 거리를 두는데 이용되었다. 소부르주아 민주주의는 혁명의 패배 이후 한편으로 스스로 부르주아-민주주의 원칙을 내팽개쳤고, 다른 한편으로 겉으로만 혁명적인 태도를 유지하려고 애썼으며 공산주의자의 분명한 정치적 차별화에 반대하면서 격분했다.

1850년 초에도 여전히 계속해서 소부르주아-민주주의에 영향을 받았던 독일 여론에 이 기고문이 불러일으킨 "전반적인 분노"는 마르크스와 엥겔스도 의식적으로 염두에 두게 되었고, 다양한 정치적-이데올로기적 관점을 해명해야 할 필요성으로 이용되었다. 당시 독일 민주주의 소시민계급의 엄청나게 유명한 대변자인 킹켈의 태도에 대한 심한 반대로 겨냥한 것은 무엇보다 킹켈 개인이 아니었고, 더군다나 제국헌법투쟁에서 빌리히 의용군의 성원으로서 그의 역할도 아니었다. — 엥겔스의 견해에 따르면 킹켈은 거기서 아주 잘 싸웠다(엥겔스가 1849년 7월 25일 예니 마르크스에게 보낸 편지를 보라).

이 기고문을 쓰게 된 직접적 동기는 1850년 4월 6일과 7일 자 베를린《아벤트-포스트》에 실린 1849년 8월 4일 킹켈의 변론이었다. 이 신문의 석간들은 이르면 1850년 4월 10일경에는 마르크스와 엥겔스 수중에 있었을 것이다. NRhZ. Revue 제4호를 위한 초고는 1850년 4월 18일경 함부르크로 갔다.

마르크스와 엥겔스가 저자라는 것은, 두 사람이 잡지를 편집했고 기고문이 그들의 독특한 입장을 표현했다는 사실 외에도 엥겔스가 간접적으로 나중에 짧게 언급했다는 점에서도 알 수 있다(프리드리히 엥겔스, 「하인리히 카를 마르크스」, 『국가학 사전』, 제4권, 예나, 1892년).

사설 「프로이센 왕의 암살 — 고트프리트 킹켈과 《노이에 라이니셰 차이퉁》. '순수 민주주의' 혹은 '혁명적 민주주의'와 관련된 두 가지 정치적 관찰」(Das Attentat gegen den König von Preußen. — Gottfried Kinkel und die Neue Rheinische Zeitung. Zwei politische Betrachtungen in Bezug auf die 'reine' oder 'revolutionare Demokratie')(함부르크의 주간신문 《데어 파트리오트Der Patriot》, 제190호, 1850년 6월 23일, 805~806쪽)은 부르주아-자유주의 세력의 태도에 대한 하나의 사례를 제공했다. 이 기고문은 「고트프리트 킹켈」 기고문의 처음 두 문단을 상세히 논평했고 G318쪽 16~27행과 G320쪽 23~30행을 인용했으며 다음과 같은 결론을 이끌어냈다. "우리는 무관심하지 않을 것이[고] 정부와 보수 정당 측에서는 힘이 닿는 한 혁명을 제압하려고 할 것이다. …"

심지어 《노이에 도이체 차이퉁》은 오토 뤼닝이 작성한 NRhZ. Revue에 대한 기고문에서 킹켈을 두둔했다. "《노이에 라이니셰 차이퉁》(NRhZ. Revue를 의미함 — 옮긴이) 제4호가 즉결 군사 재판 앞에서 킹켈이 말한 변론의 몇 G905
문장을 맥락에서 떼어내 그 문장에 대한 비판을 프로크루스테스의 침대(옴짝달싹 못 하는 곤경을 의미함 — 옮긴이)로 내던지면서, 감옥에 있는 킹켈에게 내뱉은 경멸은 정말 괘씸한 짓이다. … 킹켈은 혁명 속에서는 자신의 태도를 통해, 배심 재판소 앞에서는 자신의 변론을 통해 언제나 인민의 존경을 받았다. 그리고 《노이에 라이니셰 차이퉁》(NRhz. Revue를 의미함 — 옮긴이)이 열 번 이상 '사면을 고발하고', '그를 감옥에 잡아두려는 아무런 효과가 없는 잔혹함'으로 그를 조롱했다고 할지라도, 그에 대한 인민의 존경은 없어지지 않을 것이다."(오토 뤼닝, 「카를 마르크스의 《노이에 라이니셰 차이퉁. 정치-경제 평론》」(결론 부분), 《노이에 도이체 차이퉁》, 프랑크푸르트, 제151호, 1850년 6월 26일.) 마르크스와 엥겔스는 이 연재 기고문의 1부에 대해서만 공개적인 「해명」에서 다루었다(G354~G355쪽을 보라).

공산주의자동맹의 동맹원과 소수의 일관된 민주주의 세력은 킹켈에 대한 기고문을 환영했다. 쾰른에서 게오르그 베르트는 이렇게 보고했다. "어쨌든 멍청이들은 킹켈에 대한 기고문에 관해 역겹게 불만을 터트렸습니다. 다니엘스와 프라일리그라트 그리고 저만이 그 글에 즐거워한 것 같습니다.

…"(베르트가 1850년 6월 2일 마르크스에게 보낸 편지). 또한 간접적으로 동맹에 영향을 받은, 의학도 아브라함 야코비(Abraham Jacobi), 루이스 쿠겔만, 아우구스트 하르트만이 지도하는 본의 민주주의 체조인 연합은 킹켈에 관한 기고문을 지지했다. 1851년 4월 15일 슈르츠에게 보낸 편지에서 하르트만은 자신도 놀랐다면서 다음과 같이 보고했다. "얼마나 빨리 사람들이 더 단호한 것에 관심을 가졌는지. 다수는 단호하게 마르크스의 편을 들었습니다(마르크스와 킹켈의 소동에도 불구하고, 킹겔은 많은 사람에게 용서를 받지 못할 것입니다). …"(Anklageschrift, 64쪽.)

슈트로트만의 킹켈 전기(아돌프 슈트[로트만]Adolph St[rodtmann], 『고트프리트 킹켈. 꾸밈없는 진실. 전기적 개설서Gottfried Kinkel. Wahrheit ohne Dichtung. Biographisches Skizzenbuch』, 제2권, 함부르크, 1851년)에서도 1849년 8월 4일의 연설이 실렸고(275~301쪽), 동시에 일련의 편집자 주에서(282~284, 295, 299~301쪽) 마르크스와 엥겔스의 NRhZ. Revue 기고문에 대해 논평했다. 그러나 슈트로트만은 마르크스와 엥겔스의 관심사를 전혀 이해하지 못했다.

마르크스와 엥겔스는 1852년 중순 그들의 「위대한 망명자들」 초고에서 1848년에서 1850년까지 킹켈의 역할에 대해 상세하게 다시 다루었다(제2, 3절). 그러나 그들은 1850년 4월 자신들의 입장에 대해서는 언급하지 않았다. 킹켈은 1852년 7월 24일 마르크스에게 보낸 편지에서(마르크스가 1852년 7월 24일 아돌프 클루스에게 보낸 편지와 1852년 8월 6일 엥겔스에게 보낸 편지에서 인용), 자신은 자신에 대한 NRhZ. Revue 기고문 이후에 마르크스와 "더는 아무 일도 할 수 없다"라고 말했다.

원문자료에 대한 기록

J^1 고트프리트 킹켈.《노이에 라이니셰 차이퉁. 정치-경제 평론》, 런던, 함부르크와 뉴욕, 제4호, 1850년 4월, 70~73쪽. "종합"란. 1쇄.

본문은 J^1을 따른다.

G906 ### 교정사항 목록/해설

1 (e) 발데크와 그륀에 대한 재판은 G212쪽 14~15행에 관한 해설과 G212쪽 15행에 관한 해설을 보라.

2 (e) 고[트프리트] 킹켈, 「1849년 8월 4일 라슈타트의 프로이센 군사법원 앞에서의 … 변론」,《아벤트-포스트》, 베를린, 제78호, 1850년 4월 6일. 강조는 마르크스와 엥겔스가 한 것.

3 (e) "브장송 중대"에 대해서는 G79쪽 21행에 관한 해설을 보라.

4 (e) 인용은 아돌프 슈트[로트만], 『고트프리트 킹켈. 꾸밈없는 진실. 전기적 개설서』, 제2권, 함부르크, 1851년, 300쪽. 1850년 4월 6일과 7일의《아벤트-포스트》는 일부만 수록했다. 강조는 마르크스와 엥겔스가 한 것.

5 (k) "도르투"(Dortu) — J[1] "Dortü"

6 (e) 킹켈은 1849년 8월 라슈타트에서 독일 전체에 대한 프로이센의 지배를 지지한다고 말하면서 다음과 같이 강조했다. "… —라인란트와 프로이센의 결합은 두 지역에 행운일 것이다. 분열해서는 안 될 것이다. 이것을 당신들은 지난여름 쾰른의 한 민주주의 대회에서 내가 한 이 말을 들었을 것이다. 거기에서 나는 프랑스 총검을 신뢰했던 나의 당의 다른 사람들과 달리 서쪽을 분리하는 것에는 모두 반대한다고 설명했다. 나는 정말이지 언제나 모든 라인 동맹 정책에 대한 가장 단호한 반대자였던 셈이었다."(고[트프리트] 킹켈, 「… 변론」,《아벤트-포스트》, 베를린, 제79호, 1850년 4월 7일.) 쾰른의 한 민주주의 대회는 마르크스와 엥겔스도 참가한 1848년 8월 13일과 14일 쾰른에서 열린 라인 민주주의자 대회를 의미한다.

7 (e) "본에서 온 1,200개의 서명, 이것들은 나를 자신들의 대변자로 생각한 빈민에게서만 온 것도 아니고, 귀족-보수파에 속하든 혹은 나와 같은 공화파에 속하든 아무 상관 없이 나를 사랑하는 나의 학생들에게서만 온 것이 아니다. 이 서명에는 모든 계급의 이름이 있다. 그리고 왕의 개인적인 친구인 아른트가 이 서명의 맨 위에 있다. 이 남자들은 내 체제를 싫어하지만, 내 사람들은 내 체제를 좋아하며 미래에 내가 석방되기를 바란다."(고[트프리트] 킹켈, 「… 변론」,《아벤트-포스트》, 베를린, 제79호, 1850년 4월 7일.) 1817년부터 본에서 살았던 에른스트 모리츠 아른트와 킹켈은 1848년까지 오래 잘 알고 지냈다.

8 (e) 고[트프리트] 킹켈, 「… 변론」,《아벤트-포스트》, 베를린, 제79호, 1850년 4월 7일.

9 (e) 1848년 8월부터 간행된《보너 차이퉁》(Bonner Zeitung, 1849년 1월부터는《노이에 보너 차이퉁Neue Bonner Zeitung》)의 편집자로서 킹켈은 마인츠의 군대 난동에 대해《드레스드너 차이퉁》에 실린 기고문을 재판하면서 짧은 논평을 달았다. 1849년 2월 16일과 17일 재판에서 킹켈은 이 출판물 때문에 책임을 져야만 했다. 킹켈은 "영웅적인 최고사령관을 모욕"했다는 이유로 한 달간 감옥행과 5년간 국적 박탈(즉 선거권 박탈)이라는 형을 받았다. 이 판결에 불복하여 항소했는데, 1849년 중반 킹켈이 궐석한 가운데 두 번째 재판이 열렸고, 그 판결은 그대로 유지되었다.

10 (e) 고[트프리트] 킹켈, 「… 변론」,《아벤트-포스트》, 제79호, 1850년 4월 7일. 강조는 마르 G907
크스와 엥겔스가 한 것.

11 (e) 로베스피에르의 실각에 결정적으로 참여했던 푸셰는 오랫동안 나폴레옹의 경찰장관을 지냈고, 무엇보다 비밀경찰과 광범위하고 세밀한 스파이 체제의 창설자로 알려졌다. 탈레랑의 이름은 양심 없이 왔다 갔다 하는 외교관의 동의어였다. 프랑스 공화국의 런던 공사로서 그는 왕당파와 연계되었다는 이유로 프랑스에서 추방되었다. 1797년부터 1807년까지 그는 나폴레옹 아래서 프랑스 외무장관을 지냈다.

12 (e) 고[트프리트] 킹켈, 「… 변론」,《아벤트-포스트》, 제79호, 1850년 4월 7일.

13 (e) 아돌프 슈트[로트만], 『고트프리트 킹켈』, 제2권, 함부르크, 1851년, 301쪽. 1850년 4월 7일 자《아벤트-포스트》는 일부만 수록했다. 강조는 마르크스와 엥겔스가 한 것.

G908

카를 마르크스/프리드리히 엥겔스

편집자 논평

1850년 4월 중순경(G321쪽)

집필과정과 전승과정

NRhZ. Revue 제4호의 마지막 부분에 실린 이 편집자 논평은 추정컨대 1850년 4월 18일경 제4호의 나머지 초고와 함께 완성되어 함부르크로 보내졌을 것이다. 그러나 이 편집자 논평은 며칠 후에 편지로 따로 보냈을 수도 있다.

하인리히 디디어가 《노이에 라이니셰 차이퉁》의 예전 협력자를 자처한다는 사실을 마르크스와 엥겔스는 페르디난트 볼프를 거쳐 아돌프 클루스에게서 알게 되었다(클루스가 1850년 3월 31일 볼프에게 보낸 편지를 보라). 아메리카에서 영국으로 보내는 우편은 그 당시 대개 열흘 가까이 걸렸기 때문에, 클루스의 편지 내용에 대해 마르크스와 엥겔스는 1850년 4월 10일 이전에는 몰랐을 것이다.

디디어는 1849년 4월 말 이후 혁명 팔츠의 공사관 서기로 파리에 체류했고, 당시 카를 블린트, 프리드리히 쉬츠(Friedrich Schütz)와 긴밀하게 행동을 같이했기 때문에 이 시기 마르크스와 개인적인 친분도 배제할 수 없다. 마르크스는 블린트, 쉬츠와 긴밀한 관계를 유지하면서 대략 1849년 6월 3일부터 8월 24일까지 파리에 머물렀다.

원문자료에 대한 기록

J[1] 워싱턴에서 우리에게 …(Man schreibt uns …). 《노이에 라이니셰 차이퉁. 정치-경제 평론》, 런던, 함부르크와 뉴욕, 제4호, 1850년 4월, 79쪽. 1쇄.

본문은 J[1]을 따른다.

카를 마르크스/프리드리히 엥겔스

G909

사회-민주주의 망명자위원회 성명

1850년 4월 18일과 20일 사이(G322~G324쪽)

집필과정과 전승과정

1850년 4월 초 구스타프 슈트루베, 바우어 박사, 루돌프 슈람 등의 소부르주아적 망명자들은 런던의 망명자들 속에서 영향력을 얻기 위한 노력을 강화했다. 특히 이들은 사회-민주주의 망명자위원회를 비방하려고 했다. 이들의 비난은 런던의 망명자들은 물론 독일의 신문 통신원들에게도 널리 퍼졌다. 이것으로 이들은 망명자들을 위한 지원금의 송금을 방해했다(엥겔스가 1850년 4월 22일 요제프 바이데마이어에게 보낸 편지를 보라). 이런 방식의 중상모략적인 투서가 베를린의 《아벤트-포스트》(제86호, 1850년 4월 14일)에 실렸는데, 이것을 계기로 마르크스와 엥겔스는 이 「성명」을 쓰게 되었다.

「성명」의 초고는 엥겔스가 작성했다. 서명 또한 그의 필적으로 되어 있다. 나중에 마르크스, 펜더와 빌리히의 서명을 지웠고, 관련자들이 직접 서명했다.

「성명」은 런던에서 여러 번 필사된 것이 분명하고 독일의 다양한 민주주의 신문에 보내졌다. 위에서 언급한 엥겔스가 바이데마이어에게 보낸 편지에서 「성명」을 동봉했음을 알 수 있다. 「성명」은 4월 28일 《노이에 도이체 차이퉁》에 실렸다. 그 사흘 전, 4월 25일에 이것은 《베스트도이체 차이퉁》에 실렸는데, 날짜가 4월 18일로 되어 있다. 이 날짜는 또한 3주 후 《아벤트-포스트》의 인쇄물에도 유지된다. 마르크스와 엥겔스가 「성명」을 《아벤트-포스트》에 보냈는지 아니면 이 신문이 다른 인쇄물을 사용했는지 원자료의 상태에서는 확정할 수 없다. 「성명」의 사진 복사본이 하나 있는데, 그것이 《아벤트-포스트》의 완전한 판본이 아니라서 나중에 한 재판에서 편집자 설명이 추가되었는지를 확정할 수 없었다. 저자들이 검인한 점을 배제할 수 없어서 변경사항 목록에 J[4]를 참작했다. G323쪽 34행의 변경사항은 이것이 추정컨대 인쇄오류가 아니라 고의적인 왜곡과 관계됨을 보여준다.

원문자료에 대한 기록

H[1] 자필 원고 원본. IML/ZPA Moskau, 정리 번호 f. 1, op. 1, d. 345. 질기고 밝은 청회색의, 필기 공책에서 뜯어낸 종이. 전지를 한 번 접어 네 쪽으로 이루어져 있고, 크기는 185×227mm. 첫 쪽 왼쪽 위에 지름 12mm의 둥근 투시 무늬가 있고, 중간에 둥글게 배열된 글자, 위에는 BATH, 아래는 SUPER FINE, 집게로 오른쪽과 왼쪽을 감쌌다. 잘 보
G910 존되었지만 물 먹은 흔적이 많이 있고, 약간 갈색으로 변색되었다. 텍스트 손실은 없다. 검은 잉크를 사용했으나 지금은 어두운 갈색으로 변색되었다. 글쓴이는 프리드리히 엥겔스로 독일어 필체로 썼다. 첫째와 둘째 쪽은 빼곡히 쓰였고, 셋째 쪽은 반만, 그리고 마지막 쪽은 비어 있다.

J[2] 성명. [서명:] 사회-민주주의 망명자-위원회(Das sozial-demokratische Flüchtlings-Comite). 의장 K. 마르크스. H. 바우어. Fr. 엥겔스. Aug. 빌리히. C. 펜더. 《베스트도이체 차이퉁》, 쾰른, 제98호, 1850년 4월 25일, 4쪽, 2~3단. 광고란. 1쇄.

J[3] 성명. [서명:] 사회-민주주의 망명자위원회(Das sozial-demokratische Flüchtlingskomite). (서명) K. 마르크스, F. 엥겔스. A. 빌리히. C. 펜더. H. 바우어. 《노이에 도이체 차이퉁》, 프랑크푸르트, 제102호, 1850년 4월 28일, 4쪽, 1단. 광고란. 인쇄물은 축약되었고, 이를 위한 안내문을 편집자가 삽입했다.

J[3]에는 본문의 "런던, 1850년 4월 7일 … (이어서 서명)"(G323쪽 27~39행)이 빠져 있다. 이를 위해 편집자는 다음과 같은 안내문을 삽입했다. "(여기에는 망명자 대표단에 대한 개인들의 몇 가지 설명이 이어진다—시민 슈람(슈트리가우 출신)은 망명자위원회에 속하지 않지만 갈러에게서 추첨권 한 장을 받았고, 게다가 다른 위원회는 단지 **이름**에 불과하다고 설명한다. 시민 슈트루베는 돈이 없고 갈러에게

Abschrift.

3

Die Centralbehörde an den Bund.

Brüder!

Wir haben in unserem letzten Rundschrei-
ben, das der Emissär des Bundes euch überbrachte,
die Stellung der Arbeiterpartei und speciell
des Bundes sowohl im gegenwärtigen Augen-
blick, wie für den Fall einer Revolution ent-
wickelt. Der Hauptzweck dieses Schreibens
ist der Bericht über den Zustand des Bundes.

Die Niederlagen der revolutionären Par-
tei im vorigen Sommer hatten die Organisation
des Bundes für einen Augenblick fast vollstän-
dig aufgelöst; die thätigsten Bundesmitglieder,
bei den verschiedenen Bewegungen betheiligt,
wurden versprengt, die Verbindungen hörten
auf, die Adressen waren unbrauchbar geworden,
die Correspondenz wurde dadurch und durch die Ge-
fahr der Brieferbrechung momentan unmög-
lich. Die Centralbehörde war so bis gegen Ende
des vorigen Jahres zur vollständigen Unthätig-
keit verurtheilt.

In dem Maße als die erste Wirkung

1850년 6월 공산주의자동맹 중앙본부의 연설.

라이프치히에서 필사한 사본의 첫 쪽

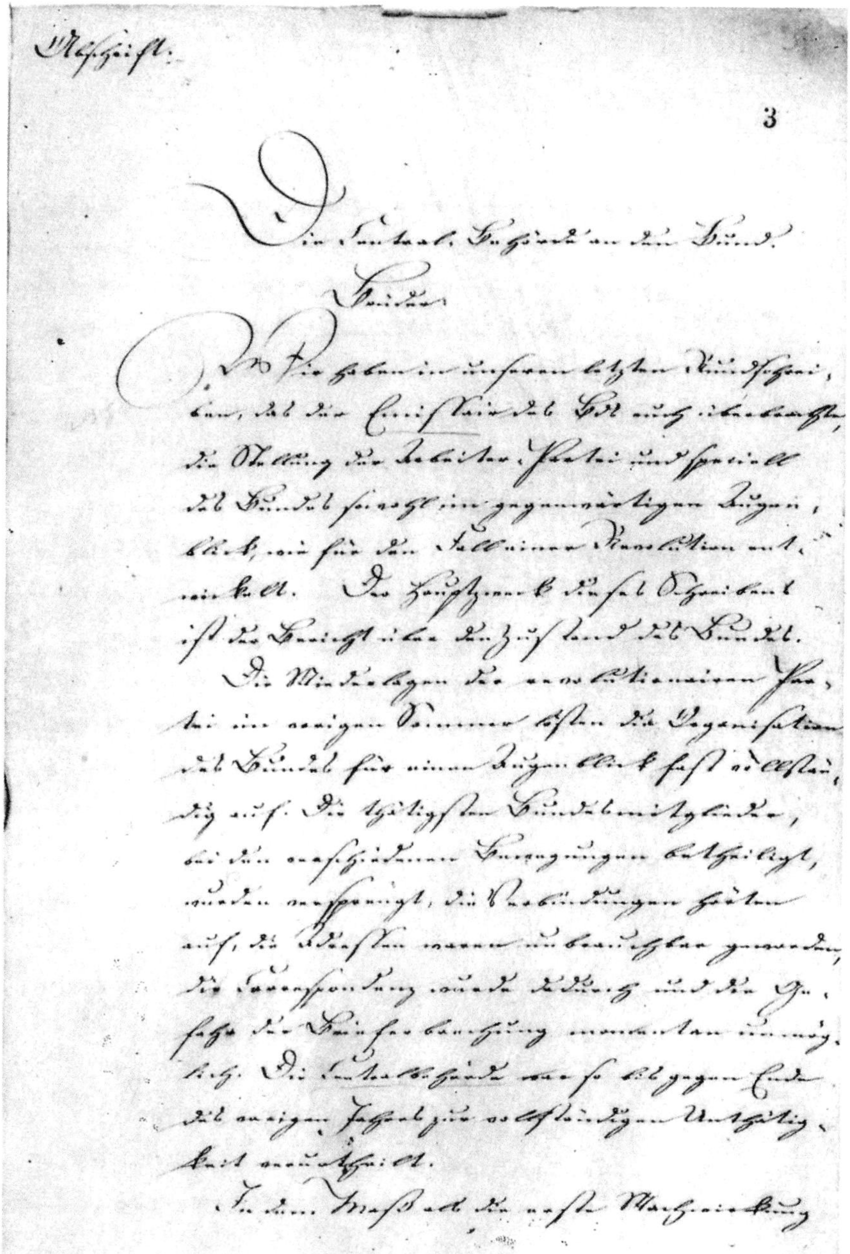

받을 추첨권만 있다. ―시민 바우어는 민주주의 연합의 위원회가 자신의 기금을 소진할 것으로 보고, 망명자를 더는 지원할 수 없을 것이라고 설명한다. 망명자들이 스스로 혹은 정치적 중립인 사람들로 망명자위원회를 만들게 하자는 시민 슈트루베와 슈람의 제안에 대해, 이들은 감사 및 신뢰의 인사와 함께 서명자위원회에 대답했다. 이들은 새로운 혁명, 바라건대는 임박한 혁명이 자신들의 이런 걱정을 벗어나게 해줄 때까지, 망명자를 위한 배려를 이어가기를 위원회에 청했다.)"

J^4 성명. [서명:] 사회-민주주의 망명자-위원회(Das sozial-demokratische Flüchtlings-Komitee). 의장 카를 마르크스, Fr. 엥겔스. 하인리히 바우어. 아우구스트 빌리히. 카를 펜더.《아벤트-포스트》, 베를린, 제111호, 1850년 5월 16일, 4쪽. 인쇄물.

본문은 H^1을 따른다.

변경사항 목록/해설

1 (v) "지급하는"(geschickt) ―J^2 J^4 "gesandt"

2 (v) "취해졌다"(getroffen worden) ―J^2 J^4 "getroffen"

3 (e) 이 구절이 실린 슈테틴의 통신「후원회」는 그곳의 "독일 망명자 후원회"의 활동을 다루었다.

4 (v) "망명자위원회, … 서명자"(Flüchtlingskomité, das Unterzeichnete) ―J^2 "망명자위원회,"(Flüchtlingskomité,)

5 (e) G553~G554쪽을 보라.

6 (v) "찾아온 … 지원할"(wandten ―zu unterstützen.) ―H^1 "찾아온 … 지원할"(wandten ―zu unterstützen.) ← "찾아온 … 그들이 굶지 않도록 최소한 지원할"(wenigstens soweit zu unterstützen, daß sie nicht verhungerten.)

7 (v) "가 결국에는 … 물론"(haben allerdings endlich) ―J^4 "haben endlich"

8 (e) 1849년 7월 16일 스위스 연방의회는 거론된 "혁명의 우두머리들"을 곧바로 추방할 것을 결정했다. 1850년 3월 22일 연방의회는 스위스에 있는 대부분의 독일 노동자협회의 회원들을 모두 추방할 것을 결정했다. 여기에는 500명 이상의 노동자가 해당되었다. 결과적으로 런던으로 향하는 새로운 망명의 물결이 끊임없이 넘쳐흘렀다.

9 (v) "독일에서"(in Deutschland) ―H^1 "독일에서" ―새로 삽입한 것.

10 (v) "독일에서 … 운동에 참여했고"(Bewegungen in Deutschland betheiligt) ―J^4 "운동에 참여했고"(Bewegungen betheiligt)

11 (v) **"철저히 균등하게"**(*durchaus gleichmäßig*) ―J^2 "철저히 균등하게"(durchaus gleichmäßig)

12 (e) G557~G559쪽을 보라.

13 (v) "우리 위원회가 실현할 수 없었던 요구사항들을 제기했다."(ließ Ansprüche … zu erfüllen waren.) ―H^1 "우리 위원회가 실현할 수 없었던 요구사항들을 제기했다."(ließ

Ansprüche an unser Comité erheben die nicht zu erfüllen waren.) ← "서명자위원회를 찾아서 여기에 온 사람들 모두에게 커져만 갔다."(vermehrte die hieher Kommenden, die sich alle an das unterzeichnete Comité wandten) ← "여기에 온 망명자 대다수에게 부풀려졌고,"(trieb eine große Anzahl von Flüchtlingen hieher,)

14 (v) "그 밖의 수단과 위원회"(anderweitiger Mittel und anderweitiger Comitées) — $\mathbf{J}^2$ "그 밖의 위원회와 수단"(anderweitiger Comitées und anderweitiger Mittel)

15 (e) 1850년 4월 8일에 열린 이 위원회 회의에 관한 의사록이 있다(G567쪽을 보라).

16 (v) "오히려"(sondern) — $\mathbf{J}^4$ "오히려"(sondern blos)

17 (v) "의"(aus) — $\mathbf{J}^2$ $\mathbf{J}^4$ "in"

18 (v) "없고 …만"(sondern nur) — $\mathbf{J}^2$ "sondern"
(v) "만"(nur) — $\mathbf{J}^4$ "blos"

19 (v) "바우어"(Bauer) — $\mathbf{J}^2$ $\mathbf{J}^4$ "바우어(슈톨페)"(Bauer (Stolpe))

20 (v) "앞으로도"(fernerweit) — $\mathbf{J}^2$ "이 단체 편에서는"(seinerseits)

21 (v) "씨"(Herren) — $\mathbf{J}^2$ $\mathbf{J}^4$ "시민"(Bürger)

22 (v) "슈트루베 씨와 슈람 씨는"(Die Herren Struve und Schramm) — $\mathbf{H}^1$ "슈트루베 씨와 슈람 씨는"(Die Herren Struve und Schramm) ← "이런 수많은 신사분은"(Mehrere dieser Herren)

23 (v) "제안 자체"(Vorschlag selbst) — $\mathbf{J}^2$ $\mathbf{J}^4$ "제안"(Vorschlag)

24 (v) "혹시 어떤"(einem vielleicht) — $\mathbf{J}^2$ $\mathbf{J}^4$ "vielleicht einem"

25 (v) "우리가"(unsrer) — $\mathbf{J}^4$ "그들이"(ihrer)

26 (e) 망명자들의 성명 원본은 IISG, 마르크스/엥겔스-유고, N II 12에 있다. 망명자들은 "시민 카를 마르크스, A. 빌리히, F. 엥겔스, C. 펜더, H. 바우어에게" 성명을 보냈다. 망명자 31명이 서명했다. 「성명」의 사본은 원본과 글자 그대로 일치한다.

27 (e) 서명자는 W. 클라이너, 그남, 바이얼레, 뮐러 베르톨트, 슈퇴르펠(Störfel — 인명 찾아보기에는 Störfer로 표기되었다. MEGA 편집자의 오류인 듯하고 어느 것이 정확한지는 알 수 없다. — 옮긴이), 자틀러, 치머, 슈바인스베르거, 퓌르스트, 레노이어, 호팅거, 비티히, 딜, 루카스, 박슈테터, 뮐러, L. 하이네만, 안톤 호팅거, F. 골트베크, 엔데만, 니치만, H. 쉬츠, 노아크, 요제프 레오니, 요제프 베버, 클라인, 지펠, J. 단틀러.

28 (v) "4월 20일" — $\mathbf{J}^2$ $\mathbf{J}^4$ "4월 18일"

29 (v) "K. 마르크스"(K. Marx) — $\mathbf{J}^2$ "의장, K. 마르크스"(K. Marx, Präsident) $\mathbf{J}^4$ "의장, 카를 마르크스"(Carl Marx, Präsident)

G915

프리드리히 엥겔스

프랑스에서 온 편지 V

3월 선거 이후의 정치적 상황—파리의 재선거

1850년 4월 20일(G325~G327쪽)

집필과정과 전승과정

G698~G700쪽을 보라.

원문자료에 대한 기록

J^1 프랑스에서 온 편지. (우리의 통신원으로부터.) 《더 데모크라틱 리뷰. 영국 및 외국의 정치, 역사, 문학 분야》, 런던, 제1호, 1850년 5월, 471~473쪽. 1쇄.

본문은 J^1을 따른다.

해설

1 (e) 언급한 치안 규정들은 무엇보다 가난하고 일자리 없는 노동자를 파리에서 추방하는 데 이용되었다고 한다. 이 계획적인 조치는 수천 명에게 닥쳤을 것이다. 어떤 식으로 이 조치가 실제로 적용되었는지는 해당 신문 보도에서도 알 수 없다. 같은 시기(1850년 4월 12일) 경찰은 파리의 많은 도시 구역과 도시 주변 마을에서의 선거 집회를 금지했다. 그에 반대하는 좌익 공화파 측의 저항은 국민의회에서 성과를 거두지 못했다.

2 (e) G236쪽 3~4행에 관한 해설을 보라.

카를 마르크스/프리드리히 엥겔스 G916

《더 타임스》 편집자에게

1850년 5월 24일과 27일 사이(G328쪽)

집필과정과 전승과정

사회-민주주의 후원회의 영향을 저지하기 위해 일부 소부르주아적-민주적 망명자들은 런던에 반대위원회를 설립했고(G558쪽 24행에 관한 해설을 보라), 영국의 공론장에서 모든 독일 망명자의 대표인 척하려고 애를 썼다. 구스타프 슈트루베와 위원회의 명예 서기 토머스 포더길이 런던의 메이어(Mayor) 경을 방문한 것도 이러한 목적에 이용되었다. 이들은 런던에서 대략 100명의 가난한 망명자를 위해 일자리를 청탁했다. 메이어 경의 임시 대리인 올더먼 기브스는 이들에게 많은 영국 노동자도 마찬가지로 실업 상태라고 지적했다. 게다가 화이트채플(Whitechapel)에 숙소가 있던 망명자들은 그곳의 지방 관청에 도움을 요청해야 한다고 했다. 슈트루베와 포더길의 행태에 관한 단신은《더 타임스》, 제20497호, 1850년 5월 24일, 7쪽, 3단에 실렸다.

마르크스와 엥겔스는 이것을 여기에서 공개한 성명의 계기로 삼았고, 성명 초안은 엥겔스가 1850년 5월 24일에 썼다(H^1). 다음 날 위원회의 다른 위원들의 서명을 받은 것도 확실하다. 왜냐하면 성명은 5월 28일《더 타임스》에 실렸고, 1850년 5월 27일로 날짜가 표시되었기 때문이다. 이 판(J^2)에는 몇 가지 작은 변화가 있는데, 이는 원고가 5월 24일 이후 보내졌고, 그 전에 약간 편집이 이루어졌음을 의미한다.

원문자료에 대한 기록

H^1 자필 원고 원본 초안. IISG 암스테르담, 마르크스/엥겔스-유고, 정리

번호 K 642. 밝은 청회색의 질긴 종이 한 장으로, 투시 무늬는 없다. 몇 군데 누런 얼룩이 있고, 크기는 185×227mm. 잘 보존되었고, 텍스트 손실은 없다. 엥겔스가 지금은 약간 바랜 갈색 잉크를 사용하여 라틴어 필체로 한쪽 면에만 썼다.

뒷면에는 알 수 없는 사람이 잉크로 다음과 같이 메모한 것이 있다.

"런던, 1850년 5월 24일.
슈트루베와 포더길에 대한 성명
《더 타임스》 5월 25일"

J^2 《더 타임스》 편집자에게. [서명:] 독일 정치 망명자를 위한 사회민주주의 위원회. Ch. 마르크스. Ch. 펜더. F. 엥겔스. H. 바우어. A. 빌리히. 《더 타임스》, 런던, 제20500호, 1850년 5월 28일, 8쪽, 3단. 1쇄.

본문은 J^2를 따른다.

G917 **변경사항 목록**

1 (v) "지난 금요일"(Friday last) — H^1 "오늘"(to-day)
2 (v) "포더길, 슈트루베를 비롯한 몇 명이"(Fothergill, Struve, and others) — H^1 "포더길과 슈트루베가"(Fothergill and Struve)
3 (v) "다음에"(next,) — H^1 "다음 호에"(next number,)
4 (v) "당신께"(you, Sir, to) — H^1 "당신에게"(you, to)
5 (v) "항의하는"(against) — H^1 "가능성에 항의하는"(against the possibility, of)
6 (v) H^1에는 서명이 없다.
7 (v) "5월 27일" — H^1 "1850년 5월 24일"

프리드리히 엥겔스

프랑스에서 온 편지 VI(단편)

보통선거권 폐지의 결과

1850년 5월 말(G329쪽) G918

집필과정과 전승과정

《더 데모크라틱 리뷰》 6월 호에는 제목인 "프랑스에서 온 편지"가 없다. 프랑스의 보통선거권 폐지를 다룬 하니의 사설 다음에 역시 하니가 쓴 G. J. H라고 서명된 두 번째 기고문이 이어진다. 그리고 이 기고문은 "반혁명가의 전술과 강령"(Tactics and Programme of the Counter Revolutionists)이라는 표제와 함께 편지에 사용되는 작은 글씨로 쓰였다. 이 기고문은 나중에 사설로 썼고, 프랑스 국민의회의 반동적인 다수가 새로운 선거법에 반대하는 모든 목소리를 어떻게 억압했는지를 다루었다. 하니는 이 두 번째 기고문에서 파리 통신이 통상적 기한인 5월 20일이 **지난** 며칠 후에 도착했고, 이때는 6월 호의 나머지 초고가 이미 조판에 들어갔다고 기록했다. 따라서 그는 이 통신에서 몇 개의 발췌문만을 실었을 것이다. 이것이 발췌문과 연관되어 있는지, 아니면 개별 단락 사이에 또 다른 텍스트 구절이 있었는지는 이런 종류의 인쇄물로는 알 수가 없다.

원문자료에 대한 기록

J[1] 발췌 인쇄물. G. J. 하니, 「반혁명가의 전술과 강령」. 《더 데모크라틱 리뷰. 영국 및 외국의 정치, 역사, 문학 분야》, 런던, 제2호, 1850년 6월, 10쪽. 1쇄.

본문은 J[1]을 따른다.

해설

1 (e) G473쪽을 보라.

프리드리히 엥겔스 G919

국가 폐지라는 구호와 독일의 "아나키 친구들"에 대하여

1850년 5월 말과 8월 사이(G330~G335쪽)

집필과정과 전승과정

이 기고문의 단편은 이르면 엥겔스가 NRhZ. Revue 제4호의 발행 직후, 즉 1850년 5월 20일 이후에 쓴 것이다. 그가 제4호에 실린 에밀 드 지라르댕의 『사회주의와 조세』 서평에서 인용한 것을 도입부로 사용했기 때문이다. 초고는 G331쪽 25~26행의 변경사항에서 알 수 있듯이 NRhZ. Revue 제5호로 예정되어 있었다. 1850년 여름, 잡지 간행이 중단된 것에 대해서는 G688~G689쪽을 보라. 기고문은 무엇보다 베를린 《아벤트-포스트》의 협력자를 겨냥한 것이었고, 《아벤트-포스트》는 1850년 8월까지만 간행할 수 있었기 때문에, 엥겔스는 이 단편을 늦어도 이 시점까지는 썼을 것이라고 가정할 수 있다.

독일에서 1848/49년 혁명이 패배한 것에 대한 반동으로서 부르주아적 견해가 등장했듯이, 점점 늘어나는 부르주아-개인주의적 이념과 아나키즘적 이념도 이런 부류의 견해에 해당했다. 소부르주아-민주주의 진영에서 막스 슈티르너의 아나키즘적 관념은, 그가 이미 혁명 전에 언급한 것이지만, 다시 강력하게 받아들여졌다. 특히 에두아르트 마이엔(Eduard Meyen), 율리우스 파우허, 루트비히 불(Ludwig Buhl), 막스 슈티르너 같은 당시 베를린의 소수 청년헤겔주의자들이 활발하게 활동했는데, 이들은 1842년에는 "프라이엔"(MEGA② I/1, 72*쪽; III/1, 576~578쪽, 그리고 29쪽 16행에 대한 해설과 31쪽 18행에 관한 해설을 보라) 집단에 속했고, 이제는 《아벤트-포스트》 주위로 결집했다. 자유무역 연합의 공동 설립자였던 파우허의 지도 아래 《아벤트-포스트》의 정치적 방향은 변화했다. 1850년 4월 1일 "데모크라티셰 차이퉁"이라는 부제는 삭제되고, 부르주아-민주주의 견해에서 이른바 아나키즘적 견해로의 이행을 선언했다. 경제 영역에서 자유무역을 옹호하면서, 《아벤트-포스트》의 협력자들은 정치적 견해로서 보통선거권과 인민대표제의 폐지와 "더 높은" 민주주의의 실현으로서 "아나키"의 예찬을 주장했다. 《아벤트-포스트》는 1850년 4월 스스로 "아나키"를 추구한다고 선언했다. 아나키에서 인간은 "다른 사람의 노예도 아니고 또한 대중의 노예도 아니"라고 주장했다. 이들은 공산주의에 체계적으로 대항하는 길을 걷기 시작했다.

그렇게 혼란스럽고 반쯤 아나키즘적인 이념은 일부 소부르주아적 망명자들 사이에서 특히 잘 전파되었다. 이미 1850년 4월 마르크스와 엥겔스는《아벤트-포스트》의 특정 기고문에 대한 입장을 밝히라는 요청을 받았다(G318~G320쪽과 G322~G324쪽을 보라). 마르크스와 엥겔스는 여전히 언론 활동의 가능성을 추구하던 독일의 친구들에게 논쟁을 위한 지침을 제공했다. 예를 들어 마르크스가 1850년 4월 25일 쾰른의 하인리히 뷔르거스
G920 에게 보낸, 전하지 않는 편지가 이에 해당한다. 뷔르거스는 이 자료를《아벤트-포스트》의 견해에 반대하는 연재 기고문(《베스트도이체 차이퉁》, 쾰른, 제109호, 1850년 5월 8일; 제136호, 1850년 6월 9일; 제156호, 1850년 7월 5일; 제157호, 1850년 7월 7일)을 위해 사용했다. 1850년 5월 5일 마르크스에게 보낸 편지에서 그는 파우허가 "공장주"(mill-owners)를 "제분기 소유자"(Mühleigner)로 잘못 번역한 것을 지적해준 데 대해 마르크스에게 감사했다(프리드리히 엥겔스/카를 마르크스, 『신성 가족Die heilige Familie』, 제2장 "제분기 소유자"로서 "비판적 비판" 혹은 율리우스 파우허 씨의 비판적 비판을 보라). 이러한 사실을 가지고 뷔르거스는 1850년 6월 9일의 기고문을 작성했다. 또한 그는 이미 1850년 5월 8일의 기고문에서 했던 다음과 같은 평가를 다시 강조했다. "우리는 따라서《아벤트-포스트》의 '입장'을 일단 다음과 같은 말로 특징짓는 것으로 만족한다. '역사적 현재, 현실의 정치·경제적 대립과 그로부터 비롯된 이해관계 및 원칙의 투쟁 대신에, 그들은 막스 슈티르너의 자연국가 철학, 프린스 스미스의 자유무역, 그리고 프루동-지라르댕의 사회주의의 혼합을 희비극적으로 제시한다.'"《아벤트-포스트》의 견해를 이렇게 특징짓는 것은 추정컨대 마르크스의 조언에서 비롯되었을 것이다. 논쟁은 지속되지 못했다.《베스트도이체 차이퉁》이 1850년 7월 말, 새로 강화된 프로이센의 언론법 아래에서 발간하기가 어렵게 되었

기 때문이었다.

《아벤트-포스트》와 비슷한 견해가 1850년 3월부터 간행된 《도이체 모나츠슈리프트 퓌어 폴리틱, 비센샤프트, 쿤스트 운트 레벤》(슈투트가르트)에서도 나타났다. 이 잡지의 협력자들은 전 의원인 카를 포크트, 프란츠 라보, 루트비히 지몬 등이었다.

이러한 소부르주아적 "아나키즘"과의 최신 논쟁에 엥겔스는 자신의 기고문으로 개입하려고 했다. 그렇지만 그는 추정컨대 끝까지 쓰지는 않았을 것이다. NRhZ. Revue 제5/6호를 위한 초고가 완성되었을 때인 1850년 10월에 이미 그 문제는 역사적으로 낡아버렸기 때문이었다.

첫 출판은 (러시아어로) 「슈티르너에 관한 F. 엥겔스의 기고문 단편」(Отрывок (начало) статьи Ф. Энгельса о Штирнере). 《포드 즈나메넴 마르크시즈마》(Под знаменем марксизма), 모스크바, 제6호, 1927년 6월, 12~15쪽. 원본 언어로는 「국가 폐지라는 구호와 독일의 "아나키 친구들"에 관하여」, MEW 7, 417~420쪽.

원문자료에 대한 기록

H[1] 자필 원고 원본. IML/ZPA Moskau, f. 1, op. 1, d. 527. 줄이 없는 청색 종이로 중간이 한 번 접혀 있다. 위아래는 250mm, 왼쪽 둘레는 201mm, 오른쪽 둘레는 202mm. 투시 무늬는 없다. 텍스트 손실은 없고 잘 보존되었다. 프리드리히 엥겔스가 독일어 필체로 썼고, 글씨가 아주 작다. 검은 잉크로 썼다. 모두 4쪽인데, 모두 글씨로 채워져 있다. 4쪽만 엥겔스가 쪽수를 매겼다. 초고는 4쪽 마지막의 문장 중간에서 끝난다.

본문은 **H**[1]을 따른다.

변경사항 목록/해설 G921

1 (e) G297쪽 19~38행을 보라. NRhZ. Revue 제4호에서 이 문장을 인용하면서 엥겔스는 텍스트의 몇 군데를 바꾸었다. 즉 그는 단어 "부르주아" "봉건" "독일"에 밑줄을 그어서 강조했다(MEGA 본문에는 첫째 강조 방식인 이탤릭체로 되어 있음 — 옮긴이).

2 (v) 여기에 "아나키즘,"(Anarchie, die)이라고 썼다가 곧바로 지웠음.

3 (v) "프루동의 독일 제자들"(deutschen Schüler Proudhons) ← "독일의 프루동 제자들"(Schüler Proudhons in Deutschland)

(e) "뿔뿔이 흩어진 프루동의 독일 제자들"(Die versprengten deutschen Schüler Proudhons) — 특히 카를 그륀과 아르놀트 루게가 프루동의 저작을 독일어로 번역하고 언론에 선전했다.

4 (e) "슈투트가르트 의회 및 제국 섭정 통치에서 실종된 "민족의 가장 고귀한 정신""(die verschollenen "edelsten Geister der Nation" aus dem Stuttgarter Parlament und der Reichsregentschaft) — 추정컨대 엥겔스는 무엇보다 5명의 전 제국 섭정자 중의 두 명, 즉 카를 포크트와 프란츠 라보를 지칭하는 듯하다. 두 사람은 1850년《도이체 모나츠슈리프트》협력자였고 자신들의 기고문에서 "아나키적" 견해를 전파했다.

5 (v) "부르주아지의"(der Bourgeoisie) — 새로 삽입한 것.

6 (v) "할 수밖에 없다"(nothwendig) — 새로 삽입한 것.

7 (v) 여기에 "정치적"(politischen)이라고 썼다가 나중에 지웠음.

8 (v) "자신에게"(ihnen) — 새로 삽입한 것.

9 (v) ""앞으로 나아간다", "가장 앞으로 나아간다"는"(des "Weitergehens", des "am Allerweitesten Gehens" gibt) ← "부르주아지를 훨씬 넘어가는"(gibt, als gingen sie weit über die Bourgeoisie hinaus)

10 (v) "충돌"(Kollisionen) 다음에 "jedoch bei"라고 썼다가 곧바로 지웠음.

11 (v) "대중이 "잔인한 폭력"으로 서로 맞서 싸웠던"(wo die Massen mit "brutaler Gewalt" gegeneinander ankämpften) ← "대중이 권력을 장악했던"(wo die Massen sich der Gewalt bemächtigen) ← "국가 권력이 대중의 힘 앞에서 사라진"(wo die Staatsmacht vor der Macht der Massen verschwand)

12 (v) "이"(diese) ← "이와 같은"(dieselben)

13 (v) "매번"(jedes Mal) — 새로 삽입한 것.

14 (v) "행동했다"(thaten) ← "추구했다"(suchten)

15 (v) "칭송이 자자한"(vielgerühmten) — 새로 삽입한 것.

16 (v) ""아나키 친구들""("Freunde der Anarchie") ← "아나키 대표"(Vertreter der Anarchie)

17 (e) "프랑스의 "질서의 친구들""("Freunde der Ordnung" in Frankreich) — G163쪽 9행 ~G164쪽 39행을 보라.

18 (v) "프랑스의 "질서의 친구들"과 똑같은"(in voller entente cordiale mit den "Freunde der Ordnung" in Frankreich) ← "자신들이 믿으려고 했던 것보다 훨씬 더 프랑스의 질서의 친구들과"(den amis des l'ordre in Frankreich näher als sie glauben machen wollen)

19 (v) 여기에 "das gemeine"이라고 썼다가 곧바로 지웠음.

20 (v) "주된 원천"(Hauptquelle) ← "원천"(Quelle)

21 (v) "무국가"(Staatlosigkeit) ← "아나키"(Anarchie)

22 (e) 막스 슈티르너의 책『유일자와 그의 소유』는 마르크스와 엥겔스가 이미 1845/46년『독일 이데올로기』(Die Deutsche Ideologie)에서 상세하게 비판했다. 그러나 이 원고는 그들 생전에 출판되지 못했다.

23 (v) "이미"(schon früher) ← "지난 [호]에"(im letzen [Heft])

24 (v) "사고방식"(Anschauungsweise) ← "생각"(Vorstellung)

25 (e) 크리스토프 마르틴 빌란트,『오베론』(Oberon: 요정의 왕으로 티타니아의 남편. 유럽 중세 전설 — 옮긴이), 첫째 노래.

26 (v) "자체"(selbst) — 새로 삽입한 것.

27 (v) 여기에 "Es war die Zeit, wo"라고 썼다가 지웠음.

28 (v) "정치적 힘을 획득하기 시작했고"(begann sich politische Macht zu erobern) ← "sich politische Macht zu erobern begann"

29 (v) "프롤레타리아트에서 공산주의 운동"(kommunistische Bewegung im Proletariat) ← "프롤레타리아트 운동"(Bewegung des Proletariats)

30 (v) "사회의 부르주아적 분자"(bürgerlichen Elemente der Gesellscahft) ← "부르주아지"(Bourgeoisie)

31 (v) 여기에 "반동[적]"(reaktio[näre])이라고 썼다가 지웠음.

32 (v) 여기에 "반동[적]"(reaktio[näre])이라고 썼다가 지웠음.

33 (v) 여기에 "억압을 통해"(durch den Druck)라고 썼다가 지웠음.

34 (v) 여기에 "당의"(Partei)라고 썼다가 곧바로 지웠음.

35 (v) "애당초 … 다소간 비위에 거슬리는 모든 요소에"(nöthigte von vornherein allen mehr oder minder mißliebigen Elementen die) ← "애당초 … 다소간 비위에 거슬리는 모든 요소에 … 강요했다"(zwang von vornherein allen mehr oder minder mißliebigen Elementen der) ← "애당초 … 모든 거슬리는 … 지적했다"(verwies von vornherein allen mißliebigen)

36 (v) "더욱 활발하게"(eifriger) ← "더욱"(mehr)

37 (v) 여기에 "사람들이 주목할수록"(desto mehr Aufsehen man)이라고 썼다가 곧바로 지웠음.

38 (v) ""교양인" 독자들이"(des "gebildeten" Publikums) ← ""교양인"이"(der "Gebildeten")

39 (v) "처음으로"(erst) — 새로 삽입한 것.

40 (v) "받아들였으며"(besaß) ← "가졌으며"(hatte)

41 (v) "전혀 알 수 없는 왜곡된 형태로"(einer bis zur Unkenntlichkeit entstellten Gestalt) ← "이렇게 왜곡된 형태로"(so entstellter Gestalt)

42 (v) "때문에"(da) ← "을 때"(als)

43 (v) "모든 저작"(ganze Literatur) ← "저서들"(Schriften)

44 (v) "특히"(besonders) — 새로 삽입한 것.

45 (v) 여기에 "담고 있다"(trägt)라고 썼다가 곧바로 지웠음.

46 (v) 여기에 "또한 슈티르너"(auch Stirner)라고 썼다가 곧바로 지웠음.

47 (v) 여기에 "끝나버렸다"(abgethan)라고 썼다가 곧바로 지우고 이어서 "für"라고 썼다가 지웠음.

48 (v) "이러한 최근 독일 철학의 방종한 형식과 내용, 오만한 천박함, 과장된 객설, 형언할 수 없는 진부함, 비참한 궤변은 … 능가한다"(Die Liederlichkeit in Form und Inhalt, die arrogante Plattheit und aufgeblähte Fadaise, die bodenlose Trivialität und dialektische Misere dieser letzten deutschen Philosophie übertrifft) ← "이러한 최근 독일 철학의 방종한 형식과 내용, 오만한 천박함, 과장된 객설, 형언할 수 없는 진부함, 비참한 궤변에 대해 사람들은"(Von der Liederlichkeit in Form und Inhalt, von der arroganten Plattheit und aufgeblähten Fadaise, von der bodenlosen Trivialität und der dialektischen Misère dieser letzten deutschen Philosophie macht man)

G924 **카를 마르크스/프리드리히 엥겔스**

1850년 6월 공산주의자동맹 중앙본부의 연설

늦어도 1850년 6월 7일(G336~G342쪽)

집필과정과 전승과정

공산주의자동맹의 규약에 따라 중앙본부는 지도부와 기초 조직에 "세 달마다 전체 동맹의 상태에 관해 보고"를 해야 했다. 즉 1850년 3월(G254~G263쪽) 이후 다시 6월에 보고를 해야 했다. 하인리히 바우어가 「3월 연설」의 보급을 위한 밀사 여행에서 대략 5월 중순에 런던으로 돌아왔고, 이 여행의 결과가 「6월 연설」에 기초가 되었기 때문에, 이 문서의 집필을 위한 시점은 일러야 5월 후반기였을 것이다. 문서는 늦어도 6월 7일쯤에, 그렇지만 확실히 며칠 일찍 완료되었을 것이다. 왜냐하면 밀사 카를 빌헬름 클라인이 런던에서 쾰른으로 가져간 사본이 거기서 6월 10일 제출되었기 때문이다. 1850년 7월 17일 마르크스가 카를 블린트에게 보낸 편지 또한 5월 중순에서 6월 초를 가리켰다. 편지에서 마르크스는 클라인의 여행을 "6주 혹은 두 달 전"이라고 썼다.

마르크스와 엥겔스가 저자라는 직접적인 증거는 없다. 그러나 동맹에서 그들의 지도적 역할로 볼 때 — 마르크스는 이 시기에 중앙본부 의장이었다 — 이들이 저자라는 사실을 의심하는 것은 합리적으로 불가능하다. 마르크스와 엥겔스는 1850년에 이 「연설」을 자기 것으로 생각했는데, 7월 17일 블린트에게 보낸 편지와 8월 21일 구스타프 아돌프 테초프와의 대화를 봐도 그렇다(G850쪽을 보라). 엥겔스가 제안한 1885년의 재출간도 이들을 저자로 볼 수 있게 하는 지점이다(1885년 6월 16일 헤르만 슐뤼터에게 보낸 편지를 보라). 넓은 의미에서 저자는 마르크스와 엥겔스를 비롯한 중앙본부의 전체 구성원이었다 — 하인리히 바우어, 요한 게오르크 에카리우스, 프렝켈, 알베르트 레만, 카를 펜더, 콘라트 슈람, 아우구스트 빌리히. 「3월 연설」이 중앙본부의 토론 후 투표로 의결되었듯이, 「6월 연설」도 이 방식대로 했을 것이라고 가정할 수 있다.

「1850년 6월 연설」은 1848/49년 혁명 후 공산주의자동맹의 재조직화 과정을 실질적으로 결정했다. 중앙본부는 1850년 5월 중순 이후 동맹의 상황을 전반적으로 설명하기 위해 포괄적인 자료를 제시했다. 혁명의 패배로 인해 일시적으로 끊어진 연결을 다시 회복해야 했기 때문이다. 이것은 무엇보다 1850년 3월 말부터 5월 중순까지 쾰른, 함부르크, 슈베린, 베를린, 라이프치히, 뉘른베르크, 프랑크푸르트, 브뤼셀을 거친 바우어의 밀사 여행이 증언했다. 스위스 혁명 중심의 활동에 관해서는 빌헬름 볼프가 1850년 5월 9일 엥겔스에게 보낸 편지(볼프가 1850년 5월 14일 엥겔스에게 보낸 편지에 동봉)를 통해 중앙본부가 정확하게 보고를 받았다. 에른스트 드롱케가 1850년 5월 초 엥겔스에게 보낸 편지에는 이들 조직과 그것의 독일과의 연결에 관한 최초의 정보가 들어 있었다. 틀림없이 마르크스와 엥겔스는 카를 브룬과 G925 카를 슈르츠의 여행과 활동에 관한 다른 소식도 받았을 것이다. — 브뤼셀로부터는 1849년 말 이후 카를 블린트가 마르크스와 통신을 했다. — 쾰른의 많은 통신원(뷔르거스, 다니엘스, 프라일리그라트, 뢰저) 외에, 프랑크푸르트(드롱케, 바이데마이어)와 괴팅겐(미크벨) 그리고 다른 도시들과 중앙본부의 위원들은 편지로 연결되어 있었다. 슐레스비히와 홀슈타인에 관한 회람을 보고하기 위해 브룬이 1850년 4월 2일과 5월 2일 슈람에게 보낸 편지(IISG, 정리 번호 0 18과 0 20; 이 자료는 볼프강 시더Wolfgang Schieder, 「1850년 여름의 공산주의자동맹Der Bund der Kommunisten im Sommer 1850」, 《국제 사회사 평론International Review of Social History》, 제13호, 암스테르담, 1968년, 제1부, 42~53쪽에 실렸다)도 이용되었다.

「6월 연설」은 졸링겐 출신의 밀사 카를 빌헬름 클라인이 런던에서 대륙으로 가져갔다. 그는 브뤼셀에서 블린트를 만날 수 없었다. 쾰른에서 클라인은 사본 하나(x^2)를 공산주의자동맹 지도부에 넘겼다(뢰저가 1850년 6월 18일 마르크스에게 보낸 편지를 보라). 독일 내에서 「6월 연설」의 보급은 주로 쾰른을 통해 이루어졌는데, 거기서 일련의 사본들이 만들어졌다. 다른 동맹원들 외에도 클라인은 쾰른에서 "보내준 연설의 몇몇 사본을 만들었다"(클라인이 1853년 7월 31일 프라일리그라트에게 보낸 편지. IML/ZPA Moskau, f. 20, op. 1, d. 174). 최소한 라이프치히를 위한 사본은 쾰른에서 이미 6월

10일에 보냈을 것이다. 발송물에 있는 주소는 "G. 마르티우스 씨, 재단사, 라이프치히 투크할레"였고, 받는 사람은 라이프치히 동맹 기초 조직의 지도자인 직인 재단사 하인리히 마르티우스로 특정되었다. 겉봉투에는 라이프치히의 상인 카를 하인리히 헬퍼(Carl Heinrich Helfer)의 주소로 되어 있었다. 이렇게 가명으로 된 수신인 주소는 마르티우스의 이름과 직책(그의 아버지와 형은 장인이었고, 그는 직인에 불과했다)도 정확하지 않게 표시한 것과 같이 신뢰할 수 없는 것으로 증명되었다. 우체국 소인 "쾰른 6월 10일"이 찍힌 발송물은 6월 13일 라이프치히에 도착했고, 1850년 6월 19일 헬퍼가 경찰에게 넘겨주었다(이와 관련하여 형성된 다음 자료를 보라. 헤르비히 푀르더Herwig Förder/게르하르트 치제Gerhard Ziese, 「'1850년 6월 중앙본부가 동맹에게 보낸 연설'의 역사와 라이프치히 공산주의자 동맹원의 활동[1850/51] Zur Geschichte der "Ansprache der Zentralbehorde an den Bund vom Juni 1850" und zur Tatigkeit der Mitglieder des Bundes der Kommunisten in Leipzig [1850/51]」, 『독일 노동운동의 초기 역사로부터 Aus der Fruhgeschichte der deutschen Arbeiterbewegung』, 베를린, 1964년, 234~285쪽).

이 문서는 특별 밀사—하인리히 슈툼프(Heinrich Stumpf)라는 이름으로 여행했지만, 동맹원 중에서 이 이름과 일치하는 사람은 없다—가 함부르크에 보냈을 것이다. 이것은 아마 콘라트 슈람과 관련될 것이다. 1850년 7월 중순경 그는 런던 중앙본부에 보고서를 보냈는데, 마지막 부분에서 이렇게 말했다. "라이프치히에서 마르티우스 씨가 체포되었고, 런던의 회람이 들어 있는 그에게 보낸 편지를 우체국이 공개했다. 회람의 전체 내용과 그 속의 이름이 모든 신문에 게재되었다."(IML/ZPA Moskau, f. 20, d. 131.)

스위스 보급은 중앙본부 밀사인 에른스트 드롱케를 통해 이루어졌다. 그는 1850년 6월 말 프랑크푸르트에서 스위스로 여행했는데, 이 여행에서 바덴의 경찰 검문으로 인해 그곳의 동맹 사정을 연설에 제공하려고 했던 사항
G926 들을 관철할 수 없었다. 드롱케는 1850년 7월에서 9월까지 바젤, 취리히, 베른, 샤텔생드니, 제네바, 라쇼드퐁, 르로클 등지에서 「6월 연설」이 의도한 그대로 활동했다.

라이프치히로 보낸 견본을 제외하면, 경찰은 1850년 중반에도, 그리고 1851년 중반 공산주의자동맹을 대대적으로 추격할 때도, 「6월 연설」의 다른 사본을 전혀 찾지 못했다.

1850년 6월 말 이후 당국의 사본 혹은 부분 사본이 많이 만들어졌는데, 이것들은 모두 직간접으로 x^3 혹은 h^1을 기반으로 한다. 온전한 사본 하나가 6월 22일 쾰른 경찰을 위해 라이프치히에서 만들어졌지만 발송은 7월 13일까지 지연되었다(StA. Potsdam, Rep. 30 C, Tit. 94, Lit. N, Nr. 67, Bd. 1 — lfd. Nr. 11950을 보라). 최초의 부분 사본은 드레스덴의 작센 내무장관이 1850년 6월 23일 뷔르츠부르크의 바이에른 정부 당국으로, 그리고 6월 26일에는 슈투트가르트의 뷔르템베르크 당국으로 보냈다(드레스덴 국립 아카이브, Mdl, Nr. 17a를 보라). 온전한 사본 하나가 6월 24일 프로이센 지방 작센 총독에게 갔고, 이것은 6월 28일 베를린 정부가 보고받았다. 거기에서 더 많은 사본이 보급되었다(ZStA. Hist. Abt. II, Rep. 77, Tit. 662, Nr. 8, 제1~2권을 보라). 그리고 프로이센 정부는 1850년 7월 초 외교적 통로로 드레스덴에서 온전한 사본 하나를 입수했다(드레스덴 국립 아카이브, Mdl, Nr. 11141, 노동자-연합, 제2권을 보라). 거의 완전히 일치하는, 당시 만들어진 두 사본은 ZStA. Hist. Abt. II, Rep. 77, Tit. 662, Nr. 8, Bd. 1, Bl. 178~185와 211~218쪽이다.

1850년 후반에는 수많은 부분 재판이 대부분 반동적 신문에서 이루어졌다. 그러나 이때 「연설」은 — 이제까지 증명된 바에 따르면 — 온전히 출판되지는 않았다. 부분 인쇄나 인용은 비교적 계획 없이 이루어졌고 여러 달을 허비하기도 했다. 왜냐하면 편집진도 대부분 온전한 사본을 갖고 있지 않았고, 이 사본이 매우 불완전하다는 것을 알게 되었기 때문이다.

본문의 G339쪽 22~25행("동맹은 본부를 독일 … 에 둔다." — 옮긴이)과 G340쪽 1~23행("작센, 프랑켄 … 확실히 조직할 수 있다." — 옮긴이) 부분을 인용하거나 참고한 최초의 공개적인 정보는 《프라이뮈티게 작센-차이퉁》(Freimüthige Sachsen-Zeitung), 드레스덴, 제167호, 1850년 7월 5일, 조간, 1773/1774쪽, 「독일의 노동자-연합들과 그 혁명적 규정들」(Die Arbeiter-Vereine in Deutschland und deren revolutionaire Bestimmungen)에 실렸다. 이 출판물은 《라이프치거 차이퉁》(Leipziger Zeitung)의 후속 출판물과 마찬가지로 작센 노동자 연합과 노동자 우애회 중앙위원회를 금지하는 조치의 근거로 이용되었다(「작센에 있는 노동자 연합 해체 조치를 유발한 근거의 보도Mittheilungen der Gründe, welche die verfügte Auflösung der in Sachsen bestehenden Arbeitervereine veranlaßt haben」, 《라이프치거 차이퉁》, 제192호, 1850년 7월 11일, 첫째 특별 부록, 3352쪽을 보라). 이 《라이프치거 차이퉁》은 G340쪽 1~3행("작센, 프랑켄, … 지도하에 있다." — 옮긴이)과 G340쪽 4~9행("중앙본부는 노동자 연합, 체조인 연합 … 보고할 것을 특별히 요청한다." — 옮긴이)의 문장을 인용했다. 이러한 부분 재판은 《외스터라이셰 코레스폰덴텐》(Oesterreichische Correspondenten)에 그대로 전승되었고, 이 자료에 따라 《노르트도이처 코레스폰덴트. 노이에 로스토커 차이퉁》(Norddeutscher Correspondent. Neue Rostocker Zeitung, 제183호, 1850년 8월 7일, 3쪽)에 재판되었다.

「연설」의 완전한 인용 혹은 참고는 《카를스루어 차이퉁》(제172호, 1850년 7월 24일, 「혁명당의 계획Der Pläne der Umsturzpartei」)에 실렸다. 이 기고문은 《노르트도이처 코레스폰덴트. 노이에 로스토커 차이퉁》(제177호, 1850년 7월 31일)에 재판되었다. 대략 8월 15일 《슈베비셰 메르쿠어》는 「6월 연설」에 관한 기고문을 인용과 함께 인쇄했는데, 이 기고문은
G927 "**바덴. 카를스루에**, 8월 15일"의 통신으로 《라이프치거 차이퉁》(제232호, 1850년 8월 20일, 4318쪽)에 그대로 인용되었고, 다시 《노르트도이처 코레스폰덴트. 노이에 로스토커 차이퉁》(제200호, 1850년 8월 27일)에 재판되었다. 1850년 6월 연설은 《도이체 폴크스할레》(Deutsche Volkshalle)의 기고문에서 상세히 다루어졌지만 직접적인 인용은 없었다. 이 기고문은 다시 "쾰른, 9월 1일"의 통신 메모와 《노르트도이처 코레스폰덴트. 노이에 로스토커 차이퉁》(제207호, 1850년 9월 4일, 3쪽)에 재판되었다.

이 문서의 대부분을 참고하거나 인용한 또 다른 출판물은 빈의 《로이드》(Lloyd)에 나왔다. 그 편집진이 — 편집진이 보고한 것처럼 — 자신들의 남독일 통신원에게서 사본 한 부를 입수한 다음이었다(제304호, 1850년 10월 25일, 1쪽). 이 기고문은 프랑크푸르트의 《도이체 차이퉁》(Deutsche Zeitung)에 그대로 인용되었다(제303호, 1850년 10월 30일, 2197쪽과 2198쪽). 바이데마이어가 1851년 7월 5일 마르크스에게 보낸 편지가 알려주듯이, 중앙본부의 「연설」은 《프랑크푸르터 오버포스트암츠-차이퉁》에도 재판되었다.

1870년 카를 하인첸은 미국에서 1850년 7월 24일 《카를스루어 차이퉁》에 실렸던 연설을 다시 부분 재판으로 출판했다(「독일 공산주의자 동정. [절] A. 혁명당의 계획Das Treiben der deutschen Kommunisten. [Abschnitt] A. die Plane der Umsturzpartei」, 《데어 피오니어Der Pionier》, 보스턴, 제17호, 1870년 4월 24일, 3~5쪽).

《카를스루어 차이퉁》의 출판물을 통해 스위스 혁명 중심 성원들은 「6월 연설」의 내용을 알게 되었다. 테초프와 실리(Schily)는 그에 관해 드롱케와 제네바에서 얘기했다(드롱케가 1850년 7월 말 혹은 8월 초 엥겔스에게 보낸 편지를 보라). 또한 1850년 8월 21일 마르크스, 엥겔스, 슈람은 런던에서 특히 「6월 연설」에 관해 테초프와 얘기했다. 나중에 과거 제국헌법 투사였던 아돌프 부흐하이스터(Adolph Buchheister)와 J. Ph. 베커는 마르크스가 직접 독일 신문들에 출판물이 나오도록 했다는 소문을 스위스에 퍼뜨렸다(드롱케가 1850년 9월 29일 엥겔스에게 보낸 편지를 보라).

「6월 연설」은 1859년 카를 포크트가 공산주의자를 비방하는 데 역할을 한다. 마르크스는 그의 논박서인 『포크트 씨』를 위한 자료를 수집할 때 이 문서에 근거했다(마르크스가 1860년 1월 31일 엥겔스에게 보낸 편지, 엥겔스가 1860년 2월 4일 마르크스에게 보낸 편지, 마르크스가 1860년 2월 4일 엥겔스에게 보낸 편지, 카를 마르크스, 『포크트 씨』, 런던, 1860년, 제3장 제6절. 잡다한 것 등을 보라).

1885년 중엽 엥겔스는 공산주의자동맹 시기의 다른 자료 이외에 「6월 연설」도, 마르크스의 「쾰른 공산주의자 재판에 관한 폭로」의 신판에 대한 부록으로 다시 출판할 것을 제안했다(엥겔스가 1885년 6월 16일 헤르만 슐뤼터에게 보낸 편지를 보라). 엥겔스는 해당하는 인쇄용 원고를, 즉 베르무트와 슈티버의 인쇄본(**d**^{3})에 따른 텍스트를 1885년 10월 9일 슐뤼터에게 보낸 편지에 동봉했다. 엥겔스는 이때 이미 아니면 11월 초에 교정쇄를 교열할 때(엥겔스가 1885년 11월 11일 슐뤼터에게 보낸 편지를 보라), 그렇지 않으면 아마도 이 두 작업과정에서 수정을 조금 했을 것이다. 그래서 원고에서 몇 가지 오류를 바로잡게 되었다. 엥겔스는 1850년의 비판적인 입장에서 오랫동안 멀어져 있었던 J. Ph. 베커의 이름을 지웠다(G337쪽 21~22행과 G338쪽 8~9행의 변경사항을 보라).

원문자료에 대한 기록

X^{1} 자필 원고 원본. 런던.

x^{2} **X**^{1}의 사본. 카를 빌헬름 클라인이 늦어도 1850년 6월 10일 쾰른으로 보냈다.

계통도

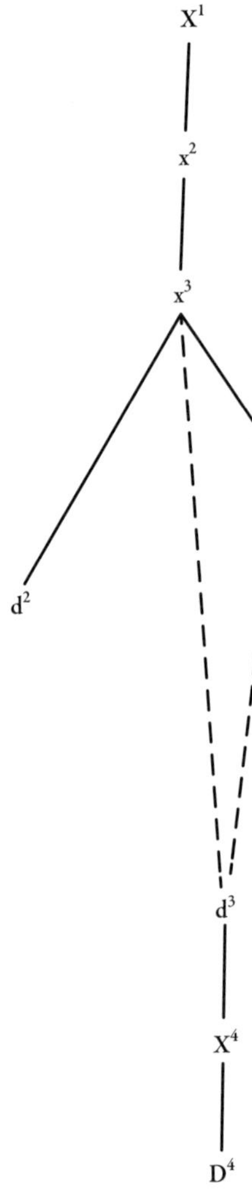

$\mathbf{x}^3$ $\mathbf{x}^2$의 사본. 클라인이 필사했을 것이다. 1850년 6월 10일 쾰른에서 라이프치히로 보내졌고, 거기서 6월 13일 가명의 수신인 주소에서 헬퍼가 받았는데, 6월 19일 헬퍼가 경찰에 넘겼다. 1851년 9월 5일 라이프치히 경찰서의 원본 봉투와 함께 베를린 경찰청으로 반환해달라는 부
G929 탁을 담아서 보냈다(ZStA. Hist. Abt. II. 정리 번호 Rep. 97, 의회 보고서, XI 국가반역죄, lfd. Nr. 11, fol. 251). $\mathbf{x}^3$은 1852년 쾰른 공산주의자 재판에서 증거물로 제시되었고, 이 재판의 서류와 함께 분실되었다.

h[1] 중앙본부가 동맹에게. 드레스덴 국립 아카이브, 정리 번호 Lit. N, Nr. 72, 작센 지역의 기관장(Kreishptm). 라이프치히 Nr. 2398, Bl. 3-11. 밀사 노트융과 마르티우스 형제 그리고 동맹에 대한 조사 서류. 경찰서장 슈텡겔(Stengel)이 1850년 6월 21일 라이프치히의 폰 브로이쳄(v. Broizem. 에두아르트 폰 브로이쳄Eduard von Broizem을 의미함—옮긴이) 재무부 제2과장에게 보낸 편지에 동봉. **x**[3]의 사본. 경찰 필사자, 라이프치히, 1850년 6월 21일.

양면지 아홉 장에 검은 잉크로 필사되었다. 연황색의 딱딱한 관청 종이로, 크기는 214×337mm. 매우 잘 보존되었다. 각각의 낱장 앞면에는 후에 아카이브에서 3에서 9까지 숫자 도장으로 쪽수를 매겼다. 다른 사람이 종이 11의 앞면 아래와 뒷면 위에 다음과 같이 써서 이 서류가 사본임을 알 수 있다. "본 8 1/4 종이에 포함된 사본은 경찰서에 보관된 원본과 일치한다. 라이프치히, 1850년 6월 21일. 카를 팔케(Carl Falcke), 경찰 서류." 이 확인 메모는 "라이프치히 시 경찰서"라는 직인을 찍고 붙였다. 모든 사본 중에서 **h**[1]만이 이렇게 사본의 정확성과 사용된 원자료에 관한 메모가 있다.

d[2] 중앙본부가 동맹에게. Anklageschrift, 15~18쪽. 1쇄.

d[3] 1850년 6월 13일 라이프치히의 상인 헬퍼에게 가명으로 보낸, 쾰른 6월 10일이라는 우체국 소인이 있는 1850년 6월 연설. 베르무트/슈티버, 『19세기 공산주의자들의 음모』, 제1부, 베를린, 1853년, 260~265쪽(부록 14). 같은 책에서 본문의 G338쪽 40행~G340쪽 31행("동맹의 사정은 다음과 같이 … 지역본부가 이해해야 할 것이다."—옮긴이)과 G341쪽 14행~G342쪽 6행("V. 영국 … 때문에 이 당은 중요하다."—옮긴이)이 인용되었다(56~59쪽). 인쇄물.

X[4] **D**[4]를 위해 엥겔스가 **d**[3]을 교정한 교정본. 1885년 10월 9일 헤르만 슐뤼터에게 보낸 편지에 동봉한 것이거나, 1885년 11월 11일 이전의 교정쇄일 것이다. 혹은 둘 다일지도 모른다.

D[4] 2) 1850년 6월 **중앙본부가 동맹에 보낸 연설. 중앙본부가 동맹에게.** 카

를 마르크스, 「쾰른 공산주의자 재판에 관한 폭로」, 『사회민주주의 총서』 4, 프리드리히 엥겔스의 서문과 자료를 포함한 신판, 호팅겐-취리히, 1885년, 83~88쪽. 저자가 검인한 최초의 인쇄본.

텍스트 형태에 대하여

본문의 기초가 되는 것은 $\mathbf{h}^1$이다. $\mathbf{h}^1$은 전승된 원고 가운데 가장 이른 시기의 원고이고 더구나 매우 꼼꼼하게 작성되었기 때문이다. $\mathbf{d}^2$와 차이는 거의 없고 내용상 의미 차이도 없다. 이 원고에 일관되지 않게 사용된 Bd., C. B., franz., l. Kr. 등의 축약 모두 Bund, Centralbehörde, französisch, leitender
G930 Kreis 등으로 풀어 썼다. 연도 뒤의 점은 라이프치히 경찰 필사자의 특징이므로 본문에는 받아들이지 않았다. 단어 "위대한"(G338쪽 19행)은 $\mathbf{h}^1$에서는 따옴표로 삽입되었다. 이것은 인용부호의 기능만을 갖기 때문에 본문에서는 재현되지 않았다. "VI. **프랑스**"와 "V. **영국**"이라는 중간제목의 경우 $\mathbf{h}^1$에서 텍스트는 같은 행의 이 단어들 바로 뒤에 이어서 시작한다.

전승 상황의 특수성을 고려하기 위해 $\mathbf{d}^2$ 및 $\mathbf{d}^3$과 본문의 차이점 역시 이본으로 변경사항 목록에 기재했다. 이 다른 본은 마르크스와 엥겔스가 검인한 것은 아니지만 $\mathbf{X}^1$과 $\mathbf{D}^4$ 사이의 텍스트 전승과정을 판단하는 데 중요하다. 자기 안($\mathbf{d}^3$)과 다르게 엥겔스가 만든 변경사항은 이 목록에서 $\mathbf{d}^3$과 $\mathbf{D}^4$ 사이에 나타난 모든 차이에서 읽어낼 수 있다. 즉 변경된 구절이 $\mathbf{d}^3$만 혹은 $\mathbf{D}^4$만 해당하거나 이 두 곳에서 다르게 나타나는 모든 곳에서 읽어낼 수 있다.

변경사항 목록과 이본의 변경사항 목록/교정사항 목록/해설

1 (v) "중앙본부가 동맹에게."(Die Central-Behörde an den Bund.) — $\mathbf{d}^2$ $\mathbf{d}^3$ $\mathbf{D}^4$ "*Die Centralbehörde an den Bund.*"

2 (v) "동지 여러분:"(Brüder:) — $\mathbf{d}^2$ $\mathbf{d}^3$ $\mathbf{D}^4$ "Brüder!"

3 (e) 1850년 3월의 회람(G254~G263쪽)은 하인리히 바우어가 보급했다.

4 (v) $\mathbf{d}^3$ $\mathbf{D}^4$ 여기서 행을 바꿈.

5 (v) "그리고 … 위험"(und der Gefahr) — $\mathbf{d}^2$ "und bei der Gefahr" $\mathbf{d}^3$ "und die Gefahr" $\mathbf{D}^4$ "und durch die Gefahr"

6 (v) "세력"(Parteien) — $\mathbf{d}^3$ $\mathbf{D}^4$ "Partei"

7 (v) "조직"(Organisation) — $\mathbf{d}^3$ "반대"(Opposition)

8 (k) "스위스"(Schweiz) — $\mathbf{h}^1$ "스위스"(Schweitz). 이 단어는 아래에 나오는 교정사항에서 모두 교정했는데, $\mathbf{h}^1$에서 처음으로 "Schweiz"로 표기했기 때문이다.

9 (e) 밀사를 파견하려는 의도는 이미 1850년 1월 28일 라쇼드퐁에 있던 스위스의 지도부에 보낸 공산주의자동맹 중앙본부의 편지에서 증명된다. 바우어는 그러나 1850년 3월 말

이 되어서야 독일로 여행했다. 에른스트 드롱케는 늦어도 1850년 4월 초에 밀사로서 스위스로 여행하도록 위임을 받았다. 그는 7월 초 스위스에 도착했다(드롱케가 1850년 7월 3일, 7월 18일 엥겔스에게 보낸 편지를 보라).

10 (e) 다음에 나오는 해설(주 21번 — 옮긴이)을 보라.

11 (v) "재조직하려는"(reorganisiren) — $\mathbf{d}^{3}$ $\mathbf{D}^{4}$ "조직하는"(organisiren)

12 (v) "기존 정부"(der bestehenden Regierungen) — $\mathbf{d}^{3}$ $\mathbf{D}^{4}$ "정부"(der Regierungen)

13 (v) "이것을"(dieß) — $\mathbf{d}^{2}$ "das"

14 (v) "정부의 … 요인"(Regierungs-Mitgliedern) — $\mathbf{d}^{3}$ "동맹원"(Bundesmitglieder) $\mathbf{D}^{4}$ "정부 요인"(Regierungsmitgliedern)

15 (v) "운동 세력"(Bewegungspartei) — $\mathbf{D}^{4}$ "운동"(Bewegungen)

16 (v) $\mathbf{d}^{3}$ $\mathbf{D}^{4}$ 여기서 행을 바꿈.

17 (v) "좋은"(gewünschte) — $\mathbf{D}^{4}$ "바람직한"(erwünschte)

18 (v) "보내"(schickte) — $\mathbf{D}^{4}$ "schickten"

19 (v) "전성기"(Blüthenzeit) — $\mathbf{d}^{3}$ $\mathbf{D}^{4}$ "Blütezeit"

20 (v) "지겔, J. P. 베커 등" — $\mathbf{D}^{4}$ "지겔 등"

21 (e) 이것은 1850년 초 설립되었다가 대략 1850년 말 다시 붕괴된 "혁명 중심"과 관련된다. 그 중앙위원회는 취리히에 있었다. 작은 분회는 베른과 제네바에 있었다. 자무엘 에르트만 치르너가 이 조직을 이끌었다. 「6월 연설」에서 거론된 사람들 — 요한 필리프 베커, 페터(?) 프리스, 테오도어 루트비히 그라이너, 헤르만 요제프 알로이스 쾨르너, 카를 슈르츠, 프란츠 지겔 — 은 물론 그 밖에 프리드리히 폰 보이스트, 아돌프 부흐하이스터, 디첼, 카를 에머만, 알베르트 갈레어, 게오르크 힐게르트너, 프리드리히 캄, 빅토어 실리, 알렉산더 시멜페니히, 구스타프 아돌프 테초프 등이 역할을 수행했다. 성원들 다수는 소부르주아 민주주의 좌파였고, 그들 중 몇몇은 나중에 베커와 힐게르트너, 캄, 실리와 같이 공산주의적 입장을 받아들였다. "혁명 중심"의 활동에는, 비록 방식과 의도는 다양했지만, 공산주의자동맹의 동맹원인 카를 브룬, 카를 데스터, 아르놀트 라이나흐, 빌헬름 볼프가 일시적으로 참여했다(볼프가 1850년 5월 9일 엥겔스에게 보낸 편지를 보라). 1850년 7월과 8월에 "혁명 중심"과 공산주의자동맹의, 우선 드롱케와 치르너 사이에 취리히에서(드롱케가 1850년 7월 3일과 18일 중앙본부에 보낸 편지, 드롱케가 1850년 7월 18일 엥겔스에게 보낸 편지를 보라) 그리고 마르크스/엥겔스와 테초프 사이에 런던에서(테초프가 1850년 8월 26일 시멜페니히와 다른 이들에게 보낸 편지, 카를 포크트, 『《알게마이네 차이퉁》에 대한 나의 소송』, 제네바, 1859년을 보라) 이루어진, 특정한 공동 작업에 대한 협상이 이뤄졌다. 두 조직 사이의 근본적인 차이로 인해 이러한 협상은 난파될 수밖에 없었다. 치르너가 작성한 계약 초안은 마르크스가 『포크트 씨』(런던, 1860년, 제4절 테초프의 편지)에서 발췌하여 출판했다.

22 (v) $\mathbf{d}^{3}$ $\mathbf{D}^{4}$ 여기서 쉼표를 쓴 다음에 "Der" 대신에 "der"를 씀.

23 (k) "한 명,"(erste,) — $\mathbf{h}^{1}$ "erste"

24 (v) "기만적인 거짓을 이용해 … 몇몇 동맹원을 … 합류시켰고"(brachte durch falsche Vorspiegelungen, einige Bundesmitglieder dahin, sich) — $\mathbf{d}^{3}$ "기만적인 거짓을 이용해 … 합류시켰고"(brachte es durch falsche Vorspiegelungen dahin, sich) $\mathbf{D}^{4}$ "기만적인 거짓을 이용해 … 개별 동맹원과 기초 조직을 움직여 … 합류시켰고"(brachte es durch falsche Vorspiegelungen dahin, einzelne Bundesmitglieder und Gemeinden zu bewegen, sich)

25 (v) "이들은"(in der sie) — $\mathbf{d}^{2}$ $\mathbf{d}^{3}$ "indem sie"

26 (v) "동맹에 대한 … 비방문을 … 그리고"(Verläumdungen über den Bund und) — $\mathbf{d}^{3}$ $\mathbf{D}^{4}$ "비방문을 … 그리고"(Verleumdungen und)

27 (v) "제명되었습니다"(ausgeschlossen) — d^2 d^3 D^4 "추방되었습니다"(ausgestoßen)

(e) 브룬의 제명은 함부르크 지역본부가 실행하지 않았다. "하인리히 슈톰프"로 서명한 어떤 동맹의 밀사(추정컨대 콘라트 슈람)가 1850년 7월 중순 중앙본부에 보낸 편지에는 다음과 같이 쓰여 있었다. "나는 먼저 함부르크의 마르텐스 집에 머물렀다. 마르텐스는 브룬에 대한 처신이 적어도 현명하지 않다고 생각했다. 마르텐스가 말한 것처럼 브룬은 아주 큰 영향력을 갖고 있었고 매일 그 영향력이 확대되고 있다고 했기 때문이다. 나는 알토나에서 직접 이것을 확신했고, 즉각 다시 브룬과 접촉할 필요가 있다고 생각했다. 결과는 양 진영에 매우 만족스러웠고, 거기에 관해서는 더 상세하게 말로 전달할 것이다."(IML/ZPA Moskau, f. 20, d. 131.) 브룬은 1851년 초에도 여전히 동맹원으로서 활동했다.

28 (e) 프랑크푸르트에서 하인리히 바우어의 활동에 대한 것이다. 1850년 5월 초 당시 모든 동맹원은 "혁명 중심"과의 관계를 끊었다(드롱케가 1850년 7월 3일 중앙본부에 보낸 편지를 보라). 드롱케는 1850년 4월에 이미 프랑크푸르트에서 이러한 의미로 활동했다.

29 (v) d^3 D^4 여기서 행을 바꾸지 않음.

30 (v) d^3 D^4 여기에 따옴표(")가 있음.

31 (v) "수중에"(in Händen) — d^2 "수중에 있음을"(in den Händen habe.) d^3 D^4 "habe""

32 (v) "떠돌고"(treibt) — d^3 "trieb"

33 (e) 빌헬름 볼프가 1850년 5월 9일 취리히에서 보낸 보고서(1850년 5월 14일 엥겔스에게 보냈다)는 슈르츠의 활동에 관해 다음과 같이 언급했다. "첫 보고서에서 그는, 그가 제때에 맞춰 도착한 라인 지역에는 사용 가능한 요원이 거의 이미 런던 중앙본부의 수중에 있다고 현지인에게 보고했다. … 슈르츠는 그런 다음 라인을 떠났고, 몇몇 적당한 대리인을 찾아 많은 자료를 수집했지만 아직 아무것도 알리지 않았다. 반면 12일 전쯤에 브뤼셀에서 슈르츠가 보낸 편지가 갑자기 도착했다. 여기에 그는 임박한 위험 때문에 독일을 떠날 수밖에 없었고 파리로 향하고 있다는 전언을 첨부했다."

34 (e) "매우 믿음직한 동맹원"(ein durch zuverlässiges Bundesmitglied) — 빌헬름 볼프.

35 (v) "그 밖에도"(außerdem) — D^4 "더 나아가"(ferner)

36 (e) "스위스에 밀사"(einen Emissair in die Schweiz) — 에른스트 드롱케.

37 (e) "앞에서 언급한 동맹원"(vorerwähnten Bundesmitgliede) — 빌헬름 볼프.

38 (v) "재조직"(reorganisiren) — d^2 d^3 D^4 "조직"(organisiren)

39 (k) "슈트루베"(Struve) — h^1 "Struven"

40 (v) "지겔, J. Ph. 베커" — D^4 "지겔"

41 (v) "서슴없이"(geradezu) — d^3 "곧바로"(gerade)

42 (v) "을 위해 동맹원"(Bundesmitgliedern zu) — $d^3 D^4$ "을 위해 곧바로 동맹원"(Bundesmitgliedern gerade zu)

43 (v) "합류할"(schließen) — d^2 "가담할"(anschließen)

44 (v) "슈트루베는 … 과 함께 연계하여"(Struve, in Verbindung mit) — d^2 "슈트루베는 … 함께"(Struve mit)

45 (v) "총"(gesammten) — $d^3 D^4$ "ganzen"

46 (v) "민주주의자"(Demokraten) — d^2 d^3 D^4 "민주주의"(Demokratie)

47 (v) ""유럽 민주주의자 중앙-위원회""(den "Central-Ausschuß der Europäischen Demokraten") — d^3 "der Central-Ausschuß der Europäischen Demokratie"

48 (v) $d^3 D^4$ 여기서 행을 바꿈.

49 (e) "유럽 민주주의 중앙위원회"(European Central Democratic Committee)는 1850년 6월 런던에서 주세페 마치니의 주도로 설립되었다. 마치니는 이미 1849년 말 스위스에서 이를 위한 첫 번째 준비 모임을 열었다. 부르주아적, 소부르주아적 망명자들을 하나의 국제

조직으로 연합하려는 이러한 시도에 슈트루베와 루게는 전력을 다해 지원했다. 슈트루베의 추천으로 루게는 위원회에 협력했다.

1850년 7월 22일의 선언 「인민에게!」(《르 프로스크리. 세계공화주의 신문》, 파리, 런던, 제2호, 1850년 8월 6일에 발행)에 대해 마르크스와 엥겔스는 「평론. 5월에서 10월까지」에서 상세히 비판했다(G484쪽 20행~G488쪽 24행). 위원회의 국제적 연대에 대해서는 또한 G484쪽 19행~G488쪽 27행을 보라. 유럽 민주주의 중앙위원회는 1852년 3월 이탈리아와 프랑스 민주주의 망명자들 사이에 고조된 모순으로 인해 붕괴되었다.

"유럽 민주주의 중앙위원회"의 이름으로 슈트루베와 루게는 바우어 박사와 슈톨페, 카를 하인첸, 루돌프 슈람, 그리고 런던의 몇몇 다른 소부르주아 민주주의자들과 접촉해 프롤레타리아트의 독자적 조직을 방해하고 사회민주주의적 망명자 후원회를 분열시키기 위한 활동을 적극적으로 전개했다. 1850년 1월과 4월 사이에 이들은 런던에서 독일인 망명자들의 여러 집회를 열었고 "민주주의 연합"을 결성했다. 1850년 4월 이들은 런던과 독일에서 "독일인 망명자의 모든 친구에게 보내는 통문"을 배포했다. 여기서 이들은 독일의 민주적 망명자들의 통일 조직을 "총 독일인 망명자 중앙사무소"의 지도 아래 결성할 것이라고 알렸다. 1850년 여름 이후 이들은 "유럽 민주주의 중앙위원회"와 통합을 호소했다.

50 (v) "그럼으로써"(und damit die) — $\mathbf{d}^{3}$ $\mathbf{D}^{4}$ "와"(und die)

51 (v) "목적에 … 이용될"(ihren Zwecken gebrauchen) — $\mathbf{d}^{2}$ "목적을 필요로 할"(ihrem Zwecke brauchen)

52 (v) "47" — $\mathbf{d}^{2}$ $\mathbf{d}^{3}$ $\mathbf{D}^{4}$ "1847"

53 (e) 1847년 브뤼셀과 뤼티히에서 공산주의자동맹의 지부가 구성되었는데, 여기서 필리프 지고(Philippe Gigot)와 빅토르 테데스코(Victor Tedesco)의 활동이 큰 몫을 했다. 혁명이 발발하자 벨기에 공화파는 1848년 3월 프랑스가 벨기에를 침공해 벨기에의 군주제를 전복하고 부르주아-민주주의 혁명을 추진하려고 했다. 이것은 배신 때문에 좌절되었다. 1848년 3월 29일 의용군 한 분대가 벨기에 국경 마을 리스콩-투(Risquons-Tout)를 파괴했고, 이것으로 수많은 사람이 체포되었다. 이 사건은 벨기에 정부에게 전반적 검거 조치의 구실을 만들어 주었고, 그 과정에서 1848년 6월 6일 브뤼셀에서 테데스코 또한 체포되었다. 그는 1848년 8월 9일부터 30일까지 안트베르펜에서 열린 이른바 리스콩-투 재판의 주요 피고인 가운데 하나가 되었다(「공소장」, 《노이에 라이니셰 차이퉁》, 쾰른, 제45, 49호, 1848년 7월 15일, 19일 자를 보라. 그리고 재판 보고서는 1848년 8월 12일부터 나왔다. 엥겔스의 마지막 기고문 「안트베르펜의 사형 선고」((Die Antwerpner Todesurteile), 같은 신문, 제93호, 1848년 9월 3일 자를 보라). 테데스코 외에 피고인 중 누가 동맹원인지는 찾을 수 없었다. 피고인 17명은 사형 선고를 받았다. 1848년 11월에 30년 금고로 감형되었다.

54 (e) 브뤼셀의 독일 노동자협회는 마르크스와 엥겔스가 1847년 8월 말 벨기에에 있는 독일 노동자들에게 과학적 공산주의 이념을 알리기 위해 설립했다. 마르크스와 엥겔스의 지도로 이 노동자협회는 혁명적 독일 노동자의 합법적인 중심으로 발전했다. 이 협회는 플랑드르와 왈롱의 노동자협회와 직접 연대했다. 협회의 진보적인 성원들은 공산주의자동맹의 브뤼셀 지부에 가입했다. 협회는 브뤼셀의 민주주의 협회를 결성하는 데 중요한 역할을 했다(엥겔스가 1847년 9월 28~30일 마르크스에게 보낸 편지를 보라). 벨기에 경찰이 1848년 2월 혁명 후 프랑스로 대부분의 성원들을 추방했을 때 협회는 활동을 중단했다.

55 (v) "회복하는"(erholen) — $\mathbf{d}^{3}$ $\mathbf{D}^{4}$ "강화하는"(erheben)

56 (v) "최선을 다해"(nach besten Kräften) — $\mathbf{d}^{3}$ $\mathbf{D}^{4}$ "힘을 다해"(nach Kräften)

57 (v) "현재 … 세력이 커진"(gerade jetzt einer ausgedehnteren) — $\mathbf{d}^{3}$ $\mathbf{D}^{4}$ "gerade einer

ausgedehnten"

58 (v) "곳곳에서"(hier oder dort) — D^4 "hier und dort"

59 (v) d^3 D^4 여기서 행을 바꿈.

60 (v) d^3 D^4 여기서 행을 바꿈.

61 (v) "농민 연합과 농촌 일용직 노동자 연합"(Bauern- und Landtaglöhner-Vereine) — d^3 D^4 "농민 연합과 일용직 노동자 연합"(Bauern- und Taglöhnervereine)

62 (v) "더 직접"(directern) — d^2 d^3 D^4 "direkten"

63 (v) "동맹의"(seine) — D^4 "그들의"(ihre)

64 (e) 노동자 우애회는 전국적인 노동자 조직으로서 1848년 8월 말/9월 초 베를린에서 만들어졌고, 1850/51년까지 무엇보다 작센, 프로이센, 메클렌부르크 등지의 100여 개 노동자 연합을 포괄했다. 노동자 우애회는 독일에서 최초로 지역을 넘어서는 노동자 조직이었고, 경제적 이익을 목적으로 했음에도 불구하고 독일 노동자계급의 독자적 정치 조직의 발전을 위한 중요한 출발점을 이루었다. 마르크스와 엥겔스는 1849년 초 독립적인 프롤레타리아트 정당을 만들려고 할 때 이 노동자 우애회를 실마리로 삼았다. 노동자 우애회의 중앙위원회는 라이프치히에 자리를 잡았다. 슈테판 보른, 프란츠 슈베니거, 안드레아스 로이스, 카를 강글로프와 같은 지도적이고 영향력 있는 활동가들은 동맹원이거나 동맹과 긴밀했다. 노동자 우애회는 1850년 중반 작센에서 금지되었고, 다른 주에서도 다양한 조치를 통해 탄압받았다.

65 (e) 여기에서 「6월 연설」은 재조직화 이후 독일에서 공산주의자동맹의 전파와 조직 구조를 개괄하고 있다. 하인리히 바우어의 밀사 여행의 성과가 이에 대한 기초 자료이기는 했지만, 서신 및 다른 연계 수단도 자료로 이용되었다. 이 자료들은 동맹이 혁명의 패배 이후 다시 상당히 확대되었고 매우 광범위하게 확대되었다는 점을 보여준다. 동시에 유럽 대륙의 다른 나라들에서는 동맹이 거꾸로 후퇴하고 있었기 때문에, 그 활동의 무게 중심은 그전보다 훨씬 더 독일 쪽으로 넘어갔다. 반면 국제적인 조직은 부분적으로 다른 방법으로 추구되었다(G568쪽을 보라).

만약 우리가 「6월 연설」에 나타난 보고 사항을 일련의 다른 원자료와 연구 성과를 통해서 보충한다면, 1850/1851년 독일에서 이뤄진 공산주의자동맹을 건설하기 위한 그림은 다음과 같을 것이다.

비록 그 수가 그렇게 많지 않았지만 가장 중요한 지부는 쾰른에 있었다. 하인리히 뷔르거스, 롤란트 다니엘스, 페르디난트 프라일리그라트, 카를 부니발트 오토, 페터 게하르트 뢰저처럼 쾰른에서 활동하는 동맹원들은, 동시에 프랑크푸르트 지역과 베스트팔렌(거기서는 단지 빌레펠트의 루돌프 렘펠만이 동맹원으로 언급되었다)을 위한 지도적 역할을 했는데, 이들은 과학적 공산주의를 기초로 조직 활동과 선전 활동을 광범위하게 전개할 정도로 수준이 높았다(또한 G493~G500쪽, G584~G586쪽, G588~G590쪽을 보라).

쾰른 조직의 특별한 역할은, 1850년 9월 중앙본부의 분열(G577~G580쪽을 보라) 이후 쾰른 조직이 동맹의 관리를 맡았다는 사실에서도 찾을 수 있다. 동맹의 쾰른 지부에는 아헨, 아르바일러, 코블렌츠의 소규모 동맹의 기초 조직이 있었다. 추정컨대 적어도 본에서도 일시적으로 하나의 동맹 기초 조직이 활동했을 것이다. 1850년 9월 빌헬름 클라인이 주도한 기초 조직이 졸링겐에서 만들어졌는데, 이 기초 조직은 후에 이젤론과 산악 산업 지역의 다른 곳까지도 영향을 끼쳤다. 개별 동맹원들은 안더나흐, 오이펜, 뒤셀도르프, 트리어에도 있었다.

헤센 지역은 대략 1850년 가을부터 독자적인 지부를 결성했고, 그 거점은 프랑크푸르트였으며, 요제프 바이데마이어가 동맹의 기초 조직을 이끌었다. 비스바덴에서는 카를 샤퍼와 프리드리히 레스너가 1850년 6월 추방될 때까지 조직의 선봉에 섰다. 레스너가 주도한 이후부터 마인츠 기초 조직은 남독일에서 동맹 활동의 중심으로 발전해나갔다. 프랑크푸르트 지부에는 또한 하나우, 뢰델하임, 그리고 다른 지역에서도 거의 틀림없이 기초 조직이 있었다.

하노버 왕국에는 처음에는 요하네스 미크벨이 지도하는 괴팅겐 지부만이 있었다. 이 지부는 런던의 중앙본부와 직접 접촉했다. 1850년 8월에 비로소 뢰저가 하노버의 루트비히 슈테한과 접촉하는 데 성공했다. 슈테한은 노동자 우애회에서 역할을 수행했고 1851년 초부터 《아르바이터할레》를 발행했다. 브라운슈바이크에도 동맹의 기초 조직이 있었고, 이 기초 조직은 런던이 아니라 파리와 접촉했고 동맹이 분열된 후에 분리동맹에 가입했다.

슐레스비히-홀슈타인의 지역본부이기도 한 함부르크에는 거의 틀림없이 독일에서 가장 오래되고 그 수도 가장 많은 동맹의 기초 조직이 존재했다. 이 기초 조직은 1844년부터 프리드리히 마르텐스의 지도 아래 활동했다. 그러나 함부르크 지부는 1847년 이후 동맹의 정치적-이데올로기적 발전과 전혀 보조를 맞추지 못했고, 따라서 활동도 어려움을 겪었다. 혁명 이후에는 마르텐스 외에 요한 야코프 브뤼닝, 카를 페터젠, 프리드리히 에카리우스와 같은 동맹원이 점점 더 특별히 적극적으로 그 모습을 드러냈다. 슈테한, 마르텐스, 브뤼닝, 그리고 그 외 동맹원들은 북서독일의 노동자 우애회에서 역할을 수행했다. 함부르크-알토나와 슐레스비히-홀슈타인에는 카를 브룬이 한때 음모론적 활동을 광범위하게 수행했는데, 스위스 "혁명 중심"과의 관계 때문에 동맹에서 제명되었다(G337쪽 32~33행에 관한 해설을 보라). 여기에서 중앙본부는 1850년 중반 슐레스비히-홀슈타인에서 벌어진 덴마크와의 전쟁에 관한 논쟁이 혁명적 시도에 생기를 불어넣는다는 점에서 이 지역에 특별히 주목했다. 동맹원들은 1850년 5월 5일 노이뮌스터에서 열린 슐레스비히-홀슈타인의 노동자 연합과 일용직 노동자 연합 그리고 소농민 연합의 대회 조직에 적극적으로 참여했다. 1850년 7월 중앙본부는 그의 보고서에 "하인리히 슈툼프"—아마도 콘라트 슈람—라고 서명한 특별 밀사를 슐레스비히-홀슈타인으로 파견했다. 메클렌부르크에는 슈베린의 지부만이 있었는데, 이 지부가 그곳의 노동자 연합을 지도했다. 그러나 슈베린은 메클렌부르크 노동자 우애회의 소재지였기 때문에, 슈베린의 동맹 기초 조직은 하인리히 마이어의 지도 아래 메클렌부르크의 다양한 노동자 연합, 농민 연합, 일용직 노동자 연합에 영향력을 행사했다.

베를린의 동맹 조직은 1849년 3월 아우구스트 헤첼(August Hätzel)의 체포 이후, 그리고 계속되는 탄압 조치로 많이 약해졌지만 여전히 존속했다. 이 조직을 재조직하기 위해 1850년 말 페터 노트융이 베를린에 파견되었다.

동맹의 라이프치히 조직은 작센과 베를린을 위한 지역본부라는 위상 때문만이 아니라, 그 무엇보다 여기에 동맹원 카를 강글로프가 지도하는 노동자 우애회의 중앙위원회(G340쪽 3~4행에 관한 해설을 보라)가 있었기 때문에 특별한 의미를 갖고 있었다. 라이프치히 지부의 활동은 1850년 6월에 강력하게 제약을 받았다. 그 지부의 지도자인 하인리히 마르티우스가 「6월 연설」의 휴대로 체포되었고(G925쪽을 보라), 그 직후 작센의 노동자 우애회가 금지되면서 중앙위원회 위원들이 라이프치히에서 추방되었기 때문이다. 동맹의 밀사 노트융이 마르티우스와 새로운 연대를 만들기 위해 파견되었지만 1851년 5월 노트융도 라이프치히에서 체포되었다. 또한 드레스덴에도 일군의 동맹원들이 있었고, 프리드리히 콜베크(Friedrich Kollbeck)가 지도했을 것으로 추정된다.

브레슬라우 지역본부의 영향력과 슐레지엔에서 동맹의 전체 활동은, 비록 상당한 규모에 이르렀을 것이 틀림없지만, 전해지는 자료에서는 거의 언급되지 않는다. 브레슬라우에서 발행하는 《슐레지셰 폴크스차이퉁》에 대한 동맹원의 영향력은 상당했다. 1850년 3월 말부터 6월까지 동맹원 루이스 하일베르크는 이 신문의 편집자였다(또한 G259쪽 7~9행에 관한 해설을 보라).

바이에른에는 뮌헨 지부가 이미 1849년 10월에 런던 중앙본부와의 접촉을 성사하려고 노력했다. 하지만 뉘른베르크 지부가 곧바로 엄청난 조직 및 선전 활동을 전개해서 바우어가 뉘른베르크를 방문한 이후에 바이에른의 지역본부로 결정되었다. 밤베르크와 뷔르츠부르크 동맹의 기초 조직에 대해서는 정보가 없지만, 노동자 우애회와의 접촉은 있었다. 그리고 뷔르츠부르크에는 한동안 노동자 우애회 중앙위원회 위원 안드레아스 로이스가 활동했다.

그 성원이 그 지역의 노동자 연합과 서적 인쇄업 연합에서 적극적으로 활동했던 슈투트가르트 지부는 뷔르템베르크를 벗어나지 못했고 지역본부도 만들 수 없었다. 따라서 이 기초 조직은 직접 런던과 접촉했다. 바덴에서는 1850년 제국헌법투쟁의 패배 후 여전히 전시법이 지배했기 때문에 동맹을 재조직하지 못했다. 그러나 적어도 만하임에는 개별 동맹원들이 있었다.

66 (k) $\mathbf{h}^1$ 여기에 쉼표가 없음.

67 (v) "체조인 연합과"(Turner-und)" — $\mathbf{d}^2$ $\mathbf{d}^3$ $\mathbf{D}^4$ "체조인 연합, 농민 연합과"(Turn-, Bauern-und)

68 (v) "등"(etc. von) — $\mathbf{d}^3$ "etc., was von"

69 (v) "와 직접"(und direct mit) — $\mathbf{d}^2$ "und die direct mit"

70 (e) "독일로 파견되어 활동하는 밀사"(Emissair nach Deutschland) — 하인리히 바우어.

71 (v) "인사들이 직접 …에"(Leute direct in) — $\mathbf{D}^4$ "인사들이 …에"(Leute in)

72 (v) "동맹원의"(von Bundesmitgliedern) — $\mathbf{d}^2$ $\mathbf{d}^3$ $\mathbf{D}^4$ "기타 동맹원의"(von weiteren Bundesmitgliedern)

73 (v) "결사"(Verbindung) — $\mathbf{d}^3$ $\mathbf{D}^4$ "결사들"(Verbindungen)

74 (v) "아주 쉽게 확실히"(sehr leicht fest) — $\mathbf{d}^3$ $\mathbf{D}^4$ "아주 확실히"(sehr fest)

75 (v) "소집"(Einrufung) — $\mathbf{D}^4$ "Einberufung"

76 (v) "그 지역에"(einen gelegenen Ort) — $\mathbf{d}^2$ "멀리 떨어진 지역에"(einem entlegenen Orte)

77 (v) $\mathbf{d}^2$ 여기서 행을 바꿈.

78 (v) "지역본부"(leitenden Kreises) — $\mathbf{d}^3$ "중앙지부"(Centralkreises)

79 (v) "런던" — $\mathbf{D}^4$ "쾰른"

80 (v) "지역본부"(leitenden Kreise) — $\mathbf{d}^3$ "중앙지부"(Centralkreise)

81 (v) $\mathbf{d}^3$ $\mathbf{D}^4$ 여기서 쉼표를 쓴 다음에 "Der"를 "der"로 씀.

82 (e) 스위스에서 중앙본부에 보낸 첫 보고서는 1850년 7월 3일 에른스트 드롱케가 썼다.

83 (v) "쥐라"(am Jura) — $\mathbf{d}^3$ "aus Jura" $\mathbf{D}^4$ "im Jura"

84 (k) "될 것이다"(werden) — $\mathbf{h}^1$ "wird"

(v) $\mathbf{d}^2$ $\mathbf{d}^3$ $\mathbf{D}^4$ 여기서 행을 바꾸지 않음.

85 (e) 헤르만 에베르베크가 1850년 1월 25일 마르크스에게 보낸 편지는 다음과 같다. "사랑하는 동지들, 사실은 이렇다네. 나는 여러 달 동안 밤이고 낮이고 새로운 독일 철학(포이어바흐, 다우머 등)에 관한 **프랑스**어 책을 출판하는 데 몰두하고 있네. 내게는 돈이 한 푼도 없지만, 나쁘지 않은 이름을 프랑스는 물론 전 세계에 등록하게 될 걸세. 프랑스어로 출판하는 것은 사실상 모든 언어로 출판하는 것이지. 자네도 알다시피 나는 이 책을 이미 5년 전부터 쓰기 시작했고 여기까지 왔네. 그러나 나는 이제 이 책을 빠른 시일 내에 출판해야 한다는, 더는 굽힐 수 없는 결정을 해야만 하네. 이런저런 이유로 작업은 중단되고, 소용없는 수고가 되어버렸는지 모른다네. 내가 죽든지 아니면 이 책이 출간되든지 해야 하네.

나는 이 작업과 몇몇 언론을 위한 글 때문에 동맹의 사업을 할 수 없고 또 당분간 몇 달 동안 할 수 없을 것이라고 요구했네. 나는 이것을 수백 번이나 페르디난트 볼프와 모리스

(Morrison)에게 말했다네. 더 나아가 모리슨(나는 진심으로 그에게 안부를 전하네)이 자네와 분명히 오랫동안 대립했던 것처럼, 이곳 지부에서 분열이 일어났고 실제로 지부가 해체될 수밖에 없다는 점을 말해두어야겠네. 처음 그런 일이 1849년 6월 이전에 일어났다네. 이런 사태에 관해 이렇게 불편한 말을 전하는 나를 용서해주게. 모리슨이 자네에게 이것을 직접 설명할 걸세. 그러나 시간이 있더라도 내가 다시 그런 논쟁을 하기는 불가능할 걸세. 과거에는 즐겨 했지만 이제는 할 수도 없고 하고 싶지도 않네. …

충고 한마디: 철저히 여기 지부와 함께 어떤 일이 이루어져야 한다면, 이 경우에 내 협력은 위에서 말한 이유에서 기대할 수 **없을** 것이라고 미리 말해두겠네. 나아가 내게 어떤 일이 일어날 가능성은 없다고 생각하네(그리고 모리슨이 이것을 확인해줄 걸세). 그렇지 않고 어떤 일이 일어난다면 누군가가 런던에서 오게 될 걸세." (IML/ZPA Moskau, f. 20, d. 23.)

86 (v) "특히" (eigentlich) — **d**³ **D**⁴ "eigentliche"

87 (v) "블랑키의" (Blanquistischen) — **d**³ **D**⁴ "Blanqui'schen"

88 (e) "혁명적 차티스트당의 지도자들" (Die Chefs der revolutionairen Chartistenpartei) — 특히 어니스트 존스와 조지 줄리언 하니.

89 (v) "신문은" (Journale) — **d**² "언론인은" (Journalisten)

90 (v) "부르주아지와의 화해에 훨씬 더 경도된" (Versöhnung mit der Bourgeoisie hinneigenden) — **D**⁴ "화해에 경도된" (Versöhnung hinneigenden)

91 (v) "움직여줄 수 있는" (stehen werden) — **D**⁴ "움직이게 될" (stehen würden)

G941

카를 마르크스/프리드리히 엥겔스

프로이센인 망명자들

1850년 6월 14일(G343~G344쪽)

집필과정과 전승과정

1850년 5월 22일 베를린에서, 프로이센의 퇴역 하사관이자 정신이상자인 제펠로게가 프리드리히 빌헬름 4세 암살을 기도하여, 왕은 권총에 맞아 가벼운 부상을 당했다. 반동은 이 암살 기도를 모든 진보 운동에 반대하는 고삐 풀린 몰이사냥에 이용했다. 반동적 신문은 그 주모자가 런던에 있을지도 모르는, 광범위하고 세분된 음모의 결과일 것이라고 주장했다. 프로이센 정부는 영국 정부를 움직여 정치 망명자들을 추방하려고 시도했다.

마르크스와 엥겔스는 이러한 계획에 맞섰다. 그들은 「프로이센인 망명자들」, 「런던의 프로이센 스파이」(G345~G347쪽), 「《더 글로브》 편집자에게」(G348~G349쪽)라는 성명을 런던의 많은 신문에 보냈다. 이것은 프로이센 정부가 부추겨 영국 경찰 당국이 망명자들을 염탐하는 행태에 대해 영국인들에게 주의를 환기하고자 한 것이다. 마르크스와 엥겔스는 동시에 여러 신문에 실리게 될 이 모든 투서에 특별한 성격을 부여하려고 했다. 이들 성명은 각각 다른 성명에 포함되지 않는 세부적인 특성이 있다. 거대한 자유주의 신문《더 선》과《더 스펙테이터》두 곳에서 이 성명서를 각각 공개했다. 「프로이센인 망명자들」은 차티스트 기관지《더 노던 스타》에도 게재되었고, 그래서 대중이 관심을 갖게 되었다. 프로이센 정부는 마르크스와 엥겔스의 이러한 행동을 매우 못마땅하게 여겼기 때문에, 조작을 통해서 이들의 성명이 지닌 영향력을 떨어뜨리려고 했다(G356~G357쪽을 보라).

독일의 민주주의 신문들도 마찬가지로 이 성명을 인쇄했다. 그중에서

—《베스트도이체 차이퉁》, 쾰른, 제145호, 1850년 6월 20일, 2쪽,

1~2단. 「《더 선》 편집자에게」(An den Herausgeber der Sun). 번역은 《더 노던 스타》에 실린 것을 따랐다(J[2]). 이 번역은 잘못된 날짜와 의미가 다른 "Governments" 대신 "Government"를 그대로 이어받았다. 편집진은 다음과 같은 머리말을 붙였다. "***런던,** 6월 15일. 우리는 우리 독자들에게 알리기 위해 《더 노던 스타》의 최근 호에서 다음 글을 급히 가져왔다."

—《타게스크로니크》, 브레멘, 제298호, 1850년 6월 21일, 4쪽, 1~2단. 「《더 선》 편집자에게」. 편집진은 편집자 머리말을 포함하여 《베스트도이체 차이퉁》의 원고를 그대로 가져왔다. 그러나 날짜는 6월 25일로 잘못 표기되었다.

—《디 호르니세》, 카셀, 제144호, 1850년 6월 22일, 621쪽, 1~2단. 「《더 선》 편집자에게」. 이것은 《베스트도이체 차이퉁》 아니면 《타게스크로니크》를 재판한 것이다.

성명 「프로이센인 망명자들」의 독일어 번역 텍스트가 발표된 것은 또한 G942 《베스트도이체 차이퉁》의 편집자와 연계가 있는 마르크스와 엥겔스의 제안에서 비롯되었을 것이다.

원문자료에 대한 기록

J[1] 프로이센인 망명자들. 《더 선》 편집자에게. [서명:] 찰스(Charles) 마르크스, Fred. 엥겔스, Aug. 빌리히. 《더 선》, 런던, 제18011호, 1850년 6월 15일, 5쪽, 1단. 1쇄.

J[2] 프로이센인 망명자들. 《더 선》 편집자에게. [서명:] 찰스 마르크스, Fred. 엥겔스, Aug. 빌리히. 《더 노던 스타》, 런던, 제660호, 1850년 6월 15일, 5쪽, 6단. 인쇄물. J[2]는 J[1]에 비해 철자법의 차이가 나타난다. 그 밖에 여기에는 성명의 날짜가 6월 15일로 표기되었다. 3쪽 5행에 "Governments" 대신 "Government"로 되어 있다.

본문은 J[1]을 따른다.

해설

1 (e) 외국인 거류자 법(Alien Bill)은 1793년 영국 의회에서 의결되었고, 이후 1802년, 1803년, 1816년, 1818년, 그리고 마침내 1848년 대륙의 혁명적 사건과 1848년 4월 10일

의 차티스트 시위와 관련하여 개정되었다. 1848년 개정할 때 정부는 외국인을 언제라도 그 땅에서 추방할 수 있는 권한을 갖게 되었다. 해당되는 법률 조항에 따르면 "이 왕국의 모든 곳에서 평화와 안녕을 유지하기 위해 이 법에 근거해 외국인을 추방할 수 있다. … 외국인에게 … 제한된 시간 내에 이 왕국을 떠나도록 … 명령하는 것은 … 장관에게 합법적이다. …"(『대영제국과 아일랜드의 법령』, 런던, 1848년, 78~80쪽). 1850년에는 이 법이 의회에서 또다시 개정되지 않았다.

2 (e) 정치 망명자들을 추방하도록 영국에 압력을 행사한 프로이센 정부의 시도에 관한 보도는 예를 들어《노이에 도이체 차이퉁》(1850년 6월 16일),《칙허 베를린 신문》(1850년 6월 16일),《베스트도이체 차이퉁》(1850년 6월 19일과 27일) 등에서 찾을 수 있다.

3 (e) 암살 기도 직후 몇몇 유명 민주주의자들이 체포되었고 가택 수색을 당했다.

G943 4 (e) **"충성동맹"**(*Treubund*)—과격 왕당파 연합으로 1848년에 결성되었고, 여론을 군주제에 유리하도록 영향력을 미치려고 했다.

5 (e) 1850년 6월 5일의 언론에 관한 프로이센 정부의 명령은 6월 8일 발표되었는데, 책을 출판하는 사업의 경우 언제라도 취소 허가를 당국에 명백히 받도록 했다. 우편 관청은 특정 신문의 주문을 거부할 수 있었다. 매달 혹은 더 자주 발행하는 신문은 공탁금을 내야 했고, 일주일에 세 번 이상 발행하는 신문의 경우 1천에서 5천 탈러 사이의 공탁금을 내야 했다. 언론법 위반으로 세 번 걸리면 공탁금은 무효가 되었다. 이것으로 반동은 검열을 다시 도입하지 않고도 싫어하는 신문을 전부 탄압할 수 있었다.

6 (e) 1850년 6월 13일의《베스트도이체 차이퉁》은 런던 통신에서, 암살 기도가 있기 몇 주 전에 메테르니히의 전 부하였던 호프만(가명은 랑겐슈바르츠)이라는 사람이 망명자위원회에 나타났다고 보도했다. 그는 망명자로서의 인정을 요구했고 공산주의에 관한 연설을 했다. 그때 그는 또한 자신이 준비한 암살 기도에 관해 얘기하면서, 믿을 만한 사람을 베를린으로 파견했다고 말했다. 위원회는 그를 선동가 혹은 미친놈으로 간주하여 내쫓았다. 그러자 그는 소부르주아 망명자들이 이끄는 민주주의 연합으로 갔다. 호프만은 다른 사람과 함께 차티스트 집회에도 참석하여, 영국 정부가 망명자들에게 주의를 돌리도록 하려고 무슨 짓이든 했다. 랑겐슈바르츠는 스스로 C. 츠벵잔(Zwengsahn)이라고 불렀다(《베스트도이체 차이퉁》, 제42호, 1850년 2월 19일). 그는 분명히 프로이센 국가의 고위 대표자의 위임을 받은 중요한 요원이었다. 1851년 4월 19일 프로이센의 왕자는 폰 만토이펠 수상에게 다음과 같이 썼다. "9시에 … L 박사는 나에게 그 사람과 성과에 대해, 지난여름 내가 문의한 것에 완전히 만족할 만한 정보를 주었다." 왕자는 프로이센 공사 하츠펠트(Hatzfeldt) 백작에게 보내는 글도 랑겐슈바르츠에게 함께 보냈다. 만토이펠은 4월 23일 다음과 같은 답장을 썼다. "L 박사는 내게 Ew. K. H.에 대한 글을 썼고, 내가 생각한 것처럼 좋다고 했다. 그러나 그는 몽상가이고 런던에서 능란하게 일을 수행하지 못했으며, 곧바로 **첩자**로 인식되었고 모든 면에서 웃음거리가 되었다."(『프리드리히 빌헬름 4세 치하. 남작 오토 폰 만토이펠 수상의 회고록Unter Friedrich Wilhelm IV. Denkwürdigkeiten des Ministers Otto Freiherr v. Manteuffel』, 제1권: 1848~1851, 베를린, 1901년, 379~380쪽.)

카를 마르크스/프리드리히 엥겔스

G944

런던의 프로이센 스파이

1850년 6월 14일(G345~G347쪽)

집필과정과 전승과정

이 편지는 「프로이센인 망명자들」(G343~G344쪽을 보라)과 같은 계기로, 그리고 같은 날에 쓰였다. 내용도 본질적으로 같지만, 여기《더 스펙테이터》에 보낸 투서는 몇 가지 보충 사실을 담고 있다.

마르크스와 엥겔스가 이 투서와 함께 1850년 6월 14일《더 스펙테이터》편집자에게 보낸 첨서에서, 세 편의 신문 성명을 쓴 이유가 명확해진다. 특히 "우리는 정부 측에서 외국인 법을 강화하려 하고 그래서 그것을 의회에서 개정하려고 하는 움직임이 있다고 믿을 이유가 충분히 있습니다. 우리가 첫 희생자가 될 것입니다. 우리는 영국 민족의 명예가 그러한 계획의 실행을 막는 데 어느 정도 관심이 있을 것이라고 생각합니다. 또한 영국 정부를 떠나 여론에 솔직하게 호소하는 것 말고 우리가 더 할 수 있는 것은 없다고 생각하며, 따라서 — 널리 읽히는 귀사의 신문이 우리의 편지를 대중에게 확실히 전달하는 것을 거부하지 않기를 희망합니다."

《더 스펙테이터》편집진은 이 투서를 매우 중요하다고 보고, 같은 호 "이 주의 뉴스"란에 다음과 같은 단신을 실었다. "아래 편지는 영국 정부에 대한 해괴한 비난을 담고 있다. 우리는 이 편지 자체에서 추론할 수 있는 것 외에 더 자세한 것은 모른다. 그러나 이토록 자세하고 사실에 부합할 가능성이 큰 비난은 무시할 수 없다. 이 비난은 런던에 사는 프로이센인 냉혈한이 독일인 애국지사들에게 외국인 거류자 법이 적용되게 하려는 목적에서 나온 것이다." 마르크스와 엥겔스는 이 논평을 독일어로 번역하여 1850년 7월 2일《베저-차이퉁》에 실린 그들의 성명에서 인용했다(G356쪽을 보라).

성명의 자필 원고 초안의 단편이 보존되어 있다($\mathbf{H}^1$). 인쇄본($\mathbf{J}^2$ — 옮긴이)과는 약간의 차이만 있다. 대체로 철자법, 구두법, 문체상의 작은 변화 등의 차이가 있다. 초고는 다시 정서를 해야 했기 때문에, 편집자가 이렇게 바꾸었는지 아니면 마르크스와 엥겔스가 직접 이렇게 바꾸었는지는 판단할 수 없었다. 자필 원고에는 일련의 보충과 삭제가 있는데, 가장 의미 있는 것은 긴 단락(이 글의 주 14를 보라. — 옮긴이)이다. 이 단락은 영국에서 망명자들을 쫓아내려는 국제적 반동들의 시도에 맞서기 위해 마르크스와 엥겔스가 얼마나 고심했는지를 보여준다. 지운 곳의 마지막 부분에 보이는 고심한 흔적에서 보이듯이 그들은 그러한 행보를 그만두었다.

《더 스펙테이터》에서의 발표는 국제적인 언론의 반향을 불러일으켰다.
G945 편지는 파리에서 영어로 발간되는 신문《갈리냐니스 메신저》(제11030호, 1850년 6월 18일, 2쪽, 3~4단)에 재판되었다. 이 신문은 물론 이 투서를《더 스펙테이터》에서 온전히 가져오지 않았고, 다음과 같은 편집자 논평을 위에 달았다. "다음 글은 런던의 프로이센인 망명자가 우리에게 보낸 편지의 발췌다(이러한 부류의 사람들은 이들 문제에서 자주 실수를 범한다. 실수는 두 가지 원천에서 제기되는데, 하나는 허영심이다. 허영심은 자기가 실제보다 훨씬 더 중요한 인물이라고 믿게 만든다. 또 하나는 인간 본성이라는 가장 내밀한 독자가 내비치는 다음과 같은 감정이다.

'의심은 언제나 죄의식에 늘 붙어 다닌다,
도둑은 관리의 턱수염을 두려워한다.'

자유롭고 관대한 영국 정부에 대한 그러한 공격은 이 단어의 두 가지 의미에서 단순한 **무례**일 뿐이다)."

그래서 이 투서는 일부 구절이 생략된 채로 실리게 된다. 예를 들어 중간 부분(G346쪽 15~30행)이 통째로 빠졌다.《더 스펙테이터》는 서명 뒤에 괄호 안에 들어간다. 그래서 독자들은 — 또한 첫째 줄("우리에게 보낸")에 근거하여 — 편집자의 머리말도《더 스펙테이터》에서 유래하는 것으로 받아들이고, 동시에《갈리냐니스 메신저》는 매우 다양한 신문들을 이런 방식으로 재판한 것으로 받아들이게 되었다.

이 때문에《베저-차이퉁》도 착각했다. 신문은 1850년 6월 22일 자의 단신에서 이 투서의 출처를《더 스펙테이터》가 아니라《갈리냐니스 메신저》라고 언급했다. 이러한《베저-차이퉁》의 단신에 대해 마르크스는 1850년 7월 2일의 성명으로 대답했다(G356~G357쪽을 보라). 또한「런던의 프로이센 스파이」에 대한 또 다른 두 기사도 《갈리냐니스 메신저》를 가리킨다. 《알게마이네 차이퉁》(아우구스부르크, 제173호, 1850년 6월 22일, 2757쪽, 1단)과 《노이에 프로이시셰 차이퉁》(베를린, 제144호, 1850년 6월 26일, 3쪽, 1단)은 거의 같은 내용의 단신을 실었다. 《알게마이네 차이퉁》의 내용은 다음과 같다. "《더 스펙테이터》는 런던의 몇몇 독일인(프로이센인) 망명자들, 즉 《노이에 라이니셰 차이퉁》(쾰른)의 전 편집자인 카를 마르크스와 프리드리히 엥겔스, 그리고 '바덴의 봉기군 대령' 아우구스트 빌리히가 서명한 투서를 실었다. 이들은 런던에서 프로이센 스파이들로 둘러싸여 있으며, 영국 정부가 이를 묵인하고 있다고 호소했다. 이 투서를 실은 《갈리냐니스 메신저》는 전체 사태를 의심하며, 어쨌든 영국 정부는 궁극적으로 비밀을 공유하거나 협력하지 않을 것으로 확신했다. 신문은 이 신사분들이 아마 자신들의 의미를 과대평가하고 있는 것으로 생각한다."

원문자료에 대한 기록

H¹ 자필 원고 원본의 단편. IISG, 마르크스/엥겔스-유고, 정리 번호 K. 195. 밝은 청회색의 얇은 종이로 투시 무늬는 없다. 전지 한 장이 가운데가 접혀서 네 쪽이 되었다. 크기는 114×176mm. 갈색 잉크로 썼는데, 지금은 변색되었다. 프리드리히 엥겔스가 라틴어 필체로 썼다. 초안은 중간에서 문장을 시작한다(G346쪽 32행). 처음 두 쪽은 완전히 채워졌고, 셋째 쪽은 위의 3분의 1만 쓰였다. 초고 아래에는 서명이 없다. 첨서한 원고의 초안은 대략 3분의 2만 쓰인 넷째 쪽에서 발견된다. 지워진 곳 일부는 읽기가 어렵다. 1쪽 왼편 위에는 IISG의 표시 "195" G946 가 있다. 종이는 잘 보존되었다.

J² 런던의 프로이센 스파이. [서명:] 샤를(Charles) 마르크스, Fred. 엥겔스, Aug. 빌리히. 《더 스펙테이터》, 런던, 제1146호, 1850년 6월 15일, 568쪽, 1단, "편집자에게 보내는 편지"란에. 1쇄.

본문은 J²를 따른다.

변경사항 목록/해설

1 (e) 1845년 초 《포어베르츠!》(Vorwärts!)의 금지와 관련하여 마르크스가 프랑스에서 추방

된 것에 대한 암시. 이 추방은 프로이센의 재촉으로 이루어졌다. 벨기에에서 프로이센 공사는《도이체-브뤼셀러-차이퉁》의 작업을 방해하려고 했다.

2 (e) 의회의 외교적 문서와 발언들을 포함해서, 마르크스와 엥겔스는 분명히 성명을 작성할 때 일련의 대외 정책 문제에 대한 영국 의회의 논쟁과 외교 활동을 염두에 두고 있었다. 당시 파머스턴은 유럽의 부르주아적 권리와 자유의 옹호자로서 선동 정치가로 등장했다. 이 논쟁에 대한 평가는 G468쪽 4~18행을 보라.

3 (v) "가짜"(pretended) — **H**[1] 새로 삽입한 것.

4 (v) "세력"(party) — **H**[1] 새로 삽입한 것.

5 (v) "그 사건 이후 … 있습니다."(Allow us to state, that, after the attempt, other persons of a similar character have tried to force themselves upon us, and spoken in a similar manner.) — **H**[1] "Allow us to state, that after the attempt other persons of a similar character have tried to force themselves upon us, and have spoken in a similar manner." — 새로 삽입한 것.

(e) 바크하우스 박사로 추정되는 스파이가 런던의 프로이센 공사, 즉 분젠(von Bunsen)에게 음모의 존재를 증명할 수 있다는 서류를 꾸몄다. 또한 제펠로게의 암살 기도 이후 바크하우스의 책동은 런던에서 계속되었다. 그는 노동자교육협회에서 제명된 후, 특히 소부르주아적 망명자 단체로 파고들어 갔다.

영국 정부도 제펠로게의 암살 기도 이후 자신의 스파이를 망명자들의 집회에 보냈다. 그래서 에드워드 스위프트(Edward Swift. 1849년 제임스 브론테어 오브라이언James Bronterre O'Brien이 설립한 전국 개혁 연합의 부총재)는, 주로 독일인으로 구성되었고 그 집회가 런던의 한 재봉사의 집에서 열리고 있는 런던의 선전협회 참가자 중에는 정기적으로 보고하는 정부의 스파이가 있다고 마르크스에게 정보를 주었다. 정부 측에서도 오스트리아, 러시아, 프로이센, 프랑스의 공사에게 정보를 주었다고 했다(스위프트가 1850년 7월 4일 마르크스에게 보낸 편지를 보라).

6 (v) "혁명가가 아니고"(Revolutionist,) — **H**[1] "혁명가도 아니고, 심지어 자유주의자도 아니고"(revolutionist, nor even a Liberal, but)

7 (v) "회원 … 그는 한동안 이 협회에서 자금을 지원받았습니다. 그의 신분증명서는 과격 왕당파인 육군성 소령의 집에 보관되어 있었습니다."(members. He has been for a time supported with money by this society: his papers were deposited at the house of an Ultra-Royalist Major employed at the War Office.) — **H**[1] "회원 … 그의 신분증명서는 급진 왕당파인 육군성 소령의 집에 보관되어 있었습니다. 위에서 언급한 이 협회는 한동안 그에게 자금을 지원했습니다."(members; his papers were deposited in the house of an ultra-royalist major employed in the war-office; the above-named society had for a time supported him with money.)

8 (v) "런던에 있는 망명자들"(refugees in London) — **H**[1] "런던에 있는 망명자들"(refugees in London) ← "진보적 반대파들"(advanced opposition)

9 (v) "동안"(during) — **H**[1] "for"

10 (v) "수십 명"(scores) — **H**[1] "수십 명"(scores) ← "수백 명"(hundreds)

11 (e) 인용된 신문에는 "외국의 혁명위원회가 이미 일찍 독일의 국왕을 암살하기 위해 스파이를 보냈다는 사실은 지난 사건의 서류로 정확히 입증된다. 우리는 레어테(Lehrte)에서 붙잡혔다가 윌리히에서 도망친 **슈람**에 대해 기억한다.

또한 14일 전에 런던의 정치 망명자에 의한 이러한 '국왕 암살 조직'에 관한 소식이 내각에 전해졌다. …

3월에는 동일한 런던의 선동가 마르크스와 루게 등의 밀사가 독일을 돌아다니고, 베를린을 다녀간 것도 주지의 사실이다."(「국왕 시해. 베를린 [통신], 1850년 5월 24일」,《노이에 프로이시셰 차이퉁》, 베를린, 제117호, 1850년 5월 25일.)

12 (e) 이것은 마르크스, 엥겔스, 빌리히가 1850년 5월 30일 프로이센 공사 분젠에게 보낸 편지와 관련된다.

13 (e) 당시 분젠의 작위인 기사 분젠(Ritter von Bunsen)을 비꼬는 것이다.

14 (v) **H**[1] 행을 바꾸기 전에 다음과 같은 문단이 있었는데 나중에 지웠음. "우리는 지금, 내무장관에게 그 사건에 대해 언급하면서, 그리고 우리가 그렇게 할 수 있다면 우리의 사람들에 관해 내무장관이 바라는 어떤 정보를 기꺼이 제공할 것이라고 그에게 글을 쓰고 있습니다. 그러나 동시에 우리는 그 사건을 대중 앞에 즉각 드러내는 것이 공적 성격으로서 우리의 의무라고 생각합니다. 그리하여 우리는 이 나라에 계속 머물 수 있도록 하기 위해 어떤 정부와 타협함으로써 우리의 명예와 우리 당의 명예를 비밀리에 훼손했다고 하는 얘기를 이후에는 듣지 않아도 될 것입니다." — "우리의 사람들에 관해"는 새로 삽입한 것.

15 (v) "과 모든 국가의"(and of all countries) — **H**[1] "새로 삽입한 것.

16 (v) "조금이나마"(more or less) — **H**[1] "조금이나마"(more or less) ← "심각하게"(seriously)

G948

카를 마르크스/프리드리히 엥겔스

《더 글로브》 편집자에게

1850년 6월 중순(G348~G349쪽)

집필과정과 전승과정

경찰에 의한 정치 망명자들의 추적에 관해 영국의 신문에 보낸 세 번째 투서는(또한 G343~G344쪽과 G345~G347쪽을 보라) 파머스턴과 가까운 일간지《더 글로브 앤드 트래블러》에 보낸 것인데, 이것은 명백히 앞서 말한 두 투서와 같은 시기에, 즉 1850년 6월 14일에 작성되었다. 그러나 날짜는 초고에 기록되지 않았다.

편지 형식을 취한 성명의 전문을 보면 마르크스를 유일한 저자로 간주할 수도 있겠지만, 초안은 엥겔스의 필적으로 되어 있고 마르크스는 그 당시 아직 영어를 혼자서 쓸 수 없었기 때문에, 마르크스와 엥겔스를 저자로 지정할 수 있다.

그들이 정치 망명자들의 추적에 관해 쓴 각각의 투서에 특별한 성격을 부여하기 위한 노력으로, 마르크스와 엥겔스는 대륙의 반동적 언론 기관을 통해 영국 정부가 가한 압력을 이 편지에서 특별히 지적했다.《더 글로브》는 영국 정부에 가까웠기 때문이었다. 게다가 마르크스는 반동에 의해 추방된 언론인으로서 제일 앞줄에 등장했다.

이 성명은 마르크스와 엥겔스의 생전에는 출판되지 못했다. 첫 출판은 (러시아어로) MЭC 25, 82~84쪽. 원문 언어로는 이 책에서 처음으로 출판된다.

원문자료에 대한 기록

H[1] 자필 원고 원본. IISG, 마르크스/엥겔스-유고, 정리 번호 C 51. 밝은

청회색의 얇은 종이로 투시 무늬는 없다. 전지 한 장이 네 쪽으로 접혔다. 크기는 112×175mm. 크기가 약간 다르지만《더 스펙테이터》에 보낸 투서에 사용된(G945쪽을 보라) 종이와 명백히 같다. 갈색 잉크로 썼지만 이제는 변색되었다. 프리드리히 엥겔스가 라틴어 필체로 썼다. 네 쪽 모두 빼곡히 글자가 쓰였고, 마지막 두 줄은 마지막 쪽의 왼쪽 가장자리에 위치한다. 일련의 삭제와 교정사항이 있고, 교정사항 중에는 썼다가 지운 것이 많다. 대부분의 교정사항은 2, 3, 4쪽에 있다. 몇몇 지워진 단어는 읽기가 매우 어렵다. 첫 오른쪽 페이지의 하단은 더러워져서 읽기가 어렵다. 그 밖의 초고는 잘 보존되어 있다. 텍스트 손실은 없다. 첫 페이지 오른쪽 위에는 다른 사람이 연필로 쓴 "1857(?)"이라는 메모가 있다. 그 옆에는 매우 색이 바랜 글씨 "u 1850"이 있다.

변경사항 목록/해설 G949

1 (v) "어느 정도"(more or less) — 새로 삽입한 것.
2 (v) "1849년의"(in 1849) — 새로 삽입한 것.
3 (v) "이탈리아인"(the Italians) — 새로 삽입한 것.
4 (v) 여기에 "지금"(now)이라고 썼다가 나중에 지웠음.
5 (e) 예를 들어《노이에 프로이시셰 차이퉁》(제116호, 1850년 5월 24일)은 (「대영제국. 런던 [통신], 5월 20일Großbritannien. [Korrespondenz aus:] London, 20. Mai.」에서) "프랑스의 붉은 언론인"과 파머스턴의 신문《더 글로브》사이의 의견 일치에 관해 말했다. 이때 이것은 프랑스와 영국의 외교적 의견 차이에 대한 평가에 관련한 것이다. 5월 25일의 제117호에서 같은 신문은 사람들이 "파머스턴의 혁명 친화적 정책을" 여기서 언제나 분명히 인식할 것이라고 썼다(「대영제국. 런던 [통신], 5월 21일Großbritannien. [Korrespondenz aus:] London, 21. Mai.」)
6 (v) 여기에 "런던에 있는 공식적인 대표자들에 의해"(by their official representatives in London,)라고 썼다가 나중에 지웠음.
7 (v) 다음에 "상상적 간섭과 관련한 언급에 관해"(about statements concerning an imaginary interference of)라고 썼다가 곧바로 지웠음.
8 (v) 여기에 "런던에 있는 공식적인 대표자들을 통해"(through their official representatives in London)라고 썼다가 곧바로 지웠음.
9 (v) 여기에 "확실히 잘못된"(certainly misplaced)이라고 썼다가 곧바로 지웠음.
10 (v) "가장 의심스러운"(most suspicious) ← "특이한"(curious)
11 (v) 여기에 "저는 프로이센 정부의 박해가 따라다니는 사람들 가운데 한 명이었습니다"(That I should have been among those whom the persecution of the Prussian government would follow)라고 썼다가 나중에 지우고, "박해를 멈[추지] 않습니다."(not aband[on] persecute.)라고 썼다가 곧바로 지웠음.
12 (v) "프로이센"(Prussia) ← "나의 조국"(my country)

13 (v) 여기에 "사실"(a fact)이라고 썼다가 곧바로 지웠음.

14 (v) "비슷한 비난을 이유로 저에 대해 모종의 조치를 취하려고 한다는"(upon the ground of similar denunciations, intended to take steps against me) ← "저를 특별히 **감시**했다는"(had placed me under a special *surveillance*)

15 (v) "며칠간"(several days) ← "사흘간"(three days)

16 (v) 여기에 "어떤 의도된 여행에 대하여"(about certain pretended journeys)라고 썼다가 곧바로 지웠음.

17 (e) G347쪽 17~21행에 관한 해설을 보라.

18 (v) 다음에 "아마도 다른 망명자들도"(There are, most likely, other refugees)라고 썼다가 곧바로 지웠음.

19 (v) 여기에 "오래되고 정당하게 획득한 평판"(long and justly gained reputation of)이라고 썼다가 지웠음.

프리드리히 엥겔스 G950

프랑스에서 온 편지 VII

보통선거권 폐지—대통령 연봉—오를레앙파와 정통 왕조파의 협상

1850년 6월 22일(G350~G353쪽)

집필과정과 전승과정

G698~700쪽을 보라.

원문자료에 대한 기록

J^1 프랑스에서 온 편지. 《더 데모크라틱 리뷰. 영국 및 외국의 정치, 역사, 문학 분야》, 런던, 제2호, 1850년 7월, 77~79쪽. 1쇄.

본문은 J^1을 따른다.

교정사항 목록/해설

1 (e) 프랑스에서 보통선거권의 폐지에 대해서는 또한 G473쪽 8행~G474쪽 13행을 보라.

2 (e) 프랑스 국민의회는 1850년 6월 4일 회의에서 공화국 대통령의 봉급을 월 25만 프랑 더 인상하기 위한 입법안을 검토했다. 헌법을 통해 규정된 60만 프랑의 봉급을 합하면 루이 나폴레옹의 수입은 매년 360만 프랑이 될 것이다. 국민의회에서의 입법안에 관한 토론에서 내각은 법안이 통과되지 않으면 사퇴하겠다고 위협했다. 국민의회의 다수파는 루이 나폴레옹과 결별하지 않을 것이라는 엥겔스의 예측은 적중했다. 1850년 6월 24일 국민의회는 1850년 공화국 대통령의 봉급으로 216만 프랑의 특별 대출을 승인하는 법안을 채택했다. 이에 대해서는 또한 G476쪽을 보라.

3 (e) 언급한 왕당파의 행동은 1850년 5월 23일, 6월 15일, 6월 18일 《르 나시오날》에서 보도했다. 이에 대해서는 또한 G477쪽을 보라.

4 (k) "블랑키"(Blanqui) — J^1 "Blanqui,"

5 (e) 보름(Borme)의 폭로에 대해 주의를 환기한 것은 하니였고, 또한 《더 레드 리퍼블리컨》(제3호, 1850년 7월 6일, 1~3쪽)에 실렸다. 그는 보름이 《레퓌블리크》에 보낸 편지를 전부 게재했고, 두 번째 긴 편지에 관해서는 내용을 설명했다. G951

보름의 폭로의 출발점은 셰뉘의 글 『모반자들』이었다(G275~G289쪽을 보라). 거기서 공격받은 코시디에르는《더 타임스》를 명예 훼손죄로 고소했다. 왜냐하면《더 타임스》가 셰뉘의 책에서 발췌한 것을 공개했기 때문이었다. 신문은 매수된 증인으로 고소를 취하하게 만들려고 했다. 보름은 자신의 폭로에서 무엇보다 이러한 매수 시도를 밝혔다.

카를 마르크스/프리드리히 엥겔스 G952

《노이에 도이체 차이퉁》 편집자에게 보내는 해명

1850년 6월 25일(G354~G355쪽)

집필과정과 전승과정

《노이에 도이체 차이퉁》 제148~151호(1850년 6월 22, 23, 25, 26일)에는 오토 뤼닝이 쓴 NRhZ. Revue의 첫 네 호에 관한 비평이 실렸다. 이 연재 기고문에는 뤼닝의 소부르주아-민주주의 입장이 명확히 반영되었다. 특히 마지막 두 기고문에는 마르크스와 엥겔스가 「해명」을 쓰게 된 계기가 되었던 처음 두 기고문보다 더 강하게 그런 관점이 반영되었다. 마르크스와 엥겔스는 뤼닝의 비평에 대해 사정이 허락한다면 NRhZ. Revue에서 자세히 대답하려는 의도를 가지고 있었다(마르크스가 1850년 6월 27일 바이데마이어에게 보낸 편지를 보라). 그러나 그들의 잡지 간행이 1850년 중반에 중단되었기 때문에, 그들은 우선 직접 이 「해명」으로 대답했다.

자신의 신문에 이 「해명」이 실린 것에 대해 뤼닝은, 대체로 모호한 핑계를 대며 과학적 공산주의의 기초에 대해서는 전혀 아무것도 알지 못한다는 점을 증명하는 응답으로 부언했다. 특히 뤼닝은 엥겔스에게 강하게 반발했는데, 엥겔스의 「독일 제국헌법투쟁」은 그의 비평의 결론이 보여주듯이 그를 매우 불쾌하게 했다(《노이에 도이체 차이퉁》, 제151호, 1850년 6월 26일 자를 보라).

원문자료에 대한 기록

J[1] 해명.《노이에 도이체 차이퉁》편집자 귀하! [서명:] K. 마르크스, F. 엥겔스.《노이에 도이체 차이퉁》, 프랑크푸르트, 제158호, 1850년 7월 4일, 4쪽, 1~2단. 1쇄.

본문은 J^1을 따른다.

해설

1 (e) 뤼닝의 원문은 다음과 같다. "그러나 계급 지배는 언제나 비윤리적이고 비이성적인 상태이다. 비록 우리가 노동자계급의 지배가 융커와 주식 시장 늑대 계급보다, 전자는 사회에 유익한 구성원이고 후자는 매우 쓸모없는 구성원이기 때문에 수백 배 더 윤리적이고 이성적이라고 간주할지라도, 그럼에도 불구하고 우리 스스로 현재 혁명운동의 목적과 목표를 **어떤 계급에서 다른 계급으로 그 지배권을 양도**하는 것이 아니라, **계급 차별의 근절**에서 찾으려고 하는 '소부르주아 민주주의'로 던져질 위험을 무릅써야 할지도 모른다."([뤼
G953 닝, 오토,] 「카를 마르크스의 《노이에 라이니셰 차이퉁. 정치-경제 평론》」, 《노이에 도이체 차이퉁》, 프랑크푸르트, 제148호, 1850년 6월 22일, 2쪽.)

2 (e) 『철학의 빈곤』의 해당 구절은 다음과 같다. "노동자계급 해방의 조건은 모든 계급의 폐지이다. 이것은 부르주아적 질서로부터 제3신분이 해방되는 조건이 모든 신분과 모든 질서의 폐지였던 것과 마찬가지이다.

노동자계급은 그 발전과정에서 구 부르주아 사회를 대체하고 계급과 계급 간 적대를 배제할 결사체를 만들 것이다. 그리고 엄밀한 의미의 정치권력은 더는 존재하지 않을 것이다. 정치권력이야말로 부르주아 사회 안에서 적대가 공식적으로 드러나는 축소판이기 때문이다."(MEGA① I/6, 227쪽 25~33행.)

3 (e) G192쪽 10~16행을 보라.

4 (e) 뤼닝의 원문은 다음과 같다. "따라서 우리는 《노이에 라이니셰 차이퉁. 정치-경제 평론》이야말로 프롤레타리아트를 단순히 상투어나 선의로 대변하지 않았던 독일의 유일한 신문이었다는 엥겔스 씨의 주장을 결코 올바른 것으로서 인정하지 않을 것이다. 이것이야말로 상투어인데, 상투어가 엥겔스 씨의 선의에서 자주 드러나는 것과 마찬가지이다."([뤼닝, 오토,] 「카를 마르크스의 《노이에 라이니셰 차이퉁. 정치-경제 평론》」, 1쪽.)

5 (e) G37~69쪽을 보라.

카를 마르크스/프리드리히 엥겔스 G954

《베저-차이퉁》 편집진에게

1850년 7월 2일(G356~G357쪽)

집필과정과 전승과정

《더 스펙테이터》에 실린 마르크스와 엥겔스의 성명 「런던의 프로이센 스파이」(G345~G347쪽을 보라)에 반응을 보인 신문으로는 브레멘의 《베저-차이퉁》도 있다. 1850년 6월 22일 자 제2037호에서 이 신문은 마르크스와 엥겔스의 이 성명을 거의 전부 인용한 단신을 실었다. 마르크스와 엥겔스는 《더 스펙테이터》에 실린 성명이 《갈리냐니스 메신저》에 재판된 것을 알지 못했기 때문에, 《베저-차이퉁》의 단신이 프로이센 정부의 영향을 받은 날조라고 간주할 수밖에 없었다.

《베저-차이퉁》은 마르크스와 엥겔스의 이 성명을 게재한 것이 아니라, 1850년 7월 10일 제2052호 3쪽에서 짧게 내용을 요약한 다음에 6월 22일 자 단신의 출처가 《더 스펙테이터》가 아니라 《갈리냐니스 메신저》였다고 보도했다. 그 밖에도 《베저-차이퉁》은 마르크스와 엥겔스에 대한 《갈리냐니스 메신저》의 적의에 찬 논평에 동의한다고 설명했다. 이 단신이 나온 같은 날, 다른 브레멘 신문, 즉 《타게스크로니크》(원문에는 Tages-Chronik로 되어 있는데, MEGA 편집자의 오기로 보인다. 이에 대해서는 문헌 찾아보기를 보라. 아래의 Tages-Chronik도 이에 따라 타게스크로니크로 수정한다.—옮긴이)에는 《베저-차이퉁》에 보낸 마르크스와 엥겔스의 성명 전문이 게재되었다.

원문자료에 대한 기록

J^1 《베저-차이퉁》 편집진에게. [서명:] 카를 마르크스, 프리드리히 엥겔스. 《타게스크로니크》, 브레멘, 제314호, 1850년 7월 10일, 4쪽, 2~3단.

1쇄.

본문은 J[1]을 따른다.

해설

1 (e) 여기에 "(후자는 바덴의 무장봉기군 대령으로 불렸다)"가 빠졌다.

2 (e) 여기에 "그들의 집은 감시받고 드나드는 사람들이 모두 기록되었다."가 빠졌다.

3 (e) 아래의 해설 5를 보라.

4 (e) (「프로이센 스파이. 6월 19일 런던 [통신]」), 《베저-차이퉁》, 브레멘, 제2037호, 1850년 6월 22일.

5 (e) 《더 스펙테이터》의 "촌평"은 《더 스펙테이터》에 실린 마르크스와 엥겔스의 「런던의 프로이센 스파이」를 재판한 《갈리냐니스 메신저》의 편집자 논평과 관련된다. 《갈리냐니스 메신저》, 파리, 제11030호, 1850년 6월 18일.
G955

6 (e) 「이 주의 뉴스」, 《더 스펙테이터》. 런던, 제1146호, 1850년 6월 15일, 554쪽. 영어로 된 원문은 G944쪽을 보라.

7 (e) 마르크스와 엥겔스의 이 언급은 같은 통신에서 분젠에 관해 《더 타임스》로부터 인용한 것과 관련된다. "이 공사는 신사이고 훌륭한 지식인이며, 자선을 베풀고, 친근하고, 손님을 환대하는 예술 후원가이며, 우호적이고 강력하고 문명화된 나라의 대표이다. …"

카를 마르크스 G956

공산주의자동맹 중앙본부 위원 명단

1850년 7월 초와 9월 중순 사이(G358쪽)

집필과정과 전승과정

이 명단은 이르면 1850년 7월 초에는 만들어졌을 것이다. 왜냐하면 7월 1일 런던에 도착한 카를 샤퍼의 런던 주소가 거기에 이미 포함되었기 때문이다. 가장 늦은 시점은 1850년 9월 중순이다. 왜냐하면 마르크스가 여기에 구성원으로 기록한 이들의 중앙본부는 분열이 이뤄진 9월 15일까지만 존재했기 때문이다.

마르크스는 중앙본부 위원들에게 연락할 목적으로 이것을 기록했음이 틀림없다. 마르크스와 같은 집이거나 아주 가까이 거주하는 사람—바우어, 슈람, 엥겔스, 에카리우스, 펜더, 빌리히—의 주소는 생략하고 이름만을 기록했다. 세 개의 주소에서 끝에 쓴 장소(클러컨웰 로드, 옥스퍼드 스트리트, 골든 스퀘어)는 해당 도시 구역이나 찾는 거리의 근처에 있는 유명한 거리 및 광장을 추가로 표기한 것이다.

중앙본부의 모든 위원이 거명되었다.

이 명단은 이 책에서 처음으로 출판되는 것이다.

원문자료에 대한 기록

H^1 자필 원고 원본. IML/ZPA Moskau, 정리 번호 f. 1, op. 1, d. 359. 공책에서 찢어낸 종이로, 왼쪽과 특히 오른쪽 가장자리가 매우 고르지 않게 찢어졌다. 너비 48과 54mm, 길이 116mm. 하얀 필기 종이로 투시무늬가 있는데 겨우 2mm의 간격으로 수직으로 나란히 줄이 그어져 있다. 마르크스가 검은 잉크로 썼다. 왼쪽 위에는 닦아낸 잉크 얼룩

이 있다. 뒷장은 비어 있다. 자필 원고는 복원되었다.

본문은 $\mathbf{H}^1$을 따른다.

교정사항 목록

마르크스는 언제나 거리 주소를 붙여 썼다. 예를 들어 "Middleton Street"를 "Middletonstreet"로 쓰는 식이다. 거리 주소 5개 모두 띄어쓰기를 교정했다.

1 (k) "클러컨웰"(Clerkenwell) — $\mathbf{H}^1$ "Klerkenwell"

프리드리히 엥겔스 G957

독일에서 온 편지 IV

슐레스비히-홀슈타인 전쟁

1850년 7월 21일(G361~G363쪽)

집필과정과 전승과정

G698~700쪽을 보라.

원문자료에 대한 기록

J^1 독일에서 온 편지. 슐레스비히-홀슈타인 전쟁.《더 데모크라틱 리뷰. 영국 및 외국의 정치, 역사, 문학 분야》, 런던, 제2호, 1850년 8월, 118~120쪽. 1쇄.

본문은 J^1을 따른다.

교정사항 목록/해설

1 (e) G339쪽 1~5행에 관한 해설을 보라.

2 (e) 동해(발트 해 — 옮긴이)와 북해 사이의 항로에 대해 덴마크는 1425년부터 덴마크 외의 모든 선박에 통행세를 부과했다. 이 선박 통행세는 특히 17세기에 덴마크와 스웨덴 및 네덜란드의 갈등을 야기했다. 1857년 선박 통행세는 이해관계가 있는 유럽 국가들이 조달한 보상금인 덴마크 제국 탈러 3120만을 받고 폐지되었다.

3 (e) 덴마크는 조약 관계와 왕가 관계로 제정 러시아와 연계되어 있었다. 차르 표트르 3세는 홀슈타인-고토르프(Holstein-Gottorp)의 대공이었다. 1767년과 1773년의 조약으로 러시아는 홀슈타인-고토르프에 대한 모든 권리를 덴마크를 위해 포기했다. 덴마크는 북해로 가는 항로를 지배하고 있었기 때문에 러시아에 덴마크는 특히 중요했다. 북방전쟁(1700~1720)에서 덴마크는 러시아와 연합했다. 스웨덴과 덴마크의 해협 항로와 관련하여 1778년 국제법의 5원칙이 공포되었다. 이것은 1780년에 공포된 덴마크의 "무장 중립"에 기초가 되었다. 이 조약에는 덴마크, 러시아, 스웨덴, 프로이센이 참가했다. 이 동맹은 G958
영국을 겨냥했고, 덴마크 상인-부르주아지가 아메리카 독립전쟁 동안 해상무역으로 막대한 이윤을 얻도록 해주었다. 1788~1790년의 러시아-스웨덴 전쟁에서 덴마크는 다시 러시아와 동맹을 맺었다.

4 (k) "나랏빚을"(on their National debt) — J[1] "of their National debt"

5 (e) 1460년 덴마크의 왕이 슐레스비히와 홀슈타인의 대공으로 선출될 때 선서한 조건으로, 두 나라는 "영원히" 함께 존재할 것이며 분리되지 않을 것이라고 했다.

6 (e) 1460년 이래 덴마크와 슐레스비히 그리고 홀슈타인 사이에는 동군 연합(같은 군주 아래 2개 이상의 국가가 결합한 것 — 옮긴이)이 존재했다. 홀슈타인은 게다가 독일 동맹에 속했다. 두 나라의 대공직은 남자만이 계승할 수 있었다. 덴마크는 1665년부터 여자도 계승할 수 있었다.

7 (e) "프로이센의 왕실 주정꾼"(royal drunkard of Prussia) — 프리드리히 빌헬름 4세.

8 (e) 마르크스도 1849년 1월 9일의 《노이에 라이니셰 차이퉁》 제190호에 실은 기고문 「새해 축사」(Eine Neujahrsgratulation)에서 이 프로이센 메모를 언급했다. 빌덴브루흐 소령이 1848년 4월 8일 비밀리에 덴마크 왕에게 넘긴 메모에는 특히 다음과 같은 내용이 들어 있었다. "프로이센은 무엇보다도 슐레스비히와 홀슈타인의 대공을 이들의 왕이 맡고, 동시에 자신의 고유한 이해나 제삼자의 명예에 기여하고 싶지는 않다. 독일 제후들이 이 문제를 강력하게 받아들이는 것은 다른 모든 이웃 나라와 마찬가지로 덴마크의 이익에 부합할 것이다. 그리고 독일의 급진적 및 공화주의적인 인자들이 유해하게 간섭하는 것을 막고자 하는 바람으로만 프로이센은 이와 같은 행보를 취했다. 프로이센 군대가 홀슈타인에 진입한 것은 연방 지역을 보호하고, 대공국이 자기보존의 마지막 수단으로 호소하고자 했던 독일의 공화주의 인자들이 사태를 장악하게 될지도 모르는 상황을 막기 위해서였다. 이미 그 모습이 드러난 노르트알빙기아(현재의 홀스타인 지역을 의미함 — 옮긴이) 공화국의 이념은 덴마크 및 독일의 이웃 나라들을 심각하게 위협할 정도였다. …

덴마크에 유일하게 이득이 되는 것은 프로이센이 대공국과의 마찰을 통해 위협적으로 보였던 자기의 권세, 자기의 독립성만을 추구하는 것이며, 이를 위해 협력하겠다고 나서는 것이다."(『프로이센의 국가-헌법의 통일을 위해 소집된 회의에서의 토의 속기록』, 《프로이센 관보》 부록, 제1권, 베를린, 1848년, 366쪽.)

G959 9 (e) 1850년 7월 2일 베를린에서 서명된 강화 조약으로 슐레스비히는 덴마크에 귀속되었다. 프로이센은 러시아의 압박을 받아서 단독으로 강화를 체결했다. 독일 군대가 슐레스비히에서 철수할 것과 홀슈타인에 대한 덴마크 왕의 권위 회복을 요구했다. 약한 슐레스비히-홀슈타인 군대는 덴마크 군대에 패퇴했다. 1848/49년 혁명 이전에 존재했던 덴마크의 대공국에 대한 지배권은 이로써 다시 회복되었다. 영국, 프랑스, 러시아, 스웨덴, 오스트리아가 참여한 1850년 8월 2일의 런던 의정서는 슐레스비히-홀슈타인이 덴마크에서 독립하는 것을 폐기하기로 확정했다. 또한 G482쪽 36행~G483쪽 13행을 보라.

프리드리히 엥겔스 G960

프랑스에서 온 편지 VIII

언론법—의회의 정회

1850년 7월 23일(G364~G366쪽)

집필과정과 전승과정

G698~G700쪽을 보라.

원문자료에 대한 기록

J^1 프랑스에서 온 편지.《더 데모크라틱 리뷰. 영국 및 외국의 정치, 역사, 문학 분야》, 런던, 제2호, 1850년 8월 2일, 117~118쪽. 1쇄.

본문은 J^1을 따른다.

교정사항 목록/해설

1 (e) G476쪽, 그리고 G351쪽 23행~G352쪽 4행에 관한 해설을 보라.

2 (k) "소환되어"(arraigned) —J^1 "정렬되어"(arranged)

3 (e) 1850년 7월 15일의《르 푸부아르》에는「국민의회의 점진적 약화」라는 제목으로 해당 기고문이 실렸다. 기고문은 언론법과 국민의회에 대한 공격을 담고 있었다. 기고문은 기본적으로 의회제 정부의 폐지를 요구했다. 기고문은 다음과 같은 말로 끝을 맺었다. "모든 게 의회의 종말이 임박했음을 알려주는 듯하다. 의회가 하는 짓이란 게 거의 책임 포기밖에 없기 때문이다." 신문의 발행인 라마르티니에르는 국민의회 앞에서 변명해야 했다.

4 (e) 이것은 1822년 3월 25일의 법률과 관련된다. 법률 제15조에 따르면 의회 또는 의회 중 하나(이 당시에는 양원으로 구성된 하나의 대표 단체가 있었다)를 모욕할 경우 그 의원들의 요구로 의회는 이러한 위반 행위를 정상적으로 조사하거나 피고소인을 자신들의 울타리로 소환할 수 있었다. 나아가 1819년 5월 17일 법률 제11조와 1848년 8월 11일 제헌의회의 명령 제1, 2조를 통해 의회를 모욕하는 것과 헌법이 의회에 부여한 권리와 권한에 대한 공격은 처벌받게 되었다. 또한 여기에는 의회가 피고소인을 소환하게 되어 있었다. G961
1848년의 명령 제2조는 처벌 수준에 관해 다음과 같이 규정했다. "1819년 5월 17일 법률 제1조에서 언명된 여러 수단 중 하나로 국민의회를 공격하는 행위는 1개월 이상 3년 이하의 투옥 및 1백 프랑 이상 5천 프랑 이하의 벌금에 처한다." 처벌 수준에 관한 심리는 비공개 회의에서 처리되었다.

프리드리히 엥겔스 G962

독일 농민전쟁

1850년 여름/가을(G367~G443쪽)

집필과정과 전승과정

1850년 여름 엥겔스는 NRhZ. Revue를 위해 독일 농민전쟁에 관한 논문을 썼다. 정확한 시점에 관해서는 더 자세한 정보가 없다. 1849년 12월에 "《노이에 라이니셰 차이퉁. 정치-경제 평론》의 수익성과 발행 부수에 대한 계산서"(G15~16쪽)와 함께 쓰인 메모에는 다음과 같은 언급이 있다. "영주의 권력은 진압된 봉기 후에 들어선 절대적 반동을 통해 증가한다."(G726쪽) 이것은 엥겔스가 농민전쟁에 관해 서술하려는 의도를 이미 오래전에 품고 있었음을 보여준다. 엥겔스는 초고의 주요 부분을 1850년 여름 중에 분명히 작성했다. 8월 말/9월 초 이전에 작업은 완료되지 않은 것처럼 보인다. 자신이 대변하는 계급의 지배를 위해 아직 성숙하지 않은 시대에 정부를 떠맡게 될 수밖에 없는 혁명 세력의 지도자 위치에 대한 G431쪽 28행~G432쪽 25행의 서술은 1850년 8월에 시작되어 9월 15일 중앙본부 회의에서 정점을 이룬 빌리히-샤퍼 분파와의 논쟁을 시사하기 때문이다.

1850년 11월 1일에야 NRhZ. Revue 제5/6호를 위한 최종 초고가 함부르크로 보내졌기 때문에, 엥겔스가 「독일 농민전쟁」을 10월까지 작업했다는 사실은 완전히 배제할 수 없다.

저작은 1848/49년 혁명의 경험을 일반화하고 그 패배의 원인을 분석하려는 것이다. 엥겔스는 16세기 전반의 혁명적 사건들에 관심을 기울였다. 그 사건들은 1848/49년 혁명과 유사점이 많았기 때문이었다. 반동 시기의 초기에는 그도 독일 인민의 위대한 혁명 전통 및 도시에서의, 특히 노동자의 혁명운동이 농민과 연합해야 할 필연성을 보여주는 것이 바람직하다고 생각했다.

엥겔스는 이미 일찍부터 농민전쟁, 무엇보다 이 시대의 가장 중요한 혁명가 토마스 뮌처에 대해 연구했다. 엥겔스는 「독일과 스위스」(Germany and Switzerland, MEGA① I/2, 443쪽)라는 기고문에서 처음으로 뮌처의 특징을 표현했다. 이 기고문은 1843년 11월에 오언주의 기관지인 《더 뉴 모럴 월드》(The New Moral World)에 실렸다. 여기서 뮌처는 아직 농민의 단순한 대표자로 보이지만, 이미 당시 엥겔스는 뮌처와 루터의 대립을 지적했다. 1845년 11월 엥겔스는 《더 노던 스타》에 연재한 기고문 「독일의 상태」(The State of Germany)에서 다시 한번 뮌처를 재론했다. 그는 이렇게 썼다. "1525년 농민 무장봉기의 영광스러운 지도자이며 그 시대의 진정한 민주주의자였던 **토마스 뮌처**를 왜 언급하지 않는가?"(MEGA① I/4, 491쪽.)

G963 엥겔스가 당시 이미 빌헬름 치머만의 저작(『위대한 농민전쟁의 일반 역사』, 1~3부, 슈투트가르트, 1841~1843년)을 알고 있었는지는 알려지지 않았다. 이 책은 엥겔스가 위의 작업을 위해서 사건의 경과를 서술하는 자료로 이용되었다. 또한 다른 동시대 자료는 물론이고 뮌처와 루터의 저작에서 인용한 것은 이 책에 근거한다. 치머만이 그 당시 결정적인 오류를 범한 부분은 이후 해설에서 각각의 원래 인용문을 제공한다.

치머만의 저작은 그의 시대에 큰 의미를 지녔다. 좌파 부르주아 민주주의자로서 —1848/49년 혁명 동안 그는 프랑크푸르트 국민의회에서 극좌파의 입장을 보였다— 그는 농민전쟁을 사회적 · 정치적 질서의 변형을 위한 창조적이고 진보적인 힘으로 본 최초의 인물이었다. 종교개혁과 농민전쟁의 경험을 토대로 치머만은 독일에서 정치적 기본 문제의 해결은 봉건적 예속으로부터 농민의 해방을 전제로 한다는 사실을 증명하려고 했다. 다른 청년헤겔주의자들과 같이 그는 16세기의 혁명적 봉기와 자기 시대의 사회운동 사이의 밀접한 연관을 보았다. 책의 반응은 사람들이 저작을 실제로 구입하고 아주 잘 이해했다는 사실로 증명되었다. 바이에른과 바덴에서는 금지된 반면, 진보적이고 혁명적인 운동의 지지자들은 책에 감사했다. 그래서 예를 들어 빌헬름 바이틀링은 치머만의 책에 대해 다음과 같이 썼다. "가장 최근의 독일 문헌 가운데 우리는 특별히 이 책을 독자에게 추천한다. 이 책은 바로 인민의 언어로 쓰였으며, 따라서 어느 독자라도 쉽게 이해할 것이다.

저자는 이제까지 인민에게 알려지지 않고 남아 있던 기억할 만한 사실들을 과거의 증거에서 끄집어내 빛을 비추어주었다. 그의 저작은 차례로 이어지는 지배 왕조의 족보가 아니라 … 구체적인 **민중사**이다. 이 저작은 독일의 게르만 지역과 유럽의 구석구석을 사건 전개의 실마리로 삼았다. … 독일 역사에 대한 현존하는 어떤 저작도 이것과는 비교가 되지 않을 것이다."(《디 융게 게네라치온Die junge Generation》, 제1집, 베른, 1842년, 제1분책, 15쪽. 인용은 『소부르주아 민주주의에서 공산주의로. 독일 노동운동의 초기 시대 잡지 1834년에서 1847년까지Vom kleinbürgerlichen Demokratismus zum Kommunismus. Zeitschriften aus der Frühzeit der deutschen Arbeiterbewegung 〈1834 bis 1847〉』. 베르너 코발스키Werner Kowalski 박사의 편집과 서문, 베를린, 1967년, 177~178쪽.)

엥겔스는 치머만의 원전을 훨씬 뛰어넘었다. 엥겔스는 1870년(J^2)의 재인쇄를 위한 서언에서, 저자는 종교적-정치적 쟁점을 계급투쟁의 반영으로 인식하지 못했기 때문에, 치머만의 서술에는 내적 연관이 결여되었다고 썼다. 비로소 엥겔스는, 독일 역사의 이 중요한 시대에 유물론적 역사 이해를 적용함으로써, 치머만의 자료와 관련한 농민전쟁의 역사를 뒤집어 똑바로 세웠다.

「독일 농민전쟁」의 직접적인 반향은 잘 알려져 있지 않다. 1852년 1월 1일과 1853년 2월 1일 사이에 18회에 걸쳐 연재된 뉴욕의 《투른-차이퉁》(Turn-Zeitung)에서 재인쇄되었지만, 이것은 이 저작이 독일의 혁명적 민주주의자들 사이에서만 주목받았다는 것을 증명할 뿐이다. 요제프 바이
데마이어가 이런 재인쇄를 분명히 권장했다. 그는 1852년 1월 1일 자 《투 G964
른-차이퉁》 제3호에 자신의 이 신문 첫 기고문 「프롤레타리아트 독재」(Die Diktatur des Proletariats)를 발표했다. 《투른-차이퉁》은 1851년 뉴욕에서 결성된 "사회주의적 체조인 동맹의 기관지"였고, 1851년 11월 15일에 창간되었다. 「독일 농민전쟁」은 처음에는 익명으로 연재되었다. "Fr. 엥겔스로부터(《노이에 라이니셰 차이퉁》으로부터)"라는 표시는 1852년 8월 1일 자 제11호에서 비로소 발견된다.

1869년 노동운동이 독일에서 급격히 발전하고 제1인터내셔널의 바젤 대회가 토지 문제에 대한 결의를 채택했을 때, 대토지 소유에 반대하는 농민의 투쟁에 관한 마르크스주의적 서술에 대한 관심이 일었고, 개정판에 대한 요구가 일어났다. 함부르크의 출판업자 마이스너(Meißner)와 베를린의 출판업자 알베르트 아이히호프(Albert Eichhoff)(MEGA 편집자는 Einchoff라고 썼는데 실수로 보인다.—옮긴이)와의 협상이 헛수고가 된 이후, 엥겔스는 라

이프치히의 빌헬름 리프크네히트와 우선《데어 폴크스슈타트》(J^2)에 연재하고 다음에는 분리된 소책자(D^3)로 재인쇄하기로 합의했다. 엥겔스는 또한 서문을 써달라는 리프크네히트의 부탁에 응했다. 나아가 엥겔스는 인쇄하기 위해 라이프치히로 보낸 NRhZ. Revue의 견본을 통해 다시 한번 오류를 점검하고 필요한 교정을 보았다. (엥겔스가 1869년 3월 7일, 1869년 9월 27일, 1870년 2월 1일 마르크스에게 보낸 편지, 리프크네히트가 1870년 2월 8일 엥겔스에게 보낸 편지를 보라.)

1870년 4월 2일과 10월 15일 사이에 「독일 농민전쟁」은《데어 폴크스슈타트》에 29회(서언 포함) 연재로 게재되었다(J^2). 처음에 게재는 정기적으로 이루어졌지만 — 하나만 제외하고 모든 호에 연재되었다 — 독일-프랑스 전쟁으로 6월 25일 이후에는 오랜 휴식에 들어갔다. 8월에 다시 2회 연재가 되었고, 9월에 1회, 그리고 10월에 마지막 2회분이 실렸다.

리프크네히트는 엥겔스에게《데어 폴크스슈타트》를 보냈고, 후에(4월 말 이후) 동일한 문장이 또한 소책자를 위해 사용되었기 때문에 오류를 정정하라는 부탁과 함께 교정쇄를 보냈다(리프크네히트가 1870년 4월 5일과 27일 엥겔스에게 보낸 편지를 보라). 엥겔스는《데어 폴크스슈타트》의 인쇄 방식을 매우 불만스러워했다. 그는 문장에서의 오류와 무엇보다 리프크네히트의 주석을 책망했다(엥겔스가 1870년 5월 8일 마르크스에게 보낸 편지).

《데어 폴크스슈타트》는 그에 대해 다음과 같은 단신을 실었다. "혼동을 막기 위해, 여기 인쇄물에 부가된 주해와 용어 설명은 **저자의 것이 아님**을 우리는 이것으로 최종 설명한다. 편집자."(《데어 폴크스슈타트》, 라이프치히, 제39호, 1870년 5월 14일.) 1870년 5월 28일의 제43호 이후 주석은 더 나타나지 않는다.

1870년 10월《데어 폴크스슈타트》 출판부에서 소책자가 나왔다(D^3). 주석은 신문 인쇄물에만 한정하겠다는 리프크네히트의 약속에도 불구하고 (리프크네히트가 1870년 4월 24일 엥겔스에게 보낸 편지, 리프크네히트가 1870년 5월 13일 마르크스에게 보낸 편지를 보라), 주석은 거의 수정되지 않은 채 소책자에 포함되었다.

얼마 지나지 않아 신판(D^4)이 필요해졌다. 그러나 엥겔스는 시간이 없어 일부만 수정했을 뿐이고(엥겔스가 1874년 10월 15일 라우라 라파르그 Laura Lafargue에게 보낸 편지, 리프크네히트가 1874년 6월 13일 엥겔스에게 보낸 편지를 보라), 1874년 6월 말에 서언에 대한 보충을 썼다. 1874년

10월 말 제2판과 본질적으로 다르지 않은 제3판이 출간되었다(헤르만 람 Hermann Ramm이 1874년 10월 22일 엥겔스에게 보낸 편지를 보라). 이것은 표지에 나타나 있듯이 1875년에 출간된 것이 아니라, 10월 전반쯤에 인쇄를 끝낸 것이었다(또한 람이 1874년 10월 6일 엥겔스에게 보낸 편지를 보라). G965

1880년대에 엥겔스는 독일 농민전쟁에 관한 자신의 저작을 전면 개정하려는 뜻을 품고 있었다. 독일 농민전쟁은 이제 "전체 독일 역사의 전환점"으로 등장할 것이고, 1850년의 작업물은 "이전과 이후의 중요한 역사적 사실을 보충"해야 한다고 했다(엥겔스가 1884년 11월 11일 에두아르트 베른슈타인에게 보낸 편지, 또한 엥겔스가 1884년 12월 31일 프리드리히 아돌프 조르게Friedrich Adolph Sorge에게 보낸 편지를 보라). 1884년 말에 두 가지 예비 작업이 이루어졌는데, 여기서 이러한 의도는 분명해진다([「봉건제의 몰락과 부르주아지의 등장에 관하여Über den Verfall des Feudalismus und das Aufkommen der Bourgeoisie」]와 「농민전쟁을 위하여 Zum Bauernkrieg」). 다른 작업들이 많아서 엥겔스는 자신의 계획을 유예할 수밖에 없었다. 죽기 얼마 전에 엥겔스는 마침내 「독일 농민전쟁」을 개정할 수 있으면 좋겠다는 말을 했다(엥겔스가 1895년 5월 21일 카를 카우츠키에게 보낸 편지를 보라). 그러나 그는 이러한 뜻을 실현할 수 없었다.

원문자료에 대한 기록

J^1 독일 농민전쟁. [서명:] 프리드리히 엥겔스. 《노이에 라이니셰 차이퉁. 정치-경제 평론》, 런던, 함부르크와 뉴욕, 제5/6호, 1850년 5~10월, 1~99쪽. 1쇄.

이 인쇄본은 수많은 오류가 있는데, 일부는 뜻을 왜곡하는 특징이 있다.

J^2 독일 농민전쟁. 프리드리히 엥겔스. 《데어 폴크스슈타트》, 라이프치히, 제27호, 1870년 4월 2일, 1~2쪽; 제28호, 1870년 4월 6일, 2~3쪽; 제29호, 1870년 4월 9일, 1~2쪽; 제30호, 1870년 4월 13일, 2쪽; 제31호, 1870년 4월 16일, 1~2쪽; 제32호, 1870년 4월 20일, 2쪽; 제33호, 1870년 4월 23일, 2~3쪽; 제34호, 1870년 4월 27일, 2쪽; 제35호, 1870년 4월 30일, 2쪽; 제36호, 1870년 5월 4일, 1~2쪽; 제

37호, 1870년 5월 7일, 2쪽; 제38호, 1870년 5월 11일, 2~3쪽; 제39호, 1870년 5월 14일, 2~3쪽; 제40호, 1870년 5월 18일, 2쪽; 제41호, 1870년 5월 21일, 2~3쪽; 제42호, 1870년 5월 25일, 2~3쪽; 제43호, 1870년 5월 28일, 2쪽; 제45호, 1870년 6월 4일, 2쪽; 제46호, 1870년 6월 8일, 1~2쪽; 제47호, 1870년 6월 11일, 2~3쪽; 제48호, 1870년 6월 15일, 2~3쪽; 제49호, 1870년 6월 18일, 2쪽; 제50호, 1870년 6월 22일, 2쪽; 제51호, 1870년 6월 25일, 1~2쪽; 제65호, 1870년 8월 13일, 2~3쪽; 제68호, 1870년 8월 24일, 2쪽; 제72호, 1870년 9월 7일, 2쪽; 제82호, 1870년 10월 12일, 4쪽; 제83호, 1870년 10월 15일, 3~4쪽.

J^1의 일련의 오류는 수정되었다. 몇몇 경우에는 교정이 잘못 이루어졌다. 그 밖에도 J^2는 일련의 결함이 있다. 예를 들어 4월 30일의 제35호에는 한 문단 전체가 빠졌고, 그래서 5월 7일의 제37호에 보강되었다. 그 밖에 이 인쇄본에는 리프크네히트의 수많은 주석이 포함되어 있다. 엥겔스가 제시한 텍스트 변경사항은 별로 없으며 대부분 문체와 관련된 것이다.

D^3 프리드리히 엥겔스의 독일 농민전쟁. 서문이 포함된 두 번째 인쇄물. 라이프치히, 1870년, 《데어 폴크스슈타트》의 발송 출판사. F. 틸레(F. Thiele). 총 108쪽. 8절판.

G966 이 인쇄본은 신문에 실린 것과 문장이 똑같다. 즉 이 인쇄본은 J^2와 같다. 다만 몇몇 인쇄오류가 교정되었고 주석 몇 개가 변경되었다.

D^4 프리드리히 엥겔스의 독일 농민전쟁. 세 번째 인쇄물, 라이프치히, 1875년, 인쇄소 조합 출판사, 총 120쪽. 8절판. D^4는 본질적으로 D^3에 기초한다. 그러나 이 판에는 리프크네히트의 주석이 포함되지 않았다. 엥겔스가 약간 변경한 것은 대부분 외래어의 대체에 해당한다.

본문은 J^1을 따른다.

변경사항 목록/교정사항 목록/해설

1 (v) "일시적인"(momentanen) — D^4 "순간적인"(augenblicklichen)

2 (v) "은"(war) — **D**^{4} "은 이제"(war jetzt)
3 (v) ", 더욱이"(, und selbst) — **D**^{4} "; selbst"
4 (v) "목판업,"(Holzschneider,) — **J**^{2}-**D**^{4} "목판업, 병기 공장,"(Holzschneider, Waffenschmiede,)
5 (v) **D**^{4} "화약"(Schießpulvers)에 엥겔스의 주가 있다. "이제는 의심의 여지 없이 증명되지만, 화약은 중국에서 인도를 거쳐 아랍인에게 전래되었다. 그리고 아랍인으로부터 화기를 동반하여 스페인을 거쳐 유럽으로 전래되었다."
6 (e) "한자 동맹"(Hanse) — 12세기 플랑드르-라인 강 하류 지역에서 다양한 상인 집단에 의해 시작된 조합적 동맹. 13세기 말 한자 동맹의 이름 아래 북해와 동해(발트 해 — 옮긴이)의 남부 연안 지역에서 하나의 도시 동맹이 형성되었다. 일부는 내륙 깊이 파고들었다. 한자 도시는 중계무역의 독점을 강요했고, 그로부터 막대한 이득을 취했다. 14세기 말/15세기 초 한자 동맹의 힘은 절정에 이르렀고 15세기 말부터 내리막길을 걷게 된다.
7 (v) "중심지"(Centren) — **D**^{4} "핵심"(Mittelpunkte)
8 (e) 오스트리아의 세습 영지들은 합스부르크 왕가에 속하는 오스트리아 지역(대공국 오스트리아, 크라인, 슈타이어마르크, 케른텐, 티롤과 이른바 포데어오스트리아)을 가리킨다.
9 (v) "안으로"(in) — **D**^{4} "아래로"(unter)
10 (v) "농노와 예농"(Leibeignen und Hörigen) — **D**^{4} "농노, 예농과 소작농"(Leibeignen, Hörigen und Zinsbauern)
11 (v) "가부장적"(väterlichen) — **J**^{2}-**D**^{4} ""가부장적""("väterlichen")
12 (v) "문명"(Civilisation) — **D**^{4} "사회 발전"(gesellschaftlichen Entwicklung)
13 (v) "군주적 특권을 갖는 한, 이들은"(souverän, standen sie den) — **J**^{2}-**D**^{4} "제국 직속인 한, 이들은"(reichsunmittelbar, standen sie dem)
14 (e) 제국세는 15세기와 16세기 독일 봉건국가의 세금인데, 그 형태는 인두세와 재산세의 혼합으로 신민에게 직접 징수했다.
15 (e) "연공"(Annaten) — 연금, 연례 헌금. 14세기 이래 교황이 요구한 공물로, 교회 봉록을 지급하기 위한 연간 소득에 해당한다. 봉록의 소유자는 대부분 그 지급을 위해 납세 의무가 있는 주민에게서 몇 배를 거둬들였다.
16 (e) "성 밖 시민"(Pfahlbürger) — 중세 도시 밖에 거주했으나 완전한 시민권을 보유하고 있었다. 성 밖 시민은 대개는 귀족이었고, 이들은 도시를 위해 전쟁 부역을 수행했다.
17 (v) "협잡"(Tripotagen) — **D**^{4} "사기 사건"(Schwindeleien)
18 (v) "구식으로"(obsolet werden) — **D**^{4} "마비되게"(einschlafen)
19 (v) "불만을 품고 있던"(malkontente) — **D**^{4} "불만족스러워하던"(unzufriedene)
20 (v) "셋째 부류는"(dritte) — **D**^{4} "끝으로 셋째 부류는"(dritte endlich)
21 (v) "이들의"(ihr) — **D**^{4} "자신의"(sein)
22 (e) "뮌처"(Münzer) — 현재 뮌처(Müntzer)라는 이름과 뮌처 자신이 다양하게 사용한 이름(Munczer, Muntzer)은 엥겔스가 치머만의 책에서 Münzer라는 형태로 인용했다. 오늘날은 Müntzer로 통용된다.
23 (v) "요소들"(Faktoren) — **D**^{4} "분파들"(Fraktionen)
24 (e) 카롤리나 형법(원래는 Constitutio criminalis carolina)은 카를 5세가 1532년 레겐스부르크 제국의회에서 비준한 형벌 규정(형사 법전)을 가리키는데, 특히 잔혹한 형벌을 허용했다.
25 (v) "측면으로"(Seiten hin) — **J**^{2}-**D**^{4} "방향"(Richtungen)
26 (v) "백지상태"(tabula rasa) — **D**^{4} "끝나고"(reinen Tisch)
27 (e) "신비주의"(Mystik) — 일반적인 용어 사용에서는 모든 종교에 내재한 흐름인데, 인간

이 몰두(명상), 무아지경 혹은 금욕을 통해 신과 직접적인 결합을 추구하는 것이다. 특히 역사적 용어로 사용된 맥락에서 독일 신비주의는 13세기 말 이래로 기독교 교회에서 퍼졌으며 진보적 및 보수적 측면을 보여주었다. 진보적 측면의 대표자는 마이스터 에크하르트(Meister Eckhart)였다. 신비주의는 무엇보다 시민계급의 이해에 봉사했는데, 신비주의는 이른바 신도가 신과 직접적으로 결합할 수 있게 해주면서 동시에 사치스러운 수많은 성직자계급을 쓸모없게 만들었기 때문이다. 신비주의는 뮌처를 이해하기 위한 중요한 원천이었다.

28 (v) "일부는 … 표현으로 나타났다"(der Ausdruck teilis) —**J²-D⁴** "theils der Ausdruck"

29 (e) "발도파"(Waldenser) — 페트루스 발데스(Petrus Waldes)가 12세기 후반 리옹에서 창설한 공동체로, 교회는 원래 가난으로 돌아가야 한다고 주장했고(따라서 "리옹의 빈자들"이라고 불렸다), 교회의 몇 가지 교리를 버렸다. 따라서 이들은 이교도로 몰려 심한 박해를 받았다. 그러나 이들은 유럽 여러 나라로 확대되었고, 14세기에는 가장 강력한 이단 공동체가 되어 무엇보다 광범한 수공업자와 일부 농민의 지지를 얻었다. 박해로 인해 이들은 15세기 이래 벽촌으로 들어가 오늘날까지 거기서, 특히 북부 이탈리아에 거주하고 있다.

30 (e) "알비파"(Albigenser) — 12세기와 13세기에 남부 프랑스의 알비(Albi) 주변에 퍼진 이교도 공동체로, 이 공동체에는 상업과 자영업을 하는 시민계급이 속해 있었고, 교회령을 세속화하려는 귀족도 개별적으로 속해 있었다. 이들은 1209년 인노켄티우스(Innozenz) 3세가 조직한 십자군 원정 이후 거의 20년에 걸친 전쟁으로 진압되었고 대부분 절멸했다.

31 (v) "운동을"(Bewegung von) —**J²-D⁴** "Bewegung, und von"

32 (e) 칼릭스파(Calixtiner) — 성배의 지지자들. 이들은 보헤미아 지역 후스파 운동의 온건파로 불렸다. 최후의 만찬을 "양형 영성체"로 받아들이고, 포도주(성배)를 평신도에게도 허용했다. 이 때문에 이들은 또한 양형 영성체파("sub utraque specie", in beiderlei Gestalt)로 불린다. 그 밖에도 이들은 중세 교회의 개혁과 교회 재산의 세속화, 그리고 교황권으로부터 더 많은 독립을 요구했다. 체코 도시의 부유한 시민계급과 체코 귀족의 일부가 칼릭스파의 지지자였다.

33 (v) "에서 성직자를"(Pfaffen in) —**J²-D⁴** "Pfaffen und in"

34 (e) 1381년 영국 농민은 우선 켄트(Kent)와 에식스(Essex)의 백작령에서 와트 타일러(수공업자)와 존 볼의 지도로 봉건귀족에 대항해 봉기를 일으켰다. 이 봉기는 영국 대부분 지역으로 확대되었다. 한때 런던이 봉기군에 점령되고 왕은 협상에 나서지 않을 수 없었다. 그러나 봉건귀족은 와트 타일러를 살해하고, 농민군을 런던에서 유인한 다음에 군대로 물리쳤다.

35 (e) "타보르파"(Taboriten, 남부 보헤미아의 도시 타보르Tabor에서 비롯함)는 봉건제에 종속된 농민층, 도시 하층민, 도시와 농촌의 무산자 등으로 구성된 후스파 운동의 급진파를 의미한다. 이들은 먼저 봉건 질서의 완전한 청산과 민족 독립, 공화주의적 국가 질서를 추구했고, 나중에는(1422년부터) 사회와 교회의 급진 개혁을 추구했다. 이들은 후스파 야전군의 핵심을 구성했다. 후스파 운동의 온건파와 봉건 반동의 책략으로 이들은 1434년 공격을 받았고 장기간 포위를 당한 후 타보르는 1452년 점령되었다.

36 (e) "가이슬러파"(Gelßler) — 고행자라고 부르기도 한다. 중부 및 서부, 남부 유럽 나라들에서 13~15세기에 일어난 사회-종교적 운동의 참여자들. 그들은 자기를 채찍질함으로써 죄의 사면을 구하려 했다.

37 (e) "롤라드파"(Lollarden) — Lollards, Lolharden으로 부르기도 한다. 영국의 개혁가 J. 위클리프의 사상이 거칠게 대중화한 사회적, 종교적 운동으로, 먼저 영국에서 그리고 15세기에 유럽의 몇 나라에서 일어났다. 그들의 일부는 1381년 와트 타일러의 봉기에 참여했

고, 교회가 원시 기독교적 모범에 따를 것을 촉구했으며, 인류 평등사상을 신비적인 형태로 전파했다. 그들은 지배적 교회에 의해 이단으로 박해를 받았다.

38 (v) "이들이 … 벌써 계급 대립에 기초한 모든 사회 형태, 공통의 제도들, 견해들, 생각들을 의심할 수밖에 없었는가이다."(schon die, allen auf Klassengegensätzen beruhenden Gesellschaftsformen, gemeinsamen Institutionen, Anschauungen und Vorstellungen in Frage stellen mußte.) — J^2-D^4 "벌써 제도들, 견해들, 생각들을 의심할 수밖에 없었는가이다. 이것들은 계급 대립에 기초한 모든 사회 형태에 공통적인 것이다."(schon Institutionen, Anschauungen und Vorstellungen in Frage stellen mußte, welche allen auf Klassengegensätzen beruhenden Gesellschaftsformen gemeinsam sind.)

39 (e) "천년왕국설"(chiliastlsche Schwärmereien) — chilioi는 그리스어로 1,000을 의미한다. 그리스도가 재림하여 평화와 정의의 "천년왕국"을 세울 것이라고 하는 신비적인 종교 이해. 천년기설(千年期說)의 교의는 몰락하는 노예제 사회에서 형성되었다. 이때 억압받고 궁핍한 대중은 그리스도를 통해 정치적 · 사회적 질서를 바꾸려는 환상적 관념에서 빈곤한 상태의 출구를 찾으려고 했다. 천년기설은 또한 중세 사회에서 널리 퍼졌고, 자주 (타보르파처럼) 농민과 평민의 혁명적 이데올로기의 구성 요소가 되었다.

40 (v) "1847년" — J^2-D^4 "1846년"

41 (e) "로마 소돔"(römische Sodoma) — 소돔은 『구약성서』에 따르면 방탕함 때문에 신이 절멸시킨 사해 근처에 있었다고 하는 도시였다. 여기에서 로마 소돔은 방탕함의 소재지인 로마를 비유한 것이다. 이를 통해 루터는 가톨릭 고위 성직자 계급의 방탕함을 특징지으려고 했다.

42 (v) "모든 무리"(das ganze Geschwärm) — J^2-D^4 "무리"(das Geschwärm)

43 (e) 엥겔스는 루터의 이 말을 W. 치머만의 『위대한 농민전쟁의 일반 역사』, 제1부, 슈투트가르트, 1841년, 364~365쪽에서 인용했다. 치머만의 책에는 "로마 성직자"(römische Pfaffen) 대신 "로마 교황 숭배자"(Römlinge), "도적을 칼로, 살인자를 교수형으로"(Diebe mit Schwert, Mörder mit Strang) 대신에 "도적을 교수형으로, 살인자를 칼로"(Diebe mit Strang, Mörder mit Schwerdt)로 되어 있다. 그 밖에 엥겔스는 몇몇 강조를 생략했다.

44 (v) "종자"(Suite) — D^3 D^4 "편"(Seite)

45 (e) 엥겔스는 루터가 1521년 1월 16일 슈팔라틴(Spalatin)에게 보낸 편지에 옮겨놓은 루터가 후텐에게 보낸 편지를 치머만, 같은 책, 제1부, 366쪽에서 인용했다. 강조는 엥겔스가 한 것. "원상회복"(in den Stand kommen)은 치머만의 책에는 "in Stand kommen".

46 (e) "아우크스부르크 신앙 고백"(Augsburgische Konfession) — 1530년 아우크스부르크 제국의회를 위해 필리프 멜란히톤이 루터의 교의를 종합했는데, 군주 국가에 대한 순응과 츠빙글리의 급진 개혁 주장에 반대했다.

47 (v) "아니면"(oder) — J^2-D^4 "oder der"

48 (e) 스킬라와 카리브디스는 그리스 전설에 따르면 어느 해협(메시나 해협으로 추정)의 바다 괴물이었다. 속담에서는 동시에 닥친 두 가지 큰 재앙을 말한다.

49 (v) "신중한"(besonnenen) — J^2-D^4 ""신중한""("besonnenen")

50 (e) 위의 주 41번을 보라.

51 (e) 1525년 5월 초 마르틴 루터가 봉기한 농민을 반대하여 쓴 증오가 가득한 글의 제목으로, 먼저 그가 직전에 쓴 「12개 조항의 강화(講和)에 대한 경고」와 함께 비텐베르크에서 인쇄되었으며, 그 후 여러 번 따로 재인쇄되었다.

52 (e) 엥겔스는 치머만, 같은 책, 제3부, 713쪽에 따라 인용했다. 강조는 엥겔스가 한 것. 치머만의 책에는 "이곳을 해방하고 저곳을 구하라"(loset hie, rettet hie)는 "loset hie, rettet hie", 그리고 "할 수 있는 사람은 누구나 … 그로 인해 죽는 자가 있다면"(wer da kann,

bleibst du darüber todt)는 "wer da kann. bleibst du"로 되어 있다. 이어지는 내용은 치머만, 같은 책, 714쪽에 있다.

53 (e) "당나귀에는 당근과 짐과 채찍" — 당나귀는 먹이, 짐, 채찍이 필요하다.

54 (e) 엥겔스는 루터가 1525년 5월 30일 요한 뤼엘(Johann Rühel)에게 보낸 편지를 치머만, 같은 책, 제3부, 714쪽에서 인용했다. 강조는 엥겔스가 한 것. 본문에는 "…게 하라"(Lasset)인데, 치머만의 책에는 "Lasse"로 되어 있다.

55 (e) 토마스 뮌처의 생년월일은 전하지 않는다. 그의 생애에서 전하는 첫째 자료는 1506년 10월 라이프치히 대학 입학이다. 16세기 초인 이 시기에 뮌처가 대학에 입학했다면 통상 16세 정도로 추산할 수 있고, 그렇다면 뮌처는 1490년쯤 태어난 셈이다.

56 (e) "마그데부르크 대주교"(Erzbischof von Magdeburg) — 에른스트 2세.

57 (e) 엥겔스는 루터의 인용문을 치머만, 같은 책, 제2부, 55쪽을 참조했다. 거기서 루터는 뮌처에 관해 이렇게 말한다. "그는 자신의 과제인 화체에 관한 말을 마지못해 의견을 내놓았으며, 덧없이 빵과 포도주를 지니고, 그가 성체라고 부른 주 되신 하느님을 봉헌하지 않은 채 먹어버렸다."

58 (v) "그러나"(und die) — J^2-D^4 "그러나 이제"(und die jetzt)

59 (e) (유아 세례가 아니라) 성인 세례를 요구하는 재세례파(혹은 세례파)는 1525년 이후에 처음으로 등장했다. 타보르파에 영향을 받은 슈토르흐주의 종파는 유아 세례의 타당성에 이의를 제기하기는 했지만, 성인 세례도 실행하지 않았다.

60 (v) "그의 선언들"(seine Proklamationen) — D^4 "그의 선언"(seine Proklamation)
(e) 세 가지 판본(라틴어, 독일어, 체코어)으로 전하는 뮌처의 프라하 선언은 치머만, 같은 책, 제2부, 64~67쪽에 실질적으로 재수록되었다. 새 고지 독일어로 번역한 새 판본은 토마스 뮌처, 『프라하 선언』(Das Prager Manifest), 라이프치히, 1975년.

61 (v) "보헤미아도"(auch Böhmen) — J^2-D^4 "보헤미아에서도"(auch aus Böhmen)

62 (k) "알슈테트"(Allstedt) — J^2-D^4 "알트슈테트"(Altstedt)

63 (k) "알슈테트" — J^2-D^4 "알트슈테트"

64 (e) 엥겔스는 뮌처의 제후에 대한 설교를 치머만, 같은 책, 제2부, 69쪽에서 인용했다. 치머만의 책에는 "그리스도께서는"(Sagt doch Christus, ich bin nicht)과 "키루스, 요시야"(Cyrus, Josias) 대신에 "그분께서"(sagt er doch, ich bin nicht)와 "요시야, 키루스"(Josias, Cyrus)로 되어 있다.

65 (e) 엥겔스는 관념론적 철학자이자 저술가인 다비트 프리드리히 슈트라우스와 다른 청년 헤겔주의자들의 견해를 염두에 두고 있다. 이들은 자신들의 초기 저작에서 종교 문제를 범신론적 관점에서 받아들였다.

66 (e) 엥겔스는 여기서 내용상 치머만의 설명을 따르고 있다. 같은 책, 제2장, 70/71쪽.

67 (e) 뮌처 강령의 요점은 치머만, 같은 책, 제2부, 72쪽에서 볼 수 있다.

68 (k) "알슈테트" — J^2-D^4 "알트슈테트"

69 (k) "알슈테트" — J^2-D^4 "알트슈테트"

70 (e) 성서의 정확한 진술은 「신명기」, 7장 5~6절(모세5경). 엥겔스는 치머만, 같은 책, 제2부, 74쪽에서 인용했다. "불사르라, … 너희가 …이기 때문이다"(verbrennen, denn ihr seid)는 치머만의 책에서 "verbrennen: denn du bist"로 되어 있다.

71 (k) "알슈테트" — J^2-D^4 "알트슈테트"

72 (e) "근본 원인"(Grundsuppe) — Grundursache.

73 (e) 1524년 7월 13일 알슈테트 성에서 이뤄진 이른바 뮌처의 제후에 대한 설교는 성서의 「다니엘서」 2장과 관련이 있었고, 이 설교는 「예언자 다니엘에 대한 또 다른 해석」(Außlegung des andern unterschyds Danielis des propheten)이라는 제목으로 이뤄졌다. 엥

겔스는 여기서 뮌처가 알슈테트에서 구상하기는 했지만 나중에야 비로소 완성해 뉘른베르크에서 인쇄한 「비텐베르크에서 우둔하고 편안하게 살고 있는 고깃덩어리에 맞선 매우 고귀한 변호와 대답」이라는 제목을 단 글에서 ("편안하게 살고 있는 비텐베르크의 고깃덩어리"를 — 옮긴이) 인용했다. 토마스 뮌처의 이 두 글은 『1524/25년 정치적 저작, 선언서, 편지』(Politische Schriften, Manifeste, Briefe), M. 벤징(Bensing), B. 뤼디거(Rüdiger)의 서문, 주해, 편집, 제2판, 라이프치히, 1974년에 있다. 엥겔스는 「매우 고귀한 변호」의 내용을 치머만, 같은 책, 제2부, 75쪽에서 그대로 옮겼다.

74 (k) "알슈테트" — J^2-D^4 "알트슈테트"

75 (e) 토마스 뮌처의 글을 인쇄한 알슈테트 인쇄업자의 이름은 알아낼 수 없었다.

76 (k) "초토화하고"(verwüstest) — J^1 "verstürfest" J^2-D^4 "전복하고"(verstürzest). 치머만, 같은 책, 제2부, 78쪽에 따라 교정함.

77 (e) 「불경한 세계라는 잘못된 신앙에 대한 명백한 탈취」는 1524년 뮐하우젠이라고 장소가 표시되기는 했지만, 1524년 10월 말 뉘른베르크에서 인쇄되었다. 엥겔스는 치머만, 같은 책, 제2부, 77/78쪽, 83쪽에서 내용을 각각 인용했다. "제후와 성직자"(Fürsten, Pfaffen), "그들과 싸운다면"(Die mögen streiten)은 치머만의 책에는 각각 "Fürsten und Pfaffen", "Sie mögen streiten". J^2-D^4에는 "내가 오늘 너를 사람들과 왕국들 위에 앉히는 것은"(ich habe dich heute uber die Leute und uber die Reiche gesetzt)이 없다.

78 (e) 뮌처가 멜란히톤에게 보낸 편지는 1524년에 쓴 것이 아니라 1522년 3월 27일에 이미 쓴 것이다. 이 편지는 라틴어로 작성되었다. 다만 "사랑하는 형제여, 번영하라, 때가 왔다!"(Lieben Bruder, laßt euer merhen, es ist zeyt!)만 독일어로 썼다(『토마스 뮌처. 저작과 편지. 비판적 전집Thomas Müntzer: Schriften und Briefe. Kritische Gesamtausgabe』, 귀터슬로, 1968년, 379쪽 이하). 엥겔스는 치머만, 같은 책, 제2부, 76쪽에서 인용했다. 거기에는 다음과 같이 쓰여 있다. "사랑하는 형제여, 요컨대, 지체하거나 망설이지 말라, 때가 왔다, 여름이 문 앞에 와 있다, 신을 배반한 자와 친교를 나누려 하지 말라, 그들은 말씀이 큰 힘을 발휘하는 것을 막고 있다. 너희 제후들에게 아첨하지 말라, 그러지 않으면 너희도 멸망하게 될 것이다. 너희 연약한 율법 학자들이여, 부정하지 말라, 나는 이것을 달리 어찌할 수 없다."

79 (e) 엥겔스는 뮌처의 「불경한 세계라는 잘못된 신앙에 대한 명백한 탈취」를 치머만, 같은 책, 제2부, 77쪽에서 인용했다. 뮌처의 해당 원문은 다음과 같다. "우리의 지식인은 예수 정신의 증거를 대학으로 가져가는 것을 즐긴다. 그것은 모든 사람이 예수의 가르침을 통해 그 안에서 같아져야 한다는 일체의 자세한 가르침을 배우지 못하기 때문에 매우 잘못된 것이다."(토마스 뮌처, 『1524/25년 정치적 저작 …』, 79쪽.)

80 (k) "알슈테트" — J^2-D^4 "알트슈테트"

81 (e) 뮌처는 알슈테트에서 제국도시 뮐하우젠으로 갔고, 1524년 9월 도시 하층민의 소요에 참여했기 때문에 거기서 추방되었다. 뮌처는 뮐하우젠에서 뉘른베르크로 갔다.

82 (v) "에서는"(In) — D^3 D^4 "에"(Bei)

83 (k) "알슈테트" — J^2-D^4 "알트슈테트"

84 (e) 엥겔스는 루터가 1525년 2월 4일 요한 브리스만(Johann Brießmann)에게 보낸 편지를 치머만, 같은 책, 제2부, 81쪽에서 인용했다. "알슈테트의 악령이"(Geist aus Allstedt), "루터는 외쳤다"(rief Luther)는 치머만의 책에서 각각 "Geist von Altstedt", "schrieb Luther"로 되어 있다.

85 (e) 「매우 고귀한 …」. G390쪽 2~16행에 관한 해설을 보라.

86 (v) "더 명확히"(klareren) — J^2-D^4 "명확히"(klaren)

87 (k) 한스 레프만(Hans Rebmann) — J^1-D^4 "프란츠 라프만"(Franz Rabmann). 『하인리

히 후크의 빌링겐 연대기』(H. Hugs Villinger Chronik), Chr. 뢰더(Röder) 편집, 1883년, 149쪽에 따라 교정함.

88 (k) "샤펠러"(Schappeler) — J^1-D^4 "샤펠라"(Schappelar). 『북부 슈바벤의 농민전쟁 역사에 관한 기록들』(Akten zur Geschichte des Bauernkriegs aus Oberschwaben), 프란츠 루트비히 바우만(Franz Ludwig Baumann) 박사 편집, 프라이부르크, 1877년, 1쪽, 286쪽에 따라 교정함.

89 (v) "각각의 당파들"(ihrer Parteien) — D^4 "각각의 당파"(ihrer Partei)

90 (v) "**대다수**"(*Majorität*) — J^2-D^4 "대다수"(Majorität)

91 (v) J^2-D^4 엥겔스의 각주가 없음.

92 (e) 치머만, 같은 책, 제1부, 118쪽에서 인용함.

93 (v) "매우 가난해져"(sehr verarmten) — J^2-D^4 "가난해져"(verarmten)

94 (v) "**부르주아적**"(*bürgerlichen*) — J^2-D^4 "부르주아적"(bürgerlichen)

95 (e) "청교도"(Puritaner) — 영국 혁명의 준비와 실행에 핵심적으로 참여했던 칼뱅적 의미에서 16세기 영국에서 등장한 기독교-정치적 개혁운동의 지지자들. 그들은 자본의 빠른 축적을 위하여 영업 활동에서 높은 미덕과 부르주아적 절약 그리고 엄격함을 설파했다. 혁명 전에 박해를 받고 일부는 아메리카로 이주했다(필그림 파더스). 혁명에서는 반왕당파(1642~1649년 내란 때의 의회당 — 옮긴이)를 형성했지만, 장로회파(대부르주아지와 새로운 귀족의 상층)와 독립파로 갈렸다.

96 (e) "독립파"(Independenten) — 원래 16세기 말 이래 영국 청교도의 두 주요 흐름 중 급진파. 영국의 부르주아 혁명이 시작되자, 그들은 수공업 및 공장 부르주아지 중간층과 부르주아화한 중간귀족의 이해를 대표하는 특별한 당을 형성한다. 독립파는 왕의 실각, 왕의 처형, 그리고 공화국의 선포를 추동하는 세력이었다. 그러나 그들은 자신들을 지지했던 수평파와 디거파의 운동을 탄압해 권력을 잡았고, 1653년 이른바 호국경이라는 군사독재를 세웠다.

97 (v) "잘 심사숙고하라"(erwäget wohl was) — J^2 D^3 "erwäget was" D^4 "erwäget, was"

98 (e) 치머만, 같은 책, 제1부, 121/122쪽에서 인용함. 니클라스하우젠의 한스 뵈하임의 이른바 이 호소문은, 무엇보다 치머만의 경우에, 고대 역사 연구에 널리 퍼진 몇 가지 원자료의 부정확한 해석에 근거한다. 분명한 것은 뷔르츠부르크 주교가 한스 뵈하임에게 이런 호소문을 맡겼다는 것이다. 이 호소문은 순례자로서 니클라스하우젠으로 온 수많은 사람에게 주교에게 위임을 받은 자의 행동을 정당화하기 위한 것이었다.

99 (e) "주교"(Der Bischof) — 셰렌베르크의 루돌프 2세.

100 (e) 농민의 주요 생계수단에 따라 "치즈와 빵의 반란"이라고 불린 1492년 북부 네덜란드에서 일어난 농민 봉기는 총독의 새로운 세금에 반대하는 것이었다. 이 봉기는 헴스케르크의 전투에서 진압되었다.

101 (e) 슈르트 아일바가 주도한 프리슬란트 농민 봉기는 1500년 하인리히의 막내아들 알브레히트 2세를 반대하여 일어났는데, 알브레히트 3세에 의해 진압되었다. 엥겔스는 1497년이라는 연도를 치머만에게서 받아들였다.

102 (v) "반대 당파"(Oppositionspartei) — D^4 "반대"(Opposition)

103 (k) "슈토츠하임"(Stotzheim) — J^1 "로츠하임"(Rotzheim) J^2-D^4 "로스하임"(Roßheim). 《데어 폴크스슈타트》는 인쇄오류를 잘못 교정했다. 치머만, 같은 책, 제1부, 141쪽에 따라 교정함.

104 (e) 1471년 로트바일의 제국 대법원이 황제의 법의 이름으로 대변해온 이후, 1784년까지 존재했던 제국 재판소는 그러나 슐츠 백작의 세습적인 의장직 아래 있었다. 15세기 말 제국 재판소의 로마법에 따른 재판은 큰 영향을 발휘했는데, 그 조상의 구법에 익숙한 농민

들은 싫어할 수밖에 없었다.

105 (e) 분트슈(Bundschuh)는 농민의 발싸개였다. 이것은 상징으로서 1439년 농민의 계급투쟁에서 처음으로 등장했다.

106 (v) "모반자들"(Verschwornen) — J^2 D^3 "모반들"(Verschwörungen)

107 (v) "와 인민에게 분배, 그리고"(und unter das Volk vertheilt, und) — J^2-D^4 **"와 인민에게 분배, 그리고"**(*und unter das Volk vertheilt, und*)

108 (e) 이 요구사항의 내용은 치머만, 같은 책, 제1부, 151쪽에 있다.

109 (v) "몰수"(Konfiskation) — J^2-D^4 **"몰수"**(*Konfiskation*)

110 (v) "불가분의 독일 **공화국**"(untheilbare deutsche *Republik*) — J^2-D^4 "불가분의 **공화국**"(untheilbare *Republik*)

111 (e) 1488년 설립된 슈바벤 동맹은 제후와 중간 및 하층 귀족, 그리고 무엇보다 국가적으로 크게 분열되어 있던 남부 마인 지역의 제국도시 등으로 구성되었다. 슈바벤 동맹은 곧바로 농민과 평민을 억압하기 위한 지배계급의 주요 수단이 되었다. 동맹은 고유한 행정 및 재판 조직 그리고 상비군을 갖고 있었다. 동맹은 1534년 내분으로 분열되었다.

112 (v) "가난한 콘라트"(arme Konrad) — J^2-D^4 **"가난한 콘라트"**(*arme Konrad*)

113 (e) "바덴 변경방백"(badischen Markgrafen) — 크리스토프 1세.

114 (e) "엔지스하임에 있던 알자스 정부"(die Elsasser Regierung in Ensisheim) — 엔지스하임은 포데어오스트리아 혹은 포데어란트로 불리는 합스부르크 점유지의 행정 중심지였다. 이 지역은 북부 알자스, 준트가우, 브라이스가우, 슈바르츠발트의 일부, 그리고 콘스탄츠와 프라이부르크와 같은 도시를 포괄했다.

115 (v) **"베른, 졸로투른, 루체른"**(*Bern, Solothurn und Luzern*) — J^2-D^4 "베른, 졸로투른, 루체른"(Bern, Solothurn und Luzern)

116 (e) 스위스 농민전쟁(1513~1515년)에서는 루체른, 베른, 졸로투른 지역 농민이 봉기했다. 농민은 특히 그 당시 북부 이탈리아 전쟁으로 신음하고 있었다. 이들은 새로운 세금의 폐지와 일부는 (졸로투른) 농노제 폐지를 요구했다. 이들은 북부 독일의 반(反)봉건 투쟁의 상징인 분트슈를 받아들였다. 도시는 농민이 요구한 사항 대부분을 들어줄 수밖에 없었다.

117 (v) **"가난한 콘라트"**(*arme Konrad*) — J^2-D^4 "가난한 콘라트"(arme Konrad)

118 (v) "울리히 공"(Herzog Ulrichs) — J^2-D^4 "울리히"(Ulrichs)

119 (k) J^1-D^4 여기에 마침표 대신 쌍점(:)을 씀.

120 (k) "마르크그뢰닝겐"(Markgröningen) — J^1-D^4 "Markgrönningen"

121 (e) 7월 27일 가난한 콘라트의 지도자와 함께 보이텔스바흐의 카펠베르크에서 휴전 협정이 맺어졌으나 이것은 사실상 튀빙겐 협정(1514년 7월 8일) 아래 굴복한 것이었다.

122 (e) 치머만은 같은 책, 제1장, 254쪽에서 프레기처 부자, 바겐한스(Wagenhans)와 아들, 클라우스 슐렉틀린(Klaus Schlechtlin), 파이트 바우어(Veit Bauer), 페터 가이스(Peter Geiß 혹은 가이스페터Gaispeter), 우츠 엔텐마이어(Uz Entenmaier) 등을 망명자들로 거론하고 있다.

123 (e) 세클레르인(Szekler)은 지벤뷔르겐에 정주하는 헝가리의 마자르족인데, 이들은 주로 국경 수비를 담당하는 군에 복무했다. 1848년까지 이들은 많은 특권을 누렸고 귀족으로 대우받았다.

124 (e) "시칠리아 저녁 예배"(sizilianische Vesper) — 1282년 3월 31일 시칠리아 팔레르모에서 프랑스 이민족 지배에 대항하여 일어난 봉기이다. 저녁 예배 종소리로 인민봉기를 이끌었다. 봉기를 통해 수많은 기사와 용병이 죽었다.

125 (k) "살레레시"(Szaleres) — J^1-D^4 "Szaleves". 치머만, 같은 책, 제1부, 273쪽에 따라 교

정함.

126 (v) "교수형에 처해졌다"(gehangen) — J^2-D^4 "gehängt"

127 (v) ", 즉 오래된 정의"(, der alten Gerechtsame,) — J^2-D^4 "(오래된 정의)," ((der alten Rechte),)

128 (v) "정의"(Gerechtsame) — J^2-D^4 "권리"(Rechte)

129 (v) **"루터"**(*Luther*) — J^2-D^4 "루터"(Luther)

130 (e) "튀링겐의 아우구스티누스파 수도사의 테제"(Thesen des thüringischen Augustiners) — 아우구스티누스 수도사 회원이던 마르틴 루터의 95개 테제로 종교개혁이 시작되었다.

131 (v) "가장 지적이고"(gelehrtesten) — J^2-D^4 "지적이고"(gelehrten)

132 (e) 인문주의자들은 기존 사회 상태와 지배계급의 행동을 비판하는 데서, 귀족과 성직자의 허세 풍속을 우스꽝스럽게 폭로하기 위해 익살과 풍자를 자주 사용했다.

133 (v) **"도시들"**(*Städte*) — J^2-D^4 "도시들"(Städte)

134 (e) "장미전쟁"(Rosenkriege) — 왕좌를 차지하기 위한 영국의 두 가문, 즉 요크가(방패 문장이 백장미)와 랭커스터가(붉은 장미)의 전쟁. 경제적으로 더 발전된 남부의 대봉건영주 일부와 기사계급, 도시 시민계급이 요크가에 집결하고 북부 백작령의 봉건귀족은 랭커스터가를 지원했다. 전쟁은 1455년 헨리 6세(원문에는 헨리 4세로 되어 있으나 MEGA 편집자의 오류임 — 옮긴이) 아래 랭커스터가에서 시작되었고, 요크가에서 리처드 3세의 퇴위로 끝났다. 전쟁으로 구봉건 가문은 거의 완전히 몰락하게 되었고, 1485년 새로운 튜더 왕조 출신 헨리 7세가 권력을 장악했다. 그리고 영국에서는 절대주의가 세워졌다.

135 (v) "1830년" — D^4 "1830~46년"

136 (v) "과"(und der) — J^2-D^4 "mit den"

137 (v) "불가능"(unmöglich) — J^2-D^4 **"불가능"**(*unmöglich*)

138 (e) "트리어 대주교"(Erzbischof von Trier) — 리하르트 폰 그라이펜클라우.

139 (v) "트리어인을"(dem Trierer) — D^3 D^4 "트리어인들을"(den Trierern)

140 (e) 1524년 슈틸링겐의 방백은 루돌프 폰 줄츠였다.

141 (k) "8월" — J^1-D^4 "10월". 치머만, 같은 책, 제2부, 15쪽에 따라 교정함.

142 (v) **"한스 … 지도하에"**(unter ihrem *Hans*) — J^2-D^4 "unter *Hans*"

143 (e) "포데어오스트리아 정부"(vorderöstreichische Regierung) — G400쪽 36행에 관한 해설을 보라.

144 (v) "독일의 삼색기"(deutsche Tricolore) — J^2-D^4 **"독일의 삼색기"**(*deutsche Tricolore*)

145 (e) 그 당시 기록에 따르면 농민은 각자의 무리에서 다양한 색깔(빨강/하양, 빨강/검정 등)로 이뤄진 깃발을 갖고 있었다. 물론 어느 것도 검정-빨강-노랑 색깔은 아니었다.

146 (k) "에바팅겐"(Ewatingen) — J^1-D^4 "Eratingen"

147 (k) "에바팅겐의"(Ewatinger) — J^1-D^4 "Eratinger"

148 (e) 뷔르템베르크는 1519년 울리히 공작이 추방된 후 합스부르크 총독이 다스렸다.

149 (e) 페르디난트는 벨저 가문에서 받은 것보다 더 많은 대부를 푸거(Fugger) 가문의 아우크스부르크 은행에서 받았다. 푸거 가문은 바이센호른(보덴 호의 북쪽) 지역의 대지주로서 농민 진압에 직접적인 이해관계를 갖고 있었다.

150 (e) 1525년 3월 20일 처음으로 인쇄된 "12개 조항"은 메밍겐의 모피 직인 제바스티안 로처(Sebastian Lotzer)가 엮고 목사 크리스토프 샤펠러가 서문을 작성했는데, 정확한 제목은 다음과 같다. "피해야 할 무거운 짐인 종교적 및 세속적 권위에 대한 모든 농민층과 소농의 기본적이고 정당한 주요 조항." 이것은 농민전쟁의 몇 달 동안 최소한 23번이나 재인쇄되었다. 엥겔스는 치머만, 같은 책, 제2부, 99~105쪽에 있는 "12개 조항"의 내용을 옮

겨 적었다.

요구 조항 공개장을—1525년 4월 11일 처음으로 언급되었다—정확히 언제 완성했는지는 알려지지 않았다. 또한 저자도 마찬가지다. 요구 조항 공개장의 원문은 1525년 5월 8일에 처음으로 알려졌는데, 슈바르츠발트 농민이 도시 빌링겐을 넘겨주었을 때였다. 이 내용 역시 엥겔스는 치머만, 같은 책, 제2부, 111~113쪽에서 옮겨 적었다.

151 (e) 이런 확증은 승리한 제후들에게 고문을 받은 다음에 작성했다는 뮌처의 신앙고백 발언, 즉 어떻게 지배해야 하는지에 대해 남서부 독일 농민에게 몇 개 조항을 남겨주었다는 발언에서 기인한다. 그러나 이 몇 개 조항은 농민의 어떤 알려진 강령이나 전단과도 일치하지 않으며 전하지 않는다.

152 (v) "단호한"(entschiedne)—**J^2-D^4** "entschieden"

153 (k) "슈센"(Schussen)—**J^1-D^4** "Schusser"

154 (e) "그들의 대주교"(ihrem Erzbischof)—캠프텐 농민의 영주는 대주교가 아니라 대주교급의 수도원장이었다. 1524~1525년까지 영주는 제바스티안 폰 브라이텐슈타인이었다.

155 (e) 1525년 3월 7일 메밍겐에서의 첫 번째 농민의회에서 "기독교 통일"로 동맹을 맺은 세 농민 무리가 연방 규칙과 전국 규칙을 채택했다.

156 (v) "대부분"(großenteils)—**J^2-D^4** "größtenteils"

157 (v) "이 용병들도"(auch diese)—**J^2-D^4** "반란자들"(die Meuterer)

158 (e) 엥겔스는 치머만, 같은 책, 제2부, 167쪽을 인용했다. 1525년 3월 슈바벤 동맹의 대표자가 농민과 아직도 협상하고 있을 때, 이 결의문은 울름에서 작성되었다.

159 (v) "관청"(Administration)—**D^4** "당국"(Verwaltung)

160 (e) G411쪽 37행에 관한 해설을 보라.

161 (k) "가이스보이렌"(Gaisbeuren)—**J^1-D^4** "Geisbeuren". 『… 기록들』, 같은 책, 424쪽에 따라 교정함.

162 (v) "부분적인"(partiellen)—**D^4** "개별적인"(einzelnen)

163 (v) "모든 곳에서 … 발생했다"(geschah überall)—**J^2-D^4** "überall geschah"

164 (k) **"로텐부르크"**(*Rothenburgschen*)—**J^1-D^4** "*Rottenburgschen*"

165 (k) "로텐부르크"(Rothenburg)—**J^1-D^4** "Rottenburg"

166 (e) 밤베르크 주교는 바이간트 폰 레트비츠였다.

167 (k) "로텐부르크"(Rothenburg)—**J^1-D^4** "Rottenburg"

168 (v) "오렌바흐 사람들 2천 명"(2000 Orenbacher)—**J^2-D^4** "2천 명"(2000 Mann)

169 (v) "사령관직"(Hauptmannschaft)—**J^2-D^4** "지휘"(Führung)

170 (e) 정예 부대로서 암흑 무리는, 후대의 연구 결과가 보여주듯이, 이런 형태로 존재하지 않았다.

171 (k) "로텐부르크"(rothenburger)—**J^1-D^4** "rottenburger"

172 (e) 인민 편에 선 중요한 귀족이었고 죽을 때까지 의연하게 농민 편에 선 플로리안 가이어는 바인스베르크 전투에는 참여하지 못했다. 그는 네카어 계곡-오덴발트가 아니라 타우버 계곡 부대에 속해 있었기 때문이다.

173 (e) 치머만, 같은 책, 제2부, 304쪽. "그는 귀족을 그들 편으로 가담시킬 수 있었다."

174 (e) 12세기 말 팔레스타인에서 창설된 독일기사단은, 13세기 초반 이래 동프로이센의 핵심 지역과 함께 운터 바이크젤(unterer Weichsel)과 동프로이센의 연안 사주(die Kurische Nehrung) 사이에 있는 광활한 영토를 정복했을 뿐 아니라 독일의 큰 영토를 획득했다. 이 영토는 기사단 국가로 나뉘어 독일기사단의 우두머리에 의해 통치되었으며, 1525년 프로이센 기사단 국가의 세속화 이후에도 계속 기사단이 점유했다.

175 (e) 여기서는 하일브론 시 참사회 의원이자 시장인 한스 베를린이 아니라, 그의 친척인 하

일브론의 공증인이자 전권 대리인인 한스(요하네스) 베를린을 가리킨다.

176 (e) 튕겐의 콘라트 3세.

177 (k) "로텐베르크"(Rothenburger) — J^1-D^4 "Rottenburger"

178 (v) **"프랑켄의 타우버 무리"**(die *fränkischen Tauberhaufen*) — J^2-D^4 **"프랑켄의 타우버 무리에"**(*der fränkischen Tauberhaufen*)

179 (v) **"가일도르프 무리"**(*Galidorfer*) — J^2-D^4 "가일도르프 무리"(Galidorfer)

180 (v) "농민은 이미 … 했고"(hatten schon die Bauern) — J^2-D^4 "hatten die Bauern schon"

181 (e) "오스트리아 대공" — 페르디난트 1세.

182 (v) "이미 그다음 날"(am nächsten Tag bereits) — D^4 "bereits am nächsten Tag"

183 (v) "때조차도"(als selbst) — J^2-D^4 "selbst als"

184 (v) "단지 그를"(als ihn) — J^2-D^4 "단지 저 사람을"(als jenen)

185 (k) "라우펜"(Lauffen) — J^1-D^4 "Laufen". 『… 기록들』, 같은 책, 278~279, 304, 361쪽에 따라 교정함.

186 (v) "동맹군이 … 리트로 퇴각한"(Bundestruppen ins Ried zurückgegangen) — J^2-D^4 "동맹군이 … 퇴각한"(Bundestruppen zurückgegangen)

187 (v) "사기 저하"(eine Demoralisation) — J^2-D^4 "일부 사기 저하"(einige Demoralisation)

188 (e) 야코프 베에, 울리히 쉰과 그의 사위 멜키오르 하롤트(이 무리의 작전 참모였을 것이다), 외르크 에프너는 라이프하임에서 농민이 진압된 후에 처형되었다.

189 (v) "동뷔르템베르크"(Ostwürtemberg) — J^2-D^4 "서뷔르템베르크"(Westwürtemberg)
(e) J^2-D^4에는 "서뷔르템베르크"라고 되어 있다(바로 위의 변경사항을 보라). 이 판본들, 즉 J^2-D^4에 따라서 지리학적 관계를 교정하기에는 충분히 명확하지 않다. 뷔르템베르크 동쪽에 거주했던 라이프하임 주민이 동뷔르템베르크로 퇴각했다는 사실은 받아들일 수 있다. 그러나 네카어와 나골트 계곡은 오히려 각각 뷔르템베르크의 서쪽과 남서쪽에 있다.

190 (k) "뵈블링겐"(Böblingen) — J^1-D^4 "Bötlingen"

191 (k) "뵈블링겐"(Böblingen) — J^1-D^4 "Bötlingen"

192 (k) "네카어가르타흐"(Neckargartach) ← "Neckargarbach". 엥겔스가 1895년 「1848년에서 1850년까지 프랑스 계급투쟁」의 출판을 위해 이용한(G697쪽을 보라), 레스너가 가지고 있던 NRhZ. Revue 원본에는 「독일 농민전쟁」 텍스트에 잉크로 쓴 수정이 들어가 있다. 또한 이 책의 본문에 포함된 이러한 수정은 엥겔스가 써넣은 것이 아니다. (이러한 수정은 이하 '레스너의 텍스트'임을 밝히는 것으로 시작한다. — 옮긴이)

193 (v) **"산 채로 태워"**(*lebendig braten*) — J^2-D^4 "산 채로 태워"(lebendig braten)

194 (k) (레스너의 텍스트) "네카어가르타흐"(Neckargartach) ← "Neckargarbach"

195 (k) "뵈블링겐 농민"(Böblinger) — J^1-D^4 "Bötlinger"

196 (e) 하일브론의 제국 개혁 강령의 초안은 아마 벤델 히플러에게서 비롯되었을 것이다. 그러나 다른 편자들도 거론된다. 초안은 1523년 인쇄된 전단 "독일 민족 궁핍"(Teütscher Nation Nottdurfft)(또한 "프리드리히 3세의 개혁Reformatie Friedrichs III"이라고 불린다)에 강하게 근거하고 있다.

197 (e) 트루흐제스와 대립했던 하일브론의 시장 한스 베를린은 G417쪽에서 거론된 아모어바흐 성명의 공동 작성자와 같은 인물이 아니다. G417쪽 38행에 관한 해설을 보라.

198 (e) 프라우엔베르크의 습격은 농민 편에서 싸웠던 용병 중대가 수행했음이 거의 틀림없다.

199 (k) (레스너의 텍스트) "네카어줄름"(Neckarsulm) ← "Neckarsulen"

200 (k) (레스너의 텍스트) "네카어줄름"(Neckarsulm) ← "Neckarsulen"

201 (k) (레스너의 텍스트) "네카어줄름"(Neckarsulm) ← "Neckarsulen"

202 (k) (레스너의 텍스트) "네카어줄름"(Neckarsulm) ← "Neckarsulen"

203 (k) "부르크-베른하임"(Burg-Bernheim) — J¹-D⁴ "Burg-Bernsheim"

204 (k) "로텐부르크"(Rothenburg) — J¹-D⁴ "Rottenburg"

205 (k) (레스너의 텍스트) "에 따라"(durch die) ← "die durch"

206 (k) "부르크-베른하임"(Burg-Bernheim) — J¹-D⁴ "Burg-Bernsheim"

207 (k) "뵈블링겐"(Böblingen) — J¹-D⁴ "Bötlingen"

208 (k) "부르크-베른하임"(Burg-Bernheim) — J¹-D⁴ "Burg-Bernsheim"

209 (e) G426쪽 26~29행, 그리고 G416쪽 9행에 관한 해설을 보라. 잉골슈타트 성은 농민 편에서 싸운 용병 분대가 방어했다.

210 (e) 단 한 번도 전투를 마다하지 않았던 플로리안 가이어는 1525년 6월 10일 뷔르츠부르크 인근 그람샤츠 숲에서 친척의 사주로 암살되었다.

211 (e) "뷔르츠부르크 주교" — 튕겐의 콘라트 3세.

212 (e) 밤베르크 주교는 바이간트 폰 레트비츠였다.

213 (e) "브란덴부르크-안슈파흐의 변경방백" — 카지미르, 브란덴부르크-안슈파흐-바이로이트의 변경방백.

214 (k) "다이닝겐"(Deiningen) — J¹-D⁴ "Teiningen"

215 (k) "마르크트 베르겔"(Markt Bergel) — J¹-D⁴ "Mark Bürgel"

216 (k) "로텐부르크"(Rothenburg) — J¹-D⁴ "Rottenburg"

217 (k) "로텐부르크"(Rothenburger) — J¹-D⁴ "Rottenburger"

218 (e) "변경방백" — 카지미르, 브란덴부르크-안슈파흐-바이로이트의 변경방백.

219 (e) "뷔르츠부르크 주교" — 튕겐의 콘라트 3세.

220 (e) "트리어 대주교"(Erzbischof von Trier) — 리하르트 폰 그라이펜클라우.

221 (e) "대공" — 페르디난트 1세.

222 (e) 다른 자료는 불겐바흐의 한스 뮐러가 배신했다는 것을 반박한다.

223 (e) 1525년 9월 18일의 두 번째 오펜부르크 협정으로 농민은 깃발을 버리고 충성을 맹세해야만 했다.

224 (v) "그들이"(waren Sie) — J²-D⁴ "농민이"(waren die Bauern)

225 (e) 1525년 3월 17일 뮐하우젠에서 선출된 "영구 시 참사회"는 권력을 장악한 시민계급의 다양한 계층 간에 이루어진 사회적 타협이었다. 평민층은 여기서 배제되었다. 뮌처는 영구 시 참사회에 속하지 않았지만, 그 회의에는 참여했다.

226 (v) "산업"(industriellen) — J²-D⁴ "사회"(gesellschaftlichen)

227 (e) 엥겔스는 소부르주아 사회주의자 루이 블랑과 노동자 알베르를 염두에 두고 있다. 이들은 1848년 프랑스 2월 혁명으로 수립된 부르주아 임시정부에 프롤레타리아트 대표로 등장했다(G124쪽 3행을 보라).

228 (v) "를 정복"(Unterjochung der) — J²-D⁴ "를 정복하고 개편"(Unterjochung und Umbildung der)

229 (e) 영구 시 참사회는 뮌처가 지도하는 평민 세력의 압력으로 이전 교회 땅 — 그중에는 독일기사단의 땅도 있다 — 과 가축 분배를 집행했다. 영구 시 참사회는 종자를 공급했고, 교회 기금을 일부 나눠 주었다. 이것은 사회적 평등을 추구하는 영구 시 참사회의 의지를 보여준 것이었다. 나아가 영구 시 참사회는 모든 거주자의 법적 평등을 도입했다. 인근 봉건 권력에 대한 영구 시 참사회의 태도는 물론 양면적이었다.

230 (v) "민주적 헌법"(demokratischer Verfassung) — J²-D⁴ "민주화된 헌법"(demokratisirter Verfassung)

231 (v) "혁명 전"(vorrevolutionären) — J²-D⁴ "혁명적인"(revolutionären)

232 (e) "풀다 수도원장" — 요한 폰 그라프 헤네베르크.

233 (e) 헤센의 방백과 풀다 대주교급 수도원장은 봉토로 묶여 있지 않았다. 대주교급 수도원장들의 신분제 의회가 1515년 자신의 영주를 쫓아냈다. 1521년부터 요한 폰 헤네베르크(예정된 후임)가 보좌 신부로서 그곳을 다스렸다.

234 (e) 하늘에서 나타난 햇무리가 격려하는 가운데 뮌처의 설교에 따라 농민이 바겐부르크 외곽에 집결했을 때, 제후의 군대가 (휴전을 깨고) 기습했다. 농민이 다시 자리를 잡기 전에 제후의 용병들이 들이닥쳤다.

235 (k) "튕게다"(Tüngeda) — J^1-D^4 "Tungeda"

236 (k) "자기"(seiner) — J^1-D^4 "자신들의"(ihrer)

237 (e) 알자스 농민이 일반적으로 협상 기반으로 인정한 "12개 조항"은 지방에서는 거듭해서 엄격해졌다. 더 나아가 몰스하임(Molsheim)에 파견된 알자스 농민 무리 사절단은 부대의 중대장들에게 행동의 근거로 제안했던 공동의 복무 규정을 채택했다.

238 (k) "베르크하임"(Bergheim) — J^1-D^4 "Berken". 베르크하임만이 라폴츠바일러 근처에 있다. 5월 10일 점령된 것은 확실하다.

239 (k) "라이헨바이어"(Reichenweyer) — J^1 "Reichenweger" J^2-D^4 "Reichenweier"

240 (k) "마우르스뮌스터"(Maursmünster) — J^1-D^4 "Mauersmünster"

241 (v) "이곳에서부터"(Von hier aus) — J^2-D^4 "Von hier"

242 (k) "헤르비츠하임"(Herbitzheim) — J^1-D^3 "Herbolzheim" D^4 "Herboldsheim"

243 (k) "슈튀르첼브론"(Stürzelbronn) — J^1 "Stürzelbrum" J^2-D^4 "Stürzelbrunn"

244 (k) "루프슈타인"(Lupstein) — J^1 "Lupfstein" J^2-D^4 "Lützelstein". G436쪽 24~25행에 관한 해설을 보라.

245 (e) 차베른에서 진군한 농민과의 교전은 차베른에서 동쪽으로 약 8킬로미터 떨어진 루프슈타인에서는 일어나지 않았다. J^2-D^4에서 오류가 수정되었듯이, 교전이 일어난 지역은 차베른에서 북쪽으로 약 15킬로미터 떨어진 뤼트첼슈타인이었다.

246 (e) "라이헨바이어 행정관"(Vogt von Reichenweyer) — 울리히 폰 라폴트슈타인.

247 (e) 로트링겐의 안톤은 알자스를 통과해 바로 나아가지 못하고, 셰르바일러 교전을 한 직후에 포게젠 계곡을 통과해 낭시로 돌아갔다. 무엇보다 그가 셰르바일러에서 입은 심각한 손실 때문이었다.

248 (v) "이곳에서도"(brachten auch hier den) — J^2-D^4 "brachten den"

249 (e) "대주교"(Erzbischof) — 마테우스 랑, 잘츠부르크 대주교.

250 (e) 잘츠부르크 대주교구에서 일어난 봉기는 1525년 5월 25일 시작되었고, 후에 알프스 북쪽 지역으로 번졌다.

251 (k) "**프라슬러**"(*Praßler*) — J^1-D^4 "Proßler". (Praßler는 본문에 강조되었으나 여기에는 강조되지 않았는데, 이것은 MEGA 편집자의 오기로 보인다. — 옮긴이)

252 (e) 잘츠부르크의 다양한 요구를 일반화하면 "잘츠부르크 공동 주의 24개 조항"으로 표현할 수 있다. 이 문서의 저자와 정확한 발행 일자는 알려지지 않았다.

253 (k) "가이세른"(Gayssern) — J^1-D^4 "Gryß". 슐라트밍의 경우를 제외하면, 농민은 단지 이곳에서만 승리했다.

254 (v) "모든 … 중에서"(unter den sämmtlichen) — J^2-D^4 "unter sämmtlichen"

255 (e) "대공" — 페르디난트 1세.

256 (k) "말을 할"(führen) — J^1-D^4 "말로 속일"(verführen)

257 (e) 농민전쟁 시기 아마 군사적으로 가장 의미 있는 농민의 승리였던, 슐라트밍에서의 슈타이어마르크 소집 부대의 습격은 미하엘 그루버의 지도로 잘츠부르크의 농민과 광부가 실행했다.

258 (e) "대공" — 페르디난트 1세.

259 (e) "대공" — 페르디난트 1세.

260 (e) 잘츠부르크를 향해 봉기한 농민과 맞서 소집된 바이에른의 루트비히 공작과 프룬츠베르크의 용병 지도자 게오르크 휘하 슈바벤 동맹군은 8월 31일 농민과 협약을 맺었다. 잘츠부르크 대주교도 이것을 받아들였다.

261 (v) "그는 결국 퇴각할"(er zuletzt abziehn) — J^2-D^4 "그는 퇴각할"(er abziehn)

262 (e) 미하엘 가이스마이어는 1532년 4월 15일 암살되었다.

263 (v) "자신들의 이익에"(ihrem Besten) — J^2-D^4 "**자신들의** 이익에"(*ihrem* Besten)

264 (v) "주교구들"(Bisthümer) — J^2-D^4 "영지들"(Besitzungen)

265 (e) "풀다의 수도원장" — 요한 그라프 폰 헤네베르크.

266 (v) "제후의 영지"(fürstlichen Territorien) — J^2-D^4 "제국도시들이 제후의 영지로"(Reichsstädte wurden fürstlichen Territorien)

267 (v) "전리품"(spolia opima) — J^2-D^4 "spolia opima(Hauptbeute)"

268 (v) "견딜 수"(gefallen lassen zu können) — J^2-D^4 "gefallen zu lassen"

269 (v) "당장 … 종속시킬 수 있을"(sofort unterordnen zu können) — J^2-D^4 "sofort unterzuordnen"

270 (v) "부르주아 체제"(Bourgeoisregimes) — J^2-D^4 "부르주아 지배"(Bourgeoisregiments)

271 (v) "생각할 수 있을"(sehen zu können) — J^2-D^4 "생각할"(zu sehen)

272 (v) "1525년과 1848년 … 보낼 수밖에 없을 것이다." — J^2-D^4 이 문장 전체를 글자 간격을 띄어 써서 강조함.

G984

카를 마르크스/프리드리히 엥겔스

런던 노동자교육협회 탈퇴 성명

1850년 9월 17일(G444쪽)

집필과정과 전승과정

1850년 9월 15일 공산주의자동맹 중앙본부 회의에서 발생한 사건 후에(G577~G580쪽을 보라) 마르크스와 엥겔스, 그리고 그들의 가장 가까운 투쟁 동지들인 공산주의자동맹 런던 지부 회원들은 샤퍼와 빌리히의 추종자들이 지배하던 노동자교육협회를 임시로 떠날 수밖에 없었다. 마르크스는 이미 9월 15일 회의 때 이런 행보를 예고한 바 있다.

이 「성명」이 나오게 된 구체적인 정황에 대해 빌헬름 하우프트는 함부르크에서 프로이센 비밀경찰에게 여러 차례 신문을 받았다. 1852년 1월 1일에 그는 다음과 같이 진술했다. "내게 제시된 이 탈퇴 성명 사본은 내 기억으로는 자일러의 집에 서명자가 모두 모였을 때 작성된 것이다. 그러나 누가 작성했는지는 말하기 어렵다."(StA. Potsdam, Rep. 30 Berlin C, Tit. 94, Lit. L, Nr. 228, fol. 36.) 그 후 그는 탈퇴 성명 원본이 제시되자 1852년 1월 14일에 다음과 같이 진술했다. "누가 이 문서의 윗부분을 작성했는지 확실히 말할 수는 없지만, 아마도 슈람이었을 것이다."(같은 곳, fol. 38.)

이 진술들은 쾰른에서 열린 공산주의자 재판에서 다음과 같이 사용되었다. "이틀 후에"[9월 15일의 중앙본부 회의가 있은 지 이틀 후에] "하우프트는 동맹원 제바스티안 자일러의 집에서 열린 모임에 호출되었고, 그 모임에서 협회 탈퇴를 공식적으로 선언하자는 결의에 따라 곧바로 탈퇴 성명을 작성했으며 참석자 모두 거기에 서명했다. 이 탈퇴 성명의 원본이 여기 있으며, 하우프트도 이것을 원본으로 인정했다. 이 성명은 다음과 같다.

'그레이트 윈드밀 스트리트 소재 협회의 화요일 회장 귀하.

아래 서명자들은 이것으로 귀 협회를 탈퇴할 것을 통지합니다.

런던, 1850년 9월 17일.

그리고 서명자는 다음과 같습니다. 헨리 바우어, 찰스 펜더, J. G. 에카리우스, 제바스티안 자일러, 카를 마르크스, C. 슈람, 프리드리히 엥겔스, Ferd. 볼프, W. 리프크네히트, 하우프트, 하인, G. 클로제.'"(Anklageschrift, 28쪽.)

그리고 엥겔스의 필적으로 작성된 탈퇴 성명의 원고가 전한다(**H**[1]). 그러나 이 원고는 1850년 10월 9일에 아당, 바르텔레미, 비딜에게 보낸 편지 사본 안에 있는 쪽지에 있으므로, 이때 중요한 것은 초안의 사본일 수밖에 없는데, 이 사본은 이르면 1850년 10월 9일에 완성되었을 것이다.

1850년 9월 17일에 노동자교육협회에 보낸 탈퇴 성명 원본은 런던에 있던 빌리히와 샤퍼의 분리파 아카이브(디츠 아카이브)로 들어왔으나, G985
1851년 8월에 다른 기록들과 함께 도난당했다가 베를린의 슈티버에게 전달되었다. 쾰른의 공산주의자 재판을 준비하는 동안에 이것은 수회에 걸쳐 다른 곳으로 보내졌다. 특히 1852년 1월에는 함부르크로 보내져 사본 하나가 만들어졌다(StA. Hamburg, 경찰 조서, Serie VI, Lit. X, Nr. 1365, Bd. 3, Bl. 67). 또한 이 원본은 1852년 중반 쾰른의 공소장(Anklageschrift를 의미함—옮긴이)에 첨부된 탈퇴 성명 인쇄물의 원고로 사용되었다(j[2]). 그러나 이것은 쾰른 재판 서류의 대다수와 함께 분실되었다.

나중에 마르크스는 공산주의 노동자교육협회에서 탈퇴한 것이 여러 신문에 공고되었다고 말한 적이 있다(카를 마르크스, 「쾰른 공산주의자 재판에 관한 폭로」, 바젤, 1853년, 16쪽; 마르크스가 1860년 3월 3일 베버에게 보낸 편지를 보라). 이것은 애당초 공개할 목적이 아니었던 1850년 9월 17일의 탈퇴 성명을 가리키는 것이 아니라 1850년 9월 18일에 발표된 사회-민주주의 망명자위원회 결산서(G581~G582쪽)를 가리키는 것으로, 여기에서도 협회 탈퇴를 공지했다. 그리고 마르크스는 1850년 9월 17일의 탈퇴 사실에 대해 『포크트 씨』(런던, 1860년, 35쪽)에서 한 번 더 짧게 언급했다.

원문자료에 대한 기록

H[1] 자필 원고 원본. IML/ZPA Moskau, 정리 번호 f. 1, op. 1, d. 370. 밝은 청회색이고 투시 무늬가 없는 종이 한 장으로 왼쪽 위에 살짝 찢긴 흔적이 있다. 크기는 135×206mm이며 약간의 물 먹은 흔적과 갈색으로 약간 변색된 것을 빼고는 보존 상태가 양호하다. 종이는 복원되었다.

이 쪽지는 엥겔스가 한 면에만 글씨를 썼고 서명들도 엥겔스의 필체로 다시 써서 복원한 것이다. 쪽지 위쪽에는 (면의 약 ⅔에 해당하는 곳에는) 1850년 10월 9일에 아당, 바르텔레미, 비딜에게 보낸 편지의 사본이 적혀 있다.

j^2 그레이트 윈드밀 스트리트 소재 협회의 화요일 회장 귀하 … [서명:] 헨리 바우어, 찰스 펜더, J. G. 에카리우스, 제바스티안 자일러, 카를 마르크스, C. 슈람, 프리드리히 엥겔스, Ferd. 볼프, W. 리프크네히트, 하우프트, 하인, G. 클로제. Anklageschrift, 28쪽. 1쇄.

j^3 그레이트 윈드밀 스트리트 소재 협회의 화요일 회장 귀하 … [서명:] 헨리 바우어. 찰스 펜더. J. G. 에카리우스. 제바스티안 자일러. 카를 마르크스. C. 슈람. 프리드리히 엥겔스. Ferd. 볼프. W. 리프크네히트. 하우프트. 하인. Gr. 클로제. 베르무트/슈티버, 『19세기 공산주의자들의 음모』, 제1부, 베를린, 1853년, 71쪽. 인쇄물.

본문은 $\mathbf{H}^1$을 따른다.

해설

1 (e) 1850년 9월 17일은 화요일이었으며 그래서 그날 저녁 노동자교육협회 모임의 대표를 그렇게 부른 것이다.

카를 마르크스/프리드리히 엥겔스 G986

『공산당 선언』 부분 인쇄물에 대한 각주

1850년 10월(G445쪽)

집필과정과 전승과정

마르크스와 엥겔스는 NRhZ. Revue의 마지막 호 100~110쪽에 『공산당 선언』의 제3절을 「독일 농민전쟁」 다음에 기고문 "II."로 발표했다. 이 부분 재판은 공산주의자동맹에서 1850년 여름과 가을에 전개된 토론과 밀접한 관계가 있다고 볼 수 있다. 9월 15일 중앙본부 회의에서 『공산당 선언』에 대한 입장도 논의되었다(G578쪽 5~11행을 보라). 나아가 독일의 동맹원들이 마르크스와 엥겔스에게 편지를 보내 『공산당 선언』을 새로 인쇄할 필요가 있다고 주장한 적이 있는데, 어쩌면 이 출판물로 이런 격려에 부응한 것일지 모른다.

NRhZ. Revue에 『공산당 선언』이 부분 재판된 것과 거의 동시에 이 선언의 첫 번째 영어 번역이 《더 레드 리퍼블리컨》에 발표되었다(G605~G628쪽). 이 두 발표에서 마르크스와 엥겔스는 자신들이 『공산당 선언』의 저자임을 처음 공개적으로 밝혔다. 또한 이 두 곳에서 그들은 『공산당 선언』이 2월 혁명 **이전에** 출판되었다는 사실을 강조했다.

텍스트 원본으로 이용된 것은 1848년 2월 런던에서 출판된 제1판의 견본이었으며 이 판의 몇몇 인쇄오류가 수정되었다. 예컨대 "밝은"(heitige)이 "신성한"(heilige)(MEGA① I/6, 548쪽 4행을 보라)으로, "다루는"(bearbeiteten)이 "책임지는"(beantworteten)(같은 곳, 551쪽 21행)으로 수정되었다.

원문자료에 대한 기록

J[1] 이것은 카를 마르크스와 … [서명:] 편집자 주. 《노이에 라이니셰 차

이퉁. 정치-경제 평론》, 런던, 함부르크와 뉴욕, 제5/6호, 1850년 5~10월, 100쪽. 각주. 1쇄.

본문은 J[1]을 따른다.

카를 마르크스/프리드리히 엥겔스 G987

요한 게오르크 에카리우스의 기고문 「런던의 재봉업」에 대한 편집자 주해

1850년 10월(G446쪽)

집필과정과 전승과정

「편집자 주해」는 거의 틀림없이 에카리우스의 기고문(G593~G604쪽)에 대해 마르크스와 엥겔스가 1850년 10월에 쓴 것이고, NRhZ. Revue 제5/6호에는 에카리우스의 기고문 다음에 출판되었다.

에카리우스는 마르크스의 도움으로 1868년 12월에 쓴 글 『존 스튜어트 밀의 국민경제학 이론에 대한 한 노동자의 반박』(Eines Arbeiters Widerlegung der national-ökonomischen Lehren John Stuart Mill's)의 서언에서 「편집자 주해」의 원문을 별 차이 없이 받아들였다. 이 글은 1869년 알베르트 아이히호프 출판사에서(**D**[2]), 그리고 1888년 호팅겐-취리히의 인민서적 출판사에서(**D**[3]) 책의 형태로 나왔다. 에카리우스의 「런던의 재봉업」이 1869년 1/2월 라이프치히《데모크라티셰스 보헨블라트》(Demokratisches Wochenblatt)에 인쇄될 때, 이 「편집자 주해」는 같이 실리지 않았다. 1876년 라이프치히의 조합 인쇄소에서 "대자본과 소자본의 투쟁 혹은 런던의 재봉업"이라는 제목으로 이 글이 단행본으로 출판될 때도 「편집자 주해」는 같이 실리지 않았다.

원문자료에 대한 기록

J[1] 이 글의 저자 자신도 …. [서명:] 편집자 주해. 《노이에 라이니셰 차이퉁. 정치-경제 평론》, 런던, 함부르크와 뉴욕, 1850년 5~10월, 제5/6호, 128쪽. 1쇄.

D^2 이 글의 저자 자신도 …. 요[한] 게오르크 에카리우스, 『존 스튜어트 밀의 국민경제학 이론에 대한 한 노동자의 반박』, 베를린, 1869년, III쪽.

D^3 이 글의 저자 자신도 …. 요[한] 게오르크 에카리우스, 『존 스튜어트 밀의 국민경제학 이론에 대한 한 노동자의 반박』, (『사회민주주의 총서』 21) 호팅겐-취리히, 1888년, 3쪽.

본문은 J^1을 따른다.

G988 **변경사항 목록**

1 (v) **"노동자"**(*Arbeiter*) — **D^2 D^3** "노동자"(Arbeiter)
2 (v) "얼마나"(viel) — **D^2 D^3** "viele"
3 (v) "기분"(Gemüthsmucken) — **D^2 D^3** "감정"(Gefühlsmucken)
4 (v) "또한 … 부분은"(Theil auch in) — **D^2 D^3** "부분은"(Theil in)
5 (v) **"수공업자로서"**(*als Handwerker*) — **D^2 D^3** "수공업자로서"(als Handwerker)
6 (v) **D^2 D^3** "편집자 주" 없음.

카를 마르크스/프리드리히 엥겔스

G989

「평론. 1850년 5월에서 10월까지」를 위해 기록한 독일에 관한 메모

1850년 10월(G447쪽)

집필과정과 전승과정

이 초안은 「평론. 1850년 5월에서 10월까지」의 완결된 부분 가운데 한 부분에 대한 사전 작업이라는 점을 보여준다. 이 사전 작업은 특히 G480쪽(G481쪽을 MEGA 편집자가 잘못 쓴 것으로 보인다. — 옮긴이) 21행~G482쪽 35행의 텍스트를 위한 것이었고, 마르크스와 엥겔스가 1850년 10월에 작성했으며 "1850년 11월 1일"이라고 날짜를 기재했다. 초안의 내용은 「평론」의 인쇄 초안 작업 때 상당히 많이 수정되었고, 일부는 예를 들어 "1)~4)" 부호는 전혀 이용되지 않았다.

이 메모는 이 책에서 처음으로 출판되는 것이다.

원문자료에 대한 기록

H¹ 사진 복사본. IML/ZPA Moskau, f. 1, op. 1, d. 371. 자필 원고 원본의 장소는 지금까지도 알 수 없다. 복사본에서 알 수 있듯이 낱장으로 된 쪽지 한 장은 너비 139mm, 높이 68mm이다(위쪽 가장자리는 완전히 똑바로 찢겨 있지 않았다). 마르크스는 이 쪽지의 10줄을 가로 방향 형태로 썼다. 원본 오른쪽 아래에는 다른 사람이 쓴 "943 P"라는 서명이 있다.

본문은 **H¹**을 따른다.

변경사항 목록

1 (v) "통치권의"(der Suprematie) ← "패[권주의]의"(der Hä[gemonie])

2 (v) "노골적인"(Offnes) — 새로 삽입한 것.

3 (v) "나마"(zwar) — 새로 삽입한 것.

4 (v) "권위"(Autorität) ← "신뢰[성]"(Glaub[würdigkeit])

5 (v) "합법적인 보호관세 제도"(Legit. Schutzzollsystem) — 새로 삽입한 것.

카를 마르크스/프리드리히 엥겔스 G990

평론. 1850년 5월에서 10월까지

대략 1850년 10월에서 11월 1일(G448~G488쪽)

집필과정과 전승과정

마르크스와 엥겔스는 거의 틀림없이 1850년 10월에 NRhZ. Revue를 위한 세 번째 평론을 작성하기 시작했지만, 9월 말에 이미 기고문을 시작했다는 점을 완전히 배제할 수 없다. 기고문의 중요한 부분은 마르크스가 1850년 9/10월 비로소 끝낸 경제 문제에 대한 발췌를 담고 있는 다음의 세 노트에 기초했다. 특히 데[이비드] 모리어 에번스의 『1847~1848년의 상업 공황』(런던, 1848년), 토머스 투크의 『물가와 통화 상태의 역사. 1839년에서 1847년까지』(런던, 1848년), 《디 이코노미스트》(런던, 제372호, 1850년 10월 12일) 등을 발췌해 이용했다. 마르크스와 엥겔스 자신이 "1850년 11월 1일"에 작업이 끝났다고 날짜를 적었다.

마르크스는 1857년 10월 20일 엥겔스에게 보낸 편지에서 공동 저자임을 언급했다. 공동 저자라는 점은 나중에 엥겔스가 지적한 것에서도 분명하게 나타난다(프리드리히 엥겔스, 「하인리히 카를, 마르크스」, 『국가학 사전』, 제4권, 예나, 1892년; [카를 마르크스의 「… 계급투쟁」에 대한] 서문, 베를린, 1895년을 보라). 나중의 부분 재판이 모두 마르크스의 이름으로 되어 있기 때문에, 「평론. 5월에서 10월까지」의 주요 부분을 마르크스가 서술했을 개연성이 높다. 또한 「… 독일에 관한 메모」(G447쪽)의 부분 초안이 마르크스의 필체로 되어 있다는 사실도 지적할 수 있을 것이다.

「평론. 1850년 5월에서 10월까지」는 마르크스의 경제 연구는 물론 이 연구에서 끌어낸 정치적 결론과도 밀접한 관계가 있다. 이 정치적 결론은 공산주의자동맹의 전략과 전술에 대한 포괄적인 토론으로 이어졌다. 마르크스는 1850년 중반, "1847년 세계 상업 공황은 2월 혁명과 3월 혁명의 태생적인 어머니였고, 1848년 이후 점진적으로 출현해 1849년과 1850년에 절정에 이른 산업 호황은 더 새롭게 강화된 유럽 반동의 활력이었다"라는 인식에 도달했다(프리드리히 엥겔스, [카를 마르크스의 「… 계급투쟁」에 대한] 서문, 베를린, 1895년). 그때까지 품었던 기대와는 다르게 이로부터 나온 결론은 혁명이 곧바로 이어서 발발할 것이라고 믿지 않았다는 것이다.

세 번째 평론은 마르크스와 엥겔스가 1850년 9월 15일 공산주의자동맹 중앙본부에서의 토론(G577~G580쪽) 이후 쓴 분량이 제법 많은 첫 번째 기고문이다. 이 「평론」은 또한 내용 면에서도 그 토론과 밀접한 관계에 있다. 이것은 무엇보다 기고문의 첫째 부분의 일반적 결론(G466쪽 40행~G467쪽 13행)과 관련이 있지만, 빌리히가 독일에서 새로운 혁명의 분출에 대한 기대를 직접 연관시킨 쿠어헤센의 충돌에 대한 설명도 이와 관련이 있다.

프랑스의 정치적 발전에 관한 부분(G472쪽 20행~G481쪽 20행)에서
G991 「평론」은 1850년 3월 10일의 선거 결과를 이어서 서술하는데, 즉 여기는 「프랑스 계급투쟁」의 3부가 NRhZ. Revue 제4호에서 끝나는 바로 그 지점이다. 이 부분을 엥겔스는 1895년 프랑스의 경제적 발전의 서술(G464쪽 30행~G467쪽 13행)과 함께 「프랑스 계급투쟁」의 제4절로 활용했다. 엥겔스가 서술한 이 부분은 이 책의 부속자료에 「… 계급투쟁」의 변경사항 목록에 실렸다(G777~G787쪽).

제1쇄 이후 곧바로 《도이체 런더너 차이퉁》에 부분 재판이 발행되었다(J^4). 마르크스는 당시 신문의 편집자인 루이스 밤베르거와 개인적으로 밀접한 관계를 맺고 있었기 때문에 이 부분 재판은 저자 검인을 한 것으로 볼 수 있다. 이 재판은 세 개의 연재 기고문으로 이뤄졌고, 저자들이 부르주아-민주주의 망명자 단체의 선언에 대해 비판적 태도를 보인 마지막 절(G484쪽 19행~G488쪽 28행)을 제외하고, 평론의 후반부를 담아냈다. 밤베르거는 세 개의 연재 기고문 가운데 첫 번째 기고문(G467쪽 16행~G472쪽 19행)의 견본쇄들을 다음과 같은 짧은 평을 담아서 1851년 1월 29일 마르크스에게 보냈다. "동봉한 두 종류의 견본쇄는 《도이체 런더너 차이퉁》을 위한 것인데, 교정을 부탁드립니다. 당신이 이번 기회에 개선했으면 하는 다양한 문법 오류들을 거기서 발견할 수 있을 겁니다."

마르크스가 받은 견본쇄들을 교정했는지, 두 번째와 세 번째 연재 기고문

의 견본쇄들도 받아서 그것들을 교정했는지는 알 수 없다. 《도이체 런더너 차이퉁》은 1851년 2월에 발행이 중단되었기 때문에, 평론의 결론 부분은 더는 재판되지 않았다.

함부르크의 《디 레포름》(제16호, 1851년 2월 22일)은 슐레스비히-홀슈타인 사건에 대한 평론의 예측을 언급했다. 《디 레포름》은 이 구절(G483쪽 9~13행)을 조금 바꿔서 다음과 같은 질문을 제기했다. "슐레비히-홀스타인의 귀족들과 교수들의 혁명이 그 비할 바 없는 치욕적인 결과를 가져온 다음인 지금 누가 여전히 이런 판단이 옳다고 의문을 제기하겠는가?"

두 번째 부분 재판(G448쪽 16행~G467쪽 13행)은 1852년 1월 요제프 바이데마이어의 잡지 《디 레볼루치온》에서 두 개의 연재 기고문으로 발행되었다(J^5). 이에 대해서 마르크스와 엥겔스는 동의했지만, 저자들이 이 인쇄본을 교정하지 않았기 때문에 변경사항 목록에 이 인쇄본은 표기하지 않았다. 바이데마이어는 이 재판에 다음과 같은 머리말을 앞에 놓았다.

"1850년 말까지 월간지로 발행된 《노이에 라이니셰 차이퉁》(NRhZ. Revue를 의미함—옮긴이)의 마지막 호에서 카를 **마르크스**는 최근 상업 공황의 역사를 다뤘고, 그다음에 1850년까지 이어진 상업과 산업의 발전을 추적했다. 지금까지 정치적 문헌에서 조금이나마 눈여겨볼 만한 가치가 있던 대상에 대해 다수의 우리 독자가 전혀 알지 못했다는 점을 전제한다면, 앞에서 말한 잡지를 충분하지 않게 보급했을 때 우리가 확실히 잘못 판단한 것은 아니라는 점이다. 그러나 산업과 세계 무역의 발전이 바로 인민 생활의 모든 표면적인 파동의 **실제적인** 기초를 이루고 있다. 본지는 이 파동의 역사를 지면에 채울 것이다. 여기에서 일반적으로 일어나는 일의 표면을 걷어냈을 때만, 일반인이 보기에 보나파르트 씨의 쿠데타처럼 기대하지 않은 사건이 갑자기 저질러진 것이라는 그런 끝도 없는 혼란에 대해 놀라지 않을 것이다.

우리는 이 연재로 이 역사를 곧 볼 수 있기를 바란다." G992

「평론. 5월에서 10월까지」가 사회적 발전, 특히 경제적 위기와 혁명 분출의 관계에 대해 담고 있는 예측을 마르크스와 엥겔스는 후에 현안을 다룰 때 여러 번 참조했다(프리드리히 엥겔스, 「지난 12월 프랑스 프롤레타리아트가 비교적 수동적으로 남은 진정한 이유. III. 대륙 노트. I-우리 외국 통신원의 편지Real causes why the French proletarians remained comparatively inactive in December last. III. Continental Notes. I-our foreign correspondent's letter」, 《노츠 투 더 피플》, 런던, 제50호, 1852년 4월

10일, 977~978쪽; 마르크스가 1851년 12월 27일 페르디난트 프라일리그라트에게 보낸 편지; 마르크스가 1857년 10월 20일 엥겔스에게 보낸 편지; 엥겔스가 1882년 1월 25~31일 에두아르트 베른슈타인에게 보낸 편지 등을 보라).

원문자료에 대한 기록

J[1] 평론. 5월에서 10월까지.《노이에 라이니셰 차이퉁. 정치-경제 평론》, 런던, 함부르크와 뉴욕, 제5/6호, 1850년 5~10월, 129~180쪽. 1쇄.

이 인쇄본은 오류가 많은데, 일부는 뜻을 왜곡하는 것이고 특히 지명, 인명, 숫자에 관련된 오류가 많다. 이 인쇄본의 136쪽(원문에는 36쪽으로 되어 있으나 MEGA 편집자의 오기인 것 같다.—옮긴이) 17행(G475쪽 34~35행)에는 한 줄이 빠졌다(교정사항 목록을 보라).

K[2] 마르크스가 이용한 견본 176~179쪽을 수정한 교정본으로 1850년대 초로 추정된다(G697쪽을 보라).

K[3] 1895년의 엥겔스 교정본(G697쪽을 보라). 149쪽 중간(G463쪽 36행~G464쪽 4행)에 엥겔스는 다음 공황은 뉴욕에서 발발할 것이라고 예측하면서, 그 옆에 "1857"이라고 썼다.

J[4] 지난 6개월간의 정치적 사건에 대한 카를 마르크스의 평론.《도이체 런더너 차이퉁》, 제305호, 1851년 1월 31일, 2463~2465쪽; 제306호, 1851년 2월 7일, 2472~2474쪽; 제307호, 1851년 2월 14일, 2480~2481쪽. J[1]의 부분 재판.

"오스트리아 및 오스트리아와 … 위협적인 문서들을 받았다"(G482쪽 41행~G483쪽 9행) 뒤에 편집자가 각주를 달았다. "이 평론은 예측된 사태의 변동이 나타나기 전인 **10월**에 쓰였음을 주의할 필요가 있다. 편집자 주."

제306호와 제307호에 게재된 「평론. 5월에서 10월까지」는 변화된 내용이 많이 담겼다. 그것은 무엇보다도 반동적 정치가에 대한 평가와 관련되어 있다(변경사항 목록을 보라).

J^5 1845~47년 상업 공황의 역사. 카를 마르크스.《디 레볼루치온》, 뉴욕, 제1호, 1852년 1월 6일, 3~4쪽; 제2호, 1852년 1월 13일, 11~14쪽. J^1의 부분 재판.

J^5는 생략과 단축이 많다. 축약된 텍스트는 대체로 편집자가 요약한 것이다. 특히 미합중국에 대한 절에서는 변경이 많이 이루어졌다. 그 중에서도 "만약 1848년에 시작된 … 터질 것이다"(G459쪽 28~30행) 문장 다음에 편집자의 짧은 논평이 다음과 같이 삽입되었다. "우리는 다음과 같은 사실을 이미 일찍 지적했음을 여기서 다시 한번 강조해야 할 것이다. 즉 오스트레일리아에서 금광의 발견은, 공황이 이미 터 G993
질 정도에 다다른 이 시기에, 이러한 정기적인 과정의 교란을 초래하고, 비록 장기적인 것은 아닐지라도 공황의 발발을 연기한다는 사실이다." "샌드위치 제도"(G462쪽 41행) 다음에 편집자가 괄호를 써서 다음 구절을 삽입했다. "우리는 이미 지난 호에서 샌드위치 제도와 오스트레일리아로 향하는 항로의 개통을 고지했다." 이 텍스트에서 누락된 것은 특히 NRhZ. Revue 제2호에 대한 언급(G461쪽 36~39행)과 교통편에 대한 안내(G462쪽 21~31행)와 관련된 곳이다. 더 나아가 G467쪽 4~12행도 생략되었다.

D^6 IV. 1850년 보통선거권의 폐지. (제5 · 6 합본호로부터.)「1848년에서 1850년까지 프랑스 계급투쟁」, 카를 마르크스.《노이에 라이니셰 차이퉁. 정치-경제 평론》(함부르크, 1850년)의 인쇄물. 프리드리히 엥겔스의 서문과 함께, 베를린, 1895년, 100~112쪽.「프랑스 계급투쟁」의 제4절로서 J^1을 간단히 편집한 부분 재판.

본문은 J^1을 따른다.

변경사항 목록/교정사항 목록/해설

1 (k) "시기"(Periode) — J^1 "공황"(Krise). K^3에 따라 교정함.

2 (k) "이상"(über) — J^1 "später". K^3에 따라 교정함.(MEGA 편집자는 "über"와 "später"의 위치를 기재했는데, 본문에 따라 수정했다. — 옮긴이)

3 (e) 이것은 영국 은행가이자 경제학자인 존 로(그의 아버지는 로리스턴의 로)가 1716년부터 1720년까지 프랑스에서 벌인 금융 활동과 투기를 가리킨다. 그가 세운 기관 — 1718년 말부터 국가 은행이 된 사설 은행과 북아메리카 무역을 위한 미시시피 협회 — 은 1720년

파산했다.

남해회사는 1711년 영국에서 남아메리카 및 태평양 섬과 무역을 한다는 명분으로 설립되었다. 그러나 그것의 진짜 목적은 국채로 투기를 하는 것이었다. 이 회사도 결국 1720년 파산했다.

4 (e) 마르크스와 엥겔스는 여기서 무엇보다 다음에 근거하고 있다. 토머스 투크, 『물가와 통화의 역사. 1839~1847년』, 런던, 1848년.

5 (k) "요구할"(verlange) — J^1 "verlangen"

6 (k) "더욱이 가격"(noch mehr deren Preise) — J^1 "deren Preise noch mehr". K^3에 따라 교정함.

7 (k) "모리셔스"(Mauritius) — J^1 "Mauritus"

8 (e) 마르크스와 엥겔스는 『영국 의회 토론 의사록』, 제4편, 101권, 런던, 1848년, 674단의 영어를 독일어로 번역해서 인용했다.

9 (k) "디즈레일리"(D'Israeli) — J^1 "D'Israli"

10 (e) 토머스 투크, 앞의 책, 316쪽. "이러한 **상업적** 실패는 숫자에서, 그리고 그들의 엄청난 빈곤에서, 금세기 상업 역사에서 모든 선례를 넘어서는 것이었다." 또한 마르크스와 엥겔스는 이 책 2장 18절 "1825년과 1847년의 공황 비교"를 참조했다.

11 (e) 1844년 7월 19일의 은행법(한시적으로 **잉글랜드**은행의 총재와 회사에 일정한 특권을 부여하기 위하여 은행권을 규제하는 법령) 이후, 잉글랜드은행은 별도의 금 준비금을 갖춘 완전히 독립된 두 부분으로 분리되었다. 하나는 순수하게 은행 업무를 담당하는 은행부, 다른 하나는 은행권 발행을 담당하는 발권부였다. 은행권은 언제든 처분 가능한 특별금 준비금 형태로 탄탄하게 보전될 수 있어야 했다(『대영제국과 아일랜드의 법령』, 빅토리아 재위 7~8년인 1844년, 런던, 1844년, 13장, 187~200쪽).

12 (e) 데[이비드] 모리어 에번스, 『1847~1848년의 상업 공황』, 부록, 70~80쪽.

13 (k) "39 203 322" — J^1 "39,263,322". 《디 이코노미스트》, 런던, 제372호, 제7집, 1850년 10월 12일, 1125쪽에 따라 정정함.

14 (e) 마르크스와 엥겔스는 여기서 무엇보다 다음 기고문에 의거했다. 「무역과 항해 보고서. 8개월간 — 1월 5일부터 9월 5일까지」, 《디 이코노미스트》, 런던, 제372호, 1850년 10월 12일, 1125쪽.

15 (k) "곧바로 … 주지 않았다"(keinen sofortigen) — J^1 "곧바로 … 주었다"(sofortigen). G456쪽 5~19행에 관한 해설을 보라.

16 (e) 마르크스와 엥겔스는 「상업 개요」, 《디 이코노미스트》, 런던, 제373호, 1850년 10월 19일, 1166/1167쪽의 영어를 독일어로 번역해 인용했다.

17 (k) "방적"(der Spinnerei) — J^1 "die Spinnerei"

18 (e) "러시아의 … 차르"(Czar von Rußland) — 니콜라이 1세.

19 (e) 1850년 10월 10일부터 14일까지 브레겐츠에서 오스트리아, 바이에른, 뷔르템베르크 통치자들의 정상회담이 열렸다. 그들은 독일 연방에 대한 프로이센의 패권에 반대하는 협약을 맺었다. 1850년 10월 26일부터 28일까지 러시아 차르 니콜라이 1세, 오스트리아 황제 프란츠 요제프, 프로이센 수상 브란덴부르크 백작 등이 바르샤바 정상회담에서 프로이센이 양보하도록 강요했다. 두 회담은 오스트리아 역할의 강력함과 프로이센 지위의 허약함을 잘 보여준 것이었다. 이것은 1850년 11월 29일 올뮈츠 협약(G212쪽 17행에 관한 해설을 보라)으로 나타났다.

20 (k) "나탈"(Natal) — J^1 "Notal"

21 (e) 「미국의 노예제」라는 기사에는 다음과 같이 되어 있다. "맨체스터의 번영이 텍사스, 앨라배마, 루이지애나의 노예 취급에 달려 있음은 신기하고 놀랄 일이다."(《디 이코노미스

트》, 런던, 제369호, 1850년 9월 21일, 1049쪽.)

22 (e) 영국 식민지의 노예제는 1833년 8월 23일 법률(**영국** 식민지 전체의 노예제 폐지, 해방된 노예의 근면 증진, 그리고 이제까지 그 노예들의 서비스를 받은 사람들의 보상을 위한 법령)을 통해 폐지되었다. 노예 소유주의 보상과 관련해서는 "석방되고 자유롭게 된 노예의 서비스를 받은 사람들에게 이 법률을 통해 그러한 서비스의 손실을 보상하기 위해, 폐하의 가장 충직하고 의무를 다하는 신민인 **대영제국**과 **아일랜드** 하원은 폐하에게 모두 2천만 파운드스털링을 주기로 결정했다."(『대영제국과 아일랜드의 법령』, 윌리엄 4세 재위 3~4년인 1833년, 런던, 1833년, 73장, 666~691쪽.)

23 (k) "실제로"(faktisch) — J^1 "faktische"

24 (k) "3퍼센트" — J^1 "2퍼센트". Th. 투크와 W. 뉴머치(Newmarch), 『1793~1857년 가격 결정의 역사』(Die Geschichte und Bestimmung der Preise während der Jahre 1793-1857), C. W. 아스커(Asker) 박사 독일어 번역, 제2권, 드레스덴, 1859년, 285쪽에 따라 정정함.

25 (e) "곡물세 폐지"(Aufhebung der Kornzölle) — G217쪽 7행에 관한 해설을 보라.

26 (k) "농업노동자들"(Landarbeiter) — J^1 "농사일들"(Landarbeiten)

27 (k) "동시에 일어날"(zusammenfallen) — J^1 "함께"(zusammen)

28 (k) "개척"(Urbarmachung) — J^1 "감시"(Ueberwachung). K^3에 따라 교정함.

29 (e) G218쪽 10행~G219쪽 19행을 보라.

30 (k) "새로 발견되어"(neuentdeckten) — J^1 "미발견되어"(unentdeckten). K^3에 따라 교정함.

31 (k) J^1 여기에 쉼표가 없음.

32 (e) 마르크스는 소책자 『포크트 씨』에서 구스타프 아돌프 테코프를 논박할 때 이곳을 인용하면서 다음과 같이 지적했다. "내가 1850년에 아메리카에 대해 제기한 이 예측은 1857년의 엄청난 상업 공황에서 말 그대로 실현되었다."(카를 마르크스, 『포크트 씨』, 런던, 1860년, 44쪽.)

33 (e) "슐레스비히-홀슈타인 지방의 소동"(schleswig-holsteinsche Wirren) — G361~G363쪽을 보라.

34 (e) "쿠어헤센의 소동"(kurhessische Wirren) — 쿠어헤센에서 반동적 수상 하센플루크가 1850년 9월 신분제 의회를 해산하고 계엄령을 선포했을 때, 선제후와 하센플루크가 도망갈 수밖에 없게 만든 인민운동이 일어났다. 비록 쿠어헤센이 아직 연합에(G212쪽 17행에 관한 해설을 보라) 속해 있었지만, 1850년 10월 15일 하센플루크는 연방의회의 개입을 호소했고(G21쪽 12행에 관한 해설을 보라), 이로 인해 쿠어헤센 땅에서 오스트리아와 프로이센 군대가 충돌할 위험이 생겼다. 그러나 프로이센이 1850년 10월 28일 바르샤바 회담에서(G457쪽 34행에 관한 해설을 보라) 양보할 수밖에 없었기 때문에 어떤 갈등도 일어나지 않았다(G483쪽 14행~G484쪽 18행을 보라).

35 (e) 《디 이코노미스트》에는 다음과 같이 서술되어 있다. "북유럽의 평화는 다시 깨졌다. 덴마크와 슐레스비히-홀슈타인 사이의 협약 이후에도 양측의 다툼은 여전히 불확실하게 남아 있고, 적대감의 재발이 우려된다. 그러나 우리의 입장은 이러한 불행한 일로 영향을 받지 않았다. 지난 몇 달 동안 상업적 교류는 매우 만족스러웠으며, 생산율도 많은 경우 높아졌다. 국내에서 정치적 소요가 가라앉고 우리의 해외 식민지에서 평화로운 조건이 유지된다면, 미래에 대한 기대는 더욱 좋아질 것이다."(「무역 회장(回章)의 정신」, 《디 이코노미스트》, 런던, 제366호, 1850년 8월 31일, 962쪽.)

36 (v) "뮐하우젠"(Mühlhausen) — D^6 "Mülhausen"

37 (k) "8월" — J^1 "9월". 《르 모니퇴르 위니베르셀》, 파리, 제225호, 1850년 8월 13일, 2814쪽에 따라 정정함.

38 (e) "1850년 8월 6일의 법률"(Gesetz vom 6. August 1850) — (「프랑스은행 지폐의 법정

시세를 중단시키는 법률」,)《르 모니퇴르 위니베르셀》, 파리, 제225호, 1850년 8월 13일, 2814쪽.

39 (e) G180쪽 29~36행을 보라.

40 (e) 1848년 3월 15일의 법령.《르 모니퇴르 위니베르셀》, 파리, 제76호, 1848년 3월 16일, 617쪽.

41 (e) 1848년 4월 27일의 법령.《르 모니퇴르 위니베르셀》, 파리, 제120호, 1848년 4월 29일, 909쪽.

42 (k) "4억 5200만 프랑" — **J**[1] "4억 4200만 프랑".「1849년 12월 22일의 명령」,《르 모니퇴르 위니베르셀》, 파리, 제357호, 1849년 12월 23일, 4131쪽에 따라 정정함. G465쪽 33~36행에 관한 해설을 보라.

43 (e) 프랑스은행을 통한 은행권 발행의 증가에 관한 1848년 5월 2일의 법령은 찾을 수 없었다. 1849년 12월 22일의 법령에는 다음과 같이 쓰여 있었다. "1848년 3월 15~25일, 4월 27일, 5월 2일의 법령에 의해 4억 5200만 프랑으로 제한되었던 프랑스은행 및 그 지점들의 발권 상한액이 5억 2500만 프랑으로 조정되었다."(《르 모니퇴르 위니베르셀》, 파리, 제357호, 1849년 12월 23일, 4131쪽.)

44 (k) "8월" — **J**[1] "9월".《르 모니퇴르 위니베르셀》, 파리, 제225호, 1850년 8월 13일, 2814쪽에 따라 정정함.

45 (e) 무엇보다 기본적으로 프랑스 공화국과 전쟁을 벌이는 동안 영국 정부의 엄청난 부채로 인해 잉글랜드은행은 1797년 2월에 은행권을 더는 금으로 태환할 수 없는 상태가 되었다(은행 규제). 의회의 여러 차례 반복된 법령을 통해 은행은 은행권 태환 책임을 1819년까지 미루었다. 1817년 5월 은행은 금 태환 업무를 일부 다시 맡을 수 있었다. 1819년 7월 2일 필의 법령은 1823년 5월 1일부터 은행이 금 태환 업무를 완전히 책임지도록 했다. 그러나 은행은 이미 2년 전에 그러한 업무를 떠맡고 있었다. G469쪽 3행에 관한 해설을 보라.

46 (v) **D**[6] 행을 바꾸지 않음.

47 (e) 마르크스와 엥겔스는 무엇보다 다음 사설에 의거했다.「프랑스은행. 불환 지폐는 평 가 절하되지 않는다」,《디 이코노미스트》, 런던, 제371호, 1850년 10월 5일, 1093~1094쪽. 또한 선행 사설,「프랑스은행. 유럽의 캘리포니아」(제370호, 1850년 9월 28일, 1065~1067쪽)를 보라.

48 (v) "튕겨 나갈"(abprellen) — **D**[6] "abprallen"

49 (v) "이것이"(das) — **K**[3] "es"

50 (k) "더 많이"(weiter) — **J**[1] "weiser". **K**[3]에 따라 교정함.

51 (e) "차르"(Czar) — 니콜라이 1세.

52 (e) 1850년 8월 프랑크푸르트에서는 부르주아적 평화주의자들이 소집한 국제적 규모의 평화 대회가 개최되었다.

53 (e) "오지브와족 인디언"(ein Ojibbewey-Indianer) — 카-게-가-가-보우(Ka-Ge-Ga-Gah-Bowh).

54 (k) "버릿"(Burritt) — **J**[1] "Buritt"

55 (e) "프랑스 공사"(원서에는 französischer Gesandter in London로 되어 있으나, 해당 본문에는 französischer Gesandter aus London으로 되어 있다. MEGA 편집자가 "aus"를 "in"으로 잘못 본 것으로 판단하여 französischer Gesandter만 번역한다. — 옮긴이) — 에두아르 드루앵 드 뤼.

56 (e) "외국인 거류자 법"(Alien Bill)에 대해서는 G343쪽 7~8행에 관한 해설을 보라.

57 (e) "그리스 논쟁"(griechische Debatte) — 1850년 초 그리스 정부는 영국의 다양한 요구

를 거절했다. 그 요구들 중에는 그리스 영토에서 상해를 입은 영국 보호하의 사람들에 대한 배상 요구는 물론 그리스 섬 사피엔자(Sapienza)와 엘라포니시(Elafonisi)를 영국에 할양하라는 것도 포함되었다. 그에 대한 대답으로 영국은 1850년 1/2월과 4월에 그리스 항구를 다시 봉쇄했다. 영국의 행동은 러시아와 프랑스의 저항을 초래했고, 영국의 상하원에서 이에 대한 논쟁을 불러일으켰다. 이 논쟁은 1850년 6월 파머스턴의 외교 정책에 대한 투표로 이어졌다. 파머스턴의 외교 정책은 상원에서 거부된 반면, 하원에서는 46표의 과반수를 받아서 비준되었다. 투표에 앞서 파머스턴은 하원에서 자신의 외교 정책을 정당화하는 긴 연설을 했다. 그는 부르주아-자유주의 법치의 옹호자로서 선동했고, 반동적 국가의 정책에 대해 비판했다(《더 타임스》, 런던, 제20525호, 1850년 6월 26일). 또한 카를 마르크스, 「파머스턴 경. 첫 번째 기고문」(Lord Palmerston. First Article), 《더 피플스 페이퍼》(The People's Paper), 런던, 제77호, 1853년 10월 22일을 보라.

58 (e) "오스트리아의 군사 대표" — 율리우스 야코프 폰 하이나우.

59 (e) G176쪽 37~38행에 관한 해설을 보라.

60 (e) "프로이센의 외교 대표" — 크리스티안 카를 요시아스 폰 분젠.

61 (v) "강대국"(Großmacht) — **J**[4] "Großmacht(?)"

62 (k) "뿐"(nur) — **J**[1] "und". **K**[3]에 따라 교정함.

63 (e) "가톨릭의 해방"(katholische Emancipation) — 1829년 4월 13일의 법령(「국왕 폐하의 로마 가톨릭 신민을 구제하기 위한 법령」)을 통해 — 대다수가 아일랜드인인 — 가톨릭 신자에게도 의회에 선출될 수 있고 어떤 정부 관리의 자리에도 오를 수 있는 권리를 부여했다. 그러나 같은 날 또 다른 법령을 통해(의회에 봉사하기 위한 의원 선거와 관련된 **아일랜드** 의회의 법령을 개정하는 법령과 **아일랜드**에서 주 선출 하원 의원의 선거에 자격을 부여하는 사람의 자격을 규정하는 법령An Act to amend certain Acts of the Parliament of *Ireland* relative to the election of members to serve in Parliament, and to regulate the qualification of persons entitled to vote at the election of knights of the shire in *Ireland*) 이러한 권리는 재산 자격 평가 등급에 따라서 제한되었다. (『대영제국과 아일랜드의 법령』, 조지 4세 재위 10년인 1829년, 런던, 1829년, 제7장과 8장, 49~71쪽.)

64 (e) "경찰의 개혁"(Reform der Polizei) — 1829년 6월 19일의 법령(「대도시 안과 근교의 치안 개선을 위한 법령」)을 통해 런던 경찰은 내무장관 휘하로 들어갔고 특별 경찰 부대가 런던에 설치되었다. 동시에 내무장관은 영국 다른 지역의 경찰 활동에 대해서도 전체적인 지도와 통제를 할 수 있는 권리를 갖게 되었다. (『대영제국과 아일랜드의 법령』, 조지 4세 재위 10년인 1829년, 런던, 1829년, 제44장, 225~245쪽.)

65 (e) "1818년의 은행법"(Bankgesetz von 1818) — 1819년 **7월** 5일까지 연장하기 위한 법령. 국왕 폐하의 몇몇 법령 가운데 **잉글랜드**은행의 현금 지불 제한을 지속하기 위한 국왕 폐하 재위 44년의 법령, 1818년 5월 28일. (『대영제국과 아일랜드의 법령』, 조지 3세 재위 58년인 1818년, 런던, 1818년, 제3장, 85쪽.) G466쪽 1~3행에 관한 해설을 보라.

66 (e) "1844년의 은행법"(Bankgesetz von 1844) — G454쪽 3행에 관한 해설을 보라.

67 (e) "1842년의 관세 개혁"(Tarifreform von 1842) — 많은 상품의 관세를 폐지하거나 상당히 낮추기 위해 로버트 필이 발의해서 일부는 세 개의 법령 초안으로 제출한 개혁을 의미한다. 곡물 수입법을 개정하기 위한 1842년 **4월** 29일의 법령An Act to amend the laws for the importation of corn. 29th *April* 1842, 고객 관계법을 개정하기 위한 1842년 **7월** 9일의 법령An Act to amend the laws relating to the customs. 9th *July* 1842, 고객 관계법을 더욱 개정하기 위한 1842년 **7월** 30일의 법령An Act for further amending the laws relating to the customs. 30th *July* 1842. (『대영제국과 아일랜드의 법령』, 빅토리아 재위 5~6년인 1842년, 런던, 1842년, 제14장, 53~77쪽; 제47장, 419~471쪽; 제56장, 518~522쪽.) 이

초안들은 일부 변경해서 의회에서 가결되었다. 이것은 토지귀족에 대한 산업 부르주아지의 거대한 승리였고 자유무역의 근본 원칙을 계속해서 관철하는 것이었다.

68 (e) "1846년의 자유무역법"(Freihandelsgesetze von 1846) — G217쪽 7행에 관한 해설을 보라.

69 (e) ""철의 공작""("eiserne Hezog") — 아서 웰즐리 웰링턴.

70 (v) "에서"(über) — J^4 "auf"

71 (e) 《더 레드 리퍼블리컨》(런던)의 기고문 「필 기념비」에는 다음과 같이 적혀 있다. "이렇게 순회하는 경찰관들이 대도시 거리에 영광(?)을 주고 있는데, 다른 어떤 기념비가 필요한가?"(《더 레드 리퍼블리컨》, 런던, 제9호, 1850년 8월 17일.)

72 (e) "그리스도의 대리인"(Statthalter Christi) — 교황 피우스 9세.

73 (e) "퓨지주의"(Puseyismus) — 영국 국교회 내에서 로마 가톨릭을 지향하는 종파로서 신학자 에드워드 부버리 퓨지가 발기했으며, 그의 이름을 따라 퓨지주의로 불린다.

74 (v) "마침내는 … 자체가"(bis endlich selbst) — J^4 "bis selbst"

75 (e) "고교회파"(Hochkirche) — 그 지지자가 주로 귀족인 영국 국교회의 종파. 영국 국교회의 두 번째 종파인 저교회파의 지지층은 주로 부르주아지와 낮은 계급의 성직자였다.

76 (e) "비국교도-종교"(Dissenter-Religion) — 공식적인 영국 국교회의 교리와는 다른 종파.

77 (e) "교황의 새로운 교서"(neue Bulle des Pabstes) — 1850년 9월 29일 교황 피우스 9세의 교서.

78 (e) "런던의 퓨지주의 주교"(puseyitische Bischof von London) — 런던 주교 찰스 제임스. 1850년 10월 28일 이 주교는 성명을 발표했다. 이 성명은 런던의 고위 관리가 10월 25일 교황 교서와 관련해 그에게 보낸 축사에 대한 답변이었다. (「웨스트민스터 성직자의 기념사에 대한 런던 주교의 응답」, 《더 타임스》, 런던, 제20632호, 1850년 10월 29일, 5쪽.)

79 (v) "제공하고"(liefert) — J^4 "lieferte"

80 (e) "피오 노노"(Pio Nono) — 교황 피우스 9세.

81 (v) "주장하기"(verlangte) — J^4 "verlangt"

82 (e) 아마 다음 문장과 관련될 것이다. "이탈리아에서 혁명을 재개하는 데 필요한 무기와 탄약 구매를 위해 1천만 프랑의 새로운 이탈리아 (마치니) 융자 …"(「프랑스 공화국」, 《더 타임스》, 런던, 제20634호, 1850년 10월 31일, 6쪽.)

83 (e) 1850년 9월 8일 이탈리아 국민위원회 위원들과 주세페 마치니가 런던에서 발표한 선언서. 발췌. 「이탈리아 국민위원회」, 《레벤망》, 파리, 1850년 10월 23일, 조간판, 2쪽.

84 (v) "정신적"(geistliche) — J^4 "geistige"

85 (v) "실제로"(wirklich) — J^4 "또한"(auch)

86 (v) "정신적인"(geistlicher) — J^4 "geistiger"

87 (v) "마치니의 선언도 마찬가지다"(die Manifeste Mazzins ebenfalls) — J^4 "마치니의 선언도 마찬가지로 순수히 정신적인 것이다"(das Manifest Mazzinis ebenfalls rein geistiger Natur)

88 (e) 「이탈리아에 관한 책 …」, 《더 글로브 앤드 트래블러》, 런던, 제15318호, 1850년 10월 26일, 2쪽, 1단.

89 (v) "게다가"(übrigens) — J^4 "그러나"(aber)

90 (e) 로마 제헌의회에 대해서는 G160쪽 15행~G162쪽 17행에 관한 해설을 보라.

91 (v) "무기와 군수품"(Waffen und Kriegsbedarf) — J^4 "**무기**와 **군수품**"(*Waffen* und *Kriegsbedarf*)

92 (e) 1850년 초반 오스트리아 정부는 롬바르디아-베네치아 지역에 이른바 1억 2천만 리라

(이탈리아 화폐 단위 — 옮긴이)의 임의 채권을 모집했다.

93 (e) "인민헌장"(Volkscharte) — G227쪽 25행에 관한 해설을 보라.

94 (k) "먼스터"(Munster) — J[1] "뮌스터"(Münster)

95 (v) "바로 그렇게 하여 그는 … 수 있었다"(ihn eben befähigen) — J[4] "그는 … 수 있었다"(ihn befähigen)

96 (v) "차티스트 분파"(Chartistenfraktionen) — J[4] "차티스트 당파"(Chartistenparteien)

97 (v) "모든"(jeder) — J[4] "이런"(dieser)

98 (v) "더 극단적인"(extremerer) — J[4] "극단적인"(extremer)

99 (e) "곡물법 폐지"(Abschaffung der Korngesetze) — G217쪽 7행에 관한 해설을 보라.

100 (v) "본래의"(eigentliche) — J[4] "eigentlich"

101 (k) "설득했다"(veranlaßte) — J[1] "veranlaßten"

102 (e) 1850년 4월 28일 파리 보궐선거에 군주파가 후보로 내세운 상인 알렉산더 르클레르의 입후보 지원을 위해 반동적 신문들은 영광스러운 기사를 실었다. 르클레르는 1848년 6월 투쟁에서 국민방위군으로서 과감하게 싸워 그때 맏아들을 잃자 바로 둘째 아들을 싸움에 내보냈다고 전해진다. 신문《라 부아 뒤 푀플》은 이것이 조작이라고 밝혀냈으며, 르클레르가 신문에 정정 보도를 요구할 수밖에 없었다. (《라 부아 뒤 푀플》, 파리, 제198, 200, 202, 204, 205호, 1850년 4월 18, 22, 24, 25일.)

103 (v) **"선거법"**(*Wahlgesetz*) — D[6] "선거법"(Wahlgesetz)

104 (e) "성주 17명"(siebzehn Burggrafen) — 1850년 5월 1일 내무장관의 지시로 새 선거법의 초안을 작성하기 위해 결성된 위원회에 속했던 오를레앙파와 정통 왕조파 인물 17명의 별칭. 이 별칭은 빅토르 위고가 독일 중세시대 기사들의 삶을 다룬 같은 제목의 희극(『성주들Les Burgraves』을 의미함 — 옮긴이)에서 빌려 온 것이다.

105 (v) "한결같이"(wie Ein Mann) — D[6] "한결같이"(wie ein Mann)

106 (v) "국민의회와 모든"(daß die Nationalversammlung und jeder) — J[4] "모든"(jeder)

107 (v) "꿈쩍하지 않았다"(noch ungerührt) — J[4] "꿈쩍했다"(gerührt)

108 (e) 1850년 5월 31일의 선거법(1849년 3월 15일 개정)에서는 무엇보다 그때까지 6개월이던 거주 기간을 3년으로 늘려 투표권을 제한했고, 구걸이나 부랑으로 처벌받은 사람의 선거권을 완전히 박탈했다. (《르 모니퇴르 위니베르셀》, 파리, 제154호, 1850년 6월 3일, 1811쪽.) 이 법률로 3백만 명 이상의 유권자가 투표권을 잃었다. 또한 G216쪽 31~34행을 보라.

109 (v) "그러나 무엇보다도 상업과 공업의 호황"(vor Allem aber die kommerzielle und industrielle Prosperität) — J[4] **"그러나 무엇보다도 상업과 공업의 호황"**(*vor Allem aber die kommerzielle und industrielle Prosperität*)

110 (v) J[4] "보통선거권은 그것의 사명을 다했다."가 없음.

111 (v) J[4] 여기에 "보통선거권은 그것의 사명을 다했다."(Es hatte so seine Mission erfüllt.)라는 문장이 있음.

112 (e) 도풀 전쟁장관이 말했다고 한 것은 오류일 개연성이 높다. 법무장관 외젠 루에르는 1850년 7월 8일 언론법 토론에서 이렇게 말했다. "이러한 규탄은 … 2월 24일의 거대한 사회적 동요가 발생한 이후에 뚜렷이 나타났다. 이 사회적 동요를 두고 마디에-몽조(Madier-Montjau) 씨는 찬사를 보내야 한다고 생각했지만, 나로서는 영원히 그것을 진정한 재앙으로 간주할 것이다."

에밀 드 지라르댕은 반대파의 퇴장을 다음과 같이 설명했다. "루이-나폴레옹의 장관이 … 소환 명령을 받든지 아니면 이 회의소에 앉아 있는 야당 의원들이 모두 출석을 하지 않든지, 둘 중 하나이다."(《르 모니퇴르 위니베르셀》, 파리, 제190호, 1850년 7월 9일,

2333~2334쪽.)

113 (v) "그러나 이 선량한 언론 자체는"(Indeß war die gute Presse selbst) — J[4] "Indeß war selbst die gute Presse"

114 (e) 1850년 7월 16일의 언론법(「신문 공탁금과 정기 및 부정기 출판물의 증지(證紙)에 관한 법률」). 《르 모니퇴르 위니베르셀》, 파리, 제205호, 1850년 7월 24일, 2535쪽.

115 (k) "르무안"(Lemoinne) — J[1] "Lemoine"

116 (e) "두 개의 성명서"(Zwei Manifeste) — 「산악당이 인민에게 드리는 보고」, 《르 푀플 드 1850》, 파리, 제6호, 1850년 8월 11일. 3/4쪽; 「인민에게!」, 같은 곳, 제7호, 1850년 8월 14일. 1쪽.

117 (e) "testimonia paupertatis" — "빈곤 증명서".

118 (k) "정통 왕조파는 … 그리고 오를레앙파는 정통 왕조파에 반대하여"(Legitimisten, den Legitimisten gegenüber vertreten die Orleanisten) — J[1] "오를레앙파는"(Orleanisten)

119 (e) G179쪽 33행~G180쪽 11행을 보라.

120 (e) "17인 위원회"(Siebzehnerkommission) — G473쪽 13행에 관한 해설을 보라.

121 (v) "이 비열한 모험가는"(der gemeine Aventürier) — J[4] "그는"(er) D[6] "der gemeine Aventurier"

122 (v) "투표권"(Stimmenrechts) — D[6] "Stimmrechts"

123 (e) 「국민의회의 점진적 약화」, 《르 푸부아르. 12월 10일의 신문》, 파리, 제195호, 1850년 7월 15일.

124 (e) "《르 푸부아르》의 발행인"(Gerant des Pouvoir) — 라마르티니에르. 《르 푸부아르. 12월 10일의 신문》 발행인에 대한 국민의회의 심리는 1850년 7월 18일에 있었다. (《르 모니퇴르 위니베르셀》, 파리, 제200호, 1850년 7월 19일, 2469~2473쪽을 보라.)

125 (e) 「국민의회, 판정하다 …」, 《르 푸부아르》, 파리, 제199호, 1850년 7월 19일.

126 (e) 1848년 11월 4일 프랑스 공화국 헌법 제32조에 따라 국민의회는 휴회에 앞서 의회 사무처와 25명의 선출된 의원으로 구성된 상임위원을 지명할 수 있었다. 1850년 의회 휴회 기간에 상임위원은 실제로 39명 — 의원 25명, 사무처 11명, 재무관 3명 — 이었다.

127 (e) "파리 백작"(Graf von Paris) — 루이-필리프-알베르 도를레앙.

128 (e) G177쪽 1행에 관한 해설과 G177쪽 26행에 관한 해설을 보라.

129 (e) 1850년 8월 30일의 이른바 비스바덴 선언을 의미한다. 이것은 정통 왕조파 서기 바르텔레미의 회람이었다. 그는 프랑스 유권자들에게 군주정과 공화정 중에서 선택하게 하자는 정통 왕조파를 주도하는 앙리-오귀스트-조르주 라로슈자클랭의 제안을 정통 왕조파 왕위 계승 요구자 샹보르 백작의 이름으로 단죄했다. 회람에는 정통 왕조파 왕위 계승 요구자가 인민에 대한 모든 호소를 공식적으로 단호하게 거부한다는 내용도 포함되어 있었다. 그러한 호소는 세습 군주제라는 위대한 국가 원칙을 포기하는 것을 의미하기 때문이다. 《레벤망》에서 재판된 회람의 발췌본은 「정통 왕조파 음모의 폭로」, 《르 푀플 드 1850》, 파리, 제24호, 1850년 9월 22일, 4쪽에 실렸다.

130 (v) "**"해결책"**"(*"Lösung"*) — J[4] ""해결책""("Lösung")

131 (v) "이 인물과"(ihm) — J[4] "ihr"

132 (v) "행정부의"(Executiven) — D[6] "Exekutive"

133 (e) "선거법"(Wahlgesetz) — G473쪽 8행~G474쪽 1행에 관한 해설을 보라.

134 (v) "가소롭고 저속하며 그들이 증오해 마지않는 인물인 사이비 보나파르트를 … 치욕을 감수해야 한다"(sich so zu ihrer Beschämung genöthigt, die lächerliche, ordinäre und ihr verhaßte Person des Pseudo-Bonaparte) — J[4] "그들이 증오해 마지않는 인물인 보나파르트를 … 치욕을 감수해야 한다"(sich zu ihrer Beschämung genöthigt, die ihr verhaßte

Person des Bonaparte)

135 (v) "자신이"(sie) — J^4 "ihn"

136 (v) "이 더러운 인물은 … 착각하고 있었다"(Diese schmutzige Figur täuschte) — J^4 "보나파르트는 … 착각하고 있었다"(Bonaparte täuschte)

137 (v) "이름과 그가 끊임없이 나폴레옹을 희화함으로써 생긴"(Namens und seiner ununterbrochenen Karikirung Napoleons zu) — J^4 "이름의 … 생긴"(Namens zu)

138 (v) "순회 여행"(Rundreisen) — J^4 "Rundreise"

139 (v) "않았기"(hatten) — J^4 "않기"(haben)

140 (e) "12월 10일회"(Gesellschaft vom zehnten Dezember) — 카를 마르크스, 「루이 나폴레옹의 브뤼메르 18일」, 《디 레볼루치온》, 제1호, 뉴욕, 1852년, 31~33쪽을 보라.

141 (v) J^4 "이 꼭두각시 지지자들은 … 표어로서 외쳐댔다."가 없음.

142 (k) "사토리"(Satory) — J^1 "Satori"

143 (v) J^4 "진짜 나폴레옹은 정복 전쟁의 … 멍청이 만세!"였다."가 없음.

144 (e) "알렉산더"(Alexander) — 알렉산드로스 대왕.

145 (v) "가소로운"(lächerlich) — J^4 "힘이 없는"(machtlos)

146 (v) "권력자가 되었고"(einer Macht geworden) — J^4 "자리에 올랐고"(Stellung gekommen)

147 (k) "사토리"(Satory) — J^1 "Satori"

148 (v) "지극히 가소로운"(lächerlichsten) — J^4 "가소로운"(lächerlichen)

149 (v) "보나파르트 … , 즉 지극히 작은 행위만으로도"(Bonapartes, des unendlich Kleinen, bedürfe) — J^4 "보나파르트 … , 만으로도"(Bonapartes, bedürfe)

150 (k) "사토리"(Satory) — J^1 "Satori"

151 (e) 「1850년 10월 29일 뇌마예 장군의 전출에 관한 명령」, 《르 모니퇴르 위니베르셀》, 파리, 제303호, 1850년 10월 30일, 3179쪽.

152 (e) G447쪽을 보라.

153 (e) G21쪽 12행에 관한 해설을 보라.

154 (e) "베를린을 행진하면서 사고가 난 황제 마차"(verunglückter Kaiserzug durch Berlin) — 3월 혁명의 승리 이후, 프로이센 왕 프리드리히 빌헬름 4세는 위선적인 호소문 "나의 백성과 독일 민족에게"(An mein Volk und die deutsche Nation)와 1848년 3월 21일 베를린에서 웃음거리가 된 기마 행렬로써 자신의 주장을 확산하려 했다. 그 주장이란 프로이센이 독일로 올라가야 하고, 그는 독일의 통일과 자유를 구원해 입헌 독일의 정점에 서고 싶다는 것이었다.

155 (e) "소독일"(Kleindeutschland) — G212쪽 17행에 관한 해설을 보라.

156 (k) "소박한"(den bescheidenen) — J^1 "der bescheidene"

157 (e) 고타당(Gothaer Partei)은 1849년 6월 우파 자유주의적인 반혁명적 대부르주아지의 대표자들이 창당했다. 이들은 프리드리히 빌헬름 4세가 프랑크푸르트 국민의회의 손에서 황제의 관을 받기를 거부한(G482쪽 27~28행에 관한 해설을 보라) 다음, 국민의회의 좌파 다수가 제국 섭정을 세우기로 결정한 후 프랑크푸르트 국민의회를 떠났다. 고타당은 프로이센의 연방 정책을 지지했다.

158 (k) "탈주할"(ertrannen) — J^1 "entrennen"

159 (e) G212쪽 17행에 관한 해설을 보라.

160 (e) 헤센다름슈타트 대공국과 헤센카셀 선제후국(쿠어헤센)은 1849년 연합에 들어오기로 합의했지만(G212쪽 17행에 관한 해설을 보라), 1850년 5월 오스트리아 쪽으로 넘어갔다.

161 (e) "실패한 독일 황제"(der verfehlte deutsche Kaiser) — 프리드리히 빌헬름 4세. 프랑크푸르트 국민의회 대표단은 1849년 4월 3일 그에게 세습 황제직을 건의했지만, 그가 거부

했다. 또한 G482쪽 36행에 관한 해설을 보라.

162 (v) "이 팔은 이미 오래전부터 병들어 있었다"(Arm schon seit geraumer Zeit verwelkt) — J^4 "이 팔이 성숙하기도 전에 병들어 있었다"(Arm, ehe er ausgewachsen war, verwelkt)

163 (e) 슐레스비히-홀슈타인과 쿠어헤센 문제는 G464쪽 25~26행에 관한 해설을 보라. 그리고 G361~G363쪽을 보라.

164 (e) ""독일의 칼""("Schwert Deutschland") — 프리드리히 빌헬름 4세가 프랑크푸르트 국민의회 대표단에게 한 대답에 포함된 말(G482쪽 27~28행에 관한 해설을 보라). "내외의 적에 대한 프로이센의 방패와 칼이 필요하다면, 나는 요청이 없더라도 칼과 방패를 들 것이다."(《칙허 정치 및 학술 분야 베를린 신문》, 제80호, 1849년 4월 4일.)

165 (v) "날조자 하센플루크를 반대하는 고결한 부르주아지의 저항"(Der tugendhafte und bürgerliche Widerstand gegen den Fälscher Hassenpflug) — J^4 "하센플루크를 반대하는 저항"(Der Widerstand gegen Hassenpflug)

166 (v) "날조자 하센플루크"(der Fälscher Hassenpflug) — J^4 "하센플루크"(Hassenpflug)

167 (v) "정말로 필요했다"(recht nothwendig) — J^4 "정말로 어려움에 처했다"(recht in Noth)

168 (v) "약했기" — K^2 "정부보다* 약했기"

* "정부보다" — 새로 삽입한 것.

169 (v) "믿음의 군대"(Glaubensarmee) — K^2 **"믿음의 군대"**(*Glaubensarmee*)

170 (v) "종교를 창설"(Stiftung einer Religion) — K^2 **"종교를 창설"**(*Stiftung einer Religion*)

171 (k) "대중의 본능"(der Instinkt der Massen) — J^1 "대중의"(der Massen). K^2는 "der Massen"을 "die Masse"로 잘못 교정했다. G484쪽 34행~G485쪽 37행에 관한 해설을 보라.

172 (k) "드러내는"(offenbarend) — J^1 "offenbaren. K^2에 따라 교정함.

173 (e) 마르크스와 엥겔스는《르 프로스크리》, 파리, 런던, 제2호, 1850년 8월 6일, 47~48쪽의 프랑스어를 독일어로 번역해서 인용했다. (《르 프로스크리》에는 "조직"(G484쪽 34행), "나"(G485쪽 8행), "우리"(G485쪽 9행), "내가 정치적 진리를 발견했다"(G485쪽 13~14행)가 강조되었다. — 옮긴이)

174 (v) "에"(im) — K2 "in ihrem"

175 (k) "한 것처럼"(hätte) — J^1 "hätten"

176 (e) 마르크스와 엥겔스는《르 프로스크리》, 제2호, 1850년 8월 6일, 48~49쪽의 프랑스어를 독일어로 번역해서 인용했다. (강조는 마르크스와 엥겔스가 한 것 — 옮긴이)

177 (k) "역사"(Geschichte) — J^1 "사업"(Geschäfte). K^2에 따라 교정함.

178 (k) "진리들"(Wahrheiten) — J^1 "Wahrheit". K^2에 따라 교정함.

179 (e) "레포렐로의 명부"(Leporellosches Register) — 모차르트의 오페라「돈 조반니」에서 하인 레포렐로가 주인의 연애 사건에 관해 기록한 명부.

180 (e) 마르크스와 엥겔스는《르 프로스크리》, 제2호, 1850년 8월 6일, 49~50쪽의 프랑스어를 독일어로 번역해서 인용했다. (강조는 마르크스와 엥겔스가 한 것 — 옮긴이)

181 (k) "로서 또한"(auch als die) — J^1 "또한"(auch die). K^2에 따라 교정함.

182 (e) 1830년대 말 반동적인 성직자 역사가 하인리히 레오와 아르놀트 루게 사이에 헤겔 철학과 청년헤겔학파에 관해 벌어진 논쟁을 비꼬는 것.

183 (e) 1850년 7월 22일 유럽 민주주의 중앙위원회 선언 "인민에게! 민주주의의 조직".《르 프로스크리》, 제2호, 1850년 8월 6일, 51쪽.

카를 마르크스/프리드리히 엥겔스 G1009

런던 노동자교육협회의 자금에 관한 바우어와 펜더의 성명 초안

1850년 12월 말로 추정(G489~G490쪽)

집필과정과 전승과정

이 문서의 내용으로 알 수 있는 것은, 이 문서는 빌리히와 샤퍼가 1850년 11월 20일 런던에서 바우어와 펜더를 상대로 제기한 재판에서 패소한 **다음에** 작성되었다는 점이다. 엥겔스가 이 초안을 마르크스의 비망록에 작성했고 마르크스가 이것을 교정했기 때문에, 이 두 사람이 개인적으로 만나서 이 문서를 작성했음이 틀림없다. 이때는 1850년 11월 이후, 처음으로 다시 엥겔스가 1850년 대략 12월 24일에서 31일까지 런던에 체류했을 때였다(엥겔스가 1850년 12월 17일 마르크스에게 보낸 편지를 보라). 이때는 또한 초안이 집필된 날짜로서 가장 개연성이 높은데, 이 초안이 1년 후인 1851년 12월 말에 작성되었을 것이라는 점도 전적으로 배제할 수 없다.

마르크스는 대략 1850년 중반부터 1854년까지 해당 비망록을 틈틈이 사용했다. 비망록에는 마르크스의 부인이 기재한 것과 딸 라우라가 처음으로 글자 쓰기를 연습한 것도 들어 있었다. 《뉴욕 데일리 트리뷴》에 보낸 기고문 목록을 예니 마르크스가 1853년 초에 작성하기 시작했다. 이 목록의 날짜는 거의 정확하지만 이 비망록의 앞 12쪽은 그렇지 않다. 이 12쪽은 이 초안과 예니 마르크스의 가계 생활비 계산 외에도 특히 이 초안과는 아무 상관 없는, 마르크스가 런던 생활과 관련하여 개인적으로 메모한 것으로 이루어져 있다. 투프만(=빌헬름 피퍼)이 여러 번 언급된 것으로 보아, 이 12쪽은 이르면 1850년 봄에는 작성했을 것이다.

런던의 공산주의 노동자교육협회의 자산은 약 24파운드스털링이었는데, 1848년 8월 관리인 세 사람—프란츠 바우어, 하인리히 바우어, 카를 펜더—에게 맡겨졌다. 필요한 경우 언제든지 영수증을 받고 돈을 처리해야 하는 조건이었다. H. 바우어와 펜더는 공산주의자동맹 중앙본부 위원도 겸했기 때문에, 이들이 늘 자금 운용을 통제했을 것이다. 또한 적어도 일부는 직접 동맹의 자금을 다뤘을 것이라는 점도 배제할 수 없다(마르크스가 1852년 1월 23일 바이데마이어에게 보낸 편지를 보라).

1850년 8월 자금 문제로 아우구스트 빌리히가 촉발한 말다툼이 벌어졌다. 이 말다툼은 8월 말 중앙본부 회의에서 다뤄졌고 콘라트 슈람과 빌리히의 결투로 이어졌다(마르크스가 1851년 10월 13일 엥겔스에게 보낸 편지에서, 경찰이 슈람을 파리에서 체포했을 때 슈람과 빌리히의 결투를 촉발했던 회의 의사록 사본을 찾았다는 보고에 대해, 엥겔스는 1851년 10월 15일 다음과 같이 답장을 썼다. "바우어와 펜더의 신탁 관리자의 돈 문제 때문에 생긴 볼썽사나운 말다툼이 들어 있는 의사록은 이 신사분들 손에 들어가서는 안 되네 …"). 1850년 9월 15일 중앙본부 회의에서 나타난 분열(G577~G580쪽을 보라)의 결과 1850년 9월 17일 바우어와 펜더는 마르크스,
G1010 엥겔스 그리고 다른 사람들과 함께 노동자교육협회에서 탈퇴했다 (G444쪽을 보라). 이 시점에 두 사람은 협회 자금의 16파운드스털링 정도를 갖고 있었다.

1852년 1월 21일 펜더의 「런던 노동자교육협회 의장님께」(An den Präsidenten des Bildungs-Vereins für Arbeiter in London)라는 성명에는 이어지는 상황에 대한 설명이 있다. "[1850년] 9월 17일 우리(협회 자금 일부의 관리인 중에 두 사람으로서 H. 바우어와 나)는 동시에 우리의 탈퇴 성명과 함께 그레이트 윈드밀 스트리트 협회에 편지 한 통을 보냈다. 그 편지에서 우리는 다음 날 세 번째 관리인인 프란츠 바우어에게 자금 문제를 정리해서 우리에게 보내달라고 요청했다. 여러 날이 대답 없이 지나갔다. 후에 H. 바우어는 편지 한 통을 받았는데, 이 편지는 우리를 그레이트 윈드밀 스트리트의 지부로 **소환한다**는 것이었다. 이러한 부적절한 요구를 우리는 당연히 무시했다. 협회는 2주 후에 그러한 요구를 반복했고, 불행한 일이 일어날 거라고 협박했다. 이러한 반복되는 월권에 대해 H. 바우어와 나는 이제 이 자금을 그저 나눠서 돌려주기로 결정했다. 우리의 정치적 동지들은 이렇게 하는 것에 찬성했는데, 왜냐하면 자금이 독일로 밀사를 보내는 데 사용되어 협회에서 탈퇴한 사람들에 대한 야비한 중상모략을 그곳에서 유포하고, 규약에 어긋나는 목적이나 단순히 개별 음모가들을 위해 사용될 것임을

알았기 때문이었다. 마침내 세 번째 관리인(프란츠 바우어 — 옮긴이)이 우리에게 와서 자금을 나눠서 돌려주고 1850년 12월 1일을 첫 번째 지급 기한으로 확정했다. 우리가 합의했던 이 기한을 기다리지 않고, 우리는 11월 20일 법정에 출두하라는 소환장을 받았다. 우리는 법정에 출두했지만 당연하게도 협회는 자금을 나눠서 돌려주려는 우리의 요구를 거부했다. 12월 1일 개인적으로 약속한 불입금을 보내려 했지만 협회 측에서는 아무도 나타나지 않았다. 그 대신 스위스, 독일, 심지어 아메리카의 신문에는 협회의 성명이 실렸다. 거기서 협회는 우리에게 자금 횡령죄를 전가했다."(IML/ZPA Moskau, 정리 번호 f. 10, d. 110.)

1850년 12월 2일 마르크스는 엥겔스에게 다음과 같이 보고했다. "그레이트 윈드밀은 법적 판결을 통해 손해 본 16파운드스털링에 대해 매우 화를 내고 있네. 레만이 특히 격노했다네. 그의 격노는 바우어와 펜더가 모든 유럽의 신문에 공개적으로 절도자, 범죄자로 낙인찍히기 전까지 누그러지지 않을 걸세."

펜더와 달리 바우어는 11월 20일 선고 이후 노동자교육협회와 체결한 변제 약정은 타당하지 않다는 입장을 표명했다. 자금을 나눠서 돌려주기로 한 합의는 이루어지지 않았다.

바우어와 펜더를 비난하는 기사에 관해서는 몇 개만 알려져 있는데, 협회의 서기 오스발트 디츠가 《슈바이처리셰 나치오날-차이퉁》, 바젤, 제5호, 1851년 1월 7일, 20쪽(광고로서), 그리고 《도이체 아르바이터할레》, 하노버, 제4호, 1851년 1월 25일, 14~15쪽에 쓴 것이 잘 알려져 있다. 이것들은 런던에서 1850년 12월 20일 날짜로 보낸 것으로, 엥겔스가 1850년 12월 말 런던에 체류할 때 마르크스와 그의 친구들이 그 존재를 이미 알고 있었다. 그렇지만 마르크스의 비망록에 남아 있는 이 초고가 이 시기에 집필되었는지 확정하기는 어렵다.

마르크스와 엥겔스를 비방한 아르놀트 루게의 기고문 — 《브레머 타게스-크로니크》, 제474호, 1851년 1월 17일 자에 실렸고, 마르크스와 엥겔스는 이에 대해 비판적인 성명으로 대답했다(G491~G492쪽을 보라) — 도 G1011
노동자교육협회의 자금 문제를 다루고 있지만 그는 단지 소문을 들었을 뿐이었다(마르크스가 1852년 1월 23일 바이데마이어에게 보낸 편지를 보라). 바우어와 펜더를 비난하는 디츠의 인쇄된 성명을 동봉하면서, 마르크스는 1851년 1월 22일 엥겔스에게 보낸 편지에서 다음과 같이 썼다. "바우어와 펜더는 당연히 대답하지 않을 걸세. 그리고 그들에게는 이러한 상황에서 침묵하는 것이 가장 바람직하지."

마르크스는 1851년 1월에는 공개적인 대응을 말렸지만, 1년 후에는 반박할 것을 촉구했다. 1850년 8월 말에 있었던 공산주의자동맹 중앙본부 회의 의사록 사본이 1851년 9월 파리에서 경찰 손에 들어가게 되자, 1852년 초 다른 상황이 펼쳐졌다. 하인리히 바우어는 1851년 말 오스트레일리아로 이주했고, 자금과 관련한 논쟁은 미국으로 이전되었으며, 바이데마이어가 뉴욕에 도착함으로써 마르크스와 그의 친구들이 보도 매체를 이용할 가능성이 나타났다.

바우어가 런던을 떠나기 직전인 1851년 말경, 노동자교육협회와의 새로운 협상이 이루어졌다. 위에서 인용한 펜더의 성명은 다음과 같다. "몇 주 전에 협회 의장 중에 한 명이 찾아와서 내가 돈을 내고 싶어 한다고 들었다고 설명했다. 나는 이렇게 반박했다. 우리는 언제나 준비가 되어 있었지만, 당신들이 법적 기한을 지키는 대신에 소송을 하고 언론에 비난 기사를 실은 것은 당신들의 고유한 책임이다. 그러나 그사이에 나는 H. 바우어와 의논해야만 했다. 바우어가 내게 설명한 바로는 자신은 협회가 패소한 재판을 미루어 볼 때 협회는 더는 (자금에 대한 — 옮긴이) 법적 책임이 없으며, 우리에게 가해진 비난 이후에는 자신의 시민적 권리를 지킬 것이라고 했다. 나와 관련되는 것은 그래서 협회가 의장과 서기 그리고 회계 관리자가 제출한 영수증 하나에 대해 5파운드스털링을 내게 물도록 했다. 그리고 나는 18실링 4펜스의 재판 비용과 함께 협회가 내게 주문한 몰의 초상화에 대한 사례비를 받기로 했다.

런던, 1852년 1월 21일 C. 펜더.

다른 날 위에서 언급한 윈드밀 스트리트 협회의 세 관리인이 나타나 영수증을 주고 돈을 받아 갔는데, 내 편지에서 설명한 어떤 사실들, 특히 협회가 나에게 저지른 잘못을 제기할까 봐 매우 조심스러워했다.

C. 펜더."

이 성명은 《슈바이처리셰 나치오날-차이퉁》에 발표되었다(야코프 샤벨리츠가 1852년 3월 6일 마르크스에게 보낸 편지를 보라). 그러나 마르크스는 이것을 무엇보다 미국에서 발표하려고 했다. 1852년 1월 23일 마르크스는 바이데마이어에게 다음과 같이 썼다. "편지에는 내 친구 **펜더**(바우어는

이제 우리의 동맹에 있지 않네)의 성명이 들어 있네. 자네는 이것을 발표해
야 해. 그를 비난하는 윈드밀 스트리트 협회의 성명이 **아메리카**의 신문은 물
론 유럽에도 발표되었기 때문이지. 이 성명의 배후를 주목하는 게 좋을 걸 G1012
세. 즉 이 성명은 단지 **현재**의 **경찰 관계**하에서 발표될 수 있는 것**만**을 포함한다네(한편으로 바우어와 펜더 다른 한편으로 구 동맹 사이의 계산서, 나아가 **중앙본부**가 각각의 자금을 관리하는 것, 그리고 우리가 중앙본부에서 다수가 된 것—이 모든 사항은 물론 아직 발표되지 않았네). 독일에서 정치적으로 받아들이는 이면을 우리는 고려해야 하네. 수다쟁이 노파이자 유럽 민주주의의 '공자'인 아르놀트 빙켈리트 루게는 직접 제3자와 제4자의 수다를 통해서만 알게 되었던 앞에서 말한 저 이야기(바로 펜더와 바우어의 이야기)를 비꼬면서 **나**와 **엥겔스**를 대중에게 모략하려 한다네. 이번 사태는 우리와 전혀 관계없음에도 불구하고, 또한 펜더의 편지가 암시하듯이 **우리는** 이 노동자교육협회를 **탈퇴했음**에도 불구하고, 윈드밀 스트리트 협회 사람들은 당나귀처럼 **우리를** 던져버리려 하고 있네."

펜더의 성명이 미국에서 발표될 수 있었는지 여부는 알 수 없다. 1852년 6월 6일 편지에서 아돌프 클루스는 바이데마이어에게 펜더의 성명을 당분간 놔두라고 충고했다. 마르크스가 1852년 3월 25일 바이데마이어에게 보낸 편지에서 알 수 있듯이, 그럼에도 불구하고 펜더의 두 번째 성명이 마르크스에게 보내졌다. 이 성명은 "펜더의 성명에 대한 빌리히 협회의 파렴치한 답변"(마르크스)—우리가 출판하지 않은—때문에 반드시 쓰일 수밖에 없었다. 바이데마이어는 자신의 잡지《디 레볼루치온》에 펜더의 두 성명을 출판하려고 계획했지만, 마르크스는 그것을 현명치 않다고 보았다(마르크스가 1852년 3월 25일 바이데마이어에게 보낸 편지를 보라). 펜더는 자신의 두 번째 성명에서 마르크스와 엥겔스가 구상했던 논증을 기초로 했을 것이다. 이것은 어쨌든 1852년 1월 빌헬름 피퍼의 펜으로 집필된 초고임이 분명하다(IML/ZPA Moskau, 정리 번호 f. 20, d. 171). 양면으로 빼곡히 쓰인 종이에는 표제나 서명 없이 왼쪽 위에 다른 사람의 손으로 "피퍼 1852년 1월"이라고 기재되어 있다. 그 내용은 다음과 같다.

"펜더와 바우어는 1848년에 런던 윈드밀 스트리트 협회의 15파운드스털링 관리인이 되었다. 이 협회는 그 배후에 있는 특별 위원회가 지도하고 있었다. 그 위원회의 존재는 모든 성원에게 알려지지는 않았지만, 노동자교육협회의 자금 운용에 관해서는 윈드밀 스트리트 협회의 원칙적인 이해에 따

라 처분할 수 있었다. 오스발트 디츠라는 노출된 자기의 꼭두각시를 갖고 있는 샤퍼 씨는 이 위원회 자체가 윈드밀 스트리트 협회를 지원하라고 그에게 권유했기 때문에 이것을 더 정확히 알고 있었다. 펜더와 바우어는 이러한 위원회의 성원으로서 협회의 관리인이었을 뿐 아니라, 특별히 이 자금이 런던 노동자교육협회의 원래 취지에 맞게 사용될 책임을 지고 있었다. 1850년 9월[원본에는 1851년으로 잘못 기재됨] 펜더와 바우어는 노동자교육협회를 떠났다. 노동자교육협회의 성격이 일부는 많은 구 회원들의 탈퇴를 통해서 그리고 일부는 빌리히 씨를 통해 연결된 망명자들의 대규모 가입을 통해서 많이 변화되었기 때문이다. 그러나 그들은 사용한 자금을 기한 내에 되갚을 것을 결심했으며, 빌리히와 샤퍼 씨의 당분간의 영향 아래 원래 목적에
G1013 반해 독일로 밀사를 파견해서 그곳에서 자신들의 개인적인 이해를 위해 음모를 꾸미는 데 이용될 뿐이라는 사실을 알고 있었다. 그들은 또한 법적으로 정당한 권리가 있었다. 영국 법률은 관리인에게 그들의 손에 있는 돈을 그들 판단에 따라 사용하고 단지 해약에 대해서는 기한 내에 변제할 책임만 있는 권리를 부여하고 있다. 펜더와 바우어가 윈드밀 스트리트 협회의 수임자, 즉 협회 자금의 세 번째 관리인과 기한에 관해 합의를 본 후에, 그들은 놀라고 말았다. 왜냐하면 그들이 15파운드스털링을 횡령하여 법정에 서게 되었다고 공개적으로 노동자교육협회에 고지되었기 때문이다. 그들은 세 번째 관리인이 그들에게 나타나 그들의 책임을 서면으로 인정할 것을 요구할 때 이것을 확신했다. 이러한 요구가 순전히 공개적인 추문을 만들려는 의도에서 생겨났다는 사실은 다음을 생각하면 쉽게 알 수 있다. 즉 영국 법률은 등록되지 않은 협회(윈드밀 스트리트 협회는 여기에 속한다)에, 서면이나 구두로 계약했을지라도, 법적 요구를 제기할 권리를 전혀 인정하지 않는다. 따라서 수임자에게 우리가 협회에 서면으로 해명할 것이 아니라 반대로 첫 번째 기한 내 변제에 대해 협회 측의 서면 영수증을 요구해야 한다는 사실을 알려주어야 했다. 기한 내 변제를 기다리는 대신에 협회는 바우어와 펜더를 법정에 고소했다. 협회는 당연히 패소했다. 협회는 그들에게 부르주아적 입장으로 맞섰지만, 바우어와 펜더는 협회에 대한 자신의 책임에 대해 부르주아적으로 무죄 판결을 받은 다음에, 재판 비용을 공제한 총액을 어떤 런던 시민에게 기탁했고, 그들의 상황이 괜찮을 때 이 총액을 맨 먼저 협회에 갚아야 한다는 명령도 받았다. 더는 말할 것도 없다(Voilà tout). 이제 이 모든 곳에서 횡령이 얼마나 말이 안 되는지를 알 수 있을 것이다.

바우어와 펜더는 거의 10년 전부터 런던의 지도적 인사였을 뿐 아니라, 런던과 관련된 노동자협회의 지도적 인물이었다. 프로이센의 전 중위였던 빌리히가 혁명 이후 브장송, 스위스, 런던에서 망명자들의 지도층으로, 혹은 샤퍼 씨가 노동자 교육으로 생계를 영위했던 것과 달리, 바우어와 펜더 자신은 노동자로서 노동자계급의 이해를 위해 자신의 시간과 수단을 언제나 무료로 희생해왔다.

게다가 샤퍼와 빌리히 씨가 대부분 크고 작은 속물로 구성된 런던 노동자교육협회를 통해서 수많은 독일 노동자들을 자기 주위로 결집했다는 사실은 증명하는 바가 아무것도 없다. 노동자들에게 적대적인 모든 세력은 지금까지 노동자들을 통해서 자신의 권력을 강화하고 유지해왔다 — 그리고 위의 신사분들이 이런 세력들과 어떻게 관계를 맺고 있는지는 다음을 통해서 알 수 있다. 즉 노동자들에게 적대적인 민주주의자들은 탐욕스럽게 중상모략을 꾸며 퍼뜨리고, 그들의 신문에 빌리히를 치켜세워 그를 훌륭한 인물로 부르는 것도 결코 빠뜨리지 않는다."

마르크스와 엥겔스의 초안은 이 책에서 처음으로 출판된다.

원문자료에 대한 기록 G1014

H[1] 자필 원고 원본. IML/ZPA Moskau, 정리 번호 f. 1, op. 1, d. 386. 비망록 형태. 너비 70mm, 높이 147mm. 겉표지는 방수포 판지로 작은 별과 점 모양의 무늬가 있다. 쪽수는 없지만 42쪽이다. 튼튼하고 하얗고 약간 황색으로 바랜 종이에 투시 무늬는 없다. 복원했다.

이 초안은 5~8쪽으로, 겉표지 안쪽에도 번호가 붙어 있었다. 5, 6, 7쪽은 알 수 없는 사람이 추가로 쪽수를 매겼다. 5, 6, 7쪽 위는 엥겔스가 먼저 서술했다. 이 텍스트는 마르크스가 편집했는데, 그는 거기서 3항과 4항을 바꾸었고 보충해서 결론(5항)을 썼다. 두 사람 모두 연필로 썼다. 필기는 일부가 심하게 지워져 그 부분은 전혀 읽을 수 없다.

본문은 **H**[1]을 따른다.

변경사항 목록/해설

(철자 [e]로 나타낸 부분(e 표시는 엥겔스가 쓴 것 — 옮긴이)을 제외하면 모두 마르크스에 의한 변경사항이다.)

1 (v) "3" ← "4"

2 (v) "협회에서 받은 이 위원회 자금을 개인적 목적으로 … 사용한 만큼"(durch Verwendung dieses Comites Geld zu persönlichen Zwecken von der Gesellschaft erhielt.) ← "이 위원회에서 자금을 개인적 목적으로 사용했다."(sich an dies Comite um Geld zu persönlichen Zwecken gewandt hat.)

3 (v) "혹은"(oder) ← "noch"

4 (v) "이 노동자들은 — 샤퍼 씨처럼 — … 것을 용인할 수 없다"(Arbeiter, von denen nicht anzunehmen ist, daß sie — wie Herr Schapper — von) ← "노동자들은, 샤퍼 씨처럼, … 것에도 의지할 수 없다"(Arbeiter, und weder, wie Herr Schapper, angewiesen, von)

5 (v) "4" ← "3"

6 (v) "그럼에도 불구하고"(trotzdem) 다음에 "bei einem"[e]이라고 썼다가 곧바로 지웠음.

7 (v) "우리는"(von uns) — 새로 삽입한 것.

8 (v) "우리 제안에 응한 것 같던 협회가 느닷없이 우리를 법정에 소환했기 때문에 — 성과는 없었다 — "(Gesellschaft, nachdem sie scheinbar auf unsre Vorschläge eingegangen war, uns plötzlich vor die Gerichte citirte — ohne Erfolg —) ← "우리 제안을 받아들이는 대신 우리를* 법정으로 끌고 가려고 한 협회 — 성과는 없었다"(Gesellschaft, statt auf unsre Vorschläge einzugehn, es vorzog, uns [e]⟨gegen⟩[e] vor die Gerichte — ohne Erfolg — zu citiren)

* 다음에 "gegen"[e]이라고 썼다가 나중에 지웠음.

9 (e) "런던 시민" — U. L. 로버츠로 추정됨.

10 (v) "어떤 런던 시민에게"(bei einem Londoner Bürger) ← "어떤 확실한 제3자에게"(bei einem sicheren Dritten Manne)

11 (e) "서면의 거절"(Verweigerung des Schriftlichen) — 1850년 11월 초 프란츠 바우어와의 협상에서 H. 바우어와 펜더는 자신들의 "잘못"에 관해 노동자교육협회에 서면으로 설명할 것을 거절했다.

12 (v) "없을 것이기 때문이다"(hätte) ← "없다고 한다"(sollte)

13 (e) "파리의 바우어"(Bauer von Paris) — 프란츠 바우어와 구별하기 위해 이렇게 썼다. 그러나 마르크스가 여기서 왜 하인리히 바우어의 파리 체류(1836~1842)를 지적했는지 완전히 명확하지는 않다. 논란의 여지가 있는 일부 자금이 의인동맹 초기에 유입되었기 때문일 것이다. 이에 대해 마르크스가 1852년 1월 23일 바이데마이어에게 보낸 편지에서 바우어와 펜더의 "구 동맹"에 대한 계산서를 언급한 것을 지적할 수 있다. 이름 옆에 있는 (8)과 (7)은 어쩌면 돌려줘야 하는 총액과 관련이 있을 것이다.

카를 마르크스/프리드리히 엥겔스 G1016

아르놀트 루게에 대한 성명

1851년 1월 27일(G491~G492쪽)

집필과정과 전승과정

1851년 1월 17일 《브레머 타게스-크로니크》(제474호)에는 런던에서 보낸 통신이 실렸다. 이 통신은 A. R.이라는 통신원 표시와 함께 상당 부분 《노이에 라이니셰 차이퉁》(이 글의 《노이에 라이니셰 차이퉁》은 NRhZ. Revue를 의미함—옮긴이)의 역할에 관한 중상모략적 주장을 담고 있다. 여기서 루게는 무엇보다 에두아르트 폰 뮐러-텔러링(Eduard von Müller-Tellering)과의 대담과 그가 쓴 『마르크스와 엥겔스의 미래의 독일 독재에 대한 예감』(Vorgeschmack in die künftige deutsche Diktatur von Marx und Engels, 쾰른, 1850년)이라는 모략적인 소책자에 근거한다. 또한 루게는 마르크스와 엥겔스의 런던 노동자교육협회 탈퇴와 빌리히와의 결별을 잘못 주장하고 있다.

마르크스는 루게를 반박하는 공동 성명을 쓰자는 제안과 함께 1851년 1월 22일 엥겔스에게 기고문을 보냈다. 1월 25일 답장에서 엥겔스는 마르크스가 성명을 기초해야 하며 자신은 거기에 서명을 하겠다고 제안했다.

최종 원고의 기초로 이용된 이 초안은 예니 마르크스의 자필 원고로 전한다($\mathbf{H}^{j1}$). $\mathbf{H}^{j1}$은 여기서 변경사항 목록에 포함되어 처음으로 출판된다. 1851년 1월 27일의 편지와 함께 마르크스는 서명을 위해 성명을 엥겔스에게 보냈고 다른 사람에게 전해달라고 부탁했다. 마르크스는 또한 이와 관련하여 콘라트 슈람의 성명—전하지 않는다—을 동봉했다. 마르크스는 성명을 루게가 공동 소유주인 《타게스-크로니크》가 아니라, 또 다른 브레멘 일간지인 《베저-차이퉁》에 유료 광고로 보낼 것을 제안했다.

엥겔스는 소포를 1월 30일 브레멘으로 보냈지만(엥겔스가 1851년 1월

29일 마르크스에게 보낸 편지를 보라), 성명은 발표되지 않았다. 마르크스와 엥겔스는 결국 예니 마르크스가 작성한 두 번째 정서본(H^{j2})을 슈람에게 위임해 《뉴요커 슈타츠차이퉁》에 보내기로 결정했다. 마르크스가 1851년 7월 비로소 확인했듯이, 슈람은 이 지시를 이행하지 않았다. 마르크스는 두 번째 정서본을 다시 돌려받았다(마르크스가 1851년 7월 31일 엥겔스에게 보낸 편지를 보라).

첫 출판은(러시아어로) MЭC① 8, 595/596쪽; 원본 언어로는 MEW 7, 464/465쪽.

원문자료에 대한 기록

H^{j1} 자필 원고 원본. IML/ZPA Moskau, 정리 번호 f. 1, op. 1, d. 5558. 밝은 청회색의 잘 보존된 종이로 가운데가 한 번 접혀 있다. 크기는 네 쪽 모두 179×113mm의 형태. 1쪽 왼쪽 상단에 둥글고 알아볼 수 없는 투시 무늬의 약한 자국이 남아 있다. 글쓴이는 예니 마르크스이며 G1017 독일어 필기체로 썼고, 엥겔스의 이름만 라틴어 필기체로 쓰였다. 마르크스가 직접 교정한 곳이 많은데, 이것은 변경사항 목록에 글쓴이 표시 ^{m}으로 표기될 것이다(^{m} 표시가 있는 곳은 모두 마르크스가 변경한 것 — 옮긴이). 검은색 잉크로 썼고 약간 색이 바랬다. 1쪽과 2쪽은 빼곡히 썼지만, 3쪽과 4쪽은 비어 있다. 다만 2쪽의 마르크스의 교정 줄이 3쪽까지 이어진다. 1쪽 왼쪽 상단에는 알 수 없는 사람이 연필로 "1 B 8"이라고 적었다.

H^{j2} 자필 원고 원본. IML/ZPA Moskau, 정리 번호 f. 1, op. 1, d. 399. 밝은 청회색의 잘 보존된 종이로 한 번 접혀 있다. 크기는 네 쪽 모두 179×113mm의 형태. 1쪽 왼쪽 상단에 둥글고 알아볼 수 없는 투시 무늬의 약한 자국이 남아 있다. 글쓴이는 예니 마르크스이며 마르크스의 교정사항이 있다. 카를 마르크스와 프리드리히 엥겔스의 서명도 예니 마르크스가 썼다. 날짜에는 숫자 뒤에 모두 점이 빠져 있다. 검은색 잉크로 썼고 약간 색이 바랬다. 1쪽과 2쪽은 빼곡히 썼지만, 3쪽은 약 3분의 2만 썼고, 4쪽은 비어 있다.

본문은 **H^{j2}**를 따른다.

변경사항 목록/해설

1 (v) "과 서명자에 대해"(und gegen die Unterzeichneten.) — H^{j1} ", 엥겔스와 나에 대해."(, gegen Engels und gegen mich.)

2 (v) "곡해된"(mißverstandenem) — H^{j2} "곡해된"(mißverstandenem) ← "이해할 수 없는"(nichtverstandenem)

3 (v) "에 대해 … 횡설수설, 날조되고 곡해된 험담, 서투른 무고와 도덕적인 거드름의"(Albernheiten, von erlogenem und mißverstandenem Klatsch, von schwerfälligen Insinuationen und moralischer Aufspreizung gegen) — H^{j1} "…에 대한 횡설수설"(Albernheiten gegen)

4 (v) "악의적으로 쓴 … 양"(Ladung von schlechtgeschriebenen) — H^{j1} "Ladung schlecht geschriebener"

5 (e) 루[게], 아[르놀트], 「(마르크스와 엥겔스.) 런던 [통신], 1월 13일」((Marx und Engels.) [Korrespondenz aus:] London, 13. Jan.), 《브레머 타게스-크로니크. 민주주의 기관지. 북독일 석간신문》, 제414호, 1851년 1월 17일.

6 (e) 루게는 《노이에 라이니셰 차이퉁》(NRhZ. Revue를 의미함 — 옮긴이)이 "걸출하고 단호한 인물들"을 중상모략했다고 주장했다.

7 (v) H^{j1} 여기에 마침표 대신 느낌표를 씀.

8 (v) ""단호하고 걸출한" 사람"("entschiedenen und hervorragenden" Mann) — H^{j1} ""걸출하고 단호한" 사람"("hervorragenden und entschiedenen Mann")

9 (e) 루게는 허구의 이야기에 근거하여 《노이에 라이니셰 차이퉁》(NRhZ. Revue를 의미함 — 옮긴이)이 거짓으로 보도했다고 비난했다. 루게는 이것을 주로 뮐러-텔러링의 거짓말에 기대고 있다.

10 (v) "우리는 … 선사한다"(schenken wir) — H^{j1} "^{m}우리는 … 선사한다^{m}"(^{m}schenken wir^{m}) ← "나는 … 선사한다"

11 (v) "우리가"(unsern) — H^{j1} "^{m}우리가^{m}"(^{m}unsern^{m}) ← "나와 엥겔스가"(meine und Engels)

12 (v) "그레이트 윈드밀-협회"(Great Windmill-Verein) — H^{j1} "Verein der Great Windmillstreet"

13 (v) "우리는 … 해명한다"(erklären wir) — H^{j1} "^{m}우리는 … 해명한다^{m}"(^{m}erklären wir^{m}) ← "나는 … 해명한다"(erkläre ich)

(e) 루게는 특히 마르크스와 엥겔스가 노동자협회에 한 번도 기부금을 내지 않았고, 사람들이 그들에게 기부금을 요구해서 제명되었을 것이라고 썼다.

14 (v) "자신들이"(ihrem) — H^{j1} "^{m}자신들이^{m}"(^{m}ihrem^{m}) ← "우리가"(unserem)

15 (v) "협회를"(dem Verein) — H^{j1} "이 협회를"(diesem Verein)

(v) "엥겔스와 마르크스는 … 협회를"(aus dem Verein hatten Engels und Marx)-H^{j1} "^{m}엥겔스와 마르크스는 … 이 협회를^{m}"(^{m}aus dem Verein hatten Engels und Marx^{m}) — 새로 삽입한 것.

16 (v) "전"(Vor) — H^{j1} "^{m}전^{m}"(^{m}Vor^{m}) ← "엥겔스와 나는 전"(Engels und ich hatten vor)

17 (v) "그 기금을"(seiner Kasse) — H^{j1} "^{m}그^{m} 기금을"(^{m}seiner^{m} Kasse) ← "이 협회의 기금을"(der Kasse dieses Vereins)

18 (v) "엥겔스와 마르크스는"(sie) — H^{j1} "^{m}엥겔스와 마르크스는^{m}"(^{m}sie^{m}) ← "우리는"(wir)

19 (v) "우리의"(ihre) — H^{j1} "^{m}우리의^{m}"(^{m}ihre^{m}) ← "협회는"(der Verin die)

20 (v) "우리는"(sie) — H^{j1} "^{m}우리는^{m}"(^{m}sie^{m}) ← "우리는"(wir)

21 (e) "슈튀버"(Stüber) — 라인 강 하류 지역의 소액 화폐로 1824년까지 유통되었다.

22 (v) "추락"(Einfall) — $\mathbf{H}^{j2}$ "^{m}추락^{m}"(^{m}Einfall^{m}) ← "조합"(Combination)

23 (v) "월 9펜스의 … 않겠는가! —"(Daß sie ausgetreten … Seelen! —) — $\mathbf{H}^{j2}$ 새로 삽입한 것.

24 (v) "독일의 … 알려주었다."(Unsern … bekannt.) — $\mathbf{H}^{j1}$ "^{m}독일의 우리 당원들에게는 ^{m} ^{m}우리가^{m} 연합에서 탈퇴하고 ^{m}그^{m} 연합의 지도부와 결별한 **실제 동기**를 알려주었다."(^{m}Unsern Parteigenossen in Deutschland sind^{m} die *wirklichen Motive* ^{m}unsres^{m} Austritts aus ^{m}jenem^{m} Verein und unsrer Trennung von seinen Führern bekannt.) ← "연합에서 탈퇴하고 우리가 그 연합의 지도부와 결별한 **실제 동기**는 독일의 우리 당원들에게는 … 하지 않았다"(Die *wirklichen Motive* dieses Austritts aus dem Verein und unsrer Trennung von seinen Führern, sind unsern Partheigenossen in Deutschland nicht un /)라고 썼다가 곧바로 지웠음.

25 (e) G444쪽을 보라.

26 (v) "탈퇴했고, 우리는"(getheilt, sie) — $\mathbf{H}^{j1}$ "탈퇴했고, 우리는"(getheilt, sie) ← "탈퇴했다. 우리는"(getheilt. Sie)

27 (v) "청중"(das Publicum) — $\mathbf{H}^{j1}$ "^{m}공개적인^{m} 청중"(das ^{m}öfftentliche^{m} Publicum)
* "공개적인"은 마르크스가 썼다가 나중에 지웠음.

28 (v) "현존하는 독일의 상황"(bestehenden deutschen Verhältnissen) — $\mathbf{H}^{j1}$ "**현존하는 독일의 상황**"(*bestehenden deutschen Verhältnissen*). 강조 표시를 다시 지웠음.

29 (v) "해명"(Erklärungen) — $\mathbf{H}^{j1}$ "^{m}해명^{m}"(^{m}Erklärungen^{m}) ← "폭로"(Enthüllungen)

30 (v) "필요가"(veranlaßt haben) — $\mathbf{H}^{j1}$ "^{m}필요가^{m}"(^{m}veranlaßt haben^{m}) ← "빼앗았을 수도"(haben hinreißen können)

31 (e) "곰같이 미련한"(bärenhaft unbeholfene) — G67쪽 19~29행에 관한 해설을 보라.

32 (v) "런던에서 《브레머 타게스크로니크》에 자기의 해조분(海鳥糞)을 거름으로 준 사람은"(der Mann, der die Bremer Tageschronik von London aus mit seinem eignen Guano düngt,) — $\mathbf{H}^{j1}$ "런던에서 |:^{m}《브레머 타게스크로니크》에 자기의 해조분(海鳥糞)을 거름으로 준^{m}:| ^{m}사람은^{m}"(^{m}Mann der^{m} von London |:^{m}aus die Bremer Tageschronik mit seinem eignen Guano düngt^{m}:|) ← "런던의 통신원"(Korrespondent von London)
* 새로 삽입된 "《브레머 타게스크로니크》에 자기의 해조분(海鳥糞)을 거름으로 준"은 삭제되었다가 그 가치가 인정돼 다시 넣었다.

33 (v) "우리가"(wir) — $\mathbf{H}^{j1}$ "^{m}우리가^{m}"(^{m}wir^{m}) ← "^{m}어떻게^{m}"(^{m}wie^{m}) ← "나는"(ich)

34 (v) "었던"(haben) — $\mathbf{H}^{j1}$ "^{m}었던^{m}"(^{m}haben^{m}) ← "habe"

35 (v) "포메른 사상가"(pommersche Denker) — $\mathbf{H}^{j1}$ "^{m}포메른 사상가^{m}"(^{m}pommersche Denker^{m}) ← "사람"(Mann)

36 (e) 엥겔스는 이 성명을 작성할 당시 마치니, 르드뤼-롤랭, 루게 등의 다양한 유럽 소부르주아적 민주주의 지도자들에 대한 연재 기고문을《더 프렌드 오브 더 피플》을 위해 준비하고 있었다(전하지 않는 저술 작업 목록을 보라. 또한 G702쪽을 보라). 이 성명을 작성할 당시에 계획했던 기고문의 일부가 이미 완성되었다는 것은 분명하다. 이것은 나중에 「위대한 망명자들」을 작업할 때 사용되었다. 「위대한 망명자들」의 제5절에는 루게에 대해 다음과 같이 쓰여 있었다. "철학, 민주주의, 그리고 상투어에 지나지 않은 경제학의 모든 모순이 놀랍게도 합류하는 시궁창 …"

37 (e) 루게는 "유럽 민주주의 중앙위원회" 위원이었다. 이 위원회에 대해서는 G484~G488쪽을 보라.

38 (v) ""**아르놀트 빙켈리트 루게**""("*Arnold Winkelried Ruge*") — $\mathbf{H}^{j1}$에서 마르크스가 여기에 밑줄을 그었음.

39 (v) "《노이에 라이니셰 차이퉁》에서 그를 배척한 것"(die Verworfenheit der "Neuen Rh.Zeitung") — **H**^{j1} "《노이에 라이니셰 차이퉁》에서 그를 "배척한 것""("Die Verworfenheit" der "Neuen Rheinischen Zeitung")

40 (e) 루게는 자신의 기고문에서 《노이에 라이니셰 차이퉁》에 이 "배척"의 책임을 덮어씌웠다.

G1020

카를 마르크스

논문 모음집

1851년 2월(G493~G497쪽)

집필과정과 전승과정

마르크스는 대략 1850년 11월경 처음으로 다양한 기고문을 모음집 형태로 엮으려는 계획을 하게 된다. 그 당시 마르크스는 쾰른의 출판업자 헤르만 베커와 새롭게 접촉을 했다. 그는 당시 공산주의자동맹의 동맹원이었다. 1850년 7월《베스트도이체 차이퉁》의 발매 금지 이후, 베커는 자기 인쇄소에 주문이 들어오도록 모색하고 있었다. 쾰른에서『논문 모음집』을 준비하고 기술 장비를 갖추기 위한 대화에 당시 공산주의자동맹 중앙본부를 이끌었던 하인리히 뷔르거스와 롤란트 다니엘스도 끼어들었다. 이것은 추가로 마르크스의『논문 모음집』출판이 당의 중요한 활동으로서 받아들여졌다는 사실을 역설한다.

마르크스가 1850년 12월 2일 베커에게 보낸 편지는 공동 작업을 위한 최초의 구체적인 제안을 담고 있었다. 1852년 쾰른의 공산주의자 재판에서 드러났듯이, 마르크스가 1850년 12월 13일 베커에게 보낸 전하지 않는 편지에는 "마르크스의 글 전체를 출판하자는" 지시사항이 포함되어 있었다고 한다. (『동시대 언론의 거울에 비친 1852년 쾰른의 공산주의자 재판Der Kommunistenprozeß zu Köln 1852 im Spiegel der zeitgenössischen Presse』, 카를 비텔Karl Bittel의 편집과 서문, 베를린, 1955년, 122쪽.) 마르크스가 베커에게 보낸 편지는 대부분 전하지 않기 때문에, 1851년 4월에 간행된 작은 안내서(G496쪽 삽화를 보라)는 출판 계획에 대한 가장 중요한 원자료이다. 『논문 모음집』은 각각 400쪽 분량의 두 권 정도라고 했다. 따라서『논문 모음집』은 그때까지 마르크스가 출판한 기고문들의 상당 부분을 포함했다고 볼 수 있다.

1848년 혁명이 발발할 때까지 게재된 기고문들은 제1권에 수록될 예정이었고, 《라이니셰 차이퉁》과 《독일-프랑스 연보》의 기고문들이 많은 분량을 차지할 것이라고 했다. "일련의 학술 저서"를 작성할 때 무엇보다도 빌헬름 피퍼가 완성한 『철학의 빈곤』 독일어 번역도 생각해두었다(마르크스가 1850년 12월 2일 베커에게 보낸 편지, 베커가 1851년 4월 29일 마르크스에게 보낸 편지를 보라). 마르크스는 초고를 1851년 5월 초 쾰른으로 보냈다(베커가 1851년 5월 7일 마르크스에게 보낸 편지를 보라).

요제프 바이데마이어는 《다스 베스트펠리셰 담프보트》(Das Westphälischen Dampfboot)에서 재인쇄한 마르크스의 기고문들을 1851년 1월 베커에게 보냈다. 베커는 이 기고문들을 2월 초 마르크스에게 다시 보냈다(베커가 1851년 1월 27일 마르크스에게 보낸 편지를 보라). 여기서 《다스 베스트펠리셰 담프보트》에 실린 1847년 8월과 9월의 기고문이 중요한데, 마르크스와 엥겔스가 『독일 이데올로기』의 제4장에 작성한 기고문 「카를 그륀: 프랑스와 벨기에의 사회운동(다름슈타트, 1845) 혹은 진정한 사회주의의 역사 서술」(Karl Grün: Die soziale Bewegung in Frankreich und Belgien (Darmstadt, 1845) oder die Geschichtsschreibung des wahren Sozialismus)이 들어 있기 때문이다.

『논문 모음집』 제2권은 1848년 2월 이후에 쓴 기고문들을, 특히 《노이에 라이니셰 차이퉁》의 기고문들을 담으려고 했다. 1849년 여름 파리에서 마르크스는 이 기고문들의 일부를 소책자 형태로 다시 출판하려고 이미 계획하고 있었다(드롱케가 1849년 7월 말 바이데마이어에게 보낸 편지를 보라). G1021

이 계획의 실현은 베커 인쇄소의 기술 요건이 부족했던 데다, 《라이니셰 차이퉁》의 거의 전체에 해당하는 견본이 1851년 2월에야 마르크스에게 도착했기 때문에 상당히 지체되었다.

『최근 독일 철학과 저널리즘에 대한 일화집』에서 「최근 프로이센의 검열 지침에 대한 논평」을 채택하고 그에 상응하는 인쇄용 원고에 대해 필요한 모든 것을 마르크스와 베커가 합의한 것은 늦어도 1850년 12월 중순이었다. 12월 말 베커는 조판이 아직 시작되지 못했다고 사과하고 "그러나 1월 1일부터 두 조판자가 쉬지 않고 『논문 모음집』을 작업할 것"이라고 약속했다(베커가 1850년 12월 말 마르크스에게 보낸 편지). 1851년 1월 27일 마르크스에게 보낸 편지에서 베커는 전지 3장의 조판 작업이 이루어졌다고—

그러나 「최근 프로이센의 검열 지침에 대한 논평」은 전지 2장만이 이루어졌다 — 썼기 때문에, 이로부터 마르크스가 『논문 모음집』의 인쇄용 원고를 편집하기 위해 《라이니셰 차이퉁》의 견본을 제출하기도 전에, 베커가 《라이니셰 차이퉁》에 있는 마르크스 기고문들의 조판 작업을 시작했는지 아닌지 의문이 제기된다. 추정컨대 연재 기고문 중에서 첫 번째인 「제6차 라인 주의회의 토의」는 마르크스가 적절하게 교정하지 않은 원안으로 조판했을 것이다. 왜냐하면 1842년 5월 5일 자 《라이니셰 차이퉁》 제125호의 부록은 — 이 부록은 기고문의 시작 부분을 담고 있었다 — 나중에야 마르크스에게 보냈기 때문이다.(베커가 1851년 3월 1일 마르크스에게 보낸 편지를 보라).

1850년 12월 말 베커가 약속한 《라이니셰 차이퉁》 견본을 보내는 일은 한 달가량 지체되었다(베커가 1851년 2월 3일 마르크스에게 보낸 편지를 보라). 1851년 대략 2월 5일과 26일 사이에 마르크스는 쾰른에서 자기에게 보내준 신문의 자료를 선별했고 1842년과 1843년에 신문에서 발표된 기고문들의 상당수를 편집했다. 그때 마르크스가 사용했던 《라이니셰 차이퉁》의 견본은 오늘날 쾰른의 대학 및 시 도서관에서 찾을 수 있다. 세부적인 텍스트 개정에 대해서는 MEGA② I/1, 986, 993~995, 1010, 1023, 1033, 1046, 1052, 1056, 1058, 1062, 1079~1080, 1094~1095, 1097, 1102~1103, 1106쪽을 보라.

베커는 분명히 어떤 기고문들을 채택할 것인지에 대한 정확한 배치표를 마르크스에게서 받았다. 마르크스는 심지어 《라이니셰 차이퉁》에서 고려해볼 만한 기고문들을 별도로 표시하지 않고, 텍스트에만 교정과 삭제를 했다. 이렇게 자필로 변경한 것들이 있는 기고문들은 이로써 채택되었다는 것을 알 수 있게 되었다. 그러나 이것이 《라이니셰 차이퉁》의 다른 기고문들은 빼고 이런 기고문들만이 『논문 모음집』에 수록될 예정이었다는 결론을 허용하는 것은 아니다. 제1분책에 포함하기로 했던 두 개의 기고문 외에도 분명히 마르크스가 《라이니셰 차이퉁》에서 편집한 13개의 기고문은 — 일부는 축약해서 — 재출간하기로 했었다. 마르크스가 아무것도 바꾸지 않고 어쩌면 『논문 모음집』에 다시 실으려고 했던 《라이니셰 차이퉁》의 기고문에는
G1022 사설 「이혼법 초안」과 「《라이프치거 알게마이네 차이퉁》의 발매 금지」(Das Verbot der 'Leipziger Allgemeinen Zeitung')도 포함되었다.

마르크스가 자신의 이전 기고문들을 고친 것들은 주로 신문에서의 논쟁을 대폭 줄인 것이다. 그는 특히 중복된 것들과 거의 10년이 지나 동시대와

의 직접적인 관계로 인해 비교적 이해하기 어렵게 된 텍스트 구절들을 삭제했다. 또한 그는 논쟁의 부차적 측면들과 관계되는 부분을 삭제했다. 그러나《알게마이네 차이퉁》과《쾰니셰 차이퉁》, 그리고《라인- 운트 모젤-차이퉁》과의 논쟁에서 나타난 핵심 진술은 그대로 유지되었다. 마르크스는 일부 인쇄오류를 교정하고 몇몇 텍스트 구절을 명료하게 했다. 2월 말에 그는 교정쇄를 쾰른으로 보냈다. 1851년 2월 28일 베커에게 보낸 편지에서 마르크스는 "자네가《라이니셰 차이퉁》을 갖고 있기를 바라네"라고 말했다. 『논문 모음집』의 기획에 관한 포괄적인 작업을 마르크스는 1851년 2월에 수행했다. 이러한 이유로 여기 이 책에서는 연대별로 정리했다.

제1권이 완성될 때까지 기다리지 않고, 각각 인쇄 전지 5장에 해당하는 개별 분책들에 대한 편집을 시작하기로 결정했다. 그러나 계획했던 『논문 모음집』 전체 분량의 단지 10분의 1에 해당하는 제1분책이 완성되었을 뿐이다. 또한 이 제1분책의 기술적인 제작도 1851년 4월 말까지 지체되었다.

베커는 4월 15일경 특별한 광고 안내서(G496쪽 삽화를 보라)를 발행했다. 오직 하나의 사진 복사본(IML/ZPA Moskau, f. 1, op. 3, d. 38)만이 남아 있는 이것은 한 장의 종이로 되어 있다. 사본을 보면, 원본은 가장자리와 접은 부분에 손상이 있지만 텍스트 손실은 없다. 뒷면에는 마르크스의 『논문 모음집』과 비슷한 형태로, 「바우테의 쾰른에서의 추방」(Baute's Ausweisung aus Köln)이라는 기고문이 그 제1분책에 들어가기로 했던 『3월 혁명 이후』(Nachmärzliches)라는 모음집의 광고가 있었다.

이 기획의 텍스트는 『논문 모음집』 제1분책의 속표지에 약간 변형된 형태로 다시 인쇄되었는데, 내용은 다음과 같다. "**카를 마르크스의 논문 모음집**, **헤르만 베커** 발행.—

마르크스의 논문들은 일부는 특별한 팸플릿으로, 일부는 정기 간행물의 기고문으로 발표되었지만, 대부분은 이제 구할 수 없고 서점에서는 완전히 절판되었다. 그래서 발행인은, 거의 10년을 포괄하는 이 논문들의 저자가 동의한다면, 이 논문들을 취합해 다시 공개하는 것이 독자들에게 도움이 될 것이라고 생각한다.

계획은 두 권을 준비하는 것이고, 한 권은 전지 25장 분량이 될 것이다. 제2권에는 마르크스의 초상이 첨부될 것이다. 1851년 5월 1일까지 이 책을 예약 주문하는 사람은 10분책을 8실버그로셴으로 받을 것이다. 이 기간이 지나면 소매 가격은 권당 1탈러 20실버그로셴이 될 것이다.

제1권은 루게의 『일화집』, (구) 《라이니셰 차이퉁》(즉 언론 자유와 목재
절도법, 모젤 농민의 상태 등에 관한), 《독일-프랑스 연보》, 《다스 베스트펠
G1023 리셰 담프보트》, 《게젤샤프츠슈피겔》(Gesellschaftsspiegel) 등에 실렸던 마
르크스의 기고문과 3월 혁명 전에 발행되었지만 **유감스럽게도**(!) 오늘날에
도 적합한 일련의 글들이 포함될 것이다."

예약 주문 기한이 1851년 3월 15일에서 5월 1일로 연장된 것도 추정컨대 제본에서 생긴 제작 문제로 지체되었음을 의미한다. 1853년 11월 7일 쾰른 공산주의자 재판과 그 재판의 결과에서 바이데마이어, 아돌프 클루스, 아브라함 야코비가 해명한 바에 따르면, 『논문 모음집』 제1분책의 발행 부수는 15,000부였다(「《뉴요커 크리미날-차이퉁》의 편집자에게」, 《벨레트리스티셰스 주르날 운트 뉴요커 크리미날-차이퉁》, 1853년 11월 25일, 370쪽을 보라). 1851년 4월 말 이 판본의 일부가 인쇄 및 제본되고 마르크스에게 증정본이 보내졌지만(마르크스가 1851년 5월 3일 엥겔스에게 보낸 편지를 보라), 새로운 재정난이 생겼고 베커의 인쇄소에 경찰이 트집을 잡았다. 그래서 인쇄소를 벨기에 베르비에로 이전하는 계획이 나왔다(베커가 1851년 4월 29일 마르크스에게 보낸 편지, 마르크스가 1851년 5월 3일과 16일 엥겔스에게 보낸 편지를 보라). 제1분책의 배본과 제2분책의 조판은 더욱 지체되었고, 1851년 5월 19일 베커의 체포 이후 그의 인쇄 활동이 조사당하면서 『논문 모음집』 제1분책 판본의 대부분이 쾰른의 하르트만 제본소에서 경찰에 압수될 수밖에 없었다.

베커 이외에도 무엇보다 뷔르거스와 다니엘스 그리고 아돌프 베름바흐(Adolph Bermbach)가 제물이 된 공산주의자동맹에 대한 탄압은 다니엘스와 베름바흐가 계획한 『논문 모음집』 속간을 방해했다. 이때 특히 『철학의 빈곤』 독일어 번역도 인쇄하려고 생각했다(다니엘스가 1851년 5월 25일 마르크스에게 보낸 편지, 베름바흐가 1851년 6월 24일과 대략 7월 10일 마르크스에게 보낸 편지를 보라).

1851년 6월 20일경 마르크스는 전하지 않는 편지에서 페르디난트 라살에게 『논문 모음집』의 속간을 위해 출판업자를 찾을 수 있느냐고 물었다. 이 당시 마르크스가 제3권에 대한 기획을 발전시켰는지 혹은 라살이 마르크스를 잘못 이해했는지에 대해서는 확정지을 수 없다. 어쨌든 라살은 — 성과는 없었지만 — 전부 전지 75장 분량의 세 권에 관해 뒤셀도르프의 출판업자 셸러(Scheller)와 협상했다(라살이 1851년 6월 26일 마르크스에게 보낸

편지를 보라).

원문자료에 대한 기록

『논문 모음집』 견본 2부가 모스크바 소련 공산당 중앙위원회 마르크스주의-레닌주의연구소에 보관되어 있다. 이 작업을 위해 사용된 견본에는 ЕГ 24/2 G 328이라는 정리 번호가 붙어 있다. 133×212mm 크기의 전지는 느슨하게 제본되었다. 인용된 광고 텍스트는 뒤가 다른 표지로 되어 있다. 제1분책의 동일한 두 원본이 쾰른 대학 및 시 도서관에 정리 번호 V 59/79로 보관되어 있다. 이 두 견본 중 하나는 헤르만 베커의 개인 소장본이다.

G1024

카를 마르크스/프리드리히 엥겔스

블랑키 축사 머리말과 축사 번역

1851년 3월 3일과 6일 사이(G498~G500쪽)

집필과정과 전승과정

1851년 2월 24일 런던에서 프랑스 2월 혁명 3주년에 즈음하여 "유럽 사회민주주의자 중앙위원회"가 2월 7일 자로 초대한 국제적인 연회가 열렸다. 단기간 지속한 이 그룹에는 빌리히/샤퍼의 분리파, 블랑키주의적 망명자 일부, 소부르주아 사회주의자(루이 블랑, 란돌페Landolphe), 몇몇 차티스트주의자와 폴란드 망명자 등이 참가했다(에른스트 드롱케가 1851년 2월 7일 마르크스에게 보낸 편지, 마르크스가 1851년 2월 8일 헤르만 베커에게 보낸 편지, 마르크스가 1851년 2월 10일과 23일 엥겔스에게 보낸 편지를 보라). 연회에는 마르크스의 친구 콘라트 슈람과 빌헬름 피퍼도 참관자로 참여했다. 그들은 거기서 폭행의 위협을 당했다(마르크스가 1851년 2월 24일 엥겔스에게 보낸 편지, 마르크스/피퍼/슈람이 1851년 2월 26일 엥겔스에게 보낸 편지, 마르크스가 1851년 2월 28일 헤르만 베커에게 보낸 편지).

연회 지도부는 공식적인 인사말을 보내줄 것을 요청했지만, 오귀스트 블랑키가 보낸 축사 낭독을 제지했다. 이에 대해 그의 친구들은 1851년 2월 27일《라 파트리》에 이 축사를 출판하려고 했다. 곧이어 블랑키-축사를 제지한 것과 비슷한 상황들도 널리 알려지게 되었다(마르크스가 1851년 3월 8일과 17일 엥겔스에게 보낸 편지, 엥겔스가 1851년 7월 7일 드롱케에게 보낸 편지를 보라). 블랑키-축사를 독일어와 영어로 마르크스와 엥겔스가 번역하는 것과 이 문서를 널리 보급하는 일은 따라서 분리파와 그와 함께 작업하는 망명자 집단의 소부르주아적 무원칙에 반대하는 공산주의자동맹의 투쟁의 일부였다.

우선 1851년 2월 27일 파리의 《라 파트리》에서 발표된 블랑키의 축사는 마르크스와 엥겔스가 1851년 3월 3일과 6일 사이에 독일어와 영어로 번역했고, 마르크스가 독일어 번역본의 머리말을 썼다. 영어판은 전하지 않는다. 번역을 위해서 마르크스와 엥겔스는 1851년 2월 28일 《주르날 데 데바》에 재판된 블랑키-축사를 이용했을 것이다.

엥겔스는 마르크스의 긴급한 초대에 불과 며칠 만에 — 3월 3일에서 5일까지로 추정된다 — 서둘러 런던으로 갔다(마르크스가 1851년 3월 1일 엥겔스에게 보낸 편지를 보라). 엥겔스는 늦어도 3월 6일 맨체스터로 돌아갔다. 마르크스는 1851년 3월 8일의 편지에서 이미 엥겔스에게 "그저께" 런던에서 일어난 사건들을 다시 보고했기 때문이다. 마르크스와 엥겔스가 만나는 동안 1851년 3월 5일로 날짜가 기록된 엥겔스의 편지 「《더 타임스》 편집자에게」(G501~G502쪽)도 작성되었다.

블랑키-축사의 "머리말"과 독일어 번역 텍스트는 인쇄를 위한 초고로 이미 1851년 3월 5일경 또는 늦어도 3월 10일경에 쾰른으로 보냈을 것으로 추 G1025
정된다. 늦어도 3월 15일에는 최소한 첫 번째 부분쇄의 제작이 끝났다(헤르만 베커가 1851년 3월 16일 마르크스에게 보낸 편지를 보라).

마르크스와 엥겔스가 축사의 독일어 번역본의 저자라는 사실은 엥겔스가 1851년 7월 9일 드롱케에게 보낸 편지에서 확인할 수 있다. 엥겔스가 이와 관련하여 명확하게 인쇄와 보급에 관해 말했을 때, 그는 "머리말"의 저자도 포함해서 언급했다. "머리말"의 문체는 분명히 마르크스를 가리킨다.

1851년 대략 3월 3일에서 5일까지 마르크스와 엥겔스가 상의할 때, 빌헬름 피퍼와 콘라트 슈람도 적어도 잠시나마 참석했다. 블랑키-축사의 번역과 논평에 두 사람이 어느 정도 참여했다는 것은 배제할 수 없다. 슈람의 참석 결과는 2월 24일의 연회 사건에 대한 3월 4일 자 그의 성명으로 나왔다(《더 프렌드 오브 더 피플》, 런던, 제14호, 1851년 3월 15일, 107쪽).

축사의 독일어 번역 텍스트는 인쇄에 앞서 마르크스의 친구들이 약간 편집을 한 것으로 보인다. 피퍼는 이에 대해 "쾰른의 친구들이 블랑키의 축사를 … 고약하게도 마르크스의 독일어에서 다시 **뷔르거스**의 독일어로 번역했다"고 언급했다(피퍼와 마르크스가 1851년 3월 22일 엥겔스에게 보낸 편지). 그러나 이러한 변화는 크지 않았을 것이다. 마르크스가 같은 편지에서 이에 대해 전혀 언급하지 않았기 때문이다.

블랑키-축사의 번역자가 슈람일 것이라는 빌리히/샤퍼의 분리파 중앙본부의 추정은 잘못된 것이다(「공산주의자동맹 중앙본부가 지도부에게 Die Centralbehorde des B. d. C. an den leitenden Kreis」, 런던, 1851년[4월 혹은 5월], 베르무트/슈티버, 『19세기 공산주의자들의 음모』, 제1부, 베를린, 1853년, 278쪽을 보라). 쾰른의 헤르만 베커가 번역자라고 한 브라운슈바이크의 변호사 루치우스(Lucius)의 추정도 마찬가지로 잘못된 것이다(Anklageschrift, 56쪽을 보라). 이 추정은 헤르만 베커가 쾰른의 공산주의자 재판에서 해명했듯이 루치우스의 오해에서 비롯되었다. 베커도 — 본부의 오도로 인해 — 분리파의 견해를 받아들였고, "머리말"의 저자와 관련하여 자기에게 씌워진 혐의를 풀기 위해 다음과 같이 해명했다. "누가 축사를 출판했는지 빌리히 자신이 잘 알 것이다. 그는 그것을 자신의 연설에서 말하기도 했다. **슈람**은 거기에 있었고, 마르크스의 영원한 동반자인 그는 머리말이 거기에 잘 전달될 것임을 전혀 의심하지 않았다. 머리말은 언제나 나에게는 낯선 마르크스의 표현으로 구성되어 있다."(베커의 변론에 대한 자필 초안, 1852년 10월. 쾰른 시립 역사 아카이브, 베커 유고, 정리 번호 1011a, 33쪽.)

2월 24일 연회의 진정한 배후 관계를 가능한 한 널리 유포하려는 목표는 이미 마르크스가 1851년 2월 28일 베커에게 보낸 편지에 언급되었고, 이 목표는 공산주의자동맹 쾰른 중앙본부의 활동에 지시를 내리기 위한 것이었다. "머리말"과 블랑키-축사 번역은 처음부터 대규모 보급에 맞춰져 있었다. 마르크스는 쾰른에 초고를 보내면서 되도록 많이 찍어달라고 재촉했을 것이다.

G1026 마르크스와 엥겔스 혹은 그들의 쾰른 친구들이 유인물의 표지 아래 찍힌 위장 표시 "베른, 1851년 예니에서 인쇄"를 선택했는지에 관해서는 전하지 않는다. 인쇄는 어쨌든 베른이 아니라 헤르만 베커가 주도적으로 참여해 쾰른에서 이루어졌다. 1852년 10월 28일 쾰른의 공산주의자 재판에서 두 명의 인쇄 전문가가 증언했듯이, 베커의 인쇄소가 아니라 "브로커-에버레츠 발행소"가 이용되었다("1. 페터 게르하르트 **뢰저**에 대한 조서 …"(Untersuchungs-Acten wider 1. Peter Gerhard *Roeser* …), 뒤셀도르프 주립 아카이브, 항목, 쾰른 지방법원, Nr. 9/21, fol. 251을 보라). 적용된 기본 활자체는 그러나 1850년 초 베커가 인쇄한 『테데스코에 의한 프롤레타리아트 입문서』(Katechismus des Proletariers. Von Tedesco)와 완전히 일치한다(드롱케가 1850년 7월 3일 엥겔스에게 보낸 편지, 베커가 1850년 12월 25일 마르크스에게 보낸 편지를 보라). 두 명의 인쇄 전문가는 그러나 쾰른 재판

에서 블랑키-축사와 『프롤레타리아트 입문서』를 브로커-에버레츠 발행소의 것으로 보았다. 또한 소책자 『교황 피우스 9세에 대한 로마 인민의 청원서』(Adresse des römischen Volkes an Papst Pius IX, 쾰른, 1851년)도 동일한 기본 활자체로 간주되었다. 이 소책자는 쾰른의 공산주의자 재판에서 헤르만 베커가 제출한 것으로, "J. 크레톡스의 아들 인쇄 및 출판"이라고 적혀 있지만 베커 인쇄소에서 출판된 것이다. 쾰른의 책 인쇄업자 야코프 크레톡스(Jakob Creteux)는 베커 인쇄소를 1850년 8월부터 1851년 2월까지 임대했다. 아마 그 전후에도 베커와 브로커-에버레츠 사이에 비슷한 방식의 사업 관계가 있었을 것이다.

인쇄는 매우 빨리 진행되었다. 이미 1851년 3월 15일 베커는 저자 증정본을 런던으로 보냈고(베커가 1851년 3월 15일 마르크스에게 보낸 편지를 보라) 3월 21일 마르크스의 손에 도착했다(피퍼와 마르크스가 1851년 3월 22일 엥겔스에게 보낸 편지를 보라). 이것은 최소한 두 가지 부분쇄로 인쇄되었을 것이다. 엥겔스의 진술에 따르면 발행 부수는 3만 부가 되었다고 한다(엥겔스가 1851년 7월 9일 드롱케에게 보낸 편지를 보라). "머리말"과 블랑키-축사의 신판이 계획에 포함되었고, 쾰른의 공산주의자들이 준비하던 "새로운 잡지" 제1호에도 "빌리히-킹켈-블랑키의 음모"에 관한 몇 가지 글을 싣기로 하였다(베커가 1851년 4월 29일 마르크스에게 보낸 편지를 보라). 1851년 5월 2일 베커에게 보낸 — 전하지 않는 — 편지에서 마르크스는 다시 한번 유인물을 논의했다(Anklageschrift, 55쪽을 보라). 자필 원고 혹은 인쇄 질에 대한 마르크스와 엥겔스의 언급은 전하지 않는다.

유인물의 보급과 영향은 특히 독일에서 1851년 초 어려운 정치적 상황에도 불구하고 상당히 컸다. 공산주의자동맹 쾰른 중앙본부는 비합법적으로 유인물을 발송하는 것을 모든 동맹 활동의 중심으로 삼았다. 베를린, 브라운슈바이크, 브레멘, 엘버펠트-바르멘, 카를스루에, 코블렌츠, 쾰른, 마인츠, 라인의 뮐하임, 뉘른베르크와 주변, 졸링겐과 슈투트가르트 등지로 유인물이 보급되었다는 점이 이를 곧바로 입증한다. 이것은 프랑크푸르트, 함부르크와 라이프치히에 대해서도 확실해 보인다. "이 유인물의 견본은 아주 많은 지역에서 발견되었다."(Anklageschrift, 56쪽.)

유인물의 보급은 분리파의 활동에 반대하여 마르크스와 엥겔스에게 영감을 받고 그들을 지지한 쾰른 중앙본부의 정책을 위한 독일 공산주의자동맹

G1027 모든 지부의 입장을 강화했을 뿐 아니라, 스위스와 런던의 분리파에 다음과 같은 직접적인 결과를 가져왔다. 제네바의 분리파 지부는 블랑키-축사의 결과 해체되었다(드롱케가 대략 1851년 8월 말 마르크스에게 보낸 편지를 보라). 당시 샤퍼와 빌리히가 지배하던 런던의 독일 노동자협회에도 격렬한 논쟁이 일어났다. 마르크스와 피퍼는 빌리히에게 유인물 한 부를 거짓 편지와 함께 보냈다(피퍼와 마르크스가 1851년 3월 22일 엥겔스에게 보낸 편지, 마르크스가 1851년 4월 15일 엥겔스에게 보낸 편지를 보라). 마르크스와 엥겔스 때문에 실제로 블랑의 소부르주아 사회주의인지 블랑키의 공산주의적 견해인지를 밝히라는 선택 앞에서, 분리파 중앙본부는 1851년 4월 혹은 5월 연설(같은 편지, 279쪽)을 통해서 원칙적으로 블랑키를 지지하지만, 축사의 출판은 유감스럽다면서 마르크스와 그의 친구들을 장황하게 공격했다.

마르크스와 엥겔스는 블랑키-축사를 영국(엥겔스가 1851년 7월 9일 드롱케에게 보낸 편지를 보라)과 미국에 보급하는 것도 도맡았다. 미국에서 슈람은 유인물을 《도이체 슈넬포스트》에 발표할 수 있었다(마르크스가 1851년 5월 3일 엥겔스에게 보낸 편지를 보라).

마르크스와 엥겔스에 관계없이 동맹에서 만들어진 블랑키-축사의 번역이 괴팅겐에서 날짜를 써넣고 어쩌면 요하네스 미크벨이 작성한 머리말과 함께 《도이체 아르바이터할레》(하노버, 제15호, 1851년 4월 12일)에 발표되었다. 또한 《쾰니셰 차이퉁》(제53호, 1851년 3월 2일)과 (발췌하여) 《카를스루어 차이퉁》(제69호, 1851년 3월 22일)과 같은 부르주아적 신문도 블랑키-축사의 독일어 번역을 프랑스 신문으로 보급했다. 마르크스와 엥겔스의 "머리말"은 쾰른 공산주의자 재판과 관련해서야 비로소 재판(再版)이 이루어졌다. 《아헤너 차이퉁》(Aachener Zeitung, 제287호, 1852년 10월 15일, 3쪽)과 《콘제르바티베 차이퉁 퓌어 슐레지엔》(Conservative Zeitung für Schlesien, 브레슬라우, 제274호, 1852년 10월 17일, 2~3쪽)에는 "머리말"의 주요 부분이 재판 보도문 안에 함께 인쇄되었다.

블랑키-축사의 형성과 출판에 관한 구체적인 정황을 마르크스와 엥겔스는 1852년 중반 「위대한 망명자들」 초고에서 다시 한번 묘사했다. 마르크스는 『고매한 의식의 기사』(뉴욕, 1854년, 15~16쪽)에서도 블랑키-축사의 역할을 재론했다.

『포크트 씨』에 대한 예비 작업에서 마르크스는 블랑키-축사를 새롭게 다루었다. "메모들. 1860년 4월"(IISG, 마르크스/엥겔스-유고, 정리 번호 A

18)이라는 작업 노트에서 마르크스는 다음과 같이 쓰고 있다. "1851년 2월 28일의 **《주르날 데 데바》**는 2월 24일 자 **「평등의 연회」**(*Banquet des Égaux*, 런던)에서 1851년 2월 10일 벨레 섬의 죄수 블랑키의 삭제된(**《라 파트리》**의) 축사를 실었다."

이 노트의 다른 곳에서 마르크스는 엥겔스에게 보낸 편지에서 주로 발췌하여 다음과 같이 쓰고 있다.

"**51년 2월 26일.** (슈람. 피퍼. 2월 24일의 노상 만남에 관해 엥겔스에게 보고. 나의 후기.)

런[던], 1851년 3월 12일. (**《라 파트리》**, 2월 24일의 연회. 블랑키의 축사.)

L. (런던을 의미함—옮긴이) **1851년 3월 1일.** (슈람 사건 때문에 내가 엥겔스에게 보낸 편지.)

L. 1851년 3월 17일 내가 엥겔스에게 보낸 편지. **하인첸 신문(뉴욕 《슈넬 포스트》!)**의 루게의 험담. 당나귀의 연회. 《라 파트리》의 계속적인 스캔들." G1028

그러나 이러한 메모들은 『포크트 씨』에서 이용되지 않았다.

원문자료에 대한 기록

유인물의 원본 네 개와 그 외의 원본에 대한 사진 복사본 두 개가 남아 있다. 그 가운데 네 원고는 약간 차이가 있는 것으로 입증되었다. **$D^{1.1}$**과 **$D^{1.2}$**는 첫 번째로 조판한 부분쇄로, **$D^{2.1}$**과 **$D^{2.2}$**는 새롭게 조판한 두 번째 부분쇄로 보인다. 그러나 이 모든 견본은 같은 인쇄소에서 제작되었다. **$D^{1.1}$**과 **$D^{2.1}$**은 각각 인쇄상의 오류가 있으며, 이 오류는 **$D^{1.2}$** 내지는 **$D^{2.2}$**에서 교정되었다. 가볍고 얇으며 하얀, 지금은 누렇게 변한 신문 인쇄 용지가 사용되었다. 몇몇 견본에는 인쇄본의 뒷면 일부에 큰 구멍이 뚫려 있다.

부분쇄 **$D^{1.1}$/$D^{1.2}$**는 다음과 같은 특징에서 **$D^{2.1}$/$D^{2.2}$**와 차이가 난다.

— 첫 번째 부분쇄는 표지의 "출판 …"과 "베른 …" 사이에 단순한 줄이 있지만, 두 번째 부분쇄는 단순하고 굵은 줄이 있다.

— 첫 번째 부분쇄는 G498쪽 14행에서 "andern"("또 다른"—옮긴이)이지만, 두 번째 부분쇄는 "anderen"이다.

— 첫 번째 부분쇄는 G499쪽 1행의 "das"에 s가 대문자인데, 이는 잘못 선별된 글자 크기이다.

— G499쪽 36행의 "mit einer Stimme"("한목소리로"—옮긴이)는 두 번째 부분쇄에 "mit Einer Stimme"로 되어 있다.

— 첫 번째 부분쇄는 G500쪽 14행에서 "Bourgeois", 두 번째 부분쇄는 "Bourgeoisie"이다.

$D^{2.1}$/$D^{2.2}$에는 새로운 조판이 적용되었다 할지라도 3쪽에서 4쪽으로 변경된 것은 첫 번째 부분쇄와 위치가 같았다.

$D^{1.1}$ 시민 L. A. 블랑키가 평등의 친구들을 통해 런던 망명자위원회에 보낸 축사. 1851년 베른, 예니에서 인쇄. (Trinkspruch gesandt durch den Bürger L. A. Blanqui an die Kommission der Flüchtlinge zu London durch die Freunde der Gleichheit. Bern, Gedruckt bei Jenny. 1851.) 1쇄. 4쪽, 높이 188mm, 위와 아래가 잘리고 한 번 불균등하게 접혔음, 너비 120 혹은 125mm, 물 묻은 흔적. StA. Potsdam, Rep. 30 Berlin C, Polizeipräsidium, Tit. 94, Lit. N, Nr. 67(Nr. 11950), Bd. 1, Bl. 332~333. 이것은 1851년 5월 10일 라이프치히에서 노트융이 긴급 체포될 때 압수된 견본이거나 브레멘의 둘롱(Dulon) 집에서 찾은 견본 중 하나일 것이다.

$D^{1.1}$에는 "Gedruckt"가 크게 인쇄되어 있으며, 인쇄오류가 여섯 군데 있다.

G498쪽 4행 Kommission der Flüchtlinge(망명자위원회 — 옮긴이) ← Kommission der der Flüchtlinge
G499쪽 20행 Limoges(리모주 — 옮긴이) ← Ligomes
G499쪽 26행 Verbrecher(범죄자들 — 옮긴이) ← Verbrechen
G499쪽 31행 geschändet(박탈당했던 — 옮긴이) ← geschädet
G500쪽 30행 mit(로 — 옮긴이) ← mii
500쪽 34행 wählen(선택 — 옮긴이) ← wühlen

$D^{1.2}$ 시민 L. A. 블랑키가 1851년 2월 24일의 연례행사를 기념하여 런던 망명자위원회에 보낸 축사. 평등의 친구들이 출판함. (Trinkspruch gesandt durch den Bürger L. A. Blanqui an die Kommission der Flüchtlinge zu London für die Jahresfeier des 24. Februar 1851. Veröffentlicht durch die Freunde der Gleichheit.) 1851년 베른, 예니에
G1029 서 인쇄. 1쇄. 4쪽, 크기 205×125mm. 루트비히스부르크 국립 아카이브, F 201, Bü. 618(슈투트가르트 시 관리국). 또 하나의 $D^{1.2}$ 견본의

오래된 사진 복사본이 IML/ZPA Moskau에 남아 있다. 이것은 사진 복사본에 근거하여 더는 증명할 수 없는 원본으로, 전 소유자가 연필로 칠한 흔적이 많이 남아 있다.

$D^{1.1}$의 인쇄오류는 모두 정정되었다. $D^{1.2}$는 $D^{1.1}$과 줄이 동일하다.

$D^{1.1}$ 혹은 $D^{1.2}$의 견본에 기초하여 1852년 쾰른 공산주의자 재판의 공소장은 "머리말"과 "인민에게 보내는 경고"를 발췌하여 수록했다(55/56쪽).

$D^{2.1}$ 시민 L. A. 블랑키가 1851년 2월 24일의 연례행사를 기념하여 런던 망명자위원회에 보낸 축사. 평등의 친구들이 출판함. 1851년 베른, 예니에서 인쇄. 후쇄. 4쪽, 높이 190mm, 인쇄 전지에 비스듬히 인쇄되었고, 불규칙하게 절단되었다. 따라서 속표지의 너비는 126mm이고 다음 장의 너비는 위 125, 아래 117mm. StA. Potsdam, Rep. 30 Berlin C, Polizeipräsidium, Tit. 94, Lit. H, Nr. 251(Nr. 10462), Bl. 160/161. 이 견본은 1851년 10월 공산주의자동맹의 동맹원들인 브레슬라우의 아우구스트 헤첼(August Hätzel), 베를린의 헤르만 슈나이더(Hermann Schneider)와 화가 베게너(Wegener)에 대한 심문과 관련하여 경찰의 수중에 있었던 것이다. $D^{2.1}$의 또 하나의 견본이 사진 복사본으로 IML/ZPA Moskau에 남아 있다. 이것은 사진 복사본에 근거하여 더는 증명할 수 없는 원본으로, 1쪽 위에 〈206〉 166 *b*, 1쪽 아래 왼쪽에 5390 B, 2쪽 위 오른쪽에 〈207〉 166 c라는 표시가 남아 있다.

$D^{2.1}$에는 인쇄오류가 세 군데 있다.

G499쪽 18행 royalistischen Generalstäbe(왕당파 참모부들 — 옮긴이) ← roalistischen Generalstäbe

G500쪽 1행 wüthenderer(더욱 격렬해진 — 옮긴이) ← wüthenderre

G500쪽 34행 wählen(선택 — 옮긴이) ← wühlen

$D^{2.2}$ 시민 L. A. 블랑키가 1851년 2월 24일의 연례행사를 기념하여 런던 망명자위원회에 보낸 축사. 평등의 친구들이 출판함. 1851년 베른, 예니에서 인쇄. 후쇄. $D^{2.1}$을 교정했으나 G499쪽 18행의 인쇄오류는 고쳐지지 않았다. 4쪽, 175×105mm. 브라운슈바이크 시립 아카이브, H VII Nr. 129 a, Bl. 1. 이 견본은 아마 빌헬름 브라케(Wilhelm Bracke)

도서관에서 나왔을 것이다. 복사 인쇄물 게오르크 에케르트(Georg Eckert), 공산주의자동맹의 편지 왕래로부터(빌리히-샤퍼 분파). 사회사 아카이브, Bd. V. 하노버, 1965년, 삽화 8~11.

D^{21}과 D^{22}는 줄이 동일하다.

$D^{1.1}$과 $D^{2.1}$이 이미 인쇄과정에서 교정된 오류를 포함하기 때문에, 무엇보다 $D^{1.2}$와 $D^{2.2}$가 텍스트 원본인지가 문제가 된다. 이전 인쇄본이었던 것으로 보이고, 또한 유일하게 인쇄오류가 없어서 $D^{1.2}$를 선택했다. 전승된 모든 인쇄본처럼 $D^{1.2}$도 프랑스 이름과 기호에 강세 부호가 없다(교정사항 목록을 보라).

G1030

변경사항 목록/교정사항 목록/해설

1 (e) "평등의 친구들이 출판함" — 프랑스 원본에는 이 구절이 이 글의 맨 마지막에 실렸다. 이것은 ("평등의 친구들Société des amis de l'Égalité"로서 축사의 출판을 준비한) 블랑키의 친구들이 주최자가 "평등의 연회"(Banquet des Égaux)라고 표현한 2월 24일의 연회를 풍자하기 위해 쓴 것이 확실하다.

2 (e) 블랑과 르드뤼-롤랭은 모두 1848년 2월 이후 프랑스 임시정부에 들어갔지만, 이미 당시 저항적인 정치적 입장을 일부 대표했다. 런던으로 망명해서도 논쟁은 계속되었는데, 두 사람은 1850년 가을에 "프랑스 사회민주주의자 형제 협회"(Brüderliche Gesellschaft der französischen sozialistischen Demokraten)를 설립했다. 프랑스의 정치 망명자들을 물질적으로 도와주려는 목적을 표방한 이른바 교회-거리-협회와 똑같았지만, 전혀 정치적으로 노력하지 않았다. 이러한 느슨한 상부 조직은 소부르주아 사회주의자(블랑, 란돌페), 카베의 지지자, 블랑키주의자들과 통합했다. 이들은 아당, 바르텔레미, 비딜이 지도하고, 같은 시기에 존재했던, 순수 블랑키주의적인 "런던의 프랑스 사회민주주의 망명자 협회"(Société des proscrits démocrates socialistes français de Londres)와는 다르다. 이 협회는 1850년 9월 르드뤼-롤랭의 지지자들을 제명했다. 2월 혁명 3주년과 관련한 축제를 준비하는 가운데, 1851년 1월 "형제 협회"에는 블랑과 르드뤼-롤랭 사이에 다툼이 재차 일어났다. 그 결과 블랑과 그의 몇몇 친구들이 협회에서 떨어져 나왔다. 블랑과 란돌페는 그 이후 하니와 그를 추종하는 몇몇 차티스트주의자는 물론 이른바 "유럽 사회민주주의자 중앙위원회"와 연대했다. 이 위원회는 1850년 11월 빌리히-샤퍼의 분리파 성원들, 노동자교육협회(윈드밀 스트리트 협회)의 성원들, 블랑키주의 망명자들, 그리고 몇몇의 폴란드와 헝가리 망명자들이 설립했다. 이러한 동맹은 1851년 2월 24일의 축제 이후 급속히 다시 깨졌다.

3 (e) 바르텔레미가 블랑키에게 썼다.

4 (k) "크레미외"(Crémieux) ← "Cremieux"

5 (k) "가르니에-파제스"(Garnier-Pagès) ← "Garnier-Pages"

6 (e) "45상팀 세금"(Centimesteuer) — G131쪽 28~29행에 관한 해설을 보라.

7 (e) 파리, 리모주와 루앙에서 일어난 사건들은 1848년 4월 23일 프랑스에서 제헌국민의회 선거와 관련이 있었다. 4월 16일 파리에서 루이 블랑이 준비한 임시정부를 지지하기 위한

노동자 시위가 일어났다. 그러나 배후에는 혁명의 발전을 지속시키려는 단호한 세력, 즉 블랑키가 지도하는 일부 세력이 있었다. 르드뤼-롤랭 내무장관은 노동자를, 특히 블랑키와 그의 지지자들을 반대하는 국민방위군을 사주하려고 이러한 상황을 이용했다. 2월 혁명에 의해 파리에서 쫓겨난 군대가 다시 돌아왔다. 4월 16일 프롤레타리아트 세력은 파리에서 결정적인 패배를 당했고, 이것은 프랑스 노동운동에 대한 부르주아지 테러의 출발점이 되었다. 1848년 4월 16일의 의미에 대해서는 G134쪽 39행~G135쪽 21행을 보라.

리모주에서는 노동자들이 자신의 후보가 부르주아 권모술수에 의해 무력화되는 것을 알았을 때, 4월 23일의 선거 기록부의 일부를 파괴했다. 이 사건은 국민방위군과의 총격전으로 이어졌다.

루앙에서는 4월 23일의 선거 결과가 발표된 이후 부르주아 국민방위군이 몇몇 노동자 지도자들을 체포하자, 4월 27일 노동자와 부르주아 국민방위군 사이에 바리케이드 전투가 벌어졌다. 봉기는 4월 28일 군대의 도움으로 잔인하게 진압되었다.

8 (v) "한목소리로"(mit einer Stimme) — $D^{2.1}$ $D^{2.2}$ "mit Einer Stimme"

9 (e) "시청"(Hôtel de Ville) — G119쪽 20행에 관한 해설을 보라. 여기서는 혁명정부와 일반적인 동의어이다.

10 (v) "부르주아지"(Bourgeois) — $D^{2.1}$ $D^{2.2}$ "Bourgeoisie"

11 (e) 블랑키의 축사는《라 파트리》, 第58호, 1851년 2월 27일에 발표되었다. (프랑스어 원문은 독일어 번역과 내용상 차이가 없어서 생략했다. 본문의 강조는 마르크스/엥겔스가 한 것. — 옮긴이)

G1034

프리드리히 엥겔스

《더 타임스》 편집자에게

1851년 3월 5일(G501~G502쪽)

집필과정과 전승과정

이 투서는 1851년 2월 24일의 연회에서 아주 잘 드러났듯이(G498~G500쪽을 보라) 런던의 소부르주아적 망명자 단체와 빌리히/샤퍼 분리파의 권모술수에 대한 마르크스와 엥겔스의 투쟁과 관련하여 집필되었다. 이 문제를 상의하기 위해 엥겔스는 대략 1851년 3월 3일에서 6일까지 런던에 있는 마르크스 집에 머물렀다.

3월 5일 《더 타임스》에는 2월 24일의 연례행사와 관련한 연회의 결과에 대한, 그리고 블랑키가 주최자에게 보낸 축사에 대한 루이 블랑의 투서가 실렸다. 거기서 블랑은 무엇보다 "문제가 된 축사는 심지어 '평등의 연회' 담당자에게 보낸 것이 아니었다"고 설명했다. 더욱이 이 투서에는 블랑키의 성격에 대한 악의에 찬 공격이 담겨 있었다.

엥겔스는 같은 날 이런 항변을 작성했다. 그러나 《더 타임스》는 엥겔스의 투서를 싣지 않았다(마르크스가 1851년 3월 8일 엥겔스에게 보낸 편지를 보라). 이것이 블랑키에게 사본 하나를 보내려고 했던 이유였다(엥겔스가 1851년 3월 10일 마르크스에게 보낸 편지를 보라). 《더 타임스》에 보낸 투서의 초안은 남아 있는데, 엥겔스는 자신의 이름이 아니라 "Veritas"(진리)라는 가명을 사용했다. 이 항변과 함께 《더 타임스》에 보낸 축사의 영어 번역은 전하지 않는다.

첫 출판은 (러시아어로) МЭС① 25. 92~94쪽. 이 투서는 원문의 언어로 처음으로 출판되는 것이다.

원문자료에 대한 기록

H[1] 자필 원고 원본. IML/ZPA Moskau, 정리 번호 f. 1, op. 1, d. 422. 밝은 회색의 약간 누렇게 바랜 종이로 투시 무늬는 없다. 왼쪽 가장자리에 찢긴 흔적이 남아 있는데, 분책이나 전지에서 잘린 것으로 추정된다. 161×205mm 크기의 한 장으로, 양면에 썼다. 프리드리히 엥겔스가 라틴어 필체로 썼다. 교정한 것은 거의 없다. 검은색 잉크로 썼다. 잘 보존되었지만, 몇 군데 갈색을 띤 물 얼룩이 있다. 자필 원고는 복원된 것이다.

본문은 **H**[1]을 따른다.

변경사항 목록/교정사항 목록/해설

1 (e)《더 타임스》, 제20748호, 1851년 3월 5일 자를 의미한다.

2 (v) "소견"(observations) 다음에 "회답으로"(in reply)라고 썼다가 곧바로 지웠음.

3 (v) "영웅과"(heroes and) — 새로 삽입한 것.

4 (v) "사전에"(beforehand) — 새로 삽입한 것.

5 (e) 루이 블랑, 「《더 타임스》 편집자에게」, 같은 신문, 6쪽.

6 (e) L. 블랑 투서의 해당 구절은 다음과 같다. "간단히 말해 당신이 언급하는 축사를 '벨 일의 죄수들'이 보냈다고 확신할 정확한 근거는 없다. 그것은 … 블랑키의 단독 작품이다. …"

7 (e)《더 타임스》의 해당 부분에는 다음과 같이 언급되어 있다. "그처럼 당당하고 멋진 정견을 발표한 주최자들은, 국적이 다르지만 모두 동일한 정치적·사회적 신조를 공유하고 있는 천 명 이상의 사람들의 동맹을 같은 테이블 주위에 전시했다. …"

8 (k) "블랑"(Blanc,) — 초안에는 쉼표가 없음.

9 (e) "유럽 민주주의 중앙위원회"(Central European Democratic Committee) — G484~G488쪽을 보라.

10 (v) 여기에 "그가 너무 많이 말하지 않는 게 나을 것입니다"(he had better not speak too)라고 썼다가 곧바로 지웠음.

11 (e)《라 부아 뒤 푀플》에서 프루동은 1849년 11월 25일과 1850년 1월 18일 사이에 루이 블랑과 국가의 문제에 관한 논쟁을 이끌었다. 프루동은 블랑을 국가의 지지자라고 공격하고, 혁명에 반대하는 임시정부의 장관직에 들어간 것을 고발했다. 블랑이 혁명의 패배에 다른 누구보다도 더 많이 기여했다고 했다. 바로 이런 이유로 프루동은 블랑을 가짜 사회주의자, 가짜 민주주의자라고 불렀다. 엥겔스는 분명히 이 논쟁을 생각했을 것이다.

12 (e) 블랑의 해당 구절은 다음과 같다. "비록 죄수라 하더라도, 사람들은 추방된 자에게 모욕을 주는 것이 기쁘지는 않을 것이다. 심장을 갖고 있는 사람이라면 그들의 가장 잔인한 적에 대해서도 모욕을 주기란 쉽지 않을 것이다. 게다가 더욱 강한 이유로, 사람들이 겪고 있는 고통의 원인을 제공한 망명에 대해서 모욕하는 것에 얼굴을 붉힐 것이다."

13 (e) 1848년 2월 혁명으로 프랑스 왕좌에서 쫓겨난 루이 필리프의 가족은 영국에서 망명 생활을 했다.

14 (v) "묘사된 것과는 확실히 거리가 먼 거주지"(and an abode certainly far from being fit for) ← "확실히 거주하기에 적당하지 않은 장소*"(and |: a place :| which certainly is not an abode to)

* "장소"(a place) — 새로 삽입한 것.

15 (e) 프루동은 1849년 3월 28일 "정부에 대한 증오와 경멸을 선동하고 헌법과 법률 그리고 대통령의 권위에 대한 공격" 등으로 인해 3년 형과 벌금 1만 프랑을 선고받았다. 그는 1849년 6월 6일 감금되었고, 1852년 6월 4일 감옥에서 풀려났다.

16 (e) L. 블랑의 투서에 있는 축사의 해당 구절은 다음과 같다. "그 자신의 권리에 따라 모든 반혁명적 신문에 의해 공개된 작품 — 그리고 실제로 그 누구도 가질 수 없는 …"

17 (e) 블랑의 투서는 다음과 같이 끝난다. "… 그리고 저는 매우 정중하게 간청합니다."

18 (v) "혁명적인"(revolutionary) ← "공화주의적인"(republican)

19 (v) "그러나"(however) — 새로 삽입한 것.

20 (v) "분노"(indignation) ← "격노"(wrath)

카를 마르크스

성찰

1851년 3월(G503~G510쪽) G1037

집필과정과 전승과정

1850년 9월부터 1853년 8월까지 마르크스가 직접 I부터 XXIV까지 번호를 매긴 노트 24권이 전하는데, 주로 경제학 문제를 발췌한 것이었다. (이것은—여러 권의 책으로—MEGA 제4부로 출판될 것이다. 이 중 일부는 이미 오래전에 카를 마르크스, 『경제학 비판 요강[초안] 1857~1858년 Grundrisse der Kritik der Politischen Ökonomie [Rohentwurf] 1857-1858』, 모스크바, 1941년의 부록(765~839쪽)으로 인쇄되었다.)

초고 「성찰」은 경제학을 발췌한 제7노트에 포함되어 있는데, 마르크스는 1851년 2월 말 혹은 3월 초 쓰기 시작하여 대부분을 같은 달에 끝냈다. 대략 1851년 3월 말 혹은 4월 초 마르크스는 제8노트도 동시에 시작했지만, 경제학 발췌 작업은 4월 한 달 동안 중단되었고, 1851년 5월에 제7노트와 제8노트를 끝냈다. 따라서 초고 「성찰」은 1851년 3월에 형성된 것이 거의 확실하다. 이러한 사실은 경제적 연구의 주요 부분을 끝내고 발췌로부터 문제에 대한 독자적 정식화로 넘어갔다고 마르크스가 잠깐 동안 주장한 견해와 관계된다(마르크스가 1851년 4월 2일 엥겔스에게 보낸 편지를 보라).

이 책이 다루는 시간 범위에 해당하는 방대한 경제학 발췌 노트들 중에서 MEGA 제1부에서는 「성찰」만을 담기로 한다. 왜냐하면 마르크스가 여기서 분명히 발췌를 중지하고 독자적인 관점을 정식화했기 때문이다.

이 초고 앞의 몇 쪽은 같은 제7노트에 있는데, 여기에는 토머스 투크의 『통화 원리에 대한 연구』(런던, 1844)에서 짧게 발췌한 부분이 있다. 이 책 7장의 제목은 "상인과 상인, 상인과 소비자 간의 유통의 구별"이다. 이러한 투크의 사상과 그와 관련된 애덤 스미스의 사상이 마르크스가 「성찰」을 쓰도록 일조하기는 했지만, 마르크스는 투크를 발췌할 때 이미 투크가 이러한 문제를 최초로 제기한 사람이 아니었다고 기록했다. 그리고 무엇보다 마르크스는 「성찰」의 문제 제기에서 투크와 스미스를 훨씬 더 넘어섰다.

이 초고가 형성된 시기에 마르크스는 한편 통화 원리의 대표자들 사이의 논쟁에, 다른 한편 은행이론에 강한 관심을 갖고 있었고, 1850년/1851년의 수많은 발췌가 그것을 증명한다. 마르크스는 여기서 자신의 고유한 화폐이론을 기초하기 위한 수많은 자극을 받았다.

통화 원리는 데이비드 흄이 기초를 놓았고, 데이비드 리카도가 완성한 양적 화폐이론에 기반을 두고 있었다. 이 이론에 따르면 가격은 상품의 가치
G1038 뿐 아니라 유통되는 화폐의 양에 의존한다는 것이다. 이 이론은 유통수단으로서 화폐의 유통과 신용화폐의 유통을 구별하지 않고, 은행 신용이 금 가격에 의존하도록 하기 때문에, 이 이론은 실제로 잉글랜드은행을 통해서 인위적으로 신용을 여러 번 제한했으며, 곧이어 화폐와 신용에 대한 수요가 최고점에 이르는 공황의 초기로 이어졌다. 이것은 당연히 공황을 더 악화시켰다. 필의 은행 입법 형태에서 통화 원리는 1844년에서 1857년까지 영국의 화폐 및 신용 정책의 기초를 형성했다.

마르크스는 특별히 존 풀라턴(John Fullarton)과 토머스 투크 같은 은행이론의 대표자의 저서들을 평가했다. 즉 이들은 유통화폐(은행지폐)와 신용화폐를 올바르게 구별했지만, 다른 한편 잘못된 방식으로 화폐와 자본을 동일시했다고 평가했다.

이 초고에서 다루는 주제를 마르크스는 그의 『잉여가치론』(Theorien über den Mehrwert) 제4장 9절(소득과 자본의 교환)과 『자본』 제2권 제20장 12절에서 재론했다. 거기서 그는 또한 스미스와 투크의 인용문을 이용했다. 대부자본의 크기 및 이자율과 공황 순환의 연관성에 대해 마르크스는 나중에 1847년의 공황을 사례로 『자본』 제3권 제30장에서 상세히 다루었다. 거기서 마르크스는 또한 1847년 이전 철도 건설 투기의 역할을 재론했다.

초고 「성찰」은 이 책에서 처음으로 출판한다.

원문자료에 대한 기록

H[1] 자필 원고 원본. IISG, 마르크스/엥겔스-유고, 정리 번호 B 44. 노트는 82장으로 되어 있고, 크기는 너비 165mm와 높이 205mm. 가철(꿰맨

G1039

48 [illegible] 262, [illegible] 158. (p. 31) [illegible] of the amount of notes [illegible] the price of corn [illegible] by the [illegible] of the [illegible] to pass the [illegible] from the hand of the [illegible] to the [illegible] General. (p. 34)

[illegible] transactions [illegible] (p. 53, 4) [illegible]

[illegible] composed of foreign bills. (p. 55) [illegible] the amount of [illegible] 1839 [illegible] £ 528,[illegible],[illegible] [illegible] the amount of bills [illegible] 132,123,[illegible]

21. (p. 56) [illegible] 1815 = £ 1[illegible],[illegible] [illegible] 455,493,[illegible]00. [illegible] 1824 = £ [illegible] [illegible]4,450 [illegible] 232,429,800), 1825 = £ 65,098,850 ([illegible] 260,379,400) [illegible] 1826 – [illegible] 1827 = £ [illegible],836,750 ([illegible] 207,347,000), 1835 = £ 73,693,817 ([illegible] 294,775,269), 1836 = £ 88,882,225 ([illegible] 355,288,900) 1837 = £ 83,[illegible],950 ([illegible] 332,268,600), 1838 = £ 86,496,850 ([illegible] 345,987,400), 1839 = £ 98,550,750 ([illegible] 394,203,600) (p. 58–62)

[illegible] A. Smith [illegible]

[illegible]

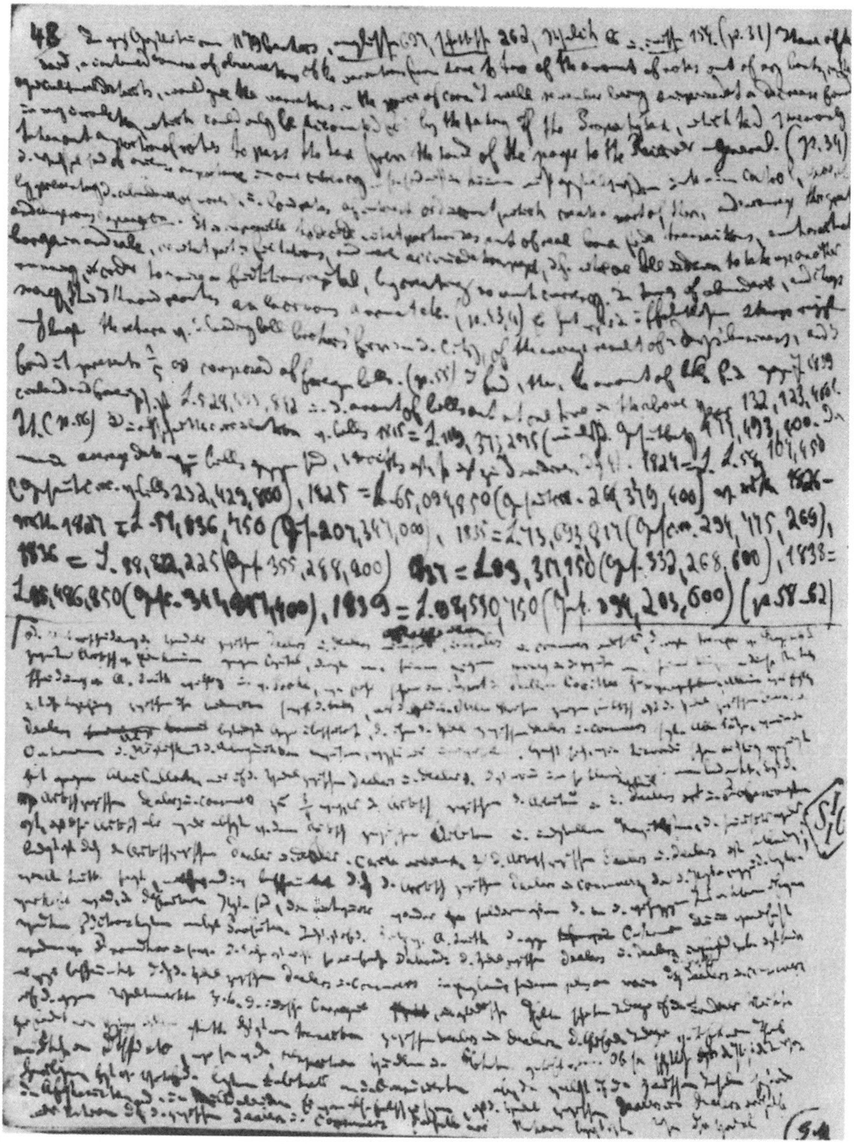

카를 마르크스, 「성찰」. 발췌 노트 제7노트 48쪽

것)은 남아 있지 않다. 약간 누렇게 변색된, 하얗고 잘 보존된 종이로 투시 무늬는 없다. 마르크스는 검은 잉크로 아주 작고 빼곡하게 썼으며, 교정은 거의 하지 않았다. 「성찰」은 제7노트의 48쪽에서 52쪽 중간까지에 있다. 48, 50, 52쪽에는 IISG의 도장이 찍혔다. 노트 쪽들에는 알 수 없는 사람이 "GM"이라고 표시했다.

마르크스가 나중에 삽입한 제목 역시 "성찰"(Reflectionen)로 읽을 수 있다.

본문은 **H**[1]을 따른다.

변경사항 목록/교정사항 목록/해설

1 (e) 마르크스는 "상인"(dealer) 개념을 애덤 스미스에게서 받아들였다. 스미스 책의 프랑스어 편집자인 제르맹 가르니에(Germain Garnier)는 "그[애덤 스미스]가 여기에서 상인(dealer)으로 생각하는 사람은 모든 상인(marchand), 제조업자, 수공업자 등이다. 한마디로 말하면 한 나라의 상공업에 종사하는 모든 사람이다"라고 설명한다(MEGA② II/3.2, 416쪽).

2 (e) 애덤 스미스, 『국부의 성질과 원인에 관한 연구』. 마르크스는 1844년 초 이 저작의 프랑스판(Recherches sur la natur et les causes de la richesse des nations)을 파리에서 발췌했다. 1851년 3/4월 「성찰」 원고를 집필한 직후 그는 스미스의 주저를 새롭게 발췌하면서 영국판, 제1~4권, 런던, 1835~1839년을 따랐다. 여기서 마르크스가 생각한 스미스 『국부론』은 제2권 제2장이다.

토머스 투크, 『통화 원리에 대한 연구: 통화와 가격의 관련, 발권 업무를 은행부에서 분리함으로써 얻는 이익』, 제2판, 런던, 1844년, 34~36쪽.

지금위원회는 1810년 지금과 은행권의 관계에 대한 잉글랜드은행의 정책을 조사하기 위해 투입되었다. 마르크스는 제7노트에서 이 위원회의 활동에 관한 보고서(「높은 금괴 가격의 원인을 조사하기 위해 임명된 선출 위원회로부터, 증거와 설명을 포함한 보고서」. 하원의 명령으로 1810년 6월 8일 인쇄, 런던, 1810년)와 출판물로 엮여 나온 이 보고서의 토론 일부(찰스 보즌켓, 『지금위원회의 보고서에 관한 실제적 관찰Practical observations on the Report of the Bullion committee』, 런던, 1810년; 데이비드 리카도, 『은행권 하락의 증거로서 지금의 높은 가격The high price of bullion a proof of the depreciation of bank notes』, 제4판, 런던, 1811년; 리카도, 『지금위원회의 보고서에 관한 보즌켓 씨의 실제적 관찰에 대한 대답Reply to Mr. Bosanquets Practical observations on the Report of the Bullion committee』, 런던, 1811년)를 발췌했다.

3 (v) 다음에 "keineswegs bornir[t]"라고 썼다가 곧바로 지웠음. (부속자료에는 ","로 되어 있으나 본문에는 ","가 없는 것으로 보아 MEGA 편집자의 오기인 것으로 보여 중단 표시 "/"로 이해했다.—옮긴이).

4 (v) "불"(Un)—새로 삽입한 것.

5 (k) "국한된다"(beziehen)—**H**[1] "bezieht"

6 (e) 장[-샤[를]-레[오나르]] 시몽 드 시스몽디, 『신경제학 원리, 혹은 인구의 관점에서 바라본 부의 고찰』, 제2판, 제1, 2부, 파리, 1827년. 마르크스는 이 저작을 1844년과 1847년

사이에 발췌했는데, 해당 노트는 남아 있지 않다.

7 (v) "소매"(retail) — 새로 삽입한 것.

8 (v) 다음에 "ist"라고 썼다가 곧바로 지웠음.

9 (e) 프루동은 그의 『경제적 모순의 체계 혹은 빈곤의 철학』(파리, 1846년) 여러 구절에서 스미스를 심하게 반박했지만, 마르크스가 『철학의 빈곤』(파리와 브뤼셀, 1847년)에서 증명했듯이, 사실상 스미스의 핵심적인 발견을 통속적인 형태로 받아들였을 뿐이다.

10 (v) 다음에 "의 이론"(Lehre von der)이라고 썼다가 곧바로 지웠음.

11 (v) "간"(den zwischen) — 새로 삽입한 것.

12 (v) 다음에 "보낸다"(schickt)라고 썼다가 곧바로 지웠음.

13 (e) 영국의 동인도 무역회사는 1600년에 설립되어, 1624년부터 이 지역(인도, 벵골)의 영국 식민지에 대해 정치적 통수권으로 기능해왔고, 게다가 오랫동안 인도, 중국 그리고 다른 아시아 여러 나라에 대한 무역을 독점해왔다. 1857~1859년 인도의 민족 해방 봉기 이후 동인도 회사는 영국 식민지 정책의 수단으로서 필요하지 않게 되었고 따라서 1858년 해체되었다.

14 (v) 여기에 "이것을"(dieß)이라고 썼다가 곧바로 지웠음.

15 (v) 여기에 "Neu"라고 썼다가 나중에 지웠음.

16 (v) 여기에 "만일"(wenn)이라고 썼다가 곧바로 지웠음.

17 (k) "때는"(bei) — **H**[1] "beim"

18 (v) "결정적인"(definitiver) — 새로 삽입한 것.

19 (v) 여기에 "형[태]"(Fo[rmen])라고 썼다가 나중에 지웠음.

20 (v) 여기에 "실제"(wirklichen)라고 썼다가 나중에 지웠음.

21 (k) "말하자면"(angeht) — **H**[1] "geht"

22 (v) 여기에 "xxxxxx"를 새로 삽입했음. (이것을 MEGA 편집자가 판독할 수 없어서 본문에는 삽입하지 않았음 — 옮긴이).

23 (v) "이른바"(sog.) — 새로 삽입한 것.

24 (v) 여기에 "날조한"(fingirt)이라고 썼다가 곧바로 지웠음.

25 (k) **"거래화폐"**(*Handelsgeldes*) — **H**[1] *"Handelgeldes"*

26 (v) "상당 부분"(zum großen Theil) — 새로 삽입한 것.

27 (v) 여기에 "ihm xxxxxxxx"라고 썼다가 곧바로 지웠음(이것을 MEGA 편집자가 판독할 수 없어서 본문에는 삽입하지 않았음 — 옮긴이).

28 (v) "자본 처분 수단이 … 사라지게 되고"(indem … vernichtet finden)에서 "indem"이 삭제되어야 하는지 명확히 판독하기가 어렵다. 또한 "der"와 "vernichtet finden"도 명확히 판독하기 어렵다.

29 (v) 여기에 "이[미]"(sch[on])라고 썼다가 곧바로 지웠음.

30 (k) "이전에는 필요하지 않았던"(es früher nicht erfordert war) — **H**[1] "sie früher nicht erfordert waren"

31 (v) 여기에 "판매"(Verkaufs)라고 썼다가 나중에 지웠음.

32 (e) 마르크스는 1793년, 1825년, 1847년 영국에서 발생한 경제 공황을 염두에 두고 있다.

33 (v) "그러나 이 재무부 증권과 … 통화였을 뿐이다."(Ebenso kann … currency.) — 새로 삽입한 것.

34 (v) 여기에 "zwar xxx"라고 썼다가 곧바로 지웠음(이것을 MEGA 편집자가 판독할 수 없어서 본문에는 삽입하지 않았음 — 옮긴이).

35 (v) 여기에 "거래"(Handel)라고 썼다가 곧바로 지웠음.

36 (v) "은행권"(Noten) 대신에 "유가증권"(securites)으로 고쳐서 새로 삽입했음.

37 (v) "보이"(scheinbar) — 새로 삽입한 것.

38 (v) "가치"(Werth) — 새로 삽입한 것.

39 (v) "상품과 금의 연결 고리 혹은"(Zweischenglied zwischen Waaren und Gold oder) — 새로 삽입한 것.

40 (e) 마르크스가 생각하는 것은 버밍엄의 은행가 토머스 애트우드(Thomas Attwood)가 설립한 이른바 버밍엄 학파이다. 이 경제 사조의 견해는《미들랜드 카운티스 헤럴드》(Midland Counties Herald)에 일련의 편지로 서술되었으며『유통 원리. 제미니의 편지』(The Currency Principle. The Gemini Letters, 런던, 1844년)라는 제목의 책으로 나왔다. "제미니"로 불린 저자는 토머스 바버 라이트(Thomas Barber Wright)와 존 할로(John Harlow)였다. 버밍엄 학파의 대표자는 또한 스푸너(Spooner)와 토머스 애트우드의 형제 마티아스(Matthias)였다. 그들은 이상적인 화폐 규모에 대한 이론을 선전하고, 화폐를 계산 단위의 명칭으로서만 고찰했다. 이 이론에 맞게 이들은 "작은 실링 기획"이라고 부른 파운드스털링의 금 함유량을 내리는 기획을 제시했다(이 때문에 이 사조는 "작은 실링 사람"이라는 명칭으로 불린다). 버밍엄 학파의 실제적인 제안은 토머스 애트우드가 결정적으로 발전시킨 화폐의 양적 이론인 "유통 원리"에도 기초했다. 이에 따르면 상품 가격은 명목상 유통 중인 화폐의 양에 따라서 결정된다. 이 이론을 지지한 영국 정부의 노력(1844년의 은행법)은 완전히 실패로 끝났다.

버밍엄 학파의 견해와 이들이 불러일으킨 이 당시의 경제적 문헌상의 포괄적인 논쟁에 마르크스는 자주 몰두했다. 마르크스는『제미니의 편지』는 물론, "제미니"가 그 이전에 작성한 저작『S. I. 그레이엄의『곡물과 유통』에서 보여준 우리의 현재 유통체계의 진정한 성격과 일정한 결과』(The true character and certain consequences of our present Currency System shown by S. I. Graham, in his 'Corn and Currency', 버밍엄, 1843년)를 1850년 11월에 발췌했다(발췌 노트 제3노트를 보라). 마르크스는 버밍엄 학파에 대해 여러 곳에서 언급했다.『경제학 비판 요강』(초안), 1857~1858년, 제1부, 모스크바, 1939년, 689/690쪽;『경제학 비판을 위하여』(Zur Kritik der Politischen Ökonomie), 베를린, 1859년, 제2장;『자본』, 제1권, 제3편, 제8장;『자본』, 제3권, 제5편, 제33장과 34장.

41 (v) 여기에 "공개적으로"(öffentlich)라고 썼다가 나중에 지웠음.

42 (e) 막스 슈티르너,『유일자와 그의 소유』, 라이프치히, 1845년, 353쪽. "너희 능력을 발휘하라, 정신 차려라, 그러면 화폐에, 너희 화폐에, 그 화폐에 너희가 각인했던 것이 없어질 것이다. …" 또한 카를 마르크스/프리드리히 엥겔스,『독일 이데올로기』, III. 성 막스, 1.『유일자와 그의 소유』, 신약성서: "나", 5. 고유한 자, III. 연합, 3. 화폐를 보라.

43 (k) "앞에서도,"(vor-)(본문에는 "-"가 없는데 MEGA 편집자의 오기인 것 같다. — 옮긴이) — **H**[1] "vor,"

44 (v) "무엇으로"(womit) ← "무엇을"(was)

45 (v) "임금을 …과 교환한다"(tauscht dafür den Arbeits-Lohn)(본문에는 "dafür"가 없다. — 옮긴이) ← "임금노동을 … 교환한다"(tauscht die Lohnarbeit)

46 (v) "**우선**"(*erstens*) — 새로 삽입한 것.

47 (v) "그리고"(und) — 새로 삽입한 것.

48 (v) 여기에 "노[동]"(Arb[eit])이라고 썼다가 지웠음.

49 (v) "단지"(nur) — 새로 삽입한 것.

50 (v) "계급적 개인으로서"(als einem Klassenindividuum,) — 새로 삽입한 것.

51 (v) "매우"(rather) — 새로 삽입한 것.

52 (v) "교환물"(Tauschproducte) — 새로 삽입한 것.

53 (v) "사회적으로 제한된 주체"(gesellschaftlich beschränktes Subjekt) ← "개인"(Individuum)

54 (v) 여기에 "교[환]"(Tausch[ens])이라고 썼다가 곧바로 지웠음.

55 (e) "non olet" — 돈은 냄새가 나지 않는다. 이 표현은 오줌세 징수와 관련하여 베스파시아누스 황제가 한 말이다.

56 (v) 다음에 ", 다시 말해"(, d. h.)라고 썼다가 곧바로 지웠음.

57 (v) 다음에 "sind"라고 썼다가 곧바로 지웠음.

58 (v) "노동자"(Arbeiter) 앞에 "die"는 새로 삽입한 것.

59 (v) "확대된다. 다시 말해서"(erweitert, d. h.) ← "확대된다. 다른 한편으로"(erweitert. Andrerseits)

60 (k) "노동자계급"(die sie) — **H**[1] "die es"

61 (v) "굉장히"(unendlich) ← "매우"(viel)

62 (v) "xxxxx" ← "된다"(wird)

G1045

프리드리히 엥겔스

1852년의 혁명 프랑스에 반대하는 신성동맹 전쟁의 조건과 전망

1851년 4월(G511~G534쪽)

집필과정과 전승과정

완성되지 못한 이 초고의 작업에 대해 엥겔스가 가장 일찍 언급한 것은 1851년 4월 3일 마르크스에게 보낸 편지에 나타나 있다. 거기서 엥겔스는 마르크스에게 연구 계획을 다음과 같이 알렸다. “어쨌든 다음 해 프랑스에서 혁명이 일어난다면, 신성동맹이 **최소한** 파리 앞까지 올 것이라는 사실은 틀림없네. 그리고 우리 프랑스 혁명가들의 진귀한 인식과 드문드문 분출되는 에너지를 볼 때, 문제는 파리의 요새와 성벽이 또한 무장하고 보급받을 수 있느냐는 것이지. 그러나 예를 들어 생드니와 그 옆의 요새 두 곳이 점령돼 동쪽으로 밀린다면, 파리와 혁명은 상황이 변할 때까지(jusqu'à nouvel ordre) 궁지에 몰릴 걸세. 다음에 한번 자세히 군사 문제를 토론하고 싶고, 프랑스의 벨기에 요새 점령과 매우 수상쩍은 무장봉기군의 급습(coup de main)으로 라인 지방의 점령과 같은 침투를 최소한 무력화하는 데 적합한 유일한 방책에 대해 토론했으면 하네.”

며칠 뒤에도 엥겔스는 이 연구 작업을 계속했지만(엥겔스가 1851년 4월 11일 마르크스에게 보낸 편지를 보라), 마르크스는 4월 15일에도 초고를 아직 받지 못했다(마르크스가 1851년 4월 15일 엥겔스에게 보낸 편지를 보라). 4월 15일 엥겔스는 마르크스를 맨체스터로 초대했고, 마르크스는 대략 1851년 4월 20일에서 26일까지 거기에 체류했다. 어쨌든 이 기회에 초고에 관해 얘기가 오갔다. 엥겔스는 우선 마르크스에게 정보를 받았는데 인쇄하기에는 적합하지 않다고 보았다. 작업이 중단된 것은 마르크스와의 토론과 관련이 있을 것이다.

「… 조건과 전망」은 1850년 11월 맨체스터 이주 후 엥겔스가 시작한 집중적인 군사이론, 군사사(軍事史) 연구의 첫 성과물이다. 그리고 엥겔스는 이러한 분야의 연구를 죽을 때까지 지속한다. 이 연구의 실제적 계기는, 당시 신성동맹의 군대가 프랑스로 쳐들어와 그들의 의도에 반해 혁명적 활동이 두드러지게 발생할 것이라는 견해가 널리 퍼져 있었고 한때나마 마르크스와 엥겔스도 어느 정도 그런 견해를 받아들였다는 데 있었다. 소부르주아적 망명 단체의 일부는 그러한 막연한 가능성에 과장된 희망을 품었다.

엥겔스는 맨체스터 도서관에 있던 1789년 이후 프랑스의 방어와 나폴레옹의 다양한 원정에 대한 방대한 영국 및 프랑스 문헌을 작업의 기초 자료로 이용했다. 같은 시기 엥겔스의 편지에서 그가 특히 다음 저작들을 근거로 삼았다는 점을 추론할 수 있다. W. P. 네이피어, 『프랑스 반도와 남부에서의 전쟁사, 1807년에서 1814년까지』, 전 6권, 런던, 1828~1840년; A. H. v. 뷜 G1046
로(Bülow), 『새로운 전쟁 시스템의 풍조』(Geist des neuern Kriegssystem), 함부르크, 1798년; 『앨리슨의 유럽사 지도책』(Atlas zu Alisons "Geschichte von Europa") 그리고 A. 티에르의 20권짜리 『통령 정부와 제정의 역사』(Histoire du Consulat et de l'Empire), 1845년부터.

엥겔스가 이 초고에서 최초로 정식화한 중요한 군사이론적 인식(특히 자본주의적 생산관계의 군사적 표현으로서 공격 수단의 규모와 기동성, 프롤레타리아트 혁명 과정에서 바로 이러한 요소의 필연적 발전)은 한참 후에 발전된 형태로 그의 저술에서 다시 발견된다. 그러나 그 당시 가장 중요한 군대의 병력에 관하여 마르크스와 엥겔스 사이에는 1851년 9월 또다시 논의가 이루어졌다(마르크스가 1851년 9월 23일 엥겔스에게 보낸 편지를 보라). 1851년 9월 6일 자 《뉴요커 슈타츠차이퉁》에 실린 구스타프 아돌프 테초프의 기고문 「다가올 전쟁의 개요」(Umrisse des kommenden Krieges)와 관련하여 엥겔스는 추정컨대 1851년 9월 26일 마르크스에게 보낸 편지에서, 대부분이 이 초고에서 다루어진 문제에 대한 자신의 견해를 새롭게 진술했다. 엥겔스는 이제 반년 후 신성동맹의 전투력을 낮게 평가했고, 그들이 전장에 출현하기까지는 좀 더 많은 시간이 걸릴 것이라고 추산했다. 그는 이제 프랑스 군대를 더욱 낮게 평가했다. 이 편지의 결론에서 엥겔스는 다가올 혁명의 전투력에 관해 쓸 때, 1851년 4월의 자신의 초고를 간접적으로 언급하게 되었다. "그리고 테초프를 따라 이것을 추측해보고 개연성이 높은 것을 계산해보는 일은 한가롭고 자의적이네. 이제 말할 수 있는 것은 라인 지방에 상당히 많이 의존한다는 것뿐일세."

첫 출판은 《디 노이에 차이트》, 슈투트가르트, 제9호, 1914년 12월 4일, 268~274쪽; 제10호, 1914년 12월 11일, 297~310쪽. 리야자노프는 엥겔스의 작업을 1851년 9월과 12월 사이로 추산했다. 엥겔스 초고의 인쇄물에는 눈에 띄게 생략된 부분이 있었다.

원문자료에 대한 기록

H¹ 자필 원고 원본. IML/ZPA Moskau, 정리 번호 f. 1, op. 1, d. 506. 전지 6장으로 줄이 없고 밝은 청회색의 종이이고 투시 무늬는 없으며, 한 노트에서 떼어낸 것으로 보인다. 크기는 250×200mm. 종이는 잘 보존되었고 단지 몇 군데 갈색의 물 먹은 흔적이 있다. 프리드리히 엥겔스가 라틴어 필체로 썼다. 검은 잉크를 사용했다. 5장의 종이에 앞뒤로 썼으며, 전지 2부터 엥겔스는 전지의 첫 장마다 번호를 매겼다(5, 9, 13, 17, 21쪽). 21쪽에 해당하는 마지막 전지 6에는 여섯 줄만 썼고, 이 쪽의 나머지와 전지의 다른 세 쪽은 비어 있다.

본문은 **H¹**을 따른다.

G1047
변경사항 목록/교정사항 목록/해설

1 (e) 카르노에 대한 나폴레옹의 판단은 배리 E. 오메라(Barry E. O'Meara)의 다음 책에 나온다. 『유형의 나폴레옹 혹은 세인트헬레나로부터의 목소리. 그 자신의 말과 함께 그의 생애와 그의 정부의 중요한 사건에 관한 나폴레옹의 견해와 판단』(Napoleon in der Verbannung, oder eine Stimme aus St. Helena. Die Ansichten und Urtheile Napoleons über die wichtigsten Ereignisse seines Lebens und seiner Regierung mit seinen eigenen Worten), 슈투트가르트와 튀빙겐, 1822년, 제1권, 184쪽. "카르노에 관해 그는 다음과 같이 묘사했다. '활동적이고 성실한 사람, 그러나 음모의 영향에 쉽게 빠지는 사람. 그는 사람들이 그에게 베푼 찬사를 받지 않고도 작전을 이끌었다. 그는 전쟁의 경험도 지식도 없었다. 전쟁 장관으로서 그는 약간의 재주만 발휘했고, 재정 및 재무 장관과 많이 다퉜다. 이 모든 일에 그는 결코 정통하지 못했다.'"

2 (e) "프로이센 왕"(König von Preußen) — 프리드리히 빌헬름 2세.

3 (e) "오스트리아 장군들"(östreichischen Generäle) — 1792년 오스트리아군 총사령관은 왕자 프리드리히 요지아스 폰 코부르크(1737~1815년)였고, 원수는 백작 다고베르트 지그문트 폰 부름저(1724~1797년)였다.

4 (e) 1792년 9월 20일 프로이센과 오스트리아가 주도한 동맹군의 발미 포격은 마을을 공략할 수 없었다. 이것이 혁명 프랑스에 대한 내정 간섭의 출정을 근본적으로 좌절하게 했다.

5 (e) 제마프 전투는 1792년 11월 6일 일어났다.

6 (e) 1793년 3월 18일 네르빈덴에서 벌어진 전투에서 동맹군은 프랑스군에 승리했다.

7 (e) 프랑스 최고사령관 뒤무리에 장군은 네르빈덴의 패배 후 동맹군과 협상을 하고 자신의 군대를 반혁명적 파리 출정에 투입하려고 했다. 이런 배신 계획은 실패했고, 뒤무리에는 1793년 4월 4일 오스트리아로 달아났다.

8 (e) 방데의 반혁명적 반란은 브르타뉴까지 번졌고, 1793년 3월에서 가을까지 지속했다.

9 (e) 라파예트는 1792년 북군(아르덴 군대)의 최고사령관이었다. 1792년 6월 말 이후 그는 파리에서 혁명이 계속되는 것을 반대했다. 그는 1792년 8월 외국으로 도피함으로써 자신에 대한 공화파의 조치를 벗어났다.

10 (e) "총동원령"(levée en masse)—1793년 8월 23일의 법률에 따른 혁명 프랑스의 군대를 위한 대중 징집.

11 (e) "8월 10일의 내각"은 1792년 8월 10일 지롱드파가 승리한 봉기 이후 등장해 1793년 6월 2일 자코뱅파를 통해 그들의 지배 권력이 해체될 때까지 존속했다.

12 (v) "75만" ← "70만"

13 (v) "1794년"—새로 삽입한 것.

14 (v) "75만" ← "70만"

15 (v) "15만" ← "25만"

16 (e) 이러한 진술을 위해 엥겔스는 추정컨대 다음 자료를 이용했을 것이다. [나폴레옹 1세,] 「스페인의 군대 진지에 대한 통첩」, 바욘, 1808년 7월 21일. 네이피어, 윌[리엄] 프[랜시스] 패[트릭], 『프랑스 반도와 남부에서의 전쟁사, 1807년에서 1814년까지』, 저자의 개정 신판, 제1권, 런던, 1853년, 444쪽. 엥겔스가 이용한 이 책의 초판은 1828~1840년에 나왔지만 구할 수 없었다.

17 (e) ""공화국을 위해 죽자""("für Republik zu sterben")—1849년 제국헌법투쟁을 암시하는 말.

18 (e) 프랑스 장군들은 1794년 특히 피슈그뤼(Pichegru), 주르당(Jourdan), 샤르보니에(Charbonier), 모로(Moreau), 셰레르(Scherer), 클레베르(Kleber) 등이었다.

19 (e) "대표자들"(Repräsentanten)—모든 프랑스 군대는 인민 대표자 세 명이 통제했는데, 이들은 각각 한 달마다 해촉되었다.

20 (e) "공안위원회"(comité de salut public)—공안위원회(Wohlfahrtsausschuß)는 1793년 6월 2일부터 1794년 7월 27일까지 자코뱅파가 지배하던 시대 프랑스 공화국의 최고 기관이었다. 24명의 위원 중에는 로베스피에르, 생쥐스트, 쿠통(couthon), 카르노 등이 속했다.

21 (v) 여기에 "방데미에르"(Vendemaire)(포도월—옮긴이)라고 썼다가 곧바로 지웠음.

22 (e) 카르노는—비록 그는 공안위원회 위원이었지만—프랑스 혁명력의 계산에 따르면 2년 테르미도르 9일(1794년 7월 27일) 자코뱅 지배에 반대하는 쿠데타에 참여했다. 프뤽티도르 18일(1797년 9월 4일) 나폴레옹의 지원으로 집정 내각의 위장된 쿠데타 때문에 계획했던 군주제의 전복 시도는 실패로 돌아갔다. 카르노는 왕당파적 모반에 가까이 서 있었기 때문에 그 이후 프랑스를 떠났다. 브뤼메르 18일(1799년 11월 9일) 나폴레옹은 쿠데타를 실행했고 자신의 독재 체제를 세웠다. 나폴레옹을 통한 이러한 권력 교체에 대한 카르노의 태도는 분명하지는 않지만, 어쨌든 그는 1800년 4월 전쟁장관에 지명되었다.

23 (e) 카르노의 성격에 대해서 엥겔스는 나폴레옹의 다음 발언에 근거했다.

"그는 돈이 부족하기 때문에 자리를 지킬 수 없다는 확신에서 내각을 떠났다. 나중에 그는 제정에 반대투표를 했다. 그러나 그의 행동은 언제나 정직했기 때문에 정부에 의심을 사지 않았다. 제정의 운 좋은 시절 동안 그는 자신을 위해 아무것도 요구하지 않았다. 그러나 러시아의 불운 이후 그는 자리를 청했고 안트베르펜 사령관을 맡았다. 거기에서 그는 처신을 매우 잘했다. 엘바에서 내가 돌아왔을 때 그는 내무장관이었고, 나는 그의 처신에 모두 만족했다. 그는 성실하고 진실하고 정의로운 인물이었으며, 자신의 일에 부지런했다. 퇴직 후에 그는 임시정부 위원으로 지명되었지만, 그는 그를 둘러싼 음모(원서에는 "Intriken"으로 되어 있으나 "Intrigen"인 것 같다. —옮긴이)의 놀잇거리였다. 그는 귀족을 싫어했고, 그래서 귀족적인 것을 끝까지 보호하고자 했던 로베스피에르와 자주 다퉜다. 그는 로베스피에르와 쿠통, 생쥐스트, 그리고 다른 학살자들과 함께 공안위원회 위원이 되었는데, 유일하게 소송을 당하지 않은 인물이었다. 그는 나중에 자신도 포함해 고소해 다른 사람과 마찬가지로 자신의 행동을 조사하라고 요구했다. 그러나 그는 진술을 거부했다. 그사이에 다른 사람들의 운명을 함께 나누려고 한 그의 요구로 그는 큰 신뢰를 얻었다."(인용은 배리 E. 오메라, 앞의 책, 184~185쪽.)

24 (v) "서로"(einander) ← "sich"

25 (e) "니콜라스"(Nicolas) — 니콜라이 1세.

26 (e) 1838년까지 낮은 장교 계급의 사관이 지휘하는 다양한 독일 군대가 있었다. 외관 표시로서 사관(Fähndrich)은 칼자루에 술 달린 장식용 끈(Portepee)을 달았다. 포르테피펜드리히 시험에 합격하면 사관 후보생은 이등 소위로 임관되었다.

27 (e) 라데츠키의 첫 번째 이탈리아 원정에서 오스트리아 군대는 1848년 7월 25일 쿠스토차에서, 1848년 7월 27일에는 볼타에서 사르데냐-롬바드리아 군대에 이겼다. 1848년 8월 6일 라데츠키는 밀라노를 정복했다.《노이에 라이니셰 차이퉁》에는 이에 관한 다음의 기사가 실렸다.「이탈리아 해방 투쟁과 현재의 실패 원인」(Der italienische Befreiungskampf und die Ursache seines jetzigen Mißlingens), 1848년 8월 12일;「이탈리아에 대한《쾰니셰 차이퉁》」(Die 'Kölnische Zeitung' über Italien), 1848년 8월 27일,「이탈리아에서의 혁명 운동」(Die revolutionäre Bewegung in Italien), 1848년 11월 30일.

1849년 라데츠키의 두 번째 이탈리아 원정에 관해서는, 이탈리아의 혁명운동에 대해 오스트리아의 승리로 끝났는데, 1849년 3월 31일과 4월 4일의《노이에 라이니셰 차이퉁》에「피에몬테의 패배」(Die Niederlage der Piemontesen)라는 기사가 세 부분으로 실렸다. 이 기사에서는 무엇보다 혁명군의 패배 원인이 분석되었다.

28 (v) "다른 사람의"(Anderer) — 새로 삽입한 것.

29 (v) "마일란트에 대한"(gegen Mailand) — 새로 삽입한 것.

30 (e) 1809년 프랑스와 오스트리아의 전쟁에서 4월 20일에서 22일까지 다양한 전투가 아벤스베르크와 에크뮐에서 있었는데, 이 전투에서 프랑스군이 승리했다. 그 결과로 오스트리아군은 두 부분으로 나뉘었고, 한 달 동안 공격 능력을 상실했다.

31 (e) ""항상 느린 진격""("immer langsam Voran") — 1813년 등장한 노래로, 사람들이 조롱하는 의미로 부른 노래 "시골의 국경 요새"(Die Krähwinkler Landwehr)의 후렴 한 구절.

32 (k) "라모리노의"(Ramorinos) — **H**[1] "Romarinos"

33 (e) 1788년에서 1791년까지의 러시아-오스만 제국 전쟁에서 러시아군은 1788년 12월 17일 오차코프(오데사 인근) 요새를, 그리고 1790년 12월 22일 이즈마일(도나우 인근) 요새를 함락했다.

34 (v) "완전히 발달한 근대식 전쟁 체계"(das vollständig entwickelte moderne Kriegssystem) ← "완전히 발달한 근대식"(den vollständig entwickelten modernen,)

35 (e) "알제에서의 소규모 전쟁"(algierischen kleinen Krieg) — G79쪽 29행에 관한 해설을 보라.

36 (v) "전쟁의"(seine) ← "die"

37 (v) "적용할"(anwenden) ← "실행할"(ausführen)

38 (v) 여기에 "영세 [경작] 체계의 결과"(in Folge des Systems der Parcell[encultur])라고 썼다가 곧바로 지웠음.

39 (k) "이루고 있다"(bilden) — **H**[1] "bildet"

40 (v) 여기에 "과 옹졸함"(und Pedanterie)이라고 썼다가 곧바로 지웠음.

41 (v) "징집되"(unter die Waffen gerufen) ← "징집[되]"(ausgeho[ben])

42 (v) "병사"(Soldaten) ← "전투[병]"(Combatt[anten])

43 (v) "실제"(wirkliche) — 새로 삽입한 것.

44 (k) "전투병"(Combattanten) — **H**[1] "Combattant"

45 (v) "당시"(um diese Zeit) ← "1[월]에"(im Jan[uar])

46 (v) "175만" ← "172만"

47 (e) "코슈트 은행권"(Kosuthnoten) — 1848/49년 헝가리의 혁명적 격변기 동안 코슈트는 먼저 헝가리 내각의 재무장관이었다. 그가 주도해서 헝가리의 독자적인 어음이 발행되었고, 무담보였지만 나라 전체에서 인정되었다. 이른바 코슈트 은행권이 헝가리 혁명군의 창설과 무장을 가능하게 했다.

48 (v) "롬바르디아인"(Lombarden) ← "이탈리아인"(Italiäner)

49 (v) "그"(*ihrer*) ← "der"

50 (v) 여기에 "대중"(die Masse)이라고 썼다가 나중에 지웠음.

51 (v) "다르듯이"(weit, wie) ← "weit entfernt, /"

52 (v) 다음에 "마찬가지로"(Ebenso)라고 썼다가 곧바로 지웠음.

53 (v) "건강한"(gesunden) — 새로 삽입한 것.

54 (v) "2~3%" ← "3%"

55 (v) 여기에 "러시[아]에서 전자의 결과를 산출하기 위해서는 평균이 … 해야 한다"(Um das erstere Resultat in Rußl[and] hervorzubringen, muß das Durchschnitts)라고 썼다가 곧바로 지웠음.

56 (e) "프로이센의 1년짜리 지원병"(preußische 1 jährige Freiwillige) — 프로이센에서 젊은 청년들은 체계적인 예비 교육을 받아야 하고 모든 비용을 치르고 시험을 끝내면 1년 동안 군 복무를 이행해야 했다. 그렇게 하고 나면 그들은 예비군이나 수비대의 장교로 임명되었다.

57 (v) 여기에 "집중된 경우에"(bei den konzentrirten)라고 썼다가 곧바로 지웠음.

58 (v) "동맹군의 전진과 함께 증가하기 때문이다."(mit dem Vorrücken der Alliirten zunehmen.) ← "xxxxxxxxx"

59 (v) 여기에 "준다"(gibt)라고 썼다가 곧바로 지웠음.

60 (v) "전쟁사에서 … 통해 … 야전사령관은"(Feldherr, der in der Kriegsgeschichte durch) ← "전쟁사를 … 야전사령관은"(Feldherr, der die Kriegsgeschichte,) ← "야전사령관은 … 특징이 있다"(Feldherr bezeichnete,)

61 (v) "부싯돌총"(Steinschloß) ← "화승총"(Feuerschloß)

62 (v) "위해"(für) ← "맞서"(gegen)

63 (v) "15만" ← "115만" ← "215만"

64 (v) 다음에 "또한 적[게]"(haben auch weni[ger])라고 썼다가 곧바로 지웠음.

65 (v) "등"(usw.) — 새로 삽입한 것.

66 (v) "2군"(zweite Armee) ← "예비군"(Reservearmee)

67 (v) "어떤 정부도"(keine Regierung) ← "어떤 사람도"(kein Mensch)

68 (v) 여기에 "그 밖의"(mit den übrigen)라고 썼다가 곧바로 지웠음.

69 (v) "일 걸리고, 베를린에서"(Tagemärsche; von Berlin) ← "일 걸린다. 모스크바에

서"(Tagemärsche. Von Moskau)

70 (v) "또한 정치적 상황이 정말로 위기를 만들 것이며,"(und sowie die politischen Verhältnisse eine Krisis wahrscheinlich machen, wird) ← "또한 프[랑스]와 같이 정치적 상황이 정말로 위기를 만들 것이며, 이것은"(und wird sowie in Fr[ankreich] die politischen Verhältnisse eine Krisis wahrscheinlich machen, dies,)

71 (v) "동맹군"(Coalitions-Armee) ← "1군"(ersten Armee)

72 (v) "과 피에몬테 앞의"(und vor Piemont) — 새로 삽입한 것.

73 (v) "걸리지 않고"(sind) ← "필요하지 않고"(gehören)

74 (v) "45만" ← "40만"

75 (v) 여기에 "이것은"(da dies)이라고 썼다가 곧바로 지웠음.

76 (v) "군대를 급조하는 방법과 혁명전쟁에 대해 … 아는 …, 그리고"(Kenntniß hat von Revolutionskriegen und den Methoden, rasch eine Armee zu schaffen, und) ← "군대를 급조했던 방법과 혁명전쟁에 대해 … 아는 …, 그래서"(Kenntniß von Revolutionskriegen und den Methoden, rasch eine Armee zu schaffen haben, so,)

77 (v) "빈 곳을"(Lücken) ← "예비군을"(Reserven)

78 (v) "적어도"(wenigstens) — 새로 삽입한 것.

79 (v) "야기하지"(hervorruft) ← "hervorrufen"

80 (v) 여기에 "그러한"(solchen)이라고 썼다가 나중에 지웠음.

81 (v) "현재의 동맹군이"(momentanen Allianz) ← "봉기가"(Erhebung)

82 (v) 여기에 "반경을 가진"(mit einem Radius von)이라고 썼다가 곧바로 지웠음.

83 (v) 여기에 "이것은 군사적으로"(das ist der militärische)라고 썼다가 곧바로 지웠음.

84 (v) "의 위치"(Configuration seines) ← "라인 방향의 위치"(Configuration des Rheinlaufs)

85 (v) "반혁명적"(contrerevolutionären) — 새로 삽입한 것.

86 (v) "어떤 … 지 않기 때문"(da sonst) ← "그것으로 … 않는"(damit nicht)

87 (v) "흩어질 수밖에 없는"(schleudern muß) ← "흩어진"(schleudert)

88 (v) "까지"(bis) ← "으로"(nach)

89 (v) "론 강"(der Rhone) ← "제네바"(Genf)

90 (v) 여기에 "포게젠은"(Die Vogesen werden in)이라고 썼다가 곧바로 지웠음.

91 (v) "북해"(Nordsee) ← "상브르"(Sambre)

92 (v) "나란히"(parallel) — 새로 삽입한 것.

93 (v) "이 두 강"(je zweien dieser Flüsse) ← "이 모든 강"(allen dieser Flüssen)

94 (v) 여기에 "아니다"(nicht)라고 썼다가 곧바로 지웠음.

95 (v) 여기에 "군사적"(militärischen)이라고 썼다가 나중에 지웠음.

96 (v) "흐르는"(strömenden) 다음에 "그리고 모두 파[리] 주변으로"(und alle in der Nähe von P[aris])라고 썼다가 곧바로 지웠음. ← "흐르는"(fließende).

97 (v) 여기에 "까지"(bis)라고 썼다가 곧바로 지웠음.

98 (v) "국경"(Land Gränzen) ← "경계"(Gränzen)

99 (v) 여기에 " — 두 … 때문에"(— da die zwei)라고 썼다가 곧바로 지웠음.

100 (v) "지칠 줄 모르고"(unermüdliche) ← "계속해서"(fortwährende)

카를 마르크스

G1054

1848년 11월 4일 채택된 프랑스 공화국 헌법

1851년 5월 24일과 6월 8일 사이(G535~G548쪽)

집필과정과 전승과정

1851년 4/5월 프랑스의 정치 상황이 다시 긴박해지기 시작하고 헌법을 개정해 자신의 독재 체제를 세우기 위한 루이 보나파르트의 노력이 점점 더 분명해졌을 때, 어니스트 존스는 1851년 5월 23일 마르크스에게 보낸 편지에서《노츠 투 더 피플》을 위해 "**현재** 프랑스 헌법의 완전한 개관 … 48년 헌법과 비교했을 때 현재 개악된 헌법의 차이는 무엇인가"를 써달라고 부탁했다.

마르크스는 쓰겠다고 대답했고, 5월 25일 존스는 마르크스의 승낙에 감사했다. 적어도 이 당시에 마르크스는 기고문 작업을 시작했을 것이다. 보나파르트 대통령과 국민의회 사이의 논쟁을 다룬 결론은 6월 4일 이후에야 작성했는데, 왜냐하면 이때에야 마르크스는 자신이 인용한 보나파르트의 디종 연설문 텍스트를 가지고 있었기 때문이다(G547쪽 24~27행에 관한 해설을 보라).

기고문 전체가 늦게 작성된 다른 사정은 다음과 같다. 마르크스는 당시 아직 영어로 글을 쓰지 않았다. 피퍼와 존스가 번역자로 고려되기는 했지만, 마르크스는 엥겔스가 6월 초 런던에 올 것을 알고 있었기 때문에(엥겔스가 1851년 5월 23일과 6월 3일 마르크스에게 보낸 편지를 보라), 6월 7일과 8일 엥겔스가 방문했을 때에야 기고문의 원고가 최종적으로 작성되었고 엥겔스가 번역했을 개연성이 높다. 프랑스 헌법의 개정 문제와 보나파르트 쿠데타의 위험성은 이미 그 이전에 있었던 그들의 서신 교환에서 다루어졌다(마르크스가 1851년 5월 16일 엥겔스에게 보낸 편지, 엥겔스가 1851년 5월 19일 마르크스에게 보낸 편지, 마르크스가 1851년 5월 21일 엥겔스에게 보낸 편지, 마르크스가 1851년 5월 28일 엥겔스에게 보낸 편지를 보라). 이들의 서신으로 이뤄진, 아니 더 분명한 것은 구두로 이뤄진 의견 교환의 결과가 이 기고문을 마르크스가 집필한 것으로 나타났다.

1851년 6월 9일 존스는 기고문을 이미 갖고 있었거나 최소한 가까운 시일 안에 갖게 될 것임을 확실히 알고 있었다. 같은 날 존스가 마르크스에게 보낸 편지에는 "프랑스 헌법"에 관해서는 더는 말이 없기 때문이다.

원문자료에 대한 기록

J^{1} 원본 자료에 근거를 둔 유럽의 헌법; 지도적인 대륙 민주주의자의 도움으로. No. 1. 1848년 11월 4일 채택된 프랑스 공화국 헌법. 《노츠 투 더 피플》, 런던, 제7호, 1851년 6월 14일, 125~130쪽. 이탤릭체 혹은 (소문자 크기의) 대문자로(본문의 중간제목을 의미함 — 옮긴이) 강조. 1쇄.

본문은 J^{1}을 따른다.

G1055 교정사항 목록/해설

1 (e) 1848년 11월 4일 국민의회가 채택한 헌법의 텍스트는 《르 모니퇴르 위니베르셀》, 파리, 제312호, 1848년 11월 7일, 3101~3102쪽에 실렸다. 이 헌법의 원문 인용은 모두 이 인쇄물을 따라서 옮긴 것이다.

2 (e) 이 문단은 프랑스 헌법의 전문을 발췌하여 번역한 것이다.
"5조. 프랑스 공화국은 프랑스 국적인들이 존중을 받도록 하듯이 외국 국적인들을 존중한다. 어떤 정복 전쟁도 기도하지 않으며, 어떤 인민에 대해서도 그 자유에 반하여 자신의 힘을 결코 사용하지 않는다." (1조, 2조, 4조의 프랑스 원문은 영어 원문과 같아서 생략한다. 이하 프랑스 헌법 원문과 영어 원문의 내용이 같을 때는 생략하고, 다른 경우에만 프랑스 헌법을 번역한다. 2조에서 강조는 마르크스가 한 것 — 옮긴이)

3 (e) "로마!"(*Rome!*) — 여기서 마르크스는 5조에서 규정된 원칙과는 반대로 1849년 프랑스 공화국이 다시 로마 공화국을 바티칸 지배 아래 두기 위해 로마 공화국에 개입한 것을 되새기고 있다. 이에 대해서는 G160~G162쪽을 보라.

4 (e) 헌법 초안(Projet de constitution)은 한 위원회가 작성해 국민의회가 1848년 6월 19일 국민의회에 제출했다. 《르 모니퇴르 위니베르셀》은 제172호, 1848년 6월 20일, 1430~1432쪽에서 이 헌법 초안을 실었다.

5 (e) 7조의 원문은 다음과 같다. "7조. 노동권은 노동으로 살아가는 모든 인간이 갖는 권리이다. 사회는 현재 가용할 수 있고 또 향후 갖게 될 생산적이고 일반적인 수단을 통해 일자리를 구할 방법이 달리 없는 건강한 사람에게 일자리를 제공해야 한다." (6조와 9조에서 강조는 마르크스가 한 것 — 옮긴이)

6 (e) 계엄령에 관한 법률은《르 모니퇴르 위니베르셀》, 파리, 제224호, 1849년 8월 12일, 2683쪽에 실렸다.

7 (e) 이 법률은 원래 국민의회가 1850년 7월 16일 채택했다. 발표(《르 모니퇴르 위니베르셀》, 파리, 제201호, 1850년 7월 20일) 당시 22조가 실수로 빠졌다. 7월 23일 회의에서 국민의회 의장이 다시 정정해서 발표할 것을 제안했고, 국민의회가 이 제안을 승인했다. 정정 원고는《르 모니퇴르 위니베르셀》, 제205호, 1850년 7월 24일에 실렸다. 이 법률에 대해서는 또한 G364~G365쪽을 보라.

8 (e) 이 법률에 따라 어떤 연극 대본도 내무장관과 해당 부서 장의 사전 허가 없이 무대에 올릴 수 없었다. 이것은《르 모니퇴르 위니베르셀》, 파리, 제214호, 1850년 8월 2일, 2659쪽에 실렸다.

9 (e) 이 법령의 텍스트는《르 모니퇴르 위니베르셀》, 파리, 제215호, 1848년 8월 2일, 1837쪽에 실렸다. 이 법령은 1848년 7월 28일 국민의회가 채택했다.

10 (e) G159쪽 11~38행을 보라.

11 (e) 이 법률의 텍스트는《르 모니퇴르 위니베르셀》, 파리, 제165호, 1850년 6월 12일, 2013쪽에 실렸다.

12 (e) 이 법률은 형법(Code pénal)의 414, 415, 416조를 개정했다. 국민의회는 1849년 10월 11일, 11월 19일과 27일 이 법률을 심의했다. 노동자의 동맹 이외에도 임금을 인하하려는 목적을 가진 공장주들의 결속도 금지했다. 이 법률은《르 모니퇴르 위니베르셀》, 파리, 제337호, 1849년 12월 3일, 3869쪽에 실렸다.

13 (e) 프랑스어 원문은 다음과 같다. "9조. 교육은 자유롭다. 교육의 자유는 능력과 윤리성에 대해 법률로 정해진 조건에 따라 그리고 국가의 감독하에 행해진다."

14 (e) G188쪽 27행에 관한 해설을 보라.

15 (e) 프랑스어 원문에는 "재산에 의한 법적 선거 자격 제도와 관계없이"가 강조되었음.

16 (e) 프랑스어 원문에는 "유권자"가 강조되었음.

17 (e) 이에 대해서는 또한 G195쪽을 보라.

18 (e) 프랑스어 원문은 다음과 같다. "28조. 보수를 받는 모든 공무원은 인민의 대표로서의 임무와 양립할 수 없다. 국민의회의 어떤 의원도 회기 중에는 행정부가 자의적으로 선임할 수 있는 유상의 공직에 임명될 수 없다. …"

19 (e) 프랑스어 원문은 다음과 같다. "30조. 선거는 도별로 유권자 명부에 따라 시행될 것이다. 유권자들은 캉통(우리의 면 정도에 해당함 — 옮긴이) 소재지에서 투표한다. …

31조. 국민의회의 임기는 3년이며, 완전히 갱신될 수 있다.

32조. 국민의회는 상설이다. 그러나 스스로 정한 날까지 휴회할 수 있다. 휴회 기간에는 의회에서 비밀 투표와 절대다수로 선출한 25명의 대표자와 직원으로 구성된 위원회가 긴급회의를 소집할 수 있는 권한을 가진다. …"

20 (e) 프랑스어 원문은 다음과 같다. "40조. 법률안의 표결이 유효하려면 의회 구성원 전체의 과반수가 출석해야 한다."

21 (e) "영국의 특별 경찰"(an English special constable) — 차티스트가 대규모 시위를 하면서 1848년 3/4월에 헌장을 위한 서명과 함께 하원에 청원서를 전달하려고 준비했을 때, 부르주아지는 런던의 무장 병력을 실질적으로 강화하는 조치를 취했다. 기존의 파견 부대와 정규 경찰로는 병력을 강화하기에 충분하지 않았다. 그래서 지원병으로 구성된 분대를 추가로 모집했고, 부르주아지와 귀족이 분대원으로 가입하게 되었다. 이런 분대원을 "특별 경찰"이라고 불렀다. 나중에 황제 나폴레옹 3세가 되지만 그 당시 영국에 망명해 있던 루이 나폴레옹 보나파르트도 여기에 속했다.

22 (k) "성직자"(clerks) — J^1 "clergy"

23 (e) "배심원 구성에 관한 법령"은 1848년 8월 7일 국민의회가 채택했다. 이것은《르 모니퇴르 위니베르셀》, 파리, 제224호, 1848년 8월 11일에 실렸다.

24 (e) 새로운 군법 초안(《르 모니퇴르 위니베르셀》, 파리, 제163호, 1850년 6월 12일 발표)은, 구법과 마찬가지로, 보충병 모집의 가능성을 내놓았다. 형식상 돈만 지급하면 되는 것이 그 규칙으로 정해졌다. 보충병은 공증된 계약서를 써야 했다.

25 (e) 국민방위군에 대한 새로운 법안은 이미 1850년 7월 29일 국민의회에 제출되었다. 이 법안은 한 위원회로 갔는데, 여기서 몇 가지 수정을 거친 뒤 새로이 국민의회에 제출되었다(초안은《르 모니퇴르 위니베르셀》, 파리, 제86호, 1851년 3월 27일에 발표되었다). 노동자의 배제와 관련해서 마르크스는 무엇보다 14조를 주목하고 있다. "다음 사항이 유보 조항에 등재된다.

1. 21세 미만의 시민과 코뮌 거주 기간이 1년 미만인 사람.

2. 일상 근무가 너무 큰 부담이 되는 사람. …"

초안의 근거를 제시할 때 초안 작성자는 2항에서 무엇보다 노동자를 주목하고 있음을 상세히 강조했다. 1851년 5월 24일 국민의회에서 이 법률에 대한 2회독이 시작되었다. 좌파의 연설자는 제출된 법안이 노동자를 배제한다는 사실을 토론에서 설명했다. 국민방위군은 그렇다면 국민의 방위군이 아니라 한 계급의 방위군이 될 것이라고 했다.

국민방위군을 해체할 수 있는 공화국 대통령의 권한에 관한 법률 구절은 다음과 같다. "… 공화국 대통령은 정해진 장소들에 있는 국민방위군의 전부 또는 일부의 활동을 중단시키거나 해체할 수 있다.

중단될 경우 국민방위군의 활동은 중단된 날부터 1년 이내에 재개된다."

26 (e) 프랑스어 원문은 다음과 같다. "국민의회는 이 헌법과 헌법이 인정하는 권리를 모든 프랑스인의 보호와 애국심에 맡긴다."

27 (e) G170~G173쪽을 보라.

28 (e) 마르크스는 1851년 3월 31일부터 4월 10일까지 런던에서 열린 영국 차티스트 대회를 염두에 두고 있다. 이 대회에서 차티스트 운동의 가장 중요한 목적을 정식화한 강령이 채택되었다(강령에 대해서는 또한 G648~G654쪽을 보라). 사회 변혁을 위한 강령의 구체적인 조항은 대의원들이 하나하나 자세하게 토론했다. 강령을 개혁적으로 희석하려는 모든 시도는 거부되었다.

29 (e) 루이 나폴레옹 보나파르트는 철도 노선의 개통을 위해 여행한 1851년 6월 1일 디종의 환영식에서 이 연설을 했다. 이 연설과 관련해, 무엇보다 마르크스가 인용한 표현과 관련해, 언론과 국민의회에 큰 파문을 일으킨 스캔들이 있었다. 마르크스의 기고문에 인용된 구절은《르 모니퇴르 위니베르셀》, 파리, 제154호, 1851년 6월 3일 자에 실린 연설문의 공식 원고에는 없다. 신문(《르 나시오날》, 1851년 6월 3일)에 보도된 뒤, 디종에서 파리까지 오는 기차에서 포셰 내무장관과 뒤팽 국민의회 의장이 이 연설을 고쳤다. 마르크스가 인용한 구절을 생략한 채 발표한 연설문에는 아주 조금 다른 부분이 있다. 이 연설문은 다음 날《르 나시오날》6월 4일 자에 실렸다. 이때 이 원고에는 6월 3일 국민의회 회의에서(《르 모니퇴르 위니베르셀》, 파리, 제155호, 1851년 6월 4일) 어떤 의원이 내무장관에게 질의할 때 출처를 밝히지 않은 채 다음과 같이 인용한 부분도 들어 있었다. "의회는 모든 탄압 조치에 대해서는 내게 협조했지만, 내가 인민의 이익을 위해 구상했던 선행(善行) 조치들에 대해서는 전혀 협조하지 않았다." 또한 독일이나 영국의 신문도 이 텍스트를 직간접으로 인용했다. 마르크스가 이용한 출처는 찾을 수 없었다. 비(非)보나파르트적 신문은 모두 이 연설을 국민의회에 대한 도전이라고 간주했다.

부록

마르크스와 엥겔스가 함께 작성하거나 서명한 조직의 문서. 연설문을 위한 보고서

G1063

독일 망명자 지원을 위한 호소문 G1065

1849년 9월 20일(G553~G554쪽)

집필과정과 전승과정

혁명의 패배 후 대거 런던으로 몰려든 정치 망명자들을 위해, 조직적인 형태로 돈을 모으고 분배하고자, 1849년 9월 18일 런던 노동자교육협회 공개 회의에서 독일 정치 망명자들을 지원하기 위한 위원회가 창설되었다. (이 회의에 대한 런던 통신원들의 보도문은 《노르트도이체 프라이에 프레세》(함부르크, 제158호, 1849년 9월 26일)과 《베르너-차이퉁》(제273호, 1849년 9월 30일)에 실렸다.)

이 위원회는 공산주의자동맹 동맹원들이 주도했지만, 조직의 방향성은 대체로 혁명적-민주주의적이라고 여겨졌다. 이런 방향성은 카를 블린트 — 공식적으로는 혁명적 민주주의자로 알려진 — 와 소부르주아 민주주의자 안톤 퀴스터의 선출로 강화되었다. 크리스티안 요제프 에서(Christian Joseph Esser)가 1849년 9월 28일 마르크스에게 보낸 편지에서도 알 수 있듯이, 마르크스는 자신이 위원회에서 지도적 역할을 수행했다고 그에게 전했다.

이미 1849년 10월에 런던의 몇몇 소부르주아적 망명자들이 통일된 위원회의 활동에 반대하여 등장하기 시작했다. 게다가 위원회 위원인 블린트와 퀴스터가 1849년 10월쯤 런던을 떠났기 때문에, 11월 노동자교육협회의 회의에서는 망명자위원회를 완전히 새로 조직하기로 결정했다(G557~G559쪽을 보라).

1849년 9월 20일과 26일 사이에 쾰른에 있는 에서에게 보낸 전하지 않는 편지에서, 마르크스는 《베스트도이체 차이퉁》과 《쾰니셰 차이퉁》에 실어주기를 청하는 이 「호소문」을 보냈다. 「호소문」은 많은 신문에 실렸다. 《드레스드너 차이퉁》에는 9월 19일에, 《노르트도이체 프라이에 프레세》에는 9월 21일에 실렸다.

이 「호소문」의 결과로 쾰른에서는 "우리 정치 망명자들을 지원하기 위한 노동자위원회"가 잠시 활동했으며, 무엇보다 소책자 『《베스트도이체 차이퉁》과 서칼미크인』(Die Westdeutsche Zeitung und die Westkalmücken)이 발행되어 망명자들을 위해 1실버그로셴에 팔았다(《베스트도이체 차이퉁》, 제121호, 1849년 10월 12일 자를 보라). 이 「호소문」을 《노이에 도이체 차이퉁》에 출판한 결과, 요제프 바이데마이어가 지도하는 프랑크푸르트 노동자협회는 1849년 9월 28일 망명자들을 위해 "주말세"(Wochensteuer)를 정기적으로 걷기로 결정했다. 함부르크 공산주의자동맹 동맹원들도 비슷한 활동을 전개했다. 《드레스드너 차이퉁》은 이 「호소문」에 대해 "자신의 목적은 물론 힘찬 어투로 인해 최고의 관심을 끌었다"라고 썼다.

G1066 **원문자료에 대한 기록**

J[1] 독일 망명자 지원을 위한 호소문. [서명:] 독일 정치 망명자 후원회. (서명자) 안톤 퓌스터, 카를 마르크스, 카를 블린트, 하인리히 바우어, 카를 펜더. 《베스트도이체 차이퉁》, 쾰른, 제106호, 1849년 9월 25일, 1쪽, 1~2단. 1쇄.

J[2] 독일 망명자 지원을 위한 호소문. [서명:] 독일 정치 망명자 후원회: 안톤 퓌스터, 카를 마르크스, 카를 블린트, 하인리히 바우어, 카를 펜더. 《노이에 도이체 차이퉁》, 프랑크푸르트, 제228호, 1849년 9월 26일, 4쪽, 2~3단. 인쇄물.

J[3] 독일 망명자 지원을 위한 호소문. [서명:] 독일 정치 망명자 후원회: 안톤 퓌스터, 카를 마르크스, 카를 블린트, 하인리히 바우어, 카를 펜더. 《도이체 런더너 차이퉁》, 제235호, 1849년 9월 28일, 1904쪽, 1단. 인쇄물.

j[4] 《데모크라티셰 차이퉁》, 베를린, 제220호, 1849년 9월 30일, 4쪽, 3단. 인쇄물.

J^5 독일 망명자 지원을 위한 호소문. [서명:] 독일 정치 망명자 후원회. (서명자) 안톤 퀴스터, 카를 마르크스, 카를 블린트, 하인리히 바우어, 카를 펜더. 《쾰니셰 차이퉁》, 제234호, 1849년 9월 30일, 2판, 3쪽, 2~3단, 광고 부분. 인쇄물.

j^6 독일 망명자 지원을 위한 호소문. [서명:] 독일 정치 망명자 후원회. (서명자) 안톤 퀴스터, 카를 마르크스, 카를 블린트, 하인리히 바우어, 카를 펜더. 《데어 오포넨트》(Der Opponent), 함부르크, 제5호, 1849년 10월 7일, 3쪽, 2단. 인쇄물.

j^7 독일에서 광포한 전쟁 … [서명:] 독일 정치 망명자 후원회: (서명자) 안톤 퀴스터, 카를 마르크스, 카를 블린트, 하인리히 바우어, 카를 펜더. 《드레스드너 차이퉁》, 제238호, 1849년 10월 11일, 1279쪽, 3단. 인쇄물.

j^8 《데어 프라이쉬츠》. 함부르크, 제86호, 1849년 10월 26일, 343쪽. 축약판.

J^9 독일 망명자 지원을 위한 호소문. [서명:] 독일 정치 망명자 후원회. 카를(Carl) 마르크스, 카를(Carl) 블린트, 안톤 퀴스터, 하인리히 바우어, 카를(Carl) 펜더. 《노르트도이체 프라이에 프레세》, 함부르크, 제186호, 1849년 10월 28일, 4쪽, 2~3단. 인쇄물.

이 인쇄물들은 모두 문체와 철자법에서만 개별적으로 차이가 날 뿐이다. 마르크스가 에서에게 부탁한 것을 통해 검인이 입증된 J^1과 J^5는 텍스트가 완전히 똑같기 때문에, 본문은 J^1을 따른다.

G1067

1849년 10월 16일
독일 정치 망명자 후원회 수령증(G555쪽)

집필과정과 전승과정

「독일 망명자 지원을 위한 호소문」(G552~G554쪽)의 결과, 독일의 여러 도시에서 모금이 시작되었다. 최초의 성과 중 하나가 슈테틴으로부터 전해졌다. 1849년 10월 15일의 편지에서 런던의 상인 G. 도른부슈(Dornbusch)가 망명자위원회에 다음과 같이 전했다. "슈테틴의 Ed. 티젠 씨에게서 당신의 활동 목적을 위한 환어음을 받았으니, 이것을 내가 누구에게—어디서—언제 수령증을 받고 전달할 수 있는지 나에게 알려주길 바랍니다. …"(IISG, 마르크스/엥겔스-유고, 정리 번호 N II 2/3). 1849년 10월 17일 도른부슈의 두 번째 편지에 나오는 바와 같이, 10월 15일 7파운드스털링의 기부금이 망명자위원회의 한 대표에게 전달되었다. 에두아르트 티젠은 (신문에는 티센과 티헨으로 인쇄되었다) 아마 런던에 사업상 연계를 가진 슈테틴의 상인이 중요했을 것이다.

망명자위원회의 공식적인 영수증은 10월 16일에 발행되었다. 안톤 퓌스터의 서명이 빠졌는데, 이미 런던을 떠났기 때문이다.

1850년 말까지 연대 집회를 위해 정력적으로 활동했던《데어 프라이쉬츠》는 영수증을 출판하기에 앞서 1849년 9월 20일의 「호소문」을 요약해서 내보냈는데, 결론에서 다음과 같이 평가했다. "호소문이 전혀 성과가 없지 않았다는 사실은 무엇보다 나중에 우리가 인쇄하여 보내려는 **영수증**에서 증명된다. …"

원문자료에 대한 기록

J[1] 영수증. [서명:] 독일 정치 망명자 후원회: 카를(Carl) 마르크스, 카를(Carl) 블린트, 헨리 바우어, C. 펜더. 《데어 프라이쉬츠》, 함부르크, 제86호, 1849년 10월 26일, 343쪽. 1쇄.

본문은 J[1]을 따른다.

G1068

1849년 11월 13일 독일 정치 망명자 후원회 수령증(G556쪽)

집필과정과 전승과정

이 영수증은 — 1849년 10월 16일의 영수증(G555쪽) 이후 — 슈테틴에서 망명자위원회로 보낸 두 번째 모금 전달을 증명한다. 모금을 전달한 G. 티헨은 10월 16일 문서에 있는 E. 티센 및 티젠과 동일 인물이라고 볼 수 있다.

카를 블린트와 안톤 퀴스터의 서명은 빠졌는데, 두 사람은 그사이 런던을 떠났기 때문이다. 슈테틴에서 보낸 두 번의 모금 전달은 1849년 12월 3일 망명자위원회의 결산서에서 함께 처리되었다(G557쪽 21행을 보라).

원문자료에 대한 기록

J^1 우리는 슈테틴에 사는 … [서명:] 독일 정치 망명자 후원회. 서명자 카를 마르크스 박사, 헨리 바우어, 카를 펜더. 《노르트도이체 프라이에 프레세》, 함부르크, 제208호, 1849년 11월 23일, 4쪽. 1쇄.

본문은 J^1을 따른다.

독일 정치 망명자 후원회 결산서와 사회-민주주의 후원회 설립에 관한 결정

G1069

1849년 12월 3일(G557~G559쪽)

집필과정과 전승과정

이 문서는 1849년 9월 18일 런던의 독일 정치 망명자 후원회(G553~G554쪽을 보라)의 유일한 결산서이다. 1849년 11월 18일 노동자교육협회 회의에서 이 후원회는 사회-민주주의 망명자위원회로 개편했다. 새로 선출된 위원회에서 마르크스는 의장으로, 하인리히 바우어는 회계 관리인으로, 엥겔스는 런던의 폴란드와 헝가리 망명자위원회와의 관계를 위한 서기로 활동했다.

1849년 11월 18일 런던 노동자교육협회 회의에서 결산서를 런던《도이체 런더너 차이퉁》과《더 노던 스타》, 프랑크푸르트《노이에 도이체 차이퉁》, 쾰른《베스트도이체 차이퉁》, 함부르크《노르트도이체 프라이에 프레세》, 베를린《데모크라티셰 차이퉁》, 바젤《슈바이처리셰 나치오날-차이퉁》, 뉴욕《도이체 슈넬포스트》와《뉴요커 슈타츠차이퉁》등에 내기로 결정했기 때문에, 이들 신문에 실린 사회-민주주의 망명자위원회 결산서의 인쇄물은 모두 저자가 검인한 것으로 볼 수 있다.

원문자료에 대한 기록

J[1] 런던의 독일 망명자 후원회 결산서. [서명:] 위원회: 카를 마르크스, 아우구스트 빌리히, 프리드리히 엥겔스, 하인리히 바우어, 카를(Carl) 펜더.《도이체 런더너 차이퉁》, 제245호, 1849년 12월 7일, 1922쪽, 1~2단. 1쇄.

J^2 런던의 독일 망명자 후원회 결산서. [서명:] 위원회: 카를 마르크스, 아우구스트 빌리히, 프리드리히 엥겔스, 하인리히 바우어, 카를(Karl) 펜더. 《베스트도이체 차이퉁》, 쾰른, 제173호, 1849년 12월 12일, 4쪽, 1~2단. 인쇄물.

J^3 [서명 없는 인쇄물:] 《데모크라티셰 차이퉁》, 베를린, 제285호, 1849년 12월 15일, 2쪽 3단~3쪽 1단.

본문은 J^1을 따른다.

G1070 **변경사항 목록/해설**

1 (v) "6" —J^2 "9"

2 (v) "**만장일치로**"(*einstimmig*) —J^2 "만장일치로"(einstimmig)

3 (e) 루이스 바우어(Louis Bauer) 박사, 프리드리히 봅친, 구스타프 슈트루베 등이 지도적 역할을 수행한 이 소부르주아적 반대위원회의 활동은 처음에는 무의미했다. 1850년 4월에 비로소 새로운 분열 시도와 함께 일정한 성공을 거둔다(G322~G324쪽과 G569~G570쪽을 보라). 반대위원회의 설립과 관련하여 마르크스는 L. 바우어 박사와 관계를 끊었다(마르크스가 1849년 11월 30일 루이스 바우어에게 보낸 편지를 보라). 또한 G567쪽 6행에 관한 해설, G570쪽 27행에 관한 해설을 보라.

4 (v) "쾰른의"(der Kölner) —J^2 "Köln in der"

5 (e) "《슈넬포스트》"(Schnellpost) — 《도이체 슈넬포스트》(Deutsche Schnellpost).

6 (e) "《슈타츠차이퉁》"(Staatszeitung) —《뉴요커 슈타츠차이퉁》(New-Yorker Staatszeitung).

《노이에 라이니셰 차이퉁. 정치-경제 평론》 주식 응모 안내 (G560~G561쪽)

G1071

집필과정과 전승과정

NRhZ. Revue를 월간보다 더 자주 발행하는 데 필요한 주식 응모 문제는 마르크스와 엥겔스, 콘라트 슈람이 1849년 12월 후반 상의했고(G679~G680쪽을 보라), 또한 아마 초안으로 정식화되었을 것이다. 이와 관련하여 이 문서는 슈람이 작성했으며 1월 1일로 날짜가 표기되어 있다. 특히 둘째 문단은 엥겔스가 제출한 NRhZ. Revue의 수익성과 발행 부수에 대한 계산서(G15~G16쪽)와 밀접한 관련이 있다. 3천 부를 격주로 발행하면 1,900탈러의 순이익이 가능할 것이라는 언급은 직접 엥겔스가 계산한 것에 근거하는데, 이 계산에 따르면 매달 발행하면 995탈러의 순이익이 추정된다고 했다(후반부는 출판업자와 서적 판매업자에 해당하는 부분이다).

첫 출판은 (러시아어로) МЭС① 8. 편집자 서문(Предисловие редактора) [D. 리야자노프 편집], IX~XI쪽. 원문 언어로는 MEW 7, 549~550쪽.

원문자료에 대한 기록

h^{s1} 자필 원고 원본. IISG, 마르크스/엥겔스-유고, 정리 번호 N III 21. 청회색 얇은 종이의 정서본으로 크기는 210×249mm. 앞 장은 콘라트 슈람이 다 썼고, 뒷장의 약 4/5는 갈색 잉크로 썼는데 이제는 색이 바랬다. 문서는 좋은 상태로 보존되었다. 앞 장 중간 위에는 알 수 없는 사람이 연필로 숫자 "81", 오른쪽에는 "21"이라고 썼다.

본문은 **h**^{s1}을 따른다.

교정사항 목록/해설

1 (k) "5월 19일"—h^{sl} "5월 15일"

2 (e) 1849년 2월 7일과 8일의 쾰른 배심 재판에 앞서 열린 두 개의 언론 소송을 의미한다. 하나는 마르크스와 엥겔스, 코르프(Korff)가 이른바 공무원 모독으로, 다른 하나는 마르크스와 샤퍼, 슈나이더가 "납세 거부 호소"로 고소당했다. 두 소송에 관한 자세한 보도는 《노이에 라이니셰 차이퉁》과 특별판「쾰른 2월 배심 재판 이전에 다뤄진 두 정치 소송. I. 《노이에 라이니셰 차이퉁》에 대한 첫 번째 언론 소송. II. 라인 민주주의자의 지역위원회에 대한 소송」(Zwei politische Prozesse. Verhandelt vor den Februar-Assisen in Köln. I. Der erste Preßprozeß der Neuen Rheinischen Zeitung. II. Prozeß des Kreis-Ausschusses der rheinischen Demokraten, 쾰른, 1849년, 《노이에 라이니셰 차이퉁》 발송 출판사)에 실렸다.

3 (e) 1849년 말 《노이에 라이니셰 차이퉁》 전 편집자 가운데 마르크스와 엥겔스 그리고 페르디난트 볼프는 런던에 있었고, 게오르크 베르트는 잠시 런던에 머물렀다. 하인리히 뷔르거스와 페르디난트 프라일리그라트는 쾰른 근처에 살았고, 에른스트 드롱케는 파리에, 빌헬름 볼프는 취리히에 살았다.

프랑스 2월 혁명 2주년 기념 프리드리히 엥겔스의 연설

G1073

1850년 2월 25일

사회민주주의 망명자 협회의 연회에 관한 보고서 발췌(G562쪽)

집필과정과 전승과정

1850년 2월 25일 런던에서 1848년 프랑스 2월 혁명 기념일과 관련해 정치적 연회가 열렸는데, 망명한 블랑키주의자들의 조직 "사회민주주의 망명자 협회"가 여기에 초청받았다. 이 조직의 주도적 지도자이자 연회의 주빈은 아당, 바르텔레미, 파르디공(Pardigon), 비딜 등이었다. 연회에 참석한 사람들 중에는 — 그 수는 200에서 400명 사이로 전해진다 — 수많은 유럽 민족의 대표자들이 있었는데, 특히 프랑스, 영국, 독일, 폴란드, 헝가리, 스페인의 대표자가 참석했다. 런던 노동자교육협회와 공산주의자동맹의 파견 대표로 마르크스와 엥겔스 그리고 페르디난트 볼프가 참석했다.

《더 노던 스타》 제645호, 1850년 3월 2일, 4쪽 6단의 보도에 따르면, 엥겔스가 했던 축사는 "1848년 6월 무장봉기"에 대한 내용이다.

연회를 자세히 보도한 것은 L. C.로 서명한 1850년 2월 26일 런던 통신원으로,《베스트도이체 차이퉁》 제51호(신문에는 제50호로 잘못 표기되었다) 3쪽, 2~3단에 실렸다. 이 통신은《드레스드너 차이퉁》 제55호(1850년 3월 5일)에 재판되었고, 편집상 약간 변형하여《노이에 도이체 차이퉁》 제55호(프랑크푸르트, 1850년 3월 5일)에 재판되었다.

연회에 대한 또 다른 보도는 S로 서명한, 아마도 제바스티안 자일러가 쓴 것으로 보이는 1850년 3월 1일 자 런던 통신에 담겼는데, 이것은《디 호르니세》 제54호(카셀, 1850년 3월 5일, 219/220쪽)에 실렸다. "지난 월요일 프랑스 망명자 협회는 베이스워터 술집에서 250여 명이 참석한 연회를 통해 2월 혁명을 기념했다. 프랑스어, 독일어, 폴란드어로 쓰인 현수막과 함께 붉은 깃발이 연회장을 수놓았다. 축제는 철저히 친목적 성격을 띠었다. 초청 손님으로는《노이에 라이니셰 차이퉁. 정치-경제 평론》의 편집인 마르크스와 엥겔스 그리고 볼프가 있었다. 엥겔스는 6월 봉기자들을 위해, 볼프는 연설 없이 혁명을 위해 건배했다."

원문자료에 대한 기록

j[1] [통신에서 발췌:] L. C. **런던**, 2월 26일.《베스트도이체 차이퉁》, 쾰른, 제51호, 1850년 3월 1일, 3쪽, 2단.

본문은 j[1]을 따른다.

1850년 3월 初 사회-민주주의 망명자위원회 결산서 (G563~G565쪽)

G1074

집필과정과 전승과정

이 문서는 1850년 3월 4일 런던 노동자교육협회 회의 제1부에 제출되었고, 승인되고 나서 며칠 후에 작성된 것으로 추정되는 제2부로 보충되었다.

《디 호르니세》, 카셀, 제67호, 1850년 3월 20일, 302쪽, 2단은 이 문서의 제2부만을 실었는데, 그 안에 S로 서명한 1850년 3월 14일의 런던 통신이 들어 있다. 동시에 이 신문의 광고란에는 이미 망명 기금을 수령하여 런던에 전달했다고 설명했다.

원문자료에 대한 기록

J^1 런던 사회-민주주의 망명자위원회 결산서. [서명:] 사회-민주주의 망명자위원회: 카를 마르크스, Fr. 엥겔스, H. 바우어, A. 빌리히, 카를 펜더. 《베스트도이체 차이퉁》, 쾰른, 제68호, 1850년 3월 21일, 부록, 2쪽, 2~3단. 1쇄.

본문은 J^1을 따른다.

해설

1 (e) 1850년 5월 23일 《베스트도이체 차이퉁》은 편집부에 들어온 자금의 명세표를 공개했다. "런던의 독일 망명자들을 위한 《베스트도이체 차이퉁》의 발행소에 들어온 돈은 다음과 같다.

	탈러	실버그로셴
1. 빌레펠트	8	-
2. 빌레펠트	10	-
3. 1813년의 한 지원병	-	20
4. 하팅겐	7	-
5. 이곳의 노동자	-	12
6. 아헨의 A. P.	1	-
7. 지거란트	5	-
8. 졸링겐	3	15
9. 구 프리츠의 B.	1	-
10. 쾨니히스베르크	4	-
11. 무명씨	1	-
합계:	41	17

G1075 런던의 위원회는 환어음을 통해 30탈러를 인출했다.

우편료는 17실버그로셴 9페니히가 들어갔다. 나머지 11탈러를 우리는 현금으로 보냈다.

런던에 있는 우리 당 동지들의 궁핍에 관해 더 할 말이 없다.

따라서 우리는 이들 망명자 긴급 지원을 위해 여기 망명자위원회의 회계 관리인 브라우바흐(Braubach) 씨에게 돈을 보낼 것을 부탁한다. 이것은 런던의 망명자 회의에서 이 위원회가 결의한 사항이다."

막시밀리앙 로베스피에르 탄신 92주년 기념 프리드리히 엥겔스의 연설. G1076

1850년 4월 5일

차티스트의 연회에 대한 보고서 발췌(G566쪽)

집필과정과 전승과정

1850년 4월 5일 우애 민주주의자의 집회에 관해 두 가지 신문 보도가 나왔다.

제바스티안 자일러가 작성한 것으로 보이는 《디 호르니세》의 통신에는 다음과 같이 보도되었다. "며칠 전에 나는 로베스피에르의 탄신일을 기념하기 위해 영국 붉은 공화주의자들 약 70명이 모인 연회에 기꺼이 참석할 수 있었다. 《더 노던 스타》의 편집자 하니는 전 세계 프롤레타리아트의 연합에 관한 연설과 함께 일련의 축사를 개시했다. 이어서 사회주의 문필가 레이놀즈(Reynolds)가 공포 정치의 발전에 관해 연설을 했고 로베스피에르를 위하여 건배했다. 오브라이언은 대부분의 역사 저술가가 마라를 비방한 것의 부당함을 역사적으로 증명한 다음 마라와 생쥐스트를 기억할 것을 제안했다." [이어서 엥겔스의 연설이 나온다. 본문을 보라.] "C. 슈람은 동일한 조건의 관계를 모두 없앨 때까지 사회의 다른 모든 계급에 대한 노동자 독재의 필연성을 연설했다. 그는 프랑스 프롤레타리아트의 가장 진보적인 대표자 오귀스트 블랑키에 대한 만세로 끝을 맺었다. 이 두 마지막 연설자는 영어로 연설했다. 초청 손님 중에는 《노이에 라이니셰 차이퉁. 정치-경제 평론》의 편집자 카를 마르크스와 6월 13일 사건에 참여한 것 때문에 추방된 전 대표 란돌페, 그리고 몇몇 다른 프랑스 망명자 등이 있었다."

연회에 대한 또 다른 보도는 《더 데모크라틱 리뷰》(런던, 1850년 5월) 463/464쪽에 실렸다.

"막시밀리앙 로베스피에르 탄신일.

약 70명의 사람들이 모인 우애 민주주의자의 성원들과 동료들은, 4월 5일 금요일 저녁 연대의 만찬에서, 불멸의 그리고 청렴결백한 막시밀리앙 로베스피에르의 탄신일을 축하했다. 위대한 순교자는 4월 6일 태어났지만, 그날이 토요일이기 때문에 편의를 위해 5일 저녁으로 결정되었다. 줄리언 하니가 사회자로 지명되었고, 훌륭한 영국식 만찬 이후에 '인민의 주권, 모든 민족의 형제애'라는 구호로 건배했다. 시민 G. W. M. 레이놀즈는 축사로 응답했고, 훌륭한 연설로 사회민주주의 원리를 옹호했다.

시민 브라운(Brown)의 노래, '비열한 억압자들이 너의 잠을 깨울 것이다'.

의장은 '막시밀리앙 로베스피에르에 대한 불멸의 기억 — 청렴한 자'라는 감동적인 연설을 했다. '그의 빛나는 모범은 민주적 사회적 평등의 대의를 승리하게 하는 에너지로 우리에게 감명을 줄 것이다. 그는 이것을 위해 살았고, 활동했고, 고난을 겪다 죽었다.' 시민 브론테어 오브라이언(Bronterre
G1077 O'Brien)은 인류의 친구인 그의 생애를 감동적으로 소개했다. 테르미도르 반동으로 희생된 그에 대한 오브라이언의 옹호는 열띤 박수갈채를 받았다.

시민 제럴드 매시(Gerald Massey)는 '마르세예즈 찬가'를 영어로 바꾸어 노래했다.

시민 W. J. 버넌(Vernon)은 다음과 같은 축배를 들었다 — '영웅적이고 청렴결백한 마라, 생쥐스트, 쿠통.'

어떤 프랑스 망명자는 '떠나는 노래'(Chant du Depart)를 불렀다.

시민 D. W. 루피(Ruffy)는 '대륙의 붉은 공화주의자의 성공, 보편적 민주적 사회적 공화국의 조속한 승리'를 외쳤다.

어떤 독일 망명자는 '영국의 프롤레타리아트'에게 전하는 탁월한 연설로 결론을 맺었다. 이 연설은 시민 리드(Reed)와 매시에 대한 응답이었는데, 그들은 '자유의 영광스러운 대의를 위한 박해와 순교'에 관한 소감을 전하며 연설을 끝냈다.

또 다른 우리의 독일 망명자 친구는 마라에게 최고의 찬사를 보낸 다음 '시민 블랑키 그리고 계급 폐지'라는 감회의 말로 연설을 끝마쳤다.

시민 브론테어 오브라이언은 '조지 줄리언 하니 의장의 건강과 안녕'을 제안했고, 하니는 그에 화답하며 마지막에 이렇게 외쳤다. '1848년 6월의 영광스러운 봉기자와 인간의 정치적 사회적 권리를 수립하기 위해 투쟁하고 고난을 겪다 죽은 모든 사람을 위하여.' 6월의 봉기 참여자는 화답하여 다음과 같이 외쳤다. '공화국 만세 — 자유 만세'(Vive la République — Vive la Liberté).

줄리언 하니는 자리를 떠나 저녁을 위해 물러나면서 '바르베스, 알베르, 그리고 민주주의를 위해 지금 고난을 겪고 있는 모든 사람을 위해' 축배를 제안했다.

시민 스톨우드(Stallwood)는 자리에 불려 나와 다음과 같이 건배했다. '브론테어 오브라이언의 건강과 장수를 위해'. 시민 조지안(Geogeahan)은 '로버트 에밋(Robert Emmet)을 추모하며 존 미첼(John Mitchell), 토머스 미거(Thomas Meagher), 스미스 오브라이언(Smith O'Brien), 그리고 모든 진정한 아일랜드 애국자들의 건강을 위해' 건배를 제의했다. 시민 레노(Leno)는 '페인(Paine)과 워싱턴(Washington)을 추모하면서' 건배를 제안했다. 시민 루피는 '어니스트 존스와 애국자들을 위해' 건배했고, 시민 아놋(Arnott)은 '우애 민주주의자 협회의 번영을 위해', 그리고 건배했다. '민주 언론을 위해', 그리고 몇몇 다른 애국적인 축사와 노래, 낭독이 이어졌고, 집회는 종료되었다. 모두는 평등과 자유 그리고 형제애의 신성한 원리를 쟁취하기 위해 이전보다 더 노력할 것을 결의했다."

원문자료에 대한 기록

j[1] [통신에서 발췌:] S **런던**, 4월 13일. 《디 호르니세》, 카셀, 제89호, 1850년 4월 17일, 399쪽.

본문은 j[1]을 따른다.

G1078 # 사회-민주주의 망명자위원회 1850년 4월 8일 회의 의사록
(G567쪽)

집필과정과 전승과정

이 의사록은 런던의 소부르주아 민주주의 연합의 후원회인 반대위원회가 가한 다양한 비방에 맞서 싸우는 데 이용되었다. 이것은 1850년 4월 7일 수많은 망명자들의 신임 해명과 관계가 있다(1850년 4월 20일 《아벤트-포스트》에 반대하는 마르크스와 엥겔스의 「성명」이 발표되었다. G322~G324쪽). 또한 이 의사록은 《아벤트-포스트》에 반대하는 성명을 위해 사용되었다.

이 의사록은 이 책에서 처음으로 출판된다.

원문자료에 대한 기록

H^1 자필 원고 원본. IISG, 마르크스/엥겔스-유고, 정리 번호 N II 5. 줄이 없고, 밝은 청회색의 얇은 종이로, 크기는 183×228mm. 투시 무늬는 없다. 위쪽 왼편 구석에 "LONDON"이라는 도장 표시가 있고, 그 아래 왕관과 "Superfine"이라는 단어가 있다. 프리드리히 엥겔스가 독일어 필체로 썼다. 서명은 자필로 되어 있다. 잉크로 썼고, 이제는 갈색으로 색이 바랬다. 앞면만 쓰였고 뒷면은 비었다. 다른 사람이 연필로 쪽수 5와 II D 11을 썼다.

본문은 H^1을 따른다.

변경사항 목록/해설

1 (e) 추정컨대 클라이너는 이 진술을 자료로 확인할 수 있는 계약서를 갖고 있었을 것이다. 다음과 같은 성명이 있기 때문이다.

"망명자들의 문의에 대해 클라이너는 우리 편인 민주주의 연합의 망명자위원회가 단 한 명도 정치 망명자를 지원할 형편이 안 되고, 협회의 회계상 이러한 목적에 2파운드스털링 15펜스를 지출한 다음에 그러한 지원을 더는 지탱할 수 없다는 점을 증명했다.

런던 1850년 4월 8일

바우어 박사
민주주의 연합 후원회 위원장."

(IISG, 마르크스/엥겔스-유고, 정리 번호 N II 10.) 이 성명은 조금 수정되어 1850년 4월 20일 사회-민주주의 망명자위원회의 「성명」(G322~G324쪽)으로 채택되었다.

2 (v) "몇 장의"(eine Anzahl) ← "100"

3 (v) "그가 이 대신에 돈을 받는다면"(er das Geld dafür erhalten) ← "그가 이것을 팔았[다면]"(er sie verkau[fen])

4 (v) "영수증을 받고"(gegen Quittung) — 새로 삽입한 것.

5 (v) "그남이"(Gnam) ← "망명자가"(die Flü[chtlinge])

6 (v) "사람들에게"(das denen) ← "너희에게"(Euch)

G1080

혁명적 공산주의자 세계 협회 규약

1850년 4월 중순경(G568쪽)

집필과정과 전승과정

1850년 4월 공산주의자동맹과 런던의 블랑키주의적 망명자(사회민주주의 망명자 협회)의 지도부, 그리고 영국 차티스트의 혁명적 진영 사이에 협정이 체결되었다(카를 브룬이 1850년 5월 2일 콘라트 슈람에게 보낸 편지, 빌헬름 피퍼가 1850년 12월 16일 엥겔스에게 보낸 편지를 보라). 4월 중순경 마르크스와 엥겔스 그리고 빌리히는 공산주의자동맹 중앙본부의 대표로서, 블랑키주의자의 대표 아당과 비딜, 그리고 차티스트의 대표 하니와 "혁명적 공산주의자 세계 협회"의 창립을 "규약" 형태로 만들기로 합의했다. 세부 조항을 만드는 데 각각의 서명자들이 어떻게 협상했고 얼마나 관여했는지에 대해서는 전하지 않는다. 이 문서는 일곱 부로 정서되었다. 서명은 자필로 했다. 일곱 부 모두 마르크스와 엥겔스에게 남아 있었다.

조직은 실제로 거의 활동을 하지 못했다. 이미 5월 초 마르크스, 엥겔스와 블랑키주의자 사이에는 런던의 소부르주아 민주주의 연합에 접근하려는 시도에 대해 의견 차이가 있었다(엥겔스와 마르크스가 1850년 5월 6일 파르디공에게 보낸 편지를 보라).

1850년 10월 7일 바르텔레미, 아당과 비딜은 빌리히와 마르크스, 엥겔스를 "혁명적 공산주의자 세계 협회"의 자문을 위해 초대했다. 그에 대해 마르크스, 엥겔스와 하니는 10월 9일의 답장에서 합의는 이미 오래전에 파기되었다고 설명했으며, 1850년 10월 13일 "규약"을 태워버리기 위해 엥겔스 집에 모였다. 규약을 태웠는지는 분명하지 않다. 오늘날 네 부가 IML/ZPA Moskau에, 세 부가 IISG에 남아 있다.

《소련 공산당 중앙위원회 산하 마르크스 · 엥겔스 연구소 회보》(Бюллетень Института К. Маркса и Ф. Энгельса при ЦИК СССР), 제1호, 모스크바-레닌그라드, 1926년, 10쪽에 처음으로 출판되었다. 복사본으로는 헤르만 둥커(Hermann Duncker)가 편집한 『공산당 선언』(베를린, 1927년), 73쪽에 실렸다.

원문자료에 대한 기록

H^{w1} 자필 원고 원본. IML/ZPA Moskau, f. 1, op. 1, d. 349; IISG, 마르크스/엥겔스-유고, 정리 번호 0 19. 일곱 부 모두 빌리히로 추정되는 사람의 필체로 정서되었다. 일곱 부 사이에는 미세한 차이만 있을 뿐인데, 이것은 명백히 필기상의 실수이다. 잘못 찍은 강세 부호나 잘못 적은 문장 부호, 그리고 단어들 끝이나 문장 바꾸기에서 잘못된 철자 등이 이에 해당한다. 정서법상의 실수(강세) 몇 개는 일곱 부에서 모두 발견된다. 텍스트는 청색 잉크로 깨끗이 쓰였고, 제목과 서명은 갈색 G1081
잉크로 되어 있다. 일곱 부 모두 똑같이 얇고 매끄러운 하얀 종이로, 크기는 210×260mm이다. 투시 무늬는 없다. 모두 잘 보존되었다.

모스크바의 원본에는 뒷면에 엥겔스가 다음과 같이 메모해놓았다. "블랑키주의자와 하니와의 일에 관한 서류."

본문은 **H**^{w1}을 따른다.

G1082

사회-민주주의 망명자위원회 1850년 4월 23일 결산서

(G569~G570쪽)

집필과정과 전승과정

이 결산서는 1850년 4월 20일 사회-민주주의 망명자위원회 「성명」(G322~G324쪽)과 밀접한 연관이 있다. 게다가 4월 21/22일 런던의 정치 망명자 단체가 반대위원회를 설립해 재차 분열을 시도한 이후에(G558쪽 24행에 관한 해설을 보라), 1849년 9월 이래 유일하게 합법적인 위원회의 의미 있는 성과를 보여주는 것이 필요했다(또한 엥겔스가 1850년 4월 22일과 25일 요제프 마이데마이어에게 보낸 편지를 보라).

원문자료에 대한 기록

J^1 런던 사회-민주주의 망명자위원회 결산서. [서명:] 사회-민주주의 망명자위원회. 의장 K. 마르크스. 아우구스트 빌리히. 프리드리히 엥겔스. C. 펜더. H. 바우어. 《도이체 런더너 차이퉁》, 제265호, 1850년 4월 26일, 2154쪽, 2~3단. 부분 인쇄물.

J^2와는 정서법상 약간 차이가 있다. 여기에는 "슈트루베, 봅친, … 할 수 없다는 점이다."(G570쪽 24~30행)가 빠져 있다.

J^2 런던 사회-민주주의 망명자위원회 결산서. [서명:] 사회-민주주의 망명자위원회. 의장 K. 마르크스. 아우구스트 빌리히. F. 엥겔스. C. 펜더. H. 바우어. 《베스트도이체 차이퉁》, 쾰른, 제104호, 1850년 5월 2일, 부록, 2쪽, 3단. 1쇄.

J^3 런던 사회-민주주의 망명자위원회 결산서. [서명:] 사회-민주주의 망명자위원회. 의장 K. 마르크스. 아우구스트 빌리히. F. 엥겔스. C. 펜더. H. 바우어. 《노이에 도이체 차이퉁》, 프랑크푸르트, 제106호, 1850년 5월 3일, 4쪽, 1~2단. 인쇄물.

J^4 런던 사회-민주주의 망명자위원회 결산서. [서명:] 의장 카를 마르크스. 아우구스트 빌리히. C. 펜더. Fr. 엥겔스. 하인리히 바우어. 《노르트도이체 프라이에 프레세》, 함부르크-알토나, 제349호, 1850년 5월 10일, 4쪽, 2~3단. 인쇄물.

본문은 J^2를 따른다.

변경사항 목록/교정사항 목록/해설

1 (v) "함부르크에서"(Von Hamburg) — J^4 "함부르크의 비히만 씨를 통해"(Durch Hrn. Wichmann in Hamburg)

2 (v) "빌레펠트에서"(Von Bielefeld) — J^4 "빌레펠트의 렘펠 씨를 통해"(Durch Hrn. Rempel in Bielefeld)

3 (v) "엥겔스를 통해"(durch Engels) — J^3 "F. 엥겔스를 통해"(durch F. Engels)

4 (e) "엥겔스를 통해 E. B."(E. B. durch Engels) — 당시 런던의 상인이었던 엥겔스의 매형 에밀 블랑크와 관련 있는 것으로 추정된다. G1083

5 (v) "우편료와 소액 지출 - 8 8" — J^1 J^3 J^4 "우편료와 소액 지출 - 8 8
27 6 10½"

6 (k) "가불금 2 3 -
우편료와 소액지출 - 8 8" — J^2 "가불금, 우편료와 소액 지출 - 8 8"

7 (v) "소액 지출 - 6 5" — J^1 J^3 J^4 "소액 지출 - 6 5
58 10 3"

(k) "소액 지출 - 6 5(원문에는 4이지만 MEGA의 오기인 듯함 — 옮긴이)" — J^1 J^2 J^4 "소액 지출 - 6 4(원문에는 5이지만 MEGA의 오기인 듯함 — 옮긴이)"

8 (k) "9월 18일" — J^1 J^2 J^3 J^4 "9월 24일"

9 (v) "신문"(Zeitungen) — J^1 "신문과 도서관"(Zeitungen und Bibliothek)

10 (v) "독일 노동자협회에 제출되고 승인된"(vorgelegt und von ihm genehmigt) — J^1 "제출되고 승인된"(vorgelegt und genehmigt)

11 (e) 1849년 11월에 바우어 박사와 슈트루베의 지도 아래 설립된 반대위원회가(G558쪽 24행에 관한 해설을 보라) 1850년 4월 초 활동을 강화했지만 강하게 한계에 봉착한 이후, 구스타프 슈트루베, 프리드리히 볼친, 오스발트 디츠의 주도로 소부르주아적 망명자들이 곧바로 새로운 반대위원회 설립에 착수했다. 1850년 4월 21일 새로운 망명자협회의 설립을 위한 임시위원회가 만들어졌고, 초청장에서 4월 22일의 집회에 독일인 망명자들을 초대한다고 썼다. 볼친이 자필로 쓴 이 초청장 한 부가 마르크스의 손에 들어갔고, 뒷면 주

소 "독일인 망명자들에게" 옆에 마르크스의 자필 "**1850년 4월 11일**"이 들어 있다(IISG. 마르크스/엥겔스-유고, 정리 번호 N II 13/14). 4월 22일의 망명자 집회에서 독일 망명자 협회가 설립되었다. 슈트루베, 디츠, 봅친과 함께 그중에서도 특히 막스 콘하임과 에두아르트 로젠블룸이 위원회에 속했다. 이 연합은 큰 의미 없이 유지되었다(또한 마르크스/엥겔스의 「《더 타임스》 편집자에게」, 1850년 5월 24일, G328쪽을 보라).

12 (e) "회계 관리인 C. 펜더"(Kassierer C. Pfänder) — 그때까지 사회-민주주의 망명자위원회의 회계 관리자로 있었던 하인리히 바우어는 공산주의자동맹 중앙본부의 밀사로서 「3월 연설」을 배포하기 위해 1850년 5월 초까지 독일에 있었다.

13 (v) J[3] "런던, 1850년 4월 23일"이 없음.

14 (v) J[1] "사회-민주주의 망명자위원회"가 없음.

런던의 독일 망명자. 사회-민주주의 망명자위원회 성명 G1085

1850년 6월 14일(G571쪽)

집필과정과 전승과정

1850년 4월 23일의 결산서(G569~G570쪽)가 나온 지 약 두 달 후, 사회-민주주의 후원회는 런던의 독일 정치 망명자를 위한 연대적 도움을 다시 대중에 호소하게 되었다. 사회-민주주의 후원회가 공산주의 망명자만 지원하고 있다고 구스타프 슈트루베와 프리드리히 봅친 같은 소부르주아적 망명 지도자들이 비난했기 때문에 때로는 독일에서 온 기부금이 유보되었다(G322~G324쪽을 보라). 이런 권모술수는 런던의 독일 망명자 수가 계속 늘어났던 바로 그때 위원회의 활동을 어렵게 만들었다.

원문자료에 대한 기록

J[1] 런던의 독일 망명자. [서명:] 사회-민주주의 망명자위원회. K. 마르크스. F. 엥겔스. C. 펜더. A. 빌리히. H. 바우어. 《베스트도이체 차이퉁》, 쾰른, 제149호, 1850년 6월 25일, 4쪽, 1~2단. 1쇄.

J[2] 런던의 독일 망명자. [서명:] 사회-민주주의 망명자위원회. K. 마르크스. F. 엥겔스. H. 바우어. A. 빌리히. C. 펜더. 《디 호르니세》, 카셀, 제146호, 1850년 6월 25일, 629쪽, 2단. "영국" 난에는 다음과 같은 편집자 서문이 들어 있다. "***런던.** 우리는 런던에 있는 망명자위원회로부터 다음과 같은 통신을 받았다."

J[3] 런던의 독일 망명자. [서명:] 사회-민주주의 망명자위원회. K. 마르크

스. C. 펜더. A. 빌리히. F. 엥겔스. H. 바우어. 《노이에 도이체 차이퉁》, 프랑크푸르트, 제152호, 1850년 6월 27일, 3쪽, 3단~4쪽, 1단.

본문은 J^1을 따른다.

변경사항 목록/교정사항 목록/해설

1 (v) "바닥이 나"(eingegangen) — J^2 "고갈되어"(geflossen)

2 (v) "돈을"(des Geldes) — J^2 J^3 "der Gelder"

3 (v) "지원이 필요한 독일 망명자"(unterstützungsbedürftiger deutscher Flüchtling) — J^2 "지원이 필요한 사람"(Unterstützungsbedürftiger)

4 (e) "독일 망명자협회"의 위원회가 전단으로 뿌린 1850년 4월 말의 "런던의 망명자 상황에 관한 보고"에는 사회-민주주의 망명자위원회에 관해 이렇게 쓰고 있다. "언급된 위원회는 어느 특정한 당의 편협한 입장에만 매달려, **'당신은 민주적 망명자입니까?' '당신은 배가 고픕니까?'**라고 묻지 않고, **'당신은 공산주의자입니까?'**라고 묻고 있다. 그의 깃발이 식별되지 않는 사람은 거절당하게 된다."

5 (v) "이 점을 증명하기 위해 여기에 있고,"(da, um es zu beweisen,) — J^3 "여기에 있고,"(da,)

6 (k) "위원회"(des Komitees der) — J^1 "위원회"(der Komitees des)

7 (v) "6월 14일" — J^3 "6월 15일"

8 (v) "기부금은 … 부탁드린다"(Beiträge erbeten) — J^2 "기부금은"(Beiträge)

사회-민주주의 망명자위원회 1850년 5월, 6월, 7월 결산서 G1087

1850년 7월 30일(G572~G574쪽)

집필과정과 전승과정

1850년 4월 23일의 결산서(G569~G570쪽)가 나온 이후 망명자위원회는 구스타프 슈트루베와 프리드리히 봅친이 지도하는 소부르주아적 망명자의 반대위원회의 거짓을 반박하기 위한 활동에 정력을 기울였고(G322~G324쪽을 보라), 6월에 다시 런던 망명자의 심각한 궁핍을 공개적으로 알렸다(G571쪽을 보라). 그 결과 1850년 7월 기부금은 다시 상당히 증가했다. 이것은 공산주의자동맹의 비합법적 활동이 프랑크푸르트/하나우/비스바덴 그리고 함부르크(G581쪽 9~11행에 관한 해설을 보라) 등지에서 활발히 전개된 것을 보여준다.

이 결산서의 축약본은 1850년 8월 15일 자 《데어 프라이쉬츠》(함부르크, 제98호)에 실렸다. 이것은 《노르트도이체 프라이에 프레세》에 실린 텍스트를 따른 것이다.

원문자료에 대한 기록

J[1] 런던 사회-민주주의 망명자-위원회 1850년 5월, 6월, 7월 결산서. [서명:] 사회-민주주의 망명자-위원회: 카를 마르크스. 프리드리히(Friedr.) 엥겔스. 아우구스트(Aug.) 빌리히. 카를 펜더. 하인리히(Heinr.) 바우어. 《노르트도이체 프라이에 프레세》, 함부르크-알토나, 제425호, 1850년 8월 8일, 3쪽, 3단~4쪽, 1~3단. 1쇄.

J[2] 런던 사회-민주주의 망명자위원회 1850년 5월, 6월, 7월 결산서. [서

명:] 사회-민주주의 망명자위원회: 카를 마르크스. 프리드리히 엥겔스. 아우구스트 빌리히. 카를(Carl) 펜더. 하인리히 바우어.《도이체 런더너 차이퉁》, 제280호, 1850년 8월 9일, 2274쪽, 1~2단.

J[1]과 비교하면 구두법에서 약간 차이가 있고 총액을 표시하기 위한 다른 약호를 적용했다. 게다가 수입과 지출의 명세표에서 중간 합계가 빠졌고, 계산에서 일부 실수가 있다.

변경사항 목록/해설

1 (v) "셰르트너: 13파운드스털링. —
소득세 빼고 —. 7. 9파운드스털링. 12. 12. 3"
—J[2] "셰르트너 벨기에 쿠폰으로
(수입세 7실링 9펜스 공제하고) 12 12 3"

G1088 2 (e) 1850년 7월 30일《데어 프라이쉬츠》제91호에는 카를 펜더의 편지와 영수증이 아래 전문과 함께 실렸다. "—**런던의 독일 망명자의 경우**. 아래의 글은 결산서에 공지한 대로 20파운드스털링 10실링 10펜스와 함께 7월 19일 우리에게 정확히 도착했습니다.

우리는 이와 관련하여 독일인 망명자의 이름으로 진심으로 감사의 말씀을 드립니다.

우리가 될 수 있는 한 좋게 분배하도록 하기에 이른 것은 독일인 망명자의 심각한 궁핍 상태였습니다. 이러한 목적에서 우리는 집을 하나 새로 얻었는데, 여기서 망명자들은 공동의 부엌과 침실 등을 통해 단순히 돈을 지원하던 때보다 훨씬 낫게 그리고 저렴하게 생활할 수 있을 것입니다.

우리는 가능한 모든 방법을 써서 사람들에게 숙소와 일자리를 주고 있지만, 망명자의 수는 계속 증가하고 있습니다.

따라서 돈의 기부는 언제나 필요한 것이고, 돈의 올바른 사용에 대해서는 당신들도 언제나 점검하실 수 있습니다.

존경을 보내며
사회-민주주의 망명자위원회의 위임을 받아서:
카를 펜더

영수증.
《데어 프라이쉬츠》의 발행소. H. H. **뢰어**에게 20파운드스털링 10실링 10펜스를 감사히 받았음. £20. 10. 10

사회-민주주의 망명자위원회
C. **펜더** 배상

런던, 1850년 7월 19일."

《데어 프라이쉬츠》 발행소는 동일한 금액을 슈트루베와 봅친의 반대위원회에도 보냈는데, 이것에 대한 영수증은 받지 못했다. 신문은 다음과 같이 언급했다. "런던의 **두 번째** 망명자위원회에 보낸 20파운드스털링 10실링 10펜스의 기부금에 대한 수령증을 아직까지 받지 못한 사실을 우리《데어 프라이쉬츠》 편집진은 매우 이상하게 생각하지 않을 수 없다."(《데어 프라이쉬츠》, 함부르크, 제98호, 1850년 8월 15일.)

1850년 9월 9일
사회-민주주의 망명자위원회 영수증(G575쪽)

G1089

집필과정과 전승과정

1850년 9월 18일 사회-민주주의 망명자위원회 결산서(G581~G582쪽)에서 알 수 있듯이, 9월 전반기에 이미 남은 돈이 모두 분배되었고, 그래서 1850년 9월 15일 위원회가 사실상 해체될 때 공식적으로 자금이 전혀 없었다. 그럼에도 불구하고 마르크스는 최소한 1850년 9월 25일까지 어느 정도 위원회 활동을 계속했다. 아마 9월 18일의 결산 이후에도 계속 독일에서 들어온 자금으로 활동을 수행했을 것이다. 전부 12장의 영수증이 남았고, 여기에 인쇄된 두 장 외에도 1850년 9월 20일 발행된 3장이 더 있으며(G583쪽), 마르크스나 엥겔스의 손으로 쓰지 않은 6장이 있다. 그중 하나는 빌헬름 리프크네히트가 1850년 9월 1일 12실링의 기부금에 대해 발행한 것이고(IML/ZPA Moskau, f. 1, op. 1, d. 361), 다른 다섯은 사본으로만 남았다. 클로제가 9월 9, 16, 25일 각각 10실링에 대해 영수증을 발행했고, 콘라트 슈람이 9월 20일 1파운드스털링과 9월 24일 10실링에 대해 영수증을 발행했다. 그리고 리프크네히트의 영수증에는 다음과 같이 마르크스의 자필 계산이 있다.

"1l. 12sh
12
1. 7
———
3l. 11sh."

1850년 9월 9일의 두 영수증은 이 책에서 처음으로 출판되는 것이다.

원문자료에 대한 기록

H^1 자필 원고 원본. IML/ZPA Moskau, 정리 번호 f. 1, op. 1, d. 362와 d. 363.

첫째 영수증은 마르크스의 자필로, 둘째 영수증은 엥겔스의 자필로 쓰였다. 첫째 영수증은 180×114mm 크기의 쪽지로 되어 있다. 하얗고 두꺼운 종이로, 잘 보존되었다. 수평선과 수직선으로 된 투시 무늬가 있다. 마르크스가 검은 잉크로 한 쪽만 썼다. "자일러에게 베르톨트"는 베르톨트가 쓴 것이다. 둘째 영수증은 찢어진 쪽지로 되어 있고, 너비는 114mm이고 높이는 65~74mm이다. 첫째 영수증과 같은 종이다. 엥겔스가 검은 잉크로 한 쪽만 썼다. 페르디난트 볼프의 서명은 자필이다.

본문은 H^1을 따른다.

하이나우 장군의 징벌에 대한 엥겔스의 연설. G1090

1850년 9월 10일 우애 민주주의자의 회합에 관한 보고서 발췌(G576쪽)

집필과정과 전승과정

오스트리아의 율리우스 야코프 폰 하이나우 장군은 1848/49년 이탈리아와 헝가리 인민 봉기를 매우 잔인하게 진압한 악명 높은 인물로, 1850년 9월 4일 런던의 양조공장 바클리 퍼킨스사(Barclay, Perkins & Co.)를 시찰하러 왔다. 거기서 그는 노동자에게 구타를 당했는데, 경찰의 도움으로 달아났고 바로 영국을 떠났다. 유럽 언론은 이 사건에 상당한 반응을 나타냈다. 마르크스와 엥겔스는 노동자의 행동을 영국 인민의 대외 정책에 대한 "명백한 선언"이라고 특징지었다(G468쪽 18행).

1850년 9월 10일 엥겔스가 영어로 연설한 "우애 민주주의자"의 회합은 양조 노동자들을 지지했다. 엥겔스의 등장에 관해서는 짧게 언급하고 있지만, 《더 노던 스타》의 보도는 무엇보다 대니얼 윌리엄 루피, 줄리언 하니 그리고 브라운의 연설을 자세히 싣고 있다. 《도이체 런더너 차이퉁》과 《더 타임스》(G576쪽 1행에 관한 해설을 보라) 외에도, 카셀의 《디 호르니세》가 "L" 자로 서명한 1850년 9월 13일의 런던 통신에 있는 회합에 관한 내용을 보도했는데, 거기서 엥겔스의 연설을 언급했다. "F. 엥겔스 씨(《노이에 라이니셰 차이퉁》의 전 공동 편집자)는 영국 노동자가 그의 고향 사람인 하이나우 장군을 징벌한 것에 대해 깊은 감사를 표하면서 영어로 연설을 했고, 박수갈채를 받았다."(《디 호르니세》, 제218호, 1850년 9월 18일, 940쪽.)

원문자료에 대한 기록

j[1] [기고문에서 발췌:] 바클리사의 고용인에게 오스트리아 학살자 하이

나우가 뜨거운 영접을 받은 것을 환영하는 우애 민주주의자의 공개 회합.《더 노던 스타》, 런던, 제673호, 1850년 9월 14일, 1쪽, 5단. 1쇄.

본문은 j^{1}을 따른다.

교정사항 목록/해설

1 (k) **"엥겔스"**(*Engels*) — j^{1} "*Engel*"

G1091 2 (e) "런던"이라는 제목의 사설에서《도이체 런더너 차이퉁》은 회합에 관해 보도했다. "스노 힐의 패링던 홀에서 9월 11일[정확히 9월 10일 화요일] 우애 민주주의자의 회합이 있었다. 회합은 브레시아의 사자(Engel von Brescia)를 저격한 악명 높은 자와 관련하여 바클리 퍼킨스사 노동자의 행동을 칭찬하기 위한 것이었다. 페티(Pettie)가 의장을 맡았고, 루피, 하니, F. 엥겔스, 브라운, 오즈번 등이 열정적인 연설을 했다. 이 연설들로《더 타임스》는 다소 배가 아팠을 것인데, 그러나 이 연설들은 수많은 청중에게 열렬한 박수갈채를 받았다. 엥겔스는 영국 프롤레타리아트가 고향 사람(하이나우는 쿠어헤센이 고향이다)을 그렇게 환영해준 것에 깊은 감사의 말을 전했다. 하니는 언제나처럼 따뜻하고 감동적인 연설을 했다. … 회합은 다음과 같은 결론에 이르렀다. '하이나우는 법을 짓밟은 인류의 적으로 간주되어야 하고, 인민의 법정에 세워야 한다. 따라서 바클리 퍼킨스사의 노동자들은 그에게 린치를 가함으로써 인류에게 기여한 것이다.' 회합은 코슈트와 헝가리를 위해 세 번 환호와 갈채를 보내고, 영웅적인 프랑스 공화주의자들을 위해 세 번 환호를 보내고, 독일과 폴란드의 망명자들을 위해 세 번 환호한 다음, 특별히 바클리 퍼킨스사 노동자를 위해 세 번 큰 박수를 보내면서 폐막했다."(《도이체 런더너 차이퉁》, 제285호, 1850년 9월 13일, 2308쪽.)

《더 타임스》의 "우애 민주주의자" — 신문은 "민족적 민주주의자"라고 잘못 부르고 있다 — 의 회합에 관한 상세한 보도 중 엥겔스의 연설은 다음과 같다. "여러 나라에서 자유를 위해 싸워왔다고 소개를 받은 시민 엥겔스는 긴 수염을 기르고 있었는데, 회합에서 다음 차례에 연설했고, 하이나우 원수는 빗자루로 등을 얻어맞고 콧수염이 잡혀 거리에 질질 끌려 다녔으며, 모든 민족은 물론 자신의 계급에게 멸시를 받은 것과 같이 린치를 당했다고 청중에게 확언했다. 독일인으로서 엥겔스는 같은 고향 사람인 하이나우에게 가한 그 행동에 감사를 표했다. 그는 런던에서의 훌륭한 사례를 따라 사람들이 철도 정거장이나 부두에서도 같은 식으로 행동할 것을 희망했다. (박수.)"(《더 타임스》, 제20591호, 1850년 9월 11일, 5쪽, 4~5단.)

1850년 9월 15일
공산주의자동맹 중앙본부 회의 의사록(G577~G580쪽)

G1092

집필과정과 전승과정

1850년 여름 곧 닥칠 새로운 도약인 혁명을 지향하던 이제까지의 공산주의자동맹의 전술이 더는 필요 없게 되었을 때, 런던에서는 일련의 토론이 일어났다. 마르크스와 엥겔스는 자본주의적 경제 순환과 1848/49년 유럽 혁명의 전 과정이 주는 교훈에 관한 새로운 인식을 근거로 해서, 힘의 비축과 교육을 중심으로 당이 나아갈 것을 요구했다. 여기에 대해 정치적으로 경험이 없고 망명 상황에서 모험적 경향으로 치우친 동맹원들이나 노동자교육협회 성원들로 구성된, 특히 아우구스트 빌리히로 대표되는 다수가 반대했다. 그들은 동시에 실제적인 전술 문제를 완전히 허황된 기대와 연결했는데, 즉 새로운 혁명 — 특히 프랑스에서 — 이 곧바로 프롤레타리아트적 성격을 띠게 될 것이라고 기대했다.

동맹 내에서 이러한 문제의 해명을 기다리지 못하고, 빌리히 분파의 성원들은 다수를 차지하던 노동자교육협회로 토론을 가져갔다. 따라서 요한 게오르크 에카리우스는 거기서 "다음 혁명에서 독일 프롤레타리아트의 입장"(G578쪽 6행)에 관한 토론을 제안했다.

분파 성원들은 프랑스와 독일의 별로 중요하지 않은 정치적 사건을 혁명이 즉시 새롭게 시작할 것이라는 과장된 희망으로 엮어냈다. 빌리히가 지도하던 동맹의 지부 내에서 생각이 있는 동맹원들은 자기의 견해를 방해받지 않고 멀쩡하게 개진할 수 없었다(빌헬름 로타커Wilhelm Rothacker가 1850년 8월이나 9월 초쯤 마르크스에게 보낸 편지를 보라).

1850년 7월 초 런던에 와서 분파에 가담한 카를 샤퍼는 미해결된 지부 문제를 동맹 지부의 문제로 확대했다. 그는 독일에 존재하는 지부가 전 민족적 지역본부의 하나로 결합되어야 한다고 제안했는데, 이것은 규약에도 어긋나는 것이었고 마르크스는 이에 반대했다. 망명자 후원회의 활동도 8월부터 빌리히가 선동한 신경질적인 분위기에서 진행되었다.

8월 말 중앙본부의 갈등은 급속히 첨예해졌다. 마르크스와 샤퍼의 논쟁 결과, 중앙본부의 위원 슈람이 빌리히에게 결투를 신청했다(샤퍼가 1850년 8월 27일 마르크스에게 보낸 편지를 보라). 결투는 1850년 9월 11일 벌어졌다.

런던 중앙본부의 마지막 회의는 1850년 9월 15일 열렸다(G577쪽 5~9행에 관한 해설을 보라). 중앙본부의 소수파는 결정에 불복하고 분리파를 조직해 마침내 공산주의자동맹에서 제명되었다(G584쪽을 보라).

G1093 마르크스는 「쾰른 공산주의자 재판에 관한 폭로」(바젤, 1853)와 『고매한 의식의 기사』(뉴욕, 1854)에서 1850년 9월 15일 중앙본부 회의에 대해 상세히 언급했다.

지금은 전하지 않는 이 의사록의 원본은 아마도 엥겔스가 썼을 것이다. 그는 중앙본부의 서기였다. 1850년 8월 말 열린 중앙본부 회의에 관해, 엥겔스는 슈람과 교대로 의사록을 기록했다(카를 마르크스, 『고매한 의식의 기사』, 뉴욕, 1854년, 7쪽에서 인용)고 스스로 썼다(1853년 11월 23일 마르크스에게 보낸 편지). 사본 2개가 전하는데, 하나는 1850년 9월 20일경 빌헬름 하우프트가 쓴 것이고($\mathbf{h}^{\mathbf{h1}}$), 다른 하나는 모르는 사람이 쓴 것이다($\mathbf{h}^2$). 의사록의 본문은 1956년까지 단지 두 발췌문만이 알려졌다. 하나는 마르크스가 「쾰른 공산주의자 재판에 관한 폭로」($\mathbf{D}^3$~$\mathbf{D}^7$)에서 인용한 부분이고(G578쪽 8~21행과 G579쪽 6~13행), 다른 하나는 1850년 9월 15일 통과된 결정을 1850년 12월 1일 공산주의자동맹 쾰른 중앙본부의 연설에서 인용한 것이다. 「… 폭로」를 작업할 때 마르크스는 전승된 두 사본과는 다른 의사록의 판을 사용했을 것이다. 이 판에는 눈에 띄는 변경사항이 있다. 그러나 샤퍼의 진술로부터 마르크스가 인용한 발췌는 $\mathbf{h}^2$와 내용이 일치한다. 따라서 마르크스가 전승된 의사록 사본을 이용하기는 했지만 자신의 고유한 진술은 기억으로 보완했을 가능성이 남아 있다.

(완전한 형태로) 처음으로 출판된 것은 보리스 니콜라옙스키(Boris Nicolaevsky), 「1847~1852년 "공산주의자동맹"의 역사에 관하여」(Toward a History of "The Communist League" 1847-1852), 《국제 사회사 평론》, 제

1권, 암스테르담, 1956년, 제2부, 248~252쪽.

원문자료에 대한 기록

h^{h1} 사본. IISG, 마르크스/엥겔스-유고, 정리 번호 N I 3/4. 각각 한 번씩 접힌 전지 2장. 전지 1은 약간 노란색 종이로, 크기는 185×227mm. 투시 무늬가 있는데 가는 평행선이 27mm 간격으로 그어져 있고, 잘 보이지는 않지만 매우 굵은 수직선이 그어져 있다. 전지 2는 약간 청색을 띠는 회색 종이로, 투시 무늬는 없다. 크기는 185×228mm. 전지 1에는 네 쪽이, 전지 2에는 두 쪽이 쓰였다. 빌헬름 하우프트가 검은색 잉크를 사용해서 썼다. 1쪽 왼쪽 위에는 모르는 사람이 연필로 4라고 썼다. 오른쪽 위에는 IISG의 도장이 찍혔다. 문서는 잘 보존되었다.

h^2 사본. IISG, 마르크스/엥겔스-유고, 정리 번호 N I 3/4. 각각 한 번씩 접힌 전지 2장. 전지 1은 185×228mm이고, 찢어진 채로 남아 있는 전지 2는 114×185mm. 약간 청색을 띠는 회색 종이로 약간 누렇게 변색되었다. 일부 물 묻은 흔적이 있으며, 글씨가 심하게 변색되었다. 그것을 제외하면 보존 상태는 좋다. 전지 1에는 모두 네 쪽이, 전지 2에는 처음 세 쪽만이 쓰였고 4쪽은 비었다. 검은 잉크로 썼는데, 지금은 갈색으로 변했다. 1쪽 왼쪽 위에는 IISG의 도장이 있고, 중간 위에는 모르는 사람이 연필로 3이라고 썼다. 전지 2의 1쪽 왼쪽 위에는 같은 G1094
사람이 4를 썼다. 오른쪽 위에는 1850년 9월 15일이라고 썼다. 전지 2의 3쪽 오른쪽 아래에는 IISG의 도장이 찍혔다.

D^3 [카를 마르크스:] 쾰른 공산주의자 재판에 관한 폭로. 바젤: Chr. 크뤼지(krüsi)의 인쇄소, 1853년, 10~11쪽.

D^4 [카를 마르크스:] 쾰른 공산주의자 재판에 관한 폭로. [보스턴,] 1853년, 7~8쪽.

D^5 쾰른 공산주의자 재판에 관한 폭로. 카를 마르크스. 1853년. (수정하지 않은 인쇄물.) 《데어 폴크스슈타트》, 라이프치히, 제126호, 1874년 10월 28일, 1쪽.

D^6 카를 마르크스의 쾰른 공산주의자 재판에 관한 폭로. 신판. 라이프치히: 조합 인쇄소 인쇄 및 출판, 1875년, 6~7쪽.

D^7 카를 마르크스의 쾰른 공산주의자 재판에 관한 폭로. 『사회민주주의 총서』 4, 프리드리히 엥겔스의 서문과 문서를 포함한 신판. 호팅겐-취리히: 인민서적 출판사 발행, 1885년, 20~21쪽.

본문은 $\mathbf{h}^{h1}$을 따른다.

변경사항 목록/해설

1 (v) "빌리히는"(Willich eine) — $\mathbf{h}^2$ **"빌리히**는 월요일에"(*Willich* am Montag eine)

2 (e) "지난 회의"는 1850년 9월 6일 열렸을 것이라고 추정된다. 중앙본부는 일반적으로 매주 회의를 했다. 9월 13일로 예정된 정례 회의가 취소되었는데, 중앙본부의 분파에 속한 위원들, 특히 아우구스트 빌리히가 런던 지부의 회합을 규약에 어긋나게도 9월 16일 소집했기 때문이다(빌리히가 1850년 9월 14일 마르크스에게 보낸 편지를 보라). 그에 대해 마르크스가 이끄는 중앙본부의 다수파는 1850년 9월 15일 일요일에 중앙본부의 특별 회의를 열 것을 관철했다.

이 회의의 성립에 관한 극적인 상황에 관해서는 카를 펜더가 1850년 9월 14일 마르크스에게 보낸 편지에 잘 나와 있다.

"자네가 아직 중앙본부 위원들을 호출하지 않았다면 다행일세, **'백마'**(*the white Horse*)로 호출을 하게나. 그리고 우리가 늘 모이던 음식점에서 회합한다면, 우리가 체포될 수도 있을 만한 일이 쉽게 일어날 걸세.

반동은 쉽게 생각해서 총회를 소집했을지도 모르네. 이제 우리는 난처한 상황에 놓이거나 행동을 옮기기에 좋은 순간을 잃어버릴지도 모르겠네."(IML/ZPA Moskau, f. 20, op. 1, d. 39.)

3 (v) "이 결정을"(ihn) — $\mathbf{h}^2$ "이것을"(es)

4 (e) 공산주의자동맹의 파리, 브뤼셀, 스위스 등지의 지역본부에 보낸 글은 전하지 않는다. 쾰른 지부에 대한 정보는 이 의사록의 사본을 동봉한 — 전하지 않는 — 마르크스의 편지(페터 뢰저가 1850년 9월 25일 마르크스에게 보낸 편지) 및 빌헬름 하우프트가 1850년 9월 27일 쾰른에서 롤란트 다니엘스, 하인리히 뷔르거스, 로저에게 건네주면서 설명했던 런던 지역본부의 지도자 에카리우스의 글(하우프트가 1850년 10월 1일 마르크스에게 보낸 편지, 쾰른 중앙본부가 1850년 10월 5일 에카리우스에게 보낸 편지를 보라)을 통해서 알 수 있다. 1850년 9월 30일 쾰른 중앙본부가 새로 구성되었다.

5 (v) "샤퍼의"(Schappers) — $\mathbf{h}^2$ **"샤퍼의"**(*Schappers*)

6 (v) "배제한다"(weg) — $\mathbf{h}^2$ "기각한다"(fort)

7 (v) "에서"(wie bei) — $\mathbf{h}^2$ "und bei"

8 (v) "생길 것이다"(würden gemacht) — $\mathbf{h}^2$ "생긴다"(machen)

9 (v) "제멋대로 적용되었다"(eigenmächtig gemachte) — $\mathbf{h}^2$ "제멋대로 자체적으로 적용되었다"(eigenmächtig selbstgemachte)

10 (e) 공산주의자동맹 제2차 대회는 1847년 12월 9일 동맹 규약을 결정했다(BdK 1, 626~

630쪽에 실림). 1848년 가을 당시 런던 중앙본부는 요제프 몰, 하인리히 바우어, 요한 게오르크 에카리우스의 주도로 새로운 규약을 만들었다(BdK 1, 876~880쪽). 이것은 과거 동맹의 분파적·음모적 성격으로의 회귀 때문에, 그리고 제1항에서 공산주의적 원칙을 표명하지 않은 것 때문에, 1848/49년 겨울 쾰른의 자문 회의에서 마르크스의 비판을 받았다. 이 규약의 한 부는 1849년 4월 베를린 동맹원인 아우구스트 헤첼 집에서, 다른 한 부는 1850년 2월 헤첼이 스위스에서 체포될 때 발견되었다. 마르크스가 여기서 암시한 경찰이 만든 출판물이 어떤 것인지는 밝혀낼 수 없었다. 이 출판물은 1850년 8월 헤첼에 대한 베를린 재판과 관련하여 나온 것으로 추정된다. 동맹의 쾰른 중앙본부는 1850년 12월 1일 새로운 규약을 작성했다(G588~G590쪽을 보라).

11 (v) "같은"(derselben) — **h**^{2} "한"(einer)

12 (v) "회람에 … 나아가"(Rundschreiben, sogar) — **h**^{2} "중앙본부의 중앙 회람에 그리고 나아가"(Centralschreiben der Centralbehörde und sogar)

13 (v) "개진했다"(ausgesprochen,) — **h**^{2} "ausgesprochen worden,"

14 (v) "관념론적 관점"(die idealistische) — **h**^{2} "eine idealistische"

15 (v) "『선언』의 보편적 관점 대신에 독일의 민족적 관점이 등장했고 독일 수공업자의 민족 감정에 아부했다. 『선언』의 유물론적 관점 대신에 관념론적 관점이 강조되었다."(universellen Anschauung … hervorgehoben worden.) — **D**^{3}-**D**^{7} "소수파가 비판적 관점 대신에 독단적 관점을, 유물론적 관점 대신에 관념론적 관점을 강조했다."(kritischen Anschauung setzt die Minorität eine dogmatische, an die Stelle der materialistischen eine idealistische.)

16 (v) "에서 주된 문제"(Hauptsache in der) — **h**^{2} "의 주된 문제"(Hauptsache der)

17 (v) "**의지**가 혁명에서 주된 문제로 부각되었다."(der *Wille* … hervorgehoben worden.) — **D**^{3}-**D**^{7} "그들에게는 **단순한 의지**가 혁명의 추동력이 되었다."(wird ihr der *bloße Wille* zum Triebrad der Revolution.)

18 (v) "당신들이"(euch) — **h**^{2} "sich"

19 (v) "15" — **D**^{3} "5"

20 (v) "위해, … 내전을 겪어야"(Bürgerkrieg durch zu machen, um) — **D**^{3}-**D**^{7} "내전과 국제전을 겪어야"(Bürgerkrieg und Völkerkämpfe durchzumachen, nicht nur um)

21 (v) "**즉시**"(*gleich*) — **D**^{3}-**D**^{7} "즉시"(gleich)

22 (v) "아니면 … 할"(oder wir können) — **h**^{2} "oder können"

23 (v) "이것과는 반대로 … 말해져왔다"(ist statt dessen gesagt worden) — **h**^{2} "이것과는 반대로 … 말해졌다"(statt dessen ist gesagt)

24 (v) "바꾸기 위해, 당신들이 직접 지배할 수 있기 위해 … 이것과는 반대로 … 말해져왔다."(ändern, um euch selbst zur Herrschaft zu befähigen, ist statt dessen gesagt worden) — **D**^{3}-**D**^{7} "바꾸기 위해, 그러나 당신들 자신을 바꾸고 정치적 지배를 할 수 있기 위해, … 당신들은 정반대로 말했다:"(ändern, sondern um Euch selbst zu ändern und zur politischen Herrschaft zu befähigen, sagt Ihr im Gegentheil:)

25 (v) **D**^{3}-**D**^{7} 여기에 "우리가 특별히 독일 노동자에게서 독일 프롤레타리아트의 미발전된 모습을 지적하는 동안, 당신들은 독일 수공업자의 매우 둔중한 민족 감정과 신분의 장점에 아부하고 있다: 이것은 물론 널리 알려진 것이다."(Während wir speziell die deutschen Arbeiter auf die unentwickelte Gestalt des deutschen Proletariats hinweisen, schmeichelt Ihr auf's plumpste dem Nationalgefühl und [**D**^{4}-**D**^{7} dem] Standesvorurtheil der deutschen Handwerker: was allerdings populärer ist.)가 있음.

26 (v) "지금"(ist jetzt) — **h**^{2} "이렇게 여기서"(so ist hier)

27 (v) "관용구"(Phrase) — **h^2** "견해"(Ansicht)

28 (v) "프롤레타리아트라고"(als Proletarier) — **h^2** "프롤레타리아트로"(zu Proletariern)

29 (e) "de facto" — 실제로.

30 (v) ""인민"이라는 단어를 한낱 … 놓을 수밖에 없었다."(Wort "Volk" … Revolution setzen) — **D^3-D^7** "**인민**이라는 단어를 신성한 존재가 되게 한 것처럼, 당신들은 **프롤레타리아트**를 그런 존재가 되게 했다. 민주주의자들처럼 당신들도 혁명이라는 관용구 등을 혁명적 발전 아래에 밀어 넣는다 등등."(Wort *Volk* zu einem heiligen Wesen gemacht wird, so von Euch das Wort Proletariat. Wie die Demokraten schiebt Ihr der revolutionären Entwickelung die Phrase der Revolution unter etc. etc.)

31 (v) "마침내 … 증명했다"(endlich bewiesen) — **h^2** ""마침내, … 명확하게 증명했다"(endlich klar bewiesen)

32 (v) "이러한 대립이 … 가"(diese Gegensätze sind als) — **h^2** "이러한 대립이 … 로"(dieser Gegensatz ist zur)

33 (v) "반동"(Reactionaire) — **h^2** "반동적으로"(reaktionär)

34 (v) "그러나 『선언』의 옹호자들에게는 전혀 상관이 없다"(ihnen aber völlig gleichgültig) — **h^2** "『선언』의 옹호자들에게는 상관이 없다"(ihnen gleichgültig)

35 (v) "소수파"(Minorität als) — **h^2** "중앙본부의 소수파"(Minorität der Centralbehörde als)

36 (v) "원칙들"(den Principien) — **h^2** "원칙"(dem Prinzip)

37 (v) "에 따르면 … 아직도 공산주의자"(nach doch Kommunisten) — **h^2** "에 따르면 …공산주의자"(nach Kommunisten)

38 (v) "때문에"(und weil) — **h^2** "2) 때문에"(und 2) weil)

39 (v) "이것은 순전히"(es reiner)- — **h^2** "es ein reiner"

40 (v) "샤퍼"(Schapper) — **h^2** "**샤퍼**"(*Schapper*)

41 (v) "분리하는"(trennen,) — **h^2** "분리할 수 있는"(trennen können,)

42 (v) "을"(auf) — **h^2** "in"

43 (v) "내"(meiner) — **h^2** "우리"(unsrer)

44 (e) "많아봤자 12명"(höchstens 12 Leute) — 마르크스는 에카리우스가 주도해서 결성한 런던 지부에 마르크스와 엥겔스 외에도 당시 하인리히 바우어, 빌헬름 하우프트, 아우구스트 하인, G. 클로제, 빌헬름 리프크네히트, 카를 펜더, 콘라트 슈람, 제바스티안 자일러, 페르디난트 볼프 등이 소속된 동맹원들을 가리키고 있다.

45 (v) "이 소수가 … 기꺼이 이끌도록 하는 것이다"(lasse der Minorität gerne) — **h^2** "이 소수가 … 기꺼이 남는다는 것이다"(überlasse gerne der Minorität)

46 (v) "협회에"(der Gesellschaft) — **h^2** "동일한 협회에"(derselben Gesellschaft)

47 (e) 1850년 9월 17일 탈퇴 성명에 대해서는 G444쪽을 보라.

48 (v) "두"(beiden) — **h^2** "2"

49 (v) "적대적"(feindliche) — **h^2** "증오적"(feindselige)

50 (v) "관계들"(Beziehungen) — **h^2** "Beziehung"

51 (v) "샤퍼:"(Schapper:) — **h^2** "**샤퍼**"(*Schapper*.)

52 (v) "프롤레타리아트가 산악당 및 언론과 결별했듯이"(das Proletariat sich von der Montagne und der Presse trennt) — **h^2** "sich die Proletarier von den Montagnards und der Presse trennen"

53 (v) "당을 원칙적으로"(Parthei principiell) — **h^2** "당의 원칙을"(Parteiprinzipien)

54 (v) "프롤레타리아트로 조직되는 사람들과 결별해야 한다"(sich von denen die im Proletariat organisiren trennen) — **h^2** "trennen sich von denen, die im Proletariat organisirt

haben"

55 (v) "나는 중앙본부"(Central Behörde bin) — h^2 "나는 쾰른으로 중앙본부"(Centralbehörde nach Köln bin)

56 (v) "규약의 변경"(Aendrung der Statuten) — h^2 "나는 규약의 변경"(Veränderung der Statuten bin ich)

57 (v) "원칙적인 분열과 관련하여"(principiellen Spaltungen anbetrifft) — h^2 "원칙적인 분열에 해당하는"(principielle Spaltung betrifft)

58 (v) "**빌미**"(*Anlaß*) — h^2 "빌미"(Anlaß)

59 (v) D^3-D^7 여기에 "(샤퍼는 더욱이 1년 후인 1851년 9월 15일에 목이 베일 것이라고 장담했다.)"((Schapper versprach sogar, in einem Jahre, also am 15. September 1851, geköpft zu sein.))가 있음.

60 (v) "**우리는**"(*wir*) — h^2 "우리는"(wir)

61 (v) "이런 일이 일어나지 않는다면,"(nicht der Fall, so) — h^2 "nicht, so"

62 (v) "프롤레타리아트의 지배를"(welche dem Proletariat die Herrschaft) — h^2 "우리가 프롤레타리아트의 지배를"(daß wir die Herrschaft des Proletariats)

63 (v) "우리는 아마 … 있을 것이다"(vielleicht können wir dann) — h^2 "dann können wir vielleicht"

64 (v) "마르크스"(Marx) — h^2 "**마르크스**"(*Marx*)

65 (v) "않고"(und) — h^2 "않지만"(aber)

66 (v) "관점"(Hinsicht) — h^2 "관계"(Beziehung)

67 (v) "마르크스"(Marx) — h^2 "**마르크스**"(*Marx*)

68 (v) "나뉘고 사람들은"(und die Personen) — h^2 "*이 사람들은"(diese Personen)
* 여기에 "그러나"(aber)라고 썼다가 나중에 지웠음.

69 (v) "서로"(zu einander) — h^2 "자신들 사이에"(unter sich)

70 (v) "본부"(Behörde) — h^2 "중앙본부"(Centralbehörde)

71 (v) "나 역시 수없이 많은 고생을 했지만"(habe ich so viele gebracht) — h^2 "나 역시 수없이 희생했지만"(so habe ich so viel geopfert)

72 (v) "개인을 위해서가"(für die Personen) — h^2 "für Personen"

73 (v) "장악하게 될"(käme) — h^2 "komme"

74 (v) "우리는"(Wir) — h^2 "**우리는**"(*Wir*)

75 (v) "다행스럽게도"(ihrem Besten) — h^2 "ihrem eignen Besten"

76 (v) "집권"(Regierung) — h^2 "지배"(Herrschaft)

77 (v) "가장 좋은 … 제공한다"(liefert das beste) — h^2 "ist ein"

78 (v) "그와 함께 농민과 소부르주아지가"(ihnen die Bauern und Kleinbürger) — h^2 "농민과 소부르주아지와 함께"(den Bauern und Kleinbürgern zusammen)

79 (v) "**이들 모두의**"(*deren*) — h^2 "이들 모두의"(deren)

80 (e) 파리 코뮌은 1789년에서 1794년까지 시의 자치 조직이었고, 이 조직이 혁명을 단호하게 지속하기 위해 도시 대중의 투쟁을 이끌었다. 코뮌은 군주제를 전복하고 자코뱅 독재를 세우는 데 결정적 역할을 했다. 테르미도르 9일(1794년 7월 27일)의 반혁명 쿠데타와 함께 코뮌은 무너졌다.

81 (v) "**할 수**"(*können*) — h^2 "할 수"(können)

82 (v) "지부로 분리하고 싶을 뿐이다."(Kreise trennen.) — h^2 "지부."(Kreise)

83 (v) "에카리우스"(Eccarius) — h^2 "**에카리우스**"(*Eccarius*)

84 (v) "물론 … 마음이 있었다"(habe die Absicht allerdings) — h^2 "allerdings die Absicht"

85 (v) "레만"(Lehmann) — **h**^{2} **"레만"**(*Lehmann*)

86 (v) "빌리히"(Willich) — **h**^{2} **"빌리히"**(*Willich*)

87 (v) "마찬가지다"(Deßgleichen) — **h**^{2} "ebenso"

88 (v) "모두 승인했다"(angenommen von allen) — **h**^{2} "Von allen angenommen"

89 (v) "모두 승인했다"(angenommen von allen) — **h**^{2} "상동"(Deßgl.)

90 (v) **h**^{2} 여기에 따옴표(")가 있음.

91 (v) **h**^{2} 여기에 따옴표(")가 있음.

92 (v) "마르크스"(Marx) — **h**^{2} **"마르크스"**(*Marx*)

93 (v) **h**^{2} "회의록을 읽은 후 마르크스와 샤퍼는 그들이 이번 일과 관련하여 쾰른으로 편지를 쓰지 않았다고 말했다."가 없음.

94 (v) "받았다. 그는 어떤 이의도 … 때문에 이의가 전혀 없다고 말했다."(habe. Er erklärt, daß er nichts einzuwenden habe, da er jeden Einwand) — **h**^{2} "받았고, 그는 … 어떤 이의 제기도 … 때문에"(hat, weil er jede Einwendung)

95 (v) "서명할 것을"(unterzeichnet werde) — **h**^{2} "unterschrieben wird"

96 (v) "에카리우스는 … 제안한다"(Eccarius trägt an) — **h**^{2} **"에카리우스**는 … 신청한다"(*Eccarius* beantragt)

97 (v) "샤퍼"(Schapper) — **h**^{2} **"샤퍼"**(*Schapper*)

1850년 8월 1일부터 9월 10일까지 사회-민주주의 망명자위원회 결산서

G1100

1850년 9월 18일(G581~G582쪽)

집필과정과 전승과정

이 「결산서」와 함께 1849년 9월 18일부터 11월 18일까지 존재했던 런던 사회-민주주의 망명자위원회의 활동은 끝났다. 위원회의 해체는 공산주의자동맹의 중앙본부에 뿌리 깊이 남아 있던 정치적 대립에 근거했다. 이것은 아우구스트 빌리히와 카를 샤퍼 집단의 분파적 활동(G577~G580쪽을 보라)과 마르크스, 엥겔스와 그 정치적 동지들이 런던의 독일 노동자교육협회에서 탈퇴함으로써(G444쪽을 보라) 동맹이 분열되는 결과로 이어졌다.

1850년 9월 1일(8월 1일로 날짜가 잘못 기재되었다) 마르크스에게 보낸 편지에서 빌리히는 9월 2일 위원회 회의에 8월 결산서를 제출할 것을 요구했다.

원문자료에 대한 기록

J[1] 8월 1일부터 9월 10일까지 런던 사회-민주주의 망명자위원회 결산서. [서명:] 카를 마르크스, H. 바우어, C. 펜더, Fr. 엥겔스. 《도이체 런더너 차이퉁》, 제287호, 1850년 9월 27일, 2330쪽, 2~3단. 1쇄.

본문은 J[1]을 따른다.

해설

1 (e) 함부르크의 장크트게오르크 지역 노동자협회에서 1850년 7월 중순경부터 연대 기금을 모으기 위한 특별위원회가 활동했다. 위원회는 의인동맹 함부르크 지부의 공동 창립자

빌헬름 레메(Wilhelm Lemme)의 동생인 에두아르트 레메(Eduard Lemme)가 이끌고 있었다. 이 위원회의 활동에 대해서 다음과 같은 단신이 있다. "**한 노동자위원회**가 런던의 궁핍한 망명자들—대부분 노동자—에게 도움을 주기 위해 설립되었다. 위원회는 이미 약 4주간 매주 기부와 일회성 기부를 통해 4.17파운드스털링(83탈러 쿠란트)을 받았다. 많은 공장의 노동자가 이러한 사업에 동참하고 주로 매주 기부금—1인당 약 1실링(더 많이 내고 싶은 사람은 더 많이 낼 수 있다고 한다)—으로 그들을 지원하기를 바랄 뿐이다. 이
G1101 사업에 관심이 있고 동참하고자 하는 사람은, 장크트게오르크 랑게라이에 18번지에 있는 위원회 회계 관리자 E. **레메**에게 언제나 연락을 주기 바란다. (투고.)"(《데어 프라이쉬츠》, 함부르크, 제97호, 1850년 8월 18일.) 위에서 말한 4.17파운드스털링은 1850년 5월, 6월, 7월 결산서(G572~G574쪽)에 올린 0. 17. 6(파운드스털링)과 앞의 결산서의 두 기부금을 합한 것이다.

2 (e) 위원회의 회계 책임자 카를 펜더는 튜크스베리(Tewkesbury. 원문에는 Pewkesbury로 되어 있는데 MEGA의 오기인 듯하다.—옮긴이)의 존 버그에게서 1850년 9월 5일로 날짜가 표기된 편지를 받았다. 이 편지의 내용은 다음과 같다. "롬바르드 가(街) 버친(Berchin, 원문에는 Berclin으로 되어 있는데 MEGA의 오기인 듯하다.—옮긴이) 레인의 윌리엄 디콘사(William Deacon & Co)에 지불할 수 있는 17파운드스털링 10실링 어음이 든 편지를 위원회에 보냅니다. … 있을 수 있는 작은 의견 차이를 줄이는 데 주의하라고 위원회에 몇 줄 썼습니다." 망명자위원회에 보내는 동봉한 편지에서 버그는 이렇게 말했다. "오해를 피하기 위해 동봉한 돈의 처분에 관하여 나는 다음과 같이 말하는 것이 정당하다고 생각합니다. 즉 이 돈의 절반은 숙소와 관련한 위원회의 일반 경비와 지출에 쓰고, 나머지 절반은 숙소에 살지 않는 좀 더 배운 망명자들을 지원하는 데 쓰면 좋을 것입니다. 이러한 지출은 위원회가 전적으로 동의할 것이고 또한 기금을 낸 모든 사람이 크게 만족할 것이라고 확신합니다."(IISG. 마르크스/엥겔스-유고, 정리 번호 D I, 45.)

3 (e) 위의 해설을 보라.

1850년 9월 20일 사회-민주주의 망명자위원회 영수증(G583쪽)

G1102

집필과정과 전승과정

마르크스가 쓴 두 영수증은 1850년 9월 15일 위원회의 정기적인 활동의 중단과 관련해서 만들어졌다(G581∼G582쪽과 G575쪽을 보라).

두 영수증은 이 책에서 처음으로 출판되는 것이다.

원문자료에 대한 기록

H[1.1] 자필 원고 원본. IML/ZPA Moskau, 정리 번호 f. 1, op. 1, d. 365. 찢어진 쪽지로 너비 183∼185mm, 높이 56∼60mm. 밝은 청회색을 띠는 흰색 종이로 지금은 약간 누렇게 변색되었고, 투시 무늬는 없다. 마르크스가 한 쪽에 검은 잉크로 썼고, 클로제의 서명은 자필이다. 자필 원고는 복원되었다.

H[1.2] 자필 원고 원본. IML/ZPA Moskau, 정리 번호 f. 1, op. 1, d. 364. 찢어진 쪽지로 너비 107∼110mm, 높이 49∼52mm. 흰색 종이로 투시 무늬는 없고 잘 보존되었다. 마르크스가 한 쪽에 검은 잉크로 썼다. 페르디난트 볼프와 빌헬름 리프크네히트의 서명은 자필이다.

본문은 **H**[1]을 따른다.

변경사항 목록/해설

1 (e) 공산주의자동맹의 동맹원 G. 클로제는 빌리히/샤퍼의 분파와 대립할 때 시종일관 마

르크스와 엥겔스 편에 선 인물로, 1850년 9월 11일 마르크스에게 다음과 같이 썼다. "내가 앉을 의자를 시기하는 몇몇 게으른 사람들이 새 위원회에 대해 내가 지원하는 규모에 반대하여 저항할 것은 분명하며, 이에 단호히 대처하기 위해 나는 다음과 같은 사항을 정리할 필요가 있습니다. 사람들이 묵을 숙소에 도착**하고, 그다음에** 얼마를 지출해야 하는지, 숙소에 머무는 동안 망명자들에게 얼마나 지원해야 하고, 솔 만드는 작업 등을 도와주는 데 얼마를 지불해야 하는지, 얼마나 많은 사람에게 식사를 제공하고 지원해야 하며, 또 1인당 일주일에 평균 얼마나 지출해야 하는지.

이러한 통계 작업을 수행할 수 있도록 부탁합니다. C. 펜더(원문에는 H. Pfänder로 표기되어 있는데, 카를 펜더의 중간 이름 "Heinrich"를 쓴 것이다. ―옮긴이)에게 있는 지금까지의 결산서를 일정한 시간 안에 빨리 살펴보고 필요한 발췌를 할 수 있도록, 다른 성원들로 하여금 깊은 이해로 허락해줄 것을 부탁합니다."

2 (v) "모두"(Jeder) ← "jeder"

3 (v) "10" ← "20"

분리파 성원 탈퇴에 관하여 런던 지부가 공산주의자동맹 쾰른 중앙본부에 보낸 제안

G1104

1850년 12월 1일 쾰른 중앙본부의 연설 발췌

1850년 11월 11일(G584쪽)

집필과정과 전승과정

빌리히/샤퍼의 분리파 성원들의 탈퇴는 필연적이었다. 1850년 9월 15일의 결정에 따르지 않았기 때문이었다(G577~G580쪽을 보라).

1848년 가을에서 1850년 9월까지 유효했던 규약은 제34조에 다음과 같이 규정하고 있다. "… 중앙본부는 대회에 반하는 기초 조직 전체를 책임지고 제명할 수 있다."(BdK 1, 879쪽.) 그에 비해 쾰른 중앙본부가 1850년 9월 15일의 결정에 따라 1850년 11월에 작성한 새로운 규약은 제4조에서 다음과 같이 규정하고 있다. "중앙 권력은 지부 조직이 제안하면 기초 조직 전체를 제명할 수 있다."(G588쪽 26~27행.) 따라서 이미 1850년 10월 말, 늦어도 11월 2일 쾰른에서 구두로 정한 탈퇴 결정을 규약에 맞게 만들고 그것을 전체 성원에게 고지하기 위해서는 어느 지부의 제안이 있어야 했다. 요한 게오르크 에카리우스가 지도하는 런던 지부는 1850년 11월 11일 회의에서 이에 맞게 제안하기로 했다. 이 지부 조직에 관해서는 G578쪽 36행에 관한 해설을 보라. 마르크스와 엥겔스는 어쨌든 제안서를 작성하는 데 주도적으로 참여했다.

1850년 12월 10일 쾰른 중앙본부가 런던 지부에 보낸 서한인 하인리히 뷔르거스가 작성한 답변은 다음과 같다. "우리는 우리의 첫 번째 회람과 새로운 규약 사본 1부를 동봉하여 당신에게 보낸다. 당신들은 회람에서 우리의 고유한 결정이기도 했던 11월 11일 당신들의 제안을 어떻게 승낙했는지를 알 수 있을 것이다. 당신들이 이 결정에 대해 약간 늦게 소식을 받게 된다고 하더라도, 당신들 스스로 다짐했던 그 성과는 조금도 축소되지 않을 것이다. 독일에서 우리와 관계를 맺는 모든 곳에 이 성과는 밀사를 통해 전해질 것이고, 분리파가 아직도 관계를 맺고 있지만, 지금까지 분리파를 위해 목소리를 냈던 그 어디에서도 목소리가 나지 않을 것이다."(IML/ZPA Moskau, 정리 번호 f. 20, d. 134.)

예니 마르크스가 1850년 12월 19일 엥겔스에게 보낸 편지에서 다음과 같이 말한 것을 보면, 마르크스의 견해를 그대로 옮긴 것이 틀림없다. "빌리히와 동료들에 대한 쾰른의 파문장은 새로운 규약과 회람 등과 함께 어제 동봉했습니다. 쾰른인은 이번에는 예외라고 할 만큼 강력하게 행동했고, 이 패거리에 대해 단호하게 조치했습니다."

공산주의자동맹 런던 지부의 문서는 1850년 12월 1일 쾰른 중앙본부의
G1105 연설에 있는 두 인용문의 형태로 단편적으로만 전해진다. 런던의 제안서에는 독일에서 활동하고 있는 분리파의 밀사 하우데를 반대하는 조치를 위한 제안 또한 명백히 포함되어 있었다. 왜냐하면 중앙본부가 1850년 12월 10일 런던 지부에 보낸 답변에는 다음과 같은 언급이 있기 때문이다. "하우데에 대한 조치는 이제 필요 없다. 그는 오래전에 독일에서 추방되었기 때문이다."(IML/ZPA Moskau, 정리 번호 f. 20, d. 134.)

원문자료에 대한 기록

h[1] 중앙본부가 동맹에게. IISG, 마르크스/엥겔스-유고, 정리 번호 N I 5. 약간 누렇게 바랜 종이. 투시 무늬는 없다. 각각 한 번씩 접은 전지 3장, 쪽수를 매기지 않은 총 12쪽. 크기는 228×278mm이고, 9쪽까지는 검은 잉크로 쓰였고, 나머지 3쪽은 비었다. 런던 지부의 문서에서 인용한 것은 4쪽에 있다.

원문으로 사용하지 않은 인쇄본

1. 《드레스드너 주르날 운트 안차이거》, 제171호, 1851년 6월 22일, 1365~1367쪽; 1366쪽에 1850년 11월 11일 문서 발췌. 1850년 12월(원문에는 10월로 되어 있으나 MEGA의 오기인 것 같다. —옮긴이) 1일 연설의 1쇄.
2. 《쾰니셰 차이퉁》, 제150호, 1850년 6월 24일, 4쪽, 1단. 「공산주의자동맹」(Der communistische Bund)이라는 기고문에.
3. 《종합 경찰-공보》, 드레스덴, 제32권 제52호, 1851년 6월 30일, 특별

부록 265~272쪽. 268쪽에 발췌.

4. Anklageschrift …, 6쪽.
5. 베르무트/슈티버, 『19세기 공산주의자들의 음모』, 제1부, 베를린, 1853년, 283~290쪽. 286쪽에 발췌.

본문은 **h**[1]을 따른다.

교정사항 목록/해설

1 (e) 이것은 분리파 성원을 공산주의자동맹에서 제명하려는 쾰른 중앙본부의 결정과 관계된다. 분리파 밀사 하우데가 쾰른 중앙본부의 위원과 두 번째 만났을 때, 중앙본부가 분리파 밑으로 들어와야 한다고 그가 요구한 다음에 이 결정은 이루어졌다. 분리파 제명에 관한 구두 보고는 늦어도 1850년 11월 2일에 이루어졌다(페터 뢰저가 1850년 11월 2일 마르크스에게 보낸 편지를 보라).

1850년 12월 1일 쾰른 중앙본부의 연설에는 이 과정이 다음과 같이 쓰여 있다. "[1850년 9월 15일의] 이러한 결정에 대한 동기와 의사록에 동봉한 다수의 보고로부터 우리는, 런던에서 동맹원들 사이에 치유할 수 없는 결별이 일어났다는 사실과 완전한 불화의 위험은 오직 제안된 분리를 통해서만 제거할 수 있다는 사실을 알게 되었다. 그러나 곧바로 이어진 중앙본부 소수파가 다룬 보고서에서야 이런 위험이 얼마나 컸는지가 보였다. 이 보고서에 따르면 런던 지부의 몇몇 성원들—런던 지부의 다수파는 이 소수파에 가담했다—을 통해 증원된 이 소수파가 이전 중앙본부의 다수파와 자신들의 많은 동지를 동맹에서 제명했고, 새로운 중앙본부를 구성해 그전에 건의했던 대회를 런던에서 10월 20일에 소집했다. 대회는 '구출 행동'이라는 이 소수파의 결정을—이들은 이 결정의 명백한 불법성을 아직도 부인하려고 하지 않는다—제재해야 한다고 했다. 그러나 우리가 이 서류의 내용을 통해서 확신하는 것은 이 결정이 불법일 뿐만 아니라, 동맹의 원칙과 그것을 기초로 지금까지 동맹이 따라왔던 정책에 직접 반하는 원칙에 기초했다는 점이다. 이렇게 그들은 각각의 개인에 대한 고소장 외에도, 동맹은 모든 저술가 분자들을 제명할 수 있으며, 오직 수공업자와 공장노동자의 결속이라고 하는 일반 원칙에 근거해 중앙본부의 다수파를 축출하려고 시도했다. 그리고 만약 수공업자와 공장노동자가 올바른 의지만 있다면, 다음 혁명에서 즉각 지배 권력을 장악할 수 있고, 사회를 공산주의적으로 개편할 수도 있다고 했다. 이와 동시에 프롤레타리아트 정당은, 부르주아 사회의 다양한 정치 및 경제적 신조에 맞서 프롤레타리아트 계급투쟁의 일반 원칙을 내세우는 것이 중요했던 프롤레타리아트 운동 초창기에 정당성을 가졌던 '일반적 금욕주의와 조야한 평등주의'(『선언』, III장을 보라)라는 옛 관점으로 돌아가야 한다는 점이 표명되었다. 그러나 이런 부정적인 행동은 지금은 더는 어떤 부르주아-사회주의도 겨냥하지 않고, 1848년 『당 선언』(『공산당 선언』을 의미함—옮긴이)의 저자들과 당 정책을 자세하게 개진한 올해 중앙본부의 첫 번째 연설을 비난했다. 물론 **『선언』과 당 자체의 정책을 반대했다.** 다시 말해 『선언』과 연설이 프롤레타리아트 운동의 발전과정을 **다음과 같은 것**으로, 즉 프롤레타리아트가 일단 자신의 계급적 위치를 의식한 다음에, 이 계급적 위치 내에서 구사회의 모든 교육 요소를 받아들이고 이론적으로는 공산주의 혁명이라는 운동을 통찰하기에 이르면서, 실천적으로는 이런 조건의 발전을 추구하고 다양한 민족 정당의 투쟁에서 자신의 독자적인 정치적 및 경제적 지배권을 획득한다는 것으로 설정했다. 그러나 이 새로운 낡은 관점은 모든 이론

G1106 G1107

작업을 소용이 없는 것으로 선언했고, 모든 저술 활동에 적대적으로 대립했으며, 현재의 발전 정도, 즉 새로운 독일 혁명을 토대로 해서 운동의 최종 목표를 가져갈 수 있다고 믿었다. 따라서 **순수한** 프롤레타리아트의 이해를 배제하는 듯이 보이는 이 사람들이 프랑스인, 폴란드인, 헝가리인과 함께 '민주-사회주의 위원회'라는 이름으로 세계에 내보낸 최근의 선언에서, '혁명'이라는 관용구만을 늘어놓고 자신들을 **소부르주아적** 사회-민주주의 공화국의 전위로 내세우는 것도 아주 자연스럽다. 이렇게 함으로써 프롤레타리아트는 운동의 시대에도 과거 자신의 비정치적 입장으로 내동댕이쳐졌다. 프롤레타리아트는 재차 어떤 다른 계급의 이해를 위해 투쟁에 불려 나올 것이며, 자신의 승리의 열매를 뒤에서 빼앗기게 될 것이다.

새로운 소수파-중앙본부의 공고문이 보여주듯이 그런 심각한 현상에 대해 쾰른 지부는 중앙본부 다수파의 결정을 반대하는 모든 것을 심사숙고하지 않을 수 없었다. 어찌 되었든 소수파 문서에 매우 천박하고 혐오스러운 특징이 있는 개인들의 다툼과 적대의 근거와 허구에 관해 판단을 내리는 것은 할 수 없었고 허용되지도 않았다. 형식적인 합법성과 관련해서도, 이 두 세력은 규약의 길에서 벗어났다. 규약에 따라서 이 두 세력은 대회에서 호소해야 했는데 그렇게 하지 않았기 때문이다. 그러나 우리는 당시 런던 대회가 외적 어려움으로 인해 무산되지 않았다면 동맹이 완전히 해체되었을 것이라는 의미에서 이 두 세력이 올바르게 행동했다고 곧 확신했다. 무엇보다도 우리에게 중요한 것은 동맹의 원칙, 정책, 그리고 존립을 보존하는 것이었다. 그래서 우리에게 남은 것은 중앙본부 다수파의 결정을 오직 이성적이고 상황에 맞는 것으로 채택하는 것뿐이었다. 따라서 쾰른 지부는 새로운 중앙본부를 구성했고, 오늘 당신들을 위해 이 연설을 쓴 세 명의 위원을 임명했다.

우리는 런던에 독자적인 지부를 따로 결성한 시민 샤퍼와 에카리우스에게 우리가 채택
G1108 한 세 번째 결정을 실행하도록 맡겼다. 우리는 우리 결정의 동기를 상세히 설명하고 런던 지부에 맞서서 작성된 모든 것이 무효라고 선언한 옛 런던 지부에 보낸 서신을 통해서 소수파의 주요 대표인 샤퍼에게 부탁했다. 이 서신에 대한 답장으로 비밀리에 런던의 밀사가 왔고 그는 자기 중앙본부의 이름으로 쾰른 지부와 협상을 요구했다. 이를 거절하자, 그는 자기 위임자의 장황한 서신을 읽어 내려갔다. 이 서신에서 이 위임자는 일부는 매우 악의적일 뿐만 아니라 아무런 근거가 없는 방식을 포함한 새로운 개인적인 적대감으로, 일부는 자신들이 이전에 제기했던 원칙을 옹호함으로써, 일부는 전적으로 규약에 맞게 행동했다고 하는 상당히 염치없는 주장을 마침내 함으로써 자신들의 이전 결정을 정당화하려고 노력했다. 우리는 사람들을 사로잡고 있는, 즉 헛된 비극적 혼란을 해명하기 위해 우리 쪽에서 마지막 노력을 다했지만, 당연히 헛수고였다. 그러나 이 밀사가 우리에게 해체와 제명을 선언하려고 할 기색이 보이자, 우리는 이것은 약간의 차이가 있기는 하지만 상호주의에 입각해야 한다고 대꾸했고, 동시에 옛 런던 지부와 **그 지부**의 중앙본부는 자발적으로 동맹에서 탈퇴할 것이며, 우리가 이제 더는 주저하지 않을 이 탈퇴도 독자적인 결정을 통해서 비준할 것이라고 대꾸했다."(여기에 본문에 실린 제안이 그대로 이어지고 있다.)

"동지 여러분, 우리는 라인에 등장한 밀사 하우데가 — 어쨌든 그는 독일 어디에서도 지지를 받지 못했고, 이미 다시 런던으로 돌아갔다 — 실행하려고 했던 활동을 통해, 일부 새롭기는 한 그 근거들이 아무런 의미가 없다는 것을 확신했고, 이에 따라서 우리의 이전 결정과 우리의 런던 지부가 제기했던 동맹 전체에 대한 제안을 근거로 다음과 같이 힘주어 밝히는 바이다.

'런던에 있는 분리파 성원들, 즉 의장이고 명령권자인 시민 C. 샤퍼, A. 빌리히, A. 셰르트너, 오스발트 디츠, A. 게베르트, A. 마이어(위에서 언급한 민주-사회주의 위원회의 위원이고 또한 아마도 분리파 본부의 성원), 프랭켈과 하우데는 동맹에서 제명한다. 전체 동

맹원은 이 분리파 성원과의 친밀한 관계를 모두 단절할 것을 요구한다. 전체 동맹 본부는 그들의 모든 노력과 시도를, 독일에서든 혹은 우리가 이제까지 아직 발을 들여놓지 않았던 다른 동맹 국가들에서든, 극도로 긴장하면서 감시해야 할 것과 중앙본부에 곧바로 알릴 것을 결정한다.'"(IISG, 마르크스/엥겔스-유고, 정리 번호 N I 5.)

2 (k) "셰르트너"(Schärttner) — **h**^{1} "Schärtler"

3 (e) 여기에 대해 쾰른 중앙본부는 1850년 12월 10일 런던 지부에 이렇게 썼다. "**우리로 하여금** 제명 결정을 전하라는 당신들의 제안에 우리는 동의하지 않는다. 우리는 어떤 자료도 이 사람들의 손에 쥐여 주기를 원치 않기 때문이다. 그들이 당신들에게 취한 결렬 방 G1109
식을 볼 때, 우리는 우리의 서명이 포함된 봉인 문서가 며칠 내에 프로이센 수사 당국의 손에 들어갈지 모른다는 두려움을 느낀다. 하바쿡[즉 빌리히]은 모든 것을 할 수 있는(capable de tout) 것처럼 보이기 때문이다. 따라서 우리는 당신네 성원 중 한 사람에게 권한을 위임하는 방식을 택하여, 우리가 문서로 보낸 결정을 그가 구두로 분리파에게 전달했으면 한다."(IML/ZPA Moskau, 정리 번호 f. 20, d. 134.)

4 (k) **h**^{1} 쉼표 대신 반점(:)을 씀(번역 문맥상 쉼표는 쓰지 않았다. — 옮긴이).

5 (e) "밀사"(einen Emissair) — 하우데.

G1110 # 혁명이 패배한 원인에 대한 프리드리히 엥겔스의 연설

1850년 12월 30일 우애 민주주의자의 회합에 관한 보고서에서

(G587쪽)

집필과정과 전승과정

1850년 12월 30일 런던 존 스트리트 피츠로이 광장에 있는 인문 및 과학기관(Literary and Scientific Institution)에서는 "우애 민주주의자"의 연례회의가 송구영신 축제를 겸해서 열렸다. 여기에는 독일인 런던 노동자교육협회 대표단과 헝가리와 폴란드 그리고 기타 여러 나라의 망명자 협회 위원들도 참석했다. 행사의 손님으로는 마르크스와 그 부인, 맨체스터에서 런던을 방문하여 체류하고 있던 엥겔스, 콘라트 슈람 등이 있었는데, 이들은 조지 줄리언 하니에게 초대받았다(하니가 1850년 12월 29일 마르크스에게 보낸 편지를 보라).

행사의 주최자는 "우애 민주주의자"의 1850년 활동을 결산해 보고한 하니였다. 엥겔스 외에도 G. J. 홀리오크, D. W. 루피, 페티와 콜레트(Collett) 등이 연설을 했다.

쇼엔은 엥겔스가 하니의 타협주의적 연설을 논박했다고 엥겔스의 연설에 대해 다음과 같이 썼다. "엥겔스는 이 연설에 답하면서, 혁명은 '오랜 투쟁의 결과이며 새로운 세대의 사람들에 의해서 완성될 것'이라는 그와 마르크스의 견해를 피력했다."(A. R. 쇼엔Schoyen, 『차티스트의 도전. 조지 줄리언 하니의 초상The Chartist Challenge. A portrait of George Julian Harney』, 런던, 멜버른, 토론토, 1958년, 213쪽. 글자 그대로 부분 인용한 것에 대한 출처는 언급하지 않았다.)

원문자료에 대한 기록

j^1 [보고서에서 발췌:] 우애 민주주의자의 축제.《더 노던 스타》, 런던, 제 689호, 1851년 1월 4일, 1쪽, 5~6단. 엥겔스 연설에 대한 간단한 묘사는 5단. 1쇄.

본문은 j^1을 따른다.

교정사항 목록/해설

1 (k) "**엥겔스**"(*Engels*) — j^1 "*Engles*"

2 (k) "샤퍼"(Schapper) — j^1 "Shapper"

3 (e) 엥겔스는 이때까지 런던 노동자교육협회의 성원은 아니었지만(G444쪽을 보라), 엥겔스와 샤퍼는 회합에서 정치적 차이를 드러내기를 꺼렸다.

4 (e) 엥겔스가 한 건배사는 다음과 같다. "전 세계의 민주주의 형제들이여, **민주사회주의적 공화국**의 빠른 쟁취를 위하여!"

G1111

카를 마르크스의 메모가 들어간 공산주의자동맹 규약

1850년 12월 18일과 1852년 3월 5일 사이(G588~G590쪽)

집필과정과 전승과정

「규약」은 공산주의자동맹 런던 중앙본부의 1850년 9월 15일 결정(G577~G580쪽)을 기초로 하여, 새로운 쾰른 중앙본부가 1850년 11월 작성했고, 1850년 12월 1일 중앙본부의 연설(G584쪽 1행에 관한 해설을 보라)과 함께 동맹에 제출되었다. 「규약」은 대회 전까지 임시로 유효했다고 한다. 런던 지부를 위해 쾰른의 하인리히 뷔르거스가 작성한 「규약」의 사본은 1850년 12월 18일 마르크스의 집에 도착했다(예니 마르크스가 1850년 12월 19일 엥겔스에게 보낸 편지를 보라). 마르크스의 지도 아래 이 새로운 「규약」은 1851년 1월 5일 공산주의자동맹 런던 지부에 의해 채택되었다(마르크스가 1851년 1월 6일 엥겔스에게 보낸 편지를 보라).

마르크스는 추정컨대 1851년 1월 5일의 지부 회의를 준비하기 위해 그에게 송부된 견본에 메모—본문에서는 굵은 바탕체로 표기했다(G588쪽 3~4행 **"부르주아지의 전복"**, G589쪽 34~39행 **"5항. 기초 조직 … 금전 관계"**)—를 적어 넣었다. 그러나 이것이 1852년 3월 초에 비로소 날짜가 기입되었다는 사실을 배제할 수 없다. 마르크스는 이 「규약」을 뉴욕의 요제프 바이데마이어에게 보내면서 다음과 같이 썼기 때문이다. "「규약」을 동봉하네. 자네가 「규약」을 더 논리적으로 배열해서 보내주었으면 하네. **런던**은 미국의 지도부로 정해졌네."(마르크스가 1852년 3월 5일 바이데마이어에게 보낸 편지.)

1850년 12월 1일 연설은 《드레스드너 주르날 운트 안차이거》(제171호, 1851년 6월 22일, 1367~1368쪽)에 처음으로 출판되었다. 그러나 이것은 본문의 기초가 되는 사본이 아니라, 1851년 5월 페터 노트융 집에서 발견된 견본에 따른 것이다(지금은 StA. Potsdam, Rep. 30 C, Tit. 94, Lit. N. 67, Bd. 1에 있다). 이것은 또한 마르크스의 메모가 포함되지 않았다. 이것은《보프로시 이스토리》(Вопросы истории), 모스크바, 1948년집, 제11호, 75쪽에 처음으로 출판되었다.

원문자료에 대한 기록

H[1] 자필 원고 원본. IML/ZPA Moskau, 정리 번호 f. 1, op. 1, d. 384. 한 장으로 된 밝은 청회색의 종이로, 투시 무늬는 없고 몇 군데가 약간 갈색으로 색이 바랬다. 크기는 220×280mm로, 220×140mm로 한 번 접었다(편지로 보낼 때는 원래 두 번 더 접었다). 쪽수를 매기지 않은 네 쪽 모두 하인리히 뷔르거스가 검은 잉크로 썼고, 마르크스의 메모도 검은 잉크로 쓰였다. 많은 양의 진술은 3쪽 끝에 서술되었는데, 마르크스가 여기서 빈자리를 발견했기 때문일 것이다. 접힌 부분에 약간의 종이 손상이 있고 구석이 조금 찢어졌지만 텍스트 손실은 없다. 자필 원고는 복원되었다.

본문은 **H**[1]을 따른다.

마르크스와 엥겔스의 도움을 받아 작성된 기고문과 번역

G1113

요한 게오르크 에카리우스 G1115

런던의 재봉업 혹은 대자본과 소자본의 투쟁

대략 1850년 9월에서 10월(G593~G604쪽)

집필과정과 전승과정

에카리우스는 자신의 첫 번째 주요 연구물인 이 기고문을 작성함으로써 NRhZ. Revue에 기고해달라는 마르크스와 엥겔스의 요청을 이행했다. 이 기고문의 의미에 대해서는 마르크스와 엥겔스의 「주해」(G446쪽)를 보라.

영국 밖에서도 많이 논의된 연재 기고문 「런던의 노동과 런던의 빈곤」(London Labour and London Poor)이 외적 동기를 부여했다. 박애주의자 헨리 메이휴(Henry Mayhew)가 쓴 이 기고문은 1849년 10월 19일부터 1850년 10월 31일까지 런던 《모닝 크로니클》(Morning Chronicle)에 실렸으며, 그 76회의 연재 기고 중 두 번은 런던 재봉사들의 노동조건과 생활조건을 다뤘다. 같은 시기 1849년 12월 런던 재봉사들이 그들의 상황에 관해 보고하는 두 번의 큰 회합이 있었다. 아마 에카리우스는 이미 1849년 말 기고문을 위해 자료 수집을 시작했을 것이다. 작업과정에 대해서는 어떤 진술도 전하지 않는다. 어찌 되었든 기고문의 최종 버전은 대략 1850년 9월 말에서 10월 말까지 NRhZ. Revue 제5/6호의 다른 초고와 함께 비로소 완성되었다고 볼 수 있다.

마르크스가 에카리우스의 기고문에 협력했다는 것은 마르크스가 문법을 바로잡고 "구두법과 그와 비슷한 것을 정리했을" 뿐 아니라(마르크스가 1852년 1월 30일 요제프 바이데마이어에게 보낸 편지) 또한 문체를 편집했다는 데서 볼 수 있다. 특히 본문 텍스트의 G593쪽 4행~G594쪽 6행, G595쪽 27행~G596쪽 3행, G597쪽 32~35행, G599쪽 26~28행, G604쪽 10~20행을 보면 마르크스의 문체를 연상하게 한다. 그렇지만 그 밖에도 에카리우스가 이 기고문을 작성할 수 있었던 것은, 무엇보다도 그가 직접 마르크스의 지도를 받아서 본격적으로 경제학에 전념했고 또한 마르크스 집에서 소규모로 진행한 강의에 참여했기 때문이었다(에카리우스가 1850년 2월 20일 마르크스에게 보낸 편지를 보라). 이러한 밀접한 접촉을 통해 에카리우스는 메이휴의 연재 기고문이 단지 자본주의적 발전의 사회적 효과만 보여줄 뿐, 이 발전에 합법칙적으로 연계된 산업 진보를 무시했으며, 그래서 전반적으로 반동적 경향을 띤다는 사실을 꿰뚫어 볼 수 있게 되었다.

이 기고문은 빌헬름 리프크네히트가 라이프치히에서 발행한《데모크라티셰스 보헨블라트》(부록. 제2~5호와 제7호, 1869년 1월 9, 16, 23, 30일과 2월 13일, 21~22, 33~34, 45~46, 55~57, 80~81쪽)에서 전부 재판되었다. 리프크네히트는 약간 수정을 하고 각주 몇 개를 덧붙였다. 리프크네히트는 신문의 재판 외에도 소책자로 출판할 것을 제안했다. 이에 대해
G1116 에카리우스는 "지난 19년 동안 상황이 근본적으로 변했기 때문에, 두 장(章) 정도가 더 필요할 것"이라고 생각했다(마르크스가 1869년 3월 3일 엥겔스에게 보낸 편지). 리프크네히트의 계획은 그 당시 실현되지 못했다. 그는 1875년 다시 계획을 추진했다(리프크네히트가 1875년 4월 23일 엥겔스에게 보낸 편지를 보라. 『노동운동사 논문집Beiträge zur Geschichte der Arbeiterbewegung』, 베를린, 1976년, 제6권, 1042쪽).

1876년 라이프치히 조합 인쇄소는 이 기고문을 『대자본과 소자본의 투쟁 혹은 런던의 재봉업』이라는 제목의 단행본으로 출간했다. 이것은《데모크라티셰스 보헨블라트》의 재판에서 이루어진 대부분의 수정과 각주를 거의 그대로 따랐다.

원문자료에 대한 기록

J[1] 런던의 재봉업 혹은 대자본과 소자본의 투쟁. [서명:] J. G. 에카리우스.《노이에 라이니셰 차이퉁. 정치-경제 평론》, 런던, 함부르크와 뉴욕, 제5/6호, 1850년 5~10월, 111~128쪽. 1쇄.

본문은 J[1]을 따른다.

교정사항 목록/해설

1 (e) 1735년과 1825년 사이에 영국에서는 자본주의 발전에 엄청나게 중요했던 방적의 기계화를 위한 수많은 발명이 이루어졌다. 사용 가능한 최초의 방적기는 1735년 존 와트(John Wyatt)가 고안했다. "영국 노동자의 이제까지의 상태에서 획기적 변화를 가져온"(프리드리히 엥겔스, 『영국 노동자계급의 상태』, 라이프치히, 1845년, 17쪽) 제니 방적기는 1764년 제임스 하그리브스(James Hargreaves)가 발명했다. 이 방적기는 1769년과 1771년 사이에 리처드 아크라이트(Richard Arkwright)가 완성했다. 그는 무엇보다 "증기기관 외에 18세기의 가장 중요한 기계적 발명"(프리드리히 엥겔스, 같은 책, 17쪽)인 소모(梳毛) 방적기를 발명했다. 1779년에는 새뮤얼 크럼프턴(Samuel Crompton)이 뮬 방적기를 고안했고, 1825년에는 리처드 로버츠(Richard Roberts)가 자동 뮬 방적기를 특허 출원했다.

2 (e) 1793년 영국은 혁명 프랑스에 반대하는 반동적 유럽 열강의 연합에 가담했고 1802년까지 대불대동맹전쟁에 참여했다. 1803년 영국은 나폴레옹의 프랑스에 반대하는 전쟁을 시작했고, 이것은 1815년 나폴레옹의 패배와 함께 끝났다.

3 (e) 1806년 11월 21일의 베를린 훈령과 1807년 12월 17일의 밀라노 칙령을 통해 나폴레옹 1세는 영국 상품에 대해 대륙 봉쇄를 단행했다. 중립국들이 점점 더 대륙 봉쇄에 참여했기 때문에 거의 모든 유럽 대륙이 영국의 무역과 차단되었다. G1117

4 (e) "진짜 캘리포니아"(wahres Kalifornien) — 여기서는 금광을 의미한다.

5 (e) 혁명 프랑스에 반대하는 전쟁 동안 엄청난 가격 폭등 때문에 영국에서는 수많은 파업이 있었는데, 이것을 통해 재봉사는 1795년과 1813년 사이에 주급을 22실링에서 36실링으로 올릴 수 있었다.

6 (k) "자신들이"(ihnen) — J^1 "ihm"

7 (k) "하딩"(Hardinge) — J^1 "Harding"

8 (e) 1834년 4월 28일 영국 하원에서 헨리 하딩 경의 발언. 이 발언은 공식 보고서에 다음과 같이 나와 있다. "그는 노동조합의 입장이 무엇인지를 보여주는 종이를 손에 쥐고 있었다. 이것은 지난 토요일에 런던의 대다수 재봉 장인들이 받은 통지문의 사본인데, 이에 따르면 4월 셋째 주부터 8월 마지막 주까지 하루에 6실링 이하로는 그리고 하루에 10시간 이상으로는 일을 해서는 안 된다는 의견이었다. 그로서도 이 통지문이 명백히 불법이라고 생각했다. 그리고 그는 그날 아침 그의 재단사에게 이렇게 말했다. '장인이 코트와 함께 주어지는 강압에 굴복하게 하느니 차라리 셔츠만 입고 나가서 오찬을 하겠다.' 그는 노조의 행진도 비난했다!"(『영국 의회 의사록』, 제3편, 제23권, 런던, 1834년, 126단.)

9 (e) 1824년 영국 정부는 1799년과 1800년의 단결금지법을 폐지할 수밖에 없었고, 그 후에 노동조합 운동이 활력을 띠게 되었다. 1830년 노동 보호를 위한 전국 연합(National Association for the Protection of Labour)이 등장했는데, 이것은 영국 최초의 전국 노동조합 총연맹이었고, 전 국가적 차원에서 모든 영역의 노동자를 하나로 묶은 것이었다. 그리하여 이러한 토대 위에서 1834년 1월 전국 노동조합 대연합(Grand National Consolidated Trades Union)이 구성되었다. 짧은 기간 안에 50만 이상의 회원이 이 노동조합에 가입했고, 이들은 직업별로 지부를 결성했다. 이 노동조합의 강령은 임금 인상과 노동시간 단축은 물론 질병, 연령별 상호 부조 문제도 포괄했다. 이 노동조합은 로버트 오언의 영향 아래 있었다.

1833년 12월 런던의 재봉사는 "재봉사 대지부"를 결성하고 노동시간 단축을 요구하기로 결의했다. 이 요구사항을 관철하기 위해 2만 명의 재봉사가 파업했다. 전국 노동조합 대연합도 파업 참가자들을 지원했고, 1834년 5월 전국의 회원들에게 1인당 18펜스의 분담금을 걷었다. 이것은 모든 파업 참가자에게 주당 4실링으로 파업을 지원했지만 충분치는 못했기 때문에, 재봉사들은 고용주의 조건에 따라 곧바로 다시 일을 시작할 수밖에 없었다.

10 (e) 구스타프 슈트루베의 「독일 국가 기본법 초안」에는 다음과 같이 되어 있다. "s) 노동자 계급과 중산층의 빈곤 상태 해소, 관련자들의 자발적인 협력을 통한 상업과 영업 상황의 증진."(구스타프 슈트루베, 『독일 민족의 기본법』, 비르스펠덴, 1848년, 15쪽.)

독일 공산당 선언 G1119

헬렌 맥팔레인의 독일어 번역과
조지 줄리언 하니의 머리말

1850년 여름과 11월 사이(G605~G628쪽)

집필과정과 전승과정

공산주의자동맹의 강령인 『공산당 선언』은 영어 번역으로는 하니의 《더 레드 리퍼블리컨》 1850년 11월 판에 처음으로 출판되었다. "유명한 **독일 공산당 선언**"(《더 레드 리퍼블리컨》, 런던, 제20호, 157쪽)은 헬렌 맥팔레인이 번역했다. 그녀는 이 작업을 추정컨대 1850년 여름에 시작했을 것이다. 이 때부터 『선언』의 정신을 선전하는 그녀의 펜으로 쓰인 기고문이 《더 데모크라틱 리뷰》와 《더 레드 리퍼블리컨》에 실렸다(또한 G700~G701쪽을 보라).

이 번역은 마르크스와 특히 엥겔스의 도움으로 이루어진 것이 거의 확실하다. 이들은 이 출판물로 외국에서 처음으로 『선언』의 저자로 공개되었다. 하니가 번역에 대한 짧은 서문(G605쪽 4~16행)에서 저자의 이름을 명시했을 때 그들의 동의와 협력이 전제되었음이 틀림없다. 후에 마르크스는 하니의 머리말과 함께 영어 번역을 소책자로 인쇄해달라고 바이데마이어에게 보낸 편지에서 부탁했다(마르크스가 1851년 10월 31일 바이데마이어에게 보낸 편지를 보라).

『선언』을 무엇보다도 영어로 번역하자는 1847년 12월 공산주의자동맹 제2차 대회의 결정에 따라, 엥겔스는 혁명투쟁 때문에 미완성으로 남아 있던 이 작업을 1848년 4월 바르멘에서 시작했다. 이 초고를 헬렌 맥팔레인이 사용했는지는 알려진 바가 없다. 맥팔레인은 1848년 2월의 23쪽짜리 초판본을 번역 대본으로 이용했다. 이 초판본의 오류는 그녀가 정정했다. 초판본에는 "남성의 노동이 여성과 아동의 노동을 통해 배제된다"라고 되어 있다(MEGA[①] I/6, 533쪽 8~9행을 보라). 1848년의 2판과 다음 판에는 "과 아동"이 빠져 있다. 맥팔레인은 "남성의 노동이 여성과 아동의 노동으로 대체된다"(G612쪽 34행)라고 번역했다. "밝은 사회주의"(heitige Sozialismus)(MEGA① I/6, 548쪽 4행과 685쪽)는 1848년의 다음 판에서 "오늘날의 사회주의"(heutige Sozialismus)로 정정되었다. 엥겔스는 나중 판에서 "기독교 사회주의"(christlicher Sozialismus)로 썼다. NRhZ. Revue 제5/6호(102쪽)에는 "신성한"(heilige)으로 올바르게 되어 있다. 맥팔레인은 "신성한 사회주의"(sacred socialism)로 번역했다(G622쪽 34행). 초판의 "독일 노동자 봉기를 다루는"(die deutschen Arbeiteraufstände bearbeiteten)(MEGA① I/6, 551쪽 21행)은 NRhZ. Revue 제5/6호(105쪽)에서는 "책임지는"(beantworteten)으로 정정되었다. 맥팔레인은 "대응한"(replied to)으로 번역했다(G625쪽 2행).

맥팔레인은 마르크스와 엥겔스가 NRhZ. Revue 제5/6호에 『선언』의 제3장을 게재할 때 고친 부분의 사례를 고려했다. 그러나 번역하는 동안 그녀
G1120 는 제5/6호를 아직 수중에 갖고 있지 않았다. 12월 19일에 비로소 예니 마르크스는 맥팔레인에게 제5/6호 한 부를 보내야 할 것이라고 엥겔스에게 편지를 썼다. 또한 마르크스와 엥겔스는 제3장은 물론 『선언』의 전체 텍스트를 검토하고 번역자의 뜻대로 하게 했을 것이라고 볼 수 있다.

번역은 원본에 따랐지만, 다음과 같이 개별적인 것에서 차이가 난다. 제목 "공산당 선언"은 "독일 공산당 선언"으로 옮겼다. 전문(Präambel)에서 두 문장에 일련번호가 매겨졌다(MEGA① I/6, 525쪽 17~22행). 마지막 문장이 빠졌다(MEGA① I/6, 525쪽 23~26행). 4장의 제목과 대부분이 인쇄되지 않았다(MEGA① I/6, 556쪽 1행~557쪽 8행). 전문의 빠진 부분에 대해 하니는 서문에서 "2월 혁명이 몰고 온 소요 사태로 당시 유럽의 모든 문명국가의 언어로 이것을 번역하려던 의도는 무산되고 말았다"(G605쪽 8~10행)라고 썼다. 그가 서문 마지막에 "이 선언 전체가 2월 혁명 전에 쓰이고 인쇄되었다는 사실을 잊어서는 안 된다"(G605쪽 15~16행)라고 한 말은 두 번째 생략(4장)에 대한 근거일 것이다. 생략에 대해서 그는 마르크스와 엥겔스와 확실히 합의했다(또한 G445쪽을 보라).

엥겔스의 협력으로 내용이 정확해졌다는 사실에 관해서도 특별히 언급해야 할 것이다. 이것은 부분적으로는 1888년 『선언』이 검인된 영어판으로 다시 출간되었기 때문이다(G609쪽 8~9행, G613쪽 30행, G615쪽 33~34행, G623쪽 18~19행을 보라). 그 외에도 영어 독자의 텍스트 이해를 높이기

위한 몇 가지 의역과 보충이 있다(G621쪽 21~22행, G622쪽 16~17행, G624쪽 35행을 보라). 이러한 방식은 엥겔스의 번역에서 전형적인 것이다.

1850년에 이루어진 『공산당 선언』의 영어 번역은 대단한 성과였다. 엥겔스는 이것에 관해 "모든 자료 중 가장 번역하기 어려운 것"(엥겔스가 1885년 10월 13일 라우라 라파르그에게 보낸 편지)이라고 말했다. 정확성에서 맥팔레인의 번역은 후에 엥겔스가 검인한 1888년 새뮤얼 무어의 번역(이것은 MEGA I부의 뒷 권에서 출판될 것이다)에는 상당히 못 미친다. 그러나 1850년 최초의 영역판은 십수 년간, 무엇보다 영어권에서, 『선언』을 보급하는 기초로서 역할을 했다. 《더 월드》(The World, 뉴욕, 1871년 9월 21일, 2쪽)의 한 기고문은 맥팔레인의 번역에서 인용했다. 완전한 재판은 《우드헐 앤드 클래플린스 위클리》(Woodhull and Claflin's Weekly), 뉴욕, 제4권 제7호, 1871년 12월 30일, 3~6쪽에 나왔다. 더욱이 《우드헐 앤드 클래플린스 위클리》의 재인쇄를 기초로 하여 프랑스어로 부분 번역(제1장과 2장)이 나왔다(《르 소시알리스트Le socialiste》, 뉴욕, 제16~26호, 1872년 1월 20일에서 3월 30일까지). 호세 메사(José Mesa)는 무엇보다 『선언』의 스페인어 번역을 위해서 《르 소시알리스트》의 텍스트를 사용했다(《라 에망시파시옹La Emancipación》, 마드리드, 제72~77호, 1872년 11월 2일에서 12월 7일까지). 『선언』의 1850년 번역의 완전한 재판은 다음의 두 소책자로 나왔다.

- 『공산당 선언』, 국제노동자협회 출간, 뉴욕, 1883년.
- 『공산당 선언』, 프리드리히 엥겔스의 지원을 받아서 카를 마르크스 지음, 런던, 1886년.

원문자료에 대한 기록 G1121

J[1] 독일 공산당 선언. (1848년 2월 출간.) 《더 레드 리퍼블리컨》, 런던, 제21호, 1850년 11월 9일, 161쪽, 1단~163쪽, 3단; 제22호, 1850년 11월 16일, 170쪽, 3단~172쪽, 1단; 제23호, 1850년 11월 23일, 181쪽, 3단~183쪽, 2단; 제24호, 1850년 11월 30일, 189쪽, 1단~190쪽, 3단. 1쇄.

본문은 J[1]을 따른다. 본문을 위한 판으로 『《더 레드 리퍼블리컨》과 《더 프렌드 오브 피플》』 제1권 《더 레드 리퍼블리컨》(존 사빌John Saville의 서문, 런던, 1966) 재판이 사용되었다.

교정사항 목록

1 (k) "분열을 이용하여"(profiting from) — J^1 "profiting of"

2 (k) "프롤레타리아트 … 이다"(The Proletariat is) — J^1 "The Proletariat in"

3 (k) "보완물"(complement) — J^1 "compliment"

4 (k) "창출해냈다는"(has created) — J^1 "having created"

5 (k) "…려고 한다"(wishes) — J^1 "wish"

6 (k) "본성"(nature, of) — J^1 "nature, as"

7 (k) "스승의"(masters') — J^1 "master's"

요한 게오르크 에카리우스 G1122

부르주아 사회의 마지막 단계

대략 1850년 12월에서 1851년 1월 20일 사이(G629~G640쪽)

집필과정과 전승과정

이 기고문은 예를 들어 『공산당 선언』이나 「1848년부터 1850년까지 프랑스 계급투쟁」, 그리고 무엇보다 「1850년 3월 공산주의자동맹 중앙본부의 연설」의 결론 부분과 같은 마르크스와 엥겔스의 다양한 전체 사상을 강하게 받아들였다는 사실을 반영한다. 게다가 이 기고문은 예를 들어 마르크스가 당시 면밀히 연구하던 《디 이코노미스트》의 자료를 적용함으로써 마르크스와의 실질적인 협력을 시사한다.

에카리우스가 1850년 가을 NRhZ. Revue의 마지막 호를 위해 두툼한 분량의 기고문을 작성했을 때(G593~G604쪽), 마르크스는 이 기고문의 작성에 결정적인 도움을 주었고, 그 이후에 에카리우스는 최초의 영어판 출판을 준비하기 시작했다. 에카리우스의 「부르주아 사회의 마지막 단계」는 마르크스와 조지 줄리언 하니의 양해하에 착수된 것으로 볼 수 있다. 에카리우스는 노동자계급을 향한 부르주아적 논거를 논박했고, 또한 차티스트의 위대한 투쟁에 대한 기억을 생생하게 하는 데 기여했다.

에카리우스의 연재 기고문은 당시 정치적 분석과 경제적 분석의 연결이 미흡하다는 특징이 있지만, 마르크스는 당의 이해에 맞는 활동이라고 명확히 강조했다(마르크스가 1851년 2월 11일 엥겔스에게 보낸 편지를 보라). 그렇지만 마르크스가 초고에 직접 협력한 증거는 없다.

원문자료에 대한 기록

J^1 부르주아 사회의 마지막 단계. J. G. 에카리우스 지음. 《더 프렌드 오브

더 피플》, 런던, 제4호, 1851년 1월 4일, 27쪽, 1단~28쪽, 1단; 제5호, 1851년 1월 11일, 34쪽, 2단~35쪽, 2단; 제6호, 1851년 1월 18일, 42쪽, 2단~43쪽, 1단; 제7호, 1851년 1월 25일, 50쪽, 1~3단. 1쇄.

본문은 J^1을 따른다.

해설

1 (e) 맨체스터 학파에 대해서는 G225쪽 4행에 관한 해설을 보라.

2 (e) 「호적-본서의 분기별 보고서」, 《디 이코노미스트》, 런던, 제375호, 1850년 11월 2일, 1210~1211쪽을 보라.

3 (e) "상호부조회"(friendly societies) — 17세기 중반 마부와 선원을 대상으로 만들어진 상
G1123 호부조 조합. 18세기 초 이래 노동자들도 질병이나 상해, 고령 등에 대해 상호 지원하기 위해 그러한 조합에 가입했다. 1793년 하원에서 한 법률이 통과되었는데, 이 법률을 통해 이들 조합이 처음으로 법적으로 인정받았고 그 목적이 확정되었다. 1850년 8월 15일 다른 법률이 통과되었는데, 그 법적 인정을 위한 목적과 조건이 새롭게 확정되었다. 그 후 이러한 사적 상호부조 조합이 급속히 성장하게 되었고, 1834년 이래 노동자의 가족들도 가입할 수 있게 되었다.

4 (e) 빈민법에 대해서는 G305쪽 18행에 관한 해설을 보라.

5 (e) 에카리우스는 조지 리처드슨 포터의 『1850년 8월 에든버러에서 열린 영국 협회 회합 중 통계 분과 앞에서 낭독한 논문들. 개인 회람용』(Papers read before the Statistical Section of the British Association at its meeting in Edinburgh, August 1850. For private circulation)을 참조했을 것이다.

6 (e) 1848년 4월 차티스트의 패배 후, 그 우익 진영에서는 선거권의 확대와 재정 개혁을 위해 투쟁하는 부르주아 급진파와 함께하려는 노력이 강화되었다. 이러한 요구를 선전하기 위해 1849년 조직이 창설되었는데, 그 정점에는 흄(Joseph Hume)과 월슬리(Joshua Walmsley)와 같은 맨체스터 학파의 정치인이 있었다(재정 및 의회 개혁 연합). 그러나 부르주아 급진파는 차티스트 지도부의 주요 인사들을 분열시켜 이를 통해 노동자에 대한 영향력을 획득하는 데 실패했다. 부르주아 급진파와의 협력에 반대하는 사람들, 특히 하니와 존스는 1851년 4월 차티스트 대회에서 혁명적인 강령을 관철했다(G546쪽 1~2행에 관한 해설을 보라).

7 (e) 부르주아 급진파 흄이 1849년 6월 하원에 제출한 요구를 사람들은 "작은 헌장"(little Charter)이라고 부른다(주택 보유자를 위한 선거권household suffrage, 3년마다 의회 선거, 투표지를 통한 선거). 이 발의안은 82표로 부결되었다.

8 (e) ""개혁가"의 강령"(Programme of the "Reformers") — "작은 헌장"을 의미한다.

9 (e) G542쪽 21~22행에 관한 해설을 보라.

어니스트 존스 G1124

협동조합 원칙의 옹호자와 협동조합 조합원에게 보내는 편지

1851년 4월 후반기~5월 초(G641~G647쪽)

집필과정과 전승과정

존스는 영국 협동조합 운동의 개량주의적 지향점에 반대하기 위해 이 기고문을 썼다. "기독교 사회주의"(G706쪽을 보라)는 일련의 협동조합에 큰 영향을 미쳤다. 그에 대해 노동자계급이 정치권력을 획득하여 낡은 자본주의적 사회질서를 청산하고 새로운 사회주의적 사회질서를 창조함으로써만 프롤레타리아트의 상태를 근본적으로 개선할 수 있으며, 착취제도를 손대지 않은 채 소비 혹은 생산 조합을 만드는 것으로는 안 된다는 사실을 보여줄 필요가 있었다. 이 기고문은 베리(Bury)의 협동조합 위원 회의에서 토론되었던(G645쪽 21~31행에 관한 해설을 보라) 논거와 사실을 논박하고 있기 때문에, 이르면 1851년 4월 19일 이전에 시작되었을 것이다. 기고문은 5월 10일 발행되었다. 1851년 5월 4일 존스는 런던에서 같은 주제에 대해 강의했다(마르크스가 1851년 5월 5일 엥겔스에게 보낸 편지를 보라). 같은 시기에 이 기고문을 집필했다. 마르크스의 협력에 대해서는 G705~G707쪽을 보라.

원문자료에 대한 기록

J^1 협동조합 원칙의 옹호자와 협동조합 조합원에게 보낸 편지. [서명:] 어니스트 존스. 《노츠 투 더 피플》, 런던, 제20호, 1851년 5월 10일, 27~31쪽. 1쇄.

본문은 J^1을 따른다.

해설

1 (e) 영국의 대토지 소유자는 자기 재산의 분할에 맞서서 이 법률들로 자기 재산을 지켜냈다. 1851년 3월 21일 하원에 장자 상속권 폐지에 관한 법안이 제출됐는데, 과반수의 찬성을 얻지 못했다.

2 (e) 명백히 여기서는 1851년 랭커셔 베리에서 열린 협동조합 위원 회의를 말한다. 위원들은 랭커셔, 요크셔, 체셔 등지에서 왔다. 44개 협동조합 위원 88명이 대표로 모였다. 이에 관한 보고는 1851년 4월 26일《더 노던 스타》에 실렸다(1851년 4월 21일의《데일리 뉴스Daily News》로부터 재인쇄). 거기서 언급된 숫자는 이 기고문에 맞게 인용되었다. 언급된 9천 파운드스털링은 런던 중앙 협동조합 상회가 마음대로 처분할 수 있는 금액이었다. 두 전권자(신탁 관리자) 중 한 명은 기독교 사회주의자 에드워드 반시타트 닐(Edward Vansittard Neale. 구 토리당 지지자이며 후에 영국 협동조합연맹의 총서기)로, 그는 다양한 협동조합의 큰 금액을 마음대로 처분할 수 있었다.

G1125

3 (e) 베리 협동조합 회의에서 로치데일 협동조합 옥수수 공장의 대표는 그의 조합이 250명 회원의 자본 3천 파운드스털링을 보유했다고 설명했다.

어니스트 존스 G1126

차티스트 강령에 대한 편지들. 편지 III

1851년 5월(G648~G654쪽)

집필과정과 전승과정

G705~G707쪽을 보라.

이 기고문은 1851년 5월 10일 이후에 쓰였거나 최소한 완성되었다. 존스가 협동조합 운동에 관한 기고문(G641~G647쪽)에서 1851년 5월 10일 자 《노츠 투 더 피플》을 참조했기 때문이다.

원문자료에 대한 기록

J[1] 차티스트 강령에 대한 편지들. 편지 III. [서명:] 어니스트 존스. 《노츠 투 더 피플》, 런던, 제5호, 1851년 5월 31일, 83~87쪽. 1쇄.

본문은 J[1]을 따른다.

해설

1 (e) "대회"(Convention) — G546쪽 1~2행에 관한 해설을 보라. 존스는 차티스트 강령의 제4절 "노동법"을 말하고 있다. 원문의 해당 구절은 다음과 같다. "1. 산업 목적을 위한 모든 협동조합은 비용을 지불하지 않고 등록할 권리가 있으며, 제휴 지점의 수에 제한을 받지 않는다. 2. 제휴 법률은 협동조합 방식에 존재하는 어려움을 제거하기 위해 변경될 수 있다."(「차티스트 대회에서 채택된 선동 강령」, 《더 프렌드 오브 더 피플》, 런던, 제18호, 1851년 4월 12일, 159쪽, 2단. 또한 《더 노던 스타》, 런던, 제700호, 1851년 4월 5일, 8쪽, 2~3단을 보라.)

2 (e) 글자 그대로 인용된 제4절 3은 존스의 제안으로 강령에 받아들여졌다. (《더 프렌드 오브 더 피플》, 같은 곳, 159쪽, 2단; 《더 노던 스타》, 같은 곳, 8쪽, 4단.)

3 (e) 《더 프렌드 오브 더 피플》, 같은 곳, 159쪽, 2단. 또한 《더 노던 스타》, 같은 곳, 8쪽, 3단을 보라.

4 (e)《더 타임스》의 기고문을 비꼬는 것인데, 이 기고문은 대회에서 채택된 강령에 반대하고 있다(「3년의 붕괴 후에 …」, 《더 타임스》, 런던, 제20782호, 1851년 4월 22일, 4쪽, 1~3단).

5 (e)《더 프렌드 오브 더 피플》, 같은 곳, 159쪽, 2단. 또한 《더 노던 스타》, 런던, 제701호, 1851년 4월 12일, 8쪽, 3단.

G1127 6 (e) 이 인용문은 차티스트 대회에서 레이놀즈와 오코너의 토론 연설의 일부로, 발간된 대회 의사록에는 문자 그대로 실리지 않았다. (「전국 대회」, 《더 노던 스타》, 런던, 제701호, 1851년 4월 12일, 7쪽, 2단.)

전하지 않는 저술 작업 목록

프리드리히 엥겔스
제노바에서 런던까지 항해 일지

집필 시기: 1849년 10월 6일경부터 11월 10일경까지.
출처: 폴 라파르그, 「프리드리히 엥겔스에 대한 개인적 회상」, 《디 노이에 차이트》, 제23집 제2권 제44호, 슈투트가르트, 1904/05, 559쪽.

“1849년 혁명이 진압되자, 그는 제노바에서 영국으로 가기 위해 범선에 올랐다. 스위스에서 프랑스를 통과하는 여행이 그에게는 불확실했기 때문이다. 그는 항해에 대한 지식을 획득하는 기회로 삼았다. 그는 배에서 일지를 썼으며, 태양의 위치 변화, 바람의 방향, 바다의 상태 등을 적어 넣었다.”

또한 「스페인과 포르투갈의 해안선 스케치」(G6~G12쪽)를 보라.

카를 마르크스
경제학 강의

집필 시기: 늦어도 1849년 11월부터 1850년 가을경까지.
출처: 「[제바스티안 자일러: 통신] **S 런던**, 11월 14일」, 《베스트도이체 차

이퉁》, 쾰른, 제154호, 1849년 11월 20일, 3쪽, 2단. —에두아르트 묄러-텔러링이 1849년 12월 13일 페르디난드 라살에게 보낸 편지, 페르디난트 라살, 『유고 편지와 글』(Nachgelassene Briefe und Schriften), 구스타프 마이어 편집, 제2권: 1848년 혁명부터 그의 노동자 선동 운동까지 라살의 서신 교환, 베를린, 1923년, 26쪽. —엥겔스가 1849년 12월 22일 야코프 샤벨리츠에게 보낸 편지. —NRhZ. Revue 제1호, 4쪽 광고. —요한 게오르크 에카리우스가 1850년 2월 20일 마르크스에게 보낸 편지. —빌헬름 리프크네히트, 『카를 마르크스 회상. 생애와 기억』(Karl Marx zum Gedächtniß. Ein Lebensabriß und Erinnerungen), 뉘른베르크, 1896년, 37~38쪽.

"얼마 전부터 마르크스가 노동자들에게 국민-경제학에 관한 무료 강의를 하고 있다는 사실은 여러분에게는 이미 잘 알려졌다."(《베스트도이체 차이퉁》, 제154호, 1849년 11월 20일.) "마르크스는 독일 노동자들을 하나의 클럽으로 조직하고 거기서 그들에게 경제학 강연을 했다."(텔러링이 1849년 12월 13일 라살에게 보낸 편지.)

"[NRhZ. Revue] 제1호는 … 마르크스가 여기 노동자협회에서 했던 첫 번째 경제학 강의 등을 실을 수도 있다."(엥겔스가 1849년 12월 22일 샤벨리츠에게 보낸 편지.)

"[NRhZ. Revue] 제3호는 특히 다음을 포함할 것이다.

부르주아적 소유란 무엇인가? II. 토지 소유. —**카를 마르크스**가 런던의 독일 노동자협회에서 행한 강의."(NRhZ. Revue, 제1호, 4쪽.)

"친애하는 마르크스

나는 우리에게 제공되는 국민-경제학 강의를 큰 관심을 갖고 경청하려고 하며 또한 빨리 습득하기를 바라면서, 어제 펜더와 같이 만나 내일 2월 21일 목요일 저녁 7시 반에 댁으로 가기로 했음을 알려드립니다."(에카리우스가 1850년 2월 20일 마르크스에게 보낸 편지.)

G1129 "1850년과 1851년에[1849년과 1850년의 오류로 추정] 마르크스는 **국민경제학에 관한 연속 강의**를 했다. 그는 강의를 마지못해 결정했다. 그러나 그

는 처음에 소규모 친구들 모임에서 극히 사적인 것들을 강독한 다음에 조금 더 큰 규모에서 강연하는 결정을 우리에게 맡겼다. 여기에 참여한 행운을 누린 사람들에게 큰 기쁨을 나누어 준 이 연속 강의에서, 마르크스는 『자본』에서 우리에게 보여주듯이 이미 자신의 체계의 기초를 완전히 발전시켰다. 그 당시 아직 그레이트 윈드밀 스트리트에 있던 공산주의자협회 혹은 '공산주의 노동자협회'의 가득 찬 강당에서 — 바로 이 강당에서 2년 반 전 『공산당 선언』이 기초되었다 — 마르크스는 대중화의 특별한 능력을 발휘했다. 그 누구도 마르크스보다 학문을 날조하고 덧칠하고 혼을 빼놓는 **통속화**를 혐오한 사람은 없었다. 아무도 그만큼 높은 수준에서 명확하게 표현할 수 있는 능력이 없었다. 언어의 명확성은 명확한 사유의 결실이다. 명확한 사상은 반드시 명확한 형식을 요구한다.

마르크스는 방법적으로 앞서 있었다. 그는 한 문장을 제시한다 — 가능한 한 짧게, 그런 다음 이것을 길고 자세하게 설명하는데, 모든 노동자가 이해 못 하는 부분이 없도록 있는 힘을 다해 설명한다. 그리고 그는 청중에게 질문을 하라고 한다. 질문이 없으면 그는 시험을 보기 시작한다. 이것이 그의 교육적 수완인데, 여기에는 어떤 거짓이나 오해도 없다. 나는 그의 솜씨에 감탄했고, 마르크스가 이미 **브뤼셀** 노동자협회에서 국민경제학 강의를 했었음을 알게 되었다. 어쨌든 그는 뛰어난 선생의 표본이었다. 그는 가르칠 때 검은 칠판을 사용했는데, 그 위에 그는 공식을 써놓았다 — 그중에는 우리 모두가 『자본』의 시작 부분에서 익히 잘 알고 있는 공식도 있었다.

연속 강의가 겨우 반년 정도밖에 이루어지지 못했다는 것이 아쉽고 슬플 뿐이다."(빌헬름 리프크네히트, 『카를 마르크스 회상 …』, 37/38쪽.)

카를 마르크스/프리드리히 엥겔스
평론 [1850년 3월]

집필 시기: 1850년 3월 중순경.

출처: 율리우스 슈베르트가 1850년 4월 5일 콘라트 슈람에게 보낸 편지. IISG, 마르크스/엥겔스-유고, 정리 번호 N III 13.

"런던 혹은 영국: 여덟 쪽은 제4호에 있었고, 나머지 쪽은 모두 제3호에 수록되어 있었습니다!"

이 여덟 쪽의 인쇄지 중에 세 쪽만이 제4호에 들어갔는데(G301~G303쪽 27행), 나머지 다섯 쪽에 관해서는 NRhZ. Revue 제4호에서 다음과 같이 언급되었다. "(지난 호는 지면이 부족해 월평을 싣지 못했다. 우리는 이 평론에서 영국과 관련된 부분만을 나중에 제공할 것이다.)"(G301쪽을 보라. — 옮긴이)

프리드리히 엥겔스
이른바 유럽 중앙위원회(주세페 마치니, 알렉상드르-오귀스트 르드뤼-롤랭, 아르놀트 루게 등)에 대한 연재 기고문

집필 시기: 대략 1851년 2월 1일에서 12일까지.

출처: 엥겔스가 1851년 1월 25일 마르크스에게 보낸 편지. — 엥겔스가 1851년 2월 5일 마르크스에게 보낸 편지. — 엥겔스가 1851년 2월 12일 마르크스에게 보낸 편지. — 엥겔스가 1851년 2월 13일 마르크스에게 보낸 편지.

G1130 "나는 다음 주에 《더 프렌드 오브 더 피플》에서 유럽위원회를 호되게 깎아내릴 걸세. 이미 H(조지 줄리언 하니를 가리킴 — 옮긴이)에게 알려두었네."(1851년 1월 25일.)

"하니를 만나면 그에게 이번 주말까지 대륙의 민주주의에 관한 일련의 기고문의 최소한 전반부를 내게서 받게 될 것이라고 전해주게 — 기고문은 짧게 나뉘어 있어 어느 하나도 하니의 《더 프렌드 오브 더 피플》 칼럼난의 $2 \sim 2^1/_2$을 넘지 않을 걸세. 나는 위에서 말한 것을 핑계 삼아 공식적인 민주주의 전체에 독설을 퍼붓고, 내가 마치니와 L. 롤랭 등을 포함해 그들을 재정 개혁가의 반열에 위치시킴으로써 영국 프롤레타리아트로 하여금 그러한 민주주의를 의심하게 할 걸세. 유럽위원회는 그것을 잘 알아차릴 걸세. 이 분들을 하나씩 다룰 생각이야. 마치니의 글, L. 롤랭의 48년 2월~6월의 유명한 영웅적 행동, 그리고 루게 씨도 당연히 잊지 않을 걸세. 이들 이탈리아인, 폴란드인, 헝가리인에게 나는 현재의 모든 문제에 입을 다물라고 분명히 말할 걸세. 마치니와 그 위원회의 구걸 편지로 H를 역겹게 만든 속임수와 관련이 있고, 또한 개선될 여지가 없기 때문에, 나는 이놈들의 어리석음과 비열함을 그들의 맨얼굴로 보여주고 영국 차티스트들에게 대륙 민주주의의 신비를 폭로하려고 하네. 자세하게 논박하는 이 기고문이 언제나 다른 모든 토론보다 H에게 더 도움이 될 걸세. 유감스럽지만 자료가 별로 없다네."(1851년 2월 5일.)

"하니는 오늘 서론 격으로, 조금 장황하고, 여기저기서 격렬한 암시가 뿌리 내린 세 개의 기고문을 받을 걸세. 결정적인 것은 이것일세. 영국의 프롤레타리아트와 하니의 독자들을 위해 르드뤼와 그 위원회를 공격하려면 빌리히-바르텔[레미] 패거리와 그들을 최소한 일부라도 동일시하지 않고서는 거의 불가능하다는 사실이라네. 이들 패거리에게는 결국 몇몇 특별한 기고문을 헌정하는 것 외에는 전혀 호의를 베풀 것이 없다네. 이 처음 세 기고문은, 어떤 다른 목적보다도 하니를 올바른 궤도에 올려놓기 위해, 그의 신문에 내가 쓰려고 하는 많은 내용을 아직 아무것도 포함하지 않는다네. 그러나 넷째부터 아홉째 기고문까지는 르드뤼, 마치니, 루게 등을 가능한 한 직접 그리고 개인적으로 공격할 걸세."(1851년 2월 12일.)

"그러나 내일 하니에게 편지를 보내, 내가 보낸 초고를 인쇄하지 말라고 할 걸세. 나는 초고를 계속 쓸 수 없기도 하거니와 그 편지에서 관련된 이야기를 모두 그에게 자세하게 설명할 것이기 때문이지. 그 편지가 도움이 안 된다면, 하니 씨가 스스로 다시 올 때까지 이 문제를 전부 그대로 놔둬야만 한다네. 이에 대해서 곧 알 수 있을 걸세."(1851년 2월 13일.)

프리드리히 엥겔스
"2월 24일의 연례행사를 기념하여 런던 망명자위원회에 시민 L. -A. 블랑키가 보낸 축사" 영어 번역

집필 시기: 1851년 3월 4/5일경.
출처: 엥겔스, 《더 타임스》 편집자에게(G502쪽 22~25행).

"그러나 블랑 씨의 분노를 살 만한 이 특이한 문서에 대해 대중이 판단할 수 있도록 하기 위해 저는 전문 번역을 보내며 이것이 영국 대중의 관심을 끌게 되기를 희망합니다."

찾아보기

문헌 찾아보기

G1133

(각 문헌 뒤의 숫자는 대체로 MEGA 본문의 쪽수를 가리키지만, 일부는 해당 쪽의 MEGA 부속자료에 있다. — 옮긴이)

I. 마르크스와 엥겔스의 저작

1. 인쇄본

마르크스(Marx, Karl): 『철학의 빈곤. M. 프루동의 『빈곤의 철학』에 대한 답변』(Misère de la phliosophie. Réponse à la philosophie de la misère de M. Proudhon), 파리, 브뤼셀, 1847년. 354

___: 「1848년에서 1849년까지」(1848 bis 1849).《노이에 라이니셰 차이퉁. 정치-경제 평론》, 런던, 함부르크, 뉴욕, 1850년, 제1~4호. 223, 224, 237~250, 292, 315, 354, 465, 475

[마르크스:] (「6월 혁명Die Junirevolution」.)《노이에 라이니셰 차이퉁》, 쾰른, 제29호, 1848년 6월 29일. 136, 138, 139, 249

마르크스, 엥겔스(Engels, Friedrich): 「독일 공산당의 요구들」(Forderungen der Kommunistischen Partei in Deutschland). [파리, 1848년, 팸플릿.] 262, 300

[마르크스, 엥겔스:] 『공산당 선언』(Manifest der Kommunistischen Partei). 런던, 1848년. 254, 354, 445, 578, 605

___: [「1850년 3월 중앙본부가 동맹에 보낸 연설」(Ansprache der Zentralbehörde an den Bund, März 1850).] 336, 578, 579

마르크스(Charles, Marx), 엥겔스(Engels, Frederic): 「런던의 프로이센 스파이」(Prussian spies in London).《더 스펙테이터》, 런던, 제1146호, 1850년 6월 15일. 356

___: 「런던의 프로이센 스파이」. [《더 스펙테이터》의 재판.]《갈리냐니스 메신저》, 파리, 제11030호, 1850년 6월 18일, 오후판. 356

[마르크스, 엥겔스:] [서평:] 기조, 『영국 혁명은 왜 성공했는가? 영국 혁명사 논고』(Pourquoi la révolution d'Angleterre a-t-elle réussi? Discours sur l'histoire de la révolution d'Angleterre). 파리, 1850년.《노이에 라이니셰 차이퉁. 정치-경제 평론》, 런던, 함부르크, 뉴욕, 1850년, 제2호. 265

___: [서평:] 에밀 드 지라르댕, 『사회주의와 조세』(Le socialisme et l'impôt), 파리,

1850년.《노이에 라이니셰 차이퉁. 정치-경제 평론》, 런던, 함부르크, 뉴욕, 1850년, 제4호. 330
___:「평론」(Revue). (1850년 1월[/2월].)《노이에 라이니셰 차이퉁. 정치-경제 평론》, 런던, 함부르크, 뉴욕, 1850년, 제2호. 301, 461
엥겔스(Engels, Friedrich):「독일 제국헌법투쟁」(Die deutsche Reichsverfassungs-Campagne).《노이에 라이니셰 차이퉁. 정치-경제 평론》, 런던, 함부르크, 뉴욕. 1850년. 제1~3호. 224, 238, 355
___:「영국의 10시간 법」(Die englische Zehnstundenbill).《노이에 라이니셰 차이퉁. 정치-경제 평론》, 런던, 함부르크, 뉴욕. 1850년. 제4호. 223, 304
[엥겔스:]「독일에서 온 편지」(Letter from Germany)(우리의 통신원으로부터).《더 데모크라틱 리뷰》, 런던, 1850년 1월. 30~33
___: [「팔츠와 바덴의 봉기」(Die Erhebung in der Pfalz und in Baden).]《데어 보테 퓌어 슈타트 운트 란트》, 카이저슬라우테른, 제110호, 1849년 6월 3일. 75
___:「프랑스에서 온 편지」(Letter from France)(우리의 통신원으로부터).《더 데모크라틱 리뷰》, 런던, 1850년 1월. 24~29
___:「프랑스에서 온 편지」.《더 데모크라틱 리뷰》, 런던, 1850년 7월. 364

2. 초고

[마르크스, 엥겔스:] [「위대한 망명자들」(Die großen Männer des Exils), 1852년.] 492

II. 다른 저자의 저작

괴테(Goethe, Johann Wolfgang von):『빌헬름 마이스터의 수업시대』(Wilhelm Meisters Lehrjahre). 201
구쇼(Goudchaux, Michel):「[이자의 만기 전 지불] 중단. 파리, 1848년 3월 4일」(Arrête [sur le payment du semestre des rentes]. Paris, le 4 mars 1848).《르 모니퇴르 위니베르셀》, 파리, 제64호, 1848년 3월 4일. 130
기조(Guizot, François-Pierre-Guillaume):『영국 혁명은 왜 성공했는가? 영국 혁명사 논고』(Pourquoi la révolution d'Angleterre a-t-elle réussi? Discours sur l'histoire de la révolution d'Angleterre), 파리, 1850년. 205~210, 265

[나폴레옹 1세(Napoleon 1er)]:「스페인의 군대 진지에 대한 통첩」(Note sur la position actuelle de l'armée en Espagne), 바욘, 1808년 7월 21일. 윌리엄 프랜시스 패트릭 네이피어(William Francis Patrick Napier),『프랑스 반도와 남부에서의 전쟁사, 1807년에서 1814년까지』(History of the war in the Peninsula and in the south of France, from the year 1807 to the year 1814), 저자의 개정 신판, 제1권, 런던, 1853년. 515

다우머(Daumer, Georg Friedrich): 『기독교 고대의 비밀』(Die Geheimnisse des christlichen Alterthums), 제1~2권, 함부르크, 1847년. 199

___: 『마호메트와 그의 작품. 동방 시가 모음집』(Mahomed und sein Werk. Eine Sammlung orientalischer Gedichte), 함부르크, 1848년. 199

___: 『먼 조상의, 법적인, 정통의, 민족의식으로서 고대 히브리의 성화 예배와 몰록 예배, 역사적-비판적 증명』(Der Feuer- und Molochdienst der alten Hebräer als urväterlicher, legaler, orthodoxer Cultus der Nation, historisch-kritisch nachgewiesen). 브라운슈바이크, 1842년. 199

___: 『새 시대의 종교. 종합적-잠언적 기초의 추구』(Die Religion des neuen Weltalters. Versuch einer combinatorisch-aphoristischen Grundlegung), 제1~3권, 함부르크, 1850년. 197~202

___: 『하피스. 페르시아 시가 모음집. 다양한 민족과 나라의 시적 재창 포함』(Hafis. Eine Sammlung persischer Gedichte. Nebst poetischen Zugaben aus verschiedenen Völkern und Ländern), 함부르크, 1846년. 199

[데스터(D'Ester, Karl):] 「라인팔츠 지방 조례. 카이저슬라우테른, 1849년 5월 26일」(Gemeinde-Ordnung für die Rheinpfalz. Kaiserslautern, den 26. Mai 1849). 라인팔츠《임시정부 관보 소식지》, 카이저슬라우테른, 제6호, 1849년 5월 27일. 73

도풀(Hautpoul, [Alphonse-Henri d']): [「지방 경찰국 회람」(Zirkular an die Gendarmerie. Ausz.).]《르 모니퇴르 위니베르셀》, 파리, 제346호, 1849년 12월 12일. 35, 188, 215

___: [「1850년 2월 16일 국민의회 연설」(Rede in der Assemblée nationale, 16. Februar 1850).]《르 모니퇴르 위니베르셀》, 파리, 제48호, 1850년 2월 17일. 193, 236, 327

뒤프라(Duprat, Pascal): [「1850년 2월 16일 국민의회 연설」(Rede in der Assemblée nationale, 16. Februar 1850).]《르 모니퇴르 위니베르셀》, 파리, 제48호, 1850년 2월 17일. 235

드 라 오드(De la Hodde, Lucien): 『1848년 2월 공화정의 탄생』(La naissance de la République en Février 1848). 파리, 1850. 275~277, 280, 284, 287~289

디즈레일리(Disraeli, [Benjamin]): [「1848년 8월 30일 하원 연설」(Rede im House of Commons, 30. August 1848).] 『영국 의회 의사록』(Hansard's parliamentary debates), 제4편, 제101권, 런던, 1848년. 453

디킨스(Dickens, Charles): 『마틴 처즐윗』(Martin Chuzzlewit). 266

라로슈자클랭(Larochejaquelein, [Henri-Auguste-Georges de]): [「1848년 2월 24일 하원 연설」(Rede in der Chambre des Députés, 24. Februar 1848).]《르 모니퇴르 위니베르셀》,

파리, 제56호, 1848년 2월 25일. 125, 128

라마르틴(Lamartine, [Alphonse-Marie-Louis de]): [「1848년 2월 24일 하원 연설」(Rede in der Chambre des Députés, 24. Februar 1848).]《르 모니퇴르 위니베르셀》, 파리, 제56호, 1848년 2월 25일. 124, 128, 241, 243

루게(R[uge], A[rnold]): (「마르크스와 엥겔스Marx und Engels」).《브레머 타게스-크로니크. 민주주의 기관지. 북독일 석간신문》, 제474호, 1851년 1월 17일. 491

루에르(Rouher, Eugène): [「1850년 7월 8일 국민의회 연설」(Rede in der Assemblée nationale, 8. Juli 1850).]《르 모니퇴르 위니베르셀》, 파리, 제190호, 1850년 7월 9일. 474

루터(Luther, Martin): 「독일 민족의 기독교 귀족들에게: 신분이 개선된 기독교인에 관하여」(An den Christlichen Adel deutscher Nation: von des Christlichen standes besserung), [비텐베르크, 1520년.] 384

___: 「반란의 악령에 반대하여 작센의 선제후에게 보낸 편지」(Eyn brieff an die Fürsten zu Sachsen von dem auffrürischen geyst), 비텐베르크, 1524년. 391

___: 「슈바벤의 12개 조항의 강화(講和)에 대한 경고. 또한 살상과 약탈을 일삼는 농민 패거리에 반대하여」(Ermanunge zum fride auff die zwelff artickel der Bawrschafft ynn Schwaben. Auch widder die reubischen vnd mördisschen rotten der andern bawren), 치머만, 『위대한 농민전쟁의 일반 역사』, 제3부, 슈투트가르트, 1843년에서 인용. 385

___: [「1525년 2월 4일 요한 브리스만에게 보낸 편지」(Brief an Johann Brießmann, 4. Februar 1525).] 치머만, 『위대한 농민전쟁의 일반 역사』, 제2부, 슈투트가르트, 1842년에서 인용. 392

___: [「1525년 5월 30일 요한 뤼엘에게 보낸 편지」(Brief an Johann Rühel, 30. Mai 1525).] 치머만, 『위대한 농민전쟁의 일반 역사』, 제3부, 슈투트가르트, 1843년에서 인용. 386

[뤼닝(Lüning, Otto):] 「카를 마르크스의 《노이에 라이니셰 차이퉁. 정치-경제 평론》 [에 대한 서평]」([Rezension zu:] Neue Rheinische Zeitung, politische-ökonomische Revue von Karl Marx).《노이에 도이체 차이퉁》, 프랑크푸르트, 제148호, 1850년 6월 22일. 354, 355

르드뤼-롤랭(Lẹdru-Rollin, Alexandre-Auguste): [「1849년 6월 11일 국민의회 연설」(Rede in der Assemblée nationale, 11. Juni 1849).]《르 모니퇴르 위니베르셀》, 파리, 제163호, 1849년 6월 12일. 168, 169, 171

르사주(Lesage, Alain-René): 『질 블라스 이야기』(Histoire de Gil Blas de Santillane). 280

마치니(Mazzini, Joseph): 「이탈리아 국민위원회[의 선언]. [발췌]」([Manifest des] Comité national Italien. [Ausz.]).《레벤망》, 파리, 1850년 10월 23일. 470

메나르(Ménard, Louis): 「다리들」(Jambes).《노이에 라이니셰 차이퉁. 정치-경제 평론》,

런던, 함부르크, 뉴욕, 1850. 제4호. 264
___: 『혁명의 서곡, 1848년 2월에서 6월까지』(Prologue d'une révolution, Fevrier—juin. —1848), 파리, 1849년. 264
멜란히톤(Melanchthon, Philipp): 「아우크스부르크 신앙 고백」(Augsburger Konfession). 384
모차르트(Mozart, Wolfgang Amadeus): 「돈 조반니」(Don Giovanni). 오페라. 로렌초 다폰테(Lorenzo Daponte)의 가사. 487
___: 「마술 피리」(Die Zauberflöte). 오페라. 에마누엘 시카네더(Emmanuel Schikaneder)의 가사. 271
몽탈랑베르(Montalembert, [Charles de]): [「1849년 12월 13일 국민의회 연설」(Rede in der Assemblée, 13. Dezember 1849).] 《르 모니퇴르 위니베르셀》, 파리, 제348호, 1849년 12월 14일. 183, 184
뮌처(Müntzer, Thomas): 「기독교의 비참하고 가련한 운명을 기록한 누가복음의 증언을 통해 본 불경한 세계라는 잘못된 신앙에 대한 명백한 탈취. 에스겔 8장. 인자야, 불경스럽게도 신을 그림 속의 난쟁이로 만들어버린 위인들이 누구인지 모든 세계가 보고 알 수 있도록 구멍을 더 뚫으라. 예레미야 23장. 망치를 든 토마스 뮌처」(Außgetrückte emplössung des falschen Glaubens der vngetrewen welt durchs gezeügnus des Euangelions Luce vorgetragen der elenden erbermlichen Christenheyt zur innerung jres irsals. Ezechie am 8. Cap. Lieben gesellen last vns auch das loch weytter machen auff das alle wellt sehen vnnd greyffen müg wer vnser grosse Hansen sind die Got also lesterlich zum gemalten mendleyn gemacht haben. Jere am 23. Cap. Thomas Muntzer mit dem hammer). 치머만, 『위대한 농민전쟁의 일반 역사』, 제2부, 슈투트가르트, 1842년에서 인용. 390, 391
___: 「성서를 도둑질해 나쁜 길로 인도함으로써 가련한 기독교를 완전히 비참하게 모독한 비텐베르크에서 우둔하고 편안하게 살고 있는 고깃덩어리에 맞선 매우 고귀한 변호와 대답」(Hoch verursachte Schutzrede vnd antwwort wider das Gaistloße Sanfft lebende fleysch zu Wittenberg welches mit verkärter weyße durch den Diepstal der heiligen schrift die erbermdliche Christenhelt also gatz jämerlichen besudelt hat). 치머만, 『위대한 농민전쟁의 일반 역사』, 제2부, 슈투트가르트, 1842년에서 인용. 390, 392
___: [『프라하 선언』(Prager Proklamation).] 387
___: [「1522년 3월 27일 필리프 멜란히톤에게 보낸 편지」(Brief an Philipp Melanchthon, 27. März 1522).] 치머만, 『위대한 농민전쟁의 일반 역사』, 제2부, 슈투트가르트, 1842년에서 인용. 391
___: [「1524년 7월 13일 알슈테트 성에서 이뤄진 제후에 대한 설교」(Fürstenpredigt am 13. Juli 1524 im Schloß zu Allstedt).] 치머만, 『위대한 농민전쟁의 일반 역사』, 제2부, 슈투트가르트, 1842년에서 인용. 387, 390

미에로스와프스키(Mieroslawski, Louis): 『바덴의 투쟁에 관한 … 보고서』(Rapports … sur la Campagne de Bade), 베른, 1849년. 87, 88, 99

바라귀에 딜리에(Baraguay d'Hilliers, [Achille]): [「1849년 6월 27일 국민의회 연설」(Rede in der Assemblée nationale, 27. Juni 1849).] 《르 모니퇴르 위니베르셀》, 파리, 제179호, 1849년 6월 28일. 175

___: [「1849년 7월 7일 국민의회 연설」(Rede in der Assemblée Nationale, 7. Juli 1849).] 《르 모니퇴르 위니베르셀》, 파리, 제189호, 1849년 7월 8일. 175

바로(Barrot, Odilon): [「1849년 1월 12일 국민의회 연설」(Rede in der Assemblée Nationale, 12. Januar 1849).] 《르 모니퇴르 위니베르셀》, 파리, 제13호, 1849년 1월 13일. 155

바르텔레미(Barthélemy, de): [1850년 8월 30일 비스바덴 선언 발췌(Wiesbadener Manifest, 30. August 1850. Ausz.)] →「정통 왕조파 음모의 폭로」

베리예(Berryer, [Pierre-Antoine]): [「1849년 10월 24일 국민의회 연설」(Rede in der Assemblée Nationale, 24. Oktober 1849).] 《르 모니퇴르 위니베르셀》, 파리, 제298호, 1849년 10월 25일. 179

보나파르트(Bonaparte, Louis-Napoléon): 「공화국 대통령이 1849년 5월 8일 우디노 장군에게 보낸 편지. 엘리제 궁, 1849년 5월 8일」(Lettre du président de la République au général Oudinot. Elysée-National, 8 mai 1849). 《르 푀플. 민주사회 공화주의 신문》, 파리, 제172호, 1849년 5월 10일. 162

___: 「공화국 대통령이 로마 주재 통신장교 에드가르 네 중령에게 보낸 편지. 엘리제 궁, 1849년 8월 18일」(Lettre adressée par le président de la République au lieutenant-colonel Edgard Ney, son officer d'ordonnance, à Rome. Elysée-National, le 18 août 1849). 《르 모니퇴르 위니베르셀》, 파리, 제250호, 1849년 9월 7일. 178

___: 「[내각의 사직과 임명에 관한 포고,] 1849년 10월 31일」([Décret sur la démission et nomination des ministres,] le 31 octobre 1849). 《르 모니퇴르 위니베르셀》, 특별 증보판, 파리, 제304호, 1849년 10월 31일. 180

___: 「디종 연설 …」(Le discours de Dijon …). 《르 나시오날》, 파리, 1851년 6월 4일. 547

___: 「프랑스 공화국 대통령이 입법의회에 보낸 메시지. [파리, 1849년 11월 1일]」(Message du président de la République française à l'Assemblée législative, [Paris, le 1er novembre 1849]). 《르 모니퇴르 위니베르셀》, 파리, 제305호, 1849년 11월 1일. 179, 189

보방(Vauban, Sébastien le Prestre de): 『왕실의 십일조 계획』(Projet de dîme royale). 184

보카치오(Boccaccio, Giovanni): 『데카메론』(Decamerone). 380

볼테르(Voltaire): 『앙리아드』(La Henriade). 177

[볼프(Wolff, Ferdinand):] 「나폴레옹이 후보자로 떠올랐을 때 … 파리 [통신], [1848년] 12월 18일」(Als die Kandidatur Napoleons auftauchte … [Korrespondenz aus:] Paris, 18. Dezember [1848]). 《노이에 라이니셰 차이퉁》, 쾰른, 제174호, 1848년 12월 21일. 150

___: 「우리는 실망할 필요가 없다 … 파리 [통신], [1848년] 12월 18일」(Wir haben uns nicht getäuscht: Die Wahl … [Korrespondenz aus:] Paris, den 18. Decb. [1848]). 《노이에 라이니셰 차이퉁》, 쾰른, 제174호, 1848년 12월 21일. 150

___: 「우리는 정말로 공화국의 기원에 대한 논의를 … 파리 [통신], [1848년] 8월 29일」(Wir machen wirklich wieder Halt am Ursprung … [Korrespondenz aus:] Paris, 29. Aug. [1848]). 《노이에 라이니셰 차이퉁》, 쾰른, 제91호, 1848년 9월 1일. 142, 143

___: 「프랑스인은 더욱 심각해졌다 … 파리 [통신], [1849년] 1월 7일」(Die Franzosen werden immer gründlicher … [Korrespondenz aus:] Paris, 7. Jan. [1849]). 《노이에 라이니셰 차이퉁》, 쾰른, 제191호, 1849년 1월 10일. 155

볼프(Wolff, Wilhelm): 「'제국에 대한' 회고」(Nachträgliches "aus dem Reich"). 《노이에 라이니셰 차이퉁. 정치-경제 평론》, 런던, 함부르크, 뉴욕, 1850년, 제4호. 224

부아기유베르(Boisguillebert, [Pierre]): 「부와 화폐 그리고 조세의 본질에 관한 논고」(Dissertation sur la nature des richesses, de l'argent et des tributs). 『18세기의 재정경제학자. 저자별 약력 그리고 외젠 데르의 논평과 설명적인 주 첨부』(Économistes financiers du XVIIIe siècle, Préc. de notices historiques sur chaque auteur, et accomp. de comm. et de notes explicatives, par Eugène Daire), 파리, 1843년. 184

___: 「프랑스 상론」(Le détail de la France). 『18세기의 재정경제학자. 저자별 약력 그리고 외젠 데르의 논평과 설명적인 주 첨부』, 파리, 1843년. 184

___: 「프랑스의 반론」(Factum de la France). 『18세기의 재정경제학자. 저자별 약력 그리고 외젠 데르의 논평과 설명적인 주 첨부』, 파리, 1843년. 184

브렌타노(Brentano, Lorenz Peter): 「1849년 5월 13일에서 6월 25일까지 혁명기 내각 성원들의 상태와 행동」(Die Lage und das Verhalten der Mitglieder der Ministerien während der Revolution vom 13. 5. bis 25. 6. 1849). 73

블랑(Blanc, Louis): 「《더 타임스》 편집자에게」(To the editor of the Times). 《더 타임스》, 런던, 제20748호, 1851년 3월 5일. 501, 502

블랑키(Blanqui, L[ouis]-A[uguste]): 「시민 L. -A. 블랑키가 2월 24일의 연례행사를 기념하여 런던 망명자위원회에 보낸 축사」(Toste envoyé par le citoyen L. -A. Blanqui à la commission près les réfugiés de Londres, pour le banquet anniversaire du 24 février). 《라 파트리. 상업 신문》, 파리, 제58호, 1851년 2월 27일. 498~501

블린트(Blind, [Karl]): 「바덴의 오스트리아 및 프로이센 정당들」(Oesterreichische und preußische Parteien in Baden). 《노이에 라이니셰 차이퉁. 정치-경제 평론》, 런던, 함부르크, 뉴욕. 1850년, 제1호. 238

비달(Vidal, François): 『부의 분배에 관하여 혹은 사회적 경제의 분배적 정의. 경제학자나 사회학자가 제시한 이론에 대한 비판적 검토를 포함하고 있는 저서』(De la répartition des richesses, ou de la justice distributive en économie sociale; ouvrage contenant l'examen critique des théories exposées soit par les économistes, soit par les sociallstes), 파리, 1846년. 193

빌란트(Wieland, Christoph Martin): 『오베론』(Oberon). 331

샹가르니에(Changarnier, [Nicolas-Anne-Théodule]): 「보고. 파리, 1849년 6월 16일」(Rapport. Paris, le 16 juin 1849).《르 모니퇴르 위니베르셀》, 파리. 제171호, 1849년 6월 20일. 167

세귀르 다게소(Ségur d'Aguesseau, [Raymond-Joseph-Paul de]): [「1850년 3월 16일 국민의회 연설」(Rede in der Assemblée nationale, 16. März 1850).]《르 모니퇴르 위니베르셀》, 파리, 제76호, 1850년 3월 17일. 194

세르반테스(Cervantes Saavedra, Miguel de): 『돈키호테』(Don Quijote). 469

셰뉘(Chenu, Adolphe): 『모반자들. 비밀 결사; 코시디에르 경찰 본부; 의용군』(Les conspirateurs. Les sociétés secrètes; la préfecture de police sous Caussidière; les corps-francs), 파리, 1850년. 275~281, 284~289

셰익스피어(Shakespeare, William): 『윈저의 즐거운 아낙네들』(Die lustigen Weiber von Windsor). 87

___: 『헨리 4세』(König Heinrich IV). 87

쉬(Sue, Eugène): 『파리의 비밀』(Les mystères de Paris). 189

슈나이데(Sznayde, [Franz]): 「일일 명령. 제1-14호」(Tagesbefehl, Nr. 1-14). 라인팔츠《임시정부 관보 소식지》, 카이저슬라우테른, 제8호, 1849년 5월 31일; 제10호, 1849년 6월 4일; 제11호, 1849년 6월 9일. 78

슈트로타(Strotha, Karl Adolf von): 건의서(Denkschrift) →「법률 초안 …」(Der Entwurf des Gesetzes …)

슈트루베(Struve, Gustav): 『독일 민족의 기본법』(Die Grundrechte des deutschen Volkes), 브리스펠덴, 1848년. 62

___: 『세 번의 바덴 인민봉기의 역사』(Geschichte der drei Volkserhebungen in Baden), 베른, 1849년. 64, 65, 101~103, 113~115

슈티르너(Stirner, Max): 『유일자와 그의 소유』(Der Einzige und sein Eigenthum), 라이프치히, 1845년. 331, 507

스미스(Smith, Adam): 『국부의 성질과 원인에 대한 연구』(An inquiry into the nature and causes of the wealth of nations). 『영국과 미국』의 저자[에드워드 기번 웨이크필드]의 논평과 함께, 6권[정확히는 4권] 중 1~4권. 런던, 1835~39년. 503

스턴(Sterne, Laurence): 『트리스트럼 섄디의 생애와 의견』(The life and opinions of

Tristram Shandy). 151, 152
시스몽디(Sismondi, Jean-Charles-Léonard Simonde de): 『신경제학 원리, 혹은 인구의 관점에서 바라본 부의 고찰』(Nouveaux principes d'économie politique, ou de la richesse dans ses rapports avec la population), 제2판, 1~2부, 파리, 1827년. 503
실러(Schiller, Friedrich von): 『종의 노래』(Das Lied von der Glocke). 198

아른트(Arndt, Ernst Moritz): 「독일인의 조국」(Des Teutschen Vaterland). 212
아리오스토(Ariosto, Lodovico): 『광란의 오를란도』(Der rasende Rolando). 133, 155
에번스(Evans, David Morie): 『1847~1848년의 상업 공황 … 부록: 가장 중요한 주택과 관련된 영국과 외국의 거래 실패의 알파벳 목록 및 대차대조표 포함』(The Commercial crisis 1847~1848… To which is added; an app., containing an alphabetical list of the English and Foreign mercantile failures, with the balance sheets and statements, of the most important houses), 런던, 1848년. 454
에스탕셀랭(Estancelin, [Louis-Charles-Alexandre]): [「1849년 6월 19일 국민의회 연설」(Rede in der Assemblée nationalle, 19. Juni 1849).] 《르 모니퇴르 위니베르셀》, 파리, 제171호, 1849년 6월 20일. 175
에카리우스(Eccarius, J[ohann] G[eorg]): 「런던의 재봉업 혹은 대자본과 소자본의 투쟁」(Die Schneiderei in London oder der Kampf des großen und des kleinen Capitals). 《노이에 라이니셰 차이퉁. 정치-경제 평론》, 런던, 함부르크, 뉴욕, 1850년. 제5/6호. 446
에커만(Eckermann, Johann Peter): 『말년의 괴테와의 대화: 1823~1832』(Gespräche mit Goethe in den letzten jahren seines Lebens: 1823~1832), 제1~3부, 라이프치히, 마그데부르크, 1836~48년. 201
오비디우스(Ovidius Naso, Publius): 『트리스티아』(Tristia). 502
위고(Hugo, Victor): 『성주들』(Die Burggrafen), 3부작. 473
___: [「1849년 10월 20일 국민의회 연설」(Rede in der Assemblée nationale, 20. Oktober 1849).] 《르 모니퇴르 위니베르셀》, 파리, 제294호, 1849년 10월 21일. 178

제임스(J[ames], C[harles]): 「웨스트민스터 성직자의 기념사에 대한 런던 주교의 응답」(Reply of the bishop of London to the memorial from the Westminster clergy). 《더 타임스》, 런던, 제20632호, 1850년 10월 29일. 470
[지겔(Siegel, Franz):] 「침략 계획」(Ein Invasionsprojekt). 《슈바이처리셰 나치오날-차이퉁》, 바젤, 제44호, 1850년 2월 21일. 221~223
지라르댕(Girardin, Émile de): 『사회주의와 조세』(Le Socialisme et l'impôt), 파리, 1849년. 지라르댕, Les 52. XIII. 290~300
___: [「1850년 7월 8일 국민의회 연설」(Rede in der Assemblée nationalle, 8. Juli 1850).] 《르 모니퇴르 위니베르셀》, 제190호, 1850년 7월 9일. 474

지몬(Simon, Ludwig): 『모든 제국헌법 투사를 위한 변론 한마디. 독일 배심원들에게』(Ein Wort des Rechts für alle Reichsverfassungs-Kämpfer, an die deutschen Geschwornen), 프랑크푸르트, 1849년. 202
___: [「1849년 4월 11일 프랑크푸르트 국민의회 연설」(Rede in der Frankfurter Nationalversammlung, 11. April 1849).] 《노이에 라이니셰 차이퉁》, 쾰른, 제271호, 1849년 4월 13일. 2판. 202~205

치머만(Zimmermann, Wilhelm): 『위대한 농민전쟁의 일반 역사』(Allgemeine Geschichte des großen Bauernkrieges), 제1~3부, 슈투트가르트, 1841~43년. 388~393, 395, 411, 414, 416

카롤리나 형법(Carolina) → 『카를 5세 황제와 신성로마제국의 형사 재판소와 형사 소송법』
카를리에(Carlier, P[ierre-Charles-Joseph]): 「경찰청장의 교서. 파리, 1849년 11월 10일」(Proclamation du préfet de police, Paris, le 10 novembre 1849). 《르 모니퇴르 위니베르셀》, 파리, 제315호, 1849년 11월 11일. 189
칸트(Kant, Immanuel): 『법이론』(Der Rechtslehre), 제2부 공법, 제1편 국법, 라이프치히, 1838년. (카를 로젠크란츠Karl Rosenkranz와 프리드리히 빌헬름 슈베르트Friedrich Wilhelm Schubert 편찬, 『전집Sämmtliche Werke』, 제9권.) 180

칼라일(Carlyle, Thomas): 『과거와 현재』(Past and present), 런던, [1843년]. 265
___: 『영웅, 영웅 숭배, 역사에서 영웅적인 것에 관하여. 여섯 강의. 수정과 보충을 한 보고』(On heroes, hero-worship, and the heroic in history. 6 lectures. Reported, with emendations and additions). 런던, 1841년. 266
___: 『올리버 크롬웰의 편지와 연설: 해설과 함께』(Oliver Cromwell's letters and speeches: with elucidations), 제1~2권, 런던, 1845년. 265, 266
___: 『차티스트 운동』(Chartism), 런던, 1840년. 265
___: 『프랑스 혁명: 하나의 역사』(The French Revolution: a history), 제1~3권, 런던, 1837년. 265
___: 『당대 논설』(Latter-day pamphlets), 런던, 1850년. 265~275
제1권: 『현재』. 2월. 265~270, 272~275
제2권: 『모범 감옥』. 3월. 265, 271, 275
쿠퍼(Cooper, James Fenimore): 『스파이』(Der Spion). 276, 279
크니게(Knigge, Adolph von): 『사람들과의 교제에 관하여』(Über den Umgang mit Menschen). 200
클롭슈토크(Klopstock, Friedrich Gottlieb): 「편재하는 것」(Dem Allgegenwärtigen). 『송가』

(Oden). 201
킹켈(Kinkel, Gottfried): 「1849년 8월 4일 라슈타트의 프로이센 군사법원 앞에서의 … 변론」(Vertheidigungsrede … vor dem preußischen Kriegsgericht zu Rastatt). 《아벤트-포스트. 데모크라티셰 차이퉁》, 베를린, 제78호, 1850년 4월 6일; 제79호, 1850년 4월 7일. 318~320

투크(Tooke, Thomas): 『물가와 통화 상태의 역사. 1839년~1847년: 통화 문제의 전반적 평가와 조항 7 8, 8 Vict. c. 32의 작용에 관한 논평을 포함. 1793~1838년 물가의 역사 계속』(A history of prices, and of the state of the circulation, from 1839 to 1847 inclusive: with a general review of the currency question, and remarks on the operation of the act 7 8, 8 Vict. c. 32. Being a continuation of the history of prices from 1793 to 1839), [제4권] 런던, 1848년. 450, 453
___: 『통화 원리에 대한 연구: 통화와 가격의 관련, 발권 업무를 은행부에서 분리함으로써 얻는 이익』(An inquiry into the currency principle; the connection of the currency with prices, and the expediency of a separation of issue from banking), 제2판, 런던, 1844년. 503
티에르(Thiers, [Louis-Adophe]): [「1850년 2월 23일 국민의회 연설」(Rede in der Assemblée nationale, 23. Februar 1850).] 《르 모니퇴르 위니베르셀》, 파리, 제55호, 1850년 2월 24일. 180

파머스턴(Palmerston, [Henry John Temple]): [「1850년 6월 25일 하원 연설」(Rede im House of Commons, 25. Juni 1850).] 《더 타임스》, 런던, 제20525호, 1850년 6월 26일. 468
포셰(Faucher, Léon): [「결사권에 관한 입법안. 발췌」(Gesetzentwurf über das Assoziationsrecht. Ausz.).] 《노이에 라이니셰 차이퉁》, 쾰른, 제207호, 1849년 1월 28일, 2판. 157, 159
푸리에(Fourier, Charles): 「세 개의 외부의 단위에 관한 절」(Section ébauchée des trois unités externes). 《라 팔랑주. 사회과학 평론》 14년도, 1계열, 1호, 파리 1845년. 286
___: 『국내 농업 협회 규약』(Traité de l'association domestique-agricole), 1~2권, 파리, 1822년. 286
___: 『네 가지 운동 및 일반적인 지향에 관한 이론. 발견의 전망과 공표』(Théorie des quatre mouvements et des destinées générales. Prospectus et annonce de la découverte), 제2판, 파리, 1841년. (전집Œuvres complètes, 제1권.) 286
___: 『보편적 단위 이론』(Théorie de l'unité universelle), 제1~4권, 제2판, 파리, 1841~1843년. (전집Œuvres complètes, 제2~5권) 286
___: 『파편화되고 협오스럽고 기만적인 거짓 산업과 해독제, 4배의 생산량을 가져다

주는 결합되고 매력 있는 진정한 자연 산업』(La fausse industrie morcelée, répugnante, mensongère, et l'antidote, l'industrie naturelle, combinée, attraynate, véridique, donnent quadruple produit), 파리, 1835~1836년. 286

프루동(Proudhon, Pierre-Joseph): 『경제적 모순의 체계 혹은 빈곤의 철학』(Système des contradictions économique, ou philosophie de la misère), 제1~2부, 파리, 1846년. 503, 625

프리드리히 빌헬름 [4세](Friedrich Wilhelm [IV]): (「동기를 포함한 1848년 12월 5일의 헌법 개정과 보충에 관한 폐하의 교서Allerhöchste Botschaft in Betreff der vorgeschlagenen Abänderungen und Ergänzungen der Verfassung vom 5. Dezember 1848 nebst Motiven」.) 《프로이센 관보》, 베를린, 제10호, 1850년 1월 10일. 32, 211

___: (「프로이센 국왕 전하 군령, [1849년 7월 28일]Armeebefehl Sr. Majestät des Königs von Preußen, [28. Juli 1849]」.) 《프로이센 관보》, 베를린, 제215호, 1849년 8월 8일. 88

___: 「1849년 1월 1일 군령」(Armee-Befehl. 1. Januar 1849). 《노이에 프로이시셰 차이퉁》, 베를린, 제1호, 1849년 1월 3일. 88

[프리드리히 빌헬름 4세(Friedrich Wilhelm IV.):] (「개원 연설Thronrede」.) 《알게마이네 프로이시셰 차이퉁》, 베를린, 제101호, 1847년 4월 12일. 90, 231

___: [「프랑크푸르트 국민의회 대표단에 한 대답」(Antwort an eine Abordnung der Frankfurter Nationalversammlung).] 《칙허 정치 및 학술 분야 베를린 신문》(Königlich Privilegirte Berlinische Zeitung von Staats- und gelehrten Sachen), 제80호, 1849년 4월 4일. 482

___: [「1850년 2월 6일 양원 연설」(Ansprache an die versammelten Kammern, 6. Februar 1850).] 《프로이센 관보》, 베를린, 제37호, 1850년 2월 7일, 관보 발췌문. 220, 231

플라톤(Plato): 『국가』(Politeia). 147

피우스 9세(Pius IX): 「친애하는 신자들에게. [나폴리, 1849년 9월 12일]」(A ses bien-aimés sujets. [Naples, le 12 septembre 1849]). 《르 모니퇴르 위니베르셀》, 파리, 제271호, 1849년 9월 28일. 178

하딩(Hardinge, Henry): [「1834년 4월 28일 하원 연설」(Rede im House of Commons, 28. April 1834).] 『영국 의회 의사록』, 제3편, 제23권, 런던, 1834년. 597

하이네(Heine, Heinrich): 『아타 트롤. 한 여름밤의 꿈』(Atta Troll. Ein Sommernachtstraum). 67

하인첸(Heinzen, Karl): 「살인」(Der Mord). 《디 -에볼루치온》, 부록, 제4호, 1849년 1월 26일. 67

___: 「혁명의 교훈」(Lehren der Revolution). 《도이체 런더너 차이퉁. 정치, 문학, 예술 분야 신문》, 제241호, 1849년 11월 9일; 제242호, 1849년 11월 16일. 13

헤르베크(Herwegh, Georg): 「산에서」(Aus den Bergen). 『살아 있는 자의 시』(Gedichte eines Lebendigen). 178
호라티우스(Horatius Flaccus, Quintus): 『시학』(De arte poetica). 172
호메로스(Homeros): 『일리아드』(Ilias). 78, 212

「개구리와 쥐의 전쟁」(Froschmäuslerkrieg)(원제: Batrachomyomachia). 212
「거대한 사회-민주주의 정당은 … 브레슬라우 [통신], [1850년] 1월 11일」(Die hiesige sozial-demokratische Partei … [Korrespondenz aus:] Breslau, 11. Januar [1850]). 《베스트 도이체 차이퉁》, 쾰른, 제14호, 1850년 1월 17일. 259
「결국 가면은 …」(Enfin le masque …). 《라 부아 뒤 푀플》, 파리, 제167호, 1850년 3월 18일. 194
「경찰」(Police). 《더 타임스》, 런던, 제20497호, 1850년 5월 24일. 328
「계엄법. 파리, 1849년 8월 9일」(Loi sur l'état de siége. Paris, le 9 août 1849). 《르 모니퇴르 위니베르셀》. 파리. 제224호, 1849년 8월 12일. 174, 536
「고시. 카이저슬라우테른, 1849년 6월 2일」(Bekanntmachung. Kaiserslautern, den 2. Juni 1849). 라인팔츠《임시정부 관보 소식지》, 카이저슬라우테른, 제6호, 1849년 5월 27일. 76
「교사에 관한 법률. 파리, 1850년 1월 11일」(Loi relative aux instituteurs communaux. Paris, le 11 janvier 1850). 《르 모니퇴르 위니베르셀》, 파리, 제15호, 1850년 1월 15일. 35, 188, 215
「교육법. 파리, 1850년 1월 19일, 2월 26일, 3월 15일」(Loi sur l'enseignement. Paris, les 19 janvier, 26 février et 15 mars 1850). 《르 모니퇴르 위니베르셀》, 파리, 제86호, 1850년 3월 27일. 188, 189, 193, 194, 215, 540
[「국기에 관한 선언. 파리, 1848년 2월 26일」(Déclaration sur le drapeau national. Paris, le 26 février 1848).] 《르 모니퇴르 위니베르셀》, 파리, 제58호, 1848년 2월 27일. 127
「국민방위군의 1차 징집과 관련한 2차 징집의 무기 지급에 관한 포고령. 카이저슬라우테른, 1849년 5월 27일」(Decret. Die Abgabe der Waffen des zweiten Aufgebots der Volkswehr an das erste betreffend. Kaiserslautern, den 27. Mai 1849). 라인팔츠《임시정부 관보 소식지》, 제6호, 1849년 5월 27일. 76
「국민의회, 판정하다 … [조항], 파리, [1850년] 7월 18일」(L'Assemblée nationale, jugeant … [Artikel:] Paris, 18 juillet [1850]). 《르 푸부아르》, 파리, 제199호, 1850년 7월 19일. 477
「국민의회에 상정된 헌법 초안. [파리, 1848년 6월 19일]」(Projet de constitution présenté à l'Assemblée nationale. [Paris, le 19 juin 1848]). 《르 모니퇴르 위니베르셀》, 파리, 제172호, 1848년 6월 20일. 147, 535
「국민의회에서 …」(In the National Assembly …). 《더 타임스》, 런던, 제20433호, 1850년

3월 11일. 301

「국민의회의 의사 규칙 초안」(Projet de règlement de l'Assemblée nationale).《르 모니퇴르 위니베르셀》, 파리, 제176호, 1849년 6월 25일. 173, 541

「국민의회의 점진적 약화」(Affaiblissement graduel de l'Assembleée nationale).《르 푸부아르. 12월 10일의 신문》, 파리, 제195호, 1850년 7월 15일. 365, 476

「국왕 시해. 베를린 [통신], 1850년 5월 24일」(Der Königsmord. [Korrespondenz aus:] Berlin, den 24. Mai 1850).《노이에 프로이시셰 차이퉁》, 베를린, 제117호, 1850년 5월 25일. 347, 349

「국왕 폐하의 로마 가톨릭 신민을 구제하기 위한 법령」(An Act for the relief of His Majesty's Roman Catholic subjects), 1829년 4월 13일.『대영제국과 아일랜드의 법령』, 런던, 1829년. 469

「그냥 넘어갑시다 … 파리 [통신], [1848년] 8월 27일」(Nous laissons naturellement … [Korrespondenz aus:] Paris, 27 août [1848]).《주르날 데 데바. 정치, 문예 분야》, 파리, 1848년 8월 28일. 142, 143

「그저께, 상인위원회 …」(Avant-hier, le comité des commerçans …).《라 부아 뒤 푀플》, 파리, 제166호, 1850년 3월 17일. 194

「극장 경찰에 관한 법률. 파리, 1850년 7월 30일」(Loi sur la police des theâtres. Paris, le 30 juillet 1850).《르 모니퇴르 위니베르셀》, 파리, 제214호, 1850년 8월 2일. 539

「급행 전보를 받았다 … 파리 [통신], … [1850년] 3월 13일」(Telegraphic despatches received … [Korrespondenz aus:] Pars, … March 13, [1850]).《더 타임스》, 런던, 제20436호, 1850년 3월 14일. 301

『나폴레옹 법전』(Code Napoléon). 41

(「내각에 반대하는 공소장.—산악당과 프루동주의자들의 화해Der Anklageakt gegen das Ministerium.—Die Aussöhnung der Montagnards und Proudhonisten」.)《노이에 라이니셰 차이퉁》, 쾰른, 제209호, 1849년 1월 31일. 156, 157

「내각의 변동 … 파리 [통신], … 3월 15일」(The modification of the Cabinet … [Korrespondenz aus:] Paris, … March 15).《더 타임스》, 런던, 제20438호, 1850년 3월 16일. 301

「[네 종류의 직접세에 대해 1프랑당 45상팀의 부가세를 부과하는] 포고령. [파리] 1848년 3월 16일」(Décret [sur la perception temporaire de quarante-cinq centimes du totaI des rôles des quatre contribution directes. Paris], le 16 mars 1848).《르 모니퇴르 위니베르셀》, 파리, 제77호, 1848년 3월 17일. 131, 188, 499

「[노동시간 단축에 대한 법령.] 파리, 1848년 3월 2일」([Décret sur la diminution de la journée de travail.] Paris, le 2 mars 1848).《르 모니퇴르 위니베르셀》, 파리, 제63호, 1848년 3월 3일. 143

「[노동자의 노동을 통한 생존 보장 명령.] 파리, 1848년 2월 25일」([Décret pour garantir l'existence de l'ouvrier par le travail.] Paris, le 25 février 1848).《르 모니퇴르 위니베르셀》, 파리, 제57호, 1848년 2월 26일. 125

「높은 금괴 가격의 원인을 조사하기 위해 임명된 선출 위원회로부터, 증거와 설명을 포함한 보고서」(Report, together with minutes of evidence, and accounts, from the select committee appointed to inquire into the cause of the hight price of gold bullion). 하원의 명령으로 1810년 6월 8일 인쇄. 런던, 1810년. 503

「[뇌마예 장군의 전출에 대한 명령. 파리,] 1850년 10월 29일」([Décret sur la déplacement du général Neumayer. Paris,] le 29 octobre 1850).《르 모니퇴르 위니베르셀》, 파리, 제303호, 1850년 10월 30일. 480

「대도시 안과 근교의 치안 개선을 위한 법령」(An Act for improving the police in and near the metropolis), 1829년 6월 19일.『대영제국과 아일랜드의 법령』, 런던, 1829년. 469

『대영제국과 아일랜드의 법령』(The Statutes of the United Kingdom of Great Britain and Ireland), 런던. 343, 344, 346, 356, 464, 459, 469

「대중 집회에 관한 법률. 파리, 1848년 6월 7일」(Loi sur les attroupements. Paris, le 7 juin 1848).《르 모니퇴르 위니베르셀》, 파리, 제161호, 1848년 6월 9일. 137

[「라인 지역 시 참사회 대표자 회의 결정」(Beschluß des Kongresses der Deputierten der rheinischen Gemeinderäte).]《쾰니셰 차이퉁》, 제110호, 1849년 5월 9일, 2판. 44, 45

「런던에서 온 편지 … [기고문:] 런던, 1850년 1월 23일」(Lettres de Londres … [Artikel:] Londres, 23 janvier 1850).《라상블레 나시오날》, 파리, 제23호, 1850년 1월 25일. 193, 216

「[리처드] 코브던 씨와 러시아 부채」(Cobden, [Richard] Mr., and the Russian loan).《더 타임스》, 런던. 제20390호, 1850년 1월 19일. 32, 33

「마르크스와 엥겔스의 「런던의 프로이센 스파이」[가 실린《더 스펙테이터》재판에 대한《갈리냐니스 메신저》의 편집자 논평]」([Redaktionelle Bemerkung der Zeitung "Galignani's Messenger" zum Nachdruck aus "The Spectator" von:] Charles Marx, Frederic Engels: Prussian spies in London).《갈리냐니스 메신저》, 파리, 제11030호, 1850년 6월 18일. 오후판. 356

「무역 회장(回章)의 정신」(Spirit of the trade circulars).《디 이코노미스트》, 런던, 제366호, 1850년 8월 31일. 464

「무역과 항해 보고서. 8개월간—1월 5일부터 9월 5일까지」(Trade and navigation returns. Eight month—January 5 to September 5).《디 이코노미스트》, 런던, 제372호, 1850년 10월 12일. 455

「미국의 노예제」(Slavery in the United States).《디 이코노미스트》, 런던, 제369호, 1850년 9월 21일. 459

「바덴의 영방위원회와 라인팔츠 임시정부 사이의 협약. 카를스루에, 1849년 5월 17일」(Vertrag zwischen dem Landesausschuß von Baden und der provisorischen Regierung von Rheinpfalz. Karlsruhe, den 17. Mai 1849).《카를스루어 차이퉁. 영방위원회 기관지》, 제15호, 1849년 5월 31일. 68

「배심원 구성에 관한 법령. 파리, 1848년 8월 7일」(Décret relatif à la composition du jury. Paris, le 7 août 1848).《르 모니퇴르 위니베르셀》. 파리. 제224호, 1848년 8월 11일. 143, 544

「법률 초안 … 베를린 [통신], [1850년] 2월 15일」(Der Entwurf des Gesetzes … [Korrespondenz aus:] Berlin, 15. Februar [1850]).《노이에 프로이시셰 차이퉁》, 베를린, 제39호, 1850년 2월 17일. 221

「[브렌타노 정부의 성명] 카를스루에, [1849년] 6월 7일」([Erklärung der Regierung Brentano.] Karlsruhe, 7. Juni [1849]).《카를스루어 차이퉁. 임시정부 기관지》, 제23호, 1849년 6월 8일. 68

「사람들은 … 로 여기고 있다. 런던 [통신], [1850년] 5월 20일」(Man glaubt hier … [Korrespondenz aus:] London, 20. Mai [1850]).《노이에 프로이시셰 차이퉁》, 베를린, 제116호, 1850년 5월 24일. 348

「산악당이 인민에게 드리는 보고」(Comte-rendu de la Montagne au peuple).《르 푀플 드 1850》, 파리, 제6호, 1850년 8월 11일. 475

「상업 개요. 금요일 밤」(Commercial epitome. Friday night),《디 이코노미스트》, 런던, 제373호, 1850년 10월 19일. 456

「새로운 지방 조례 도입에 관한 포고령. 1849년 5월 26일」(Decret, die Einführung der neuen Gemeinde-Ordnung betr. Kaiserslautern, den 26. Mai 1849). 라인팔츠《임시정부 관보 소식지》, 제6호, 1849년 5월 27일. 73

「선거. 6시간」(Élections. 6 heures).《라 파트리. 상업 신문》, 파리, 제71호, 1850년 3월 12일. 316

「선거법. 파리, 1849년 2월 28일에서 3월 15일까지」(Loi électorale. Paris, les 8 et 28 février et 15 mars 1849).《르 모니퇴르 위니베르셀》. 파리. 제78호, 1849년 3월 19일. 541

『성서』(Die Bibel). 169, 379, 386, 388

『구약성서』(Das Alte Testament).

모세 제1권(창세기)(1. Buch Mose (Genesis)). 177

모세 제5권(신명기)(5. Buch Mose (Deuteronomium)). 388, 389

사무엘상(1. Buch Samuel). 149
사사기(Buch der Richter). 171
시편(Sprüche Salomos (Proverbia)). 200
아가서(Hohelied Salomos). 200
『신약성서』(Das Neue Testament).
누가복음(Evangelium des Lukas). 387

「센 지구의 선거. 선거 연합」(Élections de la Seine. Union Électorale).《라 파트리. 상업 신문》, 파리, 제65호, 1850년 3월 6일. 315

「소금세법. 파리, 1848년 12월 28일」(Loi relative à l'impôt du sel. Paris, le 23 décembre 1848).《르 모니퇴르 위니베르셀》, 파리, 제365호, 1848년 12월 30일. 28, 153, 162

「시민 드 플로트는 …」(Le citoyen Deflotte …).《라 파트리. 상업 신문》, 파리. 제74호, 1850년 3월 15일. 316, 317

[「시장 임명에 관한 입법안」(Projet de loi relatif à la nomination des maires et adjoints).]《르 모니퇴르 위니베르셀》, 파리, 제61호, 1850년 3월 2일. 188

「신문 공탁금과 정기 및 부정기 출판물의 증지(證紙)에 관한 법률. 파리, 1850년 7월 16일」(Loi sur le cautionnement des journaux et le timbre des écrits périodiques et non periodiques. Paris, le 16 juillet 1850).《르 모니퇴르 위니베르셀》, 파리, 제205호, 1850년 7월 24일. 194, 474~476, 539

「[신문에 관한 프로이센 정부의 명령,] 1850년 6월 5일」([Verordnung der preußischen Regierung über die Presse,] 5. Juni 1850).《프로이센 관보》, 베를린, 제155호, 1850년 6월 8일. 232, 344

「언론법. 파리, 1849년 7월 27일」(Loi sur la presse. Paris, le 27 juillet 1849).《르 모니퇴르 위니베르셀》, 파리, 제211호, 1849년 7월 30일. 174, 539

「언론을 통한 범죄 및 범죄 억제에 관한 법령. 파리, 1848년 8월 11일」(Décret relatif à la répression des crimes et délits commis par la voie de la presse. Paris, le 11 août 1848).《르 모니퇴르 위니베르셀》, 파리, 제225호, 1848년 8월 12일(해당 쪽의 부속자료에는 "제215호, 1848년 8월 2일"로 되어 있는데, 아마도 MEGA 편집자가 찾아보기에서 실수한 것으로 보인다.—옮긴이). 539

「영국 식민지 전체의 노예제 폐지, 해방된 노예의 근면 증진, 그리고 이제까지 그 노예들의 서비스를 받은 사람들의 보상을 위한 법령」(An Act for the abolition of slavery throughout the British colonies; for promoting the industry of the manumitted slaves; and for compensating the persons hitherto entitled to the services of such slaves), 1833년 8월 28일.『대영제국과 아일랜드의 법령』, 런던, 1833년. 459

『영국 의회 의사록: "가장 이른 시기부터 1803년까지 영국 의회사"의 연속』(Hansard's parliamentary debates: Forming a continuation of "The Parliamentary history of England, from the earliest period to the year 1803").

제3편, 23권, 런던, 1834년. 597

제4편, 101권, 런던, 1848년. 453

「왕국의 외국인을 추방하기 위해 1년 및 의회의 다음 회기 말까지 유예하는 법령」(An Act to authorize for one year, and to the end of the then next session of Parliament, the removal of aliens from the realm), 1848년 6월 9일. 『대영제국과 아일랜드의 법령』, 런던, 1848년. 343, 344, 346, 356

외국인 거류자 법(Alien Bill) →「왕국의 외국인을 추방하기 위해 1년 및 의회의 다음 회기 말까지 유예하는 법령」

요구조항 공개장(Artikelbrief). 빌헬름 치머만, 『위대한 농민전쟁의 일반 역사』(Allgemeine Geschichte des großen Bauernkrieges), 제2부, 슈투트가르트, 1842년. 411, 414

「우리는 받았다 … 파리 [통신], … [1850년] 3월 12일」(We have received … [Korrespondenz aus:] Paris, … March 12, [1850]). 《더 타임스》, 런던, 제20435호, 1850년 3월 13일. 301

「우리의 위대한 시대 … 런던 [통신], [1850년] 5월 21일」(Unsere große Times(해당 쪽에는 "Großbritannien"으로 시작한다. G949쪽 주 5를 보라. — 옮긴이) … [Korrespondenz aus:] London, den 21. Mai [1850]). 《노이에 프로이시셰 차이퉁》, 베를린, 제117호, 1850년 5월 25일. 348

「이 주의 뉴스」(News of the week). 《더 스펙테이터》, 런던, 제1146호, 1850년 6월 15일. 356

「이탈리아 문제에 관한 결의안. 파리, 1849년 5월 8일」(Résolution relative aux affaires d'Italie. Paris, le 8 mai 1849). 《르 모니퇴르 위니베르셀》, 파리, 제130호, 1849년 5월 10일. 169

「이탈리아에 관한 책 …」(A book on Italy …). 《더 글로브 앤드 트래블러》, 런던. 제15318호, 1850년 10월 26일. 470

「인민에게! 민주주의의 조직. 런던, 1850년 7월 22일」(Aux peuples! Organisation de la démocratie. Londres, 22 juillet 1850). 《르 프로스크리. 세계공화주의 신문》, 파리, 런던, 제2호, 1850년 8월 6일. 338, 484~488

「인민에게!」(Au peuple!) 《르 푀플 드 1850》, 파리, 제7호, 1850년 8월 14일. 475

「(임시정부의 독재 권력에 관한) 법률. 카를스루에, 1849년 6월 15일」((Die dictatorische Gewalt der provisorischen Regierung betreffend.) Gesetz. Karlsruhe, den 15. Juni 1849). 《카를스루어 차이퉁. 임시정부 기관지》, 제34호, 1849년 6월 21일. 61

「잡지와 간행물의 책임 공탁금에 관한 법령. 파리, 1848년 8월 9일」(Décret relatif aux cautionnements des journaux et écrits périodiques. Paris, le 8 août 1848). 《르 모니퇴르 위

니베르셀》, 파리, 제225호, 1848년 8월 12일. 143

「[저축은행 예금 지급에 관한 포고령] 파리, 1848년 3월 9일」([Décret sur les versements des dépôts faits aux caisses d'épargne.] Paris, le 9 mars 1848). 《르 모니퇴르 위니베르셀》, 파리, 제70호, 1848년 3월 10일. 130

「전국 대회」(National Convention). 《더 노던 스타》, 런던, 제701호, 1851년 4월 12일. 653

「[정부가 클럽과 결사를 금지하도록 허용하는 법률.] 파리, 1849년 6월 19일」([Loi qui autorise le Gouvernement à interdire les clubs et autres réunions publiques.] Paris, le 19 juin 1849). 《르 모니퇴르 위니베르셀》. 파리. 제174호, 1849년 6월 23일. 174, 539

「정통 왕조파 음모의 폭로」(La conspiration légitimiste avouée). 《르 퓌플 드 1850》, 파리, 제24호, 1850년 9월 22일. 478

「제14호에는 … 브레슬라우 [통신], [1850년] 1월 17일」(In Nro. 14 d. Z. befindet sich … [Korrespondenz aus:] Breslau, 17. Jan. [1850]). 《베스트도이체 차이퉁》, 쾰른, 제19호, 1850년 1월 23일. 259

「주간 의회 정치 평론」(Revue politique et parlementaire de la semaine). 《라 부아 뒤 퓌플》, 파리, 제167호, 1850년 3월 18일, 부록. 194

「주식 공보」(Bulletin financier), 《라 파트리. 상업 신문》, 파리, 제67호, 1850년 3월 8일. 315

「주식 공보」(Bulletin financier), 《라 파트리. 상업 신문》, 파리, 제69호, 1850년 3월 10일. 316

「집행위원회는 내일부터 국립 작업장에서 징집을 시작하라는 명령을 내렸다. … [1848년 6월 21일]」(La commission du pouvoir exécutif a donné des ordres pour que les enrôlements commencent dès demain dans les ateliers nationaux …[le 21 juin 1848]). 《르 모니퇴르 위니베르셀》, 파리, 제174호, 1848년 6월 22일. 137

「차티스트 대회에서 채택된 선동 강령. 1851년 3월 31일 월요일 런던에서 열리고 며칠간 지속」(Programme of agitation adopted by the Chartist Convention, held in London, Monday, March 31, and succeeding days, 1851). 《더 프렌드 오브 더 피플》, 런던, 제18호, 1851년 4월 12일. 649, 652~654

「추가 기록. 파리 [통신], [1848년] 6월 22일」(Nachtrag. [Korrespondenz aus:] Paris, 22. Juni [1848]). 《노이에 라이니셰 차이퉁》, 쾰른, 제27호, 1848년 6월 27일. 127(127이 아니라 137이다. MEGA 편집자의 실수인 것 같다. — 옮긴이)

『카를 5세 황제와 신성로마제국의 형사 재판소와 형사 소송법』(Hals oder Peinliche Gerichtsordnung Kaiser Karls V. und des Heiligen Römischen Reichs). 377

『코란』(Der Koran). 199

「쾰른의 《노이에 라이니셰 차이퉁》 전 편집장 마르크스 씨가 …」(M[onsieur] Marx, ancien rédacteur en chef de la *Nouvelle Gazette rhénane de Cologne*…). 《라 프레스》, 파리, 1849년 7월 26일. 5

「(크로이츠나흐의 야영지)」(Das Lager bei Kreuznach). 《쾰니셰 차이퉁》, 제129호, 1849년 5월 31일. 76

「클럽과 여타 공개 집회에 관하여 1849년 6월 22일 제정된 법의 연장에 관한 법. 파리, 1850년 6월 6일」(Loi portant prorogation de la loi du 22 juin 1849 sur les clubs et autres réunions publiques. Paris, le 6 juin 1850). 《르 모니퇴르 위니베르셀》. 파리. 제165호, 1850년 6월 12일. 539

「클럽에 관한 법령. 파리, 1848년 7월 28일」(Décret sur les clusb. Paris, le 28 juillet 1848). 《르 모니퇴르 위니베르셀》, 파리, 제215호, 1848년 8월 2일. 143, 539

[「파리에서 아비뇽까지의 철도에 관한 입법안. 발췌」(Projet de loi relatif au chemin de fer de Paris à Avignon. Ausz).] 《르 모니퇴르 위니베르셀》, 파리, 제221호, 1849년 8월 9일. 183

「프랑스」(France). 《디 일러스트레이티드 런던 뉴스》, 제412호, 1850년 2월 9일. 234

「프랑스 공화국」(The French Republic). 《더 타임스》, 런던, 제20634호, 1850년 10월 31일. 470

「프랑스 공화국 헌법. 파리, 1848년 11월 4일」(Constitution de la République française. Paris, le 4 novembre 1848). 《르 모니퇴르 위니베르셀》, 파리. 제312호, 1848년 11월 7일. 147~150, 154, 157~160, 168~175, 177, 195, 352, 478, 479, 535, 536, 539~546

「프랑스는 동맹국이다 …」(La France est l'alliée …). 《라 부아 뒤 푀플》, 제137호, 1850년 2월 15일. 233

「[프랑스 은행권에 강제통용권을 부여하는] 포고령. 파리, 1848년 3월 15일」(Décret [qui dispense la banque de France de l'obligation de rembourser ses billets avec des espèces]. Paris, le 15 mars 1848). 《르 모니퇴르 위니베르셀》. 파리. 제76호, 1848년 3월 16일. 131, 190, 465

「프랑스은행. 불환 지폐는 평가 절하되지 않는다」(The Bank of France. Inconvertible notes not depreciated). 《디 이코노미스트》, 런던, 제371호, 1850년 10월 5일. 465, 466

「프랑스은행 지폐의 법정 시세를 중단시키는 법률. 파리, 1850년 8월 6일」(Loi qui fait cesser le cours forcé des billets de la banque de France. Paris, le 6 août 1850). 《르 모니퇴르 위니베르셀》, 파리, 제225호, 1850년 8월 13일. 465

「프랑스 인민에게」(Au peuple fançais). 《르 데모크라시 파시피크》, 파리, 제161호, 1849년 6월 13일. 조간. 172

「프랑스 인민에 대한 산악당의 선언. [1849년] 6월 12일」(Déclaration de la Montagne au

peuple fançais, 12 juin [1849]).《르 푀플》, 파리, 제206호, 1849년 6월 13일. 172
「프랑스 인민에 대한 임시정부의 포고. 파리, [1848년] 2월 24일](Proclamation du Gouvernement provisoire au peuple français. Paris, le 23 février [1848]).《르 모니퇴르 위니베르셀》, 파리, 제56호, 1848년 2월 25일. 124, 241
[「프랑스 임시정부의 법원 조직에 관한 입법안」(Gesetzentwurf über die Gerichtsverfassung der provisorischen französischen Regierung).]《노이에 라이니셰 차이퉁》, 쾰른, 제51호, 1848년 7월 21일과 부록; 제53호, 1848년 7월 23일 부록. 143
「프랑스 자유의 나무」(The tree of liberty in France).《펀치. 런던 야화》, 1850년 3월 2일. 301
「프로이센 국가들의 일반 주법」(Allgemeines Landrecht für die Preußischen Staaten). 42
(「프로이센 스파이Preußische Spione」).《베저-차이퉁》, 브레멘, 제2037호, 1850년 6월 22일. 356
「[피에몬테 영토 보존을 보장하기 위한 국민의회 선언,] 1849년 3월 31일」([Déclaration de l'Assémblée nationale pour mieux garantir l'intégrité du territoire piémontais,] le 31. Juni 1849).《르 모니퇴르 위니베르셀》, 파리, 제91호, 1849년 4월 1일. 161
「필 기념비. "능란한 사기꾼" 패거리의 적발」(The Peel monument. Exposure of a gang of "artful dodgers").《더 레드 리퍼블리컨》, 런던, 제9호, 1850년 8월 17일. 469

「한시적으로 잉글랜드은행의 총재와 회사에 일정한 특권을 부여하기 위하여 은행권을 규제하는 법령」(An Act to regulate the issue of bank notes, and for giving to the governor and company of the Bank of England certain privileges for a limited period), 1844년 7월 19일.『대영제국과 아일랜드의 법령』, 런던, 1844년. 454, 469
「헌법의 벗들 민주주의 협회[의 선언. 1849년 6월 13일]」([Manifest der] Association démocratique des amis de la Constitution. [13 juin 1849.]).《르 푀플》, 파리, 제206호, 1849년 6월 13일. 171
「혁명 전술.《더 타임스》 편집자에게」(Revolutionary tactics. To the editor of the Times).《더 타임스》, 런던, 제20341호, 1849년 11월 23일. 13
「현재 구금 중이면서 6월 23일과 그 이후 며칠 동안 일어난 봉기에 가담한 것으로 인정되는 개인들[의 추방에 관한 명령]. 파리, 1848년 6월 27일」([Décret sur la transportation] des individus actuellement détenus qui seront reconnus avoir pris part à l'insurrection du 23 juin et des jours suivants. Paris, le 27 juin 1848).《르 모니퇴르 위니베르셀》, 파리, 제182호, 1848년 6월 30일. 151
『형법』(Code pénal). 286
「형법 제414, 415, 416조 개정 법률. 파리, 1849년 10월 11일, 11월 19일, 27일」(Loi qui modifie les articles 414, 415 et 416 du Code pénal. Paris, les 11 octobre, 19 et 27

novembre 1849).《르 모니퇴르 위니베르셀》, 파리, 제337호, 1849년 12월 3일. 539
「호적-본서의 분기별 보고서」(Quarterly Return of the Registrar-General).《디 이코노미스트》, 런던, 제375호, 1850년 11월 2일. 631
「화폐 노트」(Money notes).《노츠 투 더 피플》, 런던, 제1호, 1851년 5월 3일. 650
「화해 협약에 관한 법안」(Projet de décret sur les concordats amiables).《르 모니퇴르 위니베르셀》, 파리, 제225호, 1848년 8월 12일. 144, 149, 189
「후원회](Unterstützungs-Verein).《아벤트-포스트. 데모크라티셰 차이퉁》, 베를린, 제86호, 1850년 4월 14일. 322, 323

[12개 조항(Zwölf Artikel).] 「피해야 할 무거운 짐인 종교적 및 세속적 권위에 대한 모든 농민층과 소농의 기본적이고 정당한 주요 조항」(Dye Grundtlichen Vnd rechten haupt Artickel aller Baurschafft vnnd Hyndersessen der Gaistlichen vnd Weltlichen oberkayten von wölchen sy sich beschwert vermainen). 치머만, 『위대한 농민전쟁의 일반 역사』, 제2부, 슈투트가르트, 1842년에서 인용. 411, 414, 416, 417
「1819년 7월 5일까지 연장하기 위한 법령. 국왕 폐하의 몇몇 법령 가운데 잉글랜드 은행의 현금 지불 제한을 지속하기 위한 국왕 폐하 재위 44년의 법령」(An Act for further continuing, until the fifth day of July on thousand eight hundred and nineteen, an Act of the forty fourth year of His present Majesty, to continue the restrictions, contained in several Acts of His present Majesty, on payments of cash by the Bank of England), 1818년 5월 28일. 『대영제국과 아일랜드의 법령』(The Statutes of the United Kingdom of Great Britain and Ireland), 런던, 1818년. 469
「1847년 2월 의인동맹 내의 인민회당이 동맹에 보낸 연설」(Ansprache der Volkshalle des Bundes der Gerechten an den Bund, Februar 1847), 『1848년 민주주의 연감』(Demokratisches Taschenbuch für 1848), 라이프치히, 1847. 254
「1847년 6월 9일 동맹에 보낸 공산주의자동맹 제1차 대회의 회람」(Rundschreiben des ersten Kongresses des Bundes der Kommunisten an den Bund, 9. Juni 1847). 『공산주의자동맹. 문서와 자료』(Der Bund der Kommunisten. Dokumente und Materialien), 제1권, 1836~1849년, 베를린, 1970년. 254
「1847년 9월 14일 공산주의자동맹 중앙본부가 동맹에 보낸 연설」(Ansprache der Zentralbehörde des Bundes der Kommunisten an den Bund, 14. September 1847), 『공산주의자동맹. 문서와 자료』, 제1권, 1836~1849년, 베를린, 1970년. 254
「[1850년 한 해 동안 주세를 유지하기 위한 법률.] 파리, 1849년 12월 20일」([Loi relative au maintien de l'impôt sur les boissons pour l'année 1850.] Paris, le 20 décembre 1849).《르 모니퇴르 위니베르셀》, 파리, 제335호, 1849년 12월 21일. 27, 35, 183, 185, 188, 215
「1850년 3월 15일의 선거법 개정을 위한 법률. 파리, 1850년 5월 31일」(Loi qui modifie

la loi électorale du 15 mars 1849. Paris, le 31 mai 1850). 《르 모니퇴르 위니베르셀》, 파리, 제154호, 1850년 6월 3일. 473, 475, 476, 478, 490, 541
「3년의 붕괴 후에 … 런던 [통신], 1851년 4월 22일 화요일」(After a collapse of three years … [Korrespondenz aus:] London, Tuesday, April 22, 1851). 《더 타임스》, 런던, 제20782호, 1851년 4월 22일. 649
「6월 저항 세력의 알제리 이송에 관한 법률. 파리, 1850년 1월 24일」(Loi relative à la transportation des insurgés de juin en Algérie. Paris, le 23 janvier 1850). 《르 모니퇴르 위니베르셀》, 파리, 제30호, 1850년 1월 30일. 215
「6월 13일의 모반과 암살의 선동자와 공모자를 고등법원에 위임하는 법령. 파리, 1849년 8월 10일」(Loi qui renvoie devant la haute cour de justice les auteurs et complices du complot et de l'attentat du 13 juin. Paris, le 10 août 1849). 《르 모니퇴르 위니베르셀》, 파리, 제224호, 1849년 8월 12일. 173
「6월 20일 국민의회 제46차 회의 [군사 항복에 관한 결정] [발췌]」([Beschluß über die Militärkapitulationen des] Nationalrath vom 20. Juni. 46. Sitzung. [Ausz.]). 《슈바이처리셰 나치오날-차이퉁》, 바젤, 제151호, 1849년 6월 22일. 214, 215

III. 정기 간행물

갈리냐니스 메신저Galignani's Messenger(파리) — 1814년 창간한 영어로 발행된 일간신문. 주로 영국 신문의 기사를 재인쇄했다. 356
노르트도이체 프라이에 프레세Norddeutsche Freie Presse(함부르크-알토나) — 1849년 4월 1일부터 1851년 초까지 발행된 일간신문. 소부르주아 민주주의자 테오도르 올스하우젠(Theodor Olshausen)이 편집했다. 1849/1850년에는 런던의 사회-민주주의 망명자위원회의 연대 집회를 지원했다. 558, 572
노이에 도이체 차이퉁. 민주주의 기관지Neue Deutsche Zeitung. Organ der Demokratie — 일간신문, 1848년 7월 1일부터 1849년 4월 1일까지 다름슈타트에서 발행했고, 그 후 1850년 12월 14일까지 프랑크푸르트에서 발행했다. 오토 뤼닝, 요제프 바이데마이어, 게오르크 귄터(Georg Günther)가 편집했다. 좌파 민주주의 입장을 견지했다. 1848/1849년에는 《노이에 라이니셰 차이퉁》의 바이데마이어의 영향력에 의존했다. 1849/1850년에는 런던의 사회민주적 망명자위원회의 연대 집회를 지원했다. 편집진의 추방으로 인해 간행을 중지할 수밖에 없었다. 354, 355, 558
노이에 라이니셰 차이퉁. 민주주의 기관지Neue Rheinische Zeitung. Organ der Demokratie(쾰른) – 최초의 프롤레타리아트의 독자적인 일간신문. 마르크스의 지도로 1848년 6월 1일부터 1849년 5월 19일까지 발행했다. 편집진은 엥겔스, 빌헬름 볼프, 페르디난트 볼프, 게오르크 베르트, 에른스트 드롱케, 페르디난트 프라일리그라트 등이었다. 공산주의자동맹 중앙본부의 과제를 실제로 실현한 프롤레타리아트 당을 지도하는 중심이었다. 1848년 9월 26일부터 10월 12일까지 발행이 금지되었다. 마르크스에 대한 추방 명령과 다른 편집진에 대한 비슷한 보복 조치가 이루어진 후인 1849년 4월에 간행을 중지할 수밖에 없었다. 5, 17, 18, 43, 56, 57, 65, 70, 84, 127, 136, 139, 142, 143, 150, 156, 157, 159, 202~205, 237, 249, 321, 344, 347, 348, 355, 491, 492, 517, 554, 560~562

노이에 라이니셰 차이퉁. 정치-경제 평론Neue Rheinische Zeitung. Politisch-ökonomische Revue(런던, 함부르크, 뉴욕) — 1850년 1월부터 10월까지 총 6호가 발행되었다. 마르크스와 엥겔스가 편찬했다(G675~698쪽을 보라). 15, 17, 18, 40, 223, 224, 237~250, 264, 292, 301, 304, 315, 330, 354, 355, 446, 461, 465, 475, 560, 561

노이에 오데르-차이퉁Neue Oder-Zeitung(브레슬라우) — 1849년 4월부터 1855년 말까지 발행한 일간신문. 부르주아 민주주의자 모리츠 엘스너(Moritz Elsner), 율리우스 슈타인(Julius Stein), 요도쿠스 테메(Jodocus Temme)가 편집했다. 좌파 민주주의 입장을 견지했다. 브레슬라우 초창기 노동운동을 지원했다. 공산주의자동맹 동맹원 루이스 하일베르크가 적극적으로 협력했다. 1855년에는 마르크스와 엥겔스의 논문을 발행했다. 259

노이에 프로이시셰 차이퉁Neue Preußische Zeitung(베를린) — 1848년 6월 창간한 일간신문. 프로이센 융커층과 명문 귀족의 극단적인 반동 기관지. 《크로이츠-차이퉁》(Kreuz-Zeitung)으로도 불렸는데, 제호 머리에 철십자가 있었기 때문이었다. 88, 221, 347~349

노츠 투 더 피플Notes to the People(런던) — 주간신문, 차티스트 좌파 기관지. 1851년 6월부터 1852년 4월까지 발행했다. 어니스트 존스가 편집했다. 마르크스와 엥겔스의 논문을 실었다(G705~707쪽을 보라). 650

누벨 가제트 레난Nouvelle Gazette Rhénane → 노이에 라이니셰 차이퉁. 민주주의 기관지

뉘른베르거 보테Nürnberger Bote → 뉘른베르거 쿠리어Nürnberger Courier

뉘른베르거 쿠리어Nürnberger Courier — 일간신문, 1842년에서 1862년까지 발행했다. 1673년 창간한 《프리덴스 운트 크릭스-쿠리어》(Friedens- und Kriegs-Courier)의 후속이다. 198

뉴요커 슈타츠차이퉁New-Yorker Staatszeitung — 1834년 창간했다. 처음에는 주간신문이었고, 1844년 이후에는 일간신문. 독일인 망명자의 자유주의 분파 입장을 대변했다. 1849/1850년에는 런던 사회-민주주의 망명자위원회의 연대 집회를 지원했다. 1850년대 중반 이후에는 노예 소유주를 위한 미합중국의 민주당 정책을 지지했다. 558

더 글로브 앤드 트래블러The Globe and Traveller(런던) — 1803년 창간한 석간신문. 1866년까지 휘그당 기관지였고, 그 이후에는 보수파 신문이었다. 348, 470

더 노던 스타. 전국 노동자 신문The Northern Star, and national trades' journal — 주간신문. 차티스트 주요 기관지. 1837년부터 1852년까지 처음에는 리드(Leeds)에서, 1844년 11월 이후에는 런던에서 발행했다. 퍼거스 에드워드 오코너가 창간하고 편집했다. 1840년대에는 조지 줄리언 하니가 편집했다. 하니가 편집진을 떠난 후 기본적으로 차티스트 우파 입장을 대변했다. 1845년에서 1848년까지 엥겔스의 논문을 발행했다. 13, 471, 557, 653

더 데모크라틱 리뷰. 영국 및 외국의 정치, 역사, 문학 분야The Democratic Rewiew of British and Foreign politics, history and literature(런던) — 차티스트 좌파의 월간지. 1849년 6월에서 1850년 9월까지 발행했다. 조지 줄리언 하니가 편찬했다. 마르크스와 엥겔스의 논문이 실렸다(G698~700쪽을 보라). 22~33, 341, 364

더 레드 리퍼블리컨The Red Republican(런던) — 주간신문, 차티스트 우파의 기관지. 1850년 6월부터 11월까지 발행했다. 조지 줄리언 하니가 편집했다(G700~701쪽을 보라). 341, 469

더 선The Sun(런던) — 1798년부터 1876년까지 발행한 일간신문. 부르주아-자유주의적 성격을 띠었다. 343

더 스펙테이터The Spectator(런던) — 1828년에 창간한 주간신문. 자유주의적 견해를 대변했다. 356

더 타임스The Times(런던) — 1785년 1월 1일 《데일리 유니버설 레지스터》(Daily Universal Register)라는 제호로 창간한 일간신문. 1788년 1월 1일부터 《더 타임스》라는 제호로 발행하고 있다. 13, 14, 32, 33, 301, 328, 353, 468, 470, 501, 502, 649

더 프렌드 오브 더 피플The Friend of the People(런던) — 주간지, 차티스트 좌파 기관지. 1850년 12월 7일부터 1851년 7월 26일까지 발행했다. 조지 줄리언 하니가 편집했다(G701~702쪽을 보라). 649, 652~654

데모크라티셰 차이퉁Demokratische Zeitung. (《베히터 안 데어 오스트제》(Wächter an der Ostsee)의 후속)(베를린) — 일간신문, 1848년부터 슈테틴에서 발행한 《베히터 안 데어 오스트제》에서 유래했다. 1850년 1월부터 《아벤트-포스트》라는 제호로 발행했다. 558

데어 보테 퓌어 슈타트 운트 란트. 팔츠 인민신문Der Bote für Stadt und Land. Pfälzisches Volksblatt(카이저슬라우테른) — 라인팔츠 임시정부 기관지로 1849년 5/6월에 발행했다. 엥겔스의 기고문이 한 편 실렸다. 75

데어 프라이쉬츠Der Freischütz(함부르크) — 1825년부터 1878년까지 발행한 주간지. 주로 연극 비평과 문학 평론을 발행했다. 1849/1850년에는 런던 사회-민주주의 망명자위원회의 연대 집회를 지원했다. 573

도이체 런더너 차이퉁. 정치, 문학, 예술 분야 신문Deutsche Londoner Zeitung. Blätter für Politik, Literatur und Kunst — 독일인 망명자의 주간신문으로 1845년 4월에서 1851년 2월까지 발행했다. 퇴위한 카를 폰 브라운슈바이크(Karl von Braunschweig)

공작이 재정적으로 지원했다. 1849년 이후부터 소부르주아 민주주의자 루이스 밤베르거가 편집했다. 1849/1850년에는 주로 카를 하인첸, 구스타프 슈트루베와 그 외 소부르주아 민주주의자들의 기고문을 실었다. 마르크스와 엥겔스의 논문도 발행했다. 1849/1850년에는 런던 사회-민주주의 망명자위원회의 연대 집회를 지원했다. 13, 558, 581

도이체 슈넬포스트Deutsche Schnellpost(뉴욕) — 1843년에서 1851년까지 발행했다. 미합중국의 소부르주아-민주주의 독일 망명자의 기관지. 여러 번 제호를 바꿨다. 카를 하인첸이 1848년 초 편집을 맡을 때까지 《도이체 슈넬포스트. 유럽 상태, 독일의 공적 및 사회생활》(Deutsche Schnellpost für Europäische Zustände, öffentliches und sociales Leben Deutschlands)이라는 제호로 발행했고, 1851년 1월 28일부터 4월 23일까지는 "옛 고향과 새 고향의 상태와 이해를 대변하는 기관지"(Ein Organ der Zustände und Interessen der alten und neuen Heimath)라는 부제로 발행했다. 1849/1850년에는 런던 사회-민주주의 망명자위원회의 연대 집회를 지원했다. 321, 558, 1027, 1028

도이체 추샤우어Deutscher Zuschauer — 1847년 1월부터 1848년 4월까지 만하임에서 그리고 1848년 7월부터 12월까지는 바젤에서 발행한 주간지로 구스타프 슈트루베가 편찬했다. 소부르주아-민주주의 입장을 견지했다. 슈트루베가 편찬한 개별 호수는 1849년 노이슈타트/하르트에서 발행되었다. 《도이체 추샤우어. 속편》(Deutsche Zuschauer. Neue Folge)은 1848년 7월에서 12월까지 만하임에서 플로리안 뫼르데스와 야코프 로트바일러(Jakob Rothweiler)가 편집해 발행되었다. 60

디 레포름Die Reform — 일간신문, 1848년 3월 23일부터 6월까지 라이프치히에서 "정치 신문"이라는 부제를 달고 발행했다. 1848년 7월부터 8월 20일까지 베를린에서 "민주주의 정당 기관지"로 발행했다. 아르놀트 루게와 하인리히 베른하르트 오펜하임이 편찬했다. 에두아르트 마이엔이 편집했다. 67

디 -에볼루치온. 정치 주간지Die -Evolution. Ein politisches Wochenblatt(빌Biel) — 1848년 12월 29일부터 1849년 3월 9일까지 총 11호가 발행되었다. 요한 필리프 베커가 편집했다. 혁명적-민주적 입장을 견지했다. 67

디 이코노미스트. 주간 상업 신문, 은행가의 간행물, 철도 보고: 정치, 문학, 종합 신문The Economist. Weekly commercial Times, bankiers' gazette, and railway Monitor: a political, literary, and general newspaper(런던) — 주간지, 산업 대부르주아지의 기관지, 1843년 창간했다. 455, 456, 459, 464~466, 631

디 일러스트레이티드 런던 뉴스The Illustrated London News — 최초로 삽화가 들어간 신문으로 1842년 창간한 주간지. 234

디스패치Dispatch → 위클리 디스패치

라 가제트 드 프랑스La Gazette de France(파리) — 최초의 프랑스 신문. 의사인 테오프라스트 르노도(Théophraste Renaudot)가 《라 가제트》(La Gazette)라는 제호로

1631년에 창간했다. 처음에는 일주일에 한 번, 그다음에는 일주일에 두 번 발행했다. 1792년 이후부터 일간신문으로 발행했다. 7월 왕정 때는 정통 왕조파의 기관지였다. 125

라 레포름La Réforme(파리) — 일간신문, 소부르주아 민주주의자와 공화파 및 사회주의자의 기관지. 1843년 7월부터 1850년 1월까지 발행했다. 알렉상드르-오귀스트 르드뤼-롤랭이 창간했다. 1847년 10월부터 1848년 1월까지 엥겔스의 논문이 실렸다. 141, 156, 276~279, 281, 284, 286

라 부아 뒤 푀플La Voix du peuple → 르 푀플. 민주사회 공화주의 신문

라 파트리. 상업 신문La Patrie. Journal du commerce(파리) — 1841년 창간한 일간신문. 1850년에는 왕당파의 선거 연합을 지지했다. 1851년 12월 2일 쿠데타 이후에는 보나파르트주의자의 기관지가 되었다. 194, 315~317, 498~501, 1027, 1028

라 팔랑주. 사회과학 평론La Phalange. Revue de la science sociale(파리) — 푸리에 지지자들의 기관지. 1832년부터 1849년까지 발행했다. 간행할 때의 제호, 규모, 형식, 빈도가 여러 번 바뀌었다. 286

라 프레스La Presse(파리) — 1836년 창간한 일간신문. 7월 왕정 때는 야당적 태도를 보였다. 1836년부터 1857년까지 에밀 드 지라르댕이 편집했다. 5, 176, 191

라상블레 나시오날L'Assemblee nationale(파리) — 1848년부터 1857년까지 발행한 일간신문. 1851년까지 두 왕당파인 정통 왕조파와 오를레앙파의 입장을 대변했고, 양자의 합병을 지지했다. 193, 216, 364, 475

라이니셰 차이퉁. 정치 상공업 분야Rheinische Zeitung für Politik, Handel und Gewerbe (쾰른) — 1842년 1월 1일부터 1843년 3월 31일까지 발행한 일간신문. 라인 지방의 자유주의적 부르주아지의 지원을 받아 창간했고, 청년헤겔학파의 기관지가 되었다. 1842년 10월 15일 마르크스가 편집진에 들어간 후에는, 그의 주도로 혁명적-민주주의를 지향하는 견해가 점점 더 뚜렷해졌고, 독일에서 가장 중요한 야당 신문으로 발전했다. 프로이센 정부가 1843년 4월 1일부터 발행을 금지했다(MEGA② I/1, 967~976쪽을 보라). 348

런던 저먼 뉴스페이퍼London German Newspaper → 도이체 런더너 차이퉁

레벤망L'Evenement(파리) — 1848년 8월부터 1851년까지 발행한 일간신문. 빅토르 위고가 창간했다. 작가 오귀스트 바크리(Auguste Vacquerie), 테오필 고티에(Theophile Gautier) 등의 협력으로 편찬했다. 부르주아-공화파의 입장을 견지했다. 470

르 나시오날Le National(파리) — 1830년에서 1851년까지 발행한 일간신문. 루이-아돌프 티에르, 프랑수아 오귀스트-마리 미녜(François-Auguste-Marie Mignet)와 아르망 카렐(Armand Carrel)이 창간했다. 1840년대에는 온건 부르주아 공화파 기관지였다. 1848/1849년에는 아르망 마라스트, 루이-앙투안 가르니에-파제스, 루이-외젠 카베냐크 등을 포함한 공화주의 부르주아 분파가 이 기관지에 결집했다. 28, 36,

124, 128, 141, 145, 146, 148, 150, 152, 153, 156, 157, 159, 160, 163, 166, 167, 171, 174, 176, 191, 248, 251, 287, 477, 547

르 나폴레옹Le Napoléon(파리) — 1850년 1월 6일부터 5월 19일까지 루이 나폴레옹 보나파르트의 기관지로서 발행한 주간지. 189

르 데모크라시 파시피크Le Démocratie pacifique(파리) — 일간신문, 푸리에 지지자들의 기관지. 1843년 8월 1일부터 1851년 11월 30일까지 발행했다. 빅토르 콩시데랑(Victor Considérant)이 편집했다. 171, 172

르 모니퇴르 뒤 수아르Le Moniteur du Soir(파리) — 매일 발행된 석간신문. 316

르 모니퇴르 위니베르셀Le Moniteur universel(파리) — 1789년에서 1901년까지 발행된 일간신문. 1799년부터 1814년까지 그리고 1816년부터 1868년까지는 정부 공식 기관지였다. 1848년 2월 26일 이후부터 일시적으로 "프랑스 공화국 공식 신문"(Journal officiel de la République Française)이라는 부제를 달았다. 27, 28, 35, 124, 125, 127, 128, 130, 131, 137, 139, 143, 144, 147, 151, 153, 155, 159, 161, 162, 167~169, 171, 173~175, 178~180, 183~185, 188~190, 193, 194, 215, 235, 236, 241, 243, 249, 327, 465, 473~476, 478~480, 490, 499, 535, 536, 539~546

르 샤리바리Le Charivari(파리) — 1832년 창간한 풍자 신문. 부르주아 공화파의 이해를 대변했고, 7월 왕정 때는 정부를 신랄하게 공격했다. 1848년에는 반혁명 진영으로 넘어갔다. 235, 276, 277

르 시에클Le Siècle (파리) — 1836년부터 1866년까지 발행한 일간신문. 1840년대에는 소부르주아 계급 가운데 온건한 입헌주의 개혁을 요구한 일부의 견해만을 대변했다. 36, 176, 191, 477

르 콩스티튀시오넬. 정치 문학 일반 신문Le Constitutionnel. Journal politique, litteraire, universel(파리) — 1815년에서 1870년까지 발행한 일간신문. 1840년대에는 온건 오를레앙파 기관지. 1848/1849년에는 루이-아돌페 티에르를 중심으로 결집한 반혁명적 부르주아지를 지지했다. 1851년 12월 2일 쿠데타 이후에는 보나파르트주의자의 기관지가 되었다. 364, 475

르 푀플 드 1850Le Peuple de 1850 → 르 푀플. 민주사회 공화주의 신문

르 푀플. 민주사회 공화주의 신문Le Peuple. Journal de la république démocratique et sociale(파리) — 일간신문. 무엇보다 프루동을 지지하는 사회주의자와 민주주의자의 기관지. 1848년 9월 2일부터 1849년 6월 13일까지 《르 르프레장탕 뒤 푀플》(Le Représentant du peuple)의 후속으로 발행되었다. 발행이 금지된 후 제호를 바꾸어 1849년 9월 25일부터 1850년 5월 14일까지 《라 부아 뒤 푀플》로, 1850년 6월 15일부터 1850년 10월 13일까지 《르 푀플 드 1850》으로 발행했다. 마지막 제호로 일주일에 세 번 발행했다. 162, 171, 172, 194, 233, 475, 478

르 푸부아르Le Pouvoir(파리) — 보나파르트주의자의 기관지. 1849년 4월부터 1850년 6월까지 《르 디스 데상브르. 질서당 신문》(Le Dix décembre. Journal de l'ordre), 그 후

에는《르 푸부아르. 12월 10일의 신문》(Le Pouvoir. Journal du dix décembre)의 제호로, 1850년 7월 19일부터는 부제 없이 발행했다. 1850년 6월부터 1851년 1월까지 베르나르 아돌프 그라니에 드 카사냐크가 편집했다. 364, 365, 476, 477

르 프로스크리. 세계공화주의 신문Le Proscrit. Journal de la republique universelle(파리, 런던) — 1850년 7월과 8월 총 2호만 발행한 월간지. 런던의 유럽 민주주의 중앙위원회 기관지. 알렉상드르-오귀스트 르드뤼-롤랭, 주세페 마치니 등이 편집했다. 1850년 10월 말부터 1851년 9월까지《라 부아 뒤 프로스크리》(La Voix du Proscrit)로 생 아망(프랑스)이 계속해서 발행했다. 338, 484~488

바이어리셰 란트뵈틴Bayerrische Landbötin(뮌헨) — 1830년에서 1848년까지 이 제호로 일주일에 세 번 발행했고, 그 이후 1864년까지《이자어-차이퉁》(Isar-Zeitung)이라는 제호로 발행했다. 198

밤베르거 차이퉁Bamberger Zeitung — 1796년부터 1865년까지 발행했다. 198

베스트도이체 차이퉁Westdeutsche Zeitung(쾰른) — 1849년 5월 25일부터 1850년 7월 21일까지 발행한 일간신문. 하인리히 뷔르거스의 협력하에 헤르만 베커가 편찬했다. 혁명적-민주주의 입장을 견지했다. 런던의 사회-민주주의 망명자위원회의 연대 집회를 지원했다. 1850년 6월 프로이센 정부의 언론법 때문에 간행을 중지할 수밖에 없었다. 259, 564

베저-차이퉁Weser-Zeitung(브레멘) — 1844년 창간한 주간신문. 부르주아-자유주의적 견해를 대변했다. 356

브레머 타게스-크로니크. 민주주의 기관지. 북독일 석간신문Bremer Tages-Chronik. Organ der Demokratie. Norddeutsche Abendzeitung — 아르놀트 루게의 협력하에 1851년 발행했다. 소부르주아 민주주의자 루돌프 둘론(Rudolph Dulon)이 1849년에서 1850년까지《타게스크로니크》(Tageschronik)로 편찬해 계속 발행했다. 491, 492

블레터 퓌어 리터라리셰 운터할퉁Blätter für literarische Unterhaltung(라이프치히) — 1818년 바이마르에서《리터라리셰 보헨블라트》(Literarisches Wochenblatt)라는 제호로 아우구스트 코체부에(August Kotzebue)가 창간했다. 1820년 프리드리히 아르놀트 브로크하우스(Friedrich Arnold Brockhaus)가 라이프치히에서 인수해 처음에는《리터라리셰스 콘제르바치온스블라트》(Literarisches Conservationsblatt)라는 제호로 편찬했다.《블레터 퓌어 리터라리셰 운터할퉁》의 제호로 1826년 7월 1일부터 1851년까지 매일 발행했고, 그 후 1898년까지 주간으로 발행했다. 198

슈넬포스트Schnellpost → 도이체 슈넬포스트

슈바이처리셰 나치오날-차이퉁Schweizerische National-Zeitung(바젤) — 1842년부터 1858년까지 발행한 일간신문. 야코프 크리스티안 샤벨리츠가 편찬했고, 1849년에는 야코프 샤벨리츠 주니어(Jakob Schabelitz jun.)가 편집했다. 민주주의 입장을 견지했다. 1849/1850년에는 런던의 사회-민주주의 망명자위원회의 연대 집회를 지

원했다. 214, 215, 221~223, 558
아벤트-포스트Abend-Post(베를린) —《데모크라티셰 차이퉁》의 속간으로 1850년 1월부터 7월까지 발행한 일간신문. 1850년 3월 말까지는 "데모크라티셰 차이퉁"이 부제였다. 에두아르트 마이엔, 율리우스 파우허, 존 프린스-스미스(John Prince-Smith)가 편집했다. 자유무역을 대변했고, 잠시 부르주아-아나키즘 이해를 대변했다. 1850년 6월 프로이센 언론법으로 간행이 중지되었다. 318~320, 322, 323
알게마이네 차이퉁Allgemeine Zeitung(아우크스부르크) — 1798년 요한 프리드리히 코타(Johann Friedrich Cotta)가 창간하여 차례대로 튀빙겐, 울름, 슈투트가르트에서, 1810년에서 1882년까지는 아우크스부르크에서 발행한 일간신문. 대체로 보수적 태도를 견지했지만 온건-자유주의적 견해를 밝히기도 했으며, 특히 3월 혁명 이전에는 자유주의적 대부르주아지의 권위 있는 신문이었다. 1850년대와 60년대에는 오스트리아 주도로 독일을 통일하는 계획을 지지했다. 198
알게마이네 프로이시셰 슈타츠-차이퉁Allgemeine Preußische Staats-Zeitung(베를린) — 이 제호로 1819년 1월부터 1843년 6월까지,《알게마이네 프로이시셰 차이퉁》(Allgemeine Preußische Zeitung)이라는 제호로 발행한 일간신문. 1848년까지 프로이센 정부의 반(半)공식적 기관지였다가《프로이시셰 슈타츠-차이퉁》(Preußische Staats-Zeitung)이라는 제호로 바꿔서 정부 공식 기관지가 되었다. 32, 88 90, 211, 220, 231, 232, 344
알게마이네 프로이시셰 차이퉁 → 알게마이네 프로이시셰 슈타츠-차이퉁
위클리 디스패치Weekly Dispatch(런던) — 1801년에 창간한 일요신문. 부르주아-자유주의적 이해를 대변했다. 653
임시정부 관보 소식지Amts- und Intelligenzblatt der provisorischen Regierung(카이저슬라우테른) — 라인-팔츠 임시정부 기관지로서 1849년 5월 22일부터 6월 11일까지 총 12호를 발행했다. 73, 76, 78
주르날 데 데바. 정치, 문예 분야Journal des Débats politiques et littéraires(파리) — 1789년 창간한 일간신문으로 1814년 이후부터 이 제호로 발행했다. 7월 왕정 때는 정부 기관지로 보수적인 신문이었다. 1848/1849년에는 반혁명을 지지했고, 1851년 12월 2일 쿠테타 이후에는 온건 오를레앙 반대파의 기관지가 되었다. 142, 143, 364, 475, 1027
카를스루어 차이퉁Karlsruher Zeitung — 일간신문, 1849년 5월 15일부터 6월 2일까지 제국헌법을 위해 바덴에서 봉기가 일어나는 동안 "영방위원회 기관지"로 발행했고, 1849년 6월 3일에서 24일까지는 "임시정부 기관지"로 바덴에서 발행했다. 61, 68, 76
코레스폰덴트 폰 운트 퓌어 도이칠란트Correspondent von und für Deutschland(뉘른베르크) — 1804년《프랭키셔 코레스폰덴트》(Fränkischer Correspondent)로 창간했다. 1806년 이후부터《코레스폰덴트 폰 운트 퓌어 도이칠란트》제호로 발행했다. 부르

주아-자유주의적 견해를 대변했다. 197, 198

쾰니셰 차이퉁Kölnische Zeitung — 일간신문, 17세기에 창간되었다. 1802년부터 이 제호로 발행했다. 1840년대 초에는 온건-자유주의 입장을 견지했고, 부르주아-민주주의 반대파를 비판했으며, 라인 지방 부르주아지의 경제적 요구를 대변했다. 76

펀치. 런던 야화Punch, or London Charivari — 1841년 윌리엄 메이크피스 새커리(William Makepeace Thackeray)의 협력하에 창간한 풍자적인 주간신문. 기본적으로 부르주아-자유주의 입장을 견지했다. 301

프랑크푸르터 주르날Frankfurter Journal(프랑크푸르트) — 일간신문, 1665년경 창간되었다. 1684년 이후부터 이 제호로 발행했다. 1840년대에는 온건-자유주의 입장을 견지했다. 76

프로이센 관보Preußischer Staats-Anzeiger → 알게마이네 프로이시셰 슈타츠-차이퉁

플리겐데 블레터Fliegende Blätter(뮌헨) — 삽화가 들어간 풍자 주간지로 1845년 창간되었다. 1848/1849년 혁명 때는 반군주제 입장을 견지했다. 70

인명 찾아보기

G1152

(각 인명 해설 뒤의 숫자는 대체로 MEGA의 쪽수를 가리키지만, 일부는 해당 쪽의 MEGA 부속자료에 있다. — 옮긴이)

| ㄱ |

가게른Gagern, Heinrich Wilhelm August Freiherr von(1799~1880): 헤센 정치인으로 온건 자유주의자. 1848년 프랑크푸르트 국민의회 예비의회 의원이자 국민의회 의장(중도 우파). 제국 내각 수상(1848년 12월~1849년 3월). 후에 고타당 지도자가 되었다. 468, 482

가르니에-파제스Garnier-Pagès, Louis-Antoine(1803~1878): 프랑스 정치인. 온건 공화파. 1848년 임시정부 성원이자 파리 시장. 1848년 3월부터 6월까지 재무장관. 241, 287, 499

가이스마이어Geismair(Geismaier), Michael(약 1490~1532): 티롤 주지사의 비서. 후에 브릭센(Brixen) 주교의 필경사. 1525/1526년 알프스 지역에서 봉기한 농민의 지도자이며, 이들 좌파의 대표자 중의 한 명이었다. 2월에 농민과 광부의 국가를 구상한 "티롤 주 법규"(Die Tiroler Landesordnung)의 초안을 작성했다. 1532년 오스트리아 대공의 위임을 받은 자들에게 살해되었다. 437~439

가이어Geyer, Florian(약 1490~1525): 프랑켄의 제국 기사. 봉기한 농민 편에 섰다. 사절로서 수많은 프랑켄 도시와 봉기 세력의 연대를 이끌었다. 그의 군사적 경험은 타우버 계곡 무리의 "옥센푸르트 군령"(Ochsenfurter Kriegsodrnung)에 녹아들어 있다. 농민군의 패배 이후에 친척의 사주로 살해당했다. 424~427

가테러 → 엥겔하르트

갈레어Galeer, Albert-Frédéric-Jean(1816~1851): 스위스 교사이자 저널리스트. 1847년 분리동맹에 반대하는 전쟁과 1849년 바덴-팔츠 봉기에 참여했다. 제네바 민주주의자의 지도자이며, 스위스 그뤼틀리 연합(Grütlivereine)의 창립자. 567

게르버Gerber, Erasmus(1525년 처형당함): 몰스하임 출신 수공업자. 알자스 농민군의 최고 용병대장. 차베른 패배 후에 붙잡혀 교수형을 당했다. 436

게르버Gerber, Theus(본명 Martin Angerer)(1541년 이후 사망): 가죽 장인. 뷔르템베르크

농민 무리를 돕기 위한 슈투트가르트 중대 지도자. 패배 후 에슬링겐으로 도망갔다. 420, 423

게베르트Gebert, August Friedrich: 메클렌부르크 출신 목수. 스위스 공산주의자동맹 동맹원으로, 1849년 제국헌법투쟁에 참여했고, 스위스로 망명했다가 1850년 런던으로 망명했다. 1850년 공산주의자동맹이 분열될 때 빌리히-샤퍼의 소부르주아 분파에 합류했고, 그 분파의 중앙본부 위원이 되었다. 584

게오르크Georg, der Bärtige(1471~1539): 1500년 이후 작센 공작. 종교개혁 반대자. 튀링겐 농민 봉기를 진압하는 데 참여했는데, 특히 프랑켄하우젠 전투에 참여했다. 391

골트베크Goldbeck, F.: 1850년 런던의 망명자. 323

괴르게이Görgey, Arthur(1818~1916): 장군. 1849년 4월에서 6월까지 헝가리군 최고 사령관. 개입 군대에 대한 초기 승리 후 코슈트의 명령을 거부하고, 부르주아 반혁명 분파를 지지하여 자신의 장교단과 함께 헝가리 혁명을 배신했다. 69

괴링거Göhringer(Göringer), Karl(1808년경 출생): 바덴 출신 음식점 주인. 1848/1849년 바덴 혁명에 참여했고, 그 후 영국으로 망명했으며, 공산주의자동맹 동맹원이었다. 1850년 공산주의자동맹이 분열할 때 빌리히-샤퍼의 소부르주아 분파에 합류했다. 독일인 소부르주아 망명자들이 회합하던 런던의 식당 주인. 557

괴츠Götz, Christian(1783~1849): 오스트리아 육군 소장. 1848/1849년 이탈리아와 헝가리 혁명을 진압하는 데 참여했다. 517

괴츠Götz → 베를리힝겐

괴크Goegg(Gögg), Amand(1820~1897): 바덴 세관원. 1848/1849년 혁명에 참여했고, 바덴 임시정부 재무장관(1849)을 역임했다. 스위스와 파리를 거쳐 런던으로 망명했고, 1852년 미국으로 망명한 후에 오스트레일리아와 남아메리카로 망명했다가 1862년 다시 독일로 돌아왔다. 1867년 제네바에서 평화와 자유 연맹을 창립했다. 67, 100

괴테Goethe, Johann Wolfgang von(1749~1832): 시인, 독일 고전문학의 대표자. 197, 198, 201

구겔Gugel, Bastian(Gugel-Bastian)(1514년 처형당함): 1514년 뷜(바덴) 농민 봉기의 지도자 중 한 사람. 403

구르고Gourgaud, Gaspard, baron de(1783~1852): 프랑스 장군. 1849년 입법국민의회 의원. 175

구쇼Goudchaux, Michel(1797~1862): 프랑스 은행가. 부르주아 공화파. 1848년 2월 혁명 이후 재무장관. 1850년대에는 보나파르트 체제(Regime)에 반대하는 공화파 야당 지도자 중 한 사람. 130, 143

구츠코프Gutzkow, Karl Ferdinand(1811~1878): 작가이자 문학비평가, 청년 독일파(Junge Deutschland)의 지도자. 잡지 《텔레그라프 퓌어 도이칠란트》의 편찬자, 드레

스덴 궁정 극장의 연극 고문(1847~1850). 198
귀댕Gudin: 루이-필립 왕의 무관, 1846년 이후 프랑스 원수. 1847년 5월 사기도박으로 인해 자리에서 쫓겨났다. 240
귀츨라프Gützlaff, Karl Friedrich August(1803~1851): 중국에 파견된 독일인 개신교 선교사. 219
그남Gnam: 바덴 출신 맥주 양조자. 제국헌법투쟁에 적극 참여했다. 1850년 런던으로 망명했고, 공산주의자동맹 동맹원이었다. 1850년 가을 미합중국으로 이주했다. 323, 567, 1078
그라니에 드 카사냐크Granier de Cassagnac, Bernard-Adolphe(1806~1880): 프랑스 저널리스트이자 정치인. 1848년 혁명 이전에는 오를레앙파, 이후 보나파르트주의자. 입법국민의회 의원(1852~1870). 신문《르 콩스티튀시오넬》의 협력자. 365, 475, 782
그라이너Greiner, Theodor Ludwig: 독일 법률가, 소부르주아 민주주의자. 1849년 팔츠 임시정부 대리인. 혁명 패배 후 스위스로 망명했다가 미합중국으로 망명했다. 72, 83, 84, 337
그라이젤Greisel, Florian(플로리안 목사로 불린다): 아이히슈테텐(Aichstetten. 뷔르템베르크)의 목사. 1525년 부르차흐 농민군 지도자. 421
그랑댕Grandin, Victor(1797~1849): 프랑스 공장주이자 보수 정치인. 1839~1848년 하원 의원, 1848/1849년 제헌국민의회와 입법국민의회 의원. 120
그랑메닐Grandménil: 프랑스 저널리스트. 소부르주아 민주주의자. 7월 왕정 때는 혁명적 비밀 결사의 지도부.《라 레포름》창립자이자 발행인. 278
그레벨Grebel, Konrad(1489~1526): 스위스 재세례파 공동체(재세례파 신도) 공동 창설자. 1524년 토마스 뮌처와 결합했다. 392
그레이Gray, John(1798~1850): 영국 경제학자이자 유토피아적 사회주의자. 로버트 오언의 제자. 507
그레이Grey, George(1799~1882): 영국 정치가. 휘그당원. 1846~66년 여러 번 내무장관. 1854/1855년 식민장관. 228, 312
그륀Grün, Karl(가명 Ernst von der Heide)(1817~1887): 독일 저널리스트. 1840년대에는 "진정한" 사회주의의 대표자, 1848/49년 혁명 때는 소부르주아 민주주의자. 1848년 프로이센 제헌의회 의원(좌파). 318, 330
그리셀Grissell(Grissel), Thomas: 영국 건축업자. 643
그리스도 → 예수 그리스도
기나르Guinard, Joseph-Augustin(1799~1879): 프랑스 소부르주아 민주주의자. 1848/1849년 제헌국민의회 의원. 1849년 6월 13일 시위에 참여한 죄로 종신형을 선고받았으나 1854년 사면되었다. 194
기브스Gibbs: 1850년 런던 시의회 의원(부시장). 328

기조Guizot, François-Pierre-Guillaume(1787~1874): 프랑스 정치인이자 역사가. 오를레앙파. 1840~1848년 외무장관, 1847년 내각 수상 겸직. 금융 부르주아지의 이익을 대변했다. 28, 120, 122, 123, 139, 145, 152, 158, 175, 179, 205~210, 265, 352, 605

길라니Ghillany, Friedrich Wilhelm(1807~1876): 독일 신학자, 역사가, 작가. 198

| ㄴ |

나우트Naut, Stephan Adolph: 쾰른 상인. 1848/1849년 《노이에 라이니셰 차이퉁》의 대표 이사(또한 G682쪽을 보라). 18

나츠머Natzmer, Hermann von(1806~1858): 프로이센 대위. 1848년 6월 베를린 감옥 습격 때 인민에게 발포하라는 명령을 거부했다. 10년 요새 감금형을 판결받았지만 후에 사면되었다. 78

나폴레옹 → 보나파르트, 샤를-루이-나폴레옹

나폴레옹 1세 보나파르트Napoléon Ier(Napoleon) Bonaparte(1769~1821): 1804~1814년과 1815년 프랑스 황제. 24, 25, 35, 41, 80, 121, 149~152, 184, 185, 235, 236, 320, 511, 515~519, 521, 523~525, 528, 529, 531, 533, 534, 536, 539, 544, 596, 776, 785, 787, 994

넛Nutt, D.(1863년 사망): 영국 서적 판매업자이자 출판인. 197

네Ney, Napoléon-Henri-Edgar, comte de(1812~1882): 프랑스 장군. 보나파르트주의자. 대통령 루이 보나파르트의 무관. 178

네를링거Nerlinger: 소부르주아 민주주의자. 1848년 오펜부르크의 민주주의 운동에 참여했다. 1849년 바덴-팔츠 혁명군 참모 장교. 113

네셀로데Nesselrode(Нессельроде), Karl Wassiljewitsch, Graf von(1780~1862): 러시아 정치가이자 외교관. 외무장관(1816~56), 1845년 이후 수상. 517

네케르Necker, Jacques(1732~1804): 제네바 출신의 프랑스 은행가이자 정치인. 1770년에서 1789년까지 여러 번 재무장관, 프랑스 혁명 직전에 몇 가지 개혁을 추진하려고 했다. 266

노스트라다무스Nostradamus(본명 Michel de Nostre-Dame)(1503~1566): 프랑스 의사이자 점성술사. 그럴듯한 예언으로 유명해졌다. 201

노아크Noack, Ludwig(1819~1885): 독일 신학자이자 철학자. 기센(Gießen) 대학에서 가르쳤다. 198

노아크Noack: 1850년 런던의 독일인 망명자. 323

노이하우스Neuhaus: 튀링겐 출신 의사. 1849년 바덴-팔츠 혁명군 분대를 지휘했다. 109

뇌마예Neumayer, Maximilian-Georg-Joseph(1789~1866): 프랑스 장군. 질서당 지지자. 480, 787
누가 → 루카스Lukas
니치만Nitschmann: 1850년 런던의 독일인 망명자. 323
니콜라우스 → 니콜라이 1세
니콜라이 1세Nikolai(Николай)(Nlcolas, Nikolaus) I.(1796~1855): 1825년 이후 러시아 차르. 22, 212, 213, 216, 447, 467, 468, 484, 517, 525, 526
니콜스Nichols: 1850년경 런던의 의류 회사. 598, 638

| ㄷ |

다니엘Daniel: 성서에 나오는 인물. 388
다라츠Darasz, Albert(1808~1852): 폴란드 민족해방운동의 지도자 중 한 사람으로, 1830/31년 봉기에 참여했다. 폴란드인 민주주의 망명 조직의 지도부, 유럽 민주주의 중앙위원회 위원이었다. 484
다보이네Davoine, Friedrich Ludwig: 1850년 베른의 서점 소유주. 732
다비드David: 성경에 나오는 인물. 149
다우머Daumer, Georg Friedrich(1800~1875): 독일 작가. 종교사 저작을 썼다. 197~202
단틀러Dantler, J.: 1850년 런던의 독일인 망명자. 323
당통Danton, Georges-Jacques(1759~1794): 프랑스 혁명의 정치가, 자코뱅 우파 지도자. 1793년 말 자코뱅 독재를 종결하는 편에 들었고, 1794년 혁명재판소의 판결로 처형당했다. 51, 266
데르Daire, Louis François Eugène(1798~1847): 프랑스 경제학자. 184
데모스테네스Demosthenes(기원전 384~기원전 322?): 아테네 정치가이자 웅변가. 마케도니아 필리포스 왕의 권력 요구에 반대하고 아테네 독립에 찬성했다. 179
데스터D'Ester(d'Ester), Karl Ludwig Johann(1813~1859): 쾰른 무료 진료소 의사. 《라이니셰 차이퉁》의 협력자이자 라인 신문협회 주주. 쾰른의 민주주의 운동에서 주도적으로 활동했고, 1847년 이후 공산주의자동맹 쾰른 지부 동맹원이었다. 1848/49년 혁명에서는 프로이센 제헌의회와 프로이센 하원에서 단호한 좌파를 대표했다. 1848/1849년 민주주의 연합 중앙위원회 위원이었다. 1849년 팔츠 임시정부를 준비하고 지원했으며, 이후 스위스로 망명했다. 69, 73, 83, 84, 100, 113
덱스Daix(1849년 처형당함): 1848년 파리 6월 봉기에 참여했다. 브레아 장군 저격에 가담했다는 이유로 군사법원에서 사형을 선고받았다. 165
델라 젠가Della Genga: 로마 추기경. 1849년 가에타(Gaeta)에 정주한 교황 피우스 9세

의 대리인 중 한 사람. 176
뎀빈스키Dembiński(Dembinski), Henryk(1791~1864): 폴란드 자유 투사이자 장군. 1830/1831년 폴란드 봉기에 참여했고, 1848/1849년 헝가리 혁명군 지휘관 중 한 사람. 39, 55
도광제Taokuang: 중국 황제(1821~1850). 219
도르투Dortu, Johann Ludwig Maximillian(1826~1849): 프로이센 장교. 혁명적 민주주의자로 1848년 3월 18일 베를린 봉기, 1849년 바덴-팔츠 봉기에 참여했다. 프로이센 군법회의에서 사형을 선고받고 총살당했다. 319
도세Haussez, Charles Lemercher de Longpré, baron d'(1778~1854): 프랑스 정치가. 1829/1830년 해군장관. 194
도자 → 도저
도저Dózsa(Dosa), Gergely(György — 옮긴이)(약 1470~1514): 지벤뷔르겐 체클러의 마자르 소수 민족 출신. 터키 국경에서 병사와 장교 생활을 했다. 1514년 헝가리 농민전쟁의 지도자, 귀족에게 잡혀 잔인하게 처형당했다. 403, 404
도저Dózsa, Gregor(1514년 처형당함): 1514년 헝가리 농민전쟁의 지도자. 도저 죄르지의 형제. 404
도풀Hautpoul, Alphonse-Henri, marquis d'(1789~1865): 프랑스 장군. 정통 왕조파, 그 후 보나파르트주의자. 1848~1851년 입법국민의회 의원. 1849/1850년 전쟁장관. 35, 179, 188, 193, 215, 236, 327, 474, 479, 480, 786
돈키호테Don Quixote(Donquichote): 미겔 드 세르반테스의 『기발한 시골 양반 라만차의 돈키호테』(El ingenioso hidalgo Don Quixote de la Mancha)의 주인공. 59, 469
돌Doll: 라인프로이센 출신 사업여행자. 소부르주아 민주주의자. 1848년 바덴 공화파 봉기에 참여했고, 1849년 바덴-팔츠 봉기 때는 사단장이었다. 112, 115
뒤무리에Dumouriez(Dümouriez), Charles-François(1739~1823): 프랑스 장군이자 정치인. 프랑스 혁명 때 지롱드파. 외무장관, 북군 사령관(1792/1793). 1793년 3월 프랑스 공화정을 배반했다. 511, 512
뒤자리에Dujarrier: 프랑스 재정가. 240
뒤클레르Duclerc, Charles-Théodore-Eugène(1812~1888): 프랑스 저널리스트이자 정치가. 신문《르 나시오날》의 편집진(1840~1846), 1849/1849년 제헌국민의회 의원, 재무장관(1848년 5월~6월). 후에 "크레디 모빌리에"(Crédit Mobilier) 은행장 가운데 한 사람, 프랑스 국민의회 부의장(1875), 내각 수상(1882/1883). 159
뒤팽Dupin(Düpin), André-Marie-Jean-Jacques(뒤팽 1세Dupin der Ältere로 불린다)(1783~1865): 프랑스 법률가이자 정치인. 오를레앙파. 하원 의장(1832~1839), 1848/1849년 제헌국민의회 의원, 1849~51년 입법국민의회 의장. 후에 보나파르트주의자. 235, 474
뒤포르Dufaure, Jules-Armand-Stanislas(1798~1881): 프랑스 변호사, 정치인, 오를

레앙파. 1848~1851년 제헌국민의회와 입법국민의회 의원. 카베냐크 정부(1848년 10월~12월)와 루이-나폴레옹 보나파르트 정부(1849년 6월~10월)의 내무장관. 후에 법무장관과 내각 수상. 파리 코뮌을 진압하는 데 주도적으로 참여했다. 5, 147, 150, 183
뒤포티Dupoty, Michel-Auguste(1797~1864): 프랑스 저널리스트. 7월 왕정 때 많은 공화파-민주주의 신문의 발행인이자 편집자. 1841년 5년 금고형을 받았다. 277
뒤퐁Dupont(Dupont de l'Eure), Jacques-Charles(1767~1855): 프랑스 자유주의 정치인. 프랑스 혁명과 1830년 혁명에 참여했다. 1830년 이전에는 카르보나리(이탈리아 비밀 결사 운동—옮긴이)의 지도부(운영위원회). 1840년대에는 왕조 반대파로 온건 부르주아 공화파에 가까웠다. 1848년 임시정부 대통령, 이후 국민의회 의원. 124, 241, 499
뒤프라Duprat, Pascal(1815~1885): 프랑스 정치인이자 저널리스트. 부르주아 공화파. 제2공화정 때 제헌국민의회와 입법국민의회 의원. 루이-나폴레옹 보나파르트를 반대했다. 235
드 그라이Grail, de: 1850년 1월 파리 가르 지역 보궐선거의 정통 왕조파 후보. 35
드 라 오드De la Hodde(de la Hodde), Lucien(1808~1865): 프랑스 저널리스트. 7월 왕정 때 혁명적 비밀 결사 성원. 경찰 밀정. 275~281, 284~289
드레어Dreher, Ferdinad: 1849년 바덴-팔츠 봉기 때 바덴 국민방위군 대대장. 85, 86, 91~93, 113
드롱케Droke, Ernst(1822~1891): 독일 저널리스트이자 작가. 잠시 "진정한" 사회주의에 영향을 받았다. 1848년 초부터 공산주의자동맹 동맹원. 1848/1849년《노이에 라이니셰 차이퉁》의 편집자 중 한 사람. 혁명 패배 후 프랑스로 망명했고, 1850년 7월 중앙본부의 위임을 받아 스위스로 밀사 여행을 했다. 1852년 4월 말 영국으로 이주했다. 쾰른 공산주의자 재판 동안 일어난 경찰의 횡포를 폭로하면서 마르크스와 엥겔스를 지원했다. 후에 정치 활동에서 물러났다. 336, 338, 339, 341, 560
드 루르두엑스Lourdoueix, de: 1850년 1월 파리 가르 지역 보궐선거의 정통 왕조파 후보. 35
드루앵 드 뤼Drouyn de Lhuys, Edmond(1805~1881): 프랑스 외교관이자 정치가. 1840년대에는 온건 군주파, 오를레앙파, 1851년 이후에는 보나파르트주의자. 1848년 12월에서 1849년 6월까지 외무장관, 1850년 여름까지 런던 공사, 그 후 여러 번 외무장관을 역임했다. 468
드베스Devaisse: 1848년 파리 혁명에 참여했다. 산악당원. 285
드플로트Deflotte(de Flotte), Paul Louis François(1817~1860): 해군 장교. 민주사회주의자. 푸리에 이념의 지지자. 1848년 2월 혁명에 참여하고 6월에 추방되었다. 1850년 3월 프랑스 국민의회 의원에 선출되었다. 1852년 벨기에로 추방되었다. 1859/1860년 이탈리아 통일을 위해 가리발디와 함께 투쟁하다 레조 디 칼라브리

아(Reggio di Calabria) 전투에서 전사했다. 193, 194, 251

들라마르Delamarre, Théodore-Casimir(1797~1870): 프랑스 은행가이자 저널리스트. 1844년 이후 신문《라 파트리》의 소유주. 보나파르트주의자. 315, 365

들르세르Delessert, Gabriel-Abraham-Marguerite(1786~1858): 프랑스 귀족원 의원. 파리 경찰청장(1836~1848). 276, 284

디디어Didier, Heinrich: 란트슈툴 출신 우체국장. 1849년 팔츠 영방 방어위원회 위원. 파리 공사 서기관. 프랑스에서 추방되어 스위스로 망명했다가 1849년 말 미합중국으로 망명했다. 321

디즈레일리Disraeli(D'Israeli), Benjamin. 1876년 이후 비콘스필드 백작Earl of Beaconsfield(1804~1881): 영국 정치가이자 작가. 1840년대 청년 영국(Young England) 그룹에 가담했다. 후에 토리당의 지도자 중 한 사람이었고, 그다음에 보수당의 지도자 중 한 사람이었다. 재무장관(1852, 1858/1859, 1866~1868), 수상(1868, 1874~1880)을 역임했다. 453

디츠Dietz, Oswald(약 1824~1864): 비스바덴 출신 건축가. 1848/1849년 혁명에 참여했다. 1850년 이후 런던으로 망명했고, 공산주의자동맹 동맹원이었다. 1850년 동맹 분열 이후 빌리히-샤퍼의 소부르주아 분파에 합류했고, 그 분파의 중앙본부 위원이었다. 1852년 미국으로 이주하여 미국 남북전쟁에서 북군으로 참전했다. 584

디킨스Dickens, Charles(1812~1870): 영국 작가. 266

디트리히슈타인Dietrichstein, Sigmund Freiherr von(1484~1540): 슈타이어마르크 지방 장관. 황제의 용병대장으로서 1515년 오스트리아 농민전쟁을 진압했다. 1525년 농민전쟁에서는 슈타이어마르크 지방 군대의 지휘관이었고, 7월 3일 슐라트밍에서 공격을 받았으며 농민전쟁이 끝날 때까지 베르펜(Werfen)에 감금되었다. 405, 437, 438

딜Diehl, Konrad Ludwig(1806년경 출생): 피르마젠스 출신 공증인. 1849년 제국헌법 투쟁에 참여했고, 1850년 런던으로 망명했다. 323

딩겔슈테트Dingelstedt, Franz. 1876년 이후 남작(1814~1881): 독일 작가. 젊은 시절에는 자유주의자였지만 1840년대부터 군주파였다. 슈투트가르트 궁정 극장의 연극 고문(1846~1851)을 지냈다. 198

| ㄹ |

라가르드Lagarde: 1849년 10월부터 프랑스 국민의회 의원. 188

라다만토스Rhadamanthys(Rhadamanth): 그리스 신화에 나오는 크레타의 왕이자 입법자. 저승의 심판관. 274

라데츠키Radetzky(Radetzki), Joseph Graf(1766~1858): 오스트리아 원수. 1836년부터

이탈리아에 배치된 오스트리아 군대의 최고사령관. 1848/1849년 이탈리아의 혁명 운동과 민족해방운동을 탄압했다. 30, 517, 518

라도비츠Radowitz, Joseph Maria Ernst Christian Wilhelm von(1797~1853): 헝가리 출신 프로이센 장군이자 정치인. 1848/1849년 프랑크푸르트 국민의회 의원(극우파). 오스트리아-프로이센 연방위원회 프로이센 측 최고위원. 프로이센 통일 정책을 대변했다. 30

라로슈자클랭La Rochejaquelein(Larochejaquelin), Henri-Auguste-Georges, marquis de(1805~1867): 프랑스 정치인. 정통 왕조파 지도자. 귀족원 의원. 1848년 제헌국민의회 의원, 1849년 입법국민의회 의원. 나폴레옹 3세 치하에서 상원 의원. 125, 128

라르Lahr(1849년 처형당함): 파리의 독일인 노동자. 1848년 파리 6월 봉기에 참여했다. 브레아 장군 암살에 연루되어 군법회의에서 사형 판결을 받았다. 165

라마르티니에르Lamartinière, de(1808년경 출생): 파리 신문 《르 푸부아르》의 발행인. 477, 783

라마르틴Lamartine, Alphonse-Marie-Louis de(1790~1869): 프랑스 시인, 역사가, 정치인. 1840년대 온건 공화파 지도자 중 한 사람이었다. 1848년 임시정부 외무장관이자 단독 수반이었고, 제헌국민의회 의원이자 집행위원회 위원이었다. 124, 128, 135, 138, 241, 243, 268, 471, 486, 499

라모리노Ramorino, Gerolamo(1792~1849): 이탈리아 장군. 1834년 마치니가 조직한 사보이의 혁명적 망명자 부대의 출정 선봉에 섰다. 1848/49년 이탈리아의 혁명기에는 피에몬테 군대를 지휘했다. 그의 배신적 전략으로 인해 오스트리아 반혁명 군대의 승리에 기여했다. 518

라무레트Lamourette, Antoine-Adrien(1742~1794): 프랑스 주교. 1792년 입법국민의회 의원. 반혁명 혐의로 1794년 처형당했다. 476

라보Raveaux, Franz(1810~1851): 쾰른의 담배 판매업자. 소부르주아 민주주의자. 1848년 예비의회 의원. 프랑크푸르트 국민의회 의원이자 중도 좌파 지도자. 스위스 제국 공사. 1849년 임시 제국 섭정자이자 바덴 임시정부 성원. 바덴-팔츠 봉기 실패 후에 스위스로 망명했다가 벨기에로 망명했다. 22, 38, 330

라셀스Lascelles: 1850년 영국 대지주 가문. 646

라스파유Raspail, François-Vincent(1794~1878): 프랑스 자연과학자, 정치인, 저널리스트. 사회주의 공화파로 혁명적 프롤레타리아트의 입장에 가까웠다. 1830년과 1848년 혁명에 참여했다. 신문 《르 레포르마퇴르》(Le Reformateur)와 《라미 뒤 푀플》(L'Ami du Peuple)의 편찬자. 1848년 제헌국민의회 의원. 1849년 6년 금고형을 선고받았지만 추방형으로 변경되어 벨기에에 잠시 살았다. 124, 135, 145, 150, 157

라우머Raumer, Friedrich von(1781~1873): 브레슬라우 대학과 베를린 대학의 역사학 교수. 자유주의자. 1848년 프랑크푸르트 국민의회 의원(중도 우파). 파리의 제국 공

사. 198
라우렌티우스 → 메사로시
라이트La Hitte(Lahitte), Jean-Ernest Ducos, vicomte de(1788~1878): 프랑스 장군. 보나파르트주의자. 입법국민의회 의원, 외무장관과 전쟁장관(1849~1851). 193, 194, 777
라이하르트Reichardt, Joseph Martin(1803~1872): 법률가. 소부르주아 민주주의자. 1848년 프랑크푸르트 국민의회 의원(좌파). 1849년 팔츠 임시정부 성원. 봉기가 실패한 후에 미합중국으로 망명했다. 72, 77
라코프Rakow: 장교. 1848년 슐레스비히-홀슈타인 해방투쟁에 참여했다. 1849년 바덴 혁명군 카이저슬라우테른 대대장. 88
라크로스Lacrosse, Bertrand-Théobald-Joseph, baron de(1796~1865): 프랑스 정치가. 오를레앙파, 후에 보나파르트주의자. 1848/1849년과 1851년 10월에서 12월까지 공공사업장관. 171
라키예Raquillet, Felix(1778~1863): 폴란드 혁명가. 1830/1831년 폴란드 봉기군 장교. 그 후 프랑스로 망명했다. 1849년 바덴-팔츠 봉기에 참여했다. 잠시 팔츠 봉기세력의 사령관을 맡았다. 78
라토Rateau, Jean-Pierre Lamotte(1800~1887): 보르도 변호사. 제2공화정 때 제헌국민의회와 입법국민의회 의원. 보나파르트주의자. 155, 158
라파예트La Fayette(Lafayette), Marie-Joseph-Paul-Roch-Yves-Gilbert Motier, marquis de(1757~1834): 프랑스 정치가이자 장군. 미국 독립전쟁에 참여했다. 프랑스 혁명기에는 국민방위군 사령관이었다. 1830년 루이-필리프의 즉위를 이끈 사람 중 한 명이었다. 512
라폴트슈타인Rappoltstein, Ullrich von: 1525년 알자스 라이헨바이어(리크비르) 행정관. 436
라피트Laffitte, Jacques(1767~1844): 프랑스 은행가이자 정치인. 오를레앙파. 프랑스 금융 부르주아지의 대표자. 1830년 루이-필리프의 막후 실력자. 119
람파르터Lamparter, Gregor(1463~1523): 뷔르템베르크 울리히 공작의 재상. 402
랑Lang, Matthäus(1468~1540): 아우크스부르크 도시귀족 가문 출신. 황제 막시밀리안 1세 측근. 1519년 이후 잘츠부르크 대주교와 추기경. 종교개혁 지지자를 잔혹하게 박해함으로써 자기 영토 내의 농민, 광부, 시민 등이 들고일어났다. 1525년 호엔잘츠부르크 성채에 포위되어 진을 쳤다. 437, 439
러셀Russell, John, Earl of(1792~1878): 영국 정치가, 휘그당 지도자. 수상(1846~1852, 1865/1866)과 외무장관(1852/1853, 1859~1865). 467
레노이어Lenoir, Franz: 뵈르트(팔츠) 출신 일용노동자. 제국헌법투쟁에 참여했다. 1850년 런던으로 망명했다. 323
레르미니에Lerminier, Jean-Louis-Eugène(1803~1857): 프랑스 법률가이자 저널리스

트. 1830년대 말 보수주의자. 콜레주 드 프랑스 법학 교수(1831~1838). 학생들의 저항으로 자리에서 물러났다. 158
레만Lehmann, Albert: 런던의 독일인 노동자. 의인동맹 동맹원이자 런던의 독일 노동자교육협회 성원. 공산주의자동맹 중앙본부 위원. 1850년 빌리히-샤퍼의 소부르주아 분파에 합류했다. 358, 577, 580, 584, 1097
레벤틀로프Reventlow(Reventlou), Friedrich Graf von(1797~1874): 독일 보수주의 정치인. 1848년 슐레스비히-홀슈타인 임시정부의 외교 정책을 주도했다. 483
레오Leo, Heinrich(1799~1878): 독일 역사가, 저널리스트, 프로이센 융커의 이데올로그 가운데 한 사람. 488
레오니Leoni Joseph: 1850년 런던의 독일인 망명자. 323, 567
레포렐로Leporello: 볼프강 아마데우스 모차르트의 오페라 「돈 조반니」에 나오는 인물. 돈 후안의 하인. 487
레프만Rebmann, Johannes(Hans): 그리센(알고이)의 사제. 1525년 그리센 농민군 지도자. 그리센 농민이 패배하고 나서 귀족에 의해 눈을 잃은 후에 취리히 지역에서 목사를 했다. 392
렘펠Rempel, Rudolf(1815~1868): 독일 빌레펠트의 상인. 급진 민주주의자. 1840년대 중반에는 "진정한" 사회주의자. 1082
로Law, John of Lauriston(1671~1729): 스코틀랜드 경제학자이자 재정가. 1719/1720년 프랑스 재정 총관리자. 지폐를 발행할 때 투기한 것으로 유명했다. 449
로레크Loreck: 1849년 팔츠 혁명군 대위. 85, 92
로르허Lorcher: 1514년 뷔르템베르크 울리히 공작의 공증인. 402
로버츠Roberts, U. L.: 1850년 런던의 시민. 489, 1014
로베르 마케르Robert Macaire: 중세 프랑스 전설의 인물. 1830년 이후 문학과 극예술에서는 탐욕으로 가득한 사업가의 유형으로 그려졌다. 121, 239
로베스피에르Robespierre, Maximilien-François-Marie-Isidore de(1758~1794): 프랑스 혁명기 자코뱅파의 지도자. 1793/1794년 혁명정부 최고 지도자. 35, 51, 146, 501
로빈슨Robinson, W. R.: 1847년경 잉글랜드은행 총재. 451
로어바흐Rohrbach, Jäcklein(약 1498~1525): 뵈킹겐(뷔르템베르크) 출신 농노. 네카어 계곡-농민군의 혁명적 지도자이며, 헬펜슈타인 백작의 바인스베르크 성을 공략한 후 백작의 처형을 주도했다. 415~417, 419, 420, 423
로이바스의 크노프 → 슈미트, 외르크
로크Locke, John(1632~1704): 영국 경제학자이자 철학자, 감각적 유물론의 창시자. 계몽주의자이자 자연법 이론의 대표자. 207
로트실트Rothschild, James, baron de(1772~1868): 파리에 있는 동명의 은행가 수장. 7월 왕정 때는 커다란 정치적 영향력을 행사했다. 121, 220

로트실트Rothschild(영어식 표기는 로스차일드. G646쪽만 로스차일드로 옮겼다.—옮긴이): 국제적인 은행. 122, 216, 220, 646
로흐너Lochner, Georg Wolfgang Karl(1798~1882): 독일 어문학자이자 역사가. 198
롱게Ronge, Johannes(1813~1887): 독일 신학자. 1844년 트리어에서 "성의"(聖衣)의 전시에 반대했다는 이유로 파문되었다. 독일-가톨릭 운동의 창시자. 1848년 예비의회 의원. 1848/1849년 혁명에 참여했다. 1849년에서 1861년까지 런던으로 망명했다. 198, 488
뢰벤슈타인Löwenstein, Friedrich: 1525년경 뷔르템베르크 네카어 지구 백작. 416
뢰벤슈타인Löwenstein, Ludwig: 1525년경 뷔르템베르크 네카어 지구 백작. 416
루게Ruge, Arnold(1802~1880): 독일 저널리스트. 청년헤겔학파.《할레 연보》(Hallische Jahrbücher),《독일 연보》(Deutsche Jahrbücher)의 편찬자이자《라이니셰 차이퉁》의 협력자. 1844년 이후 마르크스와 대립했다. 1848년 프랑크푸르트 국민의회 의원(좌파). 1850년대에는 영국의 독일인 소부르주아 망명자의 지도자. 1866년 이후 민족자유주의자가 되었다. 67, 330, 484, 488, 491, 492, 1018, 1027
루돌프 2세Rudolf II. von Scherenberg(약 1405~1495): 1466년 이후 뷔르츠부르크 후작 주교. 1476년 타우버 계곡에서 한스 뵈하임이 일으킨 농민운동을 탄압했다. 395, 396
루베르튀르Louverture(Toussaint l'Ouverture), François-Dominique(1743~1803): 흑인 노예. 1791년 아이티의 첫 번째 흑인 봉기에 참여했다. 1795년경 프랑스 국민공회에 의해 흑인 부대 사단장과 총독 대리로 임명되었다. 1797년 아이티 전체 부대를 지휘했다. 1800년경 프랑스에서 독립하려 했고 종신 대통령을 자처했다. 1803년 프랑스군에 패배해 프랑스로 압송되었다. 152
루에르Rouher, Eugène(1814~1884): 프랑스 변호사이자 정치인. 1848/1849년 공화파 의원. 후에 보나파르트주의자. 1849~52년 동안 띄엄띄엄 법무장관을 역임했다. 474
루이 블랑Louis Blanc → 블랑
루이 11세Louis XI(Ludwig XI.)(1423~1483): 1461년 이후 프랑스 왕. 369, 407
루이 13세Louis XI(Ludwig XIII.)(1601~1643): 1610년 이후 프랑스 왕. 207
루이 14세Louis XI(Ludwig XIV.)(1638~1715): 1643년 이후 프랑스 왕. 206
루이 18세Louis XVIII.(1755~1824): 프랑스 왕(1814/1815, 1815~1824). 27, 35
루이-나폴레옹Louis-Napoleon → 보나파르트Bonaparte, Charles, Louis-Napoléon
루이-필리프 1세Louis-Philippe Ier(Louis Philipp), duc d'Orleans(1773~1850): 프랑스 왕(1830~48). 27, 28, 35, 36, 119~121, 145, 147, 148, 151, 175, 178, 180~183, 205, 216, 238, 239, 245, 276, 285, 350, 352, 477, 502, 536, 784
루이-필리프-알베르 도를레앙, 파리 백작Louis-Philippe-Albert d'Orléans, comte de Paris(1838~1894): 루이 필리프의 조카, 오를레앙파 왕위 계승 요구자. 477, 784

루카스Lucas: 1847년 브뤼셀 독일노동자협회 성원. 1850년 런던으로 망명했다. 323, 567
루카스Lukas(Luc[as]): 성서에 나오는 인물. 387
루터Luther, Martin(1483~1546): 독일 신학자. 프로테스탄티즘의 창시자이면서 독일 초기 부르주아 혁명에서 온건파 노선을 대변했다. 그의 역사적 저작들, 특히 성서 번역은 독일어 문어체의 통일을 발전시키는 데 중요한 영향을 미쳤다. 383~387, 390~393, 405, 406, 409, 968
루트비히 11세Ludwig XI. → 루이 11세
루트비히 13세Ludwig XIII. → 루이 13세
루트비히 14세Ludwig XIV. → 루이 14세
루트비히 5세Ludwig V.(1478~1544): 1508년 이후 팔츠 선제후. 프란츠 폰 지킹겐의 전투를 진압하는 데 참여했다(1522). 농민전쟁에서 자신의 영토에서 일어난 봉기를 진압하고 프랑켄 농민과 맞서 슈바벤 동맹의 전투에 참여했다. 409, 417, 423, 424
뤼닝Lüning, Otto(1818~1868): 독일 의사이자 저널리스트. 1840년대 중반 "진정한" 사회주의의 대변자. 그 이후 잠시 공산주의자동맹 동맹원. 《다스 베저-담프보트》(Das Weser-Dampfboot)(1844)와 《다스 베스트펠리셰 담프보트》(1845~1848), 그리고 《노이에 도이체 차이퉁》(1848~1850) 편집자. 후에 민족자유주의자가 되었다. 354, 355
르드뤼Ledru(Ledru Rollin), Alexandre-Auguste(르드뤼-롤랭Ledru-Rollin으로 불린다)(1807~1874): 프랑스 저널리스트이자 정치인. 소부르주아 민주주의자의 지도자. 신문《라 레포름》의 편집자. 1848년 임시정부 내무장관과 집행위원회 위원. 제헌국민의회와 입법국민의회 의원. 산악당(Montagne)을 이끌었다. 1849년 6월 13일 이후 영국으로 망명했다. 123, 132, 134, 135, 141, 142, 150, 157, 159~161, 166~169, 171, 172, 183, 241, 287, 473, 484, 488, 498, 499, 502, 780
르드뤼-롤랭 → 르드뤼
르무안Lemoinne, John-Marguerite-Émile(1815~1892): 프랑스 저널리스트. 《주르날 데 데바》 통신원. 475, 782
르사주Lesage, Alain-René(1668~1747): 프랑스 작가. 소설 『질 블라스』의 저자. 280
르클레르Leclerc, Alexandre: 파리의 상인. 질서당 지지자. 1848년 파리 노동자의 6월 봉기를 진압하는 데 참여했다. 326, 327, 472, 780
리오테Riotte, Karl Nikolaus(1816년경 출생): 독일 변호사. 민주주의자. 1849년 프로이센 하원 의원. 1849년 엘버펠트 5월 봉기 때 공안위원회 위원. 미합중국으로 망명했다. 50
리카도Ricardo, David(1772~1823): 영국 경제학자이자 은행가. 자신의 저작으로 부르주아 고전경제학의 정점을 형성했다. 486

리프크네히트Liebknecht, Wilhelm(1826~1900): 저널리스트, 독일과 국제 노동운동의 저명한 지도자 가운데 한 사람. 1848/49년 혁명에 참여했다가 스위스로 망명했다. 1850년 중반 영국으로 망명해 공산주의자동맹 동맹원이 되었다. 1862년 독일로 돌아왔다. 마르크스와 엥겔스의 친구이자 투쟁 동지였다. 444, 583
리하르트 폰 그라이펜클라우Richard von Greiffenklau(1467~1531): 1512년 이후 트리어의 선제후이자 대주교. 트리어에 대항하는 프란츠 폰 지킹겐 부대의 전투를 진압했고 1525년 농민전쟁을 진압하는 데 참여했다. 409, 428
림푸르크Limpurg: 1525년 프랑켄 귀족 가문. 418

| ㅁ |

마라Marat, Jean-Paul(1743~1793): 프랑스 저널리스트. 프랑스 혁명 때 자코뱅주의자 클럽에서 매우 철두철미한 지도자 가운데 한 사람. 501
마라스트Marrast, Marie-François-Pascal-Armand(1801~1852): 프랑스 저널리스트이자 정치인. 인권협회 지도자. 온건 부르주아 공화파. 신문《르 나시오날》의 책임편집장. 1848년 임시정부 성원과 파리 시장. 1848/1849년 제헌국민의회 의장. 36, 135, 141, 145, 146, 148, 159, 166, 167, 216, 241, 284, 471, 499
마르슈Marche(der Jüngere): 프랑스 노동자. 1848년 임시정부에 인민의 이름으로 노동의 권리를 공포할 것을 요구했다. 125
마리 드 생-조르주Marie de Saint-Georges, Pierre-Thomas-Alexandre(마리로 불린다)(1795~1870): 프랑스 변호사이자 정치인. 부르주아 공화파. 1848년 임시정부 공공사업장관. 국립 작업장을 조직했고, 집행위원회 위원, 제헌국민의회 의장, 카베냐크 정부에서 법무장관을 역임했다. 133, 241, 247, 499
마리아Maria: 성서에 나오는 인물. 394
마이스너Meißner, Alfred(1822~1885): 오스트리아-보헤미아 시인. 1840년대 중반 "진정한" 사회주의의 대표적 문인. 후에 자유주의자가 되었다. 198
마이어호퍼Meyerhofer, Rudolph: 크니텔스하임(팔츠) 출신 전분 공장주. 1849년 바덴 임시정부 전쟁장관 대리로 필요한 군사 조치를 거부했다. 61, 65
마치니Mazzini, Giuseppe(1805~1872): 이탈리아의 부르주아-민주주의 혁명가. 이탈리아 민족해방운동의 지도자. 1849년 로마공화국 임시정부 수반. 1850년 런던 유럽 민주주의 중앙위원회를 조직한 사람 가운데 한 명. 1864년 국제노동자협회를 자기 영향력 아래에 두려고 노력했다. 470, 484, 488, 502, 993
마티외Mathieu(de la Drôme), Philippe-Antoine(1808~1865): 프랑스 소부르주아 민주주의자. 1848~1851년 제헌국민의회와 입법국민의회 의원. 1851년 쿠데타 이후 벨기에로 망명했다. 158

막시밀리안 1세Maximilian I.(1459~1519): 1493년 이후 신성로마제국 황제. 398, 404, 405
막시밀리안 2세Maximilian II.(1811~1864): 1848년 이후 바이에른 왕. 22
만슈타인Manstein, Johann(1849년 처형당함): 예비군. 프륌 무기고 습격에 참여했다. 57
만텔Mantel, Johann(약 1468~1530): 슈투트가르트 사제. 농민전쟁에서 봉기군 급진파를 대변했다. 392, 393
만토이펠Manteuffel, Otto Theodor Freiherr von(1805~1882): 프로이센 정치가, 귀족 관료주의의 대변자. 1848년 11월에서 1850년 12월까지 내무장관, 1848년 12월 흠정헌법과 반동적인 세 등급 선거제(1849) 도입에 적극 관여했다. 1849년 프로이센 하원 의원. 내각 수상과 외무장관(1850~1858). 44, 67, 93
만토이펠Manteuffel: 1849년 바덴-팔츠 혁명군 대위. 오토 테오도어 폰 만토이펠의 친척. 93
매컬럭McCulloch, John Ramsay(1789~1864): 영국 경제학자이자 통계학자. 리카도 이론을 속류화했다. 503
메나르Ménard, Louis-Nicolas(1822~1901): 프랑스 작가, 저널리스트, 공화파이자 사회주의자. 1848/1849년 신문《르 푀플》의 협력자. 1849년 런던으로 망명했다. 1850년 6/7월《더 레드 리퍼블리컨》의 협력자. 264
메넬라오스Menelaos: 그리스 신화에 나오는 스파르타 왕. 헬레네의 남편. 그리스인들에게 트로이와 전쟁할 것을 호소했다. 78
메르지Mercy(Mersy): 1849년 바덴-팔츠 혁명군 사단장. 혁명이 패배한 후 미합중국으로 망명했다. 미국 남북전쟁에서 북군으로 참전했다. 106, 107, 109, 110, 112
메사로시Meszáros, Laurentius(1514년 처형당함): 세게드 성직자. 1514년 헝가리 농민전쟁의 지도자 가운데 한 명이며 급진적 이념을 설교했다. 403, 404
메츨러Metzler, Georg: 발렌베르크(바덴)의 음식점 주인. 1525년 오덴발트-네카어 계곡 "광명" 무리 지도자. 농민전쟁 패배 후에도 저항을 계속했다. 415, 416, 423, 425
메테르니히Metternich, Klemens Wenzel Lothar Fürst von(1773~1859): 오스트리아 정치가이자 외교관. 외무장관(1809~1821)과 수상(1821~1848). 신성동맹의 창건자. 30, 605
멘칭겐Menzingen, Stephan von(1525년 처형당함): 귀족. 로텐부르크/타우버의 부르주아 반대파 지도자. 1525년 3월 로텐부르크 수공업자와 평민의 봉기 때 선봉에 섰다. 415, 428
멜란히톤Melanchthon, Philipp(1497~1560): 신학자, 인문주의자. 뷔르템베르크 대학 교수. 1525년 농민 봉기에 적대적으로 맞섰다. 루터의 긴밀한 측근. 384, 391
모니에Monnier: 7월 왕정 때 혁명적 비밀 결사에 참여했다. 1848년 2월 혁명 후 코시디에르 경찰청장 밑에서 사무총장을 맡았다. 278

모로Moreau, Jean-Victor-Marie(1763~1813): 프랑스 장군. 유럽 국가들의 연합군에 대항해 프랑스 공화국 전투에 참여했다. 1800년 호엔린덴(Hohenlinden) 전투에서 오스트리아군을 공격했다. 115

모세Moses(Mose): 성서에 나오는 인물. 177, 388, 389

모이러Mäurer, Friedrich Wilhelm Germa[i]n(1811~1885): 독일 저널리스트, 작가, 언어학자. 파리의 추방된 자 동맹과 의인동맹 공동 창립자. 1843년 이후 프랑스 공민(Staatsbürger). 1848/49년 독일 혁명에 참여했다. 1851년 공산주의자동맹 추적과 관련하여 체포되었다. 프랑스로 망명했다. 198

모제스 앤드 선Moses & Son: 런던의 기성복 가게. 1850년경 세계에서 가장 큰 기성복 가게였다. 598, 638, 643, 646

모차르트Mozart, Wofgang Amadeus(1756~1791): 오스트리아 작곡가. 271, 487

몰Moll, Joseph(1813~1849): 쾰른 출신의 시계공. 의인동맹 지도자 가운데 한 사람. 런던 공산주의자동맹 중앙본부 위원. 1848년 7월에서 9월까지 쾰른 노동자협회 의장. 라인 지방 민주주의 연합 지역위원회 위원. 1848년 9월 사건 이후 런던으로 망명했다가, 곧바로 다른 이름으로 돌아와서 독일 여러 지역에서 정치 활동을 지속했다. 1849년 바덴-팔츠 봉기에 참여했고, 무르크 전투에서 전사했다. 82, 83, 105, 106, 108, 109, 255

몰레Molé, Louis-Mathieu, comte(1781~1855): 프랑스 정치가. 오를레앙파. 내각 수상(1836~1839), 제2공화정 제헌국민의회와 입법국민의회 의원(1848~1851). 질서당 지도자 가운데 한 사람. 175, 176

몰록Moloch: 소의 모습을 한 페니키아의 신. 인간을 제물로 바쳐 제사를 지냈다. 199

몽크Monk, George, duke of Albemarle(1608~1669): 영국 장군이자 정치가. 부르주아 혁명의 지도자 가운데 한 사람. 처음에는 왕당파였다가 후에는 크롬웰 군대의 장군이 되었다. 1660년 스튜어트의 왕정복고를 가능하게 했다. 158

몽탈랑베르Montalembert, Charles Forbes, comte de(1810~1870): 프랑스 정치인이자 저널리스트. 제2공화정 때 제헌국민의회와 입법국민의회 의원. 가톨릭 세력의 수반. 1851년 12월 2일 루이 보나파르트의 쿠데타를 지지했고, 나중에는 야당으로 넘어갔다. 183, 184, 473

뫼르데스Möedes, Florian(1850년 사망): 만하임 출신 관료. 1849년 바덴 임시정부 내무장관. 1848/49년 혁명이 패배한 후 미합중국으로 망명했다. 61

무함마드Mohammed(Mohamed) Abul Kasim ibn Abdallah(약 570~632): 아라비아 교주, 이슬람 창시자. 199

문트Mundt, Theodor(1808~1861): 청년 독일파 작가, 문학비평가, 문학사가. 1848년 브레슬라우 대학의 문학과 역사 교수, 1850년부터 베를린 대학 교수. 198

뮌처Müntzer(Münzer), Thomas(약 1490~1525): 1524/1525년 인민 종교개혁의 혁명적 설교자이자 이론가. 1523년 자신의 목표를 실현하는 데 도움이 되는 알슈테트

동맹을 창립했다. 프랑켄하우젠 전투에서 체포될 때까지 농민전쟁 동안 봉건귀족에게 대항하는 혁명 전투에 광범위한 대중을 확보하려고 끊임없이 활동했다. 고문을 받은 후 처형당했다. 376, 380, 382, 383, 385~393, 397, 406, 410, 411, 413, 423, 424, 431~435, 437

뮐러Müller, Hans aus Bulgenbach(1525년경 처형당함): 용병. 1524/1525년 슈바르츠발트 농민군의 최고 용병대장이었고 군사적 재능이 아주 뛰어났으며, 급진적인 요구 조항 서한을 함께 유포했다. 410, 412, 428

뮐러Müller, Jacob(1823년 출생): 독일 법률가. 1849년 바덴-팔츠 봉기에 참여했고, 키르히하임볼란덴의 민간 위원이었다. 봉기가 진압된 이후 미합중국으로 망명했다. 83

뮐러Müller: 1850년 런던의 독일인 망명자. 323(해당 쪽의 주 27번에 둘째로 등장하는 뮐러를 가리키는 듯하다.—옮긴이)

뮐러Müller: 1850년 런던의 독일인 망명자. 323(해당 쪽의 주 27번에 첫째로 등장하는 뮐러 베르톨트Müller Berthold를 가리키는 듯하다.—옮긴이).

므니에프스키Mniewski, Theophil(1809~1848): 폴란드 혁명가. 1849년 바덴-팔츠 봉기에 연대장으로 참여했다. 프로이센 군법회의에서 사형 판결을 받고 총살당했다. 99

미다스Midas: 일부는 신화적이고 일부는 역사적인 프리기아 왕(기원전 600년경)(G152쪽 8행에 관한 해설을 보라). 152

미에로스와프스키Mierosławski(Mieroslawski), Ludwik(1814~1878): 폴란드 혁명가, 역사가, 군사 전문가. 1830/1831년과 1846년 폴란드 봉기에 참여했다. 1848년 포즈난 봉기에서 군사적으로 이끌었고, 후에 시칠리아 봉기의 지도자가 되었다. 1849년 바덴-팔츠 혁명군 사령관. 40, 64, 68, 78, 87, 93, 102, 103, 106, 110, 111

| ㅂ |

바니첼리-카소니Vanicelli-Casoni: 바티칸 추기경. 1849년 가에타에 정주한 교황 피우스 9세의 대리인 중 한 사람. 176

바라귀에 딜리에Baraguay d'Hilliers, Achille, comte(1795~1871): 프랑스 장군으로 1854년 이후 프랑스 원수가 되었다. 제2공화정 때는 보나파르트주의자로서 제헌국민의회와 입법국민의회에서 극우파를 대표했다. 175

바로Barrot, Odilon(1791~1873): 프랑스 정치인. 7월 왕정 때는 자유주의 반대파 지도자. 1848년 12월부터 1849년 10월까지 내각 수상을 지냈으며, 반혁명적 질서당 집단을 지지했다. 123, 142, 151~153, 155~158, 161, 169, 170, 175, 177, 179

바로슈Baroche, Pierre-Jules(1802~1870): 프랑스 정치가이자 법률가. 7월 왕정 때는

자유주의 반대파 지도자였고, 제2공화정 때는 제헌국민의회와 입법국민의회 의원이었다. 1849년에는 항소법원의 검사장이 되었다. 1851년 쿠데타 전후에 다양한 분야의 각료로 일했다. 194, 364

바르나바스Barnabas: 헝가리 성직자. 1514년 헝가리 농민 봉기 지도자 중 한 사람. 403

바르베스Barbès, Sigismond Auguste Armand(1809~1870): 프랑스 혁명가. 계절사 지도자. 1839년 사형 선고를 받은 후에 종신형을 받았다. 1848년 국민방위군 대령이 되었고 제헌국민의회 의원이 되었다. 1848년 5월 15일 사건의 관여자로 다시 종신형을 받았지만, 1854년 사면되어 그 후 네덜란드로 망명했다. 157, 194, 281, 351, 352, 501, 544

바르텔레미Barthélemy, Emmanuel(약 1820~1855): 프랑스 노동자. 블랑키주의자. 7월왕정 때는 혁명적 비밀 결사 회원이었고, 1848년 6월 파리 봉기에 참여했다. 이후 영국으로 망명하여 런던의 프랑스인 블랑키주의 망명자 단체의 지도자가 되었다. 형법 위반으로 고소당해 처형당했다. 415

바르텔레미Barthélemy, sieur de: 1850년 프랑스 정통 왕조파 위원회 서기. 478

바르톨로메오Bartholomäus: 성서에 나오는 인물. 146

바뵈프Babeuf, François-Noël(그라쿠스Gracchus로 불린다)(1760~1797): 프랑스 혁명가이자 유토피아적 공산주의자. 부오나로티(Buonarroti)와 다르테(Darthé)와 함께 수평파 음모(1796)를 주도했다. 처형당했다. 626

바살Vassal: 1848년 파리 경감. 289

바스쿠 다 가마Vasco da Gama(Vasco de Gama)(1469~1524): 포르투갈 항해사. 1497/1498년 아프리카를 돌아 인도로 가는 항로를 발견했다. 368

바스티드Bastide, Jules(1800~1879): 프랑스 정치인이자 저널리스트. 부르주아 공화파. 신문 《르 나시오날》의 편집장(1836~1846). 1848년 제헌국민의회 의원이자 외무장관. 145

바스티아Bastiat, Frédéric(1801~1850): 프랑스 경제학자. 부르주아 사회 내의 계급 조화론을 대변했다. 120

바우어Bauer, Andreas Heinrich(1813년경 출생): 프랑켄 출신 제화공. 1838년 이후 파리 의인동맹 동맹원이었고, 1842년 추방되었다. 런던의 독일 노동자교육협회 지도부이자 임시 의장을 지냈으며, 1847~1850년에는 공산주의자동맹 중앙본부 위원이었다. 1850년 초에는 공산주의자동맹의 독일 밀사였다. 사회-민주주의 망명자위원회의 회계를 담당했다. 1851년 오스트레일리아로 갔고, 그곳에서 행방불명이 되었다. 255, 324, 328, 336, 340, 358, 444, 490, 554, 555, 556, 559, 565, 570, 571, 574, 577, 580, 582

바우어Bauer, J.: 1849년 런던의 독일인 망명자. 사회-민주주의 망명자위원회 활동에 참여했다. 557

바우어Bauer, Ludwig: 슈톨페 출신 의사. 1848년 프로이센 제헌의회 의원(좌파). 1849년 영국으로 이주했고, 1850년 런던의 소부르주아 민주주의 연합 후원회 회장. 323, 570, 913
바이간트 폰 레트비츠Weigand von Redwitz(1522~1556): 밤베르크 주교. 밤베르크 비스툼의 봉기를 탄압했다. 415, 427, 428
바이스Weiß: 독일 의사. 1849년 바덴-팔츠 봉기에 참여했다. 츠바이브뤼켄 시민 위원. 91
바이얼레Beyerle: 1850년 런던의 독일인 망명자. 323, 567
바이트모저Weitmoser, Erasmus: 수공업자. 1525년 잘츠부르크 농민 봉기에서 가슈타인(Gastein) 증원군의 우두머리. 437
바이틀링Weitling, Wilhelm(1808~1871): 마그데부르크 출신 재봉사 도제. 의인동맹 지도부. 독일 최초의 유토피아적 공산주의 이론가이자 선전가. 1849년 미합중국으로 망명했다. 말년에 국제노동자협회에 접근했다. 446
바크하우스Backhaus, Wilhelm(1808년 출생): 베스트팔렌 출신 교사. 1850년 영국으로 갔는데, 마르크스가 그를 프로이센 경찰 밀정으로 폭로했다. 1852년 뉴욕으로 이주했다. 347
바토리Báthory(Batory), István, Graf(1530년 사망): 지벤뷔르겐의 봉건귀족. 1514년 헝가리 농민을 진압하기 위한 귀족 군대를 이끌었다. 1519년 이후 헝가리 총독이 되었다. 404
바흐Bach, Walther: 용병. 1525년 알고이 농민 무리의 최고 용병대장. 428, 430
박슈테터Wachstätter: 1850년 런던의 독일인 망명자. 323
반텔Bantel, Hans(반텔한스Bantelhans): 데팅겐(뷔르템베르크) 출신 시민. 1514년 콘라트 군대의 지도자였다. 401
발다우Waldau, Max(본명 Richard Georg Spiller von Hauenschild)(1822 또는 1825~1855): 독일 시인, 오버슐레지엔의 대농장 소유주. 198
발데크Waldeck, Benedikt Franz Leo(1802~1870): 베를린의 추밀원(Geheimes Obertribunal) 자문위원. 소부르주아 민주주의자. 1848년 프로이센 제헌의회 좌파 지도자이며 부의장. 후에 진보주의자가 되었다. 22, 212, 318
밤베르거Bamberger, Ludwig(1823~1899): 마인츠 출신 저널리스트. 부르주아 민주주의자. 1849년 바덴-팔츠 봉기에 참여했고 라인헤센 군대의 정치 지도자였다. 봉기가 끝나자 외국으로 도피했다. 후에 민족자유주의적 제국의원이 되었다. 79, 104
버그Berg, John: 1850년 튜크스베리(영국) 시민. 사회-만주주의 망명자위원회에 돈을 처분하도록 맡겼다. 581, 582
버릿Burritt, Elihu(1810~1879): 아메리카의 언어학자. 박애주의자이며 평화주의자. 수많은 국제 평화 대회를 조직했다. 467
베네데이Venedey, Jakob(1805~1871): 쾰른 출신 작가. 소부르주아 민주주의자. 파리의 독일 인민 연합과 추방된 자 동맹의 지도부. 1848년 예비의회와 프랑크푸르트 국민의회 의원(좌파). 1848/49년 혁명 이후에는 자유주의자가 되었다. 212, 468

베롱Véron, Louis-Désiré(1798~1867): 프랑스 저널리스트이자 정치인. 1848년까지 오를레앙파, 그 후 보나파르트주의자. 《라 레뷔 드 파리》(La Revue de Paris)와 《르 콩스티튀시오넬》의 소유주 겸 편찬자. 365

베르너Werner, Johann Peter: 코블렌츠 변호사. 1848년 프랑크푸르트 국민의회 의원(중도 좌파). 44

베르니가우Bernigau, A.(1849년 총살당함): 튀링겐 출신 프로이센 장교로 1848년 3월 초까지 쾰른-도이츠(Köln-Deutz)에서 소위로 있다가 이후 쾰른의 혁명 사건에 참여했다. 베를린 민주주의 대회 대의원이었다. 1849년 바덴-팔츠 봉기에 참여했고, 라슈타트 항복 이후 프로이센 군법회의에서 사형을 선고받았다. 319

베르크Berg: 1850년 사회-민주주의 망명자위원회를 위해 돈을 모금했다. 581

베르크만Bergmann: 1849년 런던의 독일인 망명자. 558

베르탱Bertin, Louis-Marie-Armand(1801~1854): 프랑스 저널리스트. 오를레앙파. 1841~1854년 《주르날 데 데바》의 편찬자. 365

베르톨트Berthold, Otto(1827년경 출생): 상점 보조원. 제국헌법투쟁 때는 프로이센 군대의 하사관이었는데, 바덴에서 탈영했다. 1850년 런던의 독일 노동자교육협회 회원이었다. 1851년 초부터 함부르크에 있었는데, 그곳에서 카를 샤퍼와 함께 통신원으로 일했다. 1851년 혹은 1852년 슈트라스부르크에서 정치 망명자로 체포되어 낭트에 구금되었다. 323, 575

베르트Weerth, Georg(1822~1856): 최초의 독일 프롤레타리아트 시인. 저널리스트. 공산주의자동맹 동맹원. 1848/1849년 《노이에 라이니셰 차이퉁》 편집진. 마르크스와 엥겔스의 친구. 237, 560

베를리힝겐Berlichingen, Götz von(1480~1562): 프랑켄 출신 제국 직속 기사. 1525년 농민군에 가담했고, 네카어 계곡-오덴발트 무리의 최고 용병대장으로 잠시 있었다가 쾨니히스호벤에서의 결정적인 전투 직전에 이 무리를 떠났다. 416~418, 425

베를린Berlin, Hans(1560년경 사망): 하일브론의 공증인이자 전권 대리인. 1525년 농민 진영 편에서 도시 하일브론을 임시 대리한 자이자, 네카어 계곡-오덴발트 농민 총회(Bauernrat) 위원이자, 온건한 "아모어바흐 성명"의 공동 기초자이다. 하일브론 시장인 베를린의 친척이다. 424

베를린Berlin, Hans: 하일브론 시 참사회 의원이자 시장. 1525년 뵈블링겐에서 농민군이 패배하자, 하일브론을 차지하기 위해 슈바벤 동맹 야전사령관의 군 병력을 그곳에 유치하려고 노력했다. 417

베리예Berryer, Pierre-Antoine(1790~1868): 프랑스 변호사이자 정치인. 7월 왕정 때는 정통 왕조파의 지도자였고, 제2공화정 때는 제헌국민의회와 입법국민의회 의원이었다. 179

베버Weber, Joseph Valentin(1814~1895): 노이슈타트(팔츠) 출신 시계공. 빌리히 의용군의 참모로 제국헌법투쟁에 참여했다. 1849년 스위스로 망명했다. 1850년 런던으로 망명했다. 그 후에 오랫동안 런던의 독일 노동자교육협회를 지도했다. 323
베셀리Wessely: 1849년 런던의 망명자. 558
베스파시아누스Vespasianus, Titus Flavius(9~79): 69년 이후 로마의 야전사령관이자 황제. 509
베에Wehe, Hans Jacob: 라이프하임 출신 목사. 토마스 뮌처와 가까운 혁명적 이해를 대변했다. 1525년 라이프하임 무리의 지도자. 봉기 실패 후 처형당했다. 392, 413
베젤러Beseler, Wilhelm Hartwig(1806~1884): 슐레스비히 변호사. 1848년 슐레스비히-홀슈타인 임시정부 대통령, 프랑크푸르트 국민의회 부의장(중도 우파). 483
베커Becker, Max Joseph(1896년 사망): 라인 지방 출신 기능공. 소부르주아 민주주의자. 1849년 바덴-팔츠 봉기에 참여한 후에 스위스로 망명했다가 1850년 미합중국으로 망명했다. 91
베커Becker, Johann Philipp(1809~1886): 프랑켄탈(팔츠) 출신 솔 만드는 사람. 1830년대와 40년대 독일과 스위스에서 민주주의 운동에 참여하고, 분리동맹에 반대하는 전쟁 때는 스위스 군대의 장교로 참여했다. 1848/1849년 혁명에 참여하고, 바덴-팔츠 봉기 때는 바덴 국민방위군과 의용대를 지휘했다. 1850년 스위스 혁명 중심의 동맹원이었고, 1860년대에는 국제노동자협회의 지도자였다. 1866~1871년 월간지《데어 포어보테》(Der Vorbote)의 편찬자였다. 마르크스와 엥겔스의 친구이자 투쟁 동지였다. 3, 4, 65, 104, 111~116, 337, 338, 930, 931
베커Becker, Hermann Heinrich(1820~1885): 쾰른 지방법원 시보이자 저널리스트. 1848/1849년 라인 지방 민주주의 협회 회원이자 민주주의 연합 지역위원회 위원. 1849년 5월부터 7월까지《베스트도이체 차이퉁》편찬자. 1850년 말부터 공산주의자동맹 동맹원. 1851년 마르크스의『논문 모음집』제1권의 편찬자. 1852년 쾰른 공산주의자 재판에서도 유죄 판결을 받았다. 후에 민족자유주의자가 되었다. 493
베허Becher, August: 1849년 임시 제국 섭정인 중 한 명. 바덴-팔츠 봉기가 진압된 이후 망명했다. 22, 38, 330
벤츠Benz: 1840년대 베른의 술집 주인. 204
벨덴Welden, Franz Ludwig Freiherr von(1782~1853): 오스트리아 장군. 1848년 이탈리아원정에 참여했다. 빈 총독(1848년 12월~1849년 4월, 1849년 8월~1851년 6월 초까지). 헝가리 혁명을 진압하기 위해 투입된 오스트리아 군대 최고사령관(1849년 4~5월). 517
벨저Welser: 15~16세기의 아우크스부르크 상인이자 은행가. 유럽 군주에게 신용 대출을 제공했다. 411
벰Bem, Józef(1794~1850): 폴란드 장군. 1830/31년 폴란드 봉기의 지도자 중 한 사람. 1848년 10월 혁명 빈(Wien)을 방어하는 데 참여했다. 1849년 헝가리 혁명군 지휘

관 중의 한 명이었고, 이후 터키군에 입대했다. 55
보나파르트Bonaparte, Charles-Louis-Napoléon(루이 나폴레옹Louis Napoleon, 나폴레옹Napoleon)(1808~1873): 1848년 2월 혁명 이후 의원, 1848~1852년 제2공화정 대통령. 나폴레옹 3세로서 프랑스 황제(1852~1870): 나폴레옹 1세의 조카. 29, 35, 151~158, 160~170, 173, 176~180, 183~185, 189, 190, 192~194, 215, 216, 233, 235, 236, 252, 315, 351, 352, 365, 366, 468, 470, 475~481, 484, 542, 546~548, 775, 777, 782, 783, 867, 994
보나파르트, 제롬Bonaparte, Jérôme(1784~1860): 베스트팔렌 왕(1807~1813). 1850년부터 프랑스 원수. 나폴레옹 1세의 막냇동생. 178
보나파르트Bonaparte, Napoléon-Joseph-Charles-Paul(제롬Jérôme으로 불린다)(1822~1891): 제2공화정 제헌국민의회와 입법국민의회 의원, 제롬 보나파르트의 아들. 178
보디발Potiphar: 성서에 나오는 인물. 177
보르도 공Duke of Bordeaux → 샹보르
보름Borme, Daniel(약 1821~1872): 파리의 화학자. 1848년 5월 15일 파리 사건에 참여한 것 때문에 뷔르주 재판에서 피고가 되었다. 혁명운동에서는 정통 왕조파를 대변했다. 352, 353
보마르셰Beaumarchais, Pierre-Augustin Caron de(1732~1799): 프랑스 작가. 157
보방Vauban, Sébastien Le Prestre, marquis de(1633~1707): 프랑스 군사 기술자이자 경제학자. 경제학 저서 『왕실의 십일조 계획』(1707)의 저자. 1703년 이후 프랑스 궁내부 대신. 184
보이스트Beust, Friedrich Karl Ludwig von(1817~1899): 프로이센 장교로 정치적 신념 때문에 군대에서 파면되었다. 1848년 쾰른 노동자협회 위원이자 《노이에 쾰니셰 차이퉁》(Neue Kölnische Zeitung)의 편집자(1848년 9월~1849년 2월)였다. 1849년 팔츠 봉기 때 군사위원회 위원이었고, 후에 취리히에서 교사와 학교개혁가로 일했다. 1867년 인터내셔널(국제노동자협회—옮긴이) 취리히 지부를 결성하는 데 참여했다. 98
보카치오Boccaccio, Giovanni(1313~1375): 이탈리아 시인이자 르네상스기 인문주의자. 『데카메론』의 저자. 380
보케Bocquet, Jean-Baptiste: 프랑스 교사. 공화파로 7월 왕정 때 혁명적 비밀 결사의 성원. 1848년 프랑스 혁명에 참여했다. 영국으로 망명했다. 278, 279
본Beaune, Jean-Baptiste-Augustin(1796~1849): 1849년 프랑스 입법의회 의원: 정통 왕조파. 35, 188
볼Ball, John(1381년 처형당함): 영국 시골 목사. 1381년 일어난 영국 농민 봉기의 지도자였고 봉기자들의 좌파 이데올로그였다. 380, 381
볼링브로크Bolingbroke, Henry Saint John, Viscount(1678~1751): 영국 이신론 및 회

의주의 철학자. 토리당 지도자 중의 한 사람. 207
볼테르Voltaire(본명 François-Marie Arouet)(1694~1778): 프랑스 이신론 철학자, 역사가, 작가. 계몽주의의 주요 대표자. 177
볼프Wolff, Ferdinand(1812~1895): 쾰른 출신 저널리스트. 1846/1847년 브뤼셀 공산주의 통신위원회 위원. 공산주의자동맹 동맹원. 1848/1849년《노이에 라이니셰 차이퉁》의 편집진 가운데 한 사람. 그 후 파리와 런던으로 망명했다. 1850년 공산주의자동맹이 분열할 때 마르크스와 엥겔스를 지지했다. 후에 정치 일선에서 물러났다. 142, 143, 150, 155, 237, 444, 560, 575, 583
볼프Wolff, Friedrich Wilhelm(1809~1864): 프롤레타리아트 혁명가, 교사, 저널리스트. 봉건제에 예속된 슐레지엔 소농의 아들. 적극적인 대학생 학우회(Burschenschaft) 활동으로 1834년에서 1838년까지 프로이센에서 구금되었다. 1846년 이후 브뤼셀에 거주하면서 마르크스와 엥겔스의 친구이자 투쟁 동지가 되었다. 1846년 브뤼셀 공산주의 통신위원회에서 적극적으로 활동했다. 공산주의자동맹의 공동 창립자이며 1848년 3월부터 공산주의자동맹 중앙본부 위원이었다. 1848/1849년《노이에 라이니셰 차이퉁》의 편집진 가운데 한 사람. 라인 지방 민주주의자 지역위원회 위원이자 쾰른 공안위원회 위원. 프랑크푸르트 국민의회 의원(극좌파). 1849년 스위스로 망명했다가 1851년 중순 영국으로 망명했다. 224, 237, 338, 560
봅친Bobzin, Friedrich Heinrich Karl(1826년 출생): 메클렌부르크 시계 보조공. 1847년 브뤼셀 독일노동자협회 성원. 1849년 바덴-팔츠 봉기에 참여한 후에 런던으로 망명했다. 구스타프 폰 슈트루베와 함께 런던의 소부르주아 민주주의 연합을 이끌었고, 1850년 4월 말 창립한 소부르주아 독일인 망명자협회의 회계 관리인이 되었다. 1851년 영국을 떠났다. 570, 571
뵈커Boecker: 쾰른 시의회 의원. 1849년 5월 쾰른에서 열린 라인 자치단체 평회의에 참여했다. 44
뵈티허Boetticher(Bötticher), Wilhelm Karl(1789~1868): 관료. 1842~1848년 프로이센 주 장관. 1849년 상원 의원. 1850년 프랑크푸르트에서 열린 오스트리아-프로이센 연방위원회의 프로이센 대표자. 30
뵈하임Böheim, Hans(북 치는 사람Pauker, 피리 부는 한스Pfeiferhänslein로 불린다)(1476년 처형당함): 목자이자 시골 유랑 악사. 1476년 타우버 계곡에서 인민에게 설교를 하여 농민운동을 부추겼다. 뷔르츠부르크 주교에게 붙잡혀 이교도로 화형을 당했다. 393~396
부르봉Bourbons(Bourbon): 프랑스 왕조. 부르봉 왕조가 프랑스를 통치(1589~1792, 1814/1815, 1815~1830), 직계 가문(오를레앙)이 1830~1848년 통치, 방계 가문이 스페인(1701~1808, 1814~1868, 1874~1931), 나폴리-시칠리아(1735~1860), 파르마(1748~1859)를 통치했다. 24, 163, 774

부르크베른하임Burgbernheim(Burg-Bernheim), Gregor: 1525년 안스바흐 농민군의 우두머리. 426, 427

부름저Wurmser, Dagobert Siegmund von(1724~1797): 오스트리아 야전사령관. 511

부슈오트Bouchotte, Jean-Baptiste-Noël(1754~1840): 프랑스 장군. 프랑스 혁명에 참여한 자코뱅주의자. 1793/1794년 전쟁장관. 516, 531

부아기유베르Boisguillebert, Pierre Le Pesant, sieur de(1646~1714): 프랑스 경제학자이자 통계학자. 프랑스 부르주아 고전경제학의 요소를 발전시켰다. 184

부허Bucher, Adolpf Lothar(1817~1892): 프로이센 법률 시보이자 저널리스트. 1848년 프로이센 제헌의회 의원(중도 좌파), 1848년 혁명 실패 후 런던으로 망명했고, 베를린《나치오날-차이퉁》(National-Zeitung)의 통신원이었다. 후에 민족자유주의자, 비스마르크의 협력자가 되었다. 332

분젠Bunsen, Christian Karl Josias Freiherr von(1791~1860): 프로이센 외교관, 저널리스트, 신학자. 1824~1839년 바티칸 대사, 1842~1854년 런던 총영사. 347, 357, 468

뷔고Bugeaud de la Piconnerie, Thomas-Robert(1784~1849): 프랑스 장군. 오를레앙파. 1843년 이후 프랑스 원수, 1844년 일리(d'Isly) 공작이 되었다. 군사령관으로서 1834년 파리의 공화파 봉기를 진압했고, 알제리와 모로코 점령 전쟁을 기획한 사람 중의 한 명이었다. 7월 왕정 때는 하원 의원이었고, 1848년 2월 혁명 이후 입법국민의회 의원이었다. 1849년 알프스 군대 최고사령관이었다. 152

뷔르거스Bürgers, Johann Heinrich(1820~1878): 독일 저널리스트. 1848/1849년《노이에 라이니셰 차이퉁》편집진. 공산주의자동맹 동맹원, 1850/1851년 공산주의자동맹 중앙본부 위원. 1852년 쾰른 공산주의자 재판의 주요 피고인으로서 6년 형을 선고받았다. 후에 민족자유주의자가 되었다. 560

브라운슈바이크Braunschweig → 카를 빌헬름 페르디난트

브라울리히Braulichy: 1849년 런던의 독일인 망명자. 558

브라이텐슈타인Breitenstein, Sebastian von(1464~1536): 1523년 이후 대주교급 켐프텐 수도원장. 412

브라이트Bright, John(1811~1889): 영국 공장주. 급진적-자유주의 부르주아지의 지도자. 자유무역 지지자로 반곡물법-동맹 공동 창립자. 자유주의 내각에서 여러 번 장관을 역임했다. 28, 182, 226

브란덴부르크Brandenburg, Friedrich Wilhelm Graf von(179~1850): 프로이센 장군이자 정치가. 반혁명 내각의 의장(1848년 11월에서 1850년 11월까지). 44

브랑겔Wrangel, Friedrich Heinrich Ernst Graf von(1784~1877): 프로이센 장군. 1848년 프리드리히 빌헬름 4세가 쿠데타를 일으켰을 때 반혁명적 프로이센 군대를 지휘했다. 1848년 11월 프로이센 제헌의회를 몰아낼 때 주도적으로 참여했다. 553

브레아Bréa, Jean-Baptiste-Fidèle(1790~1848): 프랑스 장군. 1848년 파리 6월 봉기

진압에 참여했다가 봉기군에 의해 피살되었다. 165
브렌타노Brentano, Lorenz Peter Karl(1813~1891): 만하임 변호사. 소부르주아 민주주의자. 1848년 프랑크푸르트 국민의회 좌파 의원, 1849년 바덴 임시정부 의장. 바덴-팔츠 봉기 실패 후 스위스로 망명했다가 그 후 미합중국으로 망명했다. 59~61, 63~65, 67~69, 72, 73, 95, 100, 113, 117, 118
브루엄Brougham, Henry Peter, Lord Brougham and Vaux(1778~1868): 영국 법률가, 저널리스트, 작가이자 정치가. 휘그당의 지도자 중 한 사람으로, 1820년대와 30년대에는 자유무역 지지자로 선거 개혁을 옹호했다. 대법관을 역임했다(1830~1834). 468
브룬Bruhn, Karl von(1803년 출생): 독일 저널리스트. 추방된 자 동맹, 의인동맹, 공산주의자동맹 동맹원. 1848/1849년 프랑크푸르트(마인)와 바덴 봉기에 참여했다. 후에 함부르크 신문《데어 노르트슈테른》(Der Nordstern) 편찬자였다. 337
브뤼게만Brüggemann, Karl Heinrich(1810~1887): 독일 저널리스트이자 국민경제학자. 1832년 함바흐(Hambach) 축제에 참여했고, 1832~1840년 구속되었다.《라이니셰 차이퉁》(1842/1843)의 협력자였고,《쾰니셰 차이퉁》(1845~1855)의 책임 편집장이었다. 1848/1849년 혁명기에는 보수파 편에 섰다. 482
블라이Blei: 1849년 런던의 독일인 망명자. 558
블랑Blanc, Jean-Joseph-Charles-Louis(루이-블랑으로 불린다)(1811~1882): 프랑스 저널리스트이자 역사가. 소부르주아 사회주의자. 1848년 임시정부 성원이자 뤽상부르-위원회 의장. 계급 화해와 부르주아지와의 협약 입장을 대변했다. 1848년 8월 영국으로 망명하여 소부르주아 망명자들의 지도자 중 한 명이 되었다. 124, 126, 129, 133, 135, 136, 142, 143, 153, 165, 193, 241, 242, 247, 249, 272, 432, 499, 501, 502, 579, 772, 1035
블랑크Blank, Karl Emil(1817~1893): 런던의 독일인 상인. 1840년대에는 사회주의 견해에 가까웠다. 엥겔스의 여동생 마리(Marie)와 결혼했다. 569
블랑키Blanqui, Louis-Auguste(1805~1881): 프랑스 유토피아적 공산주의자로 음모 조직을 통한 폭력적인 권력 장악과 혁명적 독재의 수립을 옹호했다. 수많은 비밀결사와 음모를 조직했으며, 1840년 혁명에 적극적으로 참여했고, 1839년 사형을 선고받은 후에 종신형 판결을 받았다. 1848년 혁명 때는 프랑스 프롤레타리아트 운동의 지도자 중의 한 명이었다. 30년 이상을 감옥에서 지냈다. 135, 157, 192~194, 251, 281, 287, 341, 351, 352, 498~502, 544, 1027
블렝커 2세Blenker, Ludwig(1812~1863): 보름스 출신 포도주 상인. 부르주아 민주주의자. 1849년 바덴-팔츠 봉기에 참여했고, 한 부대를 이끌었으며 팔츠 군사위원회 특별위원이 되었다. 미합중국으로 망명하여 북군 여단장으로 미국 남북전쟁에 참전했다. 37, 79~81, 87, 90, 106, 110, 112, 113
블룀 2세Bloem(Bloem II), Anton(1814~1885): 뒤셀도르프 출신 변호사. 시의회 의원

이자 민주주의자. 1848년 프로이센 제헌의회 의원(중도 좌파). 44
블룸Blum, Robert(1807~1848): 라이프치히 저널리스트이자 출판업자. 1840년대에는 작센 소부르주아-민주주의 반대파의 지도자. 1848년 예비의회 부의장, 프랑크푸르트 국민의회 좌파 지도자. 1848년 10월 빈 봉기에 참여했고, 반혁명이 승리하자 즉결 재판으로 총살되었다. 37, 80, 100, 102
블린트Blind, Karl(1826~1907): 만하임 출신 작가이자 저널리스트. 소부르주아 민주주의자. 1848/1849년에는 바덴 혁명운동에 참여했고, 1849년에는 바덴 임시정부 성원이 되었다. 마르크스와 함께 런던으로 가서 독일 정치인 망명자 후원회를 공동 창립했다. 1849년 10월에는 브뤼셀에서 활동했다. 1849/1850년 공산주의자동맹 동맹원이자 《노이에 라이니셰 차이퉁. 정치-경제 평론》의 협력자였다. 1850년대 중반부터 런던의 독일인 소부르주아 망명자들의 지도자 중 한 사람이었다. 후에 민족자유주의자가 되었다. 60, 67, 238, 554, 555, 558
비달Vidal, François(1814~1872): 프랑스 경제학자, 소부르주아 사회주의자, 루이 블랑의 추종자. 입법국민의회 의원(1850~1851). 193, 194, 251, 317, 326, 780
비도크Vidocq, François-Eugène(1775~1857): 프랑스 범죄자로 후에 파리 비밀경찰의 우두머리. 추정컨대 『비도크의 회고록』(Mémoires de Vodocq, 1828)의 저자. 그의 이름은 고약한 추적자와 교활한 도둑의 총칭이 되었다. 283
비딜Vidil, Jules: 프랑스 장교. 사회주의자. 런던의 프랑스인 블랑키주의 망명자 단체의 지도자 중 한 사람. 568
비비앵Vivien, Alexandre-François-Auguste(1799~1854): 프랑스 변호사이자 정치인. 오를레앙파. 1840년 법무장관, 1848년 카베냐크 정부 공공사업장관. 147
비티히Bittig: 1850년 런던의 독일인 망명자. 323
비히만Wichmann: 함부르크 출신 목수. 1845년 베를린 의인동맹 동맹원. 1850년 런던의 독일인 망명자에게 돈을 보냈다. 1082
빈디슈그레츠Windischgrätz, Alfred Fürst zu(1787~1862): 오스트리아 야전사령관. 1848/1849년 오스트리아 반혁명군 지도자 가운데 한 사람. 1848년 6월 프라하 봉기와 10월 빈 봉기 진압을 주도했다. 1849년 헝가리 혁명을 진압하기 위해 투입된 오스트리아 군대의 선봉에 섰다. 517
빌덴브루흐Wildenbruch, Ludwig von(1803~1874): 프로이센 외교관. 1848년 코펜하겐 공사. 363
빌란트Wieland, Christoph Martin(1733~1813): 독일 계몽주의 시인. 고전주의의 개척자. 331
빌리히Willich, August(1810~1878): 프로이센 소위. 1847년 쾰른 공산주의자동맹 동맹원. 1849년 바덴-팔츠 봉기 의용군 지도자. 1850년 공산주의자동맹이 분열할 때 카를 샤퍼와 함께 마르크스를 반대한 소부르주아적 분파의 지도자. 1853년 미합중국으로 망명했다. 미국 남북전쟁 때 북군 장군으로 참전했다. 34, 69, 79, 80, 84, 85,

87, 90~95, 98~101, 104~111, 114~116, 319, 324, 328, 344, 347, 356, 358, 489, 498, 559, 565, 568, 570, 574, 577, 579, 580, 584, 712, 1094, 1097
빌헬름 1세Wilhelm I.(1781~1864): 1816년 이후 뷔르템베르크 왕. 22
빌헬름 3세. 슈트라스부르크 주교Wilhelm III. Bischof von Straßburg → 혼슈타인
빌헬름 마이스터Wilhelm Meister: 요한 볼프강 폰 괴테의 『빌헬름 마이스터의 수업시대』 주인공. 201
빌헬름 프리드리히 루트비히Wilhelm Friedrich Ludwig(1797~1888): 프로이센 왕자. 장군. 1849년 바덴-팔츠 봉기를 진압하기 위해 투입된 프로이센 군대의 최고사령관. 1858년 섭정 전하. 1861년 빌헬름 1세로서 프로이센 왕이 되었고, 1871년 이후 독일 황제가 되었다. 89, 94, 320
빙켈리트Winkelried, Arnold: 14세기 합스부르크가의 지배에 저항한 스위스 해방투쟁의 전설적 인민 영웅. 488, 1018

| ㅅ |

사무엘Samuel: 성서에 나오는 인물. 149
사울Saul(Saulus): 성서에 나오는 인물. 149
산초 판자Sancho Pansa(Sancho Panza): 미겔 드 세르반테스의 『기발한 시골 양반 라만차의 돈키호테』에 나오는 인물. 202
살레레시Száleresi(Szaleres), Ambros: 페슈트 출신 시민. 1514년 봉기한 농민에 가담했으나 귀족 편으로 넘어갔다. 404
삼손Simson 성서에 나오는 인물. 171
새들러Sadler, Michael Thomas(1780~1835): 영국 경제학자, 정치인, 저널리스트. 토리당원. 사회개혁가. 306, 312
생시몽Saint-Simon, Claude-Henri de Rouvroy, comte de(1760~1825): 프랑스 유토피아적 사회주의 학파의 창시자. 626
생쥐스트Saint-Just(Saint Just), Antoine-Louis Léon de(1767~1794): 자코뱅파 지도자. 515
샤를 10세Charles X(Carl X.)(1757~1836): 프랑스 왕(1824~1830). 194
샤벨리츠Schabelitz, Jakob Christian: 바젤의 서점과 출판사 소유자. 공산주의자동맹 동맹원으로 활동했던 그의 아들 야코프 루카스 샤벨리츠(Jacob Lucas Schabelitz, 1827~1899)가 이를 넘겨받았다. 732
샤퍼Schapper, Karl(1812~1870): 의인동맹 지도자. 1840년 런던의 독일 노동자교육협회 공동 설립자. 공산주의자동맹 중앙본부 위원. 1848/49년 혁명에 참여했다. 쾰른 노동자협회 의장. 《노이에 라이니셰 차이퉁》의 협력자. 1850년 공산주의자

동맹이 분열할 때 마르크스를 반대한 소부르주아 분파의 지도자 가운데 한 사람. 1856년 다시 마르크스와 엥겔스와 가까워지고 죽을 때까지 그들의 투쟁 동지였다. 1865년 이후 국제노동자협회 총평의회 성원. 358, 489, 498, 577~580, 584, 587, 1014, 1094~1097

샤펠러Schappeler, Christoph(1472~1551): 급진적 종교개혁을 추진한 사제. 울리히 츠빙글리의 추종자. 1523~1525년 메밍겐 사제. "12개 조항" 서문의 저자. 슈바벤 동맹 앞에서 농민전쟁이 패배하자 장크트갈렌으로 도주했다. 392, 429

샹가르니에Changarnier, Nicolas-Anne-Théodule(1793~1877): 프랑스 장군이자 정치가. 군주파. 1848/1849년 제헌국민의회와 입법국민의회 의원이자 파리 6월 봉기를 진압한 사람 가운데 한 명이다. 1848년 6월 이후 국민방위군과 파리 주둔군의 최고사령관. 1849년 6월 13일 시위대를 쫓아내는 데 참여했고, 1851년 12월 2일 쿠데타 후에 체포돼 프랑스에서 추방되었다가, 나중에 프랑스로 되돌아왔다. 152, 158, 167, 172, 176, 235, 236, 476, 479~481, 783, 786, 787

샹보르Chambord, Henri-Charles d'Artois, duc de Bordeaux, comte de(1820~1883): 부르봉 왕조 방계 가문의 마지막 대표자. 1830년 7월 혁명의 승리 후 추방당했다. 앙리 5세라는 이름으로 프랑스 정통 왕조파의 왕위 계승 요구자를 자처했다. 33, 177, 352, 477, 784

섀프츠베리Shaftesbury, Anthony Ashley Cooper, Earl of(1671~1713): 영국 작가이자 철학자. 이신론을 대변했다. 정치인. 휘그당원. 207

섀프츠베리Shaftesbury, Anthony Ashley Cooper, Earl of(1801~1885): 영국 정치인. 토리당원. 1847년 이후 휘그당원. 1840년대에는 10시간 법을 위해 귀족적이고 박애주의적 운동을 지도했다. 226, 306, 308, 312

서포여이Zápolya(Zapolya), Janos(Johann)(1487~1540): 지벤뷔르겐 출신. 1514년 헝가리 농민군에 대항하는 귀족 군대를 지휘했다. 1526년 귀족 중심의 "국가" 정당을 왕에게 호소했다. 404

성 루이Saint Louis. 33

성 루트비히Ludwig, der Heilige. 177

성 오딜리아Odilia, die heilige(St. Ottilia)(720년경 사망): 알자스 귀족의 딸로 많은 수녀원을 세웠다. 중세시대 알자스의 수호성인으로 여겨졌고, 남독일에서 숭배받았다. 399

성 오틸리아Ottilia, St. → 성 오딜리아

세귀르 다게소Ségur d'Aguesseau, Raymond-Joseph-Paul, comte de(1803~1889): 프랑스 변호사이자 정치인. 입법국민의회에서 질서당을 대변했다. 194

세르반테스Cervantes Saavedra, Miguel de(1547~1616): 스페인 시인. 59, 202, 469

세바스티아니Sébastiani(Sebastiani), Horace-François-Bastien, comte(1772~1851): 프랑스 장군이자 외교관. 1840년 이후 프랑스 원수. 나폴레옹 전쟁에 참여했다. 외무

장관(1830~1832)과 런던 대사(1835~1840). 139
셰뉘Chenu, Adolphe(1816년 출생): 7월 왕정 때 프랑스에서 혁명 비밀 결사에 참여했다. 비밀경찰의 밀정이었다. 275~281, 284~289
셰르트너Schärttner(Scherttner), August(1817~1859): 하나우 통장이. 1848년 혁명에 참여했고, 1849년 바덴-팔츠 봉기에 참여했으며, 하나우 체조인 대대의 지도자. 스위스와 프랑스를 거쳐 런던으로 망명했다. 그곳의 독일인 소부르주아 망명자들이 모이는 식당의 주인이었다. 1850년까지 공산주의자동맹 동맹원이었고, 공산주의자동맹이 분열된 후에 빌리히-샤퍼의 소부르주아 분파에 가담했으며, 그 분파의 중앙본부 위원이었다. 572, 584, 1087
셰익스피어Shakespeare, William(1564~1616): 영국 극작가이자 서정 시인. 87
소브리에Sobrier, Marie-Joseph(약 1825~1854): 프랑스 저널리스트. 민주주의 공화파. 7월 왕정 때는 혁명적 비밀 결사 성원. 1848년 3월에서 5월 신문《라 코뮌 드 파리》(La Commune de Paris)의 편찬자. 1848년 5월 15일 노동자 시위의 지도자로 7년 형을 선고받았다. 278
솔로몬Salomo(Salomon): 성서에 나오는 인물. 200
쇤Schön, Ulrich(1525년 처형당함): 라이프하임 무리의 작전 참모(1525). 413, 421
쇤할스Schönhals, Karl Freiherr von(1788~1857): 오스트리아 장군. 포병대장. 1848/1849년 이탈리아의 혁명운동과 민족해방운동을 진압하는 데 참여했다. 30, 220, 221
쇼프Schopp: 상인. 1849년 런던으로 망명했다. 558
수보로프Suworow(Суворов)(Suworoff), Alexandr Wassiljewitsch(1729~1800): 러시아 야전사령관. 518
술루크Soulouque, Faustin(약 1782~1867): 아이티 공화국 대통령(1847~1849). 1849년 포스탱 1세라는 이름으로 황제로 등극했다. 잔인함과 허영심으로 유명했다. 152, 189, 192, 235
쉬Sue, Eugene(1804~1857): 프랑스 작가. 사회 문제를 감상적인 소설로 썼다. 1848/1849년 입법국민의회 의원. 189, 326, 364, 472~474, 780, 781
쉬츠Schütz, H.: 1850년 런던의 독일인 망명자. 323
쉴러Schüler, Friedrich(1791~1873): 1848/1849년 프랑크푸르트 국민의회 의원(극좌파). 1849년 임시 제국 섭정자. 바덴-팔츠 봉기 패배 후 망명했다. 22, 38, 330
슈나이더Schneider, Georg: 로스하임(알자스) 출신 용병대장. 1513년 라인 강 상류 분트슈 모반에 참여했다. 399
슈나이데Sznayde, Franz(1790~1850): 1830/31년 폴란드 봉기에 참여했다. 1849년 바덴-팔츠 혁명군 장군. 78, 79, 82, 87, 90, 98, 99, 101
슈람Schramm, Conrad(1822~1858): 크레펠트 출신 상인이자 저널리스트. 1848년 슐레스비히-홀슈타인 투쟁에 참여했다. 1848년 11월부터《다스 킬러 데모크라티셰 보헨블라트》(Das Kieler Demokratische Wochenblatts)의 편찬자. 공산주의자동맹 동맹원. 1849년 이후 런던으로 망명했다.《노이에 라이니셰 차이퉁. 정치-경제 평론》의 대표 이사. 공산주의자동맹이 분열할 때 마르크스를 지지했다. 1852년부터 1857년까지 미합중국에서 살았다. 18, 358, 444, 561, 567, 577, 580, 732, 1027

슈람Schramm, Rudolph(1813~1882): 독일 저널리스트. 소부르주아 민주주의자. 1848년 프로이센 제헌의회 의원(좌파). 1848/1849년 혁명 후 영국으로 망명했고, 마르크스와 대립했다. 1860년대에는 비스마르크를 지지했다. 322, 323, 913

슈르츠Schurz, Carl(1829~1906): 독일 저널리스트. 소부르주아 민주주의자. 1849년 바덴-팔츠 봉기에 참여했다. 스위스 혁명 중심 성원. 1850년 킹켈을 감옥에서 구해주고, 1852년 미합중국으로 망명했다. 미국 남북전쟁에서 북군으로 참전했다. 스페인 미국 공사, 상원 의원이자 내무장관. 337

슈미트Schmid, Ulrich: 줄밍겐(바이에른) 출신 대장장이. 발트링겐 무리의 최고 지휘관. 1525년 봉기군의 온건파 대표자. 412

슈미트Schmidt, Jörg(Knopf von Leubas)(약 1480~1525): 켐프텐 마전장이 노예. 알고이 농민군의 최고 용병대장. 귀족과 맞선 결전을 지지했다. 농민전쟁 후 처형당했다. 430, 431

슈미트Schmitt, Nikolaus(약 1806~1860): 카이저슬라우테른 출신 저널리스트이자 법률가. 소부르주아 민주주의자. 1832~1849년《데어 보테 퓌어 슈타트 운트 란트》의 편찬자. 프랑크푸르트 국민의회 의원(좌파). 1849년 팔츠 임시정부 성원. 봉기 실패 후 스위스로 망명했다가 1850년 미합중국으로 망명했다. 72, 84

슈바인스베르거Schweinsberger: 1850년 런던의 독일인 망명자. 323

슈베르트Schuberth, Georg Ferdinand Julius(1804~1875): 함부르크 출판인. 1850년《노이에 라이니셰 차이퉁. 정치-경제 평론》을 편찬했다. 18

슈베르트사Schberth & Co.: 1826년 이후 함부르크의 서적 판매 출판사와 소매 서점. 라이프치히(1832년 이후)와 뉴욕(1850년 이후)에도 지점을 냈다. 18

슈아죌-프랄랭Choiseul-Praslin, Charles-Laure-Hugues-Théobald, duc de(1805~1847): 1845년부터 프랑스 귀족원 의원. 부인 살해 혐의로 기소되었고, 자살했다. 240

슈테른베르크 → 웅게른-슈테른베르크

슈토르흐Storch, Niklas(1500년 이전~1536년 이후): 츠비카우 직조공. 급진파 후스 교도의 사상에 영향을 받았고 토마스 뮌처에게 영향을 끼친 츠비카우 한 교파의 교주. 387

슈토펠Stoffel: 프라이부르크 출신. 1513년 분트슈를 조직한 사람 가운데 한 명. 399

슈톨베르크Stolberg, Bodo Graf von(1467~1538): 알브레히트 추기경의 고문. 마그데부르크와 할버슈타트(Halberstadt) 수도원 관리인. 386

슈퇴르퍼Störfer: 1850년 런던의 독일인 망명자. 323

슈툴츠Stulz, Georg(1768~1832): 바덴 출신 재봉사 도제, 후에 런던의 제복 재봉사. 596
슈트라서Straßer, Friedrich: 오스트리아 군인. 1848년 오스트리아 혁명에 참여했다. 1849년 바덴-팔츠 혁명군 장교. 90
슈트라우스Strauß, David Friedrich(1808~1874): 독일 철학자이자 저널리스트. 헤겔 제자. 그의 역사적인 성서 비판이 청년헤겔주의의 토대를 형성했다. 1866년 이후 민족자유주의자가 되었다. 266
슈트로타Strotha, Karl Adolf von(1786~1870): 프로이센 장군. 1848년 11월부터 1850년 2월까지 전쟁장관. 1849년 프로이센 상원 의원. 221
슈트루베Struve, Gustav von(1805~1870): 독일 변호사이자 저널리스트. 소부르주아 민주주의자이자 연방주의 공화파. 1847/1848년 프리드리히 헤커와 함께 급진적인 《도이처 추샤우어》를 편찬했다. 1848년 예비의회 의원. 1848년 4월과 9월의 바덴 봉기와 1849년 바덴-팔츠 봉기의 지도자. 1849년 5/6월 바덴 영방위원회 위원. 혁명이 실패한 후 스위스로 이주했다가 1851년 영국으로 이주했다. 그곳의 소부르주아 망명자의 지도자 가운데 한 사람이었다. 후에 미국 남북전쟁 때 북군으로 참전했다. 1862년 독일로 되돌아왔다. 37, 60, 62, 65, 101~103, 113~115, 323, 328, 38, 567, 570, 571, 913, 917, 931, 1078
슈티르너Stirner, Max(본명 Johann Caspar Schmidt)(1806~1856): 독일 철학자이자 작가. 청년헤겔학파. 부르주아적 개인주의와 아나키즘 이데올로그 가운데 한 사람. 『유일자와 그의 소유』의 저자. 297, 330, 331, 507, 922
슈페트Spät, Dietrich von: 우라흐 태수. 1525년 슈바벤 동맹군의 분대를 지휘했다. 420, 422, 425
슐링케Schlinke, Ludwig: 프로이센 장교. 점원. 1848년 브레슬라우 혁명 봉기에 참여했다. 1849년 바덴-팔츠 혁명군 선임 부관. 115
스미스Smith, Adam(1723~1790): 영국 경제학자. 부르주아 고전경제학의 주요 대변자 가운데 한 사람. 487, 503
스미스Smith: 1850년 영국 대지주 가문. 646
스턴Sterne, Laurence(1713~1768): 영국 작가. 감상주의의 주요 대표자. 151, 152
스튜어트Stuarts: 스코틀랜드(1371~1714)와 잉글랜드(1603~1649, 1660~1714)의 왕조. 208
시멜페니히Schimmelpfennig von der Oye, Alexander(1824~1865): 바덴 출신 프로이센 장교. 소부르주아 민주주의자. 1848년 슐레스비히-홀슈타인과 바덴 투쟁에 참여했다. 1849년 바덴-팔츠 봉기에 참여했다가 그 후 영국으로 망명했다. 빌리히-샤퍼의 소부르주아 분파에 가담했다. 1858년 워싱턴에 살았다. 미국 남북전쟁에서 북군 측에서 참전했다. 79, 91~93
시스몽디Sismondi, Jean-Charles-Léonard Sismonde de(1773~1842): 스위스 경제학

자이자 역사가. 소부르주아 경제학의 창시자. 503, 623

실Schill, Ferdinand von(1776~1809): 프로이센 장교. 나폴레옹 통치에 반대하는 의용군 지도자. 1809년 독일 인민의 무장봉기를 조직했고, 전투 중 전사했다. 59

실러Schiller, Friedrich von(1759~1805): 시인, 미학자, 역사가. 괴테와 함께 대표적인 독일 고전 문학가. 197, 198, 203

| ㅇ |

아네케Anneke, Carl Friedrich Theodor (Fritz)(1818~1872): 프로이센 포병 장교로 1846년 혁명 활동 때문에 군에서 추방되었다. 공산주의자동맹 쾰른 지부 동맹원. 1848년에는 쾰른 노동자협회를 창립한 사람 중의 한 명이었고 서기장이 되었으며, 《노이에 쾰니셰 차이퉁》의 편찬자이자, 라인 지방 민주주의자 지역위원회 위원이었다. 1848년 7월부터 12월까지 구속되었다. 1849년 바덴-팔츠 봉기 때 부대장이었고, 후에 혁명군 포병 감독관이자 팔츠 군사위원회 위원이었다. 스위스로 망명했다가 미국으로 망명했는데, 북군 편에서 미국 남북전쟁에 참여했다. 77, 78, 100

아당Adam: 프랑스 노동자. 블랑키주의자. 7월 왕정 때 혁명적 비밀 결사 성원이었고, 1850년 런던의 프랑스인 블랑키주의 망명자 단체의 지도자 중 한 사람이었다. 568

아라고Arago, Dominique-François(1786~1853): 프랑스 천문학자, 물리학자, 수학자. 부르주아 정치가로 7월 왕정 당시 공화파였다. 신문 《라 레포름》의 공동 창간자이자 편찬자로 1848년에는 임시정부 성원이 되어 파리 프롤레타리아트의 6월 봉기를 진압하는 데 참여했다. 499

아르날도 다 브레시아Arnoldo da Brescia(아르놀트 폰 브레시아Arnold von Brescia)(약 1100~1155): 이탈리아 성직자이자 종교 개혁가. 1147~1155년에는 로마 공화국의 정상에 섰다. 이단으로 처형당했다. 380

아르놀트 폰 브레시아 → 아르날도 다 브레시아

아른트Arndt, Ernst Moritz(1769~1860): 독일 작가, 역사가, 어문학자. 1813년 해방전쟁에 적극적으로 참여했고, 독일 통일을 위해 선두에서 싸웠다. 1815년 이후에는 봉건 반동에 의해 박해를 받았고, 1820년 본 대학 역사 교수직을 파면당했지만 1840년에 복직되었다. 1848/1849년에는 프랑크푸르트 국민의회 의원이었다(중도우파). 212, 319

아리오스토Ariosto, Lodovico(1474~1533): 르네상스기 이탈리아 시인. 주저로는 『광란의 오를란도』(L'Orlando furioso)가 있다. 133, 155

아스톤Aston, Louise(본명 Luise Meier)(1814~1871): 독일 여성 작가이자 소부르주아-민주주의적 여권 운동가. 198

아우어바흐Auerbach, Berthold(본명 Moses Baruch)(1812~1882): 독일 작가. 자유주의

자였다가 나중에는 비스마르크의 지지자. 198, 199
아이젠후트Eisenhut, Anton(1525년 처형당함): 성직자, 크라이히가우 농민 지도자, 혁명 이념을 대변했다. 423
아이텔, 한스Eitel, Hans → 치겔뮐러
아이히펠트Eichfeld, Karl: 소위. 1849년 바덴 임시정부 전쟁장관. 65
아일바Aylva, Sjurd(1509년 사망): 1500년경 프리슬란트 농민 봉기의 지도자. 396
아타 트롤Atta Troll: 하인리히 하이네의 풍자시 제목. 67
안타이오스Antaios(Anteus): 그리스 신화에 등장하는 가이아(땅)의 아들. 헤라클레스가 그를 땅에서 들어 올려 죽였다. 171
안톤 공 → 앙투안
알렉산더 → 알렉산드로스 3세
알렉산드로스 3세Alexandros(Alexander) III., der Große(기원전 356~기원전 323): 336년부터 마케도니아 왕. 마케도니아에서 인도에 이르는 제국의 창건자. 479
알렉산드르 1세Alexander(Александр) I(1777~1825): 1801년부터 러시아 차르. 신성동맹의 설립자. 517, 786
알바Alba, Fernando Álvarez de Toledo y Pimentel, duque de(1507~1582): 스페인 야전사령관이자 네덜란드 총독. 네덜란드 혁명(1567~1573)을 잔인하게 진압한 것으로 악명이 높다. 411
알베르Albert(본명 Alexandre Martin, 노동자 알베르로 불린다)(1815~1895): 프랑스 노동자. 블랑키주의자. 혁명적 비밀 결사 지도부. 1848년 2월 혁명 동안 파리 노동자들의 무장봉기를 이끌었고 임시정부 성원이 되었다. 124, 126, 136, 241, 242, 249, 277~279, 281, 284, 287, 432, 499
알브레히트 3세Albrecht III, der Beherzte(1443~1500): 1464년 이래 작센 공작. 네덜란드 총독이자 프리슬란트 통치자. 1488~1493년 독일 왕의 명령으로 네덜란드의 저항을 진압하러 갔는데, 군대를 이끌고 프리슬란트 농민 1,500명이 참여한 봉기를 진압했다. 396
알켄Alken, Nikolaus(1849년 총살당함): 프로이센 예비군. 프륌 무기고 습격에 참여했다. 57
알티에리Altieri, Luigi(1805~1867): 로마의 정치가로 로마 교황령을 주도한 대표자. 1845년 이후 추기경. 1849년에는 가에타에 정주한 교황 피우스 8세의 대리인 중 한 명이었고, 1860년에는 알바노의 주교가 되었다. 176
암피트리온Amphitryon: 그리스 신화의 티린스 왕 알카이오스(Alkaios)의 아들. 몰리에르(Molière) 이후의 문학에서는 부유하고 친절한 주인의 모습으로 형상화되었다. 145
앙리, 보르도 공Henry, Duke of Bordeaux → 샹보르
앙리 4세Henri IV(Heinrich IV.)(1553~1610): 1589년 이후 프랑스 왕. 207

앙리 5세 → 샹보르

앙투안Antoine(안톤Anton)(1489~1544): 1508년 이후 로트링겐 공작. 1525년 알자스에서 일어난 농민 봉기를 용병 군대로 잔인하게 진압했다. 436

애슐리 경Ashley, Lord → 섀프츠베리

앤 스튜어트Anne Stuart(1665~1714): 1702년부터 잉글랜드 여왕. 그녀의 통치하에 잉글랜드와 스코틀랜드는 통합되어 그레이트 브리튼(1707년)이 되었다. 206

야우프Jaup, Heinrich Karl(1781~1860): 법률가. 자유주의자. 헤센-다름슈타트 내각 수상(1848~1850). 1850년 8월 프랑크푸르트 평화대회 의장. 467

야코비Jacoby, Johann(1805~1877): 쾨니히스베르크 의사. 부르주아 좌파 민주주의 저널리스트이자 정치인. 1848년 예비의회 의원, 프로이센 제헌의회 좌파 지도자. 1849년 프랑크푸르트 국민의회와 프로이센 하원 의원(급진 좌파). 비스마르크의 정책에 반대했고, 1872년부터 사회민주당 당원. 23

얀젠Jansen, Johann Joseph(1825~1849): 기하학 연구생. 공산주의자동맹 쾰른 지부 동맹원. 1848년 쾰른 노동자협회 서기장이자 의장 대리. 라인 지방 민주주의자 지역위원회 위원. 1849년 제국헌법투쟁 때 대대장, 바덴-팔츠 봉기에 참여했다는 이유로 사형 판결을 받고 총살당했다. 319

에게너Egener: 1849년 런던의 독일인 망명자. 558

에도이스Eddäus: 1849년 런던의 독일인 망명자를 위해 돈을 기부한 사람. 557

에른스트 2세Ernst II.(1464~1513): 1476년 이후 마그데부르크 대주교. 386

에른스트 아우구스트Ernst August(1771~1851): 1837년 이후 하노버 왕. 22

에머만Emmermann, Karl: 라인 지방 출신 산림 감독관. 1849년 바덴-팔츠 혁명군 사수대 지휘관. 혁명 패배 후 스위스로 망명했다. 108

에번스Evans, David Morier(1819~1874): 영국 경제학자이자 저널리스트. 454

에베르베크Ewerbeck, August Hermann(1816~1860): 독일 의사이자 저널리스트. 1841~1846년 파리 의인동맹의 인민회당(Volkshalle) 성원, 후에 공산주의자동맹 동맹원(1850년 탈퇴). 1848/49년 혁명기에는 파리에 창립한 독일인 협회(Deutsche Verein)의 서기였고, 《노이에 라이니셰 차이퉁》의 파리 통신원이었다. 341

에스탕셀랭Estançelin, Louis-Charles-Alexandre(1823년 출생): 프랑스 외교관. 1849년 입법국민의회 의원. 175

에카르트 → 충실한 에카르트

에카리우스Eccarius, Johann Georg(1818~1889): 튀링겐 출신 재단사이자 저널리스트. 의인동맹과 공산주의자동맹 동맹원. 공산주의자동맹 런던 중앙본부의 위원이자 국제노동자협회 총평의회 성원(1864~1872). 마르크스와 엥겔스의 투쟁 동지. 후에 영국 노동조합(Trade-Union)의 자유주의 지도자에 합류했다. 358, 444, 446, 577, 579, 580, 584, 604, 629, 1097

에커만Eckermann, Johann Peter(1792~1854): 작가, 괴테의 비서. 『말년의 괴테와의

대화』(Gespräche mit Goethe in den letzten Jahren seines Lebens)의 저자이자 편찬자. 198
에프너Ebner, Jörg: 라이프하임의 목사 바이어Baier로 불린다. 1525년 라이프하임 무리의 지휘관이었다. 421
엔데만Endemann: 1850년 런던의 망명자. 1838년 파리에서 의인동맹 성립에 관여한 북독일 출신 재단사 테오필 엔데만Theophil Endemann과 동일인으로 추정된다. 323
엘리아스Elias: 성서에 나오는 인물. 338
엘베시우스Helvétius(Helvetius), Claude-Adrien(1715~1771): 프랑스 유물론 철학자. 혁명적 부르주아 이데올로그 중의 한 사람. 167
엥겔하르트Engelhard(출생 시 가테러Gatterer), Magdalene Philippine(1756~1831): 독일 여류 시인. 198
예레미아Jeremia: 성서에 나오는 인물. 201, 467
예수 그리스도Jesus Christus(Christus): 전하는 성서에 따르면 기독교의 창시자. 387, 388
옐라치치Jellačić(Jellachich), Josip Graf von Bužim(1801~1859): 오스트리아 장군. 1848년 크로아티아 총독. 1848/1849년 오스트리아와 헝가리 혁명을 진압하는 데 적극적으로 참여했다. 553
오델Odell. 643
오르페우스Orpheus: 그리스 신화에 나오는 시인이자 가수. 167
오를란도 푸리오소Orlando furioso(광란의 오를란도rasender Roland): 루도비코 아리오스토의 주저 『광란의 오를란도』의 주인공. 155
오를레앙 공Orléans, duc d' → 루이-필리프 1세
오를레앙 공 미망인Orléans(Orleans), Hélène-Louise-Elisabeth d'(1814~1858): 메클렌부르크-슈베린 공주. 루이-필리프의 큰아들 페르디낭-필리프 오를레앙 공작(Ferdinand-Philippe, duc d'Orleans)의 미망인. 177
오를레앙Orléans(Orleans): 프랑스 왕조(1830~1848). 부르봉 왕조의 직계 가문. 150, 163, 178
오버뮐러Obermüller: 바덴 출신 저널리스트. 1849년 바덴-팔츠 봉기에 참여했고, 카를스루에 의용군의 지도자 가운데 한 명이었다. 1848년 이전에 프랑스와 스위스로 망명했던 빌헬름 오버뮐러(Wilhelm Obermüller)와 동일인으로 추정된다. 바이틀링의 적대자. 85, 86, 92
오보르스키Oborski, Ludwig(1787~1873): 폴란드 대령. 1830/1831년 폴란드 봉기에 참여했다. 1834년 런던으로 망명했고, 우애 민주주의자 지도부였다. 1849년 바덴-팔츠 혁명군 사단장. 후에 국제노동자협회 총평의회 성원, 런던의 폴란드인 망명자 의장. 107, 111
오비디우스Ovidius(Ovid) Naso, Publius(기원전 43~기원후 18): 로마 시인. 기원후 8년

아우구스투스 황제에 의해 로마에서 추방되었다. 502
오스발트Oßwald: 1849년 바덴-팔츠 봉기에 참여했다. 팔츠 혁명군 대대장. 99
오스틀러Oastler, Richard(1789~1861): 영국 정치인이자 사회개혁가. 토리당원. 자유무역 부르주아지에게 대항하는 투쟁에서 노동일의 법적 제한을 찬성했다. 306, 308, 312
오언Owen, Robert(1771~1858): 영국 유토피아적 사회주의자. 626, 627
오이겐Eugen → 프란츠 오이겐
오조바Osoba: 1849년 런던의 독일인 망명자. 558
오코너O'Connor, Feargus Edward(1794~1855): 차티스트 운동 지도자. 1848년 이후 이 운동의 우파 대표자. 신문《더 노던 스타》창립자이자 편찬자. 1852년 정치 일선에서 물러났다. 342, 471
와이즈먼Wiseman, Nicholas Patrick Stephen(1802~1865): 영국 가톨릭 성직자. 1850년 이후 웨스트민스터 대주교와 추기경. 469
와트 타일러Wat Tyler → 타일러
요셉Joseph: 성서에 나오는 인물. 177
요시야Josia(Josias): 성서에 나오는 인물. 388
요아힘 폰 플로리스Joachim von Floris → 조아키노 다 피오레
요한Johann(John)(1782~1859): 오스트리아 대공. 1848년 6월부터 1849년 12월까지 독일 제국 섭정. 21, 30
요한Johann, der Beständige(1468~1532): 작센 공작. 선제후 프리드리히 3세의 공동 통치자. 1525년 이후 작센 선제후. 튀링겐 농민 봉기를 진압하고 토마스 뮌처를 추적하는 데 참여했다. 390
우디노Oudinot, Nicolas-Charles-Victor(1791~1863): 프랑스 장군. 온건 공화파. 1849년 로마 공화국에 반대하는 파견 부대를 지휘했다. 161, 162, 168, 169, 519
우텐호벤Uttenhoven, von(1849년 사망): 프로이센 대위. 1849년 한 중대를 이끌고 엘버펠트의 바리케이드 공격을 지휘했는데, 여기서 총에 맞아 사망했다. 47
울리히Ulrich(1487~1550): 1498년 이후 뷔르템베르크 공작. 1519년 슈바벤 동맹에 의해 뷔르템베르크에서 쫓겨나고, 1525년 3월 슈투트가르트로 진격해 자신의 공국을 되찾으려 했지만 허사가 되었다. 1525년의 농민 봉기를 자신의 목적을 위해 활용했다. 1534년 이후 다시 뷔르템베르크 공작이 되었다. 401~403, 412, 413, 968
웅게른-슈테른베르크Ungern-Sternberg, Peter Alexander Freiherr von(1806~1868): 독일 낭만파 작가. 중세 봉건귀족제를 찬양했다. 198
워싱턴Washington, George(1732~1799): 북아메리카 정치가. 장군, 영국과의 독립전쟁에서 북아메리카군 최고사령관(1775~1783). 초대 미국 대통령(1789~1797). 235
월폴Walpole, Sir Robert, Earl of Orford(1676~1745): 영국 정치가. 휘그당 지도자.

1721~1742년 수상. 왕에게서 독립된, 의회 다수를 바탕으로 하는 내각제를 창안했다. 그의 내각 아래 특히 대규모 매수 사건이 많이 발생했다. 207

웰링턴Wellinton, Arthur Wellesley, Duke of(1769~1852): 영국 야전사령관이자 정치가. 토리당원. 나폴레옹 1세와의 전쟁에서 영국군을 지휘했다(1808~1814, 1815). 수상(1828~1830), 외무장관(1834/1835). 469

위고Hugo, Victor-Marie, comte(1802~1885): 작가. 부르주아 공화파. 1848~1851년 프랑스 국민의회 의원. 178, 475, 782

위클리프Wycliffe, John(약 1324~1384): 영국 신학자이자 종교개혁가. 교회의 폐해를 비판했고, 교황청에 독립적이고 공민과 하층 귀족의 이해를 대변하는 교회 설립에 찬성했다. 380, 381

윌리엄 3세Wilhelm III. von Oranien(1650~1702): 1672년 이후 네덜란드 세습 총독이자 1689년부터 잉글랜드, 스코틀랜드, 아일랜드의 왕. 206, 207

| ㅈ |

자일러Seiler, Anton(1849년 총살당함): 프로이센 국민방위군. 프륌 무기고 습격에 참여했다. 57

자일러Seiler, Sebastian(약 1815~1890): 독일 저널리스트. 1840년대 초 바이틀링주의자. 1846년 브뤼셀에서 마르크스와 엥겔스에게 합류했다. 브뤼셀 공산주의 통신위원회 위원. 후에 공산주의자동맹 동맹원. 1848/1849년 프랑스 국민의회 속기사로 파리에서 활동했다. 1850년대 초 런던으로 망명했다. 1856년 뉴욕으로 이주해 저널리스트와 교사로 활동했다. 아메리카 사회주의 운동을 지원했다. 444, 575

자코브Jacob(헝가리 출신 장인): 1251년 프랑스 목동(pastoureaux) 봉기 때 지도자. 기록에 따르면 헝가리 출신. 380

자틀러Sattler: 독일 재봉사. 1850년 런던으로 망명했다가 후에 파리에서 살았다. 공산주의자동맹 동맹원으로 추정된다. 323

자피어Saphir, Moritz Gottlieb(1795~1858): 오스트리아 저널리스트이자 해학 시인. 198

작스Sachs, Hans(1494~1576): 뉘른베르크 제화공, 시인이자 뉘른베르크 직장가인 학교 설립자. 202

장 폴Jean Paul(본명 Johann Paul Friedrich Richter)(1763~1825): 독일 풍자 작가이자 철학자. 266

제펠로게Sefeloge, Maximilian Joseph(1820~1859): 퇴역 하사관. 1850년 5월 22일 프리드리히 빌헬름 4세 시해를 기도했다. 정신병원에서 사망했다. 347, 349

조아키노 다 피오레Gioacchino da Flore(Joachim von Floris)(약 1132~1202): 이탈리아

성직자이자 역사철학자. 칼라브리아 피오레 수도원장(이탈리아). 억압의 시대가 두 번 지난 후에 평화와 정의가 지배하는 새로운 세 번째 시대가 곧바로 도래한다는 사상을 발전시켰다. 387

조지 1세George I(Georg I.)(1660~1727): 1714년 이후 그레이트브리튼과 아일랜드 왕이자, 1698년 이후 하노버 선제후. 206

조지 2세George II(Georg II.)(1683~1760): 1727년 이후 그레이트브리튼과 아일랜드 왕, 1727년 이후 하노버 선제후. 206

조지 4세George IV(Georg IV.)(1762~1830): 1820년 이후 그레이트브리튼, 아일랜드, 하노버 왕. 596

존스Jones, Ernest Charles(1819~1869): 영국 차티스트 지도자(좌파). 변호사(고등법원 변호사). 프롤레타리아트 저널리스트이자 시인. 《더 노던 스타》 편집자이자 차티스트 주간지 《노츠 투 더 피플》과 《더 피플스 페이퍼》(The People's Paper) 편찬자. 마르크스와 엥겔스의 친구. 341, 471, 647, 654

주앵빌Joinville, François-Ferdinand-Philippe-Louis-Marie, duc d'Orléans, prince de(1818~1900): 프랑스 제독. 1848년 2월 영국으로 도피했다. 루이-필리프의 아들. 233, 352

줄츠Sulz, Rudolf von: 1525년 포데어오스트리아의 합스부르크 태수. 클레트가우 방백. 410, 429

지겔Sigel, Franz(1824~1902): 바덴 장교. 소부르주아 민주주의자. 1848/1849년 바덴 혁명운동에 참여했다. 바덴-팔츠 봉기 때는 1849년 5월에 총사령관이었다가 그 후 바덴 혁명군 총사령관 대리를 했다. 그 후 스위스로 망명했다가 1851년부터 영국에 망명했다. 1852년 미합중국으로 이주했다. 미국 남북전쟁 때 북군 측에서 참전했다. 1866년 이후 뉴욕에서 저널리스트로 활동했다. 4, 59, 64, 106, 110~116, 122, 221~223, 337, 338, 930, 931

지라르댕Giradin, Émile de(1806~1881): 프랑스 저널리스트이자 정치인. 신문 《라 프레스》를 1836년 창간했고 중간에 쉬기는 했으나 1866년까지 편집자. 1848년 혁명 이전에는 기조 정부에 반대했고, 혁명기에는 부르주아 공화파였으며, 1850/1851년 입법국민의회 의원이었다. 1850년대와 60년대에는 보나파르트주의자. 290~331, 474, 781

지몬Simon Lidwig(1810~1872): 트리어 출신 변호사. 소부르주아 민주주의자. 1848/1849년 프랑크푸르트 국민의회 의원(극좌파). 1849년 스위스로 망명했다. 궐석 재판에서 사형 판결을 받았다. 1866년 파리로 이주한 후에 몽트뢰(Montreux)로 이주했다. 202~205

지몬Simon, Heinrich(1805~1860): 브레슬라우 시 판사 자문위원. 자유주의자. 1840년대에는 그의 반대파적 입장 때문에 징계 처분을 받은 후에 공직에서 물러났다. 프랑크푸르트 국민의회 의원(중도 좌파). 1849년 6월 제국 섭정 5인 가운데 한

사람. 스위스로 망명했다. 22, 38, 330
지킹겐Sickingen, Franz von(1481~1523): 제국 기사. 트리어 대주교에게 대항하는 전투를 지휘했고, 라인 지방의 일부 제국 직속 기사단도 이 전투에 가담했다. 자신의 성인 란트슈툴이 포격당할 때 죽었다. 384, 407~409
지페르트Siefert: 1849년 런던의 독일인 망명자를 위해 돈을 모금했다. 557
지펠Sippel: 1850년 런던의 독일인 망명자. 323
질 블라스Gil Blas: 알랭-르네 르사주의 『질 블라스 이야기』의 주인공. 280
징거Singer, Hans(Singerhans): 1514년 콘라트 부대의 지도자. 401
징거한스 → 징거

| ㅊ |

차키Csáky(Csakyi), Miklos(1465~1514): 1500년 이후 처나드 주교. 헝가리 농민전쟁 때 봉기군에 의해 말뚝형을 당했다. 404
차폴리야 → 서포여이
찰스 1세Charles I(Karl I.)(1600~1649): 1625년 이후 영국 왕. 부르주아 혁명기에 처형당했다. 208
찰스 제임스Charles James: 1850년 런던 주교. 470
첼Zell, Friedrich Joseph(1814~1881): 트리어 변호사이자 시의회 의원. 프랑크푸르트 국민의회 의원(중도 좌파). 1849년 바덴 제국 내각 위원. 44, 45
충실한 에카르트Eckart, der treue: 독일 민간 설화의 인물. 충실한 사람의 상징. 197
치겔뮐러Ziegelmüller, Eitelhans(Eitel Hans): 1525년 북해(보덴 호) 농민군 우두머리. 412
치르너Tzschirner, Samuel Erdmann(1812~1870): 작센 변호사. 1848/1849년 작센의 좌파 소부르주아 민주주의의 지도자. 1849년 3월 드레스덴 봉기의 주도자이고 작센 임시정부 성원. 그 후 바덴-팔츠 봉기에 참여했다. 스위스로 망명했다. 1850년 혁명 중심의 창립자 가운데 한 명이자 의장. 1853년에서 1863년까지 미합중국에서 살았다. 83, 84
치머Zimmer: 1850년 런던의 독일인 망명자. 323
치머만Zimmermann, Wilhelm(1807~1878): 소부르주아-민주주의 역사가이자 정치인. 청년헤겔학파. 1848년 예비의회 의원, 프랑크푸르트 국민의회 의원(극좌파). 『위대한 농민전쟁의 일반 역사』(1841~1843)의 저자. 383~393, 395, 397, 403, 411, 414, 416
치츠Zitz, Franz Heinrich(1803~1877): 마인츠 변호사. 소부르주아 민주주의자. 1848년 예비의회 의원, 프랑크푸르트 국민의회 의원(좌파). 1849년 바덴-팔츠 봉

기에 참여했다. 미합중국으로 망명했다. 37, 79, 80, 83, 104, 105
치힐린스키Zychlinski: 드레스덴 5월 봉기와 바덴-팔츠 봉기에 참여했다. 95, 98, 109
친Zinn, Christian: 카이저스라우테른 출신 저널리스트. 소부르주아 민주주의자. 1849년 팔츠 혁명군 대위. 87, 109
친스키Zschinski: 1849년 런던의 독일인 망명자. 557

| ㅋ |

카-게-가-가-보우Ka-Ge-Ga-Gah-Bowh: 1850년경 북아메리카 인디언 오지브와족 추장. 467
카르노Carnot, Lazare-Hippolyte(1801~1888): 프랑스 저널리스트이자 정치인. 온건 부르주아 공화파. 7월 왕정 때 하원 의원(야당 좌파). 1848년 2월부터 7월까지 임시 정부 교육장관. 1850년 5월 이후 입법국민의회 의원이자 질서당에 단호하게 반대했다. 1851년 12월 쿠데타 후에는 공화주의자로서 야당 지도자 중의 한 명이었다. 193, 194, 251, 317, 777
카르노Carnot, Lazare-Nicolas-Marguerite(1753~1823): 프랑스 수학자, 물리학자, 정치인이자 군사 전문가. 프랑스 혁명 때 처음에는 자코뱅주의자였다가 후에는 테르미도르 9일 반혁명 쿠데타에 수동적으로 참여했다. 유럽 국가들의 동맹에 맞서 프랑스를 방어하기 위한 조직을 결성한 사람 가운데 한 명이다. 1795년 집정 내각 성원, 나폴레옹 1세 치하에서는 잠시 전쟁장관과 내무장관을 역임했다. 511, 515, 516, 531
카를 1세Karl I → 찰스 1세
카를 10세Carl X → 샤를 10세
카를 레오폴트 프리드리히Karl Leopold Friedrich(1790~1852): 1830년 이후 바덴 대공. 60, 65, 68
카를 빌헬름 페르디난트Karl Wilhelm Ferdinand(1735~1806): 1780년 이후 브라운슈바이크 공작. 혁명 프랑스에 맞선 연합 전쟁에서 군사령관(1792~1794). 1806년 나폴레옹 1세와 맞선 프로이센 군대 최고사령관으로서 예나와 아우어슈테트 전투에서 패배했다. 511
카를 알베르트Karl Albert → 카를로 알베르토
카를로 알베르토Carlo Alberto(Karl Albert)(1798~1849): 1831년 이후 사르데냐와 피에몬테 왕. 517
카를리에Carlier, Pierre-Charles-Joseph(1799~1858): 파리 경찰청장(1849~1851), 보나파르트주의자. 189, 301
카리에르Carriere, Moriz(1817~1895): 독일의 철학적 작가이자 미학자. 198

카베Cabet, Étienne(1788~1856): 법률가이자 저널리스트. 프랑스의 노동자 공산주의 노선을 창안한 인물. 1833~1834년 신문《르 포퓔레르》(Le Populaire) 편찬자. 1834~1839년 영국으로 망명했다. 1841~51년《르 포퓔레르 드 1841》(Le Populaire de 1841) 편찬자. 1848~1856년 미합중국에서 공산주의를 모범으로 하는 촌락을 건설해 1840년 자신의 소설『이카리아 여행』(Voyage en Icarie)에서 설명한 이론을 실현하려고 했다. 135, 284

카베냐크Cavaignac, Louis-Eugène(1802~1857): 프랑스 장군이자 정치인. 1830년대와 40년대에는 알제리 점령에 참여했고, 야만적 전쟁 수행으로 악명이 높았다. 1848년 알제 총독, 5월부터는 전쟁장관이 되었고, 파리 프롤레타리아트의 6월 봉기를 잔인하게 진압했으며, 1848년 6월부터 12월까지 내각 수상이 되었다. 138, 139, 141, 145~151, 154, 155, 159~161, 171, 350, 519, 547, 773

카셀Cassel, John(1817~1865): 영국 사업가, 작가, 다양한 잡지의 편찬자이자 소유주. 634

카이사르Caesar(Cäsar), Gaius Iulius(기원전 100~기원전 44): 로마의 정치가, 군사령관이자 작가. 178

카지미르Kasimir(Casimir)(1481~1527): 브란덴부르크-안슈파흐-바이로이트 변경방백. 농민전쟁 초기에는 몇 가지 양보를 통해 자신의 신민들을 달랬지만, 그 후 프랑크 농민을 응징하는 전투에 출정했다. 425, 426, 428

카토Cato, Marcus Porcius Censorius, der Ältere(기원전 234~기원전 149): 로마 정치가이자 역사가. 귀족의 특권을 옹호하고, 카르타고 멸망에 대한 자신의 요구와 함께 로마의 상업 자본과 고리대금 자본의 이익을 대변했다. 145

카프피그Capefigue, Jean-Baptiste-Honoré-Raymond(1801~1872): 프랑스 작가, 역사가, 왕당파 저널리스트이자 정치인. 365, 475, 782

칸트Kant, Immanuel(1724~1804): 독일 부르주아 고전철학의 창시자. 180

칼라일Carlyle, Thomas(1795~1881): 영국 작가, 역사가, 관념론 철학자. 영웅 숭배 옹호자. 1840년대의 봉건적 사회주의에 가까운 입장을 대변했다. 반동적 낭만주의 입장에서 영국 부르주아지를 비판했고, 토리당에 가담했다. 1848년 이후 노동운동에 적대적이었다. 265~275

캄프하우젠Camphausen, Ludolf(1803~1890): 쾰른 은행가. 라인 지방의 자유주의적 부르주아지의 대표적인 지도자. 라인 신문협회 주주로《라이니셰 차이퉁》의 협력자. 라인 주의회 도시 신분 의원. 1848년 3월에서 6월까지 프로이센 내각 수상, 후에 귀족원 의원. 43

코르빈-비어스비츠키Corvin-Wiersbitzki(1812~1886): 프로이센 소위, 민주주의 성향의 작가. 1848년 4월 바덴 공화파 봉기, 1849년 바덴-팔츠 봉기에 참여했다. 라슈타트에서는 참모 본부장. 미합중국으로 망명했다가 1870년대 독일로 되돌아왔다. 104

코브던Cobden, Richard(1804~1865): 맨체스터 공장주. 자유무역 지지자. 반곡물법-동맹의 공동 창립자. 27, 28, 31~33, 182, 313, 467, 634
코빗Cobbett, William(1762~1835): 영국 정치인이자 저널리스트. 소부르주아 급진주의의 대표자. 1802년부터 《애뉴얼 레지스터》(Annual Register)와 《코비츠 위클리 폴리티컬 레지스터》(Cobbett's Weekly Political Register)를 편찬했다. 265
코슈트Kossuth, Lajos(1802~1894): 헝가리 정치가. 1848/49년 혁명기에 헝가리 민족해방운동 지도자. 헝가리 혁명정부 수반. 혁명 패배 후 터키로 도피했고, 후에는 망명자로서 영국과 미국에 살았다. 62, 82, 87, 94, 522
코시디에르Cassidière, Marc(1808~1861): 프랑스 소부르주아 사회주의자. 7월 왕정 때 혁명적 비밀 결사 조직가. 1848년 2월에서 5월까지 파리 경찰청장. 제헌국민의회 의원. 1848년 8월 내란죄 재판의 예비 검거와 관련하여 뷔르주에서 영국으로 도주했다. 129, 142, 143, 278~281, 285~289
콘라트 3세Konrad III. von Thüngen(약 1466~1540): 1519년 이후 뷔르츠부르크 후작주교. 1525년 봉기군에 의해 자리에서 쫓겨났지만, 슈바벤 동맹군의 도움으로 비로소 주교구를 되찾을 수 있었다. 418, 427, 428
콜럼버스Colombo(Columbus), Christoforo(1451~1506): 스페인의 지원을 받은 이탈리아 출신의 항해사. 아메리카 대륙의 발견자로 여겨진다. 295, 296, 298
쾨르너Körner, Hermann Joseph Alois(1805~1882): 쾰른 출신 미술 교사. 소부르주아 민주주의자. 1848/49년 혁명에 참여했고, 1849년 5월 엘버펠트 봉기를 조직한 사람 가운데 한 명. 봉기가 진압되자 스위스로 망명했다가 미합중국으로 망명했다. 337
쿠노프스키Kunowski: 소령. 1850년 프로이센 국방부 소속. 343
쿠르츠Kurz: 1849년 스위스 장교. 116
쿠퍼Cooper, James Fenimore(1789~1851): 북아메리카 사실주의 작가, 소설가이자 수필가. 276, 279
쿤체Kunze, August: 독일 저널리스트. 1848년 《블레터 퓌어 리터라리셰 운터할퉁》에 글을 썼다. 198
퀴베크Kübeck(Kubeck), Karl Friedrich Freiherr(1780~1855): 오스트리아 정치가. 1840~1848년 빈의 왕실 재산 관리청장. 오스트리아-프로이센 연방위원회 오스트리아 대표, 후에 제국의회 의장. 30
퀴비에르Cubières, Amédée-Louis Despand de(1786~1853): 프랑스 장군이자 정치가. 오를레앙파. 1839/1840년 전쟁장관. 1847년 뇌물과 직권 남용 혐의로 강등되었다. 183
크노프 폰 로이바스 → 슈미트, 외르크
크니게Knigge, Adolph Franz Friedrich Freiherr von(1752~1796): 독일 계몽주의 후기에 풍자적이고 정치-교육적인 작가. 200

크니림Knierim(Knieriem, Kniery, Knüry): 1849년 바덴-팔츠 혁명군 대대장. 100
크레미외Crémieux, Isaac-Adolphe(1796~1880): 프랑스 변호사이자 정치가. 1848년 2월에서 5월까지 임시정부 법무장관, 제헌국민의회와 입법국민의회 의원(1848~1851). 124, 159, 241, 499
크렙Krepp: 허더즈필드(영국) 출신 시민. 1849년 런던 사회-민주주의 망명자위원회에 돈을 기부했다. 557
크롬웰Cromwell, Oliver(1599~1658): 정치가. 영국 부르주아 혁명 때 부르주아지와 부르주아화된 귀족의 지도자. 1653년 이후 잉글랜드, 스코틀랜드, 아일랜드의 호국경(국가수반). 210, 265, 266
크루크Krug, Wilhelm Traugott(1770~1842): 독일 철학자, 칸트의 추종자. 1805년 이후 쾨니히스베르크 철학 교수. 자유주의 저널리스트. 198
크르통Creton, Nicolas-Joseph(1798~1864): 프랑스 변호사이자 정치인. 오를레앙파. 제2공화정 때는 제헌국민의회와 입법국민의회 의원. 183
크리스토프 1세Christoph I.(1453~1527): 1473년 이후 바덴과 호흐베르크 변경방백. 400
클라이너Kleiner, W. 1850년 런던의 독일인 망명자. 323, 557, 567
클라인Klein, Jacob: 노이슈타트 출신 페인트공. 1849년 팔츠 봉기에 참여했다. 1850년 런던으로 망명했다. 323, 567
클라인Klein, Carl Wilhelm: 졸링겐 출신 가위 기술자. 공산주의자동맹 동맹원. 엘버펠트와 졸링겐 봉기에 참여했고, 1849/1850년 런던으로 망명했다. 1850년 7월 공산주의자동맹의 「6월 연설」을 런던에서 쾰른으로 가지고 왔다. 1852년 미합중국으로 망명했고, 노동자협회를 조직하는 데 관여했다. 1860년대와 1870년대에는 국제노동자협회 졸링겐 지부를 적극적으로 이끌었다. 558
클레멘스 7세Clemens VII.(1475~1534): 메디치 가문 출신. 1523년 이후 교황. 385
클레멘트Clement, Albert: 바덴-팔츠 혁명군 대대장. 96, 98
클로스Clowes, William(1807~1833): 런던의 거대 인쇄소 가운데 한 곳의 소유주. 643
클로제Klose, G.: 1848년까지 장교. 1850년 런던의 독일인 망명자, 공산주의자동맹 동맹원. 공산주의자동맹이 분열했을 때 마르크스를 지지했다. 444, 583
클롭슈토크Klopstock, Friedrich Gottlieb(1724~1803): 독일 계몽주의 시인. 201
키루스Kyros(Cyrus)(기원전 559년 사망): 기원전 559년 이후 페르시아 제국의 왕. 388
킹켈Kinkel, Gottfried Johann(1815~1882): 독일 작가이자 저널리스트. 소부르주아 민주주의자. 1849년 바덴-팔츠 봉기에 참여했다. 프로이센 법정에서 종신형을 선고받았지만, 1850년 카를 슈르츠가 감옥에서 구출했고, 영국으로 망명했다. 런던 소부르주아 망명자들의 지도자. 마르크스와 엥겔스의 적대자. 95, 106, 108, 109, 318~320

| ㅌ |

타일러Tyler, Wat(1381년 살해됨): 사제. 1381년 영국 농민전쟁 지도자. 381

탈레랑Talleyrand-Périgord, Charles-Maurice de, prince de Bénévent(1754~1838): 프랑스 외교관. 외무장관(1797~1799, 1799~1807, 1814/1815). 빈 회의 프랑스 측 대표. 런던 대사(1830~1834). 정치에서 원칙이 없고 탐욕적인 인물로 유명했다. 320

테스트Teste, Jean-Baptiste(1780~1852): 프랑스 변호사이자 정치가. 오를레앙파. 7월 왕정 때 통상장관, 법무장관, 공공사업장관. 1847년 뇌물 수수와 직권 남용 혐의로 재판에 회부되었다. 183, 240, 775

테초프Techow, Gustav Adolph(1813~1893): 프로이센 장교. 소부르주아 민주주의자. 1848년 베를린 감옥을 습격할 때 참여했다. 1849년 팔츠 혁명군 총참모장. 런던으로 망명했다가 후에 오스트레일리아로 망명했다. 78, 100, 101

텔레키Teleki, István(1514년 처형당함): 지벤뷔르겐 출신 왕실 자문관. 후에 헝가리 재정 관리자. 1514년 농민전쟁 때 봉기군에 맞아 죽었다. 404

토메Thome: 대령. 1849년 바덴-팔츠 혁명군 사단장. 106

퇴퍼Töpffer, J.: 1849년 런던의 독일인 망명자. 558

퇴퍼Töpffer, W.: 1849년 런던의 독일인 망명자. 558

투른 운트 탁시스Thurn und Taxis, Maximilian Karl von(1802~1871): 독일 제후. 1867년까지 많은 독일 국가에서 세습적 특권을 통해 총우체국장 자리를 차지했다. 《프랑크푸르터 오버포스트암츠-차이퉁》(Frankfurter Oberpostamts-Zeitung)의 세습 소유주. 30, 31

투생 루베르튀르Toussaint l'Ouverture → 루베르튀르

투크Tucke, Thomas(1774~1858): 영국 경제학자이자 부르주아 고전경제학의 대표자. 화폐수량설 비판자. 자유무역 선구자. 450, 453, 503

툰펠트Thunfeld, Kunz von: 기사. 1476년 뷔르츠부르크 주교의 봉신. 한스 뵈하임이 일으킨 농민운동에 참여했다. 395, 396

툰펠트Thunfeld, Michael von: 기사. 1476년 뷔르츠부르크 주교의 봉신. 한스 뵈하임이 일으킨 농민운동에 참여했다. 쿤츠 툰펠트의 아들. 395, 396

툼프Thumb von Neuburg, Konrad(1465~1525): 세습 궁내부 대신이자 뷔르템베르크 울리히 공작의 자문관. 402

튀렌Turenne, Henri de La Tour d'Auvergne, vicomte de(1611~1675): 30년 전쟁의 프랑스 지휘관. 525

튀르고Turgot, Anne-Robert-Jacques, baron de l'Aulne(1727~1781): 프랑스 경제학자이자 재정 총감(1727~1776). 프랑스의 파국적인 재정 상태를 개혁을 통해 개선하려고 했다. 266

튀르크Türk, Carl Friedrich(1800~1887): 로스토크의 법학부 교수. 1847년《메클렌부

르기셰 블레터》(Mecklenburgische Blätter)의 편찬자. 1848/49년 혁명에 참여했다. 이른바 로스토크 대역죄 재판에 회부되어 1853년과 1856년 구금되었다. 564
트레스타용Trestaillons(Trestaillon)(본명 Jacques Dupont): 님(Nîmes) 출신 지게꾼. 1815년 백색 테러 시기에 수많은 마을을 약탈하고 불태운 왕당파 조직의 우두머리 가운데 한 사람. 35
트렐라Trélat, Ulysse(1795~1879): 프랑스 의사이자 정치인. 부르주아 공화파. 신문 《르 나시오날》의 편집자 중 한 사람. 1848년 제헌국민의회 부의장. 1848년 5~6월 공공사업장관. 136, 249
트로친스키Trocinski, Feliks: 1830/31년 폴란드 봉기에 참여했다. 그 후 망명했다. 1849년 바덴-팔츠 혁명군 폴란드 분대를 지휘했다. 90
트루흐제스, 게오르크 2세Truchseß von Waldburg, Georg II.(1488~1531): 1519년 뷔르템베르크의 울리히와 맞서고, 1525년 봉기한 농민을 진압하는 슈바벤 동맹의 지휘관. 독일 농민전쟁에서 그의 잔인한 보복 조치로 인해 바우어른요르크(Bauernjörg, 트루흐제스의 성인 Georg를 jörg라고 발음한 것에서 유래한 그의 별명을 가리킨다. ―옮긴이)라고 불렸다. 411, 413, 420~430, 434
티센Thissen, E. → 티젠
티에르Thiers, Marie-Joseph-Louis-Adolphe(1797~1877): 프랑스 정치인이자 역사가. 오를레앙파. 여러 번 장관(1832~1834), 내각 수상(1836, 1840), 1848년 제헌국민의회 의원, 제3공화정 대통령(1871~1873). 파리 코뮌을 앞장서서 진압했다. 35, 175, 178, 180, 189, 209, 352, 473, 475, 782
티젠Tiehsen(Thiessen, Tichen), Eduard: 슈테틴 출신 시민. 1849년 런던 사회-민주주의 망명자위원회에 돈을 보냈다. 555, 556
티펜Tiphaine, Jean-Laurent(1805년경 출생): 프랑스 민주주의자. 7월 왕정 때 혁명적 비밀 결사의 성원. 1848년 혁명 초에는 파리 경찰청장 비서. 278
티헨Tichen, G. → 티젠

| ㅍ |

파뉴르Pagnerre, Laurent-Antoine(1805~1854): 프랑스 출판인이자 정치인. 부르주아 공화파. 1848년 임시정부와 집행위원회 사무총장. 제헌국민의회 의원. 159
파르망티에Parmentier: 프랑스 공장주이자 재정가. 1847년 관료 매수 혐의로 재판에 회부되었다. 183, 775
파머스턴Palmerston, Lord Henry John Temple, Viscount(1784~1865): 영국 정치가. 처음에는 토리당원이었다가 1830년 이후에는 휘그당원(우파). 여러 번 외무장관(1830~1834, 1841, 1846~1851), 내무장관(1852~1855), 수상(1855~1858, 1859,

1865). 468, 470

파방Favand, Etienne-Edouard-Charles-Eugène(1793~1854): 프랑스 군인이자 정치인. 1848년 제헌국민의회 의원, 1850년 입법국민의회 의원. 산악당원. 35, 188, 216

파슈Pache, Jean-Nicolas(1746~1823): 프랑스 혁명에 참여했다. 자코뱅주의자. 전쟁장관(1792년 10월~1793년 1월까지), 파리 시장(1793년 2월~1794년 5월). 516, 531

파스케비치Paskewitsch(Паскевич)(Paskiewitsch), Iwan Fjodorowitsch, Fürst zu Warschau, Graf zu Eriwan(1782~1856): 러시아 총사령관. 1830/1831년 폴란드 독립투쟁을 탄압한 차르 군대 최고사령관. 1849년 러시아 군대의 최고사령관으로서 헝가리 혁명을 진압하는 데 참여했다. 517, 525

파시Passy, Hippolyte-Philibert(1793~1880): 프랑스 경제학자이자 정치인. 오를레앙파. 7월 왕정 때 여러 번 정부에 입각, 1848/1849년 재무장관. 177, 183

파우허Faucher, Julius(1820~1878): 독일 저널리스트이자 경제학자. 청년헤겔학파. 자유무역 지지자. 1850년 베를린 《아벤트-포스트》의 공동 창간자이자 편집자. 후에 진보주의자. 297

파이퍼Pfeiffer(Pfeifer), Heinrich(본명 Heinrich Schwertfeger)(1525년 처형당함): 뮐하우젠의 수도사이자 사제. 토마스 뮌처의 지지자. 제국도시 뮐하우젠의 소시민층과 평민층을 대변했다. 431, 435

팔루Falloux, Frédéric-Alfred-Pierre, comte de(1811~1886): 프랑스 정치인이자 작가. 정통 왕조파, 가톨릭 성직자. 1848/1849년 교육장관. 152, 160, 170, 179

패터슨Paterson, William(1658~1719): 스코틀랜드 상인. 잉글랜드은행과 스코틀랜드은행의 창립자. 831

페너Fenner von Fenneberg, Ferdinand Daniel(1820~1863): 오스트리아 장교. 1848년 빈 국민방위군 사령관, 1849년 잠시 팔츠 혁명군 사령관이었고, 란다우 요새를 장악하려 했으나 실패하고 자리에서 물러났다. 후에 미합중국으로 망명했다가 1858년 다시 독일로 돌아왔다. 77

페르디난트 1세Ferdinand I.(1503~1564): 오스트리아 황태자. 1526년 이후 헝가리와 보헤미아 왕이었고, 1556년 이후 신성로마제국 황제였다. 티롤 농민전쟁 때 일부 보수적인 농민과 시민을 확보하려고 했지만 결국 혁명 세력을 무력으로 진압했다. 411, 419, 428~430, 437~439

페츨러Petzler, Johann: 음악 교사. 소부르주아 민주주의자. 1850년대에 런던으로 망명했다. 572

펙스니프Pecksniff: 찰스 디킨스 소설 『마틴 처즐윗의 인생과 모험』에 나오는 위선자. 226

펜더Pfänder(Pfaender), Carl(1818~1876): 독일 세밀화가. 의인동맹 지도부. 런던 공산주의자동맹과 독일 노동자교육협회 성원. 1850년 잠시 사회-민주주의 망명자위원회 회계 담당. 후에 국제노동자협회 총평의회 성원(1864~1867, 1870~1872). 마르크스와 엥겔스의 친구이자 투쟁 동지. 324, 328, 358, 444, 490, 554, 555, 559, 565, 570, 571, 574, 577, 580, 582

포더길Fothergill, Thomas: 영국 장교. 1850년 소부르주아적인 독일 망명자 동맹 명예서기. 328, 917

포르너Forner, Anton: 제국도시 뇌르틀링겐(프랑켄) 시장. 1525년 4월 도시 주민 혁명세력의 선봉에 섰지만, 농민 무리를 보자 시의 성문을 닫았다. 415

포셰Faucher, Léon(1803~1854): 프랑스 저널리스트, 경제학자이자 정치인. 오를레앙파, 후에 보나파르트주의자. 1848~1851년 제헌국민의회와 입법국민의회 의원, 내무장관(1848년 12월에서 1849년 5월까지, 1851년). 노동운동의 적대자. 120, 152, 157, 159

포이Fohi → 푸이

포이어바허Feuerbacher, Matern(약 1485년에서 1567년 이전): 음식점 주인, 시 참사회 의원, 보트바르(뷔르템베르크) 시민 반대파 지도자. 1525년 뷔르템베르크 농민 무리의 선봉에 섰지만, 이 무리의 혁명적 돌진에 제동을 걸려고 했다. 봉기가 패배한 뒤 1527년 농민전쟁의 지휘관 중 가운데 유일하게 사면되었다. 419, 420, 422, 423

포이어바흐Feuerbach, Ludwig(1804~1872): 독일 유물론 철학자. 331

포이커Peucker, Eduard von(1791~1876): 프로이센 장군, 제국 정부의 전쟁장관(1848/1849), 1849년 바덴-팔츠 봉기를 진압하기 위해 투입된 연방 군대의 최고사령관. 45, 81, 110

포크트Vogt, Karl(1817~1895): 기센 교수, 자연과학자, 속류 유물론자. 소부르주아 민주주의자. 1848/1849년 예비의회 의원, 프랑크푸르트 국민의회 의원(좌파). 1849년 임시 제국 섭정자. 스위스로 망명했다. 프롤레타리아트 운동과 공산주의 운동에 반대했다. 1850년대와 60년대에는 나폴레옹 3세에게 고용된 비밀 요원. 22, 38, 212, 330

포터Porter, George Richardson(1792~1852): 영국 경제학자이자 통계학자. 632

푸리에Fourier, François-Charles-Marie(1772~1837): 프랑스 유토피아적 사회주의 노선의 창시자. 286, 626, 627

푸셰Fauché, Joseph(1759~1820): 프랑스 혁명 때 자코뱅주의자, 나폴레옹 1세 치하 경찰청장. 극단적인 무원칙으로 악명이 높았다. 189, 320

푸아Foy, Maximilien-Sébastien-Auguste-Arthur-Louis-Ferdinand(1815~1871): 1831년 귀족원 의원. 1850년 3월 10일 입법국민의회 보궐선거의 질서당 후보자. 316

푸이Fu-hi(Fohi): 중국 제국의 전설적 창건자. 기원전 2852~2838년에 통치했다고 추정된다. 219

푸키에-탱빌Fouquier-Tinville, Antoine-Quentin(1746~1795): 프랑스 혁명 때 혁명재판소 검사. 162

풀드Fould, Achille(1800~1867): 프랑스 은행가이자 정치인. 오를레앙파, 후에 보나파르트주의자. 1849/1849년 제헌국민의회 의원. 재무장관(1849~1851, 1861~1867). 28, 132, 145, 180, 182, 183, 246, 315, 775

퓌르스텐베르크Fürstenberg, Karl Egon Fürst zu(1796~1854): 도나우에싱겐 성주. 바덴 신분의회 부의장으로서 1848년 이전에는 자유주의 정치를 대변했다. 또한 자본가적 기업가로서 활동했다. 742

퓌르스트Fürst: 1850년 런던의 망명자. 323

퓌스터Füster, Anton(1808~1881): 빈 대학 철학 및 신학 교수. 1848/1849년 혁명운동에 참여했고, 1848년 가을에 이른바 전투 신부(Feldpater)로서 빈의 대학생 무장 단체를 만들었다. 1849년 런던으로 망명했고, 사회-민주주의 망명자위원회에 협력했다. 후에 미합중국으로 이주했다. 554, 558

프라디에Pradié, Pierre(1816~1892): 프랑스 변호사. 부르주아 공화파. 제2공화정 때 제헌국민의회와 입법국민의회 의원. 루이 보나파르트에게 대항하여 공화국을 수호하자는 소책자를 썼다. 216

프라슬러Praßler, Kaspar: 광부. 1525년 6월 잘츠부르크 농민과 광부군의 최고 용병대장. 437

프라일리그라트Freiligrath, Ferdinand(1810~1876): 독일 시인. 마르크스의 오랜 친구. 1848/1849년 《노이에 라이니셰 차이퉁》의 편집진. 공산주의자동맹 동맹원. 1850년대에 혁명투쟁의 일선에서 물러났다. 237, 560

프란츠 오이겐Franz Eugen, Prinz von Savoyen(Prinz Eugen)(1663~1736): 오스트리아 군사령관이자 정치가. 81

프란츠 요제프 1세Franz Joseph I.(1830~1916): 1848년 이후 오스트리아 황제. 484

프랄랭 → 슈아죌-프랄랭

프랑수아 1세François Ier(Franz I.)(1494~1547): 1515년 이후 프랑스 왕. 410

프레기처Pregizer, Kaspar: 쇼른도르프(뷔르템베르크) 도공. 1514년 가난한 콘라트의 지도자 가운데 한 사람. 401, 403

프레데릭 윌리엄 4세 → 프리드리히 빌헬름 4세

프렝켈Fränkel(Fraenkel): 런던의 독일인 노동자. 1847년 공산주의자동맹과 런던의 독일 노동자교육협회 성원. 1849~1850년 공산주의자동맹 중앙본부 위원. 1850년 빌리히-샤퍼의 소부르주아 분파에 합류했다. 358, 577, 584

프뢸리히Fröhlich: 1849년 런던의 독일인 망명자. 558

프루동Proudhon, Pierre-Joseph(1809~1865): 프랑스 작가, 사회학자, 경제학자. 소시민층의 이데올로그, 아나키즘의 이론적 창시자 중 한 사람. 1848년 제헌국민의회 의원. 후에 망명했다. 330, 331, 354, 465, 466, 502~504, 507, 625, 778, 779, 921

프룬츠베르크Frundsberg, Georg von(1473~1528): 용병대장. 특히 합스부르크가를 위해 복무했다. 1525년 파비아(Pavia) 전투의 사령관. 슈바벤 동맹의 위임을 받아

1525년 알고이와 대주교의 교구인 잘츠부르크에서 봉기한 농민을 공격했다. 430, 438
프리드리히 2세Friedrich II.(1712~1786): 1740년 이후 프로이센 왕. 206, 516, 520, 521, 525
프리드리히 3세Friedrich III., der Weise(1463~1525): 1486년 이후 작센 선제후. 비텐베르크대학 창립자. 1521/1522년 바르트부르크(Wartburg)에서 루터를 보호했다. 384
프리드리히 빌헬름 1세Friedrich Wilhelm I.(1802~1875): 공동 통치자(1831~1847), 헤센 선제후(1847~1866). 484
프리드리히 빌헬름 2세Friedrich Wilhelm II.(1744~1797): 1786년 이후 프로이센 왕. 511
프리드리히 빌헬름 4세Friedrich Wilhelm IV.(Frederic William IV.)(1795~1861): 1840년 이후 프로이센 왕. 32, 33, 57, 88~90, 211, 212, 220, 231, 363, 481, 482, 484
프리드리히 아우구스트 2세Friedrich August II.(1797~1864): 1836년 이후 작센 왕. 22
프리드리히 요지아스Friedrich Josias, Prinz von Sachsen-Coburg-Saalfeld (1737~1815): 오스트리아 원수. 511
프리스Fries, A. 또는 Peter(1822년경 출생): 팔츠 출신 법관 후보자. 소부르주아 민주주의자. 1849년 바덴-팔츠 봉기에 참여했고 팔츠 임시정부 성원. 1850년 스위스로 망명했다가 후에 프랑스로 망명했다. 72, 337
프리츠Fritz, Joß(1525년경 사망): 라인 강 상류 분트슈 운동의 조직가(1513). 398~400, 405
플라톤Platon(Plato)(기원전 427~기원전 347): 그리스 철학자. 객관적 관념론을 최초로 체계화했다. 147
플로리Flory, C.: 런던 사회-민주주의 망명자위원회에 돈을 기부했다. 581
플로리안 → 그라이젤
플로콩Flocon, Ferdinand(1800~1866): 프랑스 저널리스트이자 정치인. 소부르주아 민주주의자. 신문《라 레포름》의 편집자. 1848년 임시정부 성원. 산악당원. 1851년 12월 2일 쿠데타 이후 프랑스에서 추방되었다. 123, 241, 287, 499
피리 부는 한스Pfeiferhänslein → 뵈하임, 한스
피스톨Pistol: 윌리엄 셰익스피어의 『헨리 4세』 2막, 『헨리 5세』, 『윈저의 즐거운 아낙네들』에 나오는 인물. 87
피오 노노 → 피우스 9세
피우스 9세Pius IX.(Pio Nono)(1792~1878): 1846년 이후 로마 교황. 160, 178, 266, 267, 469, 470, 773
피클러Fickler, Joseph(1808~1865): 저널리스트. 소부르주아 민주주의자. 1848/1849년 바덴 민주주의 운동의 지도자. 1849년 바덴 임시정부 성원, 이후 스위스와

영국을 거쳐 미국으로 망명했다. 60, 742
피토Peto, Sir Samuel Morton(1809~1889): 영국 철도 건설 사업가. 의원, 자유주의자. 643
피퍼Pieper, Wilhelm(1826년경 출생): 어문학자. 1848/1849년 독일 혁명에 참여했고, 런던으로 망명했다. 공산주의자동맹 동맹원. 1850년에서 1853년까지 마르크스와 가깝게 지냈다. 후에 브레멘에서 살다가 1890년대에는 프라이부르크에서 살았다. 1027
필Peel, Sir Robert(1788~1850): 영국 정치가이자 경제학자. 온건 토리당(필당원)의 지도자.온건 토리당의 지원을 받아 곡물법 폐지(1846)에 찬성했다. 내무장관(1822~1827, 1828~1830)과 수상(1834/1835, 1841~1846). 28, 454, 468, 469
필Pilhes, Victor Apollinaire Ferdinand(1817~1879): 타라스콩(Tarascon) 출신 사업여행자. 7월 왕정 때 혁명적 비밀 결사 성원. 1848년 2월 혁명에 참여했다. 블랑키의 공화주의 중앙 협회(Société Républicaine Centrale) 성원. 1871년 코뮌 편에 섰다. 277
필리프 1세Philipp I. der Großmütige(1504~1567): 1522년 프란츠 폰 지킹겐의 전투를 진압하는 데 참여했고, 1525년 작센 제후와 연합해 튀링겐 농민 봉기를 탄압했다. 409, 433, 435, 440
필리프 1세Philipp I.(1479~1533): 바덴 변경방백. 1514년 자신의 영지에서 일어난 초기 분트슈 모반을 진압했다. 1524~1527년 제국 정부(Reichsregiment) 태수. 403

| ㅎ |

하노버 왕조Hannoversche Dynastie: 하노버와 동군 연합(1837년까지) 관계에 있는 그레이트 브리튼과 아일랜드의 왕조(1714~1917). 206
하니Harney, George Julian(1817~1897): 영국 차티스트 지도자(좌파). 의인동맹 동맹원, 그 후 공산주의자동맹 동맹원. 우애 민주주의자 공동 창립자. 신문《더 노던 스타》편집자, 차티스트 주간지《더 데모크라틱 리뷰》,《더 레드 리퍼블리컨》,《더 프렌드 오브 피플》편찬자. 1850년대 초에는 소부르주아 민주주의자 편에 가담했고 잠시 노동운동의 혁명 노선과 멀어졌다. 마르크스와 엥겔스의 친구. 341, 471, 568, 1081
하드리아누스Hadrianus(Hadrian), Publius Aelius(76~138): 117년 이후 로마 황제. 117, 509
하딩Hardinge, Henry, Viscount(1785~1856): 영국 장군이자 정치가. 토리당원. 1855년부터 육군 원수. 나폴레옹 1세를 반대하는 전쟁에 참여했다. 국방차관(1828~1830, 1841~1844), 인도 총독(1844~1848년 1월), 영국군 총사령관(1852~1856). 597

하롤트Harolt, Melchior: 1525년 라이프하임 무리의 지휘관. 421
하베른Habern, Wilhelm von: 팔츠 선제후 루트비히의 원수. 1525년 팔츠 봉기 농민에 대항하는 귀족 군대의 지도자. 428
하센플루크Hassenpflug, Hans Daniel Ludwig Friedrich(1794~1862): 법률가. 쿠어헤센 법무장관과 내무장관(1832~1837), 내각 수상(1850~1855). 483
하우데Haude: 공산주의자동맹 동맹원, 1848년 4월에는 쾰른에서 활동했다. 1848/49년 혁명 후에 런던으로 망명했다. 1850년 말 빌리히-샤퍼 소부르주아 분파의 독일 밀사. 584
하우프트Haupt, Hermann Wilhelm(1831년경 출생): 함부르크 출신 점원. 1849년 제국 헌법투쟁에 참여했고, 스위스로 망명 후 영국으로 망명했다. 런던의 독일 노동자교육협회 성원, 공산주의자동맹 동맹원, 1850년 10월부터 함부르크에 살았다. 1851년 체포된 후에 쾰른 중앙본부 위원들을 배신했다. 1852년 브라질로 이주했다. 444
하이나우Haynau, Julius Jakob Freiherr von(1786~1853): 오스트리아 장군. 1848년 이탈리아 혁명을 진압하는 데 결정적인 역할을 했다. 1849년 헝가리 혁명을 진압하기 위해 투입된 오스트리아 군대 총사령관. 176, 467, 468, 576
하이네Heine, Heinrich(1797~1856): 독일 시인. 혁명적 민주주의의 선구자. 마르크스 가족의 친구. 67
하이네만Heinemann, Louis: 힐데스하임(Hildesheim) 출신 가정교사. 1848/1849년 혁명에 참여했고, 1850년 런던으로 망명했다. 경찰 밀정. 323
하이데커Heidecker, Ernst(1824년경 출생): 카셀 출신 선반공. 파리 의인동맹의 지도자였지만, 1846년 가을 제명당한 것으로 추정된다. 1849년 독일노동자협회 성원. 1850년 런던으로 망명. 소부르주아 민주주의 교육협회 지도자. 557
하이엄Hyam: 1850년경 런던의 의류 회사. 598, 643
하인Hain, August: 쾰른의 우체국 서기. 1848년 혁명에 참여했다가, 1850년 6월 런던으로 도주했다. 공산주의자동맹 동맹원. 동맹이 분열할 때 마르크스와 엥겔스를 지지했다. 444
하인리히 4세Heinrich IV. → 앙리 4세
하인리히 5세Heinrich V → 샹보르
하인리히 8세Heinrich VIII. → 헨리 8세
하인첸Heinzen, Karl(1809~1880): 독일 저널리스트. 소부르주아 민주주의자. 1847년 이후 마르크스와 엥겔스의 적대자로 등장했다. 1848/1849년 혁명 후 스위스로 망명했다가 영국으로 망명했고, 1850년 가을 이후에는 미합중국으로 망명했다. 13, 14, 67, 68, 1027
하인츠만Heintzmann, Alexis(1812년경 출생): 엘버펠트 검사. 자유주의 정치인. 1849년 5월 엘버펠트 봉기 때 공안위원회 위원이었고, 이후 런던으로 망명했다. 후에 런던의 민족 연합파 의장. 51

하피스Hafis(본명 Schamsuddin Muhammad Hafis)(약 1325~1390): 타지크 출신 페르시아 시인. 페르시아와 타지크 문학의 대가. 199

한제만Hansemann, David Justus Ludwig(1790~1864): 프로이센 정치인이자 은행가. 라인 지방 자유주의 부르주아지의 대표적인 지도자. 1848년 프로이센 제헌의회 의원, 1848년 3월부터 9월까지 프로이센 재무장관. 43

허드슨Hudson, George(1800~1871): 영국 정치인. 철도협회 공동 소유자. 239

헝가리 출신 장인Meister aus Ungarn → 자코브

헤겔Hegel, Georg Wilhelm Friedrich(1770~1831): 독일 부르주아 고전철학의 대표자. 203, 220, 260, 332, 387, 486

헤네베르크Henneberg, Johann Graf von: 1521~1541년 풀다의 대주교급 수도원장 보좌신부. 434, 440

헤르베크Herwegh, Georg(1817~1875): 독일 혁명 시인. 1842년 이후 마르크스의 친구. 많은 신문, 그중에서도 《라이니셰 차이퉁》의 협력자. 1848년 모험적인 정책을 대변했고 곧 무너진 의용군 지도자였으며, 이후 스위스에서 오랫동안 망명 생활을 했다. 1869년 이후 사회민주당(아이제나흐파) 당원. 178

헤커Hecker, Friedrich Franz Karl(1811~1881): 만하임 변호사. 소부르주아 민주주의자로 급진 공화파. 1848년 예비의회 의원이자 1848년 4월 바덴 봉기의 지도자 가운데 한 사람. 그 후 스위스로 망명했다가 미국으로 망명했다. 미국 남북전쟁 때 북군 대령으로 참전했다. 37, 80, 112, 118

헤커Hecker, Karl: 1849년 엘버펠트 봉기 지도자 중 한 사람. 50, 51

헤프Hepp, Philipp: 1848년 노이슈타트(하르트) 인민 연합 지도위원. 1849년 팔츠 임시정부 성원. 72

헨리 8세Henry VIII(Heinrich VIII.)(1491~1547): 1509년 이후 영국 왕. 209

헨저Henser 1849년 런던의 독일인 망명자. 558

헬펜슈타인Helfenstein, Ludwig Graf von(약 1480~1525): 바인스베르크(뷔르템베르크) 합스부르크가 태수. 농민에 대한 잔인성으로 유명했다. 1525년 그의 성이 함락되어 처형되었다. 황제 막시밀리안 1세의 사위이다. 416, 417

호라티우스Horatius Flaccus, Quintus(기원전 65~기원전 8): 로마 시인. 172

호메로스Homeros(기원전 8세기?): 전설적인 그리스 시인. 서사시 『일리아드』와 『오디세이아』의 저자로 간주된다. 78, 212

호사, 안톤 → 호수

호수Hosszu(Hosza), Antal: 1514년 헝가리 농민 지도자. 404

호엔로에Hohenlohe, Albrecht Graf von: 1525년 프랑크 귀족. 416

호엔로에Hohenlohe, Leopold Graf von: 1525년 프랑크 귀족. 416

호엔촐레른Hohenzollern: 브란덴부르크 선제후 왕조(1415~1701), 프로이센 왕족(1701~1918), 독일 황제(1871~1918). 90

호이즈너Häusner, Karl: 기능공. 1849년 바덴-팔츠 혁명군 라인헤센 분대 지휘관. 97
호팅거Hottinger: 1850년 런던의 독일인 망명자. 323
호팅거Hottinger, Anton: 1850년 런던의 독일인 망명자. 323
호프만-랑겐슈바르츠Hoffmann-Langenschwarz, Maximilian(1813년경 출생): 뢰델하임 출신 작가. 《노이에 프로이시셰 차이퉁》의 협력자. 마르크스가 프로이센 경찰이라고 폭로했다. 랑겐슈바르츠는 가명일 것이다. 344
혼슈타인Honstein, Wilhelm Graf von(약 1470~1541): 법률가, 잠시 프라이부르크(브라이스가우) 대학 총장. 1506년 이후 빌헬름 3세로서 슈트라스부르크 주교, 1524년 이후 마인츠 대주교 교구의 태수. 1525년 마인츠 대주교 교구에서 일어난 농민 봉기를 진압했다. 428
회히스터Höchster, Ernst Hermann(1811년경 출생): 엘버펠트 변호사. 소부르주아 민주주의자. 1849년 5월 봉기 때 엘버펠트 공안위원회 의장이었고, 봉기가 실패한 후 파리로 망명했다. 후에 정치 일선에서 물러났다. 50, 51, 60
후스Hus(Huß), Jan(1369~1415): 프라하 대학 교수이자 프라하의 알트슈타트 사제. 보헤미아 종교개혁의 지도자. 콘스탄츠 공의회에서 이단으로 판결을 받아 화형당했다. 380
후텐Hutten, Frowin von: 1522년 트리어 대주교와 반목할 때 프란츠 폰 지킹겐을 지지했다. 1525년 슈바벤 동맹군 용병대장. 울리히 폰 후텐의 사촌. 428
후텐Hutten, Ulrich von(1488~1523): 독일 인문주의 시인이자 저널리스트. 종교개혁 지지자. 트리어 대주교와 반목할 때 프란츠 폰 지킹겐의 편에 섰다. 384, 407~409
후프마이어Hubmaier, Balthasar(약 1480~1528): 급진주의적 사제. 후에 재세례파. 울리히 츠빙글리의 지지자이자 발츠후트의 사제(1524/1525). 봉기한 농민과 교구의 결합을 요구했다. 세례파 지도자로서 빈에서 화형당했다. 392, 410
히르슈펠트Hirschfeld, Karl Ulrich Friedrich Wilhelm Moritz von(1791~1859): 프로이센 장군. 1849년 바덴-팔츠 봉기군과 싸운 군단의 사령관. 89
히스기야Hiskia(Hiskias): 성서에 나오는 인물. 388
히플러Hipler, Wendel(약 1465~1526): 호엔로에 백작의 대신. 1525년 농민 편에 섰고, 오덴발트 무리의 재상. 하일브론 농민의회 공동 발기자. 농민전쟁 패배 후 체포돼 감옥에서 죽었다. 415~417, 423~425
힐만Hillmann, Hugo(1823~1898): 양조업자이자 술집 주인. 1848/1849년 엘버펠트 혁명에 참여했다. 1849년 런던으로 망명했고, 독일 노동자교육협회 성원. 1863년 전국 독일 노동자협회의 공동 창립자이자 엘버펠트의 전권 위임자. 1869년 이후 사회민주당(아이제나흐파) 당원. 567

지명 찾아보기

G1192

(각 지명 뒤의 숫자는 MEGA 본문과 부속자료의 쪽수를 가리킴 — 옮긴이)

M. 시곤Monte Sigon(M. Sigon) 12

| ㄱ |

가게나우Gaggenau 109
가르Gard(du Gard) 35, 188, 216
가이세른Gayssern 437
가이스보이렌Gaisbeuren 414
가일도르프Gaildorf 419
가타 곶Cabo de Gata 8, 9
갈리치아Galicja(Galizien) 39
갈리치엔 → 갈리치아
게르머스하임Germersheim 64, 69, 79, 85, 88~90, 94, 95, 99
게른스바흐Gernsbach 106, 107, 109~111
게브윌러Guebwiller(Gebweiler) 436
게프바일러 → 게브윌러
과르디아스 비에하스 성채Castelle de las Guardias Viejas(Castelle Guarda Viejas) 9, 10
괄초스Gualchos 10
괴르마어Görmar 435
괴팅겐Göttingen 339
괴핑겐Göppingen 419
귀텐바흐Gütenbach 112
그단스크Gdańsk(Dantzic, Danzig) 232
그라나다Granada 9~11
그라벤Graben 95
그레프라트Gräfrath 48

그르노블Grenoble 532
그리센Grießen(Griessen) 115, 392, 393
그리스Griechenland 80, 468
그뮌트Gmünd 418
그워구프Głogów(Glogau) 339
글래스고Glasgow 303, 453, 463
글로가우 → 그워구프

| ㄴ |

나골트Nagold 422
나사우Nassau 56, 58, 64
나탈Natal 459
나폴리Napoli(Neapel) 160, 161, 208, 267
낭트Nantes 480, 787
네덜란드Holland → 네덜란드Niederlande
네덜란드Niederlande(Holland) 208, 219, 280, 369, 396, 409, 450, 488, 512
네르빈덴Neerwinden 512
네카어 강Neckar 40, 415, 416, 422, 424, 426
네카어가르타흐 → 하일브론-네카어가르타흐
네카어줄름Neckarsulm 416, 425
노바라Novara 517, 518
노바스코샤Neu-Schottland(Neuschottland) 461
노이부르크Neuburg 436
노이쇼틀란트 → 노바스코샤
노이슈타트 안 데어 바인슈트라세 Neustadt an der Weinstraße(Neustadt an der Haardt) 73, 79, 84~86, 88, 89, 418, 573, 581
노이슈타트 안 데어 부타흐(부타흐에 있는 노이슈타트 — 옮긴이) Neustadt an der Wutach 4, 112, 114
노이슈타트 안 데어 아이슈(아이슈 강 변의 노이슈타트 — 옮긴이) Neustadt an der Aisch 428
노이스Neuß 49
노이타르트Neuthard(Neithart) 97, 98
노팅엄Nottingham 471
뇌르틀링겐Nördlingen 415

뇌샤텔Neuchâtel(Neufchatel) 214, 215, 233
누에바-그라나다 → 콜롬비아
뉘르팅겐Nürtingen 422
뉘른베르크Nürnberg 59, 197, 198, 201, 339, 368, 369, 371, 392
뉴멕시코New Mexico(Neu Mexiko) 461
뉴올리언스New Orleans(New-Orleans) 219
뉴욕New York(Newyork, New-York) 218, 454, 461~464, 558, 564, 569
뉴질랜드Neuseeland 462~464
니더바이어Niederweier 108
니클라스하우젠Niklashausen 393~396

| ㄷ |

다르다넬스 해협Dardanellen(Dardanelles) 362
다름슈타트Darmstadt 58, 65, 70
다리엔 지협Darien, Isthmus von 462, 831
다이닝겐Deiningen 428
닥슬란덴Daxlanden 95
단치히 → 그단스크
달마티아Dalmatien 213
담바흐Dambach-la-Ville(Dambach) 396
대서양Atlantischer Ozean(atlantisches Meer) 219, 270, 491, 533
대영제국British empire → 영국Großbritannien
대영제국United Kingdom → 영국Großbritannien
데브레첸Debrecen(Debreczin) 199
데사우Dessau 482
데팅겐Dettingen 401
덴마크Dänemark(Denmark) 361~363, 483
도나우Donau 412, 413, 415, 420
도나우뵈르트Donauwörth 413
도나우에싱겐Donaueschingen 3, 111~114, 221
독일Deutschland(Allemagne, Germanien, Germany) 5, 14, 21, 22, 30, 31, 33, 37~39, 41~43, 45, 56, 58, 60~62, 67, 105, 106, 116~118, 134, 175, 197, 198, 213, 214, 231, 233, 237, 238, 254~256, 258, 261, 262, 272, 280, 297, 303, 318, 320, 322, 330~332, 336~340, 349, 361, 362, 367~369, 373, 377, 378, 380~382, 384, 385,

389, 392, 393, 396, 397, 405~409, 415, 420, 423, 431, 441~443, 446, 448, 454, 464, 481, 482, 486, 491, 498, 504, 521~523, 526, 527, 532, 553, 560, 561, 565, 570, 574, 577, 579, 614, 623~625, 627, 732, 867, 910, 921, 1018
동인도Ostindien(East India) 206, 217, 302, 303, 459, 606
동해Ostsee(Baltic, Baltisches Meer) 267, 362
두를라흐 → 카를스루에-두를라흐
두브노Dubno(Дубно) 527
뒤셀도르프Düsseldorf 41, 47, 48, 51
드네프르 강 → 드니프로 강
드니프로 강Dnepr(Днепр)(Dniepr) 520
드레스덴Dresden 40, 43, 48, 55, 73, 74, 553
드비나 강Dwina(Двина) 520
디델스하임Diedelsheim 103
디종Dijon 547

| ㄹ |

라돌프첼Ladolfzell 429
라비다 보루Bastion de la Rabida 9
라쇼드퐁La Chaux-de-Fonds(Lachaux de fonds) 573
라슈타트Rastatt(Rastadt) 57, 60, 69, 78, 89, 104~106, 110, 116, 118, 318
라우터Lauter 91
라우터부르크Lauterbourg(Lauterburg) 72
라우펜Lauffen 419
라우펜부르크Laufenburg 429
라우흐링겐Lauchringen 115
라이나우Rheinau 4, 116
라이타Leitha 39, 48
라이프치히Leipzig 40, 339, 435, 464
라이프하임Leipheim 392, 413, 421
라이헨바이어 → 리크비르
라인 지방Rheinprovinz(Rheinland, Rheinpreußen, Rhenish provinces) 40~45, 48, 56~58, 63, 73, 74, 108, 237, 319, 339, 464, 560, 932
라인Rain 405
라인Rhein(Rhine) 38, 41~43, 48, 49, 56, 58, 66, 78, 80, 81, 87, 88, 95, 99, 108, 115,

222, 236, 319, 397, 399, 400, 405, 409, 410, 412, 418, 429, 526~528, 532, 533, 560, 1049
라인가우Rheingau 428
라인 강 하류 지역Lower Rhine, Niederrhein → 바랭
라인바이에른 → 팔츠
라인팔츠 → 팔츠
라인펠덴Rheinfelden 276
라인헤센Rheinhessen 41
라코스Rakos 404
라트슈타트Radstadt 438
라폴츠바일러 → 리보빌
라프츠Rafz 4, 116
란다우Landau 64, 69, 73, 79~81, 85, 87~91, 93, 94, 409
란트슈툴landstuhl 409
랑겐잘차Langensalza 434, 435
랑겐칸델 → 칸델
랭커셔Lancashire 451
러시아Rußland(Russia) 32, 129, 140, 168, 213, 214, 221, 222, 232, 250, 269, 344, 346, 362, 363, 447, 454, 457, 482, 517, 520~523, 525~527, 772, 1047
런던London 18, 68, 106, 123, 177, 197, 213, 218, 224, 240, 255, 265, 304, 309, 322~324, 328, 337, 338, 340, 341, 343~347, 349, 355~357, 369, 444, 446, 451, 453, 454, 458, 463, 468, 470, 488, 491, 492, 498, 501, 553~561, 563, 565, 569~572, 574, 575, 577~584, 593, 594, 596, 598, 599, 603, 634, 639, 732, 868, 932, 946, 949, 1018, 1083, 1085
레그니차Legnica(Liegnitz) 339
레냐고Legnago 517
레네프 → 렘샤이트-레네프
레닌그라드Leningrad(Ленинград)(Petersburg, St. Petersburg: 1991년 레닌그라드에서 본래 이름인 상트페테르부르크로 바뀌었다. —옮긴이) 214, 454, 527
레돈도 언덕Cerro Redondo 10
레반트Levante 368
레엔Lehen 398, 400
레온León(Leon) 218
레온베르크Leonberg 402, 422
레코Lecco 221
레히Lech 412, 415

렌츠키르히Lenzkirch 4
렘샤이트Remscheid 48
렘샤이트-레네프Remscheid-Lennep(Lennep) 53
렘샤이트-뤼트링하우젠Remscheid-Lüttringhausen(Lüttringhausen) 53
렘스Rems 401~403
로마Roma(Rom, Rome) 39, 143, 160~162, 165, 167~169, 176, 222, 373, 384, 407, 408, 470, 519, 535, 773
로마 제국Rom(Roman empire) 606, 630
로보 언덕Cerro del Lobo(Isle) 8
로스 프라글레스Los Fragles 8, 9
로스토크Rostock 564
로이바스Leubas 430
로젠Rosen 399
로젠펠트Rosenfeld 419
로치데일Rochdale 647
로테르담Rotterdam 454, 463, 532, 533, 1049
로텐부르크Rothenburg 415, 426, 428
로텐펠스Rothenfels 106, 107, 109
로트Roth 413
로트바일Rottweil 112, 221
로트슈테텐Lottstetten 115, 116
론 강Rhône(Rhone) 533, 1049
론스도르프 → 부퍼탈-론스도르프
롬바르디아Lombardia(Lombardei) 161, 470
뢰벤슈타인Löwenstein 425
뢰어라흐Lörrach 112, 221
루르Ruhr 48, 55
루아르 강Loire 533
루앙Rouen 35, 120, 242, 464, 499, 777
루이지애나Louisiana 459
루체른Luzern 222, 401, 968
루트비히스하펜Ludwigshafen 66, 68
루프슈타인Lupstein 436
룩셈부르크Luxembourg(Luxemburg) 48
룩셈부르크 대공국Luxemburg 41
뤼트링하우젠 → 렘샤이트-뤼트링하우젠

르아브르Le Havre(Havre) 454, 463
리가Riga 527
리데른Riedern 116
리마Lima 462
리마트Limmat 222
리모주Limoges 499
리버풀Liverpool 218, 302, 309, 451, 453, 463
리보르노Livorno 454
리보빌Ribeauville(Rappoltsweiler) 435
리스본Lisboa(Lissabon) 208, 454
리옹Lyon(Lyons) 35, 173, 175, 188, 222, 233, 242, 281, 515, 530, 532
리크니츠 → 레그니차
리크비르Riquewihr(Reichenweyer) 435
리트Ried 412, 420, 968
리트뵈링겐Riedböhringen 114
린탈Rinnthal 91, 93
릴Lille 242, 530
림푸르크Limpurg 418

| ㅁ |

마그데부르크Magdeburg 78
마드라스Madras 453
마드리드Madrid 454
마르무티에Marmoutier(Maursmünster) 436
마르세유Marseille 454
마르크그뢰닝겐Markgröningen 402
마르크트 베르겔Marktbergel(Markt Bergel) 428
마르히탈Marchthal 409
마른 강Marne 533, 534
마스 강 → 뫼즈 강
마요르카Malorca 6
마우르스뮌스터 → 마르무티에
마울브론Maulbronn 419
마이닝겐Meiningen 435

마이카머Maikammer 86, 90
마인Main 59, 221, 395, 397, 399, 430
마인츠Mainz 48, 58, 88, 319, 339
마일란트 → 밀라노
마호메트 아라에스 만Bahia de mahomet Arraez 8
만토바Mantua 517
만투아 → 만토바
만하임Mannheim 45, 64, 66, 68, 87
말라가 만Bahia von Màlaga(B. de Malaga) 10, 11
말슈Malsch 423
맨체스터Manchester 225, 303, 306, 453, 459, 491, 632~634
메노르카Menorca(Minorca) 6
메밍겐Memmingen 221, 392, 409, 412, 429
메사 데 롤단 → 메사 데 롤단 갑
메사 데 롤단 갑Punta de la Mesa de Roldán(La Mesa de Roldan, Mesa de Roldan) 8
메시나Messina 208
메츠Metz 530
메케스하임Meckesheim 106
메클렌부르크Mecklenburg 212, 339, 482
멕시코Mexiko 462, 464, 778
멕시코 만Mexiko, Golf von(Mexikanischer Busen) 218
멜러바흐Mellerbach 389
모로 갑Punta de Moro 9
모르타라Mortara 517
모리셔스Mauritius 453
모스크바Moskwa(Москва)(Moskau) 527, 1048
모젤Mosel 49, 56, 58, 74, 410, 497, 533
모트릴Motril 9~11
몽스Mons 454
몽스니Mont Cenis 533
뫼즈 강Meuse(Maas) 512, 533
무르시아Murcia 7, 8
무르크Murg 55, 63, 107~110, 255
물라센Mulhacén 9
뮌징Münsing 419
뮌헨München 339

뮐루즈Mulhouse(Mühlhausen, Mülhausen) 242, 464, 777, 993
뮐하우젠 → 뮐루즈
뮐하우젠 → 토마스-뮌처-시 뮐하우젠
뮐하임Mülheim(Mulheim) 33, 35
미노르카 → 메노르카
미시시피Mississippi 461
미합중국Vereinigte Staaten von Amerika(America, Amerika, Nordamerika) 206, 218, 270, 304, 330, 348, 454, 456, 458~464, 582, 606, 614
미헬바흐Michelbach 106, 107, 109
민덴Minden 48
민델Mindel 421
민스크Minsk(Минск) 527
밀라노Milano(Mailand) 517, 1047
밍골츠하임Mingolsheim(Mingolzheim) 101, 102

| ㅂ |

바나트Banat 213
바덴Baden 3, 33, 45, 48, 56~58, 60~63, 65, 68~74, 78, 88, 89, 94, 99, 101, 103, 105, 117, 176, 204, 237, 238, 339, 344, 347, 397, 399, 401, 403, 447, 482, 553, 742
바덴-바덴Baden-Baden 57
바랭Bas-Rhin(Lower Rhine, Niederrhein) 326, 472, 780
바레세Varese 221, 222
바르Barr 435
바르 강Varo(Var) 533
바르멘 → 부퍼탈
바르샤바Warszawa(Warschau) 139, 457
바바리아 → 바이에른
바벤하우젠Babenhausen 430
바욘Bayonne 454
바이덴탈 → 힌터바이덴탈
바이마르Weimar 390, 391
바이센부르크 → 비상부르
바이에른Bayern(Baiern, Bavaria) 22, 201, 256, 339, 395, 415, 862
바인가르텐Weingarten 99, 397, 421

바인스베르크Weinsberg 402, 416, 424
바인하임Weinheim 65, 66
바젤Basel 104, 222, 276, 527, 532, 732
바크 강Vak(Waag) 39
바크낭Backnang 402
바크호이젤Waghäusel 68, 99, 101, 103
바트, 바틀란트 → 보
발랑시엔Valenciennes 530
발렌베르크Ballenberg 415
발링겐Balingen 419
발미Valmy 511
발츠후트Waldshut 115, 392, 410, 429
발터스바일Baltersweil 4, 115
발트링겐Baltringen 412
발트부르크Waldburg 412, 421
발트앙겔로호Waldangelloch(Waldangeloch) 101, 102
발트키르히Waldkirch 111
발트 해 → 동해
발파라이소Valparaiso 462
밤베르크Bamberg 339, 415
방데Vendée(Vendee) 512, 515, 521
뱅센Vincennes 145
베네치아Venedig 218, 439, 454
베로나Verona 517
베르겔 → 마르크트 베르겔
베르마팅겐Bermatingen 412
베르메호 곶Cabo Bermejo 6
베르사유Versailles 235, 479, 786
베르크차베른Bergzabern 88, 91, 93
베르크하임Bergheim 435
베른Bern(Berne) 22, 110, 204, 214, 222, 223, 401, 732, 968
베를린Berlin 41, 43, 50, 78, 199, 212, 231, 256, 339, 343, 346, 347, 349, 363, 481, 527, 1048
베사라비아Bessarabien 221
베스트팔렌Westfalen(Westphalen) 43, 55, 339, 340, 409
베젤Wesel 48, 55

벨기에Belgien(Belgium) 72, 105, 280, 339, 346, 349, 361, 450, 512, 533, 577
벨린초나Bellinzona 221, 222
벨일앙메르Belle-Île-en-Mer(Belle-Isle-en-Mer, Belle-ile en mer) 500, 501, 1027
벨트 → 스토레벨트 해협
벨하임Bellheim 85, 86, 92
보Vaud(Waadt, Waadtland) 4, 214
보덴 호Bodensee 398, 430
보르도Bordeaux 120, 233
보름스Worms 80, 81, 88
보스턴Boston 219
보주Vosges(Vogesen) 88, 533, 1049
보트바르Bottwar 419
보헤미아Böhmen 380, 381, 387, 484, 967
본Bonn 337
본도르프Bonndorf 4, 114
볼리니아Wolynien(Volhynien) 221
볼마팅겐Wollmatingen 421
볼파흐Wolfach 111, 113
볼페크Wolfegg 421
볼히니아 → 볼리니아
봄베이Bombay 304, 453
뵈르트Wörth 94
뵈블링겐Böblingen 422, 426
뵈킹겐Böckingen 416
부넨슈타인Wunnenstein 419
부다페스트Budapest(Budapesth, Pesth) 403, 404
부르고뉴Burgund(Burgundy) 233
부르차흐, 바트Wurzach, Bad 412
부타흐Wutach 3, 114, 115
부퇴싱겐Wutöschingen 4, 115
부퍼Wupper 48
부퍼탈Wuppertal(Barmen, Elberfeld) 33, 46~56, 60, 79, 337, 454
부퍼탈-론스도르프Wuppertal-Ronsdorf(Ronsdorf) 48
부헨Buchen 417
부흐호른 → 프리드리히스하펜
북아메리카 → 미합중국

북해Nordsee 42, 532, 533, 1049
불겐바흐Bulgenbach 429
뷔르주Burges 165
뷔르츠부르크Würzburg 339, 393, 415, 416, 418, 424~428, 441
뷔르츠부르크-하이딩스펠트Würzburg-Heidingsfeld(Heidingsfeld) 425, 427
뷔르템베르크Württemberg(Würtemberg, Wurtemberg) 3, 22, 30, 31, 58, 59, 69, 110, 112, 204, 212, 256, 399, 401, 411, 412, 418~422, 968
뷔장세Buzançais(Büzançais) 123, 240
뷔히히Büchig 103
뷜Bühl 111, 403
브라이스가우Breisgau 398, 399, 403, 411, 429
브라켄하임Brackenheim 419
브레겐츠Bregenz 221, 431, 457
브레멘Bremen 454, 492
브레슬라우 → 브로츠와프
브레텐Bretten 102~104
브로츠와프Wrocław(Breslau) 41, 259, 339, 527
브루흐라인Bruchrain 419, 423
브루흐잘Bruchsal 95, 96, 99~101, 103, 398, 423
브뤼셀Brussel(Brüssel) 337, 339, 454
브장송Besançon 79, 341
블라우보이렌Blaubeuren 402, 419
블라이바흐Bleibach 111
블랑켄로흐Blankenloch 96, 98, 99
비넨덴Winnenden 402
비버Biber 413
비상부르Wissembourg(Weissenburg) 428, 436
비슈바이어Bischweier 107, 108
비스바덴Wiesbaden 339, 477, 479, 572, 784, 785
비야리코스 산맥Sierra de Villaricos 7
비엔나Vienna → 빈
비텐베르크Wittenberg 384, 390, 405
비티히하임Bietigheim 419
빈Wien(Vienna) 39, 69, 72, 362, 527, 553, 554
빈츠하임Windsheim 427
빈터투어Winterthur 439

빌나 → 빌뉴스
빌뉴스Vilnius(Wilna) 527
빌러 계곡Willerthal → 윌러-쉬르-튀르
빌레펠트Bielefeld 569, 1082
빌링겐Villingen 3, 112, 114
빙겐Bingen 70
빙켈Winkel 106

| ㅅ |

사그레스 곶Cabo Sagres 12
사르데냐Sardinien 471
사베른Saverne(Zabern) 399, 436
사부아Savoie(Savoy, Savoyen) 361
사부아 알프스Savoyer Alpen 533
사우샘프턴Southampton 462
사운트Sound → 외레순 해협
사크라티프 곶Cabo Sacratif 9, 10
사토리Satory(Satori) 479, 480, 786
산 후안 데 니카라과San Juan de Nicaragua 462
산 후안 데 울루아San Juan de Ulua(San Juan de Uloa) 214
산 후안 델 노르테San Juan del Norte(San Juan de Nicaragua, Greytown) 218
산타 폰 데 라 칼라Santa Fon de la Cala 6
살로브레냐Salobreña 10, 11
살리나스 곶Cabo Salinas(Cabo de Salinas) 6
상브르Sambre 533
상비센테 곶Cabo de São Vicente(Cabo Sanct Vincent) 12
상트페테르부르크 → 레닌그라드
샌드위치 제도 → 하와이 제도
샌프란시스코San Fracisco 218, 219, 462
생-장 다크르Saint-Jean d'Acre 214
생트므누Menehould, Saint-(St. Menehould) 511
샤프하우젠Schaffhausen 112, 115, 222
샹베리Chambéry(Chambery) 532, 533
샹파뉴Champagne 533

세게드Czeged(Czegedin) 404
세르네Cernay(Sennheim) 436
세스토Sesto 517
세스토-칼렌데Sesto Calende(Sesto-Calende) 221
세인트레너즈St. Leonards 352, 477, 479, 784, 785
세인트헬레나Helena, Sankt(St. Helena) 24, 184, 511
센 강Seine 533, 534
센티나스 갑Punta de las Sentinas 9
셀레스타Sélestat(Schlettstadt) 396, 397
셰르바일러 → 셰르윌러
셰르윌러Scherwiller(Scherweiler) 396, 436
셸렌베르크Schellenberg 412
손 강Saône 533
솔로뉴Sologne 137
쇤발트Schönwald 112
쇤탈Schönthal 415, 416
쇼른도르프Schorndorf 401, 420
수에브라다 갑Punta Suebrada 10
술츠오랭Soultz-Haut-Rhin(Sulz) 396, 436
슈람베르크Schramberg 112
슈르발트Schurwald(Kappelberg) 402
슈말칼덴Schmalkalden 441
슈바르츠발트Schwarzwald 3, 111~113, 367, 398~400, 405, 409~412, 415, 429
슈바벤Schwaben(Oberland) 64, 68, 111, 113, 392, 395, 396, 398, 405, 409, 411, 422, 431
슈바벤 쥐라 산맥Schwäbische Alp 401, 420
슈베린Schwerin 339, 564
슈체친Szczecin(Stettin) 322, 555~558
슈타이어마르크Steiermark 404, 405, 437, 438
슈타인하임Steinheim 409
슈테트펠트Stettfeld 102
슈테틴 → 슈체친
슈토츠하임Stotzheim 396
슈토카흐Stockach 410, 411, 429
슈톨베르크Stolberg 386
슈톨프, 슈톨페 → 스웁스크

슈투트가르트Stuttgart(Stuttgardt) 22, 38, 60, 64, 204, 256, 339, 393, 402, 412, 413, 419, 420
슈투트가르트-운터튀르크하임Stuttgart-Untertürkheim 401
슈튀르첼브론Stürzelbronn 436
슈틸링겐Stühlingen 4, 114, 115, 410
슈트라스부르크 → 스트라스부르
슈트리가우 → 스트셰곰
슈파이어Speyer(Speier) 69, 73, 87, 89, 90, 99, 397, 418
슈푀크Spöck 96, 98
슈플뤼겐Splügen 222
슈피리어 호Lake Superior(Oberer See) 461
슐라트밍Schladming 438
슐라흐트베르크Schlachtberg 434
슐레스비히-홀슈타인Schleswig-Hollstein(Holstein, Schleswig) 212, 337, 339, 340, 361~363, 464, 467, 482, 483, 582
슐레지엔Schlesien 42, 48, 339, 367
슐레트슈타트 → 셀레스타
슐뤼셀부르크 → 페트로크레포스트
스웁스크Słupsk(Stolp, Stolpe) 323, 570, 911
스위스Schweiz(Switzerland) 3, 4, 22, 62, 65, 67~69, 73, 111, 113~116, 122, 214, 215, 221~223, 231~233, 237, 252, 256, 322, 336~339, 341, 346, 361, 392, 397, 400, 401, 403, 405, 409, 423, 430, 439, 553, 564, 565, 577, 732, 867
스코틀랜드Schottland 831
스토레벨트 해협Store Bælt(Belt) 362
스톡홀름Stockholm 454
스트라스부르Strasbourg(Straßburg) 435, 436, 530, 532, 533
스트셰곰Strzegom(Striegau) 322, 323
스페인Spanien 219, 464, 516, 520, 778, 966
스헬더 강Schelde 534
시드니Sydney 219, 462
시에라 네바다 산맥Sierra Nevada 9~11
신시내티Cincinnati 564
싱가포르Singapore 219, 462, 464

| ㅇ |

아그노Haguenau(Hagenau) 532
아길라스 갑Punta de Águilas 10
아드라Adra 9
아드라 시(市)와 강Rio y Ciudad de Adra → 아드라
아르Aar 222
아르곤Argonne 511, 533
아르덴Ardennen 533
아르타 만Artá(Bei von Arta) 6
아른슈타트Arnstadt 441
아메르 갑Punta de Amer 6
아메리카 → 미합중국
아모어바흐Amorbach 417
아벤스베르크Abensberg 518
아브르 → 르아브르
아비뇽Avignon 183
아스페르크Asperg 419
아시아Asien 220, 462
아우크스부르크Augsburg 368, 369, 411
아이슈 강Aisch 428
아이오와Iowa(Jowa) 461
아이제나흐Eisenach 434, 435
아이티Haiti(Hayti) 235
아이펠Eifel 49, 56, 58, 74
아이히스펠트Eichsfeld 433
아일랜드Irland(Ireland) 276, 291, 450, 469, 632
아카풀코Acapulco 462
아트라토Atrato 462
아프가니스탄Afghanistan 504
아프리카Afrika(Africa) 606
아헨Achen 41, 48
안바일러Annweiler 91, 93
안트베르펜Antwerpen 454, 516
알가르베Algarve 12
알고이Allgäu 412

알렉산드리아Alexandria 218
알마뉴Allemagne → 독일
알메리아 만Almeria, Golfo de(Almeria Bai, Bahia de Almeria) 9, 10
알메리아 평원Llanos de Almeria(Llanos y Bahia de Almeria) 9
알무녜카르Almuñécar 10, 11
알버스바일러Albersweiler 93
알슈테트Allstedt 387, 389~392
알자스Elsaß 392, 396, 399, 410, 411, 420, 435, 436, 732
알제Algier(Algiers) 189, 253, 454, 480, 519, 528, 786
알제리Algerien(Algeria) 36, 79, 215, 540
알타이Altai 213
알토르프Altorf 435
알프Alb 115
알프스Alpen 420, 518, 532, 533
알하미야 정상Torre de Alijamilla 9
암스테르담Amsterdam 450, 454, 488
앙글르테르Angleterre → 영국England
애들레이드Adelaide(Adalaida) 504
앨라배마Alabama 459
야블룬코프Jablunkow(Jablunka) 48
약스트Jagst(Jaxt) 395, 415, 425, 426
얼스터Ulster 23
에글리자우Eglisau 116
에깅겐 → 운터에깅겐
에네퍼 가도Enneper Straße 46
에덴코벤Edenkoben 85
에르칭겐Erzingen 4, 116
에르푸르트Erfurt 212, 369, 433
에를랑겐Erlangen 199
에바팅겐Ewatingen 410
에베르스하임Ebersheim 435
에베른부르크Ebernburg 384
에슬링겐Eßlingen 423
에치Etsch 438
에크뮐Eggmühl(Eckmülhl) 518
에틀링겐Ettlingen 103, 104

에핑겐Eppingen 102, 103, 423
엔 강Aisne 534
엔지스하임Ensisheim 400, 436
엘바Elba 528
엘방겐Ellwangen 418
엘버펠트 → 부퍼탈
엘 페뇬El Peñon 7
엠스Ems 177
영국England(Angleterre) 27, 28, 38, 39, 105, 123, 126, 129, 145, 181, 182, 205~210, 214, 217~219, 223, 224, 226~229, 239, 240, 270, 272, 275, 299, 301~305, 308~310, 312~314, 318, 341, 343, 344, 346, 347, 350, 362, 369, 379~381, 407, 447, 449~456, 459, 460, 463, 464, 466~472, 482, 503, 520, 521, 523, 553, 595, 596, 603, 614, 622, 623, 632, 633, 635, 652, 777, 779
영국Großbritannien(British empire, United Kingdom) 14, 598, 639
예슈테텐Jestetten 4, 115, 116
오데사Odessa(Одécca) 214
오덴발트Odenwald 367, 395, 415, 417
오덴하임Odenheim 101
오를라뮌데Orlamünde 385
오를레앙Orléans(Orleans) 530, 774
오리건Oregon 461
오버귄츠부르크Obergünzburg 430
오버그롬바흐Obergrombach 100
오버란트 → 슈바벤
오버바이어Oberweier 108
오버아헤른Oberachern 111
오버프랑켄Oberfranken 433, 435
오베르뉴Auvergne 533
오스Oos 110, 111
오스텐드Oostende(Ostende) 512
오스트레일리아Australien 459, 460, 462~464
오스트리아Österreich(Austria, Oesterreich, Östreich, Oestreich) 22, 30~32, 122, 140, 145, 160~162, 181, 203, 212, 213, 221, 232, 250, 267, 420, 429, 430, 437~439, 443, 447, 464, 468, 471, 481, 482, 484, 517, 522, 526, 772
오차코프Otschakow(Очаков)(Oczakoff) 518
오페나우Oppenau 111

오펜바흐Offenbach 85, 90
오펜부르크Offenburg 57, 429, 437
오프트링겐Oftringen(Ofteringen) 4
옥센하우젠Ochsenhausen 412
올덤Oldham 453
외레순 해협Öresund(Sound) 362
외링겐Öhringen(Oehringen) 416, 425
요하니스크로이츠Johanniskreuz 91
욘 강Yonne 533, 534
우라흐Urach 410, 419, 422
우랄Ural(Урáл) 213
우르비스 계곡Urbistal 435
우아즈 강Oise 534
우츠나흐Uznach 222
우프나우Ufnau 409
운터그롬바흐Untergrombach 397, 398, 401
운터에깅겐Untereggingen(Eggingen) 114, 115
운터-외비스하임Unter-Öwisheim(Unter-Oewisheim) 100
운터튀르크하임Untertürkheim → 슈투트가르트-운터튀르크하임
운하Kanal 466, 779
울름Ulm 412, 413, 420, 421
웁슈타트Ubstadt 68, 78, 100~102, 104
워싱턴Washington 321
워털루Waterloo 175, 469, 528
웨스트라이딩West Riding(West-Riding) 303
웨일스Wales 632
위스콘신Wisconsin 461
윌러-쉬르-튀르Willer-sur-Thur(Willerthal) 435
윌리히Jülich 48
유럽Europa(Europe) 13, 116, 123, 127~129, 133, 134, 140, 168, 206, 213, 214, 217, 218, 223, 224, 233, 242, 247, 250, 267, 272, 304, 311, 346, 348, 361, 362, 443, 450, 451, 454, 455, 457, 459, 461~464, 466, 468, 499, 523, 605, 606, 777, 779, 966
이다르발트Idarwald 533
이스라엘Israel 162
이스탄불Istanbul(Constantinopel) 213
이절론Iserlohn 46~48, 53, 55

이제르 강Isère 533
이즈마일Ismail(Измаил) 518
이탈리아Italien(Italy) 39, 134, 161, 175, 218, 219, 221, 267, 362, 380, 410, 470, 471, 486, 488, 517, 532
인도Indien(India) 368, 546, 966
인스브루크Innsbruck(Inspruck) 221
일러Iller 413, 430
일러티센Illertissen 421
일리온Ilion 195
임플링겐Impflingen 90, 94
잉골슈타트Ingolstadt 427
잉글랜드 → 영국England

| ㅈ |

자르Saar 436
자르게뮌트Saargemünd 72, 88, 436
자르브뤼켄Saarbrücken 71, 76, 88
자를루이Saarlouis 48
작센Sachsen(Saxony) 22, 38, 40, 42, 339, 392, 431, 433, 435, 482
잘렘Salem 421
잘츠부르크Salzburg 437, 438
장거하우젠Sangerhausen 435
장크트갈렌Sankt Gallen(St. Gallen) 222, 430
장크트게오르겐Sankt Georgen(St. Georgen) 3, 112
장크트고트하르트St. Gotthard(St. Gotthardt) 222
장크트메르겐Sankt Märgen(St. Märgen) 3, 112
장크트-블라지엔Sankt-Blasien 409
장크트히폴리트St. Hippolyte(St. Hippolyt) 435
제네바Genève(Genf) 214, 222, 323, 338, 532, 567, 1049
제노바Genua 218, 219, 454
제마프Jemappes(Jemmappes) 512, 515
제킹겐Säckingen 115
젠하임 → 세르네
존트하임Sontheim 416

졸로투른Solothurn 222, 401, 968
졸링겐Solingen 46, 48, 53~55
준트가우Sundgau 429, 435, 436
줄츠 → 술츠오랭
줄츠도르프Sulzdorf 426, 427
줄츠바흐Sulzbach 106
중국China 219, 220, 229, 302, 310, 457, 464, 832, 966
쥐라Jura 222, 341, 532, 533, 932
쥐라 산맥의 우라흐Uracher Alps 418
지몬스발트Simonswald 3
지몬스발트 계곡Simonswalder Tal(Simonswalder Thal) 111, 112
지벤뷔르겐Siebenbürgen 404
지브롤터Gibraltar 11
지중해Mittelmeer(Mittelländisches Meer) 219, 267, 533, 534
진스하임Sinsheim 102, 103
진츠하임Sinzheim 111

| ㅊ |

차그레스Chagres 218, 219, 462
차베르고이Zabergäu(Zabergau) 419
차베른 → 사베른
차이젠하우젠Zaisenhausen 103
차일Zeil 412, 421
처나드Csanád(Csanad) 404
추르차흐Zurzach 222
취리히(시)Zürich, Stadt 93, 222, 337, 392, 493
취리히(주)Zürich, Kanton 69, 115
취리히 호Zürichsee(Zürchersee) 409
츠바이브뤼켄Zweibrücken 73, 86, 88, 91
츠비카우Zwickau 387
치비타베키아Civitavecchia(Civita vecchia) 160, 161
칠레Chile 462

| ㅋ |

카르타고Carthago 218
카를스도르프Karlsdorf 96, 97
카를스루에Karlsruhe 45, 57, 60, 64, 66~69, 72, 74, 79, 89, 94~96, 98, 99, 104, 118, 276
카를스루에-두를라흐Karlsruhe-Durlach(Durlach) 103, 104
카미에니에츠 → 카미에니에츠 종브코비츠키
카미에니에츠 종브코비츠키Kamieniec Ząbkowicki(Kamieniec) 527
카우프보이렌Kaufbeuren 412
카이저슈툴Kaiserstuhl 111
카이저슈트라세Kaiserstraße 88
카이저슬라우테른Kaiserslautern 67, 69, 70, 73, 75~77, 79, 80, 82, 83, 86~88, 106
카펠Kappel 111
카펠베르크 → 슈르발트
칸델Kandel(Langenkandel) 90, 93, 94
칸톤Kanton(Canton) 219, 462, 832
칼라 라 수비다Cala La Subida 7
칼라 라차다Cala Ratjada 6
칼라 망루Torre de la Cala 8
칼라 모랄 갑Punta de Cala Moral 10
캐나다Kanada 461
캘리포니아Califonien(Kalifonien) 460~463, 603
캘커타Calcutta 453
케른텐Kärnten(Kärnthen) 404, 405, 437, 438
켈Kehl 276
켐펜Kempen 49
켐프텐Kempten 221, 396, 430, 440
코르체라 갑Punta de la Corchera 10
코르트레이크Kortrijk(Courtray) 454
코모Como 215, 221
코블렌츠Koblenz 44, 48, 196
코카서스Kaukasus 526
코페 정상Cubeza del Cope(여기서 Cubeza는 Cabeza로 보았고, 코페는 아길라스 근처에 있는 Cope 마을을 가리킨다. — 옮긴이) 7
코펜하겐 → 쾨벤하운

코허Kocher 395, 426
콘스탄츠Konstanz 116
콘스탄티노플 → 이스탄불
콜렌베르크Kohlenberg 430
콜로뉴Cologne → 쾰른
콜롬비아Kolumbien(Neu-Granada) 462
콜마르Colmar 222
콰이히 강Queich 79, 91
쾨니히스호펜Königshofen 426, 427
쾨벤하운København(Copenhagen, Kopenhagen) 362, 467
쾰른Köln(Cöln, Cologne) 21, 30, 33, 41, 43, 45, 48, 49, 56, 57, 237, 339, 340, 344, 347, 348, 361, 369, 494, 560, 564, 569, 572, 577, 580, 732, 932, 1070
쿠르트레 → 코르트레이크
쿠어Chur 222
쿠어헤센Kurhessen → 헤센-카셀
쿠펜하임Kuppenheim 105, 106
크니비스Kniebis 399, 405
크니텔스하임Knittelsheim 85
크닐링겐Knielingen 87, 90, 91, 94, 99
크라우트하임Krautheim 415, 425, 426
크라이히가우Kraichgau 423
크라인Krain 404, 405, 437, 438
크라카우 → 크라쿠프
크라쿠프Kraków(Cracow, Krakau) 122, 240, 527, 772
크레펠트Krefeld(Crefeld) 49
크로넨베르크Kronenberg 53, 54
크로아티아Kroatien 213
크로이츠나흐Kreuznach 71, 76, 88
크론슈타트Kronstadt(Кронштадт) 214
클레트가우Klettgau 393
클리시Clichy sur Garenne(Clichy) 178
키르히하임 → 키르히하임볼란덴
키르히하임볼란덴Kirchheimbolanden(Kirchheim, Kirchheim-Bolanden, Kirchheim-Bollanden) 77, 82, 88, 89, 105, 413, 420, 422
키예프 → 키이우
키이우Kiew(Київ)(Kiev) 527

| ㅌ |

타우버Tauber 394, 415, 426
태평양Stiller Ozean(Stilles Meer) 218, 219, 457, 462~464
터키 → 튀르키예
테메스바르 → 티미쇼아라
테우안테펙 지협Isthmus von Tehuantepec 462
텍사스Texas 459, 461, 603
토로 산Monte Toro 6
토리노Torino(Turin) 517, 518
토마스-뮌처-시 뮐하우젠Thomas-Müntzer-Stadt Mühlhausen(Mühlhausen) 390, 432~435, 441
토트나우Todtnau 112
투르가우Thurgau 409
투르쿠앵Tourcoing 515
투린 → 토리노
투틀링겐Tuttlingen 221
툴롱Toulon 515, 521, 532
튀르키예Türkei(Turkey) 213, 221, 223, 232
튀링거발트hüringer Wald 435
튀링겐Thüringen 376, 385, 387, 392, 393, 411, 420, 431, 433, 435
튀빙겐Tübingen 402
튕게다Tüngeda 435
트로네켄Thronecken 108
트리베르크Triberg(Tryberg) 3, 112~114
트리어Trier 44, 48, 56, 202, 212, 318, 409, 572
트리에스테Trieste(Triest) 454
티뇨소 곶Cabo Tiñoso 7
티롤Tirol(Tyrol) 437, 438
티루스Tyrus 218
티미쇼아라Timişoara(Temesvar) 404
티펜바흐Tiefenbach 102
팅겐Thiengen 4, 114, 115

파나마Panama 218, 462, 831
파나마 지협Isthmus von Panama 218, 462
파리Paris 5, 24, 28, 29, 33~35, 41, 57, 60, 67, 69, 70, 72, 118, 122~129, 132~139, 141, 144, 145, 149, 152, 158, 166, 168, 170~176, 183, 192~194, 198, 199, 205, 213, 214, 221, 233~238, 240, 241, 244, 246~249, 251, 252, 256, 275, 280, 281, 287, 290, 301, 325~327, 329, 337, 341, 350~352, 364, 365, 450, 454, 464, 466, 472, 474, 477, 480, 490, 499, 511, 512, 517, 530~534, 554, 557, 560, 564, 572, 577, 579, 581, 595, 775, 779~781, 787, 1049
팔레르모Palermo 122, 240, 772
팔츠Pfalz(Rheinbayern, Rheinpfalz) 3, 37, 41, 43, 48, 55~58, 60, 65, 66, 68~80, 82, 83, 86~89, 99, 204, 224, 337, 418, 428
페데르스하임Pfeddersheim(Pfedersheim) 428
페라 곶Cabo de Pera 6
페루Peru 462
페스키에라Peschiera 517
페스트Pest(Pesth) → 부다페스트
페테르부르크 → 레닌그라드
페트로크레포스트Petrokrepost(Петрокрепость)(Schlüsselburg) 214
페트로파블롭스크Petropawlowsk(Петропáвловск) 213
펠리페 성채Castelle de Felipe 8
펠트키르히Feldkirch 221
포 강Po 518
포게젠 → 보주
포르투갈Portugal 219
포어아를베르크Vorarlberg 221
포이어탈렌Feuerthalen 69
포젠 → 포즈난
포즈난Poznań(Posen) 362
포크틀란트Vogtland 433
폴란드Polen(Poland) 22, 122, 214, 221, 232, 276, 407, 408, 520, 527
퐁 드 보부아쟁Pont-de-Beauvoisin(Pont de Beauvoisin) 532
푀렌바흐Vöhrenbach 112
푸르트방겐Furtwangen 3, 4, 111~114, 410
풀다Fulda 433~435

풀링겐Pfullingen 419
프라우엔베르크Frauenberg 418, 424~427, 434
프라이부르크Freiburg im Breisgau 69, 89, 111~114, 398, 400, 403, 422, 429
프라하Praha(Prag) 387
프랑스Frankreich(France) 24, 27~30, 34, 35, 37~39, 41, 72, 94, 105, 119~127, 131, 133, 135, 136, 140, 141, 145, 149, 150, 152, 155, 160, 161, 174~177, 179, 181, 182, 184~186, 188, 190, 194~196, 206~208, 215, 218, 221~223, 231~235, 237~242, 245, 247, 248, 250~252, 255, 256, 262, 263, 267, 283, 290~292, 294, 297~300, 309, 315, 318~320, 325, 327, 329~331, 341, 346, 349, 350, 352, 361, 364, 369, 377, 379~381, 407, 446, 448, 450, 455, 457, 464~466, 472, 479, 482, 486, 500~502, 504, 511, 512, 516, 517, 520~526, 528, 530~533, 535, 542, 544, 546, 548, 553, 564, 565, 578, 579, 605, 614, 623, 624, 627, 777~780, 785, 921, 1047, 1048
프랑켄Franken 58, 59, 69, 392, 409, 410, 415, 422, 484
프랑켄탈Frankenthal 81
프랑켄하우젠Frankenhausen 434, 440
프랑크바일러Frankweiler 90, 94
프랑크푸르트Frankfurt a. M.(Frankfort) 21, 43, 45, 48, 50, 56, 58, 64, 65, 67, 70, 118, 202~205, 256, 337, 339, 428, 450, 464, 572, 573
프레데리치아Fredericia 363
프로이센Preußen(Prusse, Prussia) 5, 21~23, 30, 32, 33, 42~45, 56, 63, 72, 140, 168, 203, 211, 212, 214, 221, 222, 224, 231~233, 250, 267, 320, 344, 346, 348, 349, 363, 443, 447, 464, 468, 481~484, 517, 521, 522, 526, 553, 560, 772, 949
프륌Prüm 49, 55, 57, 79
프리드리히스탈Friedrichsthal 96, 98, 99
프리드리히스하펜Friedrichshafen(Buchhorn) 421
플라인Flein 416
플레잉겐Flehingen 103
플뢰뤼스Fleurus 512, 515
피게라Figuera 8
피르마젠스Pirmasens 86, 88, 91
피아첸차Piacenza 517
피에몬테Piemont 161, 521, 528, 1048
피카르디Picardie 380
핀란드Finnland 214

| ㅎ |

하게나우 → 아그노
하겐Hagen 48, 53, 55
하나우Hanau 339, 572
하노버Hannover(Hanover) 22, 482
하르츠Harz 386, 431, 433
하르트Haardt(Hardt) 418, 537, 581
하와이 제도Hawaiian Islands(Sandwichinseln) 462
하이델베르크Heidelberg 57, 100, 103, 418
하이딩스펠트 → 뷔르츠부르크-하이딩스펠트
하일브론Heilbronn 400, 416, 417, 423, 424
하일브론-네카어가르타흐Heilbronn-Neckargartach(Neckargartach) 423
할Hall 418, 427
할레Halle 386
함부르크Hamburg 18, 197, 339, 450, 454, 482, 569, 572, 573, 581, 732, 931, 1082
핼리팩스Halifax 453
허더즈필드Huddersfield 557, 558
헝가리Ungarn(Hungary) 22, 39, 67, 78, 168, 175, 176, 362, 380, 403, 405
헤가우Hegau 393
헤렌알프Herrenalb 110
헤르비츠하임Herbitzheim 436
헤센 → 헤센-다름슈타트 또는 헤센-카셀
헤센-다름슈타트Hessen-Darmstadt(Hesse, Hessen) 5, 56, 58, 59, 64, 69, 72, 420, 431, 433, 435, 447, 482
헤센-카셀Hessen-Kassel(Hessen, Kurhessen) 56, 58, 447, 464, 482, 483
헤펜하임Heppenheim 65
헴스케르크Heemskerk 396
호엔슈타우펜Hohenstaufen 418
호엔슈타우펜베르크Hohenstaufenberg 401
호엔촐레른Hohenzollern 59
호엔트빌Hohentwiel 412, 413
호흐발트Hochwald 533
혼 곶Kap Hoorn(Cap Horn) 218, 269
홀슈타인 → 슐레스비히-홀슈타인
홈부르크Homburg 80, 84, 86, 88

홍콩Hongkong(Hong Kong) 832
횔렌탈Höllental(Höllenthal) 3, 112
훈츠코프Hundskopf 111
휘핑겐Hüfingen 3, 114
희망봉Cap der guten Hoffnung 218
힌터바이덴탈Hinterweidenthal(Weidenthal) 91, 93
힌터포메른Hinterpommern 42
힐스바흐Hilsbach 102, 103
힐칭겐Hilzingen 429

사항 찾아보기

G1203

(각 표제어 뒤의 숫자는 MEGA 본문과 부속자료의 쪽수를 가리킴 — 옮긴이)

10시간 법(영국)Zehnstundenbill (in Großbritannien) 217, 226~230, 305~308, 311~314, 614, 634

1825년 공황Krise von 1825 453

1836년 공황Krise von 1836 460

1847년 공황Krise von 1847 450

1847년 영국의 공황 123, 217, 240, 450~454, 631

1847년 대륙의 공황 123, 454

1847년 공황과 1848/49년 혁명 123, 129, 240, 244, 454, 455

→감자병

1848/49년 혁명들Revolutionen 1848/49 199, 443

1848/49년 혁명들이 부르주아 이데올로기에 끼친 영향 205, 265

유럽 반혁명을 통한 1848/49년 혁명들 탄압 160, 161, 168, 175, 176

| ㄱ |

가난한 콘라트Armer Konrad(1514년) 401~403

가족Familie

자본주의에서 가족 609, 614, 618, 619

사회주의/공산주의에서 가족 618, 619

가톨릭Katholizismus 161, 208, 371~373, 469, 470

→성직자. 교황. 독일의 종교개혁

감자병(1845/1846년)Kartoffelkrankheit (1845/1846) 123, 240, 450

개혁 법안(1832년 영국)Reformbill (in Großbritannien 1832) 307, 309, 633

결정적 진보 클럽(1849년 바덴)Klub des entschiedenen Fortschritts (in Baden 1849) 60, 68

경쟁Konkurrenz
자유(자본주의적) 경쟁과 그 결과 272, 611, 613, 623, 638
노동자들의 경쟁 613, 615
계급Klassen
노예제 사회 계급 606, 630
봉건제 계급 606, 609, 615, 630
자본주의 계급 609, 612~614, 630
지배 및 착취 계급 614, 615
계급의 지양 192, 258, 354, 522, 619~621
계급 차별. 계급 폐지의 전제 271, 510, 522, 523
계급에 대한 부르주아 및 소부르주아-유토피아적 이해와 계급의 지양 625, 626
→ 귀족. 노동자계급. 농민층. 부르주아지. 소시민계급
계급 대립Klassengegensätze 271, 509, 615, 620, 626
자본주의에서 계급 대립의 단순화와 첨예화 606
프롤레타리아트와 부르주아지의 계급 대립 225, 226, 606, 612
계급 대립의 폐지 620, 621
계급투쟁Klassenkampf
적대적 계급 사회 발전의 합법칙성과 추동력으로서 계급투쟁 198, 199, 606
계급투쟁과 사회 혁명 126, 606
계급투쟁의 표현으로서 정치투쟁 378, 379, 486, 613
부르주아지와 귀족의 계급투쟁 614
프롤레타리아트와 부르주아지의 계급투쟁 127, 139, 242, 243, 250, 597, 598, 613~615
프롤레타리아트 계급투쟁의 발전 단계와 형태 613~615
계급투쟁의 표현으로서 중세의 종교투쟁 378~380
계몽주의Aufklärung
영국 계몽주의 207
프랑스 계몽주의 207
계절사Société des saisons 281
고리대금Wucher 127, 186, 187, 243
고타Gothaer 204, 481
곡물법(영국)Korngesetze (in Großbritannien) 308, 310, 469
『공산당 선언Manifest der Kommunistischen Partei』 605
공산주의자동맹Bund der Kommunisten
공산주의자동맹의 이론적 · 정치적 기본 원칙 254, 258~263, 300, 578, 579, 588
공산주의자동맹과 소부르주아 민주주의의 관계 256~263

공산주의자동맹 조직의 기본 원칙 258, 259, 261, 340, 577, 588~590
공산주의자동맹 중앙본부 254, 255, 336~342, 358, 577~580
1848/49년 혁명 이전의 공산주의자동맹 331
1848/49년 혁명 중의 공산주의자동맹 254
1848/49년 혁명 패배 이후 공산주의자동맹의 재조직 255, 336, 340
1850년 공산주의자동맹의 독일 지부 339
1850년 공산주의자동맹이 독일의 다른 조직에 끼친 영향 339, 340
1850년 공산주의자동맹의 국제적 결속 339, 341, 342, 1081
공산주의자동맹의 분열 557~580, 584, 1095
공장감독관(영국)Fabrikinspektoren (in Großbritannien) 228, 312
공장 입법(영국)Fabrikgesetzgebung (in Großbritannien) 306
공창(公娼)제도Prostitution 618, 619
공화국/공화정Republik
부르주아 공화국 125, 136, 139, 142, 146, 168, 179, 180, 196, 249, 250, 380, 461
통일된, 불가분의 사회 공화국 22, 262, 363
→ 헌법
경제 공황/위기Krisen, ökonomische
경제 공황의 원인 229, 310, 448, 449, 503, 504, 611, 613
경제 공황과 혁명 53, 218, 229, 304, 313, 314, 466, 467, 779, 780
경제 공황과 과잉 생산 448, 449, 503, 504, 611
경제 공황과 투기 448, 449
농업 공황 460
화폐 공황 451~454, 505~507
무역 위기 452, 453, 599, 611
→ 산업 주기
과학적 사회주의/공산주의Sozialismus/Kommunismus, wissenschaftlicher
과학적 사회주의/공산주의의 본질과 목표 192, 354, 446, 616
과학적 사회주의/공산주의의 사회경제적 전제 616
교대제Relay system 228, 312
교양과 교육Bildung und Erziehung
교양과 교육의 계급적 성격 201, 202, 618, 619, 634
자본주의에서 교양과 교육 618
사회주의/공산주의에서 교양과 교육 618, 619, 621
교양과 교육의 생산적 노동과의 결합 621
교통수단Kommunikationsmittel
자본주의에서 교통수단의 발전 607, 610, 611, 613

교통수단이 노동운동에 끼친 영향 613
→증기선 운항. 철도. 항해
교환가치Tauschwert 506, 507
교황Papsttum 373, 469, 470
교회Kirche 311, 469, 470
→성직자. 가톨릭. 교황. 독일의 종교개혁
구빈원(영국)Workhouse (in Großbritannien) 133, 247, 305, 599, 632
국가Staat
부르주아 국가 139, 250, 272, 296, 297, 609, 636
국가의 폐지 297, 330
→프롤레타리아트 독재. 공화국. 헌법
국가 부채Staatsschuld 263
프랑스 국가 부채 29, 120, 121, 130, 145, 162, 181~183, 245
영국 국가 부채 206, 229, 652~654
오스트리아 국가 부채 206, 229, 652~654
국가 형태Staatsform 179, 180
국민의회(1848/49년 프랑크푸르트)Nationalversammlung (in Frankfurt/Main 1848/49) 202~204, 212
국민의회 분파들 22, 38
제국 지배자 선거 202
슈투트가르트 잔여의회 22, 38, 204, 330
군사독재Militärdesporismus 22, 30, 31, 174, 235
군제Militärwesen
군제의 생산력과 사회 발전의 수준에 대한 의존성 370, 371, 518~523, 525
인구수와 군사력의 관계 512, 515, 521~524
나폴레옹 1세에 의한 군제의 발전 517, 519, 520, 523, 525
전쟁에서 철도와 전신의 역할 523, 534
소규모 전쟁에서의 군제 79, 519
프롤레타리아트 혁명을 통한 군제의 변화 522~534
귀족Adel 202
독일 귀족 369~371, 406~409, 440
영국 귀족 227, 307, 308, 311, 407, 469, 595, 596, 634, 635, 639
폴란드 귀족 408
프랑스 귀족 27
프로이센 귀족 32, 447
→제후

귀족민주주의Adeldemokratie 407
금과 은Gold und Silber 452, 453, 465, 505, 506, 509, 650, 651, 778
금욕주의Asketismus 394
금융귀족Finanzaristokratie 39
프랑스 금융귀족 120~123, 127, 128, 130, 163, 182, 239, 240, 242, 243, 245, 309, 315, 465, 778
영국 금융귀족 206, 218, 309, 469, 595, 596
→ 프랑스 제2공화정
기계Maschine, Maschinerie
기계의 자본주의적 적용, 그 한계와 결과 612
자본을 통한 임노동의 착취를 강화하기 수단으로서 기계 305, 612, 613
기독교Christentum 200, 620, 622
기사Ritter → 귀족

| ㄴ |

내전(계급투쟁의 형태로서)Bürgerkrieg (als Form des Klassenkampfes) 138
노동Arbeit
자본주의 노동 126, 612, 617, 648
노동 가격 612, 617, 633, 634
사회주의/공산주의 노동 617, 618
→ 여성 노동. 자본. 아동 노동. 임노동
노동과 자본의 대립Gegensatz zwischen Arbeit und Kapital 617, 618, 635, 639, 648, 650
노동귀족Arbeiteraristokratie 471, 646
노동시간(노동시간 단축을 둘러싼 투쟁)Arbeitstag (Kampf um die Verkürzung) 306~308, 311~314, 597
→ 공장감독관. 10시간 법
노동운동Arbeiterbewegung 615, 616
노동운동의 발전 단계 613~615, 626, 627
→ 프롤레타리아트 정당
노동의 권리Recht auf Arbeit 147, 242
노동자계급Arbeiterklasse
프롤레타리아트의 혁명적 사명 192, 229, 252, 258, 313, 314, 325, 326, 522, 614, 615

노동자계급의 발전 127, 242, 375, 446, 612~615
자본주의 사회에서 노동자계급의 지위와 처지 596, 597, 602~604, 611~615, 617
노동자계급의 계급의식 형성 228, 229
19세기 노동자계급의 혁명운동에서의 역할 128, 151, 164, 165, 259, 579
노동자계급과 사회 진보를 위한 부르주아지의 투쟁 127, 307, 308, 312, 313, 613, 614, 633, 634, 636~640
노동자계급과 농민층 34, 35, 139, 187, 252, 261, 262, 614
노동자계급과 소시민계급 38, 139, 251, 258~263, 325, 326, 614
→ 착취. 노동자계급과 농민의 연대. 비프롤레타리아트 계층과의 연대. 프롤레타리아트 독재. 계급 대립. 계급투쟁. 농업노동자. 프롤레타리아트 정당. 부르주아 혁명. 프롤레타리아트 혁명
노동자계급과 농민층의 연대Bündnis der Arbeiterklasse mit der Bauernschaft 139, 164, 165, 187, 252
노동자계급과 비프롤레타리아트 계층의 연대Bündnis der Arbeiterklasse mit nicht-proletarischen Schichten 139, 164, 165, 251
노동자계급의 무장Bewaffnung der Arbeiterklasse 260
노동자 단결(계급투쟁의 무기로서)Koalitionen der Arbeiter (als Waffe im Klassenkampf) 613
노동자 우애회Arbeiterverbrüderung 340
《노이에 라이니셰 차이퉁Neue Rheinische Zeitung》 5, 56, 57, 70, 84, 237, 355, 560
《노이에 라이니셰 차이퉁. 정치-경제 평론Neue Rheinische Zeitung. Politisch-ökonomische Revue》 17, 18, 237, 238, 560, 561
농민층Bauernschaft 614, 622, 623
농민층 착취 187, 376, 377
농민층과 노동자계급 34, 35, 139, 164, 165, 187, 252, 261, 262, 614
농업노동자Landarbeiter 256, 257, 261, 262
뇌샤텔(뇌샤텔을 둘러싸고 프로이센과 스위스 사이에서 일어난 갈등)Neuchâtel (Konflikt zwischen Preußen und der Schweiz um N.) 215, 233
누진세Progressivsteuer 147, 191, 263
뉴질랜드Neuseeland 462, 463
니클라스하우젠의 농민운동(1476년)Bauernbewegung von Niklashausen (1476) 393~395

| ㄷ |

대공업Industrie, große
자본주의 발전에서 대공업의 역할 305, 593, 594, 599, 604, 606, 607, 609
대공업과 세계 시장. 국가들 사이의 관계 309, 310, 457, 458, 606, 607, 610
대공업과 노동자계급 613, 615
자본주의 생산방식의 변혁을 위한 물적 토대로서 대공업 458
덴마크Dänemark
1848년 덴마크의 민족운동과 자유주의 운동 362
덴마크 외교 정책 362
덴마크 선박 통행세 361, 362
→ 슐레스비히-홀슈타인
도시귀족Patrizier 373, 374
도시와 농촌(자본주의에서 대립)Stadt und Land (Gegensatz im Kapitalismus) 610
도시와 농촌 대립의 지양 621
독일Deutschland 367
중세 말 경제 발전 368~371
19세기 경제 발전 464
1850년 혁명 부활에 대한 전망 30, 33, 255, 256, 363
1850년 혁명 정당의 무기력 318, 367
독일에서 주도권을 둘러싼 투쟁 22, 30, 447, 481~484
독일에서 연방 공화국의 문제 22, 62, 262, 443, 867
→ 노동자 우애회. 바덴. 독일 농민전쟁. 공산주의자동맹. 독일 소부르주아 민주주의자. 독일 연방. 제후. 고타. 독일 소국가들. 팔츠. 투른 운트 탁시스의 우편 사업 독점권. 프로이센. 프로이센 연방 정책. 독일의 종교개혁. 제국 섭정. 제국헌법. 제국헌법투쟁. 제국 섭정자. 라인프로이센. 사회민주주의 정당
독일 노동운동Arbeiterbewegung in Deutschland → 노동자 우애회. 공산주의자동맹
독일 노동자계급Arbeiterklasse in Deutschland 38, 51~53, 60, 68, 105, 442, 443
독일 농민전쟁(1524/1525년)Bauernkrieg, deutscher (1524/1525)
독일 농민전쟁의 성격과 의미 413, 439, 443
독일 농민전쟁 이전의 독일 계급 구조 369~378
독일의 정치적 분열 369, 370, 378, 406, 441
국가 통일 추구 397, 398, 400, 406~408, 423, 424
슈바벤, 프랑켄, 뷔르템베르크에서의 경과 410~413, 415~430
튀링겐과 헤센에서의 경과 431~435
알자스에서의 경과 435~437

도시와 시민계급의 역할 374, 410, 411, 415~417, 419, 422~424, 427, 428
루터와 농민전쟁의 관계 385, 386
도시 평민 반대파의 역할 375, 376, 381, 382, 415, 428, 429, 431
혁명 조직과 토마스 뮌처의 역할 376, 382, 389~393, 411, 415, 431~435, 437
농민의 요구 조항 410~414
농민전쟁 진압 과정에서 귀족과 제후의 잔인성 411, 422, 424, 426~428, 430, 435, 436
농민전쟁의 패배 원인 410, 421, 422, 441, 442
농민전쟁의 패배 결과 439~441, 726
독일 농민층Bauernschaft in Deutschland 38, 53, 61, 62, 64, 68, 73, 74, 442, 443
→가난한 콘라트. 니클라스하우젠의 농민운동. 독일 농민전쟁. 분트슈
독일 부르주아 철학Philosophie, deutsche burgerliche 331, 332, 335, 624
독일 부르주아지Bourgeoisie in Deutschland 39, 255, 442, 624
독일 소국가들Kleinstaaten, deutsche 22, 447, 482
독일 소부르주아 민주주의자Demokraten, kleinbürgerliche deutsche 256~258
독일 소부르주아 민주주의자와 1848/49년 혁명 22, 49, 50, 67, 68, 74, 75
독일 소부르주아 민주주의자의 노동자에 대한 입장 52, 254, 256~259
독일 소시민계급Kleinbürgertum in Deutschland 37, 38, 201, 202, 442, 443, 625
→독일 소부르주아 민주주의자
독일 연방Deutscher Bund 526
연방의회 21, 481, 482, 484
과도정부 21, 30, 31, 212
독일 연방 규약 22
독일의 종교개혁Reformation in Deutschland 378, 405, 406, 409
부르주아 종교개혁 382~385, 390, 391, 393, 406
인민의 종교개혁 383, 386~391, 406
→독일 농민전쟁
독일 혁명(1848/49년)Revolution, deutsche (1848/49) 366
독일 혁명과 노동자계급 442, 443
독일 혁명과 농민층 442, 443
독일 혁명과 소시민계급 37, 38, 442, 443
독일 혁명과 부르주아지 39, 255, 442
독일 혁명과 민족 문제 22
독일 혁명의 패배 원인 442, 443
→공산주의자동맹. 시민군. 독일 소부르주아 민주주의자. 국민의회.《노이에 라이니셰 차이퉁》. 제국 섭정. 제국 섭정자. 제국헌법. 제국헌법투쟁. 슐레스비히-홀슈

타인

| ㄹ |

라인프로이센Rheinpreußen
라인프로이센의 경제 발전과 계급 구조 41~43
독일 전체 발전에서 라인프로이센의 의미 43
라인프로이센의 진지 48, 49
1848/49년 혁명에서 라인프로이센과 프랑스 319
→ 제국헌법투쟁
러시아Rußland
러시아의 경제 발전 214
러시아 재정 213
러시아 해외 차입금/차관 31, 213, 232, 467
러시아 군대 221, 232, 518~523, 525, 526
러시아 함대 214
러시아 외교 정책과 외교 213, 214, 362
유럽 반동의 아성으로서 제정 러시아 213, 214, 216, 344, 346, 447, 484, 516
1812~14년 신성동맹에서 러시아 516, 517
런던 노동자교육협회Arbeiterbildungsverein in London 444, 489, 491, 578, 582, 984
런던의 독일 정치 망명자Flüchtlinge, deutsche politische in London 341, 343, 344, 553, 554, 570, 574
경찰의 추적 343, 345, 346, 356, 357, 571
→ 사회-민주주의 망명자위원회
룸펜 프롤레타리아트Lumpenproletariat 51, 54, 122, 132, 133, 240, 247, 375, 469, 479, 614, 785
린탈(1849년 린탈 전투)Rinnthal (Gefecht bei R. 1849) 91~93

| ㅁ |

마르크스(전기적 설명)Marx (biographische Angaben)
1849년 프로이센에서 추방 56
1849년 팔츠와 바덴 체류 65~70
1849년 파리 체류와 추방 5, 70

공산주의자동맹 중앙본부 의장 358, 577~580
사회-민주주의 망명자위원회 의장 559, 565, 570, 571, 574, 582
외국에서 프로이센 정부의 추적 347, 348, 356, 357
런던에서 경찰의 추적 343, 345, 346, 349
런던 노동자교육협회 탈퇴 444, 491, 578, 984
매뉴팩처Manufaktur 606
맨체스터 학파Manchester school 225, 226, 631~634, 639
맬서스주의Malthusianismus 152
면직 산업Baumwollindustrie
자본주의 경제에서 면직 산업의 의미 458, 459
영국의 면직 산업 302, 451, 455~457, 459
모반 세력Verschwörertum 280, 281, 283
무르크(1848년 무르크 전투)Murg (Gefecht an der M. 1849) 107~110
무역Handel
봉건제와 자본주의로의 이행기에서 무역 607
독일에서 무역 368, 369
문명Zivilisation 610
문학Literatur
세계 문학의 형성 610
독일 문학 201, 265, 266, 332
영국 문학 265, 266
미합중국/미국Vereinigte Staaten von Amerika
미합중국의 경제 발전 304, 460~464
미합중국의 계급 대립 297, 330
미합중국 무역 460, 461
미합중국 농업 461
미합중국 노예제 459
미합중국 이민 461
미합중국 금융제도, 신용제도 460, 461
미합중국 캘리포니아 금광 발견 218, 219, 461, 462
민족Nation, 민족 문제nationale Frage
민족의 형성. 민족국가의 형성 600, 611
자본주의에서 민족들의 관계 361, 362, 610, 611, 619
노동자계급의 민족 및 민족 문제에 대한 입장 619
민족적인 것과 국제적인 것의 관계 615, 616, 619
민족과 프롤레타리아트 혁명 140, 619

사회주의에서 민족 619
→ 오스트리아. 프롤레타리아트 정당. 독일 혁명
민주주의Demokratie
부르주아 민주주의 148
프롤레타리아트 민주주의 620
→ 자유

| ㅂ |

바덴Baden
바덴의 경제 발전과 계급 구조 56, 57, 61, 117
→ 바덴 임시정부. 제국헌법투쟁
바덴 임시정부(1849년)Provisorisch Regierung in Baden (1849) 61, 68
바덴 임시정부(1849년)의 제헌의회 68, 69
바덴 임시정부(1849년)의 집행위원회 61
바덴 임시정부(1849년)의 영방위원회 56, 60, 61
바크호이젤(1849년 바크호이젤 전투)Waghäusel (Gefecht bei W. 1849) 68, 103
방적기(도입의 의미)Spinnmaschine (Bedeutung ihrer Einfuhrung) 595
범신론Pantheismus 388
벨기에Belien
혁명운동의 탄압(1848/49년) 361
보나파르트주의(1848~50년)Bonapartismus (1848-1850) 152, 157, 158, 164, 177, 178, 189, 215, 365, 366, 476~481, 547, 548, 783~787
보통선거권Wahlrecht, allgemeine 135, 148, 194, 229, 248, 313, 635
보호관세Schutzzoll
프랑스 보호관세 127, 182, 190
영국 보호관세 206, 310, 467
→ 곡물법
보호무역 제도Prohibitivsystem → 보호관세
볼테르주의자Voltairianer 152, 189
봉건적 사회주의Sozialismus, feudaler 331, 621, 622
봉건제Feudalismus
봉건제의 계급과 계급 구조 369~377, 606, 609, 615, 630
봉건제 몰락과 자본주의 생산방식으로의 이행 261, 606, 611
봉건제 붕괴에서 부르주아지의 역할 609

→ 귀족. 착취. 독일 농민전쟁. 제후. 성직자
부르봉 왕가Bourbonen 24, 352
부르주아 사회Gesellschaft, bürgerliche 139, 330, 331, 508, 606, 607, 609, 631, 637
→ 자본주의
부르주아 사회주의Sozialismus, bürgerlicher 191, 216, 295, 300, 331, 465, 466, 625, 626, 778, 779
부르주아 조세제도Steuerwesen, burgerliches 120, 181, 187, 292, 643, 644
부르주아 조세제도의 개혁과 사회 발전 263, 294, 295, 297, 298, 652~654
→ 입시세. 누진세. 포도주세
부르주아지Bourgeoisie 273~275
부르주아지의 형성과 발전 127, 242, 606, 609, 611
부르주아지의 역사적 역할 607, 609~611, 630, 631
시대에 뒤떨어진 계급으로서 부르주아지 615
봉건 반동에 대항하는 부르주아지의 투쟁 313, 614, 621, 622
분파로의 분열과 분파 상호 간의 투쟁 39, 163, 164, 309, 614, 636
혁명운동에서 부르주아지와 다른 계급과의 관계 135~137, 139, 182
대륙의 부르주아지와 파리 6월 봉기의 패배(1848년) 140
→ 산업 부르주아지. 계급 대립. 부르주아지의 계급 지배. 계급투쟁. 중간계급
부르주아지의 계급 지배Klassenherschaft der Bourgeoisie 127, 164, 196, 242, 271, 330, 331, 546, 612, 615
부르주아 혁명Revolution, bürgerliche
부르주아 혁명에서 프롤레타리아트의 역할 134, 136, 137, 248, 259~263
분업Arbeitsteilung 371
자본주의 분업 612, 613
작업장 내 분업 606
분트슈(15세기 말/16세기 초)Bundschuh (Ende 15./Anfang 16. Jh.)
분트슈의 목표 396~398, 400
알자스 분트슈 396, 397
바덴 분트슈 397, 398
라인 강 상류 분트슈 398~400, 405
블랑키주의Blanquismus 277, 278, 281, 284, 289, 341, 1027
→ 계절사. 신계절사
빈민법(1834년 영국)Armengesetz (in Großbritannien 1834) 274, 309, 632
→ 구빈원
빈 회의(1814/1815년)Wiener Kongreß (1814/1815) 362

사회-민주주의 망명자위원회Sozial-demokratische Flüchtlingskomitee 322~324, 328, 588, 559, 554, 565, 567, 570, 571, 574
사회-민주주의 망명자위원회 내 소부르주아 민주주의자들의 분열 시도 322~324, 558, 567, 570
사회-민주주의 망명자위원회 해체 582
사회-민주주의 정당(1849/1850년)Sozial-demokratische Partei (1849/1850)
독일 사회-민주주의 정당 12, 14, 258
프랑스 사회-민주주의 정당 29, 163, 165, 166, 190, 192, 236, 325, 326, 475, 782
사회적 빈곤Pauperismus 603, 615, 632
사회적 의식Bewußtsein, gesellschaftliches
사회적 존재의 반영으로서 사회적 의식 618~620
사회적 의식의 형태 619, 620
사회적, 정치적 개혁Reformen, soziale und politische 312, 313, 625, 626, 632, 633, 637
사회주의/공산주의(사회구성체로서)Sozialismus/Kommunismus (als Gesellschafts-formation)
사회주의/공산주의의 일반적 특징 617, 618, 621, 631
사회주의/공산주의로의 이행 조치의 필연성 620, 621
인간의 인간에 대한 착취 폐지 618
농업 구조 변화의 필연성과 방법 621
인간과 인간 능력의 다면적이고 자유로운 발전 621
사회주의/공산주의의 교양과 교육 618, 619, 621
민족 문제의 해결. 사회주의 나라들의 관계 619
→프롤레타리아트 독재. 프롤레타리아트 혁명. 생산력
사회주의/공산주의적 생산관계Produktionsverhaltnisse, sozialistisch/kommunistische 618
산악당(1848~50년)Montagne (1848-1850) 141, 150, 151, 157~160, 162, 165~167, 169~173, 194, 285, 350, 472~475, 780~782
산업 박람회(1851년 런던)Industrieaustellung (in London 1851) 457, 458
산업 부르주아지Industrielle Bourgeoisie
프랑스 산업 부르주아지 120, 127, 163, 173, 181, 182, 190, 239, 242
영국 산업 부르주아지 182, 218, 308~313, 467, 596, 634
→중간계급
산업 주기Industrieller Zyklus 459, 611
산업혁명(영국)Industrielle Revolution (in Grosbritannien) 308

삼제연맹Dreikönigsbündnis
→프로이센 연방 정책
상품Ware 504~506
상호부조회(영국)Friendly societies (Großbritannien) 632
생산도구Produktionsinstrumente 609, 610
생산력Produktivkräfte
생산력의 요소 610
봉건제의 생산력 611
생산력과 생산관계의 변증법 219
자본주의에서 생산력의 모순적 발전 217, 310, 458, 611
자본주의에서 생산력의 파괴와 전멸 611
사회주의/공산주의에서 생산력 620
생산비Produktionskosten 310
생산수단(자본주의에서 생산수단의 집적과 집중)Produktionsmittel (ihre Konzentration und Zentralisation im Kapitalismus) 610
성 밖 시민Pfahlbürger 373, 606
성직자/성직자계급(중세 독일)Geistlichkeit (deutsche im Mittelalter) 371~373, 440
세계 시장(형성)Weltmarkt (Entstehung) 606, 609, 610
소부르주아 사회주의Sozialismus, kleinbürgerlicher 191, 325, 326, 331, 622, 623
소부르주아 혁명주의Revolutionarismus, kleinbürgerlicher 13, 14
소부르주아지(영국)Shopocracy (in Großbritannien) 622, 639, 643
소시민계급Kleinbürgertum
봉건제와 자본주의로의 이행기에서 소시민계급 615, 625
자본주의에서 소시민계급의 처지 599~602, 613, 614, 623
소시민계급의 분열적 성격과 부르주아지와 프롤레타리아트 사이에서의 동요 257~259, 614, 622~625
소시민계급과 노동자계급 38, 141, 143, 144, 150, 164, 165, 325, 326, 614
소시민계급과 농민층 261
소시민계급과 부르주아지 141, 191
1848/49년 혁명에서 소시민계급 38, 61~63, 141, 173, 257
소유Eigentum
사회에서 소유의 역할 630
소유의 역사적 성격 616
혁명운동의 근본 문제로서 소유 627, 628
부르주아적 소유 143, 144, 487, 488, 604, 616, 617
생산수단의 사적 소유 폐지 258, 604, 616~618

생산수단의 사회적 소유 147, 314, 617
개인적 노동에 기초한 소(小)소유 617, 618
공동체 소유 257, 262
→ 토지 소유
수공업자 파업Streiks im Handwerk 596~598
슈바벤 동맹(1525년)Schwäbischer Bund(1525) 410, 411, 413, 414, 420~423, 425~427, 430
슐레스비히-홀슈타인Schleswig-Holstein
슐레스비히-홀슈타인 문제의 역사 362, 363
1848/49년 슐레스비히-홀슈타인과 덴마크 전쟁 362, 363
슐레스비히-홀슈타인과 영국의 관계 482
슐레스비히-홀슈타인과 프로이센의 관계 363, 482, 483
슐레스비히-홀슈타인과 러시아의 관계 363, 482
1850년 런던 의정서 482, 483
스위스Schweiz
1514년 스위스 농민 봉기 400, 401
1847년 스위스 통일전쟁 122, 233, 772
스위스 국내 정책 214, 215
스위스 헌법 215, 233
스위스 용병 모집 214, 215
1849/50년 스위스 정치 망명자 214, 232, 233, 361
스위스 대외 정책 215, 361
1850년 유럽 강대국의 스위스 침공 계획 221, 222, 232, 233
→ 뇌샤텔
시민군(1848/49년)Bürgerwehr (1848/49) 52~54, 64, 76, 260
시민층(중세 독일의)Bürgertum (deutsches im Mittelalter) 373~375, 440, 441
→ 도시귀족. 성 밖 시민
시장(새로운 시장의 정복)Markte (Eroberung neuer M.) 311, 460, 611
신계절시Société des nouvelles saisons 276, 281
신비주의(중세의)Mystik (im Mittelalter) 380
신성동맹Heilige Allianz
1850년 프랑스에 대한 국제적 간섭 계획 33, 216, 221, 223, 232, 233, 252, 256
1851/1852년 프랑스에 대한 전쟁 전망 511, 519, 525, 527~534
신성동맹과 혁명운동의 억압 140, 250, 344, 346
→ 러시아
신용Kredit 132, 246

공적 신용 129, 244, 245
사적 신용 129, 130, 244, 245

| ㅇ |

아나키즘Anarchismus 297, 330, 331
아동 노동Kinderarbeit 612, 621
영국의 아동 노동 226, 305, 311, 312
아마 산업(영국)Leinenindustrie (in Grosbritannien) 457
아메리카Amerika
아메리카 발견과 식민지화 606, 607
→ 파나마 운하. 태평양. 미합중국/미국
양모 산업(영국)Wollindustrie (in Großbritannien) 302, 456
엥겔스(전기적 설명)Engels (biographische Angaben)
1849년 라인프로이센 봉기 참여 52, 54
1849년 바덴 체류 65~67
1849년 팔츠 봉기 참여 68, 69, 75, 76, 80, 84
1849년 추적과 체포 70, 82~84
1849년 빌리히 의용군에서의 엥겔스 84~87, 90~116
1849년 제노바에서 런던으로 여행 6~12
공산주의자동맹 중앙본부에서의 엥겔스 358, 577
사회-민주주의 망명자위원회에 협력 559, 565, 570, 571, 574, 582
1850년 런던 경찰의 추적 343, 345, 346, 356, 357
런던 노동자교육협회 탈퇴 444, 491, 984
여성(사회적 지위)Frau (ihre Stellung in der Gesellschaft) 201, 619
여성 노동Frauenarbeit 305, 311, 312, 599, 612
역사적 유물론Materialismus, historischer 200, 270, 271, 578
→ 토대와 상부구조. 사회적 의식. 프롤레타리아트 독재. 이데올로기. 계급. 계급 대립. 계급투쟁
영구/영속 혁명Revolution, permanente 192, 258~263, 354
영국Großbritannien
영국의 군주제와 의회 206~209
영국의 부르주아 사회의 발전 206, 208~210, 227, 228, 307~314, 468~470
영국의 경제 발전 206, 209, 217, 301~303, 449~460, 596, 636, 637
자본주의 세계 경제에서 영국의 역할 310, 466, 779

영국과 유럽의 혁명운동 303, 466, 779
영국 산업 217, 302, 456, 457
영국 농업 298, 299, 460
영국의 재정제도, 화폐제도, 은행제도 301, 302, 449~452, 455, 456
영국의 재정 개혁 310, 311, 313, 467, 633, 634, 636~639
영국의 조세제도 28
영국의 국내 정책 228, 311, 467~469
영국 의회(상원과 하원) 206~208, 227, 467, 468, 635
영국 의회 개혁(1850년 계획) 311, 313, 633~635, 638, 639
영국 교회 311, 469, 470
영국 외교 정책 214, 362, 468~470
영국 해외 무역 217, 303, 450, 455~457, 466, 596
영국과 식민지의 교역 598
→ 외국인 거류자 법. 잉글랜드은행. 면직 산업. 차티스트 운동. 재무재판소. 철도. 공장 입법. 공장감독관. 자유토지보유협회. 자유무역. 산업 박람회. 산업혁명. 협동조합 운동. 곡물법. 1847년 공황. 아마 산업. 중간계급. 전국 개혁 연합. 항해법. 필 당원. 퓨지주의. 개혁 법안. 교대제. 재봉업. 보호관세. 국가 부채. 양모 산업. 10시간 법
영국 노동자계급Arbeiterklasse in Großbritannien 225~230, 305~314, 471, 599, 602~604, 631, 632, 636, 648
→ 구빈법. 10시간 법
영국 대토지 소유자Großgrundbesitzer in Grosbritannien 181, 208, 209, 218, 309, 310, 468, 469, 596
영국 부르주아지Bourgeoisie in Grosbritannien 208, 209, 227, 274, 307~309, 468~470, 635, 636
→ 산업 부르주아지. 중간계급
영국 소시민계급Kleinbürgertum in Großbritannien 639
→ 소부르주아지(영국)Shopocracy
영국의 노동운동Arbeiterbewegung in Grosbritannien → 차티스트 운동
영국 혁명(17세기)Revolution, englische (17. Jh) 206~210
오를레앙파(1848~50년)Orleanisten (1848-1850) 136, 141, 142, 151, 152, 157, 158, 161, 163, 168, 175~181, 190, 215, 235, 249, 351, 352, 366, 477, 782, 784
오스트레일리아Australien 462, 463
오스트리아Österreich 447
오스트리아 농민운동(1513~15년) 404, 405
오스트리아 농민전쟁(1525년) 437, 439

오스트리아 국내 정책 31, 213
오스트리아 민족 문제 213
오스트리아 재정제도, 화폐제도, 은행제도 31, 212, 213
오스트리아 해외 차입금/차관 31, 212, 232
오스트리아 군대 221, 232, 521, 522, 526
오스트리아 외교 정책 160, 161, 213, 481, 482, 484, 772
→국가 부채
외국인 거류자 법(1850년 영국)Alien Bill (in Großbritannien 1850) 343, 344, 346
욺슈타트(1849년 욺슈타트 전투)Ubstadt (Gefecht bei U. 1849) 68, 100~102
유럽Europa
1848/49년 혁명 패배 이후 유럽 상황 448
1850년 유럽 혁명 전망 217, 233, 342
유럽 공화정 연합 362
유럽 민주주의 중앙위원회Zentralausschuß der europäischen Demokratie (Central European Democratic Committee) 338, 484~488, 502
유럽 사회민주주의자 중앙위원회Zentralkomitee der europäischen Sozial-Demokratie 498
유토피아적 사회주의/공산주의Sozialismus/Kommunismus, utopischer 389, 626~628
프랑스의 유토피아적 사회주의/공산주의 191, 192, 284, 351
노동자 공산주의 446
은Silber → 금과 은
음모론자Conspirateurs 281~285
이단(중세)Ketzerei (im Mittelalter) 380
봉건 질서에 대한 부르주아 반대파의 표현으로서 이단 380, 381
봉건 질서에 대한 평민 반대파의 표현으로서 이단 381, 382
이데올로기Ideologie
부르주아 이데올로기와 그 기초 618~620
프롤레타리아트와 사회주의 이데올로기와 그 기초 616, 620
로마 공화국 39, 160~162, 168, 169, 176, 178
오스트리아 군대의 이탈리아 출정 161, 517, 518
이탈리아 혁명(1848/49년)Revolution, italienische (1848/49) 772
인간 개성(역사에서 그 역할)Persönlichkeit (ihre Rolle in der Geschichte) 271
임금Arbeitslohn 310, 603, 612, 613, 617, 638, 639, 648
임노동Lohnarbeit
임노동과 자본 147, 272, 615, 617

임노동의 폐지 147, 616~618
입시세(프랑스)Octroi (in Frankreich) 27, 185
잉글랜드은행Bank of England 206, 451~454, 459, 652

| ㅈ |

자본Kapital
자본의 일반적 특징 617, 618
생산자본 298
자본과 노동 228, 617, 618, 635, 639, 648
자본과 프롤레타리아트 615
자본주의Kapitalismus
자본주의의 일반적 특징, 자본주의의 역사적 역할 609, 610, 631
자본주의 몰락의 필연성. 사회주의/공산주의로 이행의 합법칙성 229, 230, 313, 314, 612
→ 부르주아지. 부르주아 사회. 자본주의 생산방식
자본주의 교환Austausch im kapitalismus
계급관계의 표현으로서 자본주의 교환 507~509
상인(dealer)들 사이의 자본주의 교환 503, 504
상인(dealer)과 소비자 사이의 자본주의 교환 503, 504, 507, 508
자본주의 교환과 세계 시장의 역할 503, 504
→ 세계 시장
자본주의 분배관계Distributionsverhältnisse im Kapitalismus 294, 295
자본주의적 생산관계Produktionsverhaltnisse, kapitalistische 609~612
자본주의적 생산력과 생산관계의 모순과 그 해결 314, 458, 467, 611, 612
자본주의적 생산관계의 폐지 192, 616~618, 626
자본주의적 생산방식Produktionsweise, kapitalistische
자본주의적 생산방식의 본질과 성격 129, 225~227, 229, 244, 611, 612
자본주의적 생산방식의 형성 606, 607
자본주의적 생산방식의 발전 609~611
자본주의적 생산방식의 지양 147, 272
자본 축적Akkumulation des Kapitals 225, 615, 638
자연과학Naturwissenschaft 201
자연 종교Naturreligion 200, 201
자유Freiheit

부르주아적 자유 297, 536, 539, 540, 545, 609, 617
사회주의/공산주의에서 자유 621
자유무역Freihandel
프랑스 자유무역 190
영국 자유무역 182, 225, 227, 309, 467, 648
→ 곡물법. 맨체스터 학파
자유주의Liberalismus 45, 151, 152
→ 고타. 프랑스 부르주아 공화파
자유토지보유협회(영국)Freehold land societies (in Grosbritannien) 634, 646
재무재판소Court of Exchequer 228, 305, 312, 313
재봉업(런던에서의 발전)Schneiderei (Entwicklung in London)
수공업으로서 재봉업 594~604
산업으로서 재봉업 598~604
저당Hypotheken 73, 127, 185~187, 243, 299, 300
전국 개혁 연합(영국)National Reform Association (in Großbritannien) 634
절대주의Absolutismus 207, 407, 615
정통 왕조파Legitimisten 35, 125, 136, 141, 142, 151, 152, 157, 158, 161, 163, 168, 175, 177~180, 189, 190, 215, 235, 241, 248, 249, 351, 352, 366, 477, 478, 622, 782, 784
제국 섭정(1849년 독일)Reichsregentschaft (deutsche 1849) 22, 38, 330
제국 섭정자(1848/49년 독일)Reichsverweser (deutsche 1848/49) 21, 30
제국헌법(1848/49년 독일)Reichsverfassung (deutsche 1848/49) 203, 204
제국헌법에 대한 다양한 계급의 입장 38, 63
제국헌법투쟁(1849년 독일)Reichsverfassungskampagne (deutsche 1849)
제국헌법투쟁의 성격 37, 59, 70, 71
제국헌법투쟁과 노동자계급 38, 51~53, 60, 68, 105
무장투쟁에서 노동자의 역할 105
제국헌법투쟁과 농민층 38, 53, 61, 62, 68, 73, 74
제국헌법투쟁과 소시민계급 37, 38, 50~52, 61~63, 68, 73, 117
제국헌법투쟁과 부르주아지 39, 45, 51
제국헌법투쟁과 프롤레타리아트 정당 52, 69, 70, 105, 106
제국헌법투쟁의 성공 가능성 39, 43, 48, 49, 56~58, 66, 67
제국헌법투쟁의 군사적 지도와 조직 3, 4, 54, 56, 58, 59, 64, 65, 76~78, 80, 82, 87, 88 99, 111, 112, 118
드레스덴 봉기 40, 41
라인프로이센 투쟁 43~55
팔츠 봉기 64, 69~94

바덴 봉기 57~69 95~116
국민방위군과 의용대 3, 4, 85, 86, 113
빌리히 의용군 3, 4, 79, 80, 85, 86 90~116
라인헤센 부대 76, 77, 79, 83, 84, 103, 104
혁명으로 이행한 정규군의 역할 57, 66, 77
프로이센 군대의 역할 54, 55, 88~90, 94
반혁명 군대의 만행 69, 88, 89, 118
제국헌법투쟁의 패배 원인 56, 69, 116~118
제국헌법투쟁의 결과 117, 118
제국헌법투쟁의 패배 후 과정 57, 118, 318~320
→ 결정적 진보 클럽. 프로이센 예비군. 무르크. 국민의회. 바덴 임시정부. 팔츠 임시정부. 린탈. 욥슈타트. 바크호이젤
제후(중세 독일)Fürsten (deutsche im Mittelalter) 369, 370, 441
종교Religion 199, 200, 620
→ 기독교
중간계급Middle class 225, 241, 535, 546, 547
중국China 219, 220, 832
증권거래소Börse
프랑스 증권거래소 28, 29, 121, 130, 181, 183, 242, 244, 245, 286, 315~317, 481
증기선 운항Dampfschiffahrt 218, 462, 464, 614
지대Grundrente 508, 620
지리적 발견Geographische Entdeckungen 368, 606, 607
"진정한" 사회주의Sozialismus, "wahrer" 623~625
질서당(1849/1850년 프랑스)Ordnungspartei (in Frankreich 1849/1850) 163, 164, 168, 173, 174, 179, 181, 182, 187, 189, 190, 192~194, 235, 252, 315~317, 326, 327, 329, 331, 365, 472, 473, 475~481, 780~787

| ㅊ |

차티스트 운동Chartismus
차티스트 운동과 영국 부르주아지 472
차티스트 운동과 10시간 법 306
차티스트 운동과 협동조합 운동 649
차티스트 운동과 토지 문제 471, 472
차티스트 운동의 분파로의 분열 341, 342, 471, 472

1851년 차티스트 대회와 강령 546, 649, 650, 652~654
착취Ausbeutung
봉건적 착취 370~372, 376, 377, 609, 622
자본주의 착취 187, 225, 226, 305, 306, 602, 603, 609, 612, 617
착취 증대 방법 226, 227
→고리대금
철도Eisenbahnen
프랑스 철도 121, 183
영국 철도 301, 449, 450
프로이센 철도 212, 232
→군제
충성동맹(프로이센)Treubund (in Preußen) 343, 347

| ㅋ |

코뮌(중세의)Kommune (im Mittelalter) 606, 609
쿠어헤센 갈등(1850년)Kurhessischer Konflicht (1850) 483, 484

| ㅌ |

태평양(세계 무역 의미)Stiller Ozean (Bedeutung fur den Welthandel) 218, 219, 462
토대와 상부구조Basis und Überbau 192, 200, 629, 630
→사회적 의식. 이데올로기
토리당Tories 227, 306, 307, 468, 469
토지 소유Grundeigentum 185
분할지 471, 472
토지 소유 분할의 결과 185, 186
토지 소유의 집중화 299, 472, 643, 644, 647
소작관계 291
토지 가격 185, 298, 299, 643
국유화 472, 647
→저당
토지의 비옥도Bodenfruchtbarkeit 186
투른 운트 탁시스의 우편제도 독점권Postregal von Thurn und Taxis 30, 31

트리어 대주교와 맞선 귀족의 싸움(1522년)Adelsfehde gegen den Erzbischof von Trier (1522) 408, 409

| ㅍ |

파나마 운하Panamakanal 218, 462, 831
파리 코뮌Kommune von Paris
1789~1794년 파리 코뮌 579
1849년 프롤레타리아트 코뮌 계획 171
팔츠Pfalz
팔츠의 경제 발전과 계급 구조 56, 73
→ 팔츠 임시정부. 제국헌법투쟁
팔츠 임시정부(1849년)Provisorische Regierung in der Pfalz (1849) 69, 72, 73
포도주세(프랑스)Weinsteuer (in Frankreich) 24, 27, 35, 153, 162, 163, 183~185, 188, 215
폴란드(1830년 봉기)Polen (Aufstand 1830) 408
퓨지주의Puseyismus 469, 470
프랑스Frankreich
18세기 프랑스 군주제 24
1814~30년 프랑스 왕정복고 시기 35, 163, 776
1830~48년 프랑스 7월 왕정 119~122, 125, 130, 141, 145, 163, 205, 206, 239, 240, 242, 245
프랑스 경제 발전 182
프랑스 산업 127, 182, 242
프랑스 농업 185~187, 298, 299
프랑스 재정제도, 화폐제도, 은행제도 28, 29, 120, 121, 181
프랑스 조세제도 24, 27, 28, 35, 120, 153, 162, 163, 183~185, 188, 215, 292
프랑스 대외무역 121, 126
프랑스 외교 정책 122
프랑스 군대 520, 521
→ 부르봉 왕가. 프랑스와 영국 전쟁. 군제. 유토피아적 사회주의/공산주의
프랑스 노동자계급Arbeiterklasse in Frankreich 127, 151, 182, 242
→ 프랑스 제2공화정. 프랑스 혁명(1848/49년)
프랑스 농민층Bauernschaft in Frankreich 34, 35, 120, 127, 164, 165, 184~187, 239, 623

→ 프랑스 제2공화정. 프랑스 혁명(1848/49년). 포도주세
프랑스 대토지 소유자Großgrundbesitzer in Frankreich 125, 163, 181, 241
프랑스 부르주아지Bourgeoisie in Frankreich 27, 119, 120, 123, 125, 127, 128, 141, 168, 239, 242, 243
→ 프랑스 제2공화정. 산업 부르주아지. 프랑스 혁명(1848/49년)
프랑스 소시민계급Kleinbürgertum in Frankreich 120, 127, 143~145, 150, 164, 165, 173, 182, 235, 241
→ 프랑스 제2공화정
프랑스와 영국 전쟁(18세기)Kriege zwischen Frankreich und Großbritannien (im 18. Jh.) 206, 207
프랑스은행Banque de France 130, 131, 190, 242, 245, 465, 466, 778, 779
프랑스의 노동운동Arbeiterbewegung in Frankreich 150, 157, 164, 176, 187, 284
→ 블랑키주의. 음모가. 프랑스의 혁명 클럽들. 신계절사. 계절사. 유토피아적 사회주의/공산주의
프랑스의 혁명 클럽들Klubs, revolutionäre in Frankreich 156~159, 170, 172
프랑스 제2공화정Frankreich, Zweite Republik
프랑스 제2공화정의 성격 168
프랑스 제2공화정의 노동자계급 35, 175, 176, 190, 193, 216, 251, 252, 325~327, 329, 350~352, 365, 524, 525, 546, 547
프랑스 제2공화정의 농민층 29, 34, 35, 184, 185, 187, 188, 190, 216, 252, 365, 466, 779
프랑스 제2공화정의 소시민계급(소상인) 190, 193, 194, 216, 251, 252, 325, 326, 350, 472, 473, 780, 781
프랑스 제2공화정의 부르주아지 182, 189, 190, 193, 216, 478, 479, 547, 548
프랑스 제2공화정의 금융귀족 180, 181, 183, 192, 216, 217
프랑스 제2공화정의 경제 발전 464~466, 777~779
프랑스 제2공화정의 조세제도 177, 183, 188, 216
프랑스 제2공화정의 재정제도, 화폐제도, 은행제도 28, 144, 177, 178, 180, 181, 183, 190
프랑스 제2공화정의 재정 개혁 28
프랑스 제2공화정의 외국 무역 160~162, 168, 169, 468
1849/1850년 새로운 혁명적 봉기에 대한 전망 29, 34, 195, 216, 234, 236, 252, 253, 256, 325, 329, 351, 366
프랑스 제2공화정의 입법국민의회 24, 35, 36, 163, 167~171, 173~179, 183, 189, 192~194, 216, 252, 325, 351, 364~366, 472~474, 476~481, 541, 542, 547, 548, 780~787

프랑스 제2공화정의 헌법 개정 177, 352, 478, 547, 784
프랑스 제2공화정의 법률제도 536, 544
프랑스 제2공화정의 대통령/대통령직 35, 149~151, 153, 154, 157, 176~179, 189, 192~194, 215, 216, 235, 236, 252, 315, 351, 364~366, 476~481, 542, 543, 547, 783~787
프랑스 제2공화정의 국민방위군 544
프랑스 제2공화정의 군대 192~194, 252, 325, 327, 350, 479~481, 519, 528, 529, 547, 548, 786, 787
프랑스 제2공화정의 알제리 식민지 전쟁 519
1850년 보통선거권의 폐지 194, 195, 216, 236, 253, 327, 329, 350, 351, 473, 474, 541, 780, 781
프랑스 제2공화정의 부르주아 언론 176, 364, 365, 474, 475, 782
프랑스 제2공화정의 사회-민주주의 언론 326, 350, 364, 473, 474, 781, 782
1850년 언론법 252, 317, 325, 364, 474, 475, 539, 780, 781
프랑스 제2공화정에서 6월 무장봉기자 추방 36, 151, 189, 215, 536
1850년 교육법 35, 188, 189, 215, 540
1850년 선거 집회 금지법 253, 317, 325~327, 539
1850년 교사 단속법 35, 188, 215
1850년 도풀 회람문 35, 188, 215
1850년 4개 대군구로 개편 188, 235
1850년 1월 가르 주 보궐선거 35, 188, 216
1850년 3월 10일 선거 183, 192~194, 234, 251, 252, 289, 301, 315~317, 325, 472, 780
1850년 4월 28일 선거 326, 327, 472, 780
→ 프랑스은행. 보나파르트주의. 신성동맹. 정통 왕조파. 산악당. 질서당. 오를레앙파. 프랑스 부르주아 공화파. 사회-민주주의 정당
프랑스 혁명(1789~94년)Revolution, französiche (1789-1794) 24, 207, 866
1792~94년 프랑스 혁명전쟁 511, 512, 515, 516
프랑스 군대의 대중 전술 515, 516
프랑스 혁명에서 농민의 역할 35, 131, 246
프랑스 혁명의 반동적 봉기 515
프랑스 혁명의 결과 519, 616
프랑스 혁명이 독일에 끼친 영향 41, 42
프랑스 혁명(1830년)Revolution, französiche (1830) 24, 119, 241, 309, 621
프랑스 혁명(1848/49년)Revolution, französiche (1848/49)
프랑스 혁명(1848/49년)의 원인과 동기 120~123, 238~241

2월 혁명의 성격과 의미 123~129, 136, 138, 140, 175, 241~244, 249, 279
2월 혁명의 경과 123~125
프랑스 혁명(1848/49년)과 노동자계급 123~129, 131~140, 147~150, 163~166, 170, 171, 173, 241~243, 246~250, 279
프랑스 혁명(1848/49년)과 농민층 125, 131, 132, 135, 145, 148, 149, 153, 164~167, 241~243, 246, 248
프랑스 혁명(1848/49년)과 소시민계급 123, 124, 130, 134, 135, 141, 143~145, 147, 148, 150, 164~168, 170, 173, 241~243, 245, 248
프랑스 혁명(1848/49년)과 부르주아지 123~126, 128, 130, 133~141, 144, 173, 241, 242, 245, 247~250, 279
프랑스 혁명(1848/49년)과 군대 123, 132, 135, 137, 138, 145, 150, 166, 170, 246, 248
프랑스 혁명(1848/49년)과 임시정부 24, 34, 123~126, 128~136, 241, 244~247, 284, 432
프랑스 혁명(1848/49년) 임시정부의 재정 정책 129~132, 143, 244~246
프랑스 혁명(1848/49년)의 뤽상부르 위원회 125, 126, 128, 129, 133, 134, 242, 247, 248
프랑스 혁명(1848/49년)의 국립 작업장 133, 134, 137, 156, 247, 248
프랑스 혁명(1848/49년)의 제헌국민의회 24, 27, 135~137, 141~163, 165, 169, 170, 183, 184, 248, 249
프랑스 혁명(1848/49년) 집행위원회 136~138, 141, 156, 249
1848년 6월 19일 헌법 초안 147, 535
1848년 11월 4일 헌법 146~148, 154, 159, 168, 169, 172, 236, 535~546
프랑스 혁명(1848/49년)의 국민방위군 123, 124, 132, 137, 138, 156, 170~172, 174
프랑스 혁명(1848/49년)의 기동국민군 132, 133, 137, 138, 145, 150, 156, 158, 241, 247
1848년 5월 15일 137, 142, 143, 157, 353
1848년 파리 6월 봉기와 그 결과 137~142, 145, 198, 249, 250
화해 협약concordats à l'amiable 144, 147, 165
1849년 5월 13일 선거 163, 164, 166, 167
1849년 6월 13일 69, 153, 160, 167~174, 176
프랑스 혁명(1848/49년)의 결과 119, 128~130, 136, 245, 249
유럽 혁명운동의 발전에서 프랑스 역할 140, 168, 250
프랑스 부르주아 공화파(1848~1850년)Republikaner, burgerliche in Frankreich (1848~1850) 123, 124, 128, 136, 141~145, 147~150, 154, 156~160, 163, 166, 167, 171, 180, 193, 241, 248, 350, 366

프로이센Preußen
1815~48년 3월 혁명 이전까지의 프로이센 330, 331
1840~47년 프로이센의 입헌운동 43, 331, 332
1847년 영방의회 212
1848년 제헌의회 32, 256
프로이센 국내 정책 32, 211, 212, 481, 482
1850년 프로이센 헌법 32, 211, 220, 231, 447
세 등급 선거권 32
1850년 상원과 하원 32, 33, 211, 212, 220, 232
프로이센 법률제도 32
1850년 언론 자유를 억압하기 위한 법률 231, 232, 344
1850년 집회와 결사의 자유를 억압하기 위한 법률 232
1849/1850년 정치 과정 23, 33, 212, 318
프로이센의 재정제도, 화폐제도, 은행제도 212, 220, 221
프로이센 군대 220, 221, 232, 521, 522, 526
프로이센 외교 정책 221
독일 반동의 보루로서 프로이센 482
프로이센의 외국에 있는 혁명가들의 추적 343~349, 356, 357
→ 프로이센의 프리드리히 빌헬름 4세 시해 기도. 프로이센 예비군. 뇌샤텔. 제국헌법투쟁. 라인프로이센. 충성동맹
프로이센 부르주아지Bourgeoisie in Preußen 32, 212, 220, 331, 332, 447, 624
프로이센 연방 정책Preußische Unionpolitik 212, 481, 482
→ 쿠어헤센 갈등
프로이센 예비군Landwehr, preußische 521
제국헌법투쟁에서 프로이센 예비군 43, 45, 52, 90
프로이센의 프리드리히 빌헬름 4세 시해 기도(1850년)Attentat auf Friedrich Wilhelm IV. von Preusen (1850) 343, 344, 346, 347, 349
프롤레타리아트Proletariat → 노동자계급
프롤레타리아트 독재(노동자계급의 정치적 지배, 프롤레타리아트의 정치적 지배, 노동자의 정치권력, 노동자계급의 독재, 프롤레타리아트 계급의 정치적 · 사회적 우세)Diktatur des Proletariats (politische Herrschaft der Arbeiterklasse, political dominion of the proletarians, political power of the working-men, dictatorship of the working class, political and social ascendancy of the proletarian class) 33, 139, 192, 230, 249, 259, 313, 522, 616
프롤레타리아트 독재의 본질과 과제 308, 314, 354, 615, 620, 621, 644, 650
프롤레타리아트 독재와 농민층 187
프롤레타리아트 정당Partei, proletarische 338

프롤레타리아트 정당의 필연성 258, 259, 261, 263, 640
프롤레타리아트 정당의 과제와 목표 616, 627, 628
프롤레타리아트 정당의 의식화와 조직화 616
프롤레타리아트 정당과 계급 613, 616
프롤레타리아트 정당의 국제적 성격 578, 616
프롤레타리아트 정당의 소부르주아-민주주의 정당에 대한 입장 257~260
→ 공산주의자동맹
프롤레타리아트 혁명Revolution, proletarische 129, 227, 244, 258, 263
프롤레타리아트 혁명의 전제 127, 128, 446, 466, 467, 522, 523, 578, 779, 780
자본주의 위기에서 벗어날 유일한 출구로서 프롤레타리아트 혁명 229, 230, 313, 314
프롤레타리아트 혁명으로의 이행 조치 620, 621
프롤레타리아트 혁명과 이전 혁명의 차이 614, 615
프롤레타리아트 혁명과 민족의 독립 140, 250
프롤레타리아트 혁명의 국제적 성격 140, 182, 258, 578
→ 프롤레타리아트 독재. 영구/영속 혁명
필당원Peeliten 308, 468

| ㅎ |

항해Schiffahrt 606, 609
항해법(영국)Navigationsgesetze (in Großbritannien) 310
헌법Verfassung 146, 147, 545, 546
권력 분립 148, 153, 154, 540
헝가리 농민전쟁(1514년)Bauernkrieg in Ungarn (1514) 403, 404
헝가리 혁명(1848/49년)Revolution, ungarische (1848/49) 39, 69
혁명Revolution 279, 283
역사의 기관차로서 혁명 187
혁명의 집중화Revolutionäre Zentralisation 336~338
혁명적 공산주의자 세계 협회Société universelle des communistes révoluionnaires 568, 1081
협동조합 운동(영국)Kooperativbewegung (in Grosbritannien)
협동조합 운동의 목표와 성격 641~643, 645~649
협동조합 운동의 목표 실현 가능성 642~647
생산협동조합 644

협동조합 상회 644, 645
정부 저장고 651, 652
호황Prosperität
1843~45년 호황 448, 449
1848~50년 호황 455, 456, 464~467, 777~780
호황과 투기 448
호황이 정치 발전에 끼친 영향 466, 467, 779, 780
화약Schießpulver 966
화폐/돈Geld
화폐가치 650, 651
자본주의 사회에서 화폐 504~506, 650, 651
계급관계의 표현으로서 화폐 507~510
부의 대표자로서 화폐/돈 645, 650, 651
화폐유통 452, 504~507, 651, 652
화폐와 신용 505~507
지폐와 금속 화폐 505~507, 742
화폐의 폐지 651, 652
노동전표 651, 652
→금과 은
휘그당Whigs 308, 467